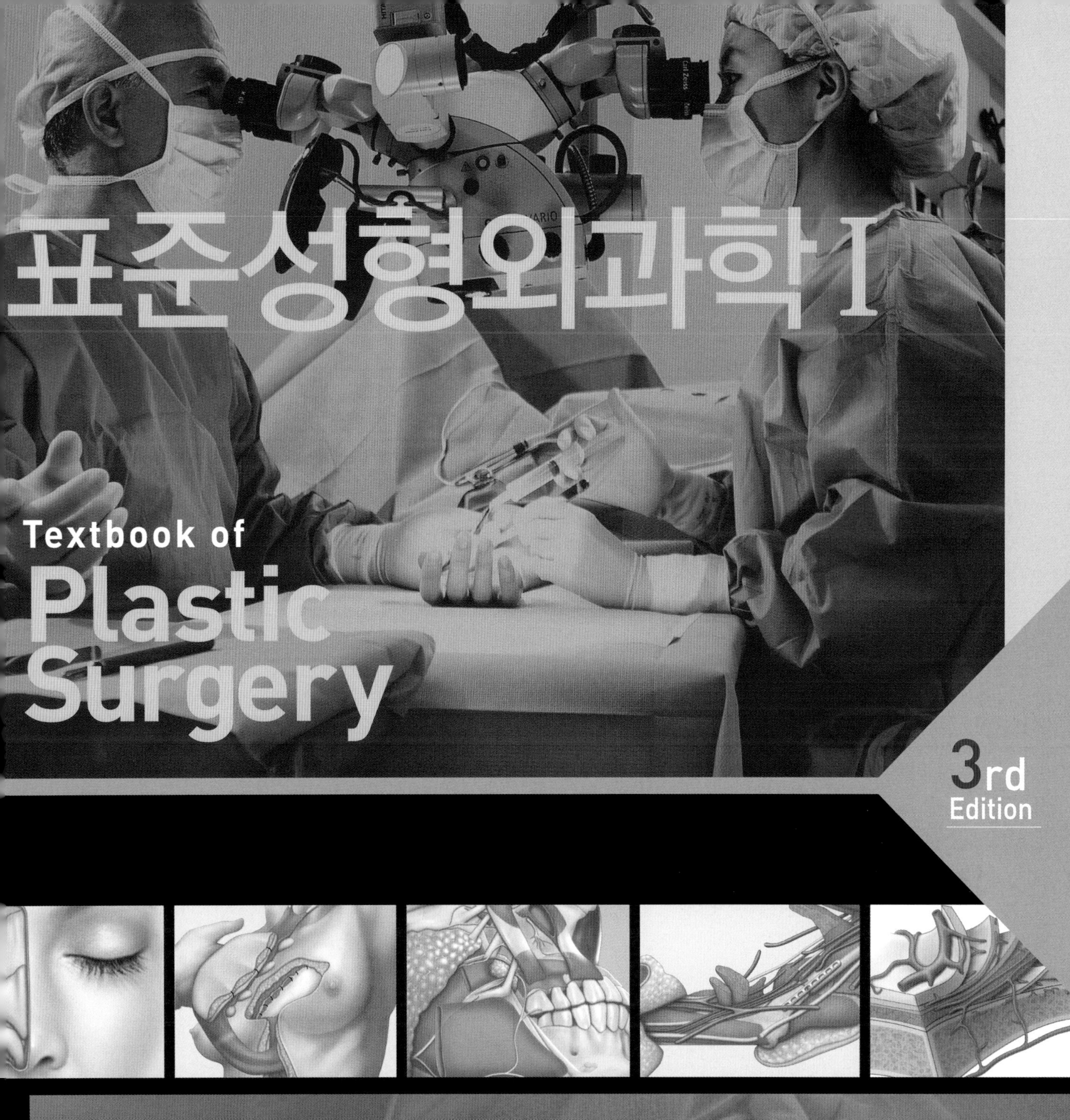

표준성형외과학 I

Textbook of Plastic Surgery

3rd Edition

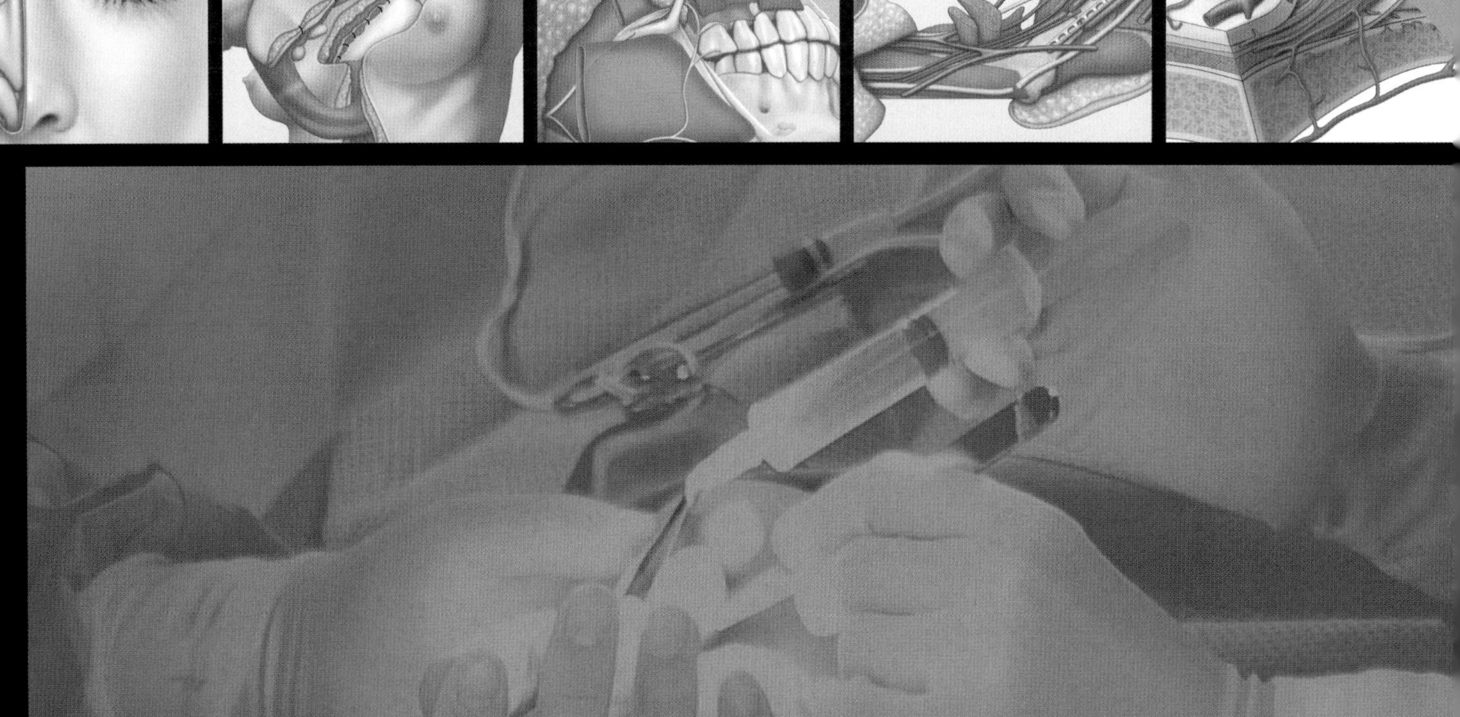

표준성형외과학 (3rd Edition)

첫째판 1 쇄 발행 | 1999 년 3 월 21 일
정정판 1 쇄 발행 | 2000 년 3 월 13 일
둘째판 1 쇄 발행 | 2009 년 3 월 14 일
셋째판 1 쇄 인쇄 | 2019 년 4 월 15 일
셋째판 1 쇄 발행 | 2019 년 5 월 1 일

지 은 이 대한성형외과학회
발 행 인 장주연
출 판 기 획 이성재
책 임 편 집 박미애
편집디자인 서영국
표지디자인 김재욱
일 러 스 트 김경열
발 행 처 군자출판사
등록 제 4-139 호 (1991. 6. 24)
본사 (10881) **파주출판단지** 경기도 파주시 회동길 338(서패동 474-1)
전화 (031) 943-1888 팩스 (031) 955-9545
홈페이지 | www.koonja.co.kr

* 파본은 교환하여 드립니다.
* 검인은 저자와의 합의하에 생략합니다.

ISBN 979-11-5955-443-8
979-11-5955-442-1(Set)

정가 50,000 원

서 문

지난 2015년 말 당시 조병채 이사장과 이사회의 요청으로 성형외과학 교과서 편찬을 의뢰받고 새로운 교과서 편찬 작업에 착수하였다. 그동안 대한성형외과학회의 이름으로 만들어진 성형외과학 교과서는 모두 세 권이었다. 1994년 76명의 교수가 집필한 '성형외과학'이 첫 번째이고 1999년 48명의 교수가 집필한 '표준성형외과학'에 이어 10년 후인 2009년에 56명의 집필진이 참여한 '표준성형외과학 제2판'이 세 번째 발간된 교과서이다.

그 이후 이번에 발간된 교과서가 의도한 것은 아니지만 꼭 10년만에 나오게 되었다. 이 기간은 지속적으로 발전하는 의학의 특성을 생각할 때 최신 지견을 반영하는 새 교과서에 대한 절실한 바람이 실현되는 기간이기도 하다.

교과서를 만들기 위해 먼저 14명의 편찬관리위원을 구성하여 3차례의 예비회의와 14번의 정기회의, 그리고 그 사이사이에 많은 의견 교환을 나누면서 78명의 집필진이 동원되는 새로운 교과서를 만들게 되었다. 3년이 넘는 기간 동안 몇 명의 편찬관리위원의 변경, 여러 명의 집필진 교체 등 우여곡절을 겪기도 했다. 여러 집필진이 참여하는 만큼 논의를 거쳐 이번교과서에서는 chapter 저자의 실명제를 도입하여 신뢰를 높이도록 하였고 몇몇의 경우에서만 제한적으로 공동저자를 허용하였다.

이 책은 성형외과학의 최신 지견을 일목요연하게 정리한 것으로 성형외과학을 처음 접하고자 하는 의과대학생 및 저년차 성형외과학 전공의들뿐만 아니라 보다 심도 있는 공부를 하고자 하는 사람들에게까지 큰 도움을 줄 수 있을 것으로 확신한다.

서 문

이 책에서는 전체의 내용을 6개의 큰 대항목으로 분류하고 70개의 Chapter로 나누어 기술하여 지난 2판과 비교했을 때 내용이 크게 늘어 2권으로 나누어 발행을 하게되었다.

총론부분은 기본적이고도 핵심적인 내용들을 기술하여, 성형외과학의 기본을 다지는 데에 도움이 되도록 하였고, 각 각론과도 밀접하게 연관될 수 있도록 기술하였다. 각 각론 분야 역시 전체 모든 일러스트를 최신의 트렌드를 반영하여, 독자들이 각종 술기와 개념을 직관적으로 이해하는 데 도움을 받을 수 있도록 꾀하였다. 아울러, 내용적 측면에 있어서도 최신의 연구 동향 및 연구 결과 등을 반영하도록 하되, 기본적으로 중요한 내용은 놓치지 않도록 하였으며, 우리가 실제 학교와 병원, 의료현장에서 주로 사용하는 용어를 중심으로 기술하여, 그 핵심을 직관적으로 전달할 수 있도록 심혈을 기울였다. 또한 각 Chapter마다 reference를 추가하여 심화해서 공부하고자 하는 이들에게 도움을 주고자 하였다.

이 책이 나오기까지는 많은 분들의 노고와 희생이 있었다. 바쁜 시간을 쪼개어 집필해주신 78명의 집필진들과 교과서 개정방향에서부터 실무 작업까지 많은 기여를 해주신 편찬관리위원 모두에게 그리고 물심양면 후원해주신 대한성형외과학회 안희창, 박승하 전 회장과 배용찬 현 회장, 조병채, 유대현 전 이사장과 김광석 현 이사장에게 깊은 감사의 뜻을 표한다. 또한 이 책이 나오기까지 큰 도움을 주신 군자출판사의 장주연 사장님과 출판기획부 이성재님, 편집부 박미애님, 디자인부 서영국, 김재욱님과 일러스트 김경열님을 비롯한 모든 직원들의 헌신적인 노력에 감사드린다.

아울러 원고 수정에 많은 노력을 아끼지 않은 박호진, 이윤환 선생에게도 감사의 마음을 표하며 마지막으로 이 책이 만들어지기까지 처음부터 끝까지 모든 회의를 준비하고 책이 발간될 수 있도록 기여를 한 남궁식 교수에게도 감사의 마음을 전한다.

부디 '표준성형외과학' 제3판이 의과대학생과 전공의 및 성형외과에 관심을 가지는 모든 사람들에게 유용한 지침서로 거듭나고, 이를 통해 우리 학회의 위상이 더욱 높아지는 계기가 되기를 간절히 바란다.

2019년 5월

대한성형외과학회 교과서편찬관리위원장 **김 우 경**

편찬관리위원회

집필진

강상규 순천향의대
강상윤 경희의대
고경석 울산의대
고성훈 한림의대
권성택 서울의대
기세휘 인하의대
김광석 전남의대
김덕우 고려의대
김병준 서울의대
김석권 동아의대
김석화 서울의대
김영석 연세의대
김용배 순천향의대
김용하 영남의대
김우경 고려의대
김우섭 중앙의대

김준식 경상의대
김준혁 순천향의대
김진수 광명성애병원
김태곤 영남의대
김한구 중앙의대
나영천 원광의대
남수봉 부산의대
노시영 광명성애병원
노태석 연세의대
동은상 고려의대
문구현 성균관의대
박대환 대구가톨릭의대
박동하 아주의대
박명철 아주의대
박승하 고려의대
박은수 순천향의대
배용찬 부산의대
백롱민 서울의대
범진식 경희의대
변재경 성균관의대
서현석 울산의대
손대구 계명의대
신동혁 건국의대
안상태 가톨릭의대
안희창 한양의대
양정덕 경북의대
어수락 동국의대
엄진섭 울산의대
오갑성 성균관의대
오득영 가톨릭의대
오태석 울산의대
우상현 W병원
유대현 연세의대
윤을식 고려의대
은석찬 서울의대
이내호 전북의대
이동철 광명성애병원
이삼용 전남의대
이원재 연세의대
이종욱 한림의대
이종원 가톨릭의대
이준호 영남의대
이혜경 을지의대
임소영 성균관의대
장 학 서울의대
전영준 가톨릭의대
정성노 가톨릭의대
정성호 고려의대
정윤규 연세의대
정호윤 경북의대
조병채 경북의대
최강영 경북의대
최종우 울산의대
탁민성 순천향의대
하태현 서울의대 정신건강의학과
한기환 계명의대
한승규 고려의대
허찬영 서울의대
홍종원 연세의대
홍준표 울산의대
황소민 K 성형외과병원
황종익 두손병원

목 차

제 1 권

I. 총론

II. 두경부

제 2 권

III. 피부 및 연부조직

IV. 수부 및 사지

목 차

I

총론

1 성형외과의 발전사
A History of Plastic Surgery

김용배 순천향의대

1. 성형외과의 역사적 정의

1597년, 성형외과의 창시자로 여겨지는 Bolognese Gaspare Tagliacozzi (1545-1597)는 성형외과는 선천적으로나 사고로 인해 손상된 신체부분들을 비록 눈으로 보기에 멋지게까지는 못해도 이로 인해 고통 받는 사람들에게 살아갈 용기를 줄 만큼은 복원하는 것이라 하였다. 즉, 성형외과란 선천적 기형이나 후천적 변형으로 손상된 외모와 기능을 개선하고자 하는 외과학의 한 분야라 할 수 있다.

'Plastic'이라는 단어는 그리스어 plasticos에서 기원하였고 "형태를 만든다"는 뜻을 가지고 있다.

▷그림 1-1-1. 인도에서 시행된 이마피판을 이용한 코의 재건술(BL. Letter to the editor. Gentleman's Magazine. 1794;64:891-892.)

2. 성형외과의 기원

1) 고대사

성형외과의 기원은 상처의 치유와 관련이 있다. 상처의 관리는 수백만 년 전부터 이루어졌던 것으로, 원시 인류에게도 외상에 의한 출혈이나 감염, 통증의 치료는 필요했을 것이며 결손을 수복하려는 노력이 있었을 것이다. 인간이 자신의 겉모습과 기능을 회복하려는 욕구에 부응하기 위한 성형외과의 치료법은 세상에서 가장 오래된 의술 중 하나였음이 틀림없다. 그러나 출혈이 있는 상태에서 마취나 적절한 도구 없이 외상을 치유하는 것은 어려웠을 것이며 고대인류들이 상처를 봉합했다는 기록은 없으나 고대 힌두 의학에 대한 보고에는 상처주위의 섬유나 건이나 곤충의 턱을 이용하여 고정하였을 것이라는 기록이 있다.

가장 오래된 고대 이집트의 파피루스 기록에는 상처, 골절, 탈구, 욕창 및 종양 등에 대한 48가지의 외과적 예를 설명하고 그 치료방법을 기록하였으며 인도의 바라문교의 경전인 슈슈루타 삼히타(Sushruta Samhita)에는 기원전 600년 쯤에 이미 눈꺼풀 바깥말림증, 눈썹찔림증, 눈꺼풀 기형과 함께 코의 재건에 대한 기록이 있으며 인도의 일부 종족에서는 간통범, 도둑 또는 전쟁에 진 노예들에 대한 모욕의 표시로 코를 자르는 문화가 있었고 코를 재건하는 기술은 Koomas라는 낮은 계급의 제사장이나 도공의 무리들에 의해 행해졌다(그림 1-1-1). 원시적 성형외과적 의술은 인도의 도공들에 전수되어 점차 동남아시아, 인도네시아, 티베트를 거쳐 중국에 전파되었고 진시황(B.C. 259~210) 때 구순열(cleft lip)을 수술했다는 기록이 있으며 서쪽으로는 페르시아, 그리스, 로마로 전파되었다.

2) 중세기

(1) 르네상스 시대

르네상스 시대의 가장 유명한 외과 의사는 프랑스인 Ambroise Paré (1510~1590)로 cleft lip suture의 첫 이미지를 보여주었다(그림 1-1-2). 인도에서 시작된 코 재건의 방법은 시실리 지역의 Branca 가족에 의하여 재시도되었으며 이를 기반으로 볼로냐 대학(Bologna University)의 Gaspare Tagliacozzi (1545~1597) 교수는 "De Curtorum Chirurgia per Institution"이라는 책에 좀 더 구체적으로 기술하였다. 이는 후세에 Tagliacozzian 또는 Italian 코 재건 방법(그림 1-1-3)으로 불리우게 되고 그는 근대성형외과의 창시자로 간주되었으나 그의 업적은 신에 대항한다는 종교적 반대에 부딪치게 되며 그 이후 성형수술은 17, 18세기에 이르러 침체기에 빠지게 되었다.

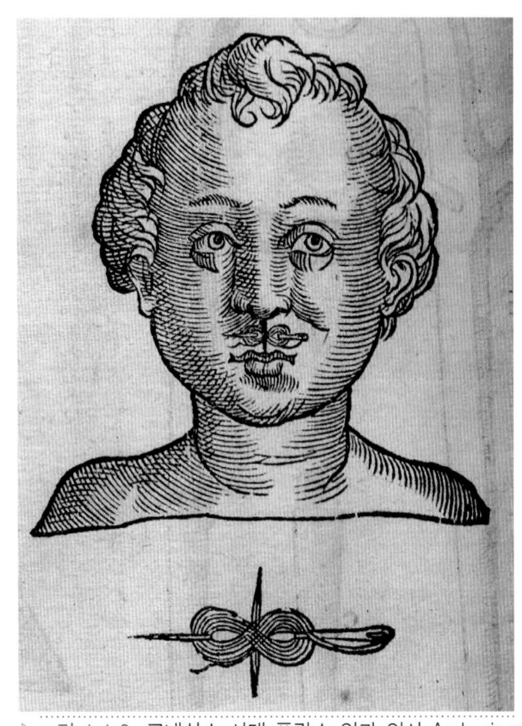

▷그림 1-1-2. 르네상스 시대 프랑스 외과 의사 Ambroise Paré의 구순열 재건(Paré A. Les Oeuvres. Paris: Buon; 1575.)

(2) 성형외과의 재탄생과 19세기

Joseph Constantine Carpue (1764~1846)는 "Gentleman's Magazine"에 실린 '인도에서 절단

▷그림 1-1-3. 근대 성형외과의 창시자 Gaspare Tagliacozzi의 상완부 피판을 이용한 코의 재건술(Tagliacozzi G. De Curtorum Chirurgia per Insitionem. Venice: Bindoni; 1597:43.)

된 코를 이마의 피판으로 재건한다' 기사를 읽고 런던의 St. Bartholomew's Hospital에서 전투 중에 코가 절단된 황제의 군대 장교에게 최초로 현대적 코재건을 시도하여 성공하였다. 나폴레옹 전쟁(1813~1815) 말기 베를린 대학 외과교수 von Gräfe는 1818년에 "Rhinoplasty: the Art of Reconstructing the Nose"라는 책에 이탈리아와 인도의 수술방법을 비교하여 성형외과 발전에 고무적 역할을 하였다. 그 후 코재건수술은 각지에서 술식의 변화를 거듭하다 다른 분야의 여러 가지 성형수술의 발전을 유도하게 되었다. 독일 베를린의 La Charité Hospital에서 외과 과장을 지낸 Johann F. Dieffenbach (1794~1847)는 1829년에 발행된 "Chirurgische Ehrfahrungen (Surgical Experiences)"라는 책에 코 성형술, 안면 복원술, 구순 구개열 교정술에 대해 기술하였다. 그 외에도 유럽의 Delpech, Dupuytren, von Langenbeck 미국의 Pancoast (1805~1882), 헝가리의 Balassa (1814~1868), Sabattini (1810~1864) 등에 의해 더욱 발전되었다.

구개열(cleft plate)을 닫아주고자 하는 첫 번째 시도는 von Gräfe가 하였으나 가장 큰 진전은 von Langenbeck (1810~1887)에 의해 시도된 점막골막피판(mucoperichondrial flap)으로 보다 안정적인 결과를 얻을 수 있었다.

구순열(cleft lip)은 프랑스인 Joseph Malgaigne (1806~1865)와 Germanicus Mirault (1796~1879)에 의해 발전되었다. 입술결손의 재건에 대해 1838년 Pietro Sabattini의 lip switch technique을 보고하였고, Fricke는 눈꺼풀재건에 대해 발표하였다.

19세기 수술의 가장 큰 진보 중 하나는 피부이식 수술이다. 1804년에 Barino는 숫양에서 최초의 자가 피부이식술을 수행하여 선구적 역할을 하였고, 이로부터 60년 후, Jacques Reverdin (1842~1929)은 파리의 Hôpital Necker에서 첫 번째 성공적인 표피이식을 수행하여 상처 치료 관리의 새로운 시대를 열었다. 체계적인 전층 피부이식수술은 1876년 스코틀랜드의 Wolfe가 처음으로 시행하였으며 그 후 Ollier (1872)는 4~8 cm 크기의 표피이식수술을, Thiersch (1874)는 진피의 일부를 포함한 넓은 부분층 피부이식수술을 시행하여 현재에도 그들의 이름을 따라 부분층 피부이식은 "Ollier-Thiersch" 이식, 전층 피부이식은 "Wolfe" 이식이라고 명명한다. 또한 19세기에 외과분야의 마취와 무균조작의 획기적 발달로 성형외과의 발전도 거듭나게 된다.

3) 근대사

지난 1세기를 되돌아보면 현대 산업과 기계문명의 엄청난 발달에 따른 각종 사고로 인한 새로운 형태의 외상(外傷)과, 20세기 전반기에 일어난 두 차례의 세계대전 동안에 발생한 전상자에 대한 수술을 통해서 외과 계통은 장족(長足)의 발전을 거듭하였다. 외과계통 중에서도 성형외과만큼 눈부시게 발전한 분야도 없을 성 싶다. 또한 나라가 부유해지고 국민 생활이 윤택해지면서 경제적으로나 시간적으로 여유가 생기게 된 사람들은 자신의 겉모습에 관심을 기울이게 돼 있다. 특히 여성은 미를 추구하는 본능적 욕구가 매우 커서 수술로써 보다 아름다워질 수 있다면 이를 굳이 외면할 이유가 없기 때문에 자연히 미용성형수술은 날로 발전하게 되었다.

근대적인 하나의 임상 전문 분과로서 유럽과 미국에서 과학적으로 그리고 의학적으로 부상(浮上)하기 시작한 것은 19세기 말과 20세기 초부터였다. 왜냐하면 미국남북전쟁을 비롯하여 두 차례의 세계대전을 치를 때마다 외과 의사들은 수많은 처참한 전상자들을 치료하다 보니 복원(復元)을 목적으로 하는 성형외과 치료방법과 기술이 놀랍게 발전하게 되었다. 전쟁 그 자체는 많은 사람을 희생하는 대단히 불행한 것임에 틀림없지만, 전쟁은 이렇듯 직간접적으로 의학에, 특히 외과분야의 기술적 혁신과 발전에 견인차 역할을 했으며 병원 업무나 간호 업무에도 혁신을 가져다주었다. 그래서 히포크라테스는 "전쟁은 진정 유일무이한 외과학교이다"라고 말했다. 미국남북전쟁을 계기로 뉴욕의 Buck (1876)가 "Contributions to Reparative Surgery"를 출판하였고, 그 이듬해에는 뉴욕주 로체스터의 Roe가 콧구멍을 통해서 코 미용수술(aesthetic rhinoplasty)을 함으로써 훗날 이것을 토대로 베를린의 Joseph (1931)가 근대적인 코 성형술(rhinoplasty)의 창시자가 될 수 있었다.

아직까지의 전쟁 중에서 특히 1차 세계대전(1914-1918)은 성형외과의 재건수술(再建手術 reconstructive surgery) 분야를 새로운 높은 차원으로 끌어올려 놓았다. 대부분의 작전이 참호에서 수행되었기 때문에 그 전에는 의사들이 신무기로 인해 분쇄된 턱뼈, 날아가 버린 코와 입술, 떨어져 나간 머리뼈 등 몹시 심하게 다친 머리와 목부위 손상(head and neck injuries) 환자를 치료해 본 적이 없었다. 이때 영국의 Gillies (1920), 미국의 Blair (1912), Ivy (1918) 등이 머리와 목부위 손상 환자에 대한 혁신적인 재건수술방법을 시행하여 근대적 재건수술의 기반을 다졌다. 그뿐 아니라 이들은 항생제가 없던 시절에 올바른 상처처치법과 세련된 수술 기술에 관하여 선구자적 역할을 했었다. Davis (1919)는 성형외과에만 전념하면서 "Plastic Surgery: Its principles and practice"를 출판하였고 Z성형술(Z-plasty)에 관한 기초를 다졌다. 1938년에 파젯-후드 피부절편기(Padgett-Hood dermatome)가 나옴으로써 성형외과가 획기적으로 발전하게 되었다.

4) 한국 성형외과의 발전사

성형외과학의 발전은 광복 후 서양 의사들이 우리나라에 들어오게 되고 외국문헌도 눈에 익히게 됨에 따라 서서히 시작되게 된다.

1945년 광복을 전후해 성형을 위한 외과적 술기는 보편적이지 않았다. 당시 의료계에 종사했던 의사들에 의하면 성형외과라는 말조차 듣지 못했다고 전한다. 그러나 광복 후 서양 의사들이 우리나라에 들어오게 되고 외국문헌도 눈에 익히게 됨에 따라 설파제나 페니실린 등의 특수약품의 사용과 더불어 새로운 방향의 진료가 전개되기 시작하였다. 해방 후 외국 선교의사들에 의하여 서양의료가 들어오면서 세브란스 병원에서 피부병변에 대한 피부이식이나 피판술을 이용한 재건수술이 최초로 시행되었다.

외과의사 조차도 성형수술이란 말을 들어보지 못하던 차에 국내에서 활동하던 선교 의사들 중 몇몇 외과 의사들이 심하고 고질적인 피부궤양, 피부결손, 또는 화상 후유증인 안면과 수지의 변형 및 구축 등을 가진 환자들에 대해 각별한 관심을 갖고 피부편 이식을 했던 기록을 찾아 볼 수 있다.

1950년 6.25동란으로 전상자 치료에 미국과 유엔군들이 참여하면서 피부의 복원을 이루는 재건술이 시행되었고 특히 이들 중 미국군의관 Dr. Millard와 부산에 있던 스웨덴 적십자 병원선의 Dr. Stenstrom은 각종 재건수술 등의 성형외과 전문진료를 시행하였다. 그러나 위와 같은 유능한 외국 의사들은 우리나라에 잠시 머무르며 각자 나름대로 수술 경험에 열중했을 뿐 우리나라 의학, 특히 외과 내지 성형외과 분야에 실질적인 도움을 주지는 못했다.

이어 휴전으로 사회가 점차 정돈되어 감에 따라 사회 전반에 걸쳐 서양문물이 유행처럼 밀려들어올 때 우리 의료계에도 예외 없이 파급된 것이 그 당시 말로 "정형"이라는 것이었다. 이웃 일본에서 전파된 소위 육질주사라는 색다른 방법으로 코를 높이고 유방을 키우는 등, 파라핀 주입이라는 불법 행위가 "정형"이라는 이름으로 만연하게 되었다.

40여 년이 지난 지금까지도 육질주사의 부작용이 발생하고 있다는 사실을 통해 볼 때 당시의 무지한 행위를 개탄케 되며, 우리 의료계가 성형외과를 인식하는 과정 중의 큰 오점이었다고 말하지 않을 수 없다.

1950년대 중반에 접어들어 성형외과의 태동기가 시작되었고 구미 각국에서 유학을 끝낸 의사들이 선진 의학을 습득하고 대학 등으로 유입되게 되어 이들이 우리나라 의료계에도 성형외과 전문 진료가 필요하다는 것을 점차 실감하게 되었다.

1954년 미국에서 처음으로 성형외과 수련과정을 거쳐 1961년 미국 성형외과 전문의 자격을 획득한 유재덕 박사는 1961년 8월 연세대학교부속 세브란스병원에서 성형외과 전문진료를 시작하게 된다. 이것이 우리나라 대학에서 성형외과 전문진료 및 교육을 시작한 시초이다.

1964년부터 연세의대에서는 성형외과학의 학생강의가 시작되었고 또 성형외과 전문의 수련도 시작하였지만 이것은 일반외과의 테두리 안에서 실시되었고, 대외적으로 의료전반에 미칠 수 있는 성형외과의 학문적 보급은 역시 학회를 중심으로 한 학술활동이 주역이 되어야만 한다는 것을 인식하게 되었다.

그 후 해를 거듭할수록 성형외과는 하나의 특수 전문진료과목으로 인정을 받게 되고 드디어 1966년 5월 15일 연세의대 성형외과가 주축이 되어 이 분야에 관심을 가진 외과, 정형외과, 이비인후과, 안과 등의 전문의사 30여 명이 발기인이 되어(발기인명: 민광식, 유재덕, 이의영, 박길용, 주춘식, 정전은, 최원철, 박부희, 한문식, 서광윤, 김광회, 정인희, 최기홍, 김기령, 최창낙, 최억, 김세환, 정성채, 민대홍 등) 대한성형외과학회(Korean Society of Plastic and Reconstructive Surgeons) 창립총회를 갖게 되었다.

이 모임에서 성형외과를 하나의 학문으로 연구 발전시키는 데 뜻을 같이 하고, 회칙을 초안하여 통과시켰고, 임원(회장: 민광식, 이사장:柳在德)을 선출하니 이것이 대한성형외과학회의 탄생이자 시작이다.

대한성형외과학회가 창립된 이후 학술집담회, 연구 발표회 등을 통하여 성형외과의 기초적 개념의 전파, 학술 교류 등의 노력을 함으로써 일반인들과 의사들의 성형외과에 대한 새로운 관심과 인식이 점차 고조되어 갔다. 학회는 그 회원수도 매해 증가했고 국제학술교류도 이루어지는 가운데, 1966년 당시 대한의학협회에 신설 학회로서 가입을 신청하게 되었다. 1969년 대한의학협회 산하 분과학회로 인준을 얻었고, 1970년 3월에는 국제성형외과학회연맹에 정식 회원국으로 승인되었다.

이 시기에 학회는 매년 가을에 개최하는 연례 학술대회를 비롯하여 30여 회의 중앙 학술집담회, 10여 회의 특별강연회를 가지며 진지한 학술 연마를 도모하였다. 회원수도 최초의 30여 명에서 100여 명에 이르렀고 1974년에는 대한성형외과학회지 창간호를 발행하였다.

그러나 늘어나는 환자 수에 비하여 성형외과를 전공한 의사는 제한되어, 전공하지 않은 의사들의 마구잡이식의 수술이 성행하는 실정으로 전문의 양성이 절실히 요구되었다.

학회의 노력 끝에 1973년 10월 17일 정부는 늘어나는 성형외과 환자의 진료를 위해 개정의료법 시행세칙을 공포하여 성형외과를 전문 진료과목으로 인정하였다. 이에 따라 성형외과 전문의 수련제도가 신설되었고 1974년 일반외과 전문의 고시에서 20명의 잠정적 성형외과 전담의사를 성형외과 전문의로 소급 인정하게 되었다. 1975년부터는 병원협회가 국내 10개 대학 및 종합병원에 수련병원을 인정하고 1975년 제1회 전문의 자격고시를 시행하였고 학회가 독자적으로 수련교육과 전문의 자격 고시 업무를 시작하게 되었다.

1975년부터 10년간은 성형외과학회의 성숙발전기로서 국제적으로 뒤진 학문의 향상을 위하여 부단한 노력을 기울인 시기이었다. 1967년 로마국제학회(4th Congress, IPRS)에서 두안면기형의 획기적인 수술방법이 발표되었고 1970년 초반에는 미세수술시대가 열려 각종 조직의 single stage 이식방법이 소개되었다. 1977년에는 지방제거성형술 등이 발표되었다. 이에 호응하여 국내 수련병원에서도 성형외과 학술대회 및 학회지를 통하여 우수한 환자 진료 실적과 학문 연구의 결과들을 발표하였다. 1970년대 중반부터는 두개안면성형술(craniofacial surgery)이 보고되었고, 수지의 근 이식, 요도하열의 재건술 등이 성형외과 전문의에 의해 발표되었다.

1970년대 후반에는 대학병원에서 현미경을 이용한 미세혈관수술이 시작되어 피부편의 유리이식, 절단된 수지의 재접합 등이 실시되었고 1980년대 초반부터는 미세수술을 이용한 재건술이 보편화된 성형수술로 자리잡게 되었다.

한편 학회는 중앙 집중을 벗어나 지역 중심의 학술집회도 필요하다고 인정, 1978년에 부산경남지회를, 1979년에는 대구경북지회를 발족하여 지역회원 상호간의 지식 교환을 통한 학문적 발전을 유도하였다.

대한성형외과학회는 창립 20주년(1986)을 계기로 학술활동을 가일층 활성화하여 연례학술대회에 이어 춘계학술대회를 추가하고 매년 1~2명의 외국 저명학자를 학술대회에 초청, 지식 교환과 술기 습득 등 회원의 국제무대 진출기반을 다지는 데 노력하였다.

또한 각 수련기관도 각기 나름대로의 국제교류를 통해 세부 전문분야를 발전시키는 데 많은 노력을 경주했다.

국제적으로 1988년 동양미용성형외과학회(OSAPS), 1991년 한일성형외과학회, 1993년 국제성형외과연맹 제 6차 아태지역학회의 총회와 학술대회, 2003년에는 아태지역 구순 및 구개열 학회들을 국내에서 성공리에 개최하여 발전시켜 나가고 있으며 대한성형외과학회의 위상을 널리 알리고 있다.

학회창립 50주년(2016년 11월)을 기해서 대한성형외과학회는 제 74차 대한성형외과학술대회를 자학회 학술대회인 제 20차 대한두개안면성형외과학 학술대회와 함께 통합 학술대회로 개최하고 있다. 대한성형외과학회는 대한성형외과 학술대회 및 대한미용성형외과학 학술대회를 수준 높은 국제학술대회로서 매년 성공리에 유치하고 있으며, 우리나라가 성형외과학 분야에서 국제사회를 주도하는 역할을 하도록 이바지하고 있다.

References

1. Almast SC. History and Evaluation of Indian Method of Rhinoplasty. Transaction of 4th Congress, IPRS, Rome, 1967, p19
2. Balch CM, Marzoni FA. Skin transplantation during the pre-Reverdin era, 1804-1869. Surg Gynecol Obstet 144:766, 1977
3. Blair VP. Surgery and Disease of the Mouth and Jaws. St. Louis, CV, Mosby Co, 1912
4. Bunnell S. Plastic Problems in the Hand. Plast Reconstr Surg 1:265, 1946
5. Carpue JC. An account of two successful operations for restoring a lost nose from the integuments of the forehead. London, Longman, 1816
6. Celsus AC. De Re medicina, JR. Vercellencis, Venice, 1493
7. Converse JM. Reconstructive Plastic Surgery. Vol 1, WB Sounders, Philadelphia, 1965 p3
8. Converse JM. The classic reprint: La reduction gradulle des difformites tegumentaies, by H. Morestin, MD, Paris(Bull. et mem. Soc. Chir. Paris, 41:1233, 1915). Translated from French. Plast Reconstr Surg 42:163, 1968
9. Davis JS. Plastic Surgery: Its Principles and Practice: Philadephia, P Balkins's Son & Co, 1919
10. Plastic Surgery. Song, David H., MD, MBA, FACS; Neligan, Peter C
11. 표준성형외과학, 제 2판 p3-7

2 성형외과와 윤리

Ethics in Plastic Surgery

안상태 가톨릭의대

사회적으로 의사들은 자체적인 규범과 양심에 따라 진료하고 바르게 처신하는 윤리적인 집단으로 인식하고 있기 때문에 다른 집단에 비해 전문성과 자율성을 인정받고 사회적 명망을 누림과 동시에 이타적인 봉사도 요구받고 있다. 그러나 일부 의사들이 동료애를 앞세워 동료들의 비윤리적 행동을 은폐하거나 자신들의 이익을 위해서 자율성을 악용하고 있음이 드러나면서 의사집단에 대한 신뢰감이 줄어들고 있기 때문에 의료인들의 자아성찰이 절실하게 되었다. 성형외과 의사의 진료현장에서도 윤리적인 판단이 요구되는 상황이 일상적으로 일어나고 있으나 대부분의 의사들이 문제가 발생한 후에야 이를 인지하게 되는 것이 현실이다. 선욱 등(2012)이 대한성형외과학회 회원들을 대상으로 시행한 연구에 의하면 대부분의 젊은 의사들은 성형외과 의사로서의 가치를 이타적이거나 사회정의의 실현에 대한 것보다 전문성, 생활양식, 기술적 경쟁력에 대한 것에 더 비중을 두고 있음을 알 수 있었다. 이는 의료계가 상업화, 산업화되고 경쟁이 치열해짐에 따라 환자의 요구나 필요성보다 의사의 개인적 이익이 앞서고 있음을 보여준다. 반면에 대학병원 의사들은 이타적인 가치를 높게, 상업적인 가치를 낮게 평가하면서도 진료현장에서는 학술적 가치와 상업적 가치가 공존하고 있음을 시인했다. 이와 같이 일부 의사들과 병원들이 상업화, 기업화되면서 나타나는 문제들을 극복하기 위해서는 정직성과 도덕성이 기본이 되는 윤리적 규범이 만들어져서 의사들이 이에 따라 진료하고 자체 정화하는 노력을 기울임으로써 사회로부터 신뢰를 회복해야 한다. 대중들은 미용성형을 하면서 환자 개인으로부터 직접 비보험 진료비를 받는 성형외과 의사들은 일반 의사들보다 더 높은 윤리의식이 필요하다고 생각한다. 일부에서는 성형외과 의사들이 환상적인 변신을 꿈꾸는 환자들을 대상으로 돈벌이 하는 데 급급하다고 비난하고 있다. 이와 같이 성형외과 의사들의 윤리의식 고취가 절박한 상황인데도 성형외과 잡지나 학술대회, 집담회 등에서 윤리에 관련된 논문의 게재나 발표, 강의 등은 접하기 어려운 실정이다.

1. 환자에 대한 윤리

수술 전 상담과정에서 환자가 미용수술의 결과에 대해서 지나치게 예민하거나, 재건수술 후의 합병증, 수술일정, 회복과정, 통증, 운동제한

등에 대해서 끊임없는 질문을 퍼부어서 의사가 시간에 쫓기거나 인내심이 바닥나면 성급하게 수술을 결정하거나 윤리적인 판단을 그르칠 수 있다. 의사가 실적이나 수입에 대한 유혹을 이기지 못하고 적응증에 맞지 않는 수술을 하거나 비현실적인 기대감을 가진 환자에게 수술을 하면 수술결과에 만족하지 못한 환자가 무리한 보상을 요구하거나 법적소송, 미디어를 통한 고발 등에 나서게 되어서 의사가 수술에 들인 노력과 시간이 수포로 돌아갈 뿐 아니라 경제적 손실과 오랜 시간 동안의 정신적 고통을 감수해야 한다.

환자가 수술을 원하더라도 의사가 자신의 실적이나 수입에 연연하지 않고 수술의 필요성에 따라 수술여부를 정하는 것, 환자가 원하는 치료법이 비현실적이거나 원하는 결과를 얻기 어려울 때 전문가의 입장에서 판단하고 환자를 이해시키는 것이 도덕적이고 윤리적인 판단이다. 비현실적인 기대를 가진 환자나 강박증이 있는 환자가 미용성형수술을 원하면 적절한 방법으로 설득하여 수술을 피하는 것이 바람직하다. 수술 전 면담 시에는 환자에게 충분한 시간을 할애하여 드물지만 생길 수 있는 합병증에 대해서 자세히 설명해주고 완벽한 결과를 기대해서는 안 된다는 것을 이해시켜야 한다. 환자가 다른 대안을 찾거나 다른 의사를 원할 경우 흔쾌히 기회를 주어야 한다. 특히 재건수술은 본인의 능력으로 최선의 치료가 가능하지 않다면 그 분야에 전문화된 의사에게 의뢰하여야 한다.

의사는 평상시에는 본인이 치료할 환자를 선택할 수 있지만 응급상황에서는 치료를 회피해서는 안 되며 본인이 할 수 있는 최선을 다하여 치료에 임해야 한다. 일단 치료를 시작하면 환자가 응급상황에서 벗어나거나 적절한 치료에 대한 안내를 받은 후에 치료를 중단할 수 있다.

의사는 진료과정에서 알게 된 환자의 특성이나 환자에 관한 정보를 법적인 요청이 있거나, 환자나 사회의 이익을 보호하기 위한 경우를 제외하고는 환자의 동의 없이 발설할 수 없다.

2. 동료에 대한 윤리

성형외과 전문의는 의학적으로나 윤리적으로 높은 수준에 도달하고 이를 유지할 의무가 있다. 성형외과 의사는 수련과정에서 지도전문의로부터 수술에 필요한 기술, 기본 자세와 덕목을 배우지만 일단 전문의가 되어서 진료현장에 뛰어들게 되면 모든 판단과 결정을 스스로 해야 하는 상황에 부딪치게 된다. 이러한 초보 전문의들이 지도 전문의가 없는 상황에서 그릇된 판단이나 잘못된 행동을 하게 되면 자신의 평판을 그르치거나 의료소송에 휘말려서 성형외과 의사로서 자립하는 시작부터 어려운 출발을 하게 된다. 학회에서는 회원이 이러한 실수를 범하지 않도록 상세한 행동지침을 마련하고 정기적인 반복교육을 통해 내용을 숙지하도록 하여야 한다. 회원이 환자, 동료, 일반대중을 상대할 때에는 반드시 윤리지침에 입각해서 행동하도록 하고 이를 어길 경우 학회로부터 징계나 퇴출 등의 합당한 처벌을 받도록 해야 한다. 회원이 의료사고를 일으키거나 비윤리적인 행동을 할 경우 회원 개인의 문제에 그치지 않고 전체 회원에 대한 인식이 나빠질 수 있으므로 학회는 회원들이 일정 수준 이상의 기술을 습득, 유지하고 윤리적인 진료를 행하도록 철저한 교육, 관리, 감독을 통하여 회원의 질관리에 유념해야 한다.

1935년에 창립된 미국성형외과학회(American Society of Plastic Surgeons)는 1980년에 윤리

규정(Code of Ethics)을 발간하고 회원들이 그 지침을 위반할 경우 퇴출을 비롯한 징계를 시행하고 있다. 미국미용성형외과학회(American Society for Aesthetic Plastic Surgery)회원도 동일한 윤리규정이 적용되며 회원이 규정을 위반하는 행위를 했을 경우 다른 회원, 환자, 일반인 누구나 학회윤리위원회에 구두 또는 서면으로 심의를 요청할 수 있다. 해당 회원은 동료 회원들에 의해 조사를 받고 혐의가 인정되면 법제위원회(Judicial Council)에 회부된다.

여러 의사들이 공동개원하는 경우 경쟁심에 사로잡혀서 동료의사를 방해하고 환자를 가로채거나, 수익배분 과정에서 속이거나, 동료에 대해 루머를 퍼뜨리거나 악의적인 행동을 하는 것 등은 비윤리적이다. 대한미용성형외과학회에서는 회원은 물론 회원이 고용한 직원이 타 회원 또는 타 의료기관의 명예를 훼손하거나 타 회원의 진료에 관하여 타당성 없는 비방을 하여 회원의 친목을 저해할 경우 비윤리적인 행위로 간주하여 징계한다. 회원은 동료 회원이 불법적인 행위를 하거나 학회의 명예를 훼손하는 행동을 할 경우에는 주저 없이 이를 밝히고 신고해야 한다.

대한미용성형외과학회와 대한성형외과의사회에서는 회원이 비전문의와의 동업 및 협업의 형태로 소비자를 기망하여 공정한 경쟁을 저해하는 다음과 같은 행위들을 비윤리적인 것으로 간주한다. 1. 비전문의를 고용하면서 합법적인 전문과목 표기를 하지 않아 해당 의료진을 성형외과 전문의로 오인하게 하는 경우, 2. 비전문의에게 고용되어 해당 기관의 다른 의료진의 법적인 전문과목을 오인하게 하는 경우, 3. 자문의 등의 형태로 타 의료기관의 의료진으로 소개되어 해당 의원/병원의 허위/과장광고에 일조하는 경우.

3. 진료 윤리

모든 시술 및 수술에 대한 설명의 의무를 성실히 수행해야 한다. 효능이 애매한 기구나 장비를 이용하는 수술이나 시술을 하면서 빠르고 간단한 방법으로 큰 효과를 볼 수 있는 것처럼 환자의 기대감을 부풀리는 것은 부도덕한 자세이다. 효과가 불확실하고 결과가 나타나는 데 수개월 이상 걸리는 피부관리 치료를 권하면서 복잡하고 비싼 수술이나 치료보다 더 빠르고 효과적으로 주름을 없앨 수 있다고 장담하는 것도 정직하지 못하다. 고가의 장비를 구입하고 나면 수요를 늘리기 위해 적극적으로 환자를 유치하고 싶은 유혹을 떨치기 어렵지만 망설이는 환자를 끌어들여서 치료의 효과가 미진했거나 환자의 기대에 못 미쳤다는 사실을 인정해야 할 때 의사는 윤리적 갈등을 겪게 된다. 자신의 평판과 환자 수를 유지하기 위해서 이러한 윤리적인 이슈를 간과하지 않도록 주의해야 한다.

진료의사 실명제를 시행하여 환자가 동의하지 않은 대리수술은 하지 않아야 하며 불법 성형대출 등의 탈법행위를 하지 않아야 한다. 대한미용성형외과학회와 대한성형외과의사회에서는 상담직원이 진단 또는 수술방법의 결정 등의 무면허 진료행위를 하여 의료법을 위반한 경우에 해당 직원을 고용한 원장에게 책임을 묻고 있다.

성형외과 전문의는 환자가 원하는 바를 정확히 파악하고 해당환자에게 적합한 수술방법을 적용하여 수술 후 합병증을 최소화하고 빠르게 회복하여 원하는 결과를 얻을 수 있게 하여야 한다. 모든 수술의 결과는 수술자의 원칙에 입각한 적절한 판단과 노력의 결과이므로 수술이 예상과 달리 순조롭게 진행되지 않더라도 다른 수술팀원이나 기구를 탓하지 않고 스스로 책임감 있게 처신하는 자세를 보여야 수술팀과 동료들에게 인정받는 의사가 될 수 있다. 수익성을 높이기 위해서 값싼 재료를 사용하거나, 수술 중 일어난 잘못을 은폐하거나, 환자와 약속한 것과 다른 결과를 만드는 것은 부정직한 행위이다.

성형외과 의사는 많은 시간을 환자 및 직원들과 밀접한 관계 속에서 지내기 때문에 자연스럽게 이런 친밀한 관계가 진료실 밖으로 연장되기 쉽다. 수술결과에 만족한 환자가 의사에게 감사를 표시하기 위해서 식사대접을 비롯한 만남을 제시하거나 의사를 흠모하는 직원이 진료실 밖에서의 만남을 원하는 것은 자연스러운 현상일 수 있다. 환자나 직원과의 개인적인 접촉이 비윤리적인 것은 아니지만 자칫 엉뚱한 방향으로 발전하면 복잡한 관계에 얽매어 곤란한 지경에 빠져들 수 있다. 직원이나 환자와 성적관계를 갖는 것은 물론 음란한 언행이나 신체적 접촉, 성희롱 등의 행위를 하는 것은 의사로서 부적절한 처신이기 때문에 소속의사단체로부터의 축출, 민사소송, 심하면 형사범죄로 다루어질 수 있음을 명심해야 한다. 다른 과의 진료에 비해 성형외과는 여성환자가 신체적, 정서적으로 노출된 상태이기 때문에 남성의사의 품위, 도덕성, 정직성이 강력하게 요구된다. 최근에는 여성의사가 급증하는 시대이기 때문에 남성환자에 대한 여성의사의 진료도 동일한 맥락으로 봐야 한다. 성형외과는 세간의 관심의 대상이어서 텔레비전의 연속극이나 뉴스에서도 비중있게 다루어질 뿐 아니라 심지어 성형외과 의사를 마치 의술을 이용하여 부를 축적하는 사람인 것처럼 부정적인 이미지로 묘사하기도 한다. 물론 이는 흥미유발을 위한 것이며 극히 일부 의사들에게나 있음직한 일이지만 성형외과 의사가 그만큼 주목의 대상이 되어 있다는 것을 잊지 않아야 한다. 직장내 소송에 관한 전문가들은 만약 환자와 의사가 연인관계가 되면 진료 의사를 바꾸거나 개인적인 관계를 청산해야 하고 의사와 부하직원이 연인관계가 되면 즉시 고용관계를 정리하는 것이 바람직하다고 한다.

4. 진료비에 관한 윤리

환자를 소개하고 소개비를 받거나 수익을 나눠 갖는 것은 불법이다. 파트너가 아닌 의사와 진료비를 나눌 수 있는 경우는 환자에게 다른 의사가 진료에 참여하는 이유를 명확하게 설명하고 환자가 동의했을 때에 한하며, 배분율이 실제 진료에 참여한 정도와 책임의 비중에 비례해야 하고, 다른 의사와 분배한다는 이유만으로 진료비를 증가시키지 않아야 한다. 환자를 의뢰하는 의사와 은밀한 관계를 맺고 법을 피하는 형태의 보상을 하는 것도 실정법에는 위반되지 않더라도 윤리에 어긋나는 것이다. 환자와 사전 계약을 맺을 수 없는 응급진료에 대해서는 과다한 비용을 청구하면 안 된다. 진료비에 대해 환자와 미리 합의하였더라도 제공된 의료서비스나 시설에 맞는 비용이어야 한다. 합리적인 진료비는 시술의 난이도와 독창성에 비례하고 사용된 기술, 소요된 시간과 노력이 비슷한 치료에 대해 비슷한 경력과 실력을 갖춘 동료들이 청구하는 비용을 고려하여 정해진다. 그러나 의사들 간의 정당한 가격경쟁이 제한되어서는 안 되며 응급상황이 아니거나 생명이 위급한 질병 또는 외상이 아닌 정규수술에 대한 진료비 선불도 제한할 필요는 없다.

보험사가 진료비를 부담하는 환자에게 불필요한 수술을 하거나 고가의 재료를 사용하고 과다한 비용을 청구하는 것도 의사로서 비윤리적인 행동이다. 보험청구를 할 때는 시행된 수술내용을 정확하게 반영하는 수술코드를 적용해야 하며 보험사가 삭감할 것을 대비하여 코드를 풀어 쓰거나 바꾸는 방법으로 과잉청구하지 않아야 한다.

대학병원에서는 교수가 전공의들의 교육을 위해서 수술을 맡기고 감독할 수 있다는 이유로 과거에는 한 교수가 동시에 두 개의 수술을 하거나 아예 수술실에 없었더라도 수술비를 청구하는 경우도 있었다. 전공의 교육을 담당하는 교수는 수술의 모든 결과에 대해서 책임을 져야 하기 때문에 그 대가를 요구할 수 있다고 생각하였으나 최근에는 지도감독과 수술비 청구에 대한 엄격한 기준을 적용하고 비윤리적인 청구에 대해서는 고발조치가 이루어지고 있다.

5. 광고 윤리

과거에는 성형외과 의사들이 광고를 하는 것 자체가 비윤리적인 것으로 치부되었으며 심지어 불법으로 간주되어 의사단체로부터 징계를 받기도 했다. 그러나 사회가 급변하여 각종 미디어를 통하여 미용성형수술이 널리 알려지고 보편화되면서 성형시장은 성장산업이 되었고, 공급과잉으로 경쟁이 심화되면서 소비자 중심의 시장으로 변하여 광고에 대한 의존도가 높아질 수 밖에 없게 되었다. 최근에 인터넷이 생활에 깊숙이 파고들면서 환자유치를 위한 성형 광고가 걷잡을 수 없을 정도로 퍼져서 통제가 불가능한 수준에 이르게 되었다. 웹사이트는 관리가 용이하고, 신속하게 업데이트할 수 있으며, 인쇄물 광고보다 저렴하면서도 의료소비자가 방대한 양의 상세한 정보를 쉽게 취할 수 있기 때문에 성형시장의 모든 공급자들이 환자유치를 위한 주수단으로 사용하고 있다. Wong 등(2010)이 성형수술에 대한 인터넷광고에 대하여 환자들을 대상으로 조사한 바에 의하면 성형외과 의사를 소개받는 경로는 가족이나 친구들인 경우가 가장 흔하지만 성형외과 의사에 대한 정보를 얻는 수단으로는 인터넷을 가장 선호하고 있었다. 환자들이 웹사이트에서 주로 관심을 보이는 정보이면서 의사를 선택하는 가장 중요한 기준이 되는 것은 전문의 취득여부와 성형외과 수련 과정이었다. 따라서 성형외과 전문의들이 비전문의들과 차별화하고 환자들에게 직업적 진실성을 보증하기 위해서는 스스로 엄격한 윤리적 기준을 준수하여야 하며 학회에서는 높은 수준의 수련과정과 전문의 자격기준을 유지하고 이러한 사실을 대중들에게 사실 그대로 명확하게 전달하여야 한다.

의료광고는 모든 병원이나 의사들에게 선택이 아니라 필수라고 해도 과언이 아니다. 광고가 과장되지 않고 건전하다면 순기능적인 것이지만 자기선전에 급급하고 동료의사들을 비방하여 환자유치만을 목적으로 하는 도구로 사용된다면 비윤리적인 것이다. 검증되지 않은 시술이나 수술에 대한 다양한 형태의 비윤리적인 광고들이 해마다 늘어가고 진화함에 따라 이에 대한 회원들의 지적과 고발이 끊이지 않고 있다. 이것은 우리나라만의 문제가 아니고 미국성형외과학회에서도 광고에 대한 규정위반이 가장 많이 제소되고 있다. 일부 회원들은 비전문의들의 부당한 환자유치행위에 대응하기 위해서는 보다 적극적인 홍보가 필요한데 이 부분에 대한 학회의 윤리규정이 너무 엄격하다고 항의한다. 반면에 다른 회원들은 성형외과 전문의들의 평판을 깎아

내리는 행위를 줄이기 위해서는 규정위반을 엄격히 규제해야 한다고 믿는다. 이러한 논쟁은 끝이 없겠지만 성형외과의사는 의사사회 안팎에서 항시 주목을 받는 존재이므로 성형외과 의사의 비윤리적 행위는 더 강하게 비판받을 수밖에 없음을 명심해야 하고 부당한 광고에 대해 유사한 방법으로 대응하여 밥그릇 싸움으로 전락하기보다는 이들과 윤리적으로 차별화하여 전문의다운 품격을 유지하는 것이 환자들이나 대중에게 신뢰감을 얻는 지름길이다.

대한성형외과학회, 대한미용성형외과학회, 대한성형외과의사회는 광고에 대한 윤리지침을 다음과 같이 구체적으로 명시하고 있다. 1. 사실에 대한 그릇된 견해를 피력하거나 특정항목에 대하여 필수적인 사실을 의도적으로 생략한 경우, 2. 치료 전후 모습을 그릇되게 표시했거나 임의 조작한 경우, 3. 치료결과에 대한 그릇된 환상을 일으키거나 유도한 경우, 4. 입증되지 않은 방법으로 전문적인 치료를 한다고 언급한 경우 및 비슷한 수준의 수련을 거친 의사보다 우월한 치료를 제공할 수 있다고 주장하나 이를 실제로 증명할 수 없을 경우, 5. 일반인에게 오해를 살 만한 광고를 하거나 혐오감을 유발시킨 경우, 6. 자신의 치료결과에 대해 지나친 예측을 하거나 과장된 결과를 보장하는 경우, 7. 과장광고를 이용해 환자를 유인하는 경우, 8. 금품, 향응을 제공하여 방송이나 언론에 병원홍보나 개인선전을 하는 경우, 9. 회원의 홈페이지 구성에서 타 의료기관과 동일한 의료기관으로 오인될 수 있거나 성형외과 전문의의 근무상태가 오인될 수 있도록 하는 경우. 상기와 같은 지침을 위반하는 사안이 발생하면 윤리위원회의 심의를 거쳐 회원에 대해서는 경고 및 시정지시, 회원 권리정지, 제명 등의 적절한 징계조치를 취하고 고발 및 행정처분을 의뢰할 수 있으며, 비회원에게는 의사단체나 관련 부처에 통보하거나 고발조치하고 있다. 미국성형외과학회는 회원에 대한 윤리지침(ASPS Code of Ethics)은 물론 광고주를 위한 지침(Advertisers Guideline)까지 만들고 이를 주기적으로 개정하면서 급증하고 다변화하는 부당광고에 대응하고 있다.

모델의 사진을 광고목적으로 사용할 수 있으나 광고에 소개된 수술을 받지 않은 모델인 경우에는 이러한 사실을 명시하여야 한다. 한 사람이 여러 가지 수술을 받거나 여러 사람이 함께 수술을 받으면 할인해준다는 백화점의 끼워팔기식의 광고는 비윤리적이다. 수술 전후사진을 조작하거나 특정환자의 잘 된 수술결과를 마치 모든 환자에게 동일한 효과를 얻을 수 있는 것처럼 광고하는 것도 비윤리적이다. 유명인사에 대한 수술을 무료로 해주고 이에 대한 대가로 수술 사실을 병원이나 의사의 홍보목적으로 활용하는 것은 비윤리적이며 뉴스앵커나 연예인이 방송이나 대중 앞에서 자신을 수술한 의사를 직간접적으로 치켜세우고 병원을 홍보하는 것도 방송연예계에서는 문제삼지 않을지라도 성형외과학회 윤리지침에는 어긋난다. 대한성형외과학회에서는 최근 1년간 중증 의료사고가 있는 경우, 불법 성형대출을 한 경우, 4주 이상 행정처분을 받은 경우에는 1년간 방송출연을 금하고, 징계 중인 회원도 방송출연을 금지하고 있다.

6. 전문가증인의 윤리

의학전문가증인의 증언은 누구나 쉽게 구할 수 있어야 하고, 객관적이어야 하며, 편중됨이 없어야 한다. 전문의 회원은 가능한 상황이면 전문가증인으로서 증언할 의무가 있다. 전문가증인은 소송의 결과에 따른 보상을 받으면 안 되며 이해관계가 있는 경우에는 증언에 참여하지 않아야 한다. 전문가증인은 고소인에게 시행된 수술절차나 해당분야에 대해 최근에 실질적인 경험이 있어야 하며 의학적 소견을 철저하게 검토한 후 공정하고 정직하게 증언해야 한다. 최근 3년 이내에 해당수술에 대한 충분한 경험이 없는 전문가증인의 증언은 그대로 받아들이기 어렵다. 사고 당시에 보편적으로 인정되는 치료기준을 잘 알고 있어야 하며 검증된 성형외과 문헌을 인용하여 치료기준에 대해 근거중심의 증언을 제공해야 한다. 기준에 못 미친다고 주장된 치료와 의학적 결과 간의 인과관계를 밝혀야 하며 의사사회에서 인정된 치료기준에 해당된 진료행위를 비난하거나 치료기준에서 벗어난 진료행위를 옹호해서는 안 된다. 회원들 상호 간에 가장 많이 제기되는 불만은 전문가증인이 감정과정이나 재판과정에서 배심원을 그릇된 방향으로 유도하거나 사실을 호도하는 태도를 취하는 경우이다. 많은 의사들이 일정한 원칙에만 의존하지 않고 다양한 방법으로 수술하고 있는데 전문가증인이 특정한 방법으로만 수술되어야 한다고 치료기준을 단정지을 경우에 이러한 문제가 발생한다. 어떤 치료법을 인정된 원칙에 맞지 않다고 선언하면 배심원이나 판사는 해당의사에게 불리한 판결을 하게 된다. 모든 전문가증인은 증언에서 진실만을 말할 것을 서약하고 서명해야 한다.

7. 요약

성형외과 의사에게 윤리적인 문제는 의사의 개인적인 생활태도, 환자나 동료와의 관계부터 시작하여 환자유치, 의료광고, 의료비 청구, 수술과실, 전문가증언 등에서 일상적으로 일어나고 있다. 저수가 의료공급 시스템으로 인하여 여러 분야의 의사들이 미용성형술을 시행하고 있는 우리나라의 현실에서 일어나는 부당한 광고, 홍보, 환자유치 등에 맞대응하거나 경쟁하여 이들을 억누르려 하기보다는 자체적으로 전공의 수련을 충실하게 하고 전문의 자격요건을 강화함과 동시에 윤리적 규범을 준수하여 비전문의들과 차별화하는 것이 더 중요하다. 회원들 간에 상호비방을 자제하여야 하지만 비윤리적인 행위에 대해서는 철저한 자체정화 노력을 통하여 대중의 신뢰를 굳건하게 해야 한다. 공명정대한 전문가 증언을 행하여 의료계의 제식구 감싸기라는 누명을 쓰는 일이 없도록 하여야 한다. 공정한 경쟁은 보장되어야 하지만 과당광고는 지양하여야 한다. 성형외과 전문의의 자질이 우수함을 대중에게 진솔하게 공개하고 환자들에게는 수술의 후유증에 대해서도 충분히 알려서 성형수술에 대한 현실적인 기대감을 갖게 하고 성형외과 전문의라면 믿고 수술을 맡길 수 있다는 인식을 심어 주어야 한다.

References

1. 대한미용성형외과학회. 대한미용성형외과학회 성형수술윤리지침, 윤리위원회운영세칙. 서울: 대한미용성형외과학회. 2015.
2. 대한성형외과의사회. 대한성형외과의사회 윤리규정, 윤리위원회운영세칙. 서울: 대한성형외과의사회. 2016.
3. 대한성형외과학회. 대한성형외과학회 윤리강령, 성형수술윤리지침, 윤리위원회업무규정, 윤리위원회운영세칙. 서울: 대한성형외과학회. 2014.
4. American Society of Plastic Surgeons [Internet]. Code of ethics of the American Society of Plastic Surgeons. Arlington Heights, IL: American Society of Plastic Surgeons; c2017 [cited 2018 Jan 15]. Available from: https://www.plasticsurgery.org /documents/Governance/asps -code-of-ethics.pdf.
5. American Society of Plastic Surgeons [Internet]. Advertisers Guidelines for Compliance with ASPS Code of Ethics. Arlington Heights, IL: American Society of Plastic Surgeons; c2017 [cited 2018 Jan 15]. Available from: https://www.plasticsurgery.org/documents/Governance/asps-ethics-advertisers-guidelines.pdf.
6. Constantian M. The media and plastic surgery: on being what you want to become. Plast Reconstr Surg 2003;111:1348-9.
7. Haeck PC. The role of ethics in plastic surgery. In: Neligan PC, ed. Plastic Surgery. London: Elsevier Saunders; 2013:55-63.
8. Kim JY, Kang SJ. Kim JW, et al. Survey of attitudes on professionalism in plastic and reconstructive surgery. Arch Plast Surg 2012;40:134-40.
9. Spilson SV, Chung KC, Greendield ML, et al. Are plastic surgery advertisements conforming to the ethical codes of the American Society of Plastic Surgeons? Plast Reconstr Surg 2002;109:1181-6.
10. Sterodimas A, Radwanski HN, Pitanguy I. Ethical issue in plastic and reconstructive surgery. Aesthetic Plast Surg 2011;35:262-7.
11. Wong WW, Camp MC, Camp JS, et al. The quality of internet advertising in aesthetic surgery: An in-depth analysis. Aesthetic Surgery Journal 2010;30:735-43.
12. Youn AS. The Yellow Pages plastic surgeon. Plast Reconstr Surg 2005;115:317-9.

3 선천성 기형의 유전학
Genetics in Craniofacial Anomaly

임소영 성균관의대

본 단원은 성형외과 영역에서 다루어지는 선천성 질환의 유전학적 측면에 대하여 다루고자 한다. 먼저 사람의 유전체(genome)에 관한 기본 지식을 이해하여야 하며, 이를 바탕으로 유전과 선천성 질환의 연관성 및 현재 밝혀진 내용들을 소개한다.

I. 유전

1.유전학의 역사

Gregor Mendel(오스트리아의 식물학자, 수도사)은 1865년 완두교배 실험에서 최초로 단인자성 유전법칙(unifactorial inheritance)을 발견하였다(우열의 법칙, 분리의 법칙, 독립의 법칙). William Bateson(영국의 생물학자)는 1901년 멘델의 업적을 재발견하였고 genetics라는 용어를 처음으로 사용하였다. Walther Flemming(독일, 세포생물학자)은 1882년 최초로 사람의 염색체를 가시화하였다. Thomas Hunt Morgan(미국, 동물학자)는 1911년 gene은 염색체에 있는 것이라고 주장하였다. Theophilus Painter(미국, 동물학자, 세포유전학자)는 1924년 사람의 XY 성염색체를 포함한 diploid karyotype을 서술하였고, Frederick Griffith(영국, 미생물학자)는 1928년 폐렴구균을 이용하여 세균의 특성을 변화시킨 물질이 DNA라는 사실을 최초로 알아냈으며 이 실험을 기초로 하여 1944년 Oswald Theodor Avery(미국, 세균학자), Colin Mcleod, Maclyn McCarthy 등은 시험관 내에서도 DNA의 재조합으로 생물의 유전적 특성을 변화시킬 수 있다는 사실을 증명하였다. 이것이 형질전환현상이며 전환의 원인이 유전물질 DNA라는 사실을 직접적으로 증명한 최초의 연구이다.

James Watson(미국,생화학자)과 Francis Crick(영국, 생물학자)은 1953년 4월 25일 학술지 네이처(Nature)에 <핵산의 분자구조: 디옥시리보핵산의 구조>(Molecular structure of Nucleic Acids: A Structure for Deoxyribose Nucleic Acid), 라는 논문을 통해 DNA의 이중나선 구조를 발표하였고 이로 인해 1962년 노벨의학상을 수상하였다. Frederick Sanger(영국, 생화학자)는 RNA와 DNA의 sequencing 법을 고안하였으며, 1977년에는 ψX174파지의 전체 염기서열(약 5,300)을 결정하였다. Kary Banks

Mullis(미국의 생화학자)는 1983년 중합 효소 연쇄 반응(PCR)을 이용하여 DNA 특정부위를 분리하여 증폭시키는 방법을 고안하여 이후 DNA를 빠른 시간 안에 대량으로 복제하는 것이 가능해졌다. 이 기술을 토대로 인간 genome 전체를 서열화하는 작업인 Human Genome Project의 기반이 마련되었다.

2. DNA

유전체(genome)라는 단어는 유전자(gene)와 염색체(chromosome)를 합쳐 만들어졌으며, 일반적인 생물의 체세포 내에 들어있는 염색체 중 반수체(haploid), 즉 2n 중 n에 포함된 유전 정보를 의미하는 용어로 이용된다. 유전자(gene)는 DNA (deoxyribonucleic acid)의 특정부분을 말하며, DNA와 히스톤 단백질이 함께 있는 것을 염색사(응축 시에는 염색체)라고 하므로, 1개

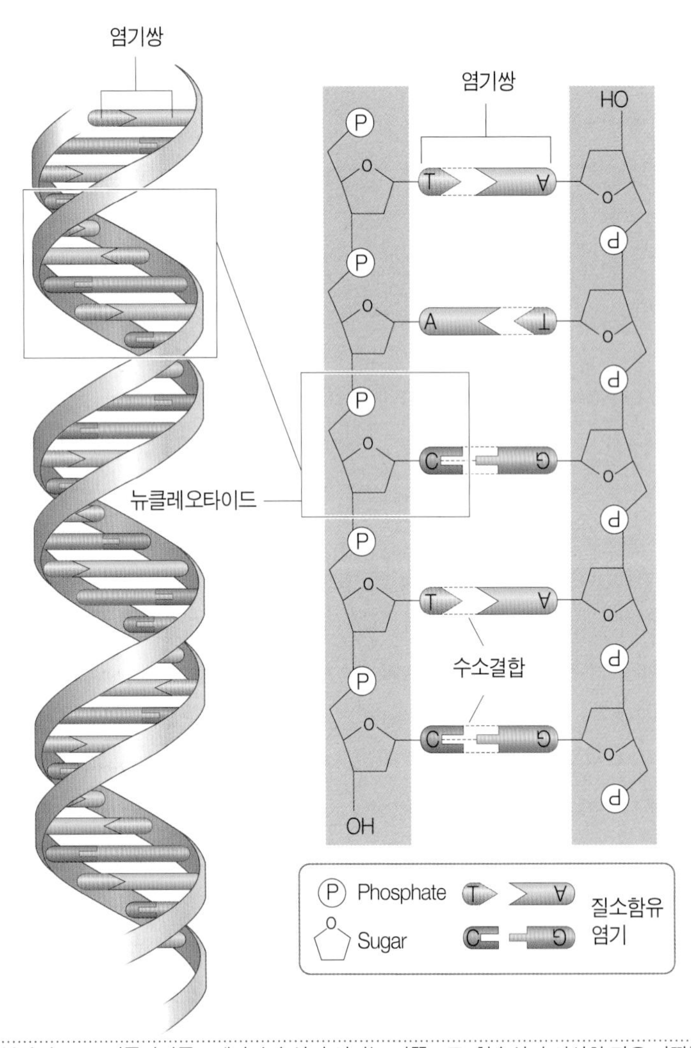

▷ 그림 1-3-1. **DNA분자의 구조.** 이중나선구조에서 소수성인 염기는 안쪽으로, 친수성인 인산화 당은 바깥쪽으로 향하고 있다.

의 염색체에는 많은 수의 유전자가 존재하게 된다. DNA 사슬은 두 가닥으로 이루어져 있는데 한 가닥씩이 각각 여러 개의(deoxyribo-)nucleotide들이 일렬로 phospho-diester 결합된 긴 중합체(polymer)이다. 각 nucleotide는 한 개의 phosphodeoxyribose와 한 개의 염기(base)로 구성된다(여기서 염기는 adenine (A), guanine (G), cytosine (C), thymine (T) 중의 하나이다). 이 polymer가 2가닥이 모여서(two-stranded) 이중나선구조(double helix)로 꼬여 있는 것을 DNA 라고 부른다.

DNA를 이루는 4종류의 염기는 사슬의 안쪽에서 서로 2개씩이 가로 방향으로 수소 결합되어 있는데 adenine (A)는 thymine (T)와 이중수소결합, guanine (G)는 cytosine (C)와 삼중수소결합하게 되며, 이를 상보적(complementary) 결합이라고 한다(그림 1-3-1). 이중나선구조에서 양쪽 가장자리의 backbone을 이루는 쪽이 친수성인 sugar phosphate이고, 내부는 소수성인 염기가 위치하고 있다. 가장자리에서 각각의 sugar phosphate끼리는 세로 방향으로 phospho-diester결합을 하고 있다. 사슬의 한쪽 끝은 당의 5' Carbon이 인산화(phosphorylated)된 형태로 시작하고 반대쪽 끝은 3'Carbon이 수산화(hydroxylated)되어 있는 상태로 끝난다.

진핵생물(eukaryote)에서는 복제가 DNA 의 여러곳에서 다발적으로 일어난다. Helicase가 이중나선구조로 꼬여 맞물려져 있는 DNA를 두 가닥으로 풀려지게 한다. 즉 상보적인 결합을 하고 있는 염기사이의 수소결합을 끊는다. 이후 DNA primase (RNA polymerase의 일종)가 전사를 시작하여 mRNA primer를 생성한다. 이 mRNA primer에 DNA polymerase가 작용하여 DNA 합성이 일어난다. 즉 DNA의 3'말단쪽에서부터 phosphodiester bond를 추가해가며 5'방향으로 nucleotide를 한 개씩 붙여가는 것이다. 이 합성과정에서 DNA polymerase는 proofreading 기능도 하여 잘못 삽입되는 nucleotide를 제거하며, DNA excising and repairing enzyme은 손상된 DNA를 발견하여 교정한다.

3. DNA, 염색체를 구성하다.

한 개의 DNA 분자가 한 개의 염색체(chromosome)를 구성한다. 사람에서 한 개의 염색체에는 1.3×10^8개의 염기쌍이 들어있다. 그러므로 사람에게는 n (haploid)에 약 30억 개의 염기쌍이 있는 셈이다($1.3 \times 10^8 \times 23$). 사람의 체세포에는 (diploid, 2n = 46) 핵이라는 제한된 공간 내에 46개의 DNA 분자가 존재하여야 하므로 이들은 평상시 histone 단백질과 결합된 상태의 'chromatin(염색질)'로 존재하게 된다. Histone 단백질은 분자진화적으로 가장 안정된 H4와 H3, 중간인 H2A와 H2B, 불안정한 H1의 세 가지로 크게 나눌 수 있는데, 히스톤 H4, H3, H2A, H2B는 각 2분자씩 뭉쳐서 nucleosome이라는 단백질 복합체를 만들고, H1은 DNA(뉴클레오솜 링커DNA)와 결합한다(그림 1-3-2). 즉 DNA분자가 nucleosome을 감아돌고 있는 것이다. nucleosome을 감고 있지 않은 부위의 중간중간부위의 선상 DNA부위는 linker DNA라고 부른다(이 상태에서 전자 현미경으로 관찰가능하며 'beads on string'의 모양을 볼 수 있다). H1 Histone이 linker DNA 사이를 메워 결합하여 결국은 염색사(chromatin fiber)가 완성되게 된다.

이후 비Histone 단백질이 추가 연합하여 chro-

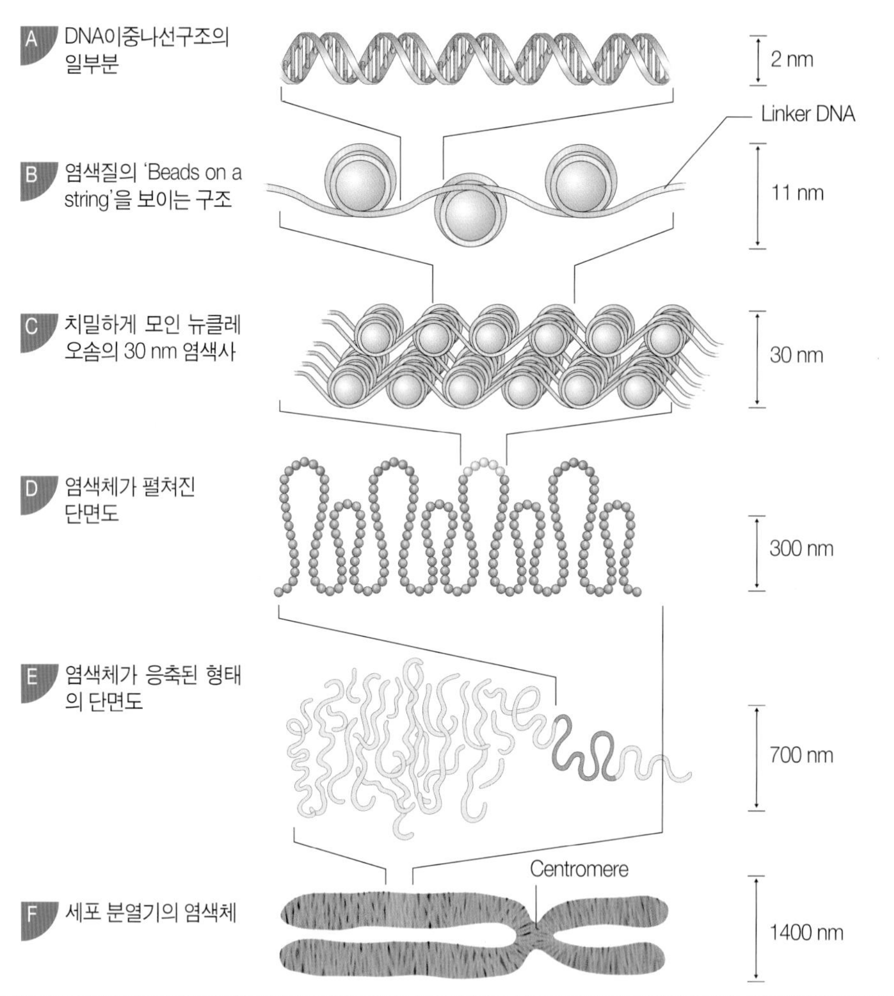

▷ 그림 1-3-2. **DNA의 구성도.** A. DNA가 접히지 않고 있는 부위들이 linker DNA를 구성하며 이 linker DNA는 뉴클레오솜 사이사이에선, 잡아당겨진 선상의 형태로 존재한다. B. DNA분자가 뉴클레오솜이라고 불리는 histone 복합체를 감싸는데 전자현미경으로 보면 'Beads on a string'의 형태로 보인다. 이 전체가 염색질이다. C. 위의 염색질이 응축되어 염색사를 이룬다. D-F. 점점 더 supercoiling 과정을 통해 응축되면 진정염색질이 이질염색질이 되고, 가장 더 응축된 형태의 것은 세포분열 시 나타나는 형태의 염색질인데 이것을 '염색체'라고 부른다.

matin이 더 응축되고(supercoiling), 이 응축된 chromatin은 비로소 광학 현미경으로 관찰 가능하다. 그 중에서 느슨하게 풀어져 활발하게 발현되는 것을 진정염색질(euchromatin), 심하게 뭉쳐져 있어서 비활동성인 것을 이질염색질(heterochromatin)이라고 한다. 더 응축되어 최고로 응축된 상태인 것을 세포분열 직전에 관찰할 수 있는데 이것을 염색체(chromosome)라고 한다. 각 염색체는 장완(long arm, q)과 단완(short arm, p)으로 이루어져 있다.

4.유전자의 발현

DNA 중에서 단백질이나 RNA를 합성할 수 있는 정보를 담고 있는 부분을 유전자(gene)이라고 부른다. Gene의 DNA sequence 중에서 coding 부위를 Exon이라고 부르고, 반대로 non-coding 부위를 Intron이라고 부른다. DNA에 있는 정보는 전사과정을 통해 mRNA로 전달이 된다. 한편 RNA는 DNA와는 달리 deoxyribose 자리에 ribose가 위치하고, 염기의 T가 U (Uracil)로 대체되어 있고, 단일 가닥으로 이루어져 있다. RNA에는 원핵생물(prokaryote)과 진핵생물(eukaryotes)에서 공통으로 다음과 같이 대표적인 3종류가 있다. messenger RNA (mRNA), ribosomal (rRNA), and transfer RNA (tRNA).

1) Messenger RNA (mRNA)

mRNA는 세포 내 전체 RNA의 5%를 차지하고 염기서열이나 크기면에서 3종류의 RNA 중 가장 다양한 형태로 존재한다. mRNA는 약 300~10,000개의 nucleotide로 구성되어 있으며 DNA의 code로부터 전사된 codon들을 가지고 있다. Codon이란 3개의 nucleotide로 이루어져 있는 mRNA의 부분단위를 말하며, 각 염기 이름 3개가 붙어서 쓰여진다. 각각의 codon은 하나씩의 특정한 아미노산을 합성하도록 암호화 되어있는 것이지만 역으로 한 가지의 아미노산은 여러 개의 codon으로부터도 만들어진다. 즉 DNA의 4개의 염기, 아데닌(A), 티민(T), 구아닌(G), 시토신(C)를 3개 늘어 놓는 방법은 64가지(4×4×4의 순열의 수)가 있는데 이 가운데 61가지가 아미노산의 종류를 결정하는 코돈이 되고 나머지 3개는 종말코돈(stop codon: UAA, UAG, UGA)이 된다. 단백질을 구성하는 아미노산은 모두 20종류이므로 일종의 아미노산에는 대개의 경우 복수의 코돈이 대응한다. 또 이 대응은 모든 생물에 공통적이다. 한편 개시 코돈(AUG)은 진핵생물에서는 항상 methionine으로 시작하고 원핵생물에서는 modified Met (fMet)으로 시작한다.

DNA에서 mRNA로 전사가 종료되면 mRNA 가닥이 DNA로부터 분리된 후 mRNA에 4가지의 조작이 일어난다. 먼저, mRNA의 5'말단에 methylation이 일어나서 7-methyl guanosine capping이 되는데, 이것은 장차 일어날 단백질 합성(translation 과정)과정에서 mRNA의 인식이 잘 이루어질 수 있도록 해준다. 두번째로 3'말단에 polyadenylation이 일어나서 poly-A tail이 생성되는데 이것은 mRNA가 효소로 인해 분해되는 것을 막아준다. 첫 번째와 두 번째 과정은 mRNA의 안정성에 기여를 한다. 세 번째로 splicing이 일어나는데 이것은 무의미한 부위인 intron이 제거되는 과정을 뜻한다. 네번째로 'alternative splicing'이 일어나는데 이것은 splicing 이후의 남은 exon들이 여러 가지 방법으로 재배열되면서 isoform들이 생성되는 과정이다. Alternative splicing은 세포가 다양한 시점에 다양한 종류의 peptide를 만들게 해주는 중요한 조절기전이지만 반면에 이로 인해 변형 단백질들도 생성될 수 있어서 많은 질병에 연관되어 있다는 것도 알려져 있다.

2) Ribosomal RNA (rRNA)

rRNA는 세포질 내에서 단백질과 결합하여 단백질의 합성 장소인 '리보솜'을 만든다. 그러므로 rRNA는 리보솜에 존재하는 RNA이며 전체 RNA의 80%를 차지한다. 3종류의 rRNA가 있으며 120~4,800개의 nucleotide로 구성되어 있다. 리보솜은 50s subunit 과 30s subunit으로 이루어져 있는데 각각 자신의 rRNA molecules을 가지고 있다.

3) Transfer RNA (tRNA)

tRNA는 가장 크기가 작은 RNA이며 약 75~95개의 nucleotide로 구성되어 있다. tRNA의 역할은 아미노산을 리보솜으로 운반하는 것이다. 50~60종류의 tRNA가 알려져 있다. mRNA의 codon과 상보적으로 결합하는 tRNA의 염기3개의 조합을 anti-codon이라고 부른다.

II. 선천성 기형

1. 종류

선천성 기형(congenital anomaly)은 발생 기전에 따라 4가지로 분류한다.

1) Malformation

발달과정의 변형에서 기인되는 선천기형이다. 이환된 조직의 내부적 요인에 의한다. Orofacial cleft가 대표적인 예이다. 안면돌기(facial process)의 융합에는 세포의 증식, 이주, 분화, 사멸이라는 정교한 조절기전이 필요한데, 이는 분자레벨에서 세포 간 신호전달, 성장인자, 등에 의해 조절된다. 그러므로 이러한 분자 레벨에서 이상이 생기면 세포의 발달에 이상이 생기고 결과적으로 이환된 안면 조직의 malformation이 생긴다.

2) Deformation

고관절의 developmental dysplasia, club foot과 같이 물리적인 힘에 의해 생기는 기형이다. 물리적으로 태아에게 압박을 줄 수 있는 예로는 breech, tumor mass, unicornuate uterus, 양수과소증 등이 있다. 양수과소증 연쇄(oligohydroamnios sequence)에서는 태아의 renal agenesis에 의해 양수과소, 안면 압박, 넓고 납작한 손, 폐 저형성증, 사지의 비대칭이 연쇄적으로 발생한다.

3) Disruption

정상적으로 성장하던 조직이 외부인자에 의해 갑자기 성장저해가 되는 것을 disruption이라고 한다. 양막띠연쇄(Amniotic Band Sequence, ABS)에서 섬유성 조직이 태아의 손가락이나 사지를 띠모양으로 감아 압박하여 그 말단이 괴사되거나 절단되는 것이 그 예이다. 양막 파열과 이에 따른 양수의 손실로 인하여 태아의 신체부위가 양막과 뒤엉켜 양막띠가 발생하는 것으로 알려져 왔으나 최근에는 구개구순열과 다지증도 ABS와 관련되어 있는 것이 보고되면서 ABS도 유전적 내부요인에 의한 결과일 것이라고 밝혀지고 있다.

4) Dysplasia

배아 조직의 비정상적 발달에 의한것으로 Marfan 증후군과 osteogenesis imperfecta의 예를 들 수 있다. 이 경우 이환된 조직계와 관련이 있는 광범위한 부위의 이상이 나타난다.

5) 요약

각각의 구분이 항상 명확한 것은 아니다. 두세 개의 조합이 하나의 기형에 같이 기여하는 경우도 있고 같은 기형이라도 다른 기전에 의해 일어날 수도 있다. 빈도는 malformation이 97.94%, deformation이 3.12%, disruption이 1.65%로 보고된 바가 있다. 두 개의 조합이 같이 일어난 경우는 3.51%였는데 예를 들면 양수과소증 연쇄는 안면부와 사지의 deformation과 신장의 malformation이 조합된 것이다. Pierre Robin Sequence (PRS)에서도 소하악증에 따른 glossoptosis에 의서 구개열이 일어나는 것이므로 여기서 구개열은 deformation에 해당한다고 생각해 왔는데, 소하악증을 일으킬 만한 자궁 내 태아의 압박에 관련된 아무 증거도 밝혀진 바가 없고 오히려 각종 증후군에서 PRS가 나타나고 있는 사실과, 최근에는 PRS의 원인으로 지목되는 유전자가 밝혀지고 있다는 사실로 볼 때, 이것은 다시 malformation-deformation sequence로 간 해야 할 것이다.

2. Nonsyndromic cleft lip and palate

구순과 1차구개의 형성에는 2차구개의 형성에서와 다른 유전자가 관여함이 밝혀졌다. 개열(cleft)은 단독 기형으로 나타날 수도 있고 증후군의 일환으로 나타날 수도 있다. 구순열만 있거나(이하 CLO, cleft lip only) 구순열과 구개열이 같이 있는 경우(이하 CLP)는 70%에서 단독 기형으로 나타나고 구개열만 있는 경우(이하 CPO, cleft palate only)는 50%에서 단독 기형으로 나타난다. 이러한 비증후군성 개열은 산발적으로, 그리고 다인자성 요인으로 발생한다. 하지만 가계도나 쌍생아를 대상으로 한 연구 결과들은 어느 정도 유전적 요인이 존재함을 시사한다. 일란성 쌍생아에서는 40~60%의 일치율을, 이란성 쌍생아에서는 3~5%의 일치율을 보이기 때문이다. CLO 혹은 CLP가 있는 가족에서 CPO가 발생할 확률은 증가하지 않으며 그 반대도 성립하므로 이 두 군 간의 유전적 원인도 다름으로 판단된다.

구순열과 관련된 유전원인으로는 bone morphogenetic proteins (Bmp), fibroblast growth factors (Fgf) , sonic hedgehog (Shs), the homeobox transcription factors (y distal-less homeobox-containing genes (Dlx)에서 생성), Barx1, Msx1 ,Msx2, 과 transcription factor Tp63, 이 있으며 이들은 상피 조직의 발달에 관련이 있다.

구개열과 관련이 있는 것은 Osr2, Lhx8, Msx1, Fgf10, Fgfr2, Tgfbr2.가 있다.

3. Syndromic cleft lip and palate

약 200여 개의 증후군에서 CLO, 혹은 CLP가 발생한다. CPO는 약 400개의 증후군에서 발생한다. 흔한 증후군으로는 Van der Woude syndrome (VWS), CATCH22, Ectodermal dysplasia가 있으며 모두 상염색체 우성 유전이다. 그러나 VWS의 30~50%, CATCH22의 90%가 de novo로 발생한다. Ectodermal dysplasia는 가족성, 산발성 발생 모두 보고되어 있다.

1) Van der Woude syndrome (VWS)

CL (or CLP)와 하구순의 pit가 특징이며 popliteal pterygium 증후군(PPS)과도 관련이 있다. VWS/PPS는 IRF6이라는 전사인자의 변형이 원인이다.

2) CATCH22

CATCH22는 공통된 유전적 원인에 의해 나타나는 다양한 표현형의 증상들을 머릿글자를 따서 만든 증후군 명이다. CATCH22는 심장기형(cardiac abnormality), 특이한 안모(abnormal facies), 가슴샘형성저하에 의한 T 세포 결핍(T-cell deficit due to thymic hypoplasia), 구개열(cleft palate), 부갑상샘저하증에 의한 저칼슘증(hypocalcemi)의 머릿글자이며 22q11 deletion에 의한 증상들이다. 이 환자의 69~100%에서 구개 이상이 나타나는데 구개열, 구개인두부전증, 점막하 구개열 등으로 나타난다. 22q11 deletion에는 35개의 유전자가 포함되는데 이 중에 중요한 것은 TBX1이다. 이 유전자는 전사조절인자를 코딩하는 유전자의 일종으로 동물 실험상에서 pharyngeal mesenchyme과 endodermal pouch에서 발현된다. 그러나 표현형이 너무나 다양하므로 이 외에도 다른 genetic loci가 관여함을 시사한다. FGF8과 CRKL이 TBX1의 변이를 촉진시킨다.

3) Ectodermal dysplasia

이것은 ectoderm에서 기원하는 구조물(털, 치아, 손발톱, 땀샘 등)의 이형성증을 뜻한다. 그러나 이 또한 다양한 표현형을 가지는 증후군으로서, 두안면 개열 등의 malformation을 포함할 수도 있다. 여기서의 개열은 CLO, CLP, CPO 중의 아무 것 중의 하나를 뜻하며 가족 간에도 다양하게 발현된다. 그러므로 많은 다양한 유전자들이 개입되어 있는 것으로 보인다. 다양한 유전자들의 변이가 같은 형태의 ectodermal dysplasia를 발현할 수도 있고, 반대로 한 유전자의 변이가 다양한 증후군을 발생시킬 수도 있다. TP63 유전자가 관련이 있는데 이것은 상피 조직의 발달에 중요한 전사 인자를 코딩하는 유전자이다.

4. Craniosynostosis

두개골의 덮개부(vault)는 맨 겉에 dermal mesenchyme, 맨 안층에 meningeal mesenchyme이 있어서 그 중간층이 intramembranous ossification을 하게 된다. 출생 후에는 두개봉합선(suture)이 neurocranium의 주된 성장점이며 첫 2년간 급속한 성장을 이루게 된다. 이 성장점(suture line)은 인접한 다른 조직들과 상호작용하에 성장활동을 하게 된다. 즉 sutural mesenchyme, 하층의 경막(dura mater), 상층의 pericranium이 서로 상호 작용을 하면서 봉합선에서 일어나는 세포의 분화와 증식을 조절한다. 특히 경막은 봉합선의 유지, 또는 유합에 결정적인 역할을 한다는 것이 보고되어 왔다. growth factor, receptor, transcription factor들이 세포 내 신호전달을 통하여 이 작용을 한다. Growth factor 중에 TGF-β family가 두개안면골과 두개 봉합선의 발달에 중요한 역할을 하는데, TGF-β2 knockout mice를 이용한 실험에서 소하악증, 두개안면 기형을 볼 수 있었다. Tgf-β2 receptor 유전자인 tgf-β2r를 불활성화시킨 mice의 경우 2

차 구개의 완전 구개열과 두개골 결손을 볼 수 있었다 TGF-β의 isoform들 간의 균형이 또한 봉합선의 융합을 조절하는데, rat에서 Tgf-β1과 2 이 Tgf-β3보다 많이 발현되는 경우 posterior frontal suture가 생리적으로 유합되는 것을 볼 수 있었고 그 반대인 경우 관상봉합(coronal suture)이 유지되는 것을 볼 수 있었다. Tgf-β2가 봉합선의 유합에 관여하는 것은 EGF의 신호전달 체계를 통해 이루어진다. Bmp2와 Bmp4 는 두개 봉합선과 경막의 mesenchyme에서 발현되는데, Bmp의 antagonsist인 Noggin을 만드는 유전자는, patent sutures의 mesenchyme에서 발현된다.

5. Syndromic craniosynostosis

Boston-type craniosynostosis는 P148H misense 와 transcription factor muscle segment homeobox-2 (MSX2)의 gain-of-function mutation에 의한다. MSX2은 골형성을 유도하는데 이것이 과발현이 되면 골형성세포(osteogenic cell) 수가 증가하여 봉합선의 조기유합이 나타나고, MSX2의 기능이 상실되는 경우에는 두정골(parietal bone)의 결손이 나타나는 유전적 변이가 일어난다. 이 Boston-type craniosynostosis 은 높은 penetrance와 다양한 표현형의 발현을 보이는 상염색체 우성 유전질환이다.

Saethre-Chotzen syndrome 은 TWIST1 mutation에 의한 loss of transcription factor function mutation이다. 이 증후군은 약한 형태의 비대칭적 두개유합증과 낮은 전두 모발선, 비중격만곡, parrot-beaked nose, 외이의 기형, 눈물관 협착, 안검하수, canthal dystopia, brachydactyly를 나타낸다. 이 증후군은 매우 임상상이 다양하고, 간혹 아주 미약한 증세만은 보이는 경우도 있어서, 다른 modifying molecular mechanisms이 존재함을 시사한다. TWIST는 osteprogenitor cell이 osteogenic cell로 분화되는 과정을 억제, 즉 FGFR 유전자의 발현을 억제한다. 그러므로, loss of TWIST function과 gain of FGFR function은 두개골 조기유합증의 공통적인 기전이다.

Crouzon syndrome, Apert syndrome, Pfeiffer syndrome은 FGFR (fibroblast growth factor receptor)유전자의 변이에 의한다. 이 증후군들은 두개골과 더불어 안면골에도 이형성을 나타내는 공통점이 있어서 faciocraniosynostosis 혹은 craniofacial dysostoses라고도 불린다. 즉 calvarial synostosis과 더불어 두개저 와 중안면부에도 성장저하를 나타낸다. 이 faciocraniosynostosis syndrome은 크게 보면 skeletal dysplasia에 속하는데, dwarfing chondrodysplasias도 skeletal dysplasia에 속하는 점, 몇몇 FGFR-related craniosynostosis syndromes에서 사지의 기형도 발견되는 점 등으로 보아, FGFR은 두개안면골 이외에도 다른 골형성에도 관여하는 것을 알 수 있다. FGFR은 transmembrane receptor이며 세포외 domain, 세포막 내 domain, 세포 내 region으로 이루어져 있다. 세포외 domain은 ligand의 결합하는 부위이며, 3개의 immunoglobulin-like loops (Ig1, 2, 3)로 구성되어 있고 Ig1과 Ig2의 사이에는 acidic box가 있다. 세포 내 region은 tyrosine kinase (TK) activity를 가지고 있다(그림 1-3-3).

FGFR2의 변이(염색체 10q26)는 Crouzon, Apert, Pfeiffer, Jackson-Weiss, Beare-Stevenson에서 볼 수 있다(표 1-3-1). 30종류이

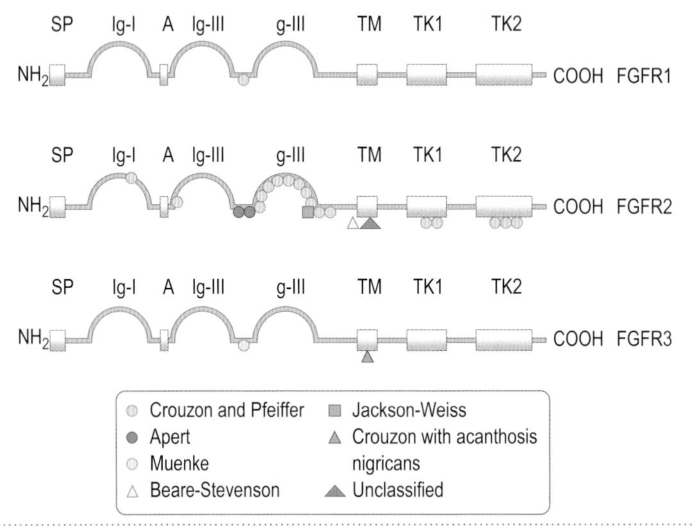

▷그림 1-3-3. 두개골조기유합 증후군에서 나타나는 fibroblast growth factor receptor (FGFR) 1, 2, 3의 돌연변이:세포외 영역은 signal peptide (SP), immunoglobulin (Ig)-like domains I, II, III, 그리고 acidic box (A)를 포함한다. 세포 내 영역인 The tyrosine kinase (TK) 도메인은 두 개의 서브도메인인 TK1과 TK2을 포함한다. 막통과 도메인(The transmembrane (TM) domain)은 세포막 자체에 들어있는 부위를 말한다.

▷표 1-3-1. 두개골 조기유합 증후군(Craniosynostosis)의 종류 및 이환된 유전자.

증후군	변이 유전자가 존재하는 염색체	변이된 유전자
Crouzon	10q26 4p16	FGFR2 FGFR3
Apert	10q26	FGFR2
Pfeiffer	10q26 8p11	FFR2 FGFR1
Jackson-Weiss	10q26	FGFR2
Boston-type craniosynostosis	5q34	MSX2
Beare-Stevenson	10q26	FGFR2
Muenke	4p16	FGFR3
Saethre-Chotzen	7p21	TWIST

상의 FGFR2 misense mutations가 밝혀졌다. 대부분의 mutation은 extracellular domain의 sequence에 위치하지만 몇몇은 transmembrane domain이나 세포 내 region에도 위치한다(그림 1-3-3). Crouzon syndrome with acanthosis nigrans는 FGFR3의 변이에 의해서, 일부의 Pfeiffer syndrome은 FGFR1의 변이에 의해서 나타난다.

Muenke syndrome은 FGFR3-P250R 의 변이에 의하며 관상봉합의 조기유합증, 안각격리증, 약간의 중안면부 저형성, brachydactyly, 그리고 특징적인 temporal fossa bulging을 보인다.

위의 모든 FGFR변이에 의한 증후군들은 gain of function mutation이다. 즉 다양한 기전으로 ligand-independent한, 혹은 지속적인 receptor activation이 일어나서 FGFR signaling이 증가한다. 하지만 같은 FGFR의 변형일 경우에도 매우 다양한 임상상을 갖는데 이는 다른 변이의 존재 가능성, FGFR isoform의 tissue-specific expression의 가능성, 다른 조절인자의 존재 가능성, 환경적인 요인에 의한 영향력 등을 시사한다.

유전자의 변이가 있는 환자의 경우에는 두개골 재유합의 빈도가 높고 재수술률도 높아서 보다 더 광범위한 두개골 수술 및 정밀한 모니터링이 필요하다.

III. 산전진단

1.초음파

산전 초음파는 임신 20주에 시행한다. 구순열의 detection rate는 25~50%이며 위양성은 거의 없다. 구개열은 현재의 기술로는 발견하기 어렵다. 두개골 조기 유합증은 두상의 모양이나 동반된 사지기형의 발견으로 진단할 수 있다. 두상의 모양 이상은 임신의 2~3%에서 발견되는데 이의 원인으로는 유합증 이외에도 spina bifida, trisomy 18도 가능하므로 감별진단이 필요하다. 조기유합증에 의한 두상의 변형은 third trimester가 되어야 발견할 수 있지만 cloverleaf skull등의 심한 변형이 있거나, 사지의 기형이 동반된 경우에서는 second trimester 때에도 발견된다.

2.침습적 검사

양수천자(amniocentesis)나 융모막채취(chorionic villus sampling (CVS))를 통해 태아의 DNA를 얻을 수 있다. 양수천자는 임신 14~20주에 시행하며 1%의 유산의 위험성이 있다. 융모막채취는 임신 11주에 시행하며 약 1~2%의 유산의 위험성이 있다. 양수천자로 얻은 태아의 세포는 조직배양을 한후 DNA 분석을 하게 되지만 이미 부모의 변이 유전자가 무엇인지 알고 있는 상태에서는 변이된 DNA segment를 PCR로 증폭하여 진단을 내릴 수도 있다. 변이를 아직 모르는 경우에는 linkage analysis를 통하여 inherited mutation을 확인한다. 그러나 만약 두개골 조기 유합증후군이 유전학적으로 산전 진단된 경우더라도 표현형으로는 다양한 임상상을 가질 가능성이 있으므로, 정확한 예후를 추정하기는 쉽지 않다. 실제적인 두개골의 변형의 정도를 평가하기 위해서는 연속적인 산전 초음파를 진행해 보아야 한다.

References

1. Nowinski D, Kiwanuka E, Hackl F, et al. Genetics and Prenatal Diagnosis, In P.Neligan Ed. Plastic Surgery 3rd ed Vol.1.Saunders ;2012. 176-200
2. Blattner FR, Plunkett G, Bloch CA et al. The complete genome sequence of E.Coli K-12. Science, 1997;277:1453-1462
3. Brown TA. Molecular Biology Labfax, 2nd edition, Volume I, Academic Press, London, 1998
4. Cohen J. How many genes are there? Science, 1997;275;769,
5. Barton GJ, Protein secondary structure prediction. Curr.Opinion Struct Biol., 1995;5;372-376.
6. Watson JD and Crick FHC. Molecular structure of nucleic acid: a structure for deoxyribose nucleic acid. Nature,1953;171;737-738
7. Apone LM and Green MR, Gene expression: transcription sans TBP. Nature.1998;393;114-115.
8. Mendel J-L, Breaking the rule of three, Nature 1997;386;767-769,

4 성형수술의 정신의학적 측면

Psychiatric Aspects of Plastic Surgery

하태현 서울의대 정신건강의학과

1. 서론

아름다움은 인간이 지각하는 대상의 중요한 특성으로서 즐거움과 만족감, 조화로운 느낌과 정서적 안정감을 안겨준다. 지각적 대상으로서의 사람의 아름다움에는 내적 요소뿐만 아니라 외적 요소, 즉 신체적 매력 역시 중요한 요소이다. 시대와 문화에 따라 그 기준의 차이는 있지만, 아름다운 외모에 대한 관심과 추구는 고대로부터 모든 인간사회에서 관찰되는 보편적 현상이다. 오늘날 현대사회에서는 사람의 가치에 외모가 차지하는 비중이 더 커진 것으로 보인다. 자신의 외모에 대한 스스로의 평가는 다른 사람들의 관점이나 평가를 포함한 사회적 영향력으로부터 자유로울 수 없는데, 눈부시게 발달한 메스미디어와 사회연결망은 아름다운 신체적 이미지를 보다 구체적으로 제시하고 비교하게 한다. 또한, 시장경쟁주의 체제 속에서 생존에 필요한, 흔히 스펙이라 명명되는 개인의 기본 자본에도 매력적인 외모가 포함되었다. 2015년도 한국갤럽의 조사에 의하면 응답자의 86%가 인생에서 외모가 중요하다고 답하였고, 남성의 65%, 여성의 66%가 성형수술을 할 수 있다고 응답하였다. 성형수술 경험은 19세에서 29세 사이 남녀에서 각각 15%와 31%에 달했다.

성형수술의 정신의학적 측면의 핵심은 자아상(self-image)와 자존감(self-esteem)으로 요약할 수 있다. 자아상은 '나를 다른 사람들이 어떻게 생각하는가'에 관한 대답이라고 할 수 있고, 자존감은 자신의 가치에 관한 긍정적 또는 부정적 평가를 일컫는다. 성공적인 성형수술의 심리적 효과는 보다 매력적인 외모를 지니게 함으로써 자아상을 개선하고 자존감을 증진하는 데에 있다. 그러나, 일차적으로 존재하는 정신병리의 해결책으로서 성형수술을 요구할 때에는 수술결과에 대한 불만족과 정신적 후유증, 의사-환자 관계의 파국적 결과로 이어질 수도 있다. 본 장에서는 성형수술의 심리적 동기와 효과, 주의해야 할 정신병리를 살펴보고자 한다.

2. 성형수술의 심리적 측면

1) 성형수술의 동기와 기대

성형수술과 관련된 인구학적 요인으로는 20~30대의 직업을 가진 여성이 꼽힌다. 성형수술의 동기는 매우 다양하고 다층적이다. 자신감을 증진시키기 위한 것과 같이 내적이고 심리적인 동기가 작용하는가 하면, 이성교제나 취업을 위한 것과 같은 외적 동기가 작용할 수 있다. 외적 동기와 목표는 그것이 외모의 변화에 의해서만 달성되는 것은 아니므로 수술 후 기대감을 충족시켜주지 못할 가능성이 높다.

가장 일차적인 동기는 '신체적 이미지 불만족'이다. 예를 들어, 유방확대술을 원하는 여성은 그렇지 않은 여성에 비해 작은 유방에 대한 불만족의 정도가 크다. 최근 독일의 대규모 연구에 의하면 성형수술을 결정한 546명과 성형수술에 관심 있는 264명은 수술의 가장 중요한 동기로 "신체에 관한 더 좋은 느낌을 원해서"(37%)와 "매력 증진을 위해서"(30%)를 꼽았다. "웰빙을 위해서"와 "자존감 증진을 위해서"는 각각 16%와 8%로 세 번째와 네 번째로 꼽혔다. 두 번째로 중요한 동기로는 "매력 증진을 위해서"와 "자존감 증진을 위해서"가 26%와 22%로 각각 1, 2위로 조사되었다. "다른 사람을 즐겁게 하기 위해서"나 "대인관계 개선을 위해서"는 순위가 낮아 사회적 동기보다는 정서적 심리적 동기가 더 우월하게 작용하는 것으로 보인다. 흥미로운 점은 이 조사에서는 비현실적인 기대를 반영하는 질문을 포함하였는데, "새로운 사람이 되기 위해서"와 "내 모든 문제를 해결하기 위해서"와 같은 비현실적인 기대에 대해서는 각각 13%와 3%에서 응답하였다. 수술을 결정한 군과 수술에 관심이 있는 군은 그렇지 않은 군에 비해 신체 이미지를 더 중요하게 생각했고 삶의 만족도와 즐거움이 낮았고 스스로가 지각하는 매력도가 더 낮았다.

따라서, 성형수술에는 신체 이미지를 중요하게 간주하고 자신의 신체에 만족하지 못하여 삶에 대한 만족도가 낮은 사람들이 신체적 자아상을 개선하려는 심리적 동기가 가장 일차적이라고 할 수 있다.

2) 성형수술의 심리적 효과

수술의 심리적 효과에 관한 37개 연구를 리뷰한 바에 의하면, 수술의 종류, 연구설계, 대상군의 특성에 따라 상이한 결과를 나타내는 것으로 보인다. 유방성형술은 축소술이나 확대술 모두 좋은 심리적 효과를 보였다. 만족도가 매우 높았고 심리적 건강, 매력도, 자존감을 모두 개선시킨다. 반면, 비(鼻)성형술에서는 성격적 요인에 따라 심각한 심리적 후유증을 경험하기도 한다. 우울, 부적응, 불화, 파괴적 행동, 성형의를 향한 분노 등을 보이고, 달라진 외모에 충격을 받고 원래의 모습으로의 재수술을 요구하는 '정체성 상실 증후군(loss of identity syndrome)'이 나타날 수도 있다. 일반인구집단에 비해 비성형술을 원하는 군에서는 일반적 정신병리가 더 높다는 보고도 있다. 안면성형술에서의 불량한 심리적 예후를 예측하는 요인은 표 1-4-1과 같다. 종적 경과를 2년까지 추적한 보다 최근의 연구들은 대체로 외모와 신체 이미지의 만족감이 유지되는 결과를 보인다. 심리적 효과도 대체로 긍정적이나 신체적 만족감에 비하면 자존감 상승의 지속적인 효과는 경과가 지날수록 뚜렷하지 않아 보인다.

▷표 1-4-1. 불량한 심리적 예후를 예측하는 요인

1. 남성
2. 어린 나이
3. 수술결과에 대한 비현실적 기대(과도한 기대, 모호한 기대)
4. 이차적 이득에 대한 비현실적 기대(관계의 개선, 취업 등)
5. 최소한의 변형(deformity)
6. 성격장애

3. 관련된 정신병리

모든 정신질환이 성형수술에 적합하지 않은 것은 아니다. 때로는 신체적 문제가 정신질환의 위험요인으로 작용하거나 정신증상의 심각도를 악화시킬 수도 있다. 이러한 경우에는 성형수술과 정신과적 치료가 상호 간의 상승작용을 통해 보다 나은 치료결과를 낳을 수도 있다. 하지만, 정신질환이 일차적이고 성형수술의 요구가 하나의 정신증상으로 나타날 때, 또는 성형수술을 통해 정신증상을 개선시키고자 할 때에는 성형수술이 효과적이지 못할 가능성이 높다. 평가 방식에 따라 달라질 수 있지만, 성형수술을 원하는 사람의 20~70%는 정신질환을 지니고 있고, 약 20%는 정신과적 약물을 복용하고 있다고 알려져 있다. 가장 흔한 질환은 우울증이며, 가장 불량한 예후와 관련된 질환은 신체이형장애(body dysmorphic disorder)이다. 우울증에서는 저하된 자존감을 개선시키기 위한 수단으로서 성형수술을 선택할 수 있고, 신체이형장애에서는 핵심 증상인 신체적 자아상의 병리가 일차적인 문제로 작용한다. 성형수술의 요구로 표현될 수 있는 일차적 정신병리의 종류는 표 1-4-2와 같다.

▷표 1-4-2. 성형수술의 요구로 이어질 수 있는 일차적인 정신병리의 종류

정신병리	정신질환
신체적 자아상의 병리	
- 신체적 망상(비현실적이고 잘못된 신념)	- 조현병, 망상장애, 급성 기분삽화
- 신체 또는 외모에의 과도한 집착	- 신체이형장애
- 신체상의 왜곡	- 섭식장애(거식증)
정체감의 병리	
- 불안정한 정체감이나 자아상	- 경계선성격장애
자존감의 병리	
- 자존감의 저하	- 우울증, 기분부전장애
- 과도한 자기애	- 자기애성성격장애

1) 신체이형장애 (Body dysmorphic disorder)

과거 추형공포증(dysmorphophobia), 신체수치강박증(l' obsession de la honte du corps), 피부건강염려증(dermatologic hypochondriasis), 미모건강염려증(beauty hypochondria), 단증상성 건강염려 정신증(monosymptomatic hypochondriacal psychosis) 등으로 기술되어온 일련의 정신병리를 통칭하는 질환으로서, 정신질환의 진단통계편람(DSM) IV판까지는 '신체형장애(somatoform disorder)'에 속했으나 2013년 개정된 DSM-5에서는 강박관련장애(obsessive-compulsive and related disorders)에 포함시켰다. 반복적인 생각과 행동, 행동억제의 실패를 특징으로 하는 진단군이다.

특정 신체 부위에 대한 병적 집착과 과도한 걱정을 특징으로 하며, 통제와 저항이 어려운 반복행동으로서 하루 수 시간을 거울을 보며 집착된 부위를 확인한다. 타인에게 결함이나 결점이 노출되어 추하다고 평가되거나 거절당하는 상황으로의 노출을 꺼리므로 사회생활 없이 고립된다. 짙은 치장, 선글래스 착용, 모자를 깊이 눌러

쓰기 등 결함이 노출됨으로써 발생하는 수치나 공포, 다른 사람의 부정적인 평가나 거절을 예방할 목적을 지닌 행동을 특히 '안전행동(safety behaviors)'이라고 한다. 다른 사람에게 외모가 괜찮아 보이는지를 물어 안심을 구하려는 행동도 흔히 동반된다. 강박행동, 회피, 안전행동이 주요 행동 특성을 이룬다. 일반적으로 강박장애에 비해 병식이 더 불량해 약 절반에서 망상적 신념을 지니고 있다. 약 2/3에서는 타인들이 자신을 부정적으로 보고 조롱한다는 편집사고를 동반한다. 진단기준은 표 1-4-3과 같다.

▷ 표 1-4-3. DSM-5 신체이형장애 진단기준

A. 다른 사람에게는 관찰되지 않거나 사소해 보이는 외모의 결함이나 결점 한 가지 이상에 집착되어 있다.
B. 질환의 경과 중 어느 시점에서 외모 걱정에 대한 반응으로서 반복적인 행동(즉, 거울 확인, 과도한 치장, 피부 뜯기, 안심을 구하기)이나 정신적 행위(즉, 자신의 외모를 다른 사람과 비교)를 한다.
C. 집착은 사회적, 직업적 또는 중요한 기능 영역에서 임상적으로 유의한 고통이나 지장을 초래한다.
D. 외모 집착은 섭식장애를 만족하는 환자에게서 체지방이나 체중에 관한 걱정으로 더 잘 설명되지 않는다.

특정형:
근육이형증: 체격이 너무 작거나 근육이 부족하다는 생각에 집착되어 있다. 흔히 나타나듯이 다른 신체 부위에 집착을 지닌 경우에도 사용할 수 있다.

특정형:
좋거나 양호한 병식: 신체이형장애의 신념이 분명하게, 또는 아마도 사실이 아니거나 사실이 아닐 수도 있음을 인지한다.
불량한 병식: 신체이형장애의 신념이 아마도 사실일 것이라 생각한다.
병식 없음/망상적 신념: 신체이형장애의 신념이 사실이라고 전적으로 확신한다.

신체이형장애의 시점유병률은 0.7~2.4%에 이르는 것으로 알려져 있는데 성형외과 환자의 3~53%, 교정치과 환자의 8%, 그리고 구강외과 환자의 10%에서 관찰된다. 평균 발병연령은 16~17세이고, 12~13세 발병이 가장 흔하다. 대부분 점진적으로 발병하고, 치료를 받지 않으면 만성적 경과를 거친다. 약 70%의 환자들이 성형외과, 피부과, 치과에서 미용치료를 받지만 효과는 좋지 않다. 특히 수술적 미용치료는 신체이형장애의 증상을 개선시키지 못할 뿐만 아니라, 환자와 치료한 의사에게도 심각하게 부정적인 결과로 이어질 수 있다. 정신사회적 기능과 삶의 질은 대단히 불량하여 약 삼분의 일에서 학업이나 직업을 유지하지 못한다. 80%에서 자살사고를 경험하고 1/4에서 자살을 기도한다. 편집사고에 의한 폭력성도 나타나는데, 약 1/3에서 폭력성을 나타내며, 성형수술 결과에 대한 불만족으로 성형의사에게 폭력을 행사하는 경우도 드물지 않다.

2) 우울증

우울증(주요우울장애)은 일평생 유병률이 10~15%에 이르는 가장 흔한 정신질환이다. 성형수술을 받는 환자들에게서도 가장 흔히 관찰되는 정신질환으로서 일반인구집단에 비해 5배 높다. 주요우울삽화(major depressive episode)는 대표적인 두 가지 기분장애인 주요우울장애와 양극성장애(조울병)에서 나타나는, 통상 수주에서 수개월간 지속되는 삽화성의(episodic) 병적 상태이다. 두 기분 장애는 동일한 진단기준(표 1-4-4)를 사용하고 우울삽화만으로는 구분할 수 없으나, 몇 가지 차이점이 지적되고 있다. 양극성장애에서의 우울증, 즉, 양극성우울증은 25세 이전에 일찍 발병하며 재발이 잦고 기분장애의 가족력이 높다. 증상의 양상에서도 환각이나 망상과 같은 정신병적 증상이 동반되거나, 과수면, 과식, 사지의 무거움(연마비, leaden paralysis), 정서적 반응성, 대인관계의 민감성 같은 비전형적 우울증상이 잦고, 우울증상뿐만 아니라, 다변, 과잉행동, 흥분성, 생각이 많음 등 일부 조증이나 경조증의 증상을 동시에 표현하는 혼재형이 흔하다.

▷표 1-4-4. 주요우울삽화의 DSM-5 진단기준.

A. 다음의 증상 가운데 5가지 이상의 증상이 2주 연속으로 지속되며 이전의 기능 상태와 비교할 때 변화를 보이는 경우, 증상 가운데 적어도 하나는 (1)우울한 기분이거나 (2) 흥미나 즐거움의 상실이어야 한다.

주의점: 명백한 다른 의학적 상태로 인한 증상은 포함되지 않아야 한다.

1. 하루 중 대부분 그리고 거의 매일 지속되는 우울한 기분을 주관적으로 보고(예: 슬픔, 공허감 또는 절망감)하거나 객관적으로 관찰됨
2. 거의 매일, 하루 중 대부분, 거의 또는 모든 일상활동에 대해 흥미나 즐거움이 뚜렷하게 저하됨
3. 거의 매일 나타나는 불면이나 과다수면
4. 체중 조절을 하고 있지 않은 상태에서 의미 있는 체중의 감소(예: 1개월 동안 5% 이상의 체중 변화)나 체중의 증가, 거의 매일 나타나는 식욕의 감소나 증가가 있음(주의: 아동에서는 체중의 증가가 기대치에 미달되는 경우)
5. 거의 매일 나타나는 정신운동 초조나 지연(객관적으로 관찰 가능함. 단지 주관적인 좌불안석 또는 처지는 느낌뿐만이 아님)
6. 거의 매일 나타나는 피로나 활력의 상실
7. 거의 매일 무가치감 또는 과도하거나 부적절한 죄책감(망상적일 수도 있는)을 느낌(단순히 병이 있다는 데에 대한 자책이나 죄책감이 아님)
8. 거의 매일 나타나는 사고력이나 집중력의 감소 또는 우유부단(주관적인 호소나 객관적인 관찰 가능함)
9. 반복적인 죽음에 대한 생각(단지 죽음에 대한 두려움이 아님), 구체적인 계획 없이 반복되는 자살사고, 또는 자살시도나 자살수행에 대한 구체적인 계획

B. 증상이 사회적, 직업적 또는 다른 중요한 기능 영역에서 임상적으로 현저한 고통이나 손상을 초래한다.

C. 삽화가 물질의 생리적 효과나 다른 의학적 상태로 인한 것이 아니다.

성형수술을 받는 환자들에게 밀집된 우울증의 임상적 역할은 아직 잘 규명되지 않았다. 성형수술은 외모에 대한 만족감뿐만 아니라 정신사회적 안녕감에도 효과가 있으므로 우울증상의 개선에도 도움이 될 것이라는 가설도 있고, 우울증의 과거력이 성형수술의 불량한 결과를 예측한다는 보고도 상존한다. 따라서, 우울증의 병력이나 현재력은 성형수술의 금기는 아니지만, 환자를 선별함에 주의를 요한다는 정도의 애매한 지침이 있을 뿐이다.

우울증에는 주요우울장애와 양극성장애의 진단적 이종성뿐만 아니라, 생물사회정신적 위험요인의 다양성만큼이나 다양한 표현형이 존재한다. 특정 유형의 우울증은 수술 후 결과에 영향을 미치지 않거나 더 좋은 결과와 관련될 것이고, 특정 유형의 우울증은 불량한 결과와 관련될 것이라 가정할 수 있다. 예를 들어, 청소년이나 초기 성인기에는 신체 이미지의 불만족이 우울증의 위험 요인 중 하나로 알려져 있다. 따라서 우울증의 발병에 앞선 이른 발달단계부터 지속되어 온 신체 이미지의 불만족이 수술의 동기라면 성형수술은 신체적 만족감뿐만 아니라 우울증상의 개선에도 상승작용을 가져올 수 있다. 반면, 우울증상의 발병 이후에 출현한 수술에 대한 욕구는 저하된 자존감을 회복하고자 하는 반응으로서 비현실적인 기대일 가능성이 높다. 실제로 많은 우울증 환자들은 부정적인 얼굴표정으로 대부분의 시간을 보내며 거울에 비친 본인의 얼굴을 추하다고 인식하는 경우가 흔하다. 문헌적 증거는 부족하지만 우울증에서의 성형수술이 도움이 되는 경우와 그렇지 않은 경우를 가설적으로 구분해보면 표 1-4-5와 같다.

▷표 1-4-5. 우울증에서 좋은 수술 결과와 불량한 결과를 예상할 수 있는 차이점

좋은 결과	불량한 결과
신체적 불만족이 우울증 발병에 앞서 건강한 시기에도 지속적으로 있어 왔음	우울증 발병 후 자기 혐오감이 수술의 동기로 작용함
수술에 대한 기대가 구체적이고 현실적임	수술에 대한 기대가 모호하거나 추상적임
충동성이나 자살위험이 없음	기분을 개선시키기 위한 다른 행동문제, 예를 들면, 알코올 사용, 게임이나 도박 등 충동적이거나 중독성의 행동을 보임
공존 정신질환이 없음	불안, 알코올사용, 섭식장애, 강박관련장애, 인격장애 등 다른 공존 정신질환이 있음
안정적이고 지지적인 환경	불안정하고 지지적이지 않은 환경, 사회적 고립이나 퇴축

주요우울장애에 비해 양극성우울증, 특히 양극성II형장애, 기분순환장애, 기타양극성장애 등에서는 삽화의 재발이 잦고 기분변동이 심하다. 수술에 대한 동기나 결과에 대한 만족감도 변동하는 기분에 따라 달라질 수 있고, 조증이나 경조증 상태에서는 공격성이 표출될 수 있으므로 더 신중한 주의를 요한다.

우울증은 병적으로 긍정적 평가와 전망이 불가능한 상태임을 알아야 한다. 우울증이 개선된 상태라면 만족할 만한 결과라도 우울증 상태에서는 만족감을 느끼기 어렵다. 또한 스트레스에 대단히 취약한 상태로서 수술 직후의 통증이나 기능적 제한 등을 더욱 비관적으로 해석하고 견디기 힘들어 할 가능성도 있다. 따라서, 우울증상이 충분히 개선된 후에 재평가를 통해 수술의 시점을 정하는 것이 추천할 만하다.

3) 성격장애

성형수술을 받는 사람에게서 흔하고 불량한 수술 결과와 관련된 성격장애로는 경계선성격장애(borderline personality disorder), 자기애성성격장애(narcissistic personality disorder), 연극성성격장애(histrionic personality disorder)가 유력하다. 성격장애는 청소년기나 초기 성인기에 발현되어 지속되는, 사회문화적 기대로부터 뚜렷하게 벗어나 있는 내적 경험과 행동 패턴에 대해 내리는 진단이다. 주요 증상의 유사성에 따라 3가지 군으로 분류한다. A군집(cluster A)은 기이하고 괴짜스러운 특성을 보이는데 편집성(paranoid), 조현성(schizoid), 조현형성격장애(schizotypal personality disorder)를 포함하고 B군집은 극적이고, 감정적이고 변덕스러운 특성을 나타내는 반사회성(antisocial), 경계선, 연극성, 자기애성성격장애를 포함한다. C군집은 불안이나 공포를 주 문제로 표현하는 회피성(avoidant), 의존성(dependent), 강박성성격장애(obsessive-compulsive personality disorder)를 포함한다.

이들 열거한 성격장애 중 특히 성형수술에서 주의하여 할 환자들은 주로 B군 성격장애에 해당한다. B군 성격장애의 가장 대표적인 유형인 경계선성격장애는 매우 불안정한 정서, 충동조절의 어려움, 불안정한 대인관계, 반복적인 자살충동과 자해, 만성적인 공허감, 불안정한 정체성을 특징으로 한다. 정신역동적으로 좋음과 나쁨의 표상이 통합되지 않고 분리되어 따로따로 투사되기 때문에 이들에게 대상은 의존과 칭송의 대상이었다가 어느 순간 악인으로 간주해버리는 극과 극을 오가는 변덕의 대상이 된다. 대인관계에 극적인 변화가 자주 오며 스스로 고통을 초래하고 우울해하며 위기 때마다 위험한 행동을 자주 한다. 스트레스 상황에서는 일시적으로 현실검증력을 상실하여 편집증적 상태를 보일 수도 있다. 이들의 대인관계 양상은 상대방으로 하

여금, 본인의 내적인 표상, 즉 선한 역할이나 악한 역할을 무의식적으로 강요하는 방어기제(투사적 동일시, projective identification)를 사용하여서 요구되는 역할에 부담이나 강렬한 정서적 반응을 느끼게 한다. 이러한 전이(transference)와 역전이(counter-transference) 현상은 특히 의사-환자 관계에서 더욱 뚜렷하게 나타날 수 있다. 상대방은 "조종을 당하는 것 같은" 느낌을 갖는다.

경계선성격장애의 의미가 성형외과 문헌에서는 자해한 상처의 치료 또는 불량한 수술결과와의 관련성으로 종종 언급되어 왔다. 이들의 수술동기는 반복적인 자해로 인한 신체적 결함의 교정일 가능성도 높지만, 핵심 증상의 한 가지인 불안정한 정체성과 관련되어 있을 수도 있다. 불안정한 정체성은 칭송의 대상의 정체성을 본인의 것으로 동일시하려는, 즉, 긍정적 대상을 닮고 싶은 욕구로 이어질 수 있다. 때문에 누구를 닮고 싶은 소망이나 부정적인 자아상을 외모의 특정 부위로 전치시켜 교체하고 싶은 소망이 성형수술의 동기에 반영되었을 수 있다. 이와 같은 경우라면, 변화된 외모에 대해서 당장에는 만족하더라도 곧 변덕을 나타낼 것이므로 수술결과에 대한 만족과 평가가 극적으로 달라질 수 있다. 여기에 성형의와의 관계가 형성되면 성형의에게 어떤 역할을 무의식적으로 투사함으로써 의사를 더더욱 고통스럽게 만들 수 있다. 예를 들면, 초기 단계에서는 본인의 문제를 해결해줄 수 있는 영웅적 대상으로서 칭송하고 수술결과에 만족하다가 사소한 발단으로 인해 태도가 돌변하면서 수술결과를 비난하고 공격하고 의사를 천하의 악인으로 취급할 수도 있다. 동시에 환자도 우울증과 자살충동에 시달리고 위험한 행동을 할 수 있다. 이 과정에서 성형의는 처음에는 우쭐한 느낌이 들었다가 돌변하는 환자의 태도와 함께 죄책감과 미안함, 자책과 우울 등의 감정적 혼란의 소용돌이에 함께 빠져드는 수가 있다.

자기애성성격장애는 자신의 중요성에 대한 과도한 느낌, 감정이입이나 공감의 부족, 독특함에 대한 거창한 느낌, 잠재력에 대한 환상, 숭배 받고자 하는 욕구 등을 특징으로 한다. 다른 사람이 지닌 것을 부러워하거나 자신이 시기의 대상이 되어 있다는 생각을 자주 하며, 오만하거나 건방진 태도를 보일 수 있다. 이러한 임상적 특성은 처음부터 노골적으로 드러나 보이지는 않는 내적인 태도로서 겉으로는 아닌 척 가장되어 있는 경우가 흔해 관계가 형성된 이후에야 느끼게 되는 경우가 많다. 자기애성 성격장애를 의심할 수 있는 가장 중요한 단서는 모든 관심과 대화의 방향이 본인의 가치를 증명받고 싶어한다는 데에 있다는 점이다. 예를 들면, 대화의 주제 자체에는 관심이 없어 보이고 그러한 주제를 이야기할 수 있는 대단한 사람임을 인정받고 싶어하는 것과 같다. 이들에게 상대방은 본인의 가치를 확인하기 위한 수단일 뿐이기 때문에 대인관계 양상이 착취적이다. 자기애성 성격장애 환자의 성형수술의 동기는 이와 같은 본인의 가치와 중요성을 부각시키고자 하는 소망과 관련 있을 수 있다. 하지만 이들이 무의식적으로 추구하는 욕구는 외모의 변화로 만족할 수 있는 이상이므로 수술결과에 만족하긴 쉽지 않다. 그들이 성형수술로 요구하는 것은 불편감의 해소가 아니라 끊임 없이 충족되어야 하는 자기애적 수단(narcissistic supply)이다. 때문에 수술의 동기가 더 훌륭하거나 완벽함을 추구하는 데에 실려 있다. 이들은 자기애적 욕구가 충족되지 않을 때 심한 분노 반응을 보이거나 깊은 우울증에 빠질 수 있다. 성형의 또한 존중 대상으로서의 인격체가 아니라 자기애적 수단을 공급해주는 수단으로 간주하기 때문에 분노와 원망의 대상으로 삼는 데에 주저함이 없을 수 있다.

연극성성격장애는 감정적이고 화려하고 극적인 행동양식을 특징으로 한다. 이러한 임상양상은 모두 오로지 다른 사람의 관심을 독점해야 하는 목적에 복무한다. 자신이 중심에 서 있지 못하면 매우 불편해하고, 다른 사람의 관심을 얻기 위해 외모나 행동이 자극적이거나 유혹적이다. 외적 인상에 집중되어 있으며, 대인관계는 피상적이고 세밀함이나 공감이 결여되어 있다. 얼핏 보기에는 다른 사람을 쉽게 믿고 의지하기 때문에 순진해 보일 수 있다. 스스로에게도 피상적이기 때문에 본인의 감정이나 행동의 동기를 잘 이해하지 못한다. 연극적 욕구가 충족되지 못할 때에는 의도적으로 또는 무의식적으로 관심을 끄는 극적인 행동, 예를 들면, 기절하며 쓰러지기, 자살소동 벌이기, 해리반응(히스테리성 전환, conversion) 등의 반응을 흔히 보인다. 연극성 성격장애에서의 성형수술의 동기는 다른 사람의 관심을 끌기 위한 것일 수 있다. 이 동기 역시 대인관계를 조종하기 위한 수단이므로 비현실적인 동기로 간주할 수 있고 높은 만족도를 얻기 어려울 수 있다. 하지만, 경계선성격장애나 자기애성성격장애처럼 치명적이고 파국적인 결과로 이어지는 경우는 드물다.

성격장애가 성형수술의 금기는 아니다. 다만, 수술의 동기를 이해할 때에 성격장애와 관련된 요인을 파악하는 것이 수술 여부의 결정과 예후 추정에 큰 도움이 되고, 보다 중요하게는 결과를 향상시키기 위해 취해야 할 의사의 태도를 결정하는 데에 필요하다. 성격장애와 관련된 문제를 다룰 때에는 처음부터 가능한 것과 불가능한 것, 환자가 요구할 있는 범위와 수술이 가져올 수 있는 성과의 한계, 환자의 역할과 의사의 역할 등 가능한 한 모든 경계선과 원칙을 분명히 하는 것이 좋다. 원칙은 정해진 선을 위반하였을 때 어떻게 할 것인지를 사전에 약속하는 것이다. 이러한 선과 원칙에 관한 합의가 이루어지면 계약서의 형식으로 명시하고 서명하는 것도 도움이 될 수 있다.

4. 요약

수술 여부의 결정과 예후 또는 수술결과에 대한 환자의 반응을 추정하는 데에 주요한 정신의학적 문제들을 살펴보았다. 정신질환을 지닌 환자 또는 정신병리와 관련된 수술의 동기가 모두 성형수술의 금기는 아니다. 요약하자면, 첫째, 정신병에서의 망상 또는 신체이형장애에서의 강박적 집착과 같은 비현실적이거나 왜곡된 자아상에서 비롯된 수술 동기는 거의 금기로 간주하는 것이 좋다. 둘째, 우울증이나 성격장애는 사례를 개별적으로 면밀하게 검토해야 한다. 실제로 성형수술의 동기를 지닌 많은 대상자들은 우울증이나 특정 유형의 성격을 지닌 사람들일 가능성이 높고 경우에 따라 이들에게 성형수술은 신체적 심리적 건강을 증진시키는 데에 기여할 수 있다. 셋째, 평가에서 중요한 점은 수술 동기의 현실성과 합리성이라고 요약할 수 있다. 현실적이고 합리적인 동기일수록 공감이 쉽다. 객관자의 관찰과 잘 일치하지 않는 불편에서 비롯되어 잘 납득이 가지 않거나, 지나치게 완벽을 추구하거나, 모호한 동기들은 그것이 정신병리에서 비롯된 것이 아닌지를 의심해야 한다. 넷째, 정신병리에서 비롯된 동기라면 수술 결정을 보류하고 정신과적 치료를 선행하거나 성형수술이 도움이 될 수 있을지에 관해 정신과적 자문을 구하는 것이 좋다. 정신과적 치료 후에는 성형수술의 동기가 사라지는 경우도 흔히 있다. 다섯째, 정신병리적 동기가 파악되었지만 수술을 결정한다면, 환자의 목표를 합리적인 수준으로 수정하는 과정이 필요하다. 환자가 수정된 목표에 동의한다면, 수술 전후 과정 모두에서 선과 원칙을 정하는 것이 좋다. 끝으로 경험 있는 성형의라면 육감으로 감별할 수 있는 정신의학적 문제들의 평가에 도움이 될 만한 사항들을 표 1-4-6에 열거하였다.

▷표 1-4-6. 성형의가 평가할 수 있는 정신의학적 측면들

항목	평가할 내용
수술의 동기와 목적	고통이 합리적이고 공감할 수 있는가? 기대하는 결과는 현실적인가? (그렇지 않다면) 고통이 망상이나 왜곡에서 비롯되었는가? 달성하기 어려운 완전무결을 추구하는가? 목표가 지나치게 모호한가? 외모의 변화가 아닌 결혼, 취업, 관계에서의 역할 등을 기대하는가? 본인이 원하는 것인가, 주변 인물의 권유인가?
정신과적 과거력	정신과 상담을 받아본 적이 있는가? 어떤 문제로 무슨 진단과 치료를 받았는가? 감정기복이 있는 편인가? 우울하거나 무기력한 시기를 보낸 적이 있는가? 자살을 생각하거나 자살시도를 한 적이 있는가? 흡연, 알코올, 게임이나 도박 등 중독성 있는 물질이나 활동에 빠진 적이 있는가? 질풍노도의 시기를 보낸 적이 있는가? 큰 스트레스나 정신적 외상을 겪은 적이 있는가? 잘 극복하였는가? 현재는 그 문제나 증상이 어느 정도인가?
현재 정신과적 문제	우울하거나 고통스러워 보이는가? 생각의 내용이나 언어적 표현이 합리적이고 적당한가? 특이하거나 반복적인 행동을 하는가? 면담 도중 긍정적인 전망, 긍정적인 얼굴 표정이 나타나는가? 전반적인 대화의 흐름을 잘 따라오는가? 오로지 소수의 주제에만 반복적으로 집중하는 경향이 있는가? 위생이 불량한가? 또는 지나치게 화려한 치장인가? 의사를 지나치게 경계하는가? 혹은 지나친 호의를 보이는가?
개인력과 정체감	중단 없는 학업적 성취를 이루었는가? 안정적인 직장생활을 유지하고 있는가? 안정적인 일차집단과의 지지적 관계를 유지하고 있는가? 어려움을 상담할 주변 인물들이 존재하는가? 미래에 관한 목표와 전망이 있고 노력하고 있는가? 자신이 어떤 사람인지 잘 설명할 수 있는가? 주변 사람들로부터 어떤 평가를 받는지 잘 설명할 수 있는가?

References

1. 대한신경정신의학회. 신경정신의학. 3rd Edition. 서울: 아이엠이즈컴퍼니. 2016.
2. 한국갤럽. 외모와 성형수술에 대한 인식 조사. 2015.
3. Adamson PA, Chen T. The dangerous dozen--avoiding potential problem patients in cosmetic surgery. Facial Plast Surg Clin North Am. 2008;16(2):195-202, vii.
4. Ambro BT, Wright RJ. Depression in the cosmetic surgery patient. Facial Plast Surg. 2010;26(4):333-8.
5. American Psychiatric Association. Diagnostic and statistical manual of mental disorder. 5th Edition. Washington, DC: American Psychiatric Press. 2013.
6. Belli H, Belli S, Ural C. Psychopathological evaluation of patients requesting cosmetic rhinoplasty: a review. West Indian Med J. 2012;61(2):149-53.
7. Fang A, Matheny NL, Wilhelm S. Body dysmorphic disorder. Psychiatr Clin North Am. 2014;37(3):287-300.
8. Flores-Cornejo F, Kamego-Tome M, Zapata-Pachas MA, Alvarado GF. Association between body image dissatisfaction and depressive symptoms in adolescents. Rev Bras Psiquiatr. 2017;39(4):316-22.
9. Golshani S, Mani A, Toubaei S, Farnia V, Sepehry AA, Alikhani M. Personality and Psychological Aspects of Cosmetic Surgery. Aesthetic Plast Surg. 2016;40(1):38-47.
10. Gorney M. Recognition of the patient unsuitable for aesthetic surgery. Aesthet Surg J. 2007;27(6):626-9.
11. Gorney M. Recognition and management of the patient unsuitable for aesthetic surgery. Plast Reconstr Surg. 2010;126(6):2268-71.
12. Herruer JM, Prins JB, van Heerbeek N, Verhage-Damen GW, Ingels KJ. Negative predictors for satisfaction in patients seeking facial cosmetic surgery: a systematic review. Plast Reconstr Surg. 2015;135(6):1596-605.
13. Honigman RJ, Phillips KA, Castle DJ. A review of psychosocial outcomes for patients seeking cosmetic surgery. Plast Reconstr Surg. 2004;113(4):1229-37.
14. Margraf J, Meyer AH, Lavallee KL. Psychological health and aims of aesthetic surgery seekers. Clin Psychol Sci. 2015;3(6):877-91.
15. Margraf J, Meyer AH, Lavallee KL. Well-being from the knife? Psychological effects of aesthetic surgery. Clin Psychol Sci.2013;1(3):239-52.
16. Morioka D, Ohkubo F. Borderline personality disorder and aesthetic plastic surgery. Aesthetic Plast Surg. 2014;38(6):1169-76.
17. Piromchai P, Suetrong S, Arunpongpaisal S. Psychological status in patients seeking rhinoplasty. Clin Med Insights Ear Nose Throat. 2011;4:31-5.
18. Powell PA, Overton PG, Simpson J. The revolting self: an interpretative phenomenological analysis of the experience of self-disgust in females with depressive symptoms. J Clin Psychol. 2014;70(6):562-78.
19. Rohrich RJ, Janis JE, Kenkel JM. Male rhinoplasty. Plast Reconstr Surg. 2003;112(4):1071-85; quiz 86.

5 창상치유
Wound Healing

한승규 고려의대

우리들은 일생을 살면서 크고 작은 여러 가지 창상을 경험하게 된다. 작게는 한여름 해수욕을 하다가 피부가 빨개지는 가벼운 화상을 입거나 날카로운 물건에 긁히기도 하고 가시에 찔리기도 한다. 뜨거운 물체에 화상을 입기도 하고 사고로 인하여 피부가 떨어져 나가기도 하며 많은 사람들은 여러 가지 이유로 수술을 받음으로써 어쩔 수 없이 몸에 창상이 생기게 된다.

우리 몸에서 피부는 여러 가지 기능을 담당하고 있지만 가장 중요한 기능은 외부로부터 우리 몸을 보호하는 장벽으로서의 역할이라 할 수 있다. 생긴 창상이 적절히 치료되지 않으면 세균들이 몸 속으로 침범하여 여러 중요한 장기에 치명적인 손상을 입힐 수도 있다. 또한 피부는 개인의 사회생활에 영향을 미치게 되는 외모에 중요한 역할을 하게 되므로 정신적 건강에도 중요하다. 따라서 일단 창상이 생기게 되면 손상된 피부부위가 가능한 한 빨리 그리고 본래 피부구조와 유사하도록 복원되어 피부로서의 기능을 할 수 있도록 하고 치유 후 흉터를 최소화하는 것이 중요하다.

이런 목적을 달성하기 위한 적절한 치료방법을 이해하자면 먼저 창상이 어떻게 치유되는지에 대한 지식이 필수적이다. 이 장에서는 기본적인 창상치유기전 및 창상처치방법에 대해 서술해 보고자 한다.

1. 창상의 정의, 분류 및 치유방법

1) 창상의 정의

창상 깊이와 정도의 차이는 있으나 정상적인 피부 구조가 파괴된 상태를 창상이라 한다. 병리학적 관점에서는 피부구조 중 표피를 지나 진피조직 이상이 손상 받은 경우를 창상이라 한다.

2) 창상의 분류

창상의 분류는 분류기준에 따라 여러 가지로 기술될 수 있는데 대표적으로는 다음의 세 가지 분류기준에 따른다.

첫째는 개방성(open)과 폐쇄성(closed) 창상으로 분류하는 것이다. 전자는 피부가 찢어지거나 결손이 생겨 피하조직 등이 노출된 경우로 incision, laceration, abrasion, puncture, defect 등이 속하며 상처라고 부르기도 한다. 후자는 피하

조직이 노출되지 않은 경우로 타박상, 멍, 혈종 등이 포함된다.

둘째는 기간에 따라 분류하는 방법으로 급성과 만성 창상으로 분류한다. 급성 창상이란 정상적인 치유과정을 거치면서 예측 가능한 기간 내에 창상치유가 마무리 되는 것이 기대되는 창상으로써, 창상크기 등 여러 요인에 따라 차이는 있으나 일반적으로는 건강한 성인의 경우 2~3주 내에 창상치유가 기대되는 경우이다. 만성 창상은 적절한 창상치유 과정이 진행되지 않아 창상치유 속도가 늦어지거나 창상이 호전되는 증거가 보이지 않는 경우이다. 기간에 따른 급성 창상과 만성 창상의 기준은 여러 문헌이나 관련학회마다 다르게 제시되고 있어 정해진 기준은 없다. 과거에는 3개월을 기준으로 하는 것이 일반적이었으나 그 후 6주, 4주, 3주 등으로 점차 만성 창상의 범주를 확대하는 경향이다. 몇 년 전 미국창상학회에서는 2주를 기준으로 해야 한다는 의견이 나올 정도이다. 현재까지는 표준 창상치료에도 불구하고 4주를 기준으로 창상치유의 증거가 확연히 보이지 않는 경우, 혹은 2~4주 경과 시 20~40%의 창상면적 감소가 없는 경우를 만성 창상으로 정의하는 것이 일반적이다.

셋째 기준은 깊이이다. 먼저 피부의 구조를 보면 밖에서부터 표피, 진피, 피하지방층 등 3층으로 구성되어 있고 땀샘, 피지샘, 손발톱, 털 등과 같은 표피부속기도 피부에 속한다. 각층의 조직에는 여러 종류의 세포가 산재해 있고 이들 세포가 만든 물질들이 세포 사이사이를 채우고 있는데, 각 층마다 독특한 세포 및 세포사이의 물질들이 피부의 여러 기능을 담당하게 되는 것이다. 표피에 국한된 손상을 표층(superficial)창상, 진피의 일부를 포함한 경우를 부분층(partial-thickness)창상, 진피층 전체를 포함하거나 그 하부의 피하조직, 근막, 근 조직 등이 노출된 경우를 전층(full-thickness)창상이라 한다. 표층창상이나 부분층창상이라도 깊이가 깊지 않고 진피의 바깥층 정도까지만 손상을 입은 경우라면 표피만 재생되면 되므로 치유속도도 빠르고 흉터도 거의 생기지 않는다. 그러나 창상이 진피의 중간층 이하까지 침범한 부분층창상이나 전층창상의 경우에는 감염 등의 합병증이 생길 확률이 높고 치유 후에도 흉터가 생기게 된다.

3) 창상치유 방법

(1) 일차유합(Primary intention)

상피화(표피화)에 의한 창상치유를 일차유합이라 한다. 표층창상이나 깊이가 깊지 않은 부분층창상의 경우 표피만 재생되면 되므로 일차유합이 가능하다. 또한 전층창상이라도 봉합 등에 의해 창상 가장자리를 서로 붙임으로써 역시 일차유합을 도모할 수 있다. 따라서 봉합된 laceration이나 대부분의 수술절개 창상 등이 일차유합으로 창상이 닫히게 된다.

(2) 이차유합(Secondary intention)

육아조직형성, 창상수축, 상피화 등 창상치유의 세 가지 기전(다음의 '창상치유과정' 참조)에 의한 창상치유를 이차유합이라 한다. 봉합이 되지 않았거나 봉합이 되었더라도 완전히 되지 않아 결손부위가 남아 있는 전층창상의 경우 이차유합으로 치유되게 된다. 이차유합의 경우 대개는 치유 후 반흔구축이 남게 된다.

(3) 삼차유합(Tertiary intention)

전층창상 발생 후 처음에는 결손부위를 열린 상태 그대로 두었다가 일정기간 후(대개는 4~5

일 후) 창상을 봉합하거나 피부이식, 피판술 등의 수술적 조작을 통해 일차유합으로 마무리하는 것을 말하며, delayed primary closure라고도 한다. 기다리는 일정기간 동안 창상은 염증단계를 지나면서 깨끗해지고 관찰이 가능하기 때문에 주로 염증성 창상의 경우 이 방법이 사용되게 된다.

2. 창상치유과정

적절한 비유가 될지는 모르겠지만 이해를 돕기 위해 창상치유과정을 아파트 등의 건물신축에 비유해 보기로 하자. 아파트를 건설하려면 아무 순서나 계획도 없이 무작정 공사가 이루어질 수는 없는 일이다. 먼저 아파트를 건설할 부지에 보호벽을 설치하여 주위의 보행자나 시설 등이 공사로 인하여 피해받지 않도록 해야 한다. 그 후 공사부지 내에서 건물신축에 방해가 되는 쓰레기, 돌덩이, 오물 등을 깨끗이 제거하고 땅을 고르게 된다. 그 후에야 비로소 건설에 필요한 벽돌, 철근, 시멘트 등의 재료를 이용하여 건물들을 하나씩 세우게 되는 것이다. 그러나 건물의 골격이 만들어졌다고 해서 아파트건설이 마무리된 것은 아니다. 아파트 내에 사람들이 입주해서 살기 위해서는 건물 내에 상하수도, 전기, 가스 등이 공급되어야 하고 벽지와 페인트칠도 필요하며 아파트단지 내의 도로정리 등 아파트로서의 기능을 할 수 있도록 여러 종류의 관련시설 공사가 끝나야 한다.

사람에 있어 창상치유과정도 무작정 순서 없이 이루어지는 것이 아니라 조물주께서 만들어 놓은 법칙에 의해 순서적으로 이루어진다. 창상이 생기면 가장 먼저 일어나는 일은 아파트 건설 시 보호벽을 설치하는 것과 같이 창상으로 인하여 열리게 된 혈관으로부터 과다한 출혈이 되거나 혹은 혈관 내로 세균이 침범하여 우리 몸이 손상받지 않도록 하는 것이다. 즉 혈관들이 수축하고 열린 혈관벽 부위에 혈전을 형성하게 된다. 이를 창상치유과정 중 첫 단계로 지혈단계라고 하는데 창상발생 후 약 10~15분 안에 마무리되게 된다. 그러나 지혈단계 자체는 1년여에 걸쳐 진행되게 되는 창상치유과정 전체로 볼 때는 너무 짧은 시간에 해당하므로 대부분의 경우 지혈단계를 따로 분리하지 않고 다음 단계에 해당하는 염증단계에 포함시키는 경우가 일반적이다.

다음 단계인 염증단계는 아파트 건설 시 공사에 방해되는 쓰레기 등을 치우듯이 창상을 깨끗이 청소하는 일이다. 창상치유에 방해가 되는 이물질들, 여러 세균들, 피부가 손상 받으면서 생긴 괴사된 조직들을 창상으로부터 제거하는 일인데 이런 역할을 주로 담당하는 것이 혈액에 있는 염증세포들이다. 따라서 이 단계를 염증단계라 하고 앞서 기술했듯이 일반적으로는 지혈단계를 포함하여 이 기간을 창상치유과정 중 첫 단계로 일컬으며, 정상적인 창상치유과정의 경우 약 3~5일 가량 소요된다.

다음 단계는 공장에서 벽돌, 철근, 시멘트 등을 만들고 이동하여 실제로 건물을 올리는 것과 마찬가지로 결손된 피부부위의 조직들이 재생하여 창상을 채우는 단계이다. 공장에 해당하는 것이 피부에 존재하는 각질세포(keratinocyte)나 섬유모세포(fibroblast) 등이며 이들 세포가 표피를 재생하고 collagen, proteoglycan 등 창상부위를 채울 여러 재료들을 만들어 내게 된다. 이 기간은 창상크기에 따라 차이는 있으나 일반적으로 특별한 수술적 조작 없이 보존적 방법으로 창상치유를 도모하게 되는 콩알크기의 경우 정상적으로는 약 3주가량 걸리며 증식단계라 불린다. 증식단계가 끝나면 완전하지는 않지만 일단 창상이 채워지고 표피가 창상을 덮음으로써 외부로부터의 세균의 침입을 막을 수 있게 된다.

증식단계가 끝난 후 마지막 단계는 성숙단계로서 창상이 생기기 전 원래 피부의 구조와 비슷하도록 임시로 채워진 창상부위를 제대로 된 피부의 구성조직으로 대체하는 단계이다. 아파트건설에 아파트로서의 제대로 된 기능을 발휘할 수 있도록 전기, 상하수도, 가스 시설 등을 비롯한 세세한 구조들을 완성하는 시기인 것과 같으며, 성숙단계는 약 1년 이상 지속된다. 따라서 창상이 닫힌 후에도 초기에는 창상부위가 빨갛고 부풀어 올라 있으며 가렵고 따끔따끔한 증세가 지속되는데 이는 아직 창상이 완전히 치유되지 않은 성숙단계가 진행 중이라고 이해하면 되겠다. 많은 환자들은 봉합창에서 봉합사를 뽑고 나거나 창상이 닫혀 샤워를 할 수 있게 되면 창상치유가 끝난 것으로 생각하고 있으나 이는 단지 아파트건설에서 건물골격 정도가 마무리 됐다고 생각하는 것이 옳으며 앞으로 약 1년 이상의 성숙단계가 지나야 창상치유가 완전히 끝나게 되는 것이다. 성숙단계가 진행되는 동안 창상은 안정되어 원래의 피부색조처럼 변하고, 부풀어 오르고 당기던 것도 완화되어 납작해지고 편안해지며, 가려움증이나 동통 등도 사라지게 되는 것이다(그림 1-5-1).

그러나 이러한 창상치유 기간은 절대적인 것은 아니고 창상크기, 깊이, 세균부하 정도나 개인에 따라 많은 차이를 보인다. 각각의 창상치유 단계에 대하여 생화학적 양상에 기초하여 좀 더 자세히 서술해 보고자 한다.

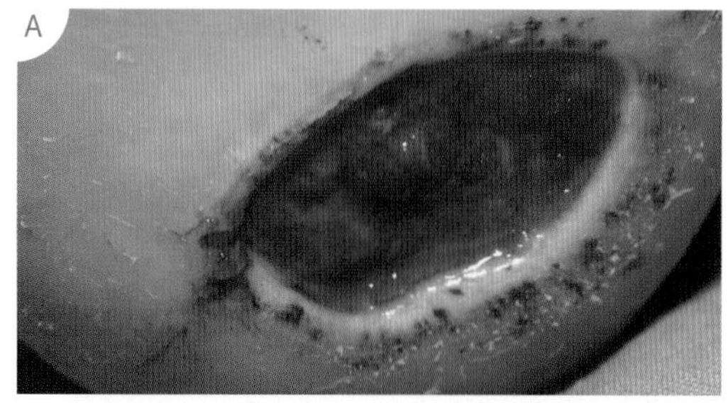

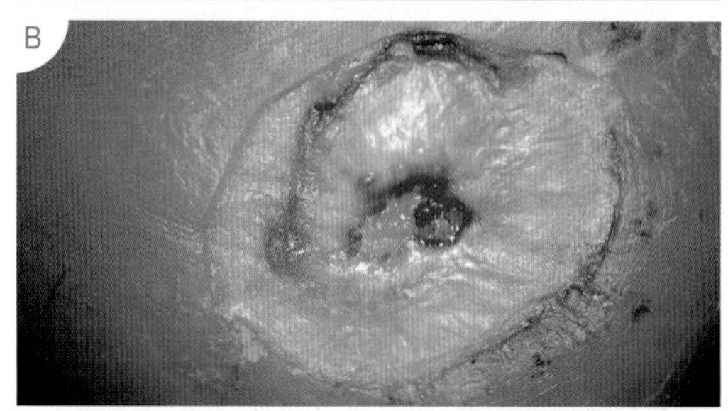

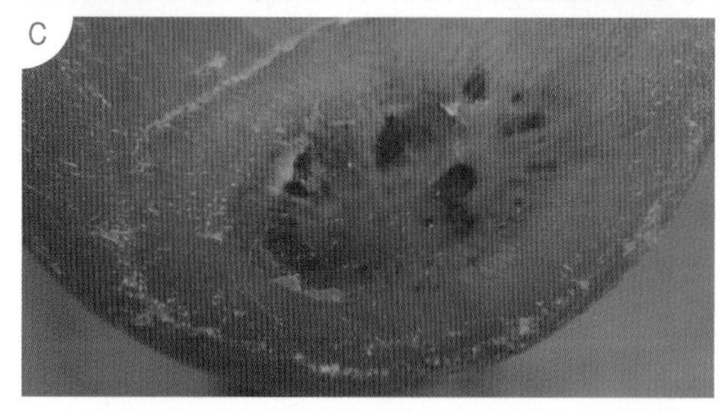

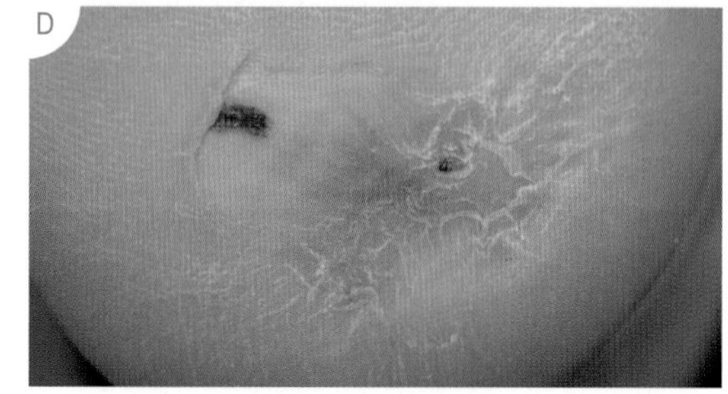

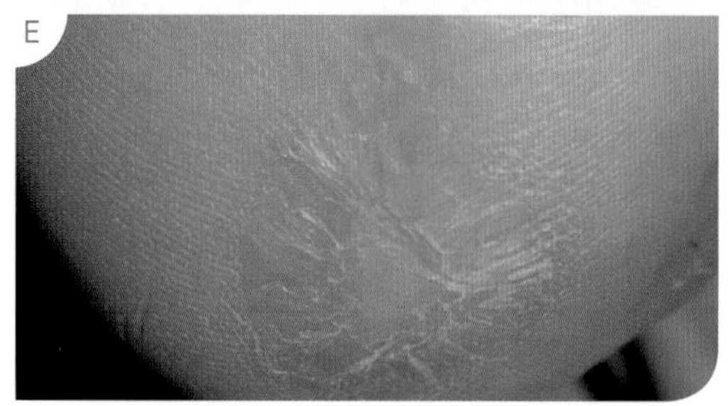

▷그림 1-5-1. A. 염증기의 창상, B. 증식기의 창상, C. 증식기가 끝나 완전히 닫힌 창상, D. 성숙기 중에 있는 창상, E. 성숙기가 끝나 창상 치유 과정이 모두 마무리 된 후의 창상

1) 염증단계(Inflammatory phase)

염증단계에서 가장 먼저 일어나는 일은 창상에 의한 출혈을 범추게 하는 것인데 앞서 기술했듯이 일부 문헌에서는 이 과정을 창상치유과정 중 따로 분리하여 지혈단계로 서술하기도 한다. 창상이 생기면 표피, 진피, 피하조직, 혈관구성요소 등이 파괴되어 조직 내에서 결손이 생기게 되는데 최초의 생리학적 반응은 응고(hemostasis)이다. 조직이 손상되면 미세혈관손상으로 인한 출혈로 이어지게 된다. 손상된 혈관은 빨리 수축되며 혈소판 등에 의해 혈전이 생김으로써 출혈이 멈추게 된다. 뿐만 아니라 혈전은 창상을 밀봉하게 되어 세균감염 및 수분소실을 막아주는 생리학적 장벽이 되어준다. 또한 혈전은 일시적기질(provisional matrix)의 역할도 하게 된다. 혈소판 등 혈전 내의 세포들은 PDGF, IGF-1, EGF, TGF-β와 같은 여러 성장인자(growth factor)들을 포함하고 있는데 이들이 분비되어 창상으로부터 주위조직으로 빠르게 퍼져 나간다. 이러한 단백질들은 염증세포들을 창상부위로 불러들이고 섬유모세포, 혈관내피세포, 대식세포(macrophage) 등을 활성화시켜서 창상치유과정이 시작되도록 유도한다. 뿐만 아니라 혈소판은 serotonin과 같은 vasoactive amine들을 저장하는 dense body들을 갖고 있는데 이는 혈관투과력을 증가시켜 준다. 이와 같이 혈소판들은 단지 수동적 응고요소일 뿐만 아니라 창상에 제일 먼저 나타나는 세포이며, 치유를 조절하고 중재해주는 수용성 분자들을 분비한다.

혈관수축, 혈소판응집, 응고기전의 활성화 등으로 응고가 일어나게 되면 여러 물질들이 창상내로 유입되어 약 10~15분 후에는 이차적인 혈관확장, 모세혈관투과성의 증가, 백혈구의 활성화 등을 야기시키는 본격적인 염증단계로 접어들게 된다. 호중구(neutrophil)와 대식세포가 이 단계에서 주 역할을 담당하는 세포가 된다. C5a, N-formyl-methionyl-leucyl-phenylalanine (FMLP), leukotriene B4를 가진 세균단백질은 호중구의 화학유도체이며 내피세포로의 호중구 부착을 증가시킨다. 호중구은 창상 내로 들어오는 첫 번째의 백혈구이며 급성염증을 야기시킨다. 또한 국소세균의 오염을 막아주고 감염을 막아주는 면역학적 역할을 한다. 더 나아가서 elastase나 collagenase와 같은 단백분해효소(protease)를 분비하여 손상되거나 변성이 된 세포외기질들과 죽은 조직들을 제거한다. 그러나 호중구의 결핍이 창상치유에 중요하게 작용하지는 않는다. 호중구 침착은 창상 후 24시간에 최고를 나타내며, 단핵구(monocyte)가 창상 내로 들어가면서 감소하게 된다.

호중구과 비슷하게 단핵구도 세균산물에 의하여 창상 내로 들어오게 된다. 이때 초기의 일시적기질 단백질인 fibronectin이 단핵구를 유도한다. 순환하던 단핵구는 창상 내로 들어감으로써 활성화되고 결국 대식세포로 전환되어 계속해서 이물질이나 세균을 파괴하고 창상을 깨끗이 하게 된다. 염증단계에서는 대식세포가 가장 중요하며 복구조절세포들 중에서도 주세포로 활약한다. 창상 후 48~72시간 사이에 창상 내의 주요세포가 되는 대식세포는 탐식세포로 작용할 뿐만 아니라 여러 성장인자들을 분비하여 섬유모세포에 의한 세포외기질의 생성과 증식, 평활근세포의 증식, 혈관화에 의한 혈관내피세포의 증식 등을 유도하는 데 일차적 역할을 담당한다. 따라서 대식세포가 모자라면 염증단계지연, 섬유모세포 증식지연, 혈관화지연과 불완전섬유화 등 창상치유에 심한 변화를 주게 된다.

정상창상치유에 관여하는 또 다른 염증세포인 림프구(lymphocyte)의 역할은 완전히 알려지지 않았다. Cytokine의 생성으로 인하여 염증반응에 중요하다고 하나, 그 반대로 창상의 힘을 감소시킨다는 연구도 보고되었다. 임파구는 염증단계 때 창상으로 들어가는 마지막 세포로써(창상후 72시간 이상) interleukin-1, IgG와 보체산물(complement product)에 의해 유도된다. 이 물질의 존재나 감염 정도에 따라 정상적인 염증단계를 지연시켜 만성창상으로 넘어가게 되기도 한다.

창상치유 과정에 있어 염증단계는 창상초기에만 일시적으로 필요한 기간 동안만 활발히 일어나고 그 후에는 소멸되어야 한다. 어떤 원인이던지 염증단계가 적기에 소멸되지 않고 계속되는 경우 창상치유가 진행되지 못하거나 치유 후에도 심한 반흔을 남기는 등의 문제가 발생하게 된다.

2) 증식단계(Proliferative phase)

지혈단계를 포함한 염증단계를 거치면서 창상이 깨끗해지면 다음으로 여러 세포들과 세포외기질의 증식을 맞게 된다. 창상 내로 분비되는 cytokine과 성장인자들은 여러 세포들에 작용하며 세포들의 증식, 이동, 합성 등을 촉진하게 된다. 이 단계뿐만 아니라 창상치유과정 전체 중 가장 중요한 세포라 할 수 있는 섬유아세포가 손상부위의 일시적기질로 들어가 세포들이 증식되고 창상 내 세포밀도가 높아지게 된다. 앞서 언급했듯이 보존적 방법으로 창상치유를 도모하게 되는 작은 창상의 경우 이 기간은 약 3주간 지속된다.

염증단계를 책임지고 있던 창상 내의 대식세포가 감소하기 시작하면 다른 세포들(섬유아세포, 혈관내피세포, 각질세포)이 생성되기 시작하며 성장인자들을 분비한다. 섬유모세포는 IGF-1, bFGF, TGF-β, PDGF, KGF 등을 분비한다. 혈관내피세포들은 VEGF, bFGF, PDGF 등을 생산한다. 각질세포는 TGF-α, TGF-β, KGF 등을 생산한다. 이러한 성장인자들은 세포외기질 단백질과 신생혈관의 생성과 증식을 자극한다.

증식단계는 실제 창상이 닫히는 과정으로서 이는 상피화(표피화), 세포외기질의 침착, 창상수축 등의 세 가지로 설명된다. 사실, 정상적인 창상은 이 세 가지 과정들이 동시에 일어나게 된다(그림 1-5-2). 그러나 창상양상에 따라서 세 가

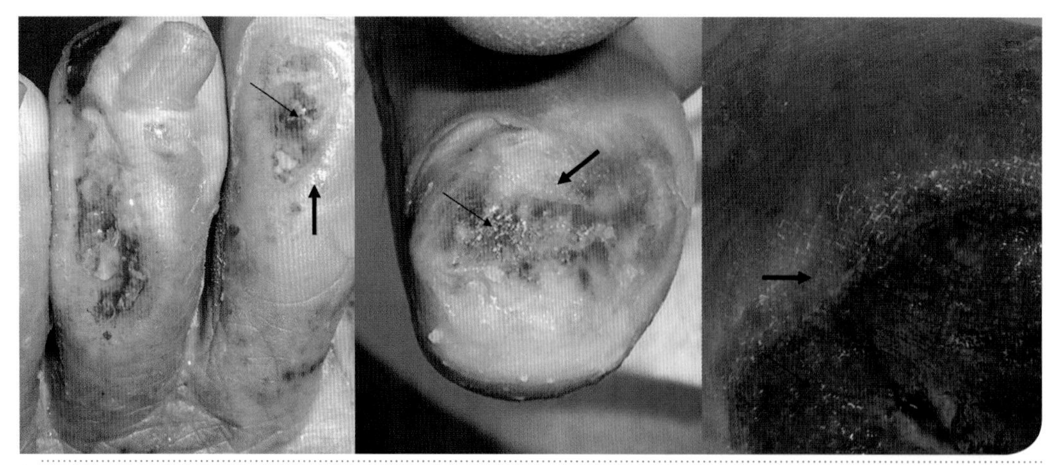

▷그림 1-5-2. **정상적인 증식기가 진행중인 창상들.** 세포외 기질(가는 화살표)이 형성되고 그 위로 상피화가 진행된다(굵은 화살표).

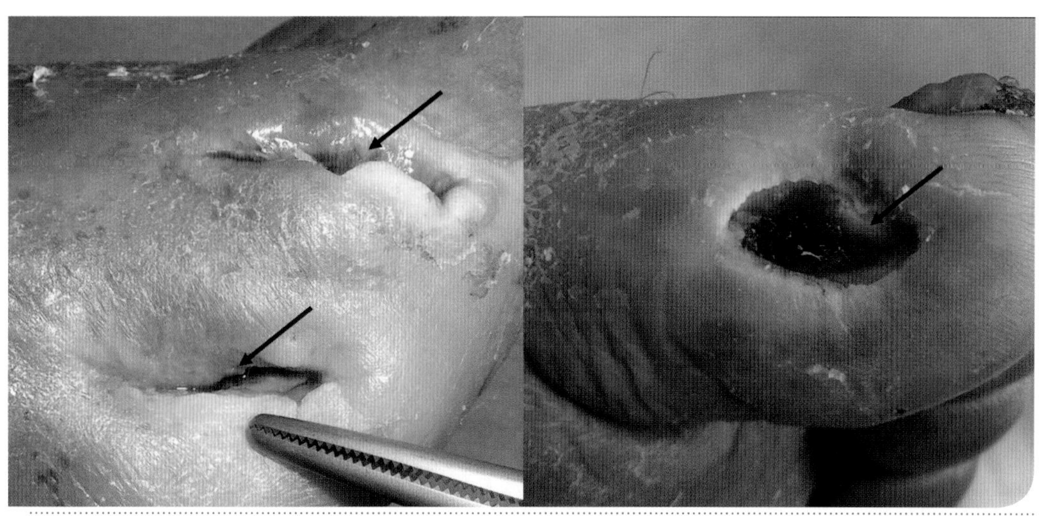

▷그림 1-5-3. **상피화우세 창상들.** 세포외기질의 합성은 거의 없이 상피화(화살표)만이 진행된다. 따라서 상피화우세 창상은 창상이 안으로 말려 들면서 치유과정이 진행되는 경우가 대부분이다.

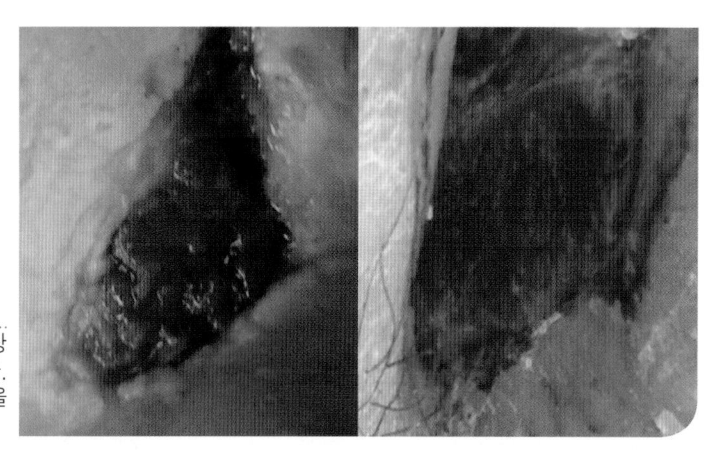

▷그림 1-5-4. **기질합성우세 창상들.** 상피화는 거의 없이 기질만이 형성된다. 이런 경우 상피재건을 위해 식피술을 시행해야 하는 경우가 흔하다.

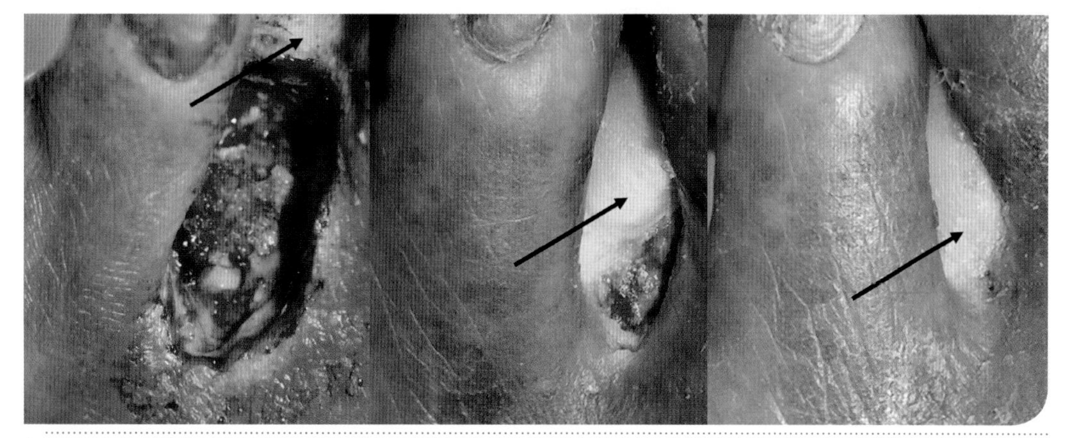

▷그림 1-5-5. **창상수축우세 창상.** 상피화나 기질합성은 거의 안되고 창상수축에 의해서 창상치유가 진행된다. 창상이 생긴 직후 발바닥 피부(화살표)가 창상 수축에 의해 발등까지 올라와 창상치유를 완성하였다.

지 중 두드러지는 작용이 있는 경우도 있다(그림 1-5-3~5). 또한 증식단계에는 재생조직에 산소와 영양분을 공급하는 원천인 혈관화도 이루어진다.

인간의 조직은 손상받으면 반흔을 형성하거나 또는 원래의 조직으로 재생됨으로써 복원된다. 이상적으로는 조직재생이 되는 것이겠지만 피부는 재생보다는 반흔을 형성함으로써 복원되는 대표적 예이다.

(1) 상피화(표피화)

파괴된 상피(표피)의 복원은 성공적 창상치유의 필수요건이 된다. 이는 체온조절, 수분균형, 단백질분비, 세균침입방지 등의 기능을 유지키 위함이다.

상피화의 일차원천은 창상과 접촉하고 있는 정상표피의 가장자리이며, 모낭 및 남아있는 피지선, 한선 등에 포함되어 있는 기저세포이다(그림 1-5-6). 피부의 표피와 진피 사이에 위치해 있는 기저층(basement membrane zone)에는 표피 및 진피가 붙게 되는데 창상의 상피화를 위해서는 기저층 바로 위에 붙어 있는 표피의 각질세포와 기저층간의 복잡한 연결이 변해야 한다. 수상되자마자 창상주위 기저층의 각질세포들은 납작해지며 창상을 향해 세포질이 돌출(cytoplasmic

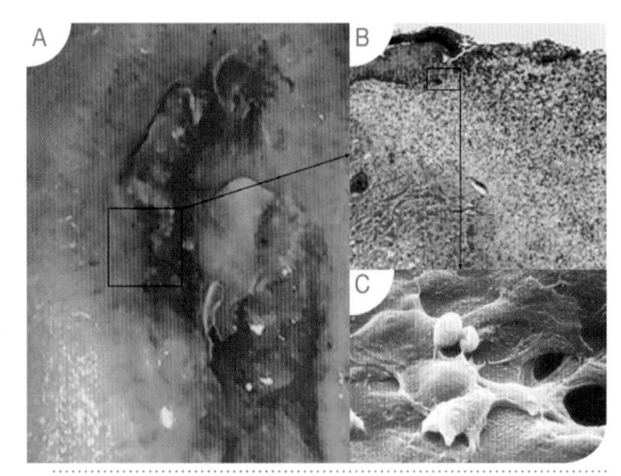

▷그림 1-5-6. **상피화의 진행.**
A. 상피 가장자리의 육안 모습, B. 현미경하 모습
C. 이동중인 각질세포의 3차원 확대모습

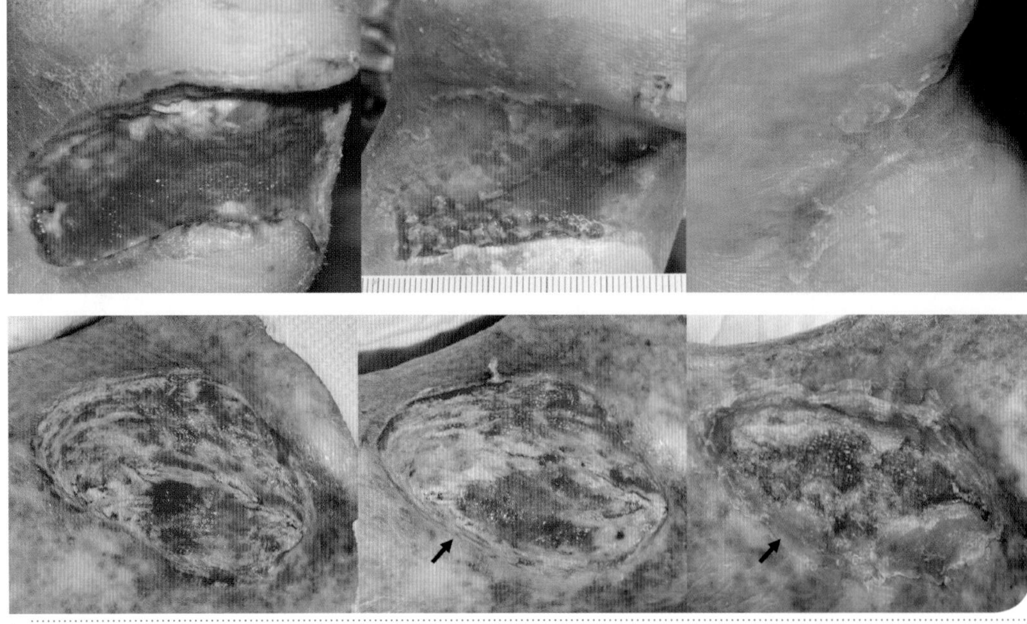

▷그림 1-5-7. 각질세포의 기능이 정상인 창상에서의 상피화(위)와 각질세포의 기능이 약화된 창상(아래). 각질세포의 기능이 약화된 경우 각질세포가 창상부위로 이동을 못해 상피화가 진행되지 못하고 창상주위로 각질만 두터워진다.

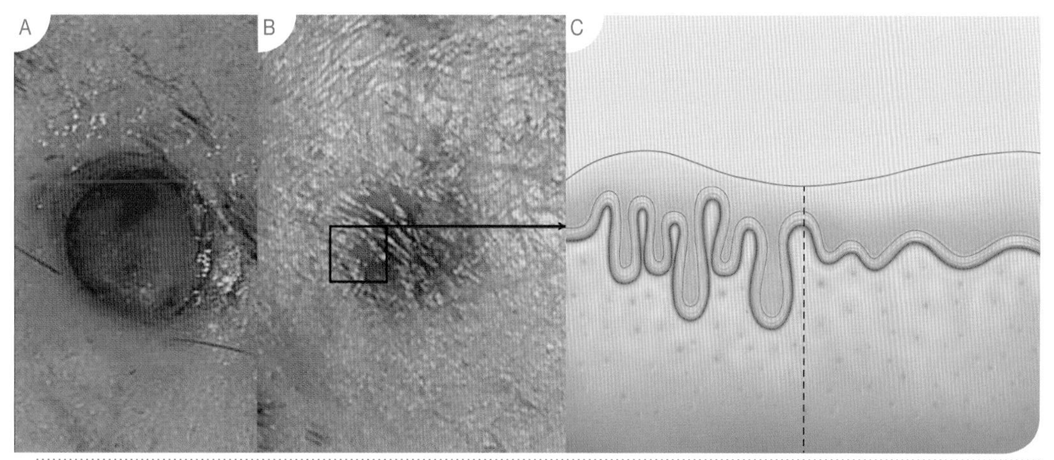

▷그림 1-5-8. 창상(A)이 치유된 후(B) 정상표피(C의 점선 왼쪽 부분)와 재생표피(C의 점선 오른쪽 부분)의 조직학적 차이의 도식도. 표피와 진피 경계부의 rete peg나 ridge의 발달 정도에 큰 차이를 보인다.

projection) 되게 된다. 조밀하던 세포 간의 부착은 없어지고 기저층세포의 이동이 일어나게 된다. 이런 세포의 이동은 완전히 세포증식과는 상관없이 일어난다. 세포이동은 기저층위 1-2세포층 두께로 진행이 되며 다른 방향에서 진행하는 각질세포들과 접촉하거나, 결손부위가 완전히 복원되면 멈춰지게 된다. 이후 기저세포의 증식이 일어나며, 결국 중층상피(stratified epithelium)로 다시 태어나게 된다. 즉 기저층 세포부착의 와해, 이동, 증식 등의 세 가지 과정이 순차적으로 일어나서 상피화가 진행되는 것이다. 이 세가지 중 성공적인 상피화가 진행되지 않아 만성창상으로 남게 되는 데 관여하는 가장 중요한 결핍요소는 세포이동이다(그림 1-5-7).

재생된 표피는 정상표피와는 달리 표피층과 진피층 사이의 결합을 견고하게 하기 위해 존재하는 rete peg나 rete ridge가 제대로 형성되지 않는다. 따라서 표피와 진피가 외상에 의해 쉽게 분리된다(그림 1-5-8). 상피화는 반흔의 형성에도 중요한 역할을 담당한다. 일반적으로는 창상에서 상피화가 조기에 마무리 되면 반흔형성이 최소화될 수 있으나, 창상이 넓고 깊다던지 혹은 어떤 원인으로 상파화가 조기에 일어나지 않으면 비후성반흔으로 발전되는 경우가 흔하다. 각질세포가 keratinocyte-derived antifibrotic factor (KDAF)를 분비하는 등 적절히 작용하여 섬유모세포의 불필요한 과도한 활동을 억제해야 하는데 상피화가 늦춰지게 됨으로써 섬유모세포의 collagen 합성이 과도하게 일어나는 것이 중요한 요인이다.

(2) 세포외기질의 침착(육아조직형성)

창상초기에 fibrin, fibronectin, proteoglycan 등으로 구성된 일시적기질은 호중구의 elastase 등 단백분해효소에 의해 분해되고 주로 collagen으로 구성된 좀 더 영원한 기질로 변환된다. Collagen 합성과 침착은 직접 섬유모세포의 창상내 유입과 관련되며, 창상 후 2~3일에 시작되어 2~3주간 점차적으로 증가한다. Collagen 합성에 관여하는 많은 성장인자들 중에서 TGF-β가 가장 영향력이 있다.

세포외기질 내에는 비collagen성의 단백질들도 있는데 elastin은 피부에 유연성이라는 생리학적 특성을 전해준다. 그러나 elastin은 창상치유과정

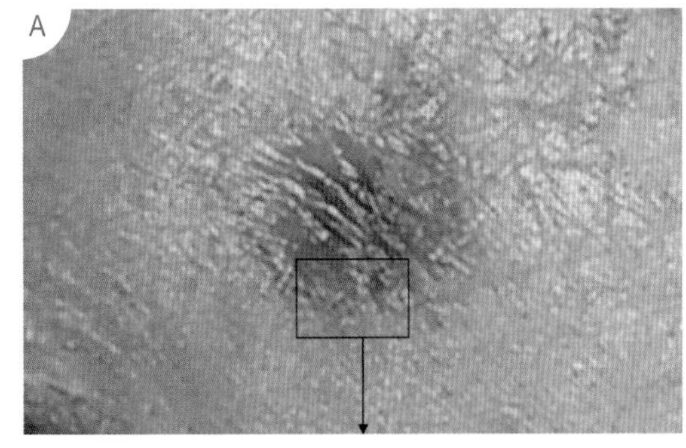

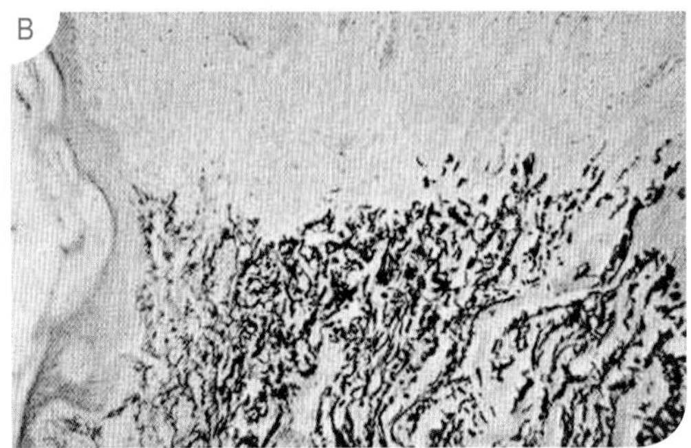

▷그림 1-5-9. 정상피부와 창상치유로 재생된 피부의 육안(A) 및 현미경하(B) 모습. 현미경사진은 Van Gieson elastin염색을 한 것인데 짙은 보라색의 섬유들이 elastic fiber의 존재를 의미한다. 정상피부는 elastin이 다량 염색되나 재생된 피부는 elastin이 거의 나타나지 않는다.

에서는 거의 재생되지 않기 때문에 반흔조직은 정상조직에 비해 훨씬 탄력이 떨어지고 단단하게 되며, elastin의 유연성 때문에 정상적으로는 물결모양으로 배열돼 있는 collagen도 반흔에서는 직선형태로 존재하게 된다(그림 1-5-9, 10).

신생혈관화도 이루어지게 되는데 이는 창상치유세포에 산소와 영양분을 공급하므로 필수적이다. 혈관화는 혈관내피세포의 이동과 증식 그리고, 모세혈관의 증식에 의한다('혈관화' 참조).

(3) 창상수축

창상수축은 개방창의 면적이 점차 중심쪽으로 감소되는 과정으로 활동적인 생물학적 현상이다. 그러나 창상수축이 과도하게 되거나 창상치유 과정이 부적절했다면 수축과정은 반흔구축이라는 변형을 야기시킨다. 더불어 조직손상이 없더라도 선상의 창상이 짧아지거나 변형되었을 때도 구축이 야기된다(그림 1-5-11).

근섬유모세포(myofibroblast)가 바로 이러한 창상수축 현상에 관여하는 세포로 알려져 있다. 이는 1979년 Gabbiani에 의해 밝혀졌으며, 이 세포는 섬유모세포와 평활근세포(smooth-muscle cell)사이의 구조적 특징을 지녔다. 염증단계가 진행되는 동안 창상주의의 섬유모세포는 근섬유모세포의 특징을 갖게 된다. 처음에는 β-cytoplasmic actin stress fiber를 형성하는 promyofibroblast의 특성을 나타내다가 최종적으로는 α-smooth-muscle actin을 포함하는 근섬유아세포로 분화된다. 따라서 α-smooth-muscle actin은 분화가 완료된 근섬유모세포의 표식자가 된다. 이 세포들은 창상 후 약 3일째 나타나며, 10~21일 사이에 그 숫자가 최대에 이른다. 또한, 수축이 완료되면 사라지게 되는데, 근섬유아세포와 창상구축의 정도 간에는 직접적인 연

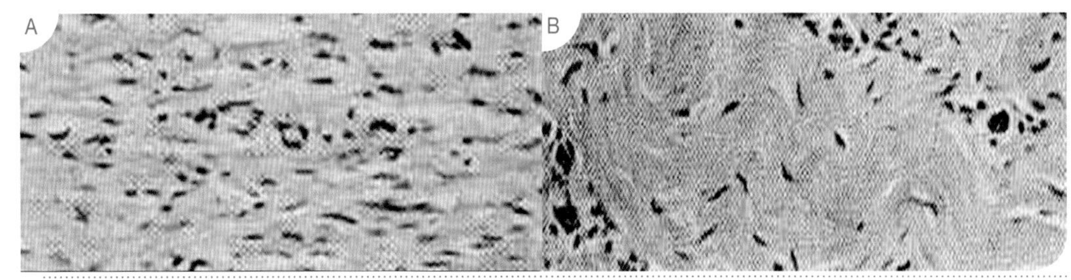

▷그림 1-5-10. 재생진피(A)와 정상진피(B)의 collagen 배열 차이

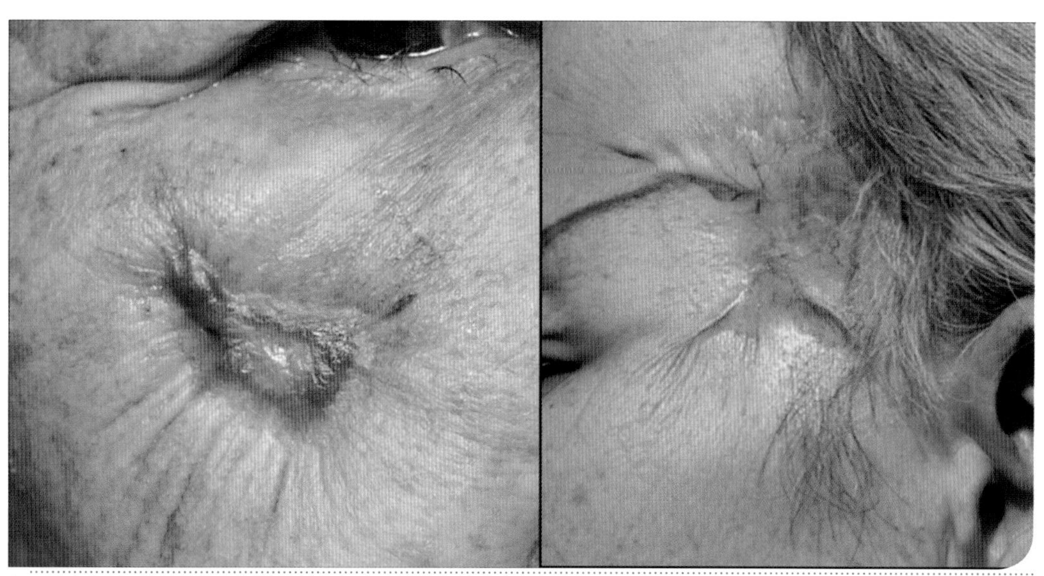

▷그림 1-5-11. 창상치유과정 중 창상수축이 과도하게 일어나 반흔구축으로 진행된 모습

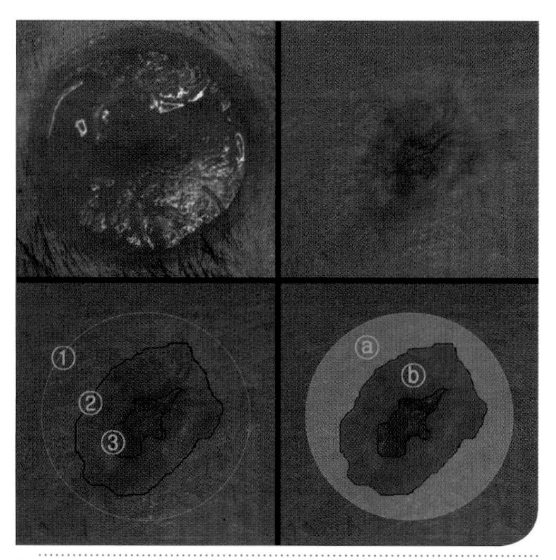

▷그림 1-5-12. (위) 창상치유 과정 중 창상수축에 의해 창상 크기가 감소한 모습. (아래) 위 창상의 수축정도를 도식화한 모습. ① 치유 전 원래 창상크기 ② 치유진행 중 창상수축으로 작아진 창상크기 ③ 남아있는 창상크기 ⓐ 창상수축으로 치유된 정도 ⓑ 상피화로 치유된 정도

관이 있는 것으로 알려져 있다. 근섬유모세포는 인체조직에 이식된 이물질을 싸고 있는 capsule, 간경화 시, Dupuytren's contracture의 결절(nodule)과 같은 병적 요인이 있을 때도 발견된다(그림 1-5-12).

(4) 혈관화

혈관화는 새로운 혈관을 생성하는 과정을 말하며 새로운 혈관형성은 재생조직에 산소와 영양분을 공급하는 원천이 되므로 일차유합이던 이차유합이던 간에 창상치유의 기본이 된다. 혈관형성의 과정을 보면 여러 자극들에 대한 반응으로 세정맥(venule)에서 자라나오는 새로운 모세혈관들의 형성으로부터 비롯된다. 자극에 반응하여 내피세포가 이동하기 시작하며 collagenase가 조직을 통하여 길을 만들어준다. 동시에 관(tube)모양으로 세포증식이 일어나고 결국 관내강(tubular lumen)이 형성된다. 창상 내에서 다른 주위로부터 생성된 모세혈관을 만나면 서로 개통되어 혈관연결이 되는 것이다. 혈류의 형성 후에는 퇴화와 성숙단계를 거치면서 많은 혈관들을 완전히 분산시키게 되어 동맥과 정맥으로 분화하게 된다. 이러한 기본 과정들은 일차, 이차 유합뿐 아니라, 피판술 후에도 일어나며 암조직에서도 보인다.

이 과정 중 수많은 자극과 매개물질(mediator)

이 존재하는데 이들이 서로 직, 간접적으로 작용하게 된다. 직접적으로는 bFGF, aFGF, TGF, TNF-α, VEGF 등이 내피세포의 이동에 영향을 미친다. 간접적으로 작용하는 혈관형성인자는 혈관내피세포에는 영향을 미치지 않으나, 혈관화를 촉진한다고 밝혀진 것으로 PDGF, prostaglandin, angiogenin 등이 있으며 대식세포와 같은 세포구성물들을 모이게 해주는 역할을 한다.

혈소판은 초기에 창상으로 들어가 PDGF 등을 분비하여 대식세포, 과립구(granulocyte) 등을 유도하여 결국 혈관화를 증진시킨다. 대식세포는 TNF-α와 bFGF를 포함하는 수많은 혈관형성물질(angiogenic substance)를 분비함으로써 혈관화의 주인자로 작용하게 된다.

창상내의 산소압력도 강력한 자극이 되며 혈관화의 지침이 되는데 새로운 혈관의 형성은 가장 낮은 산소압부위로 향하는 것으로 보인다. 더 나아가서 대식세포로부터 나오는 혈관형성인자는 창상 내 산소압에 영향을 받는다.

3) 성숙단계(Remodeling phase)

창상치유의 가장 마지막, 그리고 가장 긴 단계가 성숙단계이다. 솜으로 옷감을 만드는 과정을 상상해 보면 솜을 쌓아놓는 과정은 증식단계로 비유할 수 있다. 그러나 솜자체는 쉽게 흐트러지므로 아무리 쌓여 있어도 힘을 받지 못하여 옷감으로서의 기능을 할 수 없다. 쌓였던 솜을 꼬아 실로 만들고 이들을 다시 꼬아 합쳐야 외부자극에 견딜 수 있는 옷감이 되는데, 이렇게 옷감의 기능을 하기 위하여 힘이 더해지는 과정이 성숙단계이다.

성숙단계는 섬유모세포에 의한 collagen 합성의 시작과 함께 수개월에서 수년간 지속되는 동적인 과정이다. 손상받지 않은 정상 진피에서는 고도의 조직화된 형태가 관찰되나 치유된 조직은 결코 손상받지 않은 조직과 같아질 수 없다. 쥐의 창상에서 장력의 증가는 손상 3개월 때 정체기에 들어가며, 1년 정도 때 최대장력에 이르는데, 이도 정상 피부장력에 비해서는 80%에 지나지 않는다고 알려져 있다.

치유된 창상을 구성하는 여러 세포 요소들의 성장은 이 기간 동안 후퇴하게 된다. 성숙단계의 기본과정은 collagen의 재구성이며, 성숙된 반흔의 형성이다. 창상성숙단계는 창상 후 약 3주째부터 시작되며 20년 가량 지나도 계속되고 있음이 증명되고 있다.

성숙단계 동안에 collagen 합성이 감소됨에도 불구하고 창상의 장력은 점차 증가한다. 이는 새롭게 축적된 collagen의 구조적 변형의 결과이다. 즉 collagen 분자 사이에 공유결합이 일어나 collagen fibril은 점점 두꺼워져 fascicle을 형성하고, 결국 탄탄하고 잘 짜여진 섬유소(fiber)가 된다. 섬유소 직경의 증가는 창상장력의 증가와 비례한다. Collagen fibril의 상호교차는 이러한 구조적 변화 및 창상장력의 증가와 연관된다. 더 성숙되면 교차결합이 더욱 복잡해져서 분자들이 강한 힘과 안정성을 갖게 된다(그림 1-5-13).

섬유모세포는 세포외기질구성요소(collagen, elastin, proteoglycan 등)의 합성에 일차적인 역할이 있으나 기질을 녹여주는 matrix metalloproteinase (MMP)의 중요한 근원도 됨으로써 성숙단계에서도 세포외기질의 질적 변화를 가져오게 하는 가장 중요한 세포이다.

4) 창상치유에 관여하는 성장인자

창상치유과정에 관여하는 여러 세포들이 어떻

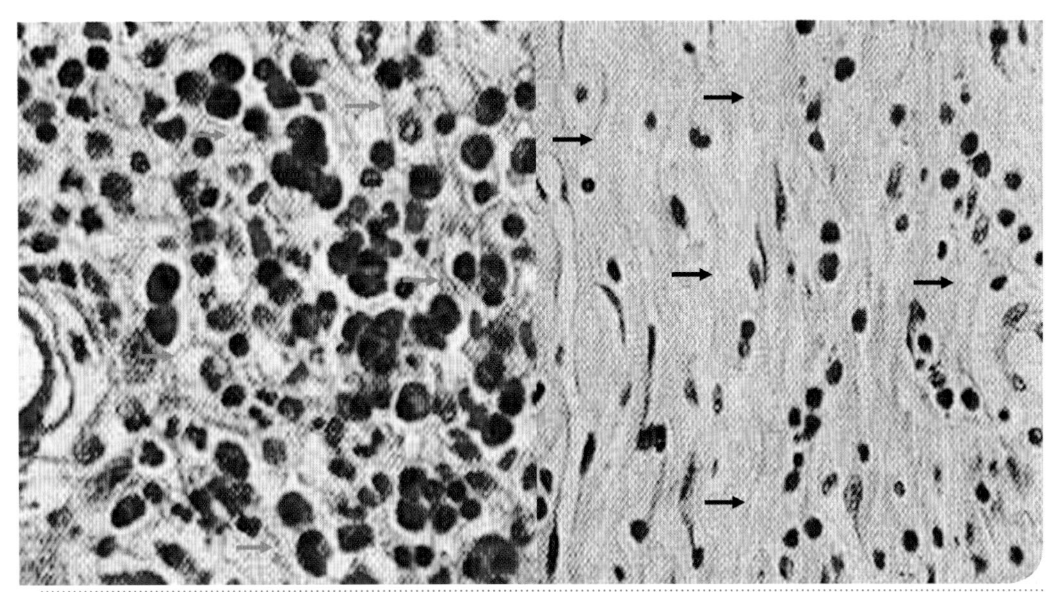

▷그림 1-5-13. 증식기 창상에서의 얇은 collagen(왼쪽, 파란 화살표)과 성숙기 창상에서의 두꺼운 collagen(오른쪽, 검정 화살표). 세포의 수도 증식기가 훨씬 많다. 성숙기의 경우 세포외기질의 양적증가는 필요하지 않으므로 세포외기질의 합성을 위해 많은 수의 세포가 필요 없다. 따라서 세포증식은 활발히 일어나지 않고 collagen의 공유결합이 주작용이다.

게 각 시기에 따라 서로 유기적으로 협조하여 성공적으로 창상치유를 마무리 하는지는 매우 신비스러운 일이다. 이를 가능하게 하는 신호전달물질이 바로 성장인자이다. 성장인자란 세포증식, 세포분열, 세로외기질생성 등을 촉진시킬 수 있는 4,000~60,000 dalton의 분자량을 가진 단백질이며 picogram 범위의 작은 양으로도 세포실험에서 강력한 효과를 나타낸다. 성장인자와 흔히 혼용되는 용어로 cytokine이란 용어가 있는데 이는 세포증식, 세포분열, 세포외기질의 생성뿐만 아니라 그 반대의 기능을 포함한 세포를 자극하는 모든 종류의 물질을 총칭한다.

성장인자들의 이름은 혼동을 불러일으킬 수 있다. 성장인자들은 주로 그 성장인자의 세포에 대한 기능이나 혹은 성장인자가 분비되는 세포의 이름을 따서 처음 그 이름이 붙여지게 되는데 후에 연구가 거듭될수록 처음에 밝혀졌던 기능이나 유래되는 세포가 변하거나 추가되기 때문에 실제 각 성장인자의 이름과 그 기능 사이에는 차이가 있을 수 있다. 예를 들면 FGF는 이름과는 달리 강력한 혈관형성 인자이며 TGF도 이름처럼 세포를 변형시키는 것이 아니고 오히려 암세포로의 변형을 예방하는 데 중요한 역할을 담당한다. 또한 성장인자가 처음 발견되었을 당시의 배경에 의해서도 다르게 명명될 수 있는데 같은 물질이라도 생화학자가 발견했으면 성장인자라고 이름 붙여졌겠지만, 면역학자가 발견했다면 interleukin, 혈액학자라면 colony stimulating factor라고 불리게 될 것이다. 성장인자는 미세한 농도일지라도 세포활동에 관여하는데 특수한 세포막수용체에 의하여 특별한 생화학적 메시지를 특수 표적세포에 전한다.

최근 수십 년간의 성장인자에 관한 연구는 정상적인 창상치유과정을 보이지 못하고 창상이 치유되지 않거나 반대로 과도한 collagen 침착으로 비정상적인 반흔을 갖게 되는 환자들에게 큰 희망으로 대두되고 있다. 여러 세포 실험에서 성장인자는 소량으로도 세포증식, 세포외기질생성, 화학주성(chemotaxis) 등을 매우 효과적으로 조절한다는 것이 밝혀졌으며, 동물실험에서도 창상치유를 증진시킨다는 것이 확인되었다. 최근에는 유전공학이나 분자생물학의 발달로 이러한 성장인자를 실험실 내에서 다량으로 생합성할 수도 있게 되었으며, 상품화되어 판매되는 것들도 있다.

창상치유는 복잡한 세포학적, 분자학적 과정이 독립적으로 혹은 중첩되거나 상호 보완함으로써 이루어진다. 성장인자는 이 과정 중 각각의 세포사이에서 신호를 전달함으로써 세포증식이나 화학주성을 자극하는 기본적인 역할을 담당하고 궁극적으로는 세포외기질 및 혈관화를 유도한다. 창상초기에 혈관이 손상받으면 즉시 혈소판이 창상으로 다량 유입되며 PDGF나 TGF-β 등의 성장인자를 분비하게 된다. 이들은 대식세포, 섬유모세포, 혈관내피세포 등 창상치유에 중요한 여러 세포를 창상 내로 끌어들이게 된다. 증식단계에 들어서면 VEGF, FGF, PDGF, TGF-β 등이 분비되어 혈관형성이나 collagen, proteoglycan, fibronectin 등의 세포외기질이 생성되도록 한다. 성장인자는 창상치유가 마무리됐다고 하여 그 역할이 끝나는 것이 아니고 그 후에도 계속 조직의 보존과 세포 간의 신호전달을 유지하는 데 중요한 역할을 하게 된다.

성장인자는 표적세포의 세포막에 있는 특이 수용체에 결합함으로써 앞서 언급한 여러 가지 기능을 나타내게 되는데 표적세포까지 도달하는 데는 몇 가지 방법이 있다. 첫째는 endocrine mode로써 분비된 후 혈류로 성장인자가 들어가 표적세포까지 이동하는 방법이고, 둘째는 paracrine mode로써 짧은 거리나 인접세포가 표적세포일 경우 확산에 의해 이동해가는 방법이다. 또한 표적세포 자신이 분비한 성장인자에 의해 조절받는 autocrine mode도 있다. 같은 성장인자라도 세포의 종류에 따라 다르게 기능할 수 있다. 예를 들어 TGF-β는 섬유모세포의 증식이나 이 세포에서 분비하는 collagen 등의 세포외기질의 합성을 촉진시키지만 각질세포나 혈관내피세포의 증식은 방해한다. 따라서 특이 항체 등을 사용하여 성장인자의 부정적인 활동을 제거함으로써 긍정적인 치료 효과만을 나타내도록 하는 연구도 시행되고 있다.

3. 드레싱제(Dressing product)

드레싱이라는 말은 어원상 창상을 덮는 행위를 가리키는 말이다. 즉 창상을 덮어서 창상이 잘 치유되게 하기 위해 하는 행위를 일컫는다. 창상치유가 성공적으로 진행되려면 이에 관여하는 세포들이 제 기능을 활발히 발휘할 수 있도록 해주어야 한다. 이를 위해서는 창상부위에 적절한 습윤환경이 제공되어야 하고 세균침범이 되지 않아야 한다.

습윤환경이 마른 창상보다 창상치유 속도를 촉진한다는 것은 이미 많은 연구를 통해 확인된 사실이다. 습윤환경하에서 재생상피세포는 창면을 따라 원활히 전개되나 창면이 건조상태인 건조환경에서는 창면을 따라 전개하지 못하고 습윤환경인 피부 속을 따라 길을 만들면서 진행하기 때문에 시간이 더디게 되고 창상치유가 비효율적으로 진행되게 된다. 또한 삼출액에 포함되어 있는 다핵백혈구, 대식세포, 단백질분해효소, 성장인자 등의 창상치유에 관여하는 물질들이 건조환경에서는 외부로 배출되거나 건조되어 그 역할을 못하게 되나 습윤환경에서는 원활히 그 역할을 수행할 수 있기 때문에 창상치유가 효율적으로 진행된다.

창상에 세균이 다량 존재할 경우는 창상부위의 전체대사량이 증가하므로 정상세포들이 사용할 산소와 영양분이 부족하게 되어 세포기능이 떨어지게 되고, 세균자체에서 분비하는 독소나 단백질 분해효소들이 세포와 세포외기질을 파괴하게 되므로 과도한 세균부하는 창상치유를 방해하는 중요한 요소가 된다.

과거에는 값싼 gauze로 창상을 덮어주는 드레싱이 일반적이었으나 최근 30년간 창상부위에 적절한 습윤환경을 제공하고 세균침범을 예방하기 위한 많은 드레싱제들이 개발되어 상품화되었다. 창상의 상태에 따라 적절한 드레싱제를 선택하여 사용하는 것은 합병증의 발생을 최소화하고 창상치유 속도를 향상시키며 치유가 마무리된 후에도 반흔을 최소화할 수 있으므로 창상치유에 있어 필수적인 요소라 할 수 있다. 그러나 너무 많은 드레싱제품들이 출시되어 사용되고 있기 때문에 창상을 다루는 의료진조차도 이에 대한 이해가 부족한 경우가 많다. 따라서 간단히 드레싱제에 대한 이해를 돕고자 한다.

1) 드레싱제의 조건

앞서 언급했듯이 이상적인 드레싱제는 창상부위에 적절한 습윤환경을 제공해 주고 세균침범을 막아 창상부위의 세포들이 제 기능을 충분히 발휘할 수 있도록 해 주어야 한다. 즉 창상이 적절한 습도를 유지할 수 있도록 창상과 드레싱제 접촉면이 마르지 않도록 해야 하고 과도한 삼출물은 흡수해야 한다. 외부로부터 세균이 침범할 수 없도록 창상을 보호할 수 있어야 하며 드레싱 교체 시 창상에 외상이 가해지지 않도록 해야 하고 통증도 없어야 한다.

2) 최신 드레싱제

앞서 설명한 이상적인 드레싱제의 조건을 기준으로 판단할 때 기존에 흔히 사용되는 gauze 드레싱은 세포기능 활성에 전혀 도움이 되지 않는 방법이다. Gauze 드레싱의 경우 창상을 습윤하게 유지할 수 없고 과도한 삼출물이 있을 경우 이를 흡수할 수도 없으며 gauze 섬유 사이가 너무 넓어 세균의 침입을 막을 수도 없다. 또한 창상의 신생조직들이 gauze 안으로 자라 들어갈 수 있고 창상과 들러붙어 드레싱 교체 시 창상에 외상을 주고 따라서 창상치유가 늦게 되며 드레싱시 통증도 유발하게 된다. 단지 창상을 덮고 있을 뿐이며 기능적으로는 창상치유를 촉진하지 못한다.

이런 기존 gauze 드레싱의 단점을 보완하고자 많은 드레싱제들이 상품화되어 있다. 2017년 12월을 기준으로 우리나라 건강보험심사평가원에 등록된 제품만도 2,500종에 달한다. 최근에 개발된 드레싱제와 외국의 제품까지 포함한다면 어마어마한 양이 될 것이다(그림 1-5-14). 그러나 기본적으로 이 제품들은 삼출물흡수와 수분제공이라는 두 가지 요소에 차이를 둠으로써 각 창상에 적용 시 적절한 습윤환경을 조성하기 위한 목적으로 개발되었다. 예를 들면 삼출물이 과다한 창상은 삼출물흡수 능력이 뛰어나고 수분제공 능력은 필요 없는 드레싱제로 치료하게 되고, 반대로 건조한 창상에서는 삼출물흡수 능력은 필요 없지만 수분제공 능력이 탁월한 드레싱제가 사용되어야 한다. 즉 창상의 상태에 따라 적절한 삼출물흡수능력과 수분제공능력을 가

▷그림 1-5-14. **상품화되어 있는 여러 종류의 드레싱제**

진 드레싱제를 사용하게 되는데 각 제조사에서는 기본적으로는 이에 적합한 여러 재질을 개발하여 상품화한 것이다. 따라서 앞서 언급한 수많은 드레싱제들도 재질과 목적에 따라 기본적으로는 6가지로 분류될 수 있다. 수분제공능력을 기준으로 우수한 순서로 나열하면 hydrogel, hydrocolloid, foam, film, gauze 및 alginate/hydrofiber이다. 삼출물흡수능력을 기준으로 하면 alginate/hydrofiber, foam, hydrocolloid, gauze, hydrogel, film의 순서가 된다. 이 6종류를 기본으로 이들의 장점을 병합하기 위해 복합드레싱제(composite dressing)가 개발되었고, 최근에는 조직재생을 극대화하기 위해 collagen이나 hyaluronic acid 등을 재료로 한 생물학적드레싱제(biologic dressing) 등도 개발되어 사용되고 있다. 따라서 이 둘을 합쳐 총 8종류의 제품군으로 분류하는 것이 현재까지는 일반적이다. 8종류 제품군에 목적에 따라 첨가물을 포함시키기도 한다. 예를 들면 은이나 요오드 등을 첨가하여 항균드레싱제(antimicrobial dressing)를 만들기도 하고 통증완화를 목적으로 진통제를 첨가하기도 한다. 또한 접착력 등 편리성을 개선하기 위해 변형을 하기도 한다. 뿐만 아니라 국내외적으로 여러 제조사에서 드레싱제 개발을 하기 때문에 결국 수천 종의 드레싱제가 출시되게 되었다.

이들 중 현재 가장 많이 사용되고 있는 foam 드레싱제를 예로 든다면 foam 드레싱제의 바깥층(protection layer)은 기공크기가 작아 세균은 침범할 수 없고 삼출액도 빠져나가지 않으나 산소 등 가스교환은 가능하다. 중간의 흡수층(absorption layer)은 창상의 삼출물을 머금을 수 있도록 고안되었고, 안쪽의 창상접촉층(contact layer)은 창상의 삼출물은 통과하나 신생조직은 안으로 자라 들어갈 수 없도록 기공크기를 고안하였다. 따라서 습윤환경을 유지하고 세균침범으로부터 창상을 보호하며 드레싱 교체 시 창상과 달라붙지 않아 창상에 외상을 주지 않고 통증도 줄일 수 있다(그림 1-5-15).

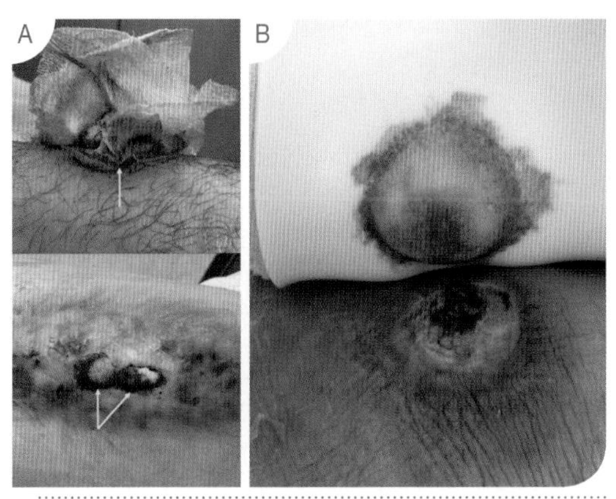

▷그림 1-5-15. A. 창상에 달라붙은(화살표) 드레싱제들. B. 창상에 달라붙지 않고 적당한 습윤환경을 유지해주는 foam 드레싱제

3) 드레싱제의 선택

드레싱제의 선택은 사실 정해진 원칙이 있는 것은 아니다. 창상의 상태와 환자나 의료진들의 개인적 선호도에 따라 정해지게 된다. 창상의 상태와 상관없이 모든 창상에 좋은 드레싱제는 없다. 같은 창상이라고 창상치유가 진행되면서 창상의 상태가 변하기 때문에 여기에 맞춰 드레싱제의 선택도 변해야 한다.

마른 창상의 경우 vaseline gauze, hydrogel이나 hydrocolloid 등 습기를 제공해 줄 수 있는 드레싱제를 선택할 수 있다. 삼출물이 많은 경우는 hydrofiber나 foam 드레싱제 등을 선택하게 되며 괴사조직 제거가 필요한 경우는 괴사조직을 녹일 수 있는 gel 드레싱제나 collagenase 등이 포함된 드레싱제를 사용할 수 있다. 필요에 따라서는 치료자가 적절한 드레싱을 고안하여 적용할 필요도 있다(그림 1-5-16). 감염창상의 경우는 은(silver) 등 항균제가 포함된 제품을 사용하면 효과를 볼 수 있다. 그러나 감염의 징후가 없고 깨끗한 창상에 항균드레싱제를 습관적으로 사용할 경우 항균제의 세포독성으로 인해 정상세포의 기능이 떨어질 수 있으므로 주의해야 한다(그림 1-5-17).

최근에는 세포의 기능이 떨어져 창상치유가 어려운 환자들에게 적용할 수 있는 드레싱제도 출시되어 있다. 창상이 성공적으로 치유되기 위해서는 섬유모세포가 기질을 만들고 각질세포가 표피를 재생하여 결손 부위를 채워야 한다. 그런데 어떤 경우는 이런 세포들의 기능이 떨어져 있어 창상이 닫히지 않고 오랜 기간 열려 있게 된다. 약화된 세포들의 기능을 강화하기 위해 충분한 산소 및 영양분의 공급과 함께 적절한 드레싱제의 사용이 필수적이다. PDGF, EGF, bFGF 등을 성분으로 한 성장인자 제품과 배양된 자가섬유아세포, 배양된 자가 및 동종 각질세포제 등이 개발되어 시판되고 있다(그림 1-5-18).

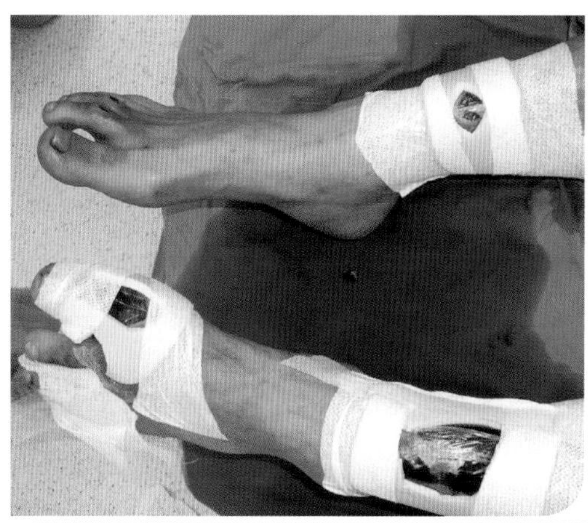
▷그림 1-5-16. 세포이식 후 foam 드레싱제를 이용하여 창상부위가 압력손상을 받지 않도록 드레싱한 모습.

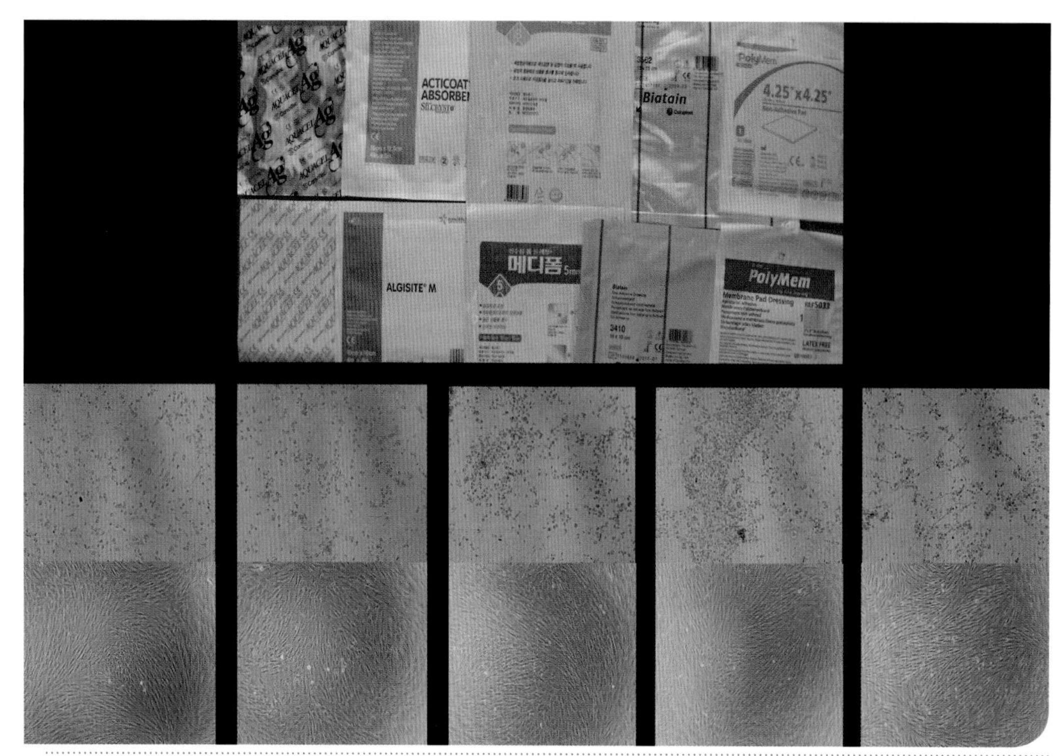

▷그림 1-5-17. **국내에서 사용중인 5종류 항균목적의 은드레싱제들의 세포독성.** 은이 포함된 드레싱제(드레싱제 사진 중 위 5종류)와 동일한 매질의 은이 포함되지 않은 드레싱제(드레싱제 사진 중 아래 5종류)를 당뇨발 환자의 섬유모세포와 공동배양했을 때 공통적으로 은이 포함된 제품의 세포독성이 심함을 알 수 있다(아래 세포배양사진의 위 5종류가 은이 포함된 드레싱제들이다).

▷그림 1-5-18. **국내 시판 중인 동종 각질세포 치료제**

References

1. 박대환과 장충현. 흉터성형 중 한승규. 창상치유와 창상처치. 군자출판사 2012:53-77.
2. 한승규. 당뇨성창상의 이해와 치료. 군자출판사 2008:3-48.
3. 한승규 등. 당뇨발 관리 지침서. 군자출판사 2009:11-22.
4. Arnold M, Barbul A. Nutrition and wound healing. Plast Reconstr Surg 2006;117:42S.
5. De Smet GHJ, Kroese LF, Menon AG, Jeekel J, van Pelt AWJ, Kleinrensink GJ, Lange JF. Oxygen therapies and their effects on wound healing. Wound Repair Regen. 2017;25:591.
6. Ennis WJ, Hoffman RA, Gurtner GC, Kirsner RS, Gordon HM. Wound healing outcomes: Using big data and a modified intent-to-treat method as a metric for reporting healing rates. Wound Repair Regen. 2017;25:665.
7. Ennis WJ, Lee C, Gellada K, Corbiere TF, Koh TJ. Advanced Technologies to Improve Wound Healing: Electrical Stimulation, Vibration Therapy, and Ultrasound-What Is the Evidence? Plast Reconstr Surg. 2016;138:94S.
8. Han SK. Innovations and advances in wound healing. 2nd Ed. Berlin Heidelberg: Springer. p. 1-61, 2015.
9. Han SK : Advances in wound repair. Seoul: Koonja Publishing Inc. p. 11-6, 62013.
10. Han SK, Chun KW, Gye MS. The effect of human bone marrow stromal cells and dermal fibroblasts on angiogenesis. Plast Recontr Surg 2006;117:829.
11. Han SK, Kim DW, Jeong SH. Potential use of blood bank platelet concentrates to accelerate wound healing of diabetic ulcers. Ann Plast Surg 2007;59:532.
12. Han SK, Yoon TH, Lee DG. Potential of human bone marrow stromal cells to accelerate wound healing in vitro. Ann Plast Surg 2005;55:424.
13. John LB, John SM, Linda GP. Impairments to wound healing. Clin Plast Surg 2003;30:47.
14. Lee CH, Han SK, Choi WI. Effect of Human Bone Marrow Stromal Cells and Dermal Fibroblasts on Collagen Synthesis and Epithelization. Ann Plast Surg 2007;59:713.
15. Liu Z, Saldanha IJ, Margolis D, Dumville JC, Cullum NA. Outcomes in Cochrane systematic reviews related to wound care: An investigation into prespecification. Wound Repair Regen. 2017;25:292.
16. Moon CH, Crabtree TG : New Wound Dressing Techniques to Accelerate Healing. J Current Treatment Options in Infectious Disease 2003;5:251.
17. Sen CK, Roy S. Wound healing. In: Neligan PC. Plastic Surgery. Elsevier. 2013:240-264.
18. Posthauer ME. The role of nutrition in wound care. Adv Skin Wound Care 2006;19:43.
19. Souliotis K, Kalemikerakis I, Saridi M, Papageorgiou M, Kalokerinou A. A cost and clinical effectiveness analysis among moist wound healing dressings versus traditional methods in home care patients with pressure ulcers. Wound Repair Regen. 2016;24:596.
20. Wynne R, Botti M : Effect of three wound dressings on infection, healing comfort, and cost in patients with sternotomy wounds: a randomized trial. J Chest 2004;125:43.

6 줄기세포 재생의학

Stem Cells and Regenerative Medicine

이종원 가톨릭의대

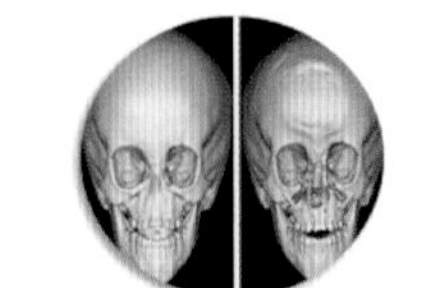

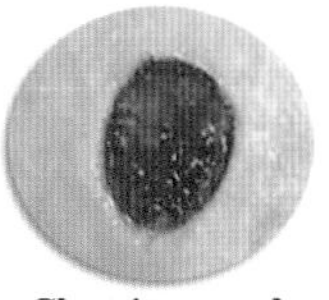

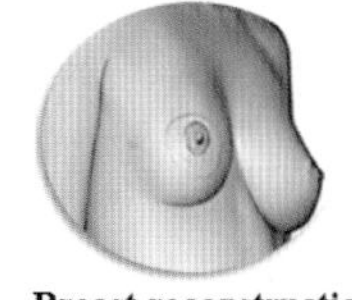

▷그림 1-6-1. 줄기세포를 이용하여 치료 가능한 다양한 임상

1. 줄기세포

1) 줄기세포의 정의

줄기세포(Stem cell)란 한 개의 세포에서 무수히 반복 증식하여 다량의 세포로 복제될 수 있는 세포로 자가 재생능력을 가지고 있고, 스스로 또 다른 줄기세포를 만들 수 있는 클론 형성능력을 보유하고 있어야 한다. 또한, 다양한 인체 내의 세포로 분화될 수 있는 능력을 가진 세포를 말한다.

2) 줄기세포의 중요성

성형외과 의사들은 지방 흡입으로 대량의 지방 조직을 쉽게 얻을 수 있고, 그로부터 지방줄기세포를 분리하여 사용할 수 있는 점에서 다른 임상과에 비해 상대적으로 유리하다. 다양한 임상에서 적용이 가능하지만(그림 1-6-1), 특히 성형외과는 이러한 장점으로 줄기세포를 활용한 다양한 연구와 임상에 적용할 수 있다. 다분화성 성질을 갖는 지방줄기세포를 언젠가는 수술방에서 분리와 동시에 사전에 준비된 인공지지체에 줄기세포를 혼합하고 환자에게 이식하는 날이 다가올 것이다. 근골격계 재건을 위해 정형외과에서는 골 분화를 촉진할 수 있는 BMP (bone morphogenetic protein)-2를 이용하는 방법이 많이 적용되고 있다. 성형외과에서 얻어지는 지방줄기세포를 이와 같이 타 임상과에서 사용되는 성장인자를 같이 활용하여 적용한다면 좀 더 다양한 조직 재생의 분야에서 지방줄기세포의 적용이 가능할 것이다. 또한, 줄기세포를 적용하는 데 있어서 잠재적인 발전가능성이 있는 시장은 분리한 줄기세포를 보관하고, 필요한 시기에 사용할 수 있도록 서비스하는 세포보관서비스가 있을 것이다. 제대혈의 경우 추출한 혈

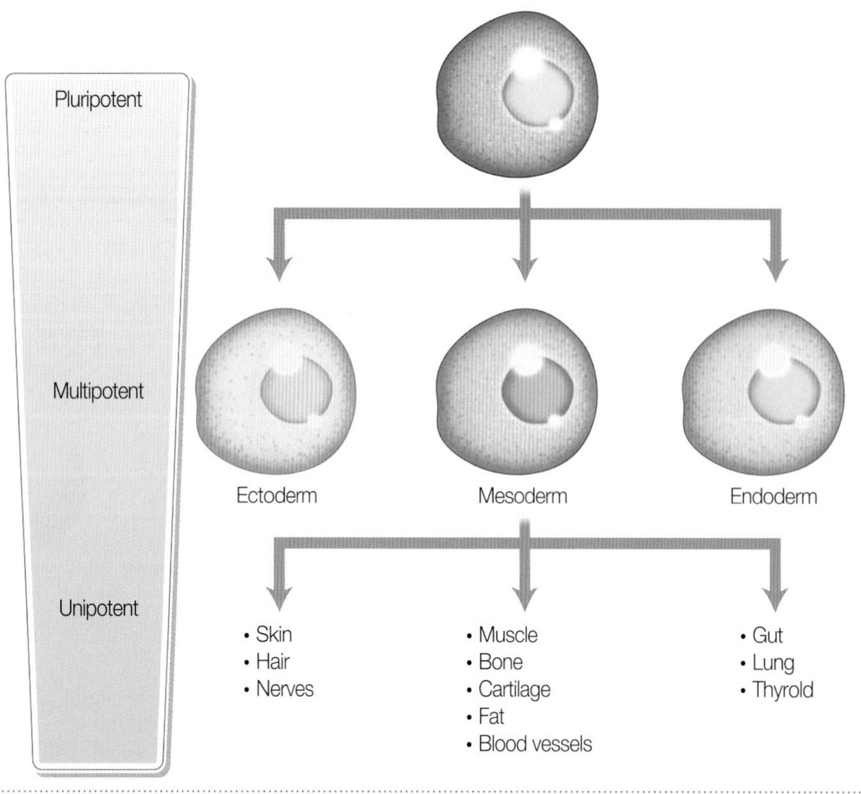

▷그림 1-6-2. 전분화능 세포로부터 분화 가능한 세포로 pluripotent는 배아줄기세포를 포함하며, 성체줄기세포는 mesoderm multipotent에 속함.

액을 저온보관 시스템에서 분리 보관하는 서비스가 이뤄지고 있으며, 줄기세포도 이와 같이 서비스가 가능할 것이다.

3) 배아줄기세포(Embryonic stem cells)

(1) 배아줄기세포 연구

배아줄기세포라는 용어는 게일 마틴에 의해 명명되었으며, 세포의 특성은 착상 전이나 태아화 이전에 유래하는 세포이고, 장기간 미분화된 상태에서 자가 재생할 수 있는 능력을 갖는 것이다. 또한, 장기 배양 후에 배아층 또는 다능성의 유도체를 형성하는 능력을 갖는 것이다. 배아줄기세포는 전분화능이 가능한 세포로 알려지면서 급속도로 연구가 진행된 줄기세포이다. 인체에서 발견되는 모든 종류의 세포로 분화가 가능한 만능줄기세포로 분류되며, 이는 생물학적 배경을 통해 질병을 치료할 수 있는 치료법 개발에 중대한 역할을 할 수 있다는 기대감을 가지고 있는 줄기세포이다(그림1-6-2). 선천적 혹은 후천적으로 손상을 받은 조직의 치료와 재생을 위해서 배아줄기세포의 적용은 새로운 치료법으로 큰 패러다임을 가져왔다. 그 이전에는 조직의 결손은 영구적인 기능 결손이라고 생각했던 부분들이 신기술로 치료가 가능하다는 희망적인 목표를 가질 수 있게 되었다. 그러한 이유로 정치적, 윤리적 우려에도 불구하고 배아줄기세포를 이용한 다양한 연구가 지속적으로 진행되고 있다. 배아줄기세포의 전분화능의 능력으로 암 세포의 생성도 가능하다는 우려의 목소리가 높지만, 그래도 인간 삶의 질적 향상을 위한 장점이 신의료기술의 가치로 인정되어 지속적인 연구가 진행되고 있다. 배아줄기세포의 연구가 다양성을 보이면서 다양한 질병에 대한 치료적 플랫폼도 함께 크게 증가하였다. 인간의 선천적 결함과 발달 및 다양한 병리학적 이상에서 세포 기전에 대한 연구를 통해 유전병, 암, 당뇨, 신경퇴행성 질환, 척수 손상과 같은 다양한 질병에 대한 치료의 기회가 있다고 보고 있다. 다만, 임상에서의 사용은 환자에게서 면역적 거부반응이 유도될 수 있고, 암 세포로 분화될 수 있다는 우려가 있다는 보고가 있으므로 이를 최소화할 수 있는 방안을 모색하여 환자의 안전을 확보한 후 적용해야 할 것이다.

(2) 배아줄기세포의 임상

배아줄기세포의 임상 적용은 초기 단계에 머물러 있다. 임상 적용에 있어 아직은 많은 문제점과 해결해야 할 과제들을 가지고 있다. 극복해야 할 장애에는 종양 형성 가능성, 면역 적합성 여부 및 치료 목적의 조직외 다른 조직으로의 분화 위험성이 포함된다. 그럼에도 불구하고, 배아줄기세포 연구는 특히 신경 재생 분야에서 활발히 이뤄지고 있다. 현재 배아줄기세포를 이용한 신경 재건은 식품의약품안전처의 승인을 받고, 임상 연구도 진행 중에 있다. 중추 신경계는 자가 재생 능력이 매우 적으나, 배아줄기세포를 이용한 재생 연구를 통해서 회복될 수 있는 가능성이 제시되었고, 뇌와 척수 손상 후 중추 신경계의 재생 치료 가능성이 열렸다. 환자가 외상으로 척수에 손상을 입으면 국소 oligodendrocyte가 사멸하고, 활동 전위의 전파가 중단되어 운동 기능을 상실하게 되는데, 배아줄기세포가 갖는 분하 능력이 이와 같은 중추 신경계의 회복을 유도할 수 있다는 연구 보고가 있다. Keirstead 연구팀에서는 rat 동물 모델을 이용하여 척수 손상 모델을 제작하였고, 배아줄기세포를 이식하여 손상시킨 척수 부위가 재생되는 것을 보고하였다. 이 보고는 척수에 직접 줄기세포를 주사하는 방식으로 세포를 이식하여 7일 후 손상 부위의 신경 조직 세포들의 밀도가 현저히 높아지는 것을 확인하였다. 이러한 결과는 배아줄기세포의 이식 시 급성 척수 손상을 치료할 수 있는 효과적인 방법이 될 수 있을 것으로 판단하고 있다. 또한, 이 보고에서는 배아줄기세포를 체외 분화하여 사용하여 기형종이 관찰되지 않았다는 보고를 하였다. 이와 같이 체외 분화가 미분화세포가 유도할 수 있는 문제점을 해결할 수 있는 잠재적 요소임을 제시하고 있다. Geron의 연구팀은 배아줄기세포를 이용한 실험 결과를 바탕으로 임상시험을 청구하여 1단계 진입을 앞두고 있다. 하지만, 쥐를 이용해 확인한 결과가 사람에게도 동일한 결과를 가져올지는 미지수이다.

4) 지방줄기세포(adipose stem cells)

(1) 지방줄기세포 연구

지방 조직은 미세혈관내피세포, 평활근세포 등의 다양한 세포를 포함하고 있다. 지방 조직에서 분리한 지방줄기세포는 체외에서 지방세포, 골모세포, 연골 세포 등으로 분화할 수 있는 다분화능을 가지고 있다(그림1-6-3). 지방줄기세포는 골수에서 유래한 줄기세포와 마찬가지로 광

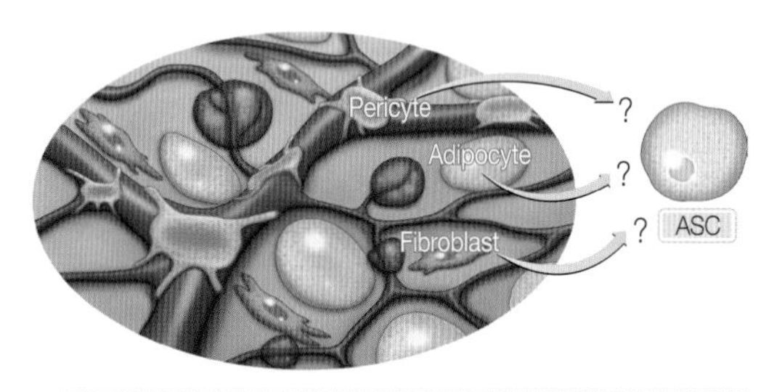

▷그림 1-6-3. 지방줄기세포는 지방조직에 존재하는 다양한 조직 중에서 어떤 위치에 있는지 아직 알려지지 않았으나 pericyte, adipocyte, fibroblast와 연관되어 있을 것으로 추정함(adipose stem cell, ASC).

범위한 증식 잠재력을 가지며 다양한 조직으로 분화를 유도할 수 있다. 지방줄기세포는 인체에서 절개된 조직 혹은 흡입술을 이용하여 분리된 지방 조직에서 분리할 수 있다. 지방줄기세포를 검증하기 위해서는 세포 표면에 존재하는 항원, 항체 반응성을 통해 확인하고, 체외에서 다양한 조직의 세포로 분화할 수 있는 능화능력을 통해 확인한다. 세포 표면 항원, 항체 반응성을 검증하기 위해서 양성 반응 마커로는 CD105, STRO-1, CD29, CD144, CD166을 사용하고, 음성 반응 마커는 CD3, CD4, CD11c, CD14, CD15, CD16, CD19, CD31, CD33, CD38, CD56, CD62p, CD104, CD144를 사용하는 다양한 연구가 보고되었다. 최근에는 지방줄기세포를 이용한 미용성형을 위해 지방흡입술을 통해 분리하여 적용하는 사례가 많이 있다. 이러한 지방흡입술은 안전하고 손쉽게 시행할 수 있는 시술이다. 성형외과를 제외한 다른 외과 분야에서도 지방조직층의 제거로 지방줄기세포를 분리, 확보할 수 있는 방안이 많이 있다. 하지만, 아직까지 지방 조직에서 분리한 지방줄기세포는 지방조직에 존재하는 다양한 세포들이 포함되어 있어서 순수한 지방줄기세포라고 말할 수는 없을 것이다.

지방조직에서 지방줄기세포를 분리하는 방법은 연구를 수행하는 주체에 따라 조금씩 다르게 적용되고 있다. 하지만, 그 주요한 맥락은 비슷하다(그림1-6-4). 다양한 방법 중에서 한 가지를 설명하면 다음과 같다. 절제 혹은 흡인술을 이

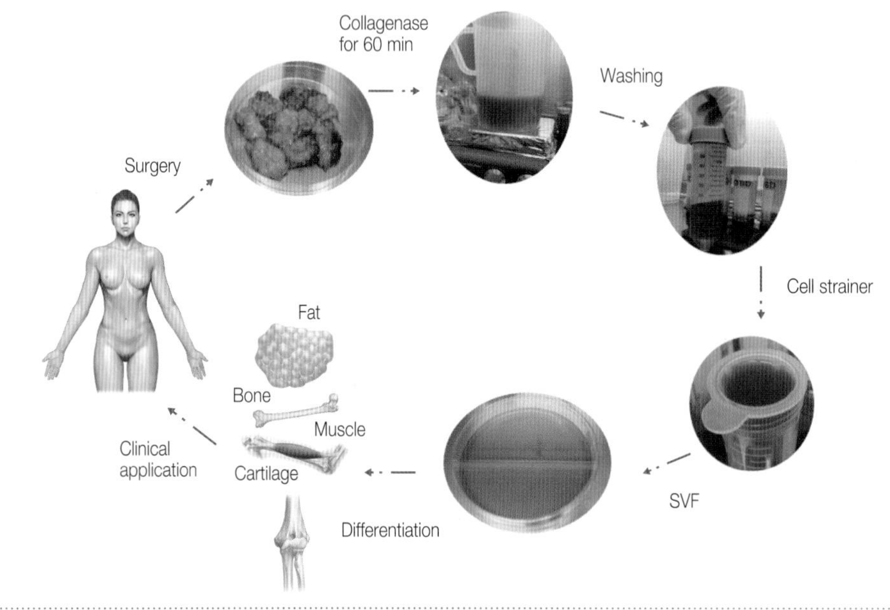

▷그림 1-6-4. 지방조직에서 지방줄기세포를 추출하고, 다양한 조직으로 분화하여 환자에게 적용하는 모식도

용해 채취한 지방 조직을 완충액으로 세척한 후 collagenase 효소 처리하여 기질과 세포를 분리시킨다. 이때 부유된 조직을 원심 분리하면 상층의 세포외기질과 기름층 및 하단에 침전된 세포층으로 나눠진다. 하단에 침전된 층을 세포 분획층(Stromal Vascular Fraction, SVF)이라 부르며 이 구획에 지방줄기세포가 포함되어 있다. 이 분획층에는 지방줄기세포를 포함하여 다양한 세포들이 포함되어 있고, 적혈구(Red Blood Cells, RBC)를 포함하고 있어서 붉은 색을 띠고 있다.

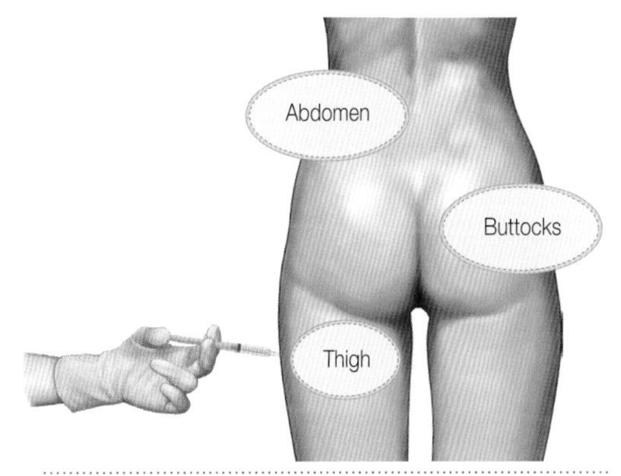

▷그림 1-6-5. 인체의 다양한 부위에 존재하는 지방줄기세포

상층액을 제거하고, 침전된 세포 분획층을 세포 배양 용기에서 배양한다. 배양 초기의 침전세포 내에는 혈관내피세포, 근육세포, 간극세포, 섬유모세포 그리고 혈구세포 등이 포함되어 있으나, 약 2회 계대 배양하면 줄기세포를 제외한 세포들은 대부분 제거된다. 이와 같은 방법으로 분리한 세포의 배양은 앞에서도 언급한 바와 같이 일부 섬유모세포도 부착되어 증식하므로 순수한 줄기세포라고 명명하기엔 아직 논란의 여지가 있다. 많은 연구자들은 순수한 지방줄기세포를 평가하기 위해 세포 표면에 존재하는 항원, 항체 반응성을 통해 세포를 선별하여 실험에 사용하기도 한다. 또한, 지방줄기세포는 다양한 인체의 조직에서 발견할 수 있다. 복부, 허리, 엉덩이, 허벅지 등의 다양한 부위에서 지방조직을 분리할 수 있고, 각각의 부위에 따라 지방줄기세포의 특성이 다르다는 보고가 있다(그림 1-6-5).

지방조직에서 분리한 지방줄기세포에는 분화된 지방세포, 혈관내피세포, 근육세포, 간극세포, 섬유모세포 등이 함께 존재하고 있다. 지방줄기세포는 중간엽줄기세포에 포함되며 다음과 같은 특성을 갖는다. 첫째는 배양용기에 부착하

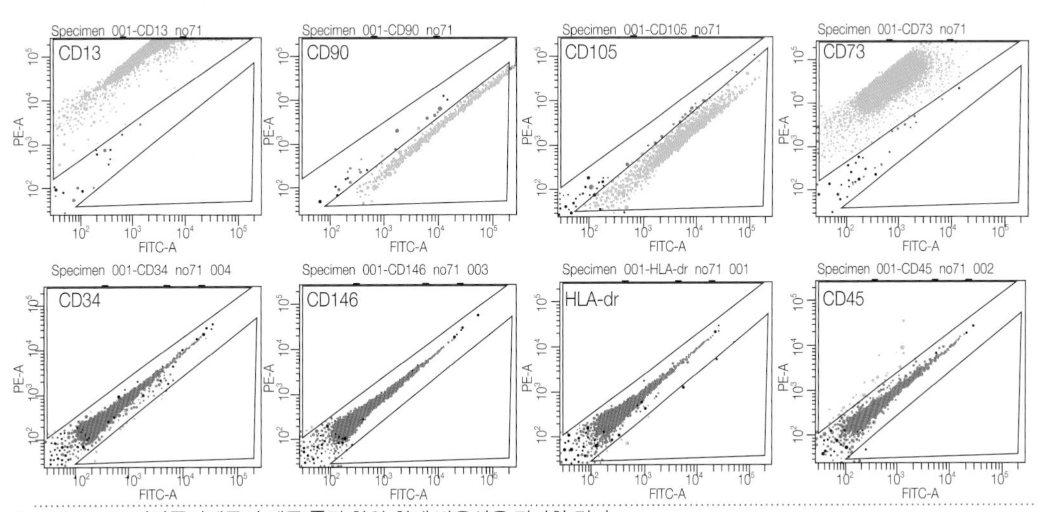

▷그림 1-6-6. 지방줄기세포의 세포 표면 항원-항체 반응성을 평가한 결과

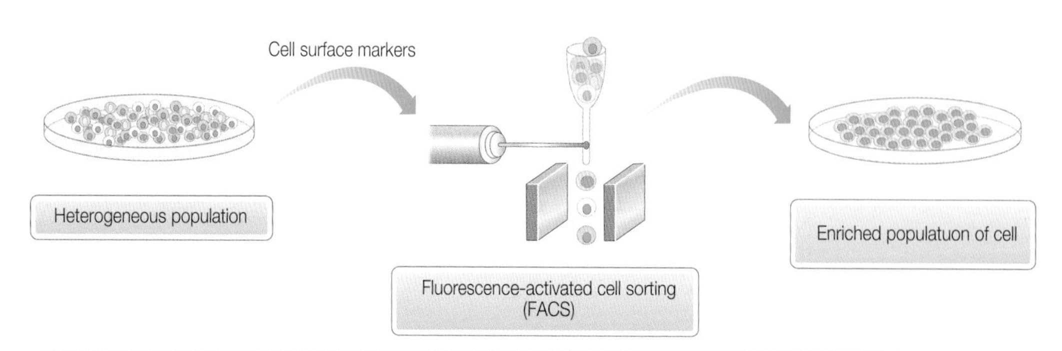

▷그림 1-6-7. 세포 표면에 존재하는 receptor를 이용하여 Fluorescence-activated cell sorting을 통해 원하는 줄기세포를 선별하는 방법

여 증식되어야 하고, 둘째는 시험관 내에서 골모세포, 지방세포, 연골모세포로 분화할 수 있어야 하며, 셋째는 특정 세포 표면항원이 발현되어야 한다.

중간엽줄기세포의 최소한의 조건 중 하나인 세포 항원, 항체 반응성은 줄기세포를 검증하기 위하여 가장 많이 사용하는 방법 중의 하나이다. 항원, 항체 반응성을 확인하기 위하여 세포 표면에서 발현하는 특정 항원인 CD105, CD73 그리고 CD90이 양성 반응으로 나타나야 하고, 조혈모세포 항원인 CD45, CD34, CD14 또는 CD11b, CD79a, CD19, HLA-DR 항원은 양성반응이 나타나지 않아야 한다(그림 1-6-6,7).

다분화능을 가진 지방줄기세포는 지방, 골, 연골, 근육, 심근, 혈관 등과 같이 다양한 세포로 분화될 수 있다(그림 1-6-8). 또한 지방줄기세포를 중배엽세포가 아닌 외배엽 조직인 신경세포로 분화가 가능하다는 보고가 있다. 신경세포로 분화를 유도한 경우는 지방줄기세포를 시험관 내에서 혈청 없이 산화방지제에 노출될 경우 세포가 신경세포와 같은 양극을 가진 세포 모양을 보이는 것이 관찰되었다.

(2) 지방줄기세포의 임상

지방줄기세포는 성형외과 영역에서 가장 활발히 임상적용이 이뤄지고 있다. 가장 흔한 방법으로는 지방이식 시 지방줄기세포를 분리한 세포분획을 미용을 목적으로 이식하는 것을 살펴볼 수 있다(그림 1-6-9). 또한, 치료의 목적을 가지고 지방줄기세포를 이식하는 예는 다수 살펴볼 수 있다. 다른 줄기세포와 비교하여 많은 임상적 사례가 보고되는 것은 그 만큼 획득이 용이하고, 접

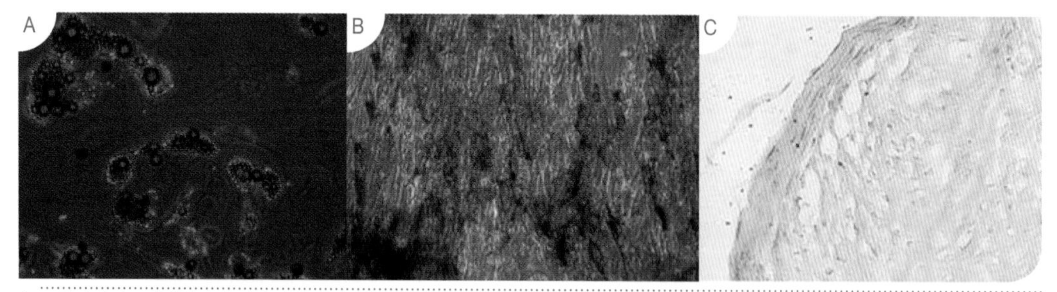

▷그림 1-6-8. **지방줄기세포를 이용하여 다분화능을 평가한 결과.** A. 지방 분화를 평가한 oil red O 염색, B. 골 분화를 평가한 alizarin red S 염색, C. 연골 분화를 평가한 alcian blue 염색.

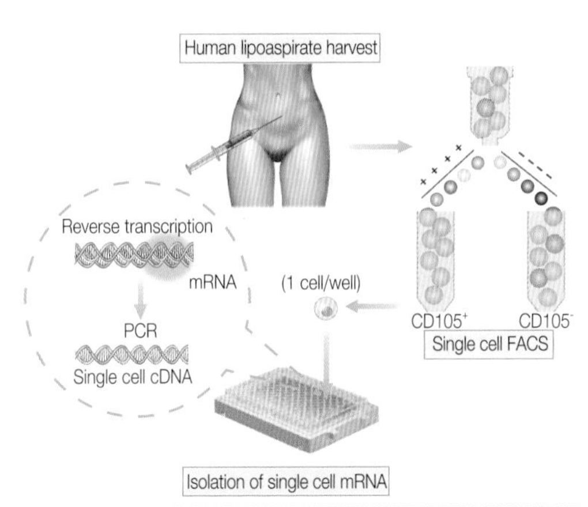

▷그림 1-6-9. 지방조직에서 분리한 지방줄기세포 세포군집을 fluorescence- activated cell sorting을 이용하여 단일세포(single cell)로 분리하는 방법

할 수 있는 기회가 많음을 보여준다. 최근에는 손실된 골을 재건하기 위해 지방줄기세포를 이용한 사례도 보고되고 있다. 머리 덮개뼈(calvaria), 상악골(maxilla), 하악골(mandible)의 결손을 재건하기 위하여 인공지지체와 지방줄기세포를 이용하여 치료하거나 혹은 기존의 방법에 접목하여 좀 더 빠르게 치료하고자 적용되었고, 성공적인 결과를 얻었다는 보고가 있다. 이와 같은 지방줄기세포를 이용하여 조직의 재건을 유도하는 것은 이종 조직 소재의 필요성을 없애고, 감염과 거부 반응의 위험성을 줄여준다. 하지만, 아직까지 지방줄기세포가 골 결손 부위의 적용 시 재건에 미치는 기전을 정의하는 데 부족함이 많으며, 이식된 줄기세포가 분비하는 성장인자가 골 조직의 분화 시 촉진할 수 있는 인자만을 분비하는지도 정확하지 않다. 따라서 좀 더 안정적이고 안전한 임상적용을 위해서는 지방줄기세포가 조직 재건 시 미치는 영향이 다양한 면에서 좀 더 연구되어야 할 것이다(그림 1-6-10, 11).

이처럼 지방줄기세포의 연구와 임상 적용 사이에는 아직은 큰 차이를 가지고 있으므로 좀 더 임상에 적용가능한 연구적 방향 설정과 평가가 있어야 할 것이다. 이러한 큰 차이에도 불구하고 우리가 지방줄기세포에 집중하는 이유는

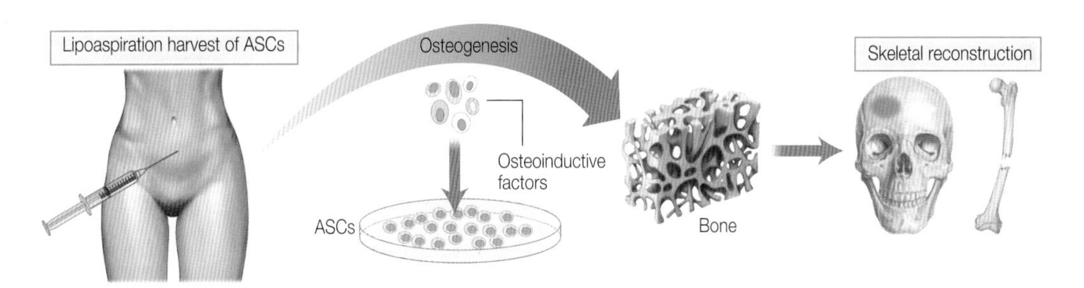

▷그림 1-6-10. 지방줄기세포를 분리하여 체외에서 골 조직으로 분화한 후 임상에 적용하는 모식도

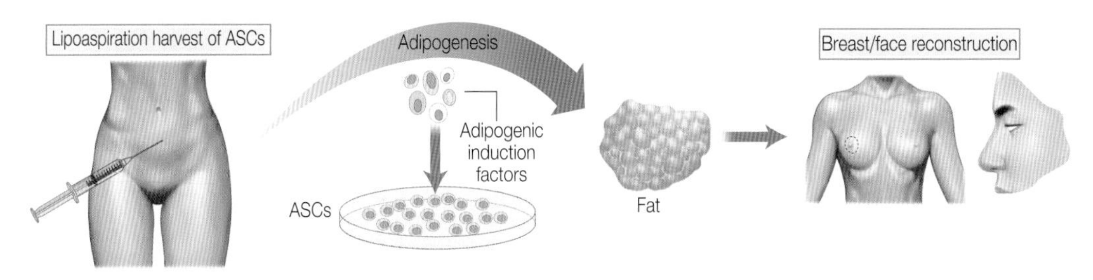

▷그림 1-6-11. 지방줄기세포를 분리하여 체외에서 지방 조직으로 분화한 후 임상에 적용하는 모식도

인체에 어떤 손상이 발생했을 때 줄기세포를 이용한 치료의 기술을 적용할 수 있을 것이며, 이때 사용되는 줄기세포는 인체에서 쉽게 얻을 수 있고, 안정적인 분화와 능력을 가진 세포를 필요로 할 것이다. 이런 면에서 지방줄기세포는 성체줄기세포로서 안정적이고 암세포로 분화될 가능성이 없다는 이유만으로 충분히 적용이 가능할 것이다. 다만, 임상 적용을 위해서는 지방줄기세포 분리 시 모든 공정은 법적 규정에 맞는 시설에서 분리, 배양되어야 할 것이다.

5) 골수줄기세포(Bone marrow stem cells)

(1) 골수줄기세포 연구

골수줄기세포는 지방, 연골, 골, 근육 등의 다양한 종류의 세포로 분화가 가능한 다분화능을 가진 세포이다(그림 1-6-12). 골수줄기세포는 성체줄기세포 중에 가장 먼저 연구가 진행되었고, 다른 성체줄기세포의 평가 시 기준이 되는 세포라고 해도 과언이 아니다. 골수줄기세포는 플라스틱 배양 용기에 부착할 수 있는 골수에서 나온 세포로 알려져 있다. 처음 중간엽줄기세포의 소스원으로 밝혀지면서 많은 연구에서 가소성, 면역 조절 특성, 재생의학 적용 가능성 등을 검증하여 보고되었다. 또한, 골수줄기세포는 인체에서 손상 부위 발생 시 스스로 손상 부위로 이동하는 인체의 자가 회복 시스템에 관여하는 세포로 확인되었다. 이런 결과들은 골수줄기세포를 임상에 적용할 시 엄청난 치료적 잠재력을 가진 재료임을 확신할 수 있게 해준다.

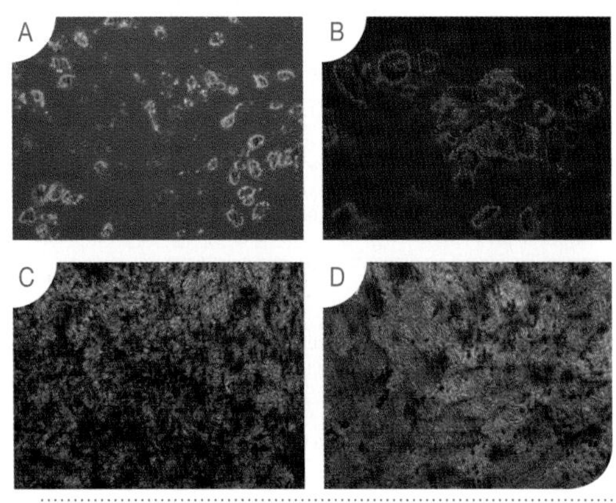

▷그림 1-6-12. **골수줄기세포의 다분화능 평가.** (A, B) 골수줄기세포의 지방 분화능을 평가한 oil red O 염색, (C, D) 골수줄기세포의 골 분화능을 평가한 alizarin red S 염색

골수줄기세포를 이용한 상업적인 개발도 많이 진행되고 있다. 지방줄기세포와 비교하여 획득할 수 있는 양의 한계가 있다는 단점이 있지만, '생물학적 치료제'의 기성품에 있어서는 가시적인 결과가 곧 나올 것으로 보인다. 골수줄기세포도 연구자에 따라서 조금씩 다른 추출 방법을 사용하고 있으나, 그 맥락은 비슷하다. 먼저, 골수를 비중을 이용하여 성분을 분리하는 방법인 Ficoll을 이용하여 단핵세포를 분리한다. 분리된 세포는 부착하여 배양되는 성질을 이용하여 얻을 수 있다. 골수줄기세포를 얻기 위해 배양액을 골강 내로 여러 번 관류 시킨후 뭉쳐 있는 골수 덩어리를 주사기를 이용해 흡입, 방출을 반복하면서 골고루 풀어준다. 이후, 뽑아낸 골수세포 현탁액을 70 um 메쉬를 통해 회수한 다음 생리식염수를 이용해 희석한다. 희석된 세포 현탁액을 Ficoll과 혼합하여 2,000 rpm에서 30분 동안 원심분리하여 상층액을 제거하고 세포 분획을 회수한다. 원심분리된 세포 분획을 생리식염수로 세척과정을 두세 번 반복한다. 위의 과정을 걸쳐 얻어진 단핵구 세포를 10% FBS와 항생제가 첨가된 DMEM 배양액을 이용해 세포 배양장치에서 배양한다. 골수줄기세포를 증명하기 위해서 다양한 방법들이 적용되고 있다. 많은 논문들에서 공통적으로 적용하는 방법은 골수줄기세포 표면에 존재하는 항원, 항체 반응성을 이용한 방법이다. 골수줄기세포의 특성을 대변할 수

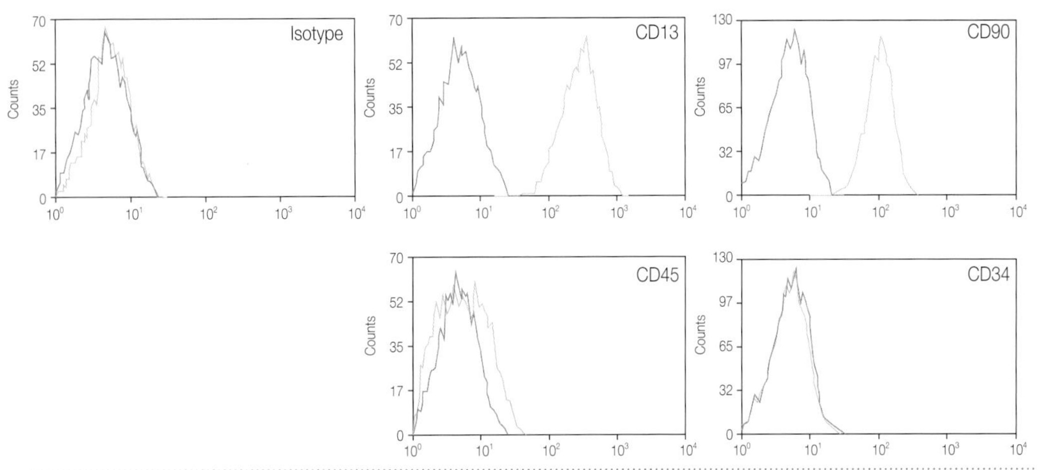

▷그림 1-6-13. **골수줄기세포의 세포 표면에 존재하는 항원-항체 반응성을 평가한 결과**

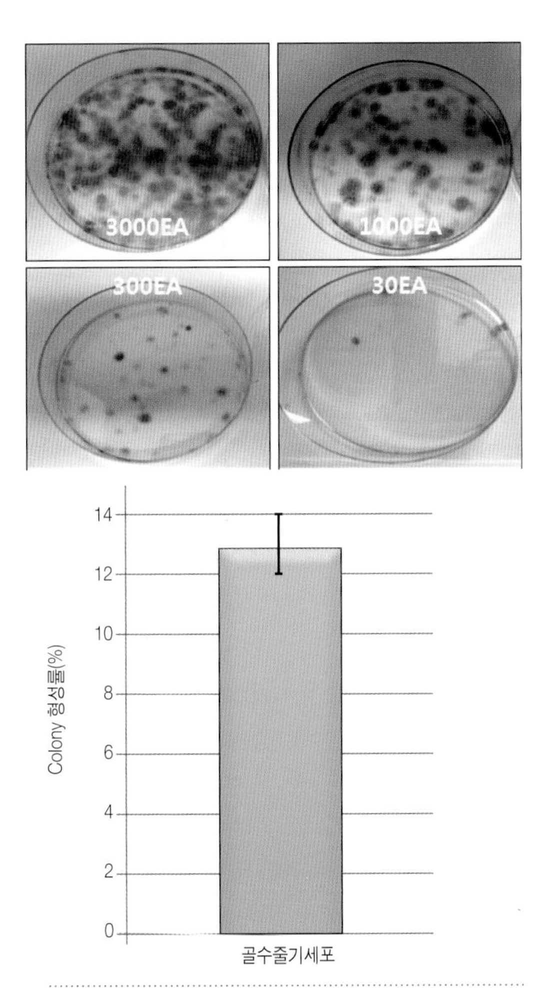

▷그림 1-6-14. **골수줄기세포의 콜로니 형성능력 평가.** 30, 300, 1,000, 3,000개 세포 배양 후 3주 뒤 분석함.

있는 양성반응 마커로는 CD73, CD90, CD105가 있으며, 음성 반응을 나타내야 하는 마커는 CD45, CD34, CD14, CD19, HLA-dr이 있다(그림 1-6-13).

또한, 골수줄기세포의 특성으로 콜로니 형성능력도 보유하고 있어야 한다. 콜로니 형성능은 단일세포가 자가복재능력을 통해 콜로니를 형성하는 것으로 세포 1개당 자가복재기능을 통해 검증하는 방법이다. 이론적으로 1개의 골수줄기세포가 존재하면 이는 2개로 복재되는 것으로 n개의 세포가 2^n의 복제 속도로 증가하게 되어 1개의 세포가 하나의 군집을 형성하게 되는 원리이다. 이러한 군집의 형성과 형성된 군집의 숫자를 통해 골수줄기세포의 줄기세포로서의 능력을 확인하는 방법이다. 이러한 군집의 형성을 평가하기 위해서는 소량의 세포를 적정한 크기의 배양 용기에 배양하며, 이 때 세포 간 거리를 일정하게 유지시켜 배양하는 게 가장 중요한 점이 되겠다(그림 1-6-14).

골수줄기세포는 여러 번의 계대 배양 후에도 다양한 세포로 분화가 가능한 능력을 가지고 있으나, 계대 배양의 횟수가 증가하면 점점 분화

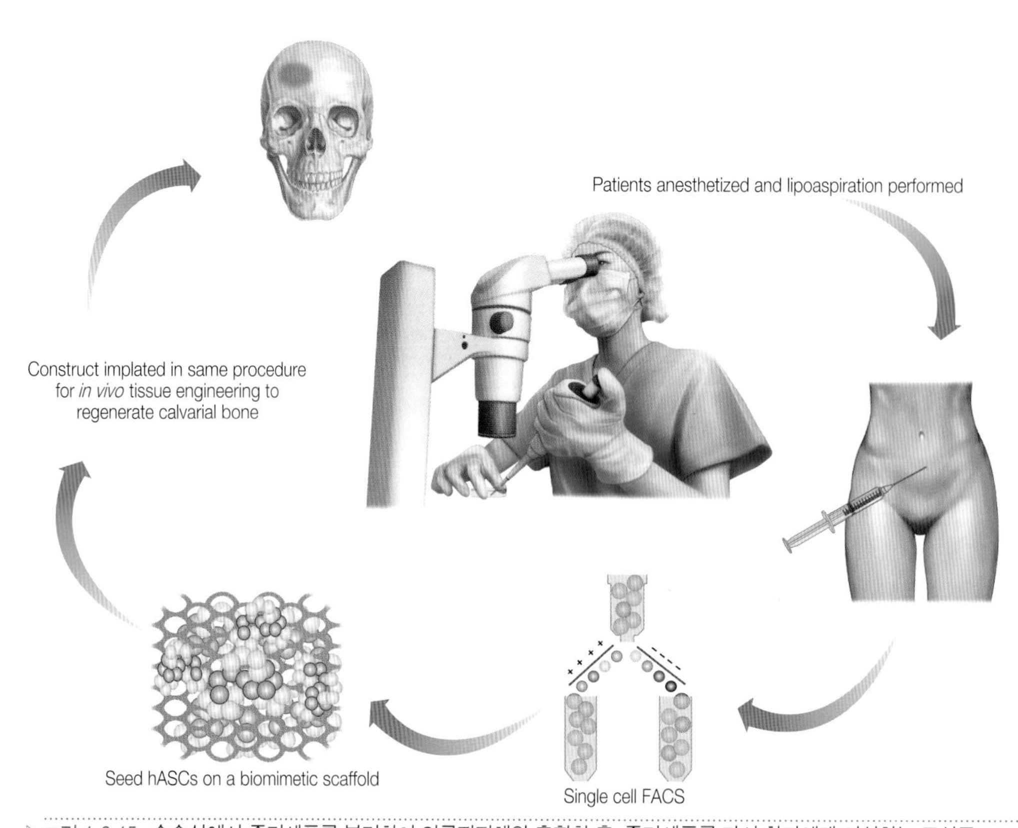

▷그림 1-6-15. 수술실에서 줄기세포를 분리하여 인공지지체와 혼합한 후, 줄기세포를 다시 환자에게 이식하는 모식도

능력도 감소하는 것으로 알려져 있다. 그러므로 최적화된 줄기세포의 분화 유도와 적용을 위해서는 적정한 계대 배양의 수를 찾아야 할 것이다. 추가적으로 골수줄기세포의 증식력과 분화력은 공여자의 나이, 선행 질환, 비만지수 등의 개인적 변이에 따라서도 다르게 표출될 수 있다.

(2) 골수줄기세포의 임상

골수줄기세포는 다양한 질병을 치료하기 위한 가능성을 제안되었다(그림 1-6-15). 이식편대숙주병, 크론병, 당뇨병과 같이 기존 치료법으로 완치가 어려웠던 질병들을 치료할 수 있는 방안으로 제시되어 연구개발되었고, 지금은 임상 연구로서 진행되고 있다. 식품의약품안전처는 급성 중뇌동맥 뇌졸중 치료에 자가 골수줄기세포를 이용한 임상 연구를 허가하였다. 이와 같이 골수줄기세포의 효능과 효과는 실험적 증명을 통해 임상까지 넓혀지고 있으며, 임상에서도 효과가 입증되고 있다. 허혈성 심근경색증에 대해 골수줄기세포의 영향은 전임상시험에서 심장의 기능이 서서히 개선되어가고 있음을 보고하였고, 분화 및 성장인자를 생산하여 재생 메카니즘을 촉진한다고 보고되었다. 하지만, 불완전한 회복 상태에서는 이러한 방법이 종종 좌심실 조직의 손상을 유발할 수 있다는 문제점도 보고되었으므로 좀 더 정확한 치료를 위한 방안의 모색도 필요할 것이다. 이와 유사하게 골수줄기세포를 근골격계 질환 환자에게 적용하여 임상적 효능을 검증한 결과도 보고되었다. 골 질환을 앓고 있는 환자 17명에게 골수줄기세포와 PRP (platelet-rich plasma)를 혼합하여 주입한 결과 치료의 효과가 빨라지고 합병증 발병률이 감소하였다. Horwitz의 연구팀은 근골격계 질환중에 콜라겐 타입1의 이상으로 골이 쉽게 부서지고 기형적인 뼈대를 형성하는 환자를 모집하여 골수줄기세포를 이식하는 임상실험을 수행하였다. 기존의 치료법으로 치료할 방법이 없던 환자들에게 골수줄기세포의 이식은 꽤 효과적인 결과로 나타났다. 또한, 골수줄기세포 2종을 혼합하여 골과 피부 등의 여러 부위에 이식한 결과 6개월 동안 아무 합병증이 발병하지 않고 치료가 진척되는 것을 확인하였다. 이처럼 골수줄기세포의 효과가 밝혀지면서 이와 관련된 임상시험 및 사업화에 큰 가능성을 보여주었다.

6) 유도만능줄기세포(Induced pluripotent stem cell, iPS cell, iPSC)

(1) 유도만능줄기세포의 정의

유도만능줄기세포는 전분화능을 가진 세포주로서 인체 내 모든 세포로 분화가 가능한 능력을 보유하고 있다. 유도만능줄기세포는 개발 초기에 포유류 배아에 주머니배(blastocyst)에 의해 유지되는 특성을 가지고 있다. 일반적으로 배아가 성숙해지면서 세포는 다양한 조직의 세포로 분화하며, 전분화능이 가능한 세포 수는 점차적으로 줄어들게 된다. 유도만능줄기세포는 성체에 존재하는 성체줄기세포를 이용하여 배반세포에서 갖는 전분화능의 능력을 부여하는 것이 유도만능줄기세포라 할 수 있다. 2007년에 많은 연구자들은 세포에서 중요한 전사 인자를 찾아냈고, 이를 이용하여 성체 세포를 유도만능줄기세포로 전환하는 데 성공하였다.

유도만능줄기세포를 제작하기 위한 전사인자로 Oct4, Sox2, Klf4, c-Myc의 4가지 유전자를 사용하였다. 이후, 세포 변이가 발생될 수 있는 전사 인자를 제외하여 2개의 전사인자로 재프로그래밍 할 수 있게 되었다. 이렇게 개발된 유도만능줄기세포는 성체 세포에서 유래하기 때문에 배아줄기세포에서 발생되는 윤리적 문제를 해결할 수 있고, 동일한 개체에서 채취하여 유도가 가능하므로 자가 이식을 통한 면역 거부 반응을 해결할 수 있다.

유도만능줄기세포의 또 다른 장점은 다양한 세포 유형에서 얻을 수 있다는 것이다. 유도만능줄기세포를 개발한 초기에는 피부 섬유모세포를 사용했다(그림 1-6-16). 기증자로부터 작은 피부 조직을 얻어 in vitro에서 제작할 수 있는데, 이 방법의 단점은 Yamanaka의 전사 인자 네 가지를 이용하거나 c-Myc을 사용하지 않는 경우, 재프로그래밍 효율이 0.01% 미만이라는 단점을 갖으며, 세포 유도까지 3~4주의 기간이 필요하다.

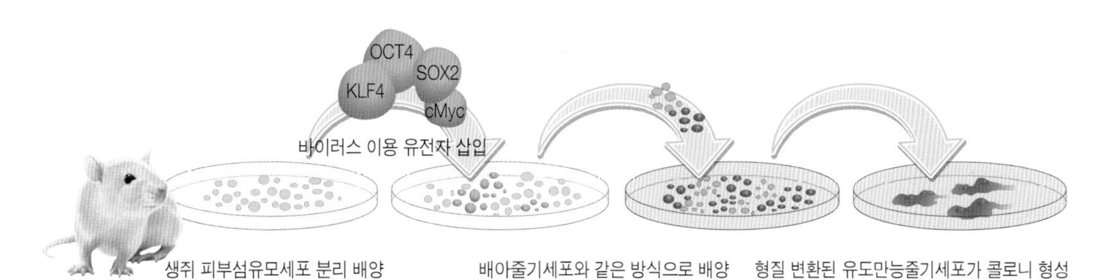

▷그림 1-6-16. 피부섬유모세포로부터 유도만능줄기세포 제작 및 배양하는 모식도

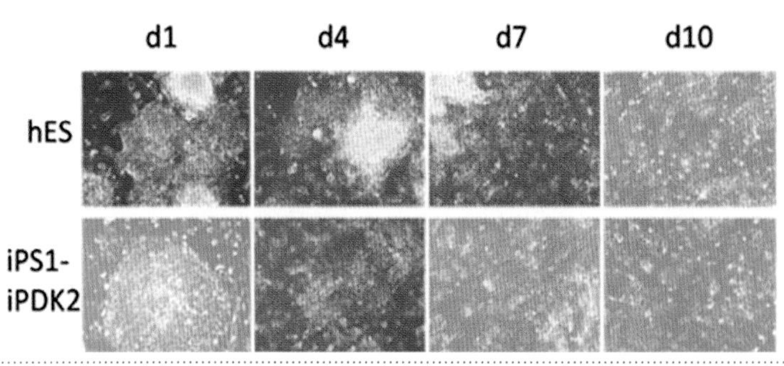

▷그림 1-6-17. **유도만능줄기세포의 초기 배양부터 10일간 2차원 배양한 세포의 사진** (출처: Hewitt KJ. PLoS One. 2011)

따라서, 유도만능줄기세포 제작의 수율을 증가시키기 위해서 최근에는 지방줄기세포를 이용하여 많은 연구가 이뤄지고 있다. 지방 조직에서 지방줄기세포를 분리하고 성공적으로 이들 세포를 Yamanaka의 네 가지 전사 인자를 사용하여 재프로그래밍 할 수 있다고 보고되었다. 앞서 언급한 바와 같이 지방줄기세포는 쉽게 얻을 수 있는 지방 조직에서 다량을 얻을 수 있기 때문에 손쉽게 수백만 개의 세포를 채취할 수 있다. 이를 이용하여 in vitro에서 증식 없이 세포를 재프로그래밍 할 수 있으며, 섬유모세포보다 20배 정도 빠르게 유도만능줄기세포를 유도할 수 있다(그림 1-6-17). 지방줄기세포는 섬유모세포보다 기본적으로 Klf4와 c-Myc의 발현이 높다는 이점도 가지고 있다. 하지만, 유도만능줄기세포에 대한 기대에도 불구하고 임상에 안전하게 적용하기 위해서는 개선해야 할 많은 점들이 있다. 현재까지 유도만능줄기세포를 제작하기 위해서 바이러스를 이용하여 유전자 변형을 유도하는 것이고, Klf4 및 c-Myc 전사 인자는 발암 유전자로 알려져 임상 적용이 사실상 불가능 할 수도 있다. 기존의 문제를 해결하기 위한 방안으로 미니 서클 벡터를 사용하는 것이 있으나 아직은 연구 초기라 할 수 있다(그림 1-6-18).

(2) 유도만능줄기세포의 임상적용

지방줄기세포를 이용하여 유도만능줄기세포를 유도하면 타 성체 줄기세포를 이용한 유도보다 다양한 면에서 장점을 가진다. 먼저 쉽게 얻을 수 있는 지방 조직을 이용하여 다량의 세포를 한 번에 획득할 수 있고, 얻어진 세포로 배양 없이 유도만능줄기세포를 유도할 수 있다. 유도만능줄기세포를 미분화 상태에서 유지하기 위해

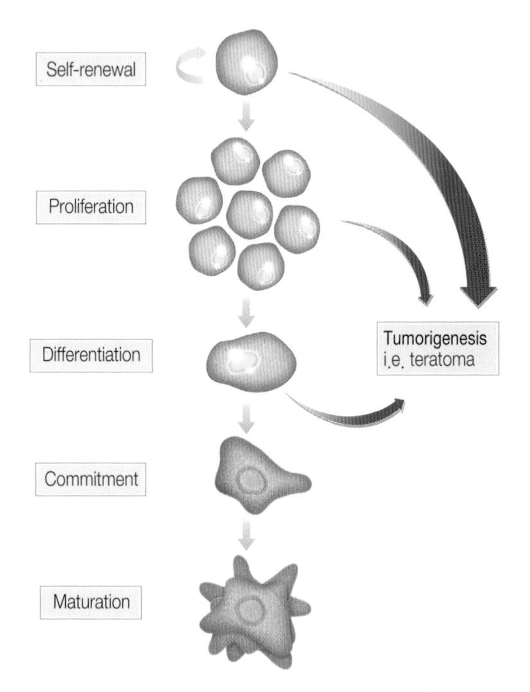

▷그림 1-6-18. **다분화능 조절 실패 시 하나의 세포가 암세포로 발달할 수 있음**

서 마우스 섬유모세포층을 필요로 하는데, 이러한 유지 방법은 유도만능줄기세포를 인체에 이식할 때 마우스의 세포가 함께 이식될 수 있다는 문제점을 가지고 있으므로, 지방줄기세포를 통해 분화를 유도한 유도만능줄기세포를 배양 없이 이식하는 방법이 면역학적 문제를 해결할 수 있는 좋은 방법이라고 할 수 있다. 유도만능줄기세포는 척수 손상, 파킨슨 병, 당뇨병과 같이 중대한 질병의 치료에 적용할 수 있을 것이다. 하지만, 아직은 임상에 적용하기 위한 안전성과 효율성에 대해 좀 더 확인이 필요할 것으로 다양한 전임상 평가를 수행하여 그 영향을 검증해야 할 것이다(1-6-19). 정리해보면 유도만능줄기세포를 임상에 적용하기 위해서는 성체 세포를 이용하여 유도만능줄기세포를 유도할 때 동물세포가 포함되지 않도록 해야하고, 유도 시 바이러스의 미사용하는 방법을 적용해야 할 것이며, 분화하여 이식 시 미분화된 세포가 포함되지 않도록 철저한 관리하게 모든 과정이 이뤄져야 할 것이다.

2. 다양한 조직 재생연구

1) 조직 특이적 줄기세포

조직 특이적 줄기세포란 배아 발달 후에 인체 내 모든 조직과 장기에서 발견되는 분화되지 않

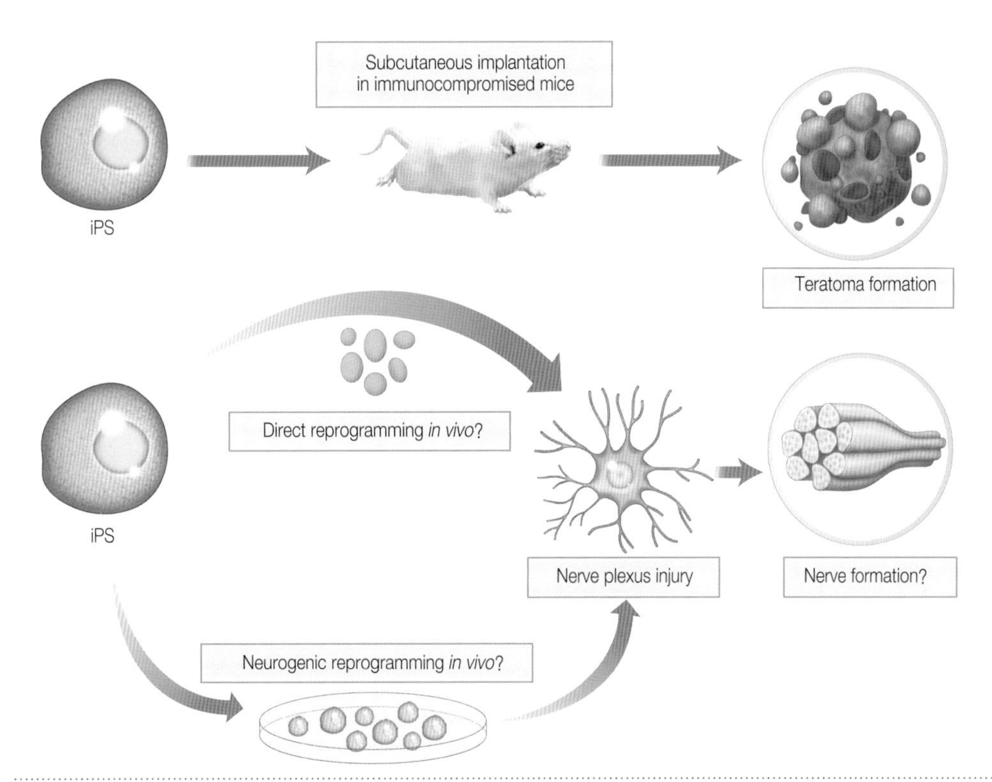

▷그림 1-6-19. 유도만능줄기세포를 이용하여 in vivo로 바로 이식 시 teratoma가 발생할 수 있다. 따라서, 유도만능줄기세포를 1개의 세포도 빠짐없이 조정이 가능하게 in vivo 이식하거나 in vitro에서 신경조직으로 모두 분화하여 이식하는 방안을 고려해야 한다.

은 세포이다. 이 세포들은 자가 재생 및 분화를 통해 조직이나 기관의 특이적인 세포 유형으로 변환할 수 있는 능력을 지니고 있다. 또한 항시 항상성을 유지하고, 기능을 회복하기 위해 다양한 형태로 대기하다가 조직 혹은 장기에 문제가 발생되면 치유를 하기 위하여 동원된다(1-6-20).

2) 피부 재생

외부의 자극을 차단하는 역할의 피부를 재건하기 위한 많은 연구들이 수행되었다. 피부의 표피 치료를 위해서 세포 기반의 치료법은 생체 외에서 세포를 배양하여 피부에 이식하는 방법이 수십 년 동안 사용되었다. 골수줄기세포와 지방줄기세포를 이용하여 만성 상처의 피부층을 치료하는 것은 오랜 연구 기간에서 살펴볼 수 있는 것처럼 매우 성공적으로 적용되었다. 만성궤양 환자에게 자가 골수줄기세포를 사용한 결과 12주 후에 줄기세포 치료를 받은 환자에게서 궤양의 크기가 개선되는 것을 관찰한 결과가 보고되었고, 말초 혈액과 골수로부터 분리한 성체줄기세포를 피부에 성공적으로 이식한 사례도 보고되었다. 또한, 자가 골수줄기세포를 분리하여 chronic lower extremity wound에 치료받은 환자는 상처 표피층에 섬유화가 적게 형성되는 것을 관찰하였다. 이와 같이 피부는 성체줄기세포 기능을 연구하기 위하여 오랫동안 연구되어 왔고, 피부를 재생하기 위한 다양한 유전정보도 밝혀졌다. 관련 유전자로는 Wnt/β-catenin, BMP, Notch, Hedgehog 체계가 밝혀져 있고, 피부 층에 존재하는 다양한 기관에서 K5, K14, δ-Np63 유전자도 발현하는 것이 확인되었다. 하지만, 아직까지도 성체줄기세포가 피부 재생에 기여할 수 있는 것으로 확인되었으나 구체적인 영향은 명확하게 밝혀지지 않았다.

3) 골 재생

골 세포는 골수줄기세포에서 유래되어 다양한 분화 경로들이 연구되어 밝혀져 있다. 골모세포는 세포에 가해지는 압력, 호르몬, 성장인자들에 의해서 조절되어 성숙한 골 세포로 분화되

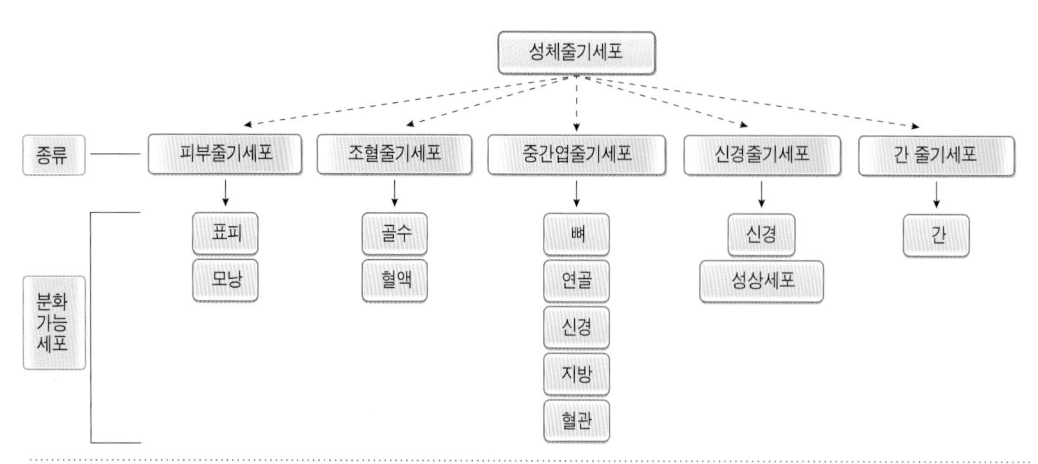

▷그림 1-6-20. 성체줄기세포의 종류와 각각의 성체줄기세포가 분화할 수 있는 세포의 종류

고 이렇게 유도된 세포들은 골 조직의 성장과 재생성에 사용된다. 앞서 언급한 바와 같이, 동종이계의 골수줄기세포를 이식한 환자에게서 불완전한 골 형성이 개선되어 형성율이 향상되는 것을 관찰하였다. 줄기세포 이식 3개월 후, 모든 환자들은 뼈의 총 미네랄 함량, 성장속도, 뼈 골절 빈도가 감소되는 경향을 보였다. 이러한 골 조직의 재생과 사멸의 균형을 유지하기 위해서 골 조직의 형성에는 파골세포도 존재한다. 파골세포는 단핵구 혹은 대식세포에서 유래되어, 정상적이지 못한 세포를 제거하고, 신생 골 세포 및 조직이 재생될 수 있는 환경을 제공한다.

4) 혈관 재생

심혈관 질환에 대한 임상적 위험성과 혈관전구세포의 기능은 혈관 연구에 있어서 큰 연관성을 갖는다. 혈관의 전구세포를 혈관 내에 증가시키면 인체 내에서 자연스럽게 혈관이 개선되는 현상을 보인다. 혈관전구세포뿐만 아니라 관립대식 세포 증식 인자의 직접적인 혈관 주입은 심장 허혈성 질환에서 성공적인 혈관 안정화를 유도한다. 급성 심근경색으로 관상 동맥 내에 골수줄기세포를 주입하면 안정적으로 좌심실의 기능이 개선된다는 보고도 있다. 이와 같이 줄기세포는 혈관의 신생 혹은 재생을 위한 치료법으로 충분히 적용이 가능하다.

5) 근육 재생

근육세포의 잠재적인 치료는 내피세포 계통의 전구세포 밀도에 초점을 맞춰야 한다. 근육 조직에 줄기세포를 주입하는 임상적 적용 사례는 보고되지만, dystrophin 생성 외의 효과는 발견되지 않았다. 단, 허혈성 심장 질환 환자 혹은 스트레스성 요실금 환자에게 줄기세포를 이식한 경우에는 각 조직과 같이 존재하는 근육 조직의 기능이 개선되는 것이 보고되었다. 따라서, 성체 줄기세포는 근육 조직의 재생에 관여하는 것은 짐작해볼 수 있으므로 좀 더 많은 연구가 필요하겠다.

6) 말초신경 재생

다양한 줄기세포 중에 말초 신경을 재생하기 위한 사례는 배아줄기세포를 이용한 급성 척수 손상 치료 목적의 임상이 있다. 그 외의 성체줄기세포를 이용한 연구는 대부분 전임상 평가를 통해서 그 효과가 검증되고 있는 실정이다. 따라서, 줄기세포의 말초신경 재생은 충분히 그 가능성을 가지고 있으나, 그 효율성과 안정성의 검증이 더 확실히 필요할 것이다.

3. 줄기세포 치료의 임상적용

1) 줄기세포와 인공지지체

줄기세포는 인체의 모든 조직과 복잡한 환경에서 존재하며, 조직간의 이동과 변화 등을 적극적으로 바꿀 수 있는 능력을 지니고 있다. 이러한 줄기세포를 이용하여 조직 재생을 위한 임상적 적용은 다양한 방법으로 수행될 수 있다. 3차원 구조의 조직을 재건하기 위해서는 줄기세포를 포함한 3차원 구조의 이식이 필요한데, 인공지지체가 그러한 역할을 한다. 인공지지체는 줄기세포를 해로운 자극으로부터 보호하는 역할과 환경을 제공해줄 수 있는 기능을 포함하고 있으며, 줄기세포가 재생하는 세포로 분화하는 시간과 장소를 제공해주는 역할을 한다. 이와 같은 역할의 인공지지체는 생체 재료를 이용하여 제작할 수 있으며, 인공지지체 내에 유전적 혹은 세포 신호 전달을 조절할 수 있는 다양한 요소를 첨가하여 제작할 수 있다. 예를 들어 골 조직의 재건 시 앞서 언급한 BMP-2를 인공지지체 내에 포함하여 제작할 수 있고, 이렇게 제작된 인공지지체는 줄기세포의 골 세포 분화 시 효과적인 분화가 유도될 수 있는 역할을 수행한다. 또한, 인공지지체는 유도하는 조직의 형태에 따라 기계적 물성을 달리 제작할 수 있어서 다양한 조직의 재생에 적용되어질 수 있다. 뼈와 같이 기계적 강도가 높은 경우 높은 강도의 인공지지체 적용이 될 것이며, 피부와 같은 부드러운 조직의 재건 시 유연성을 갖는 인공지지체의 제작 및 적용이 될 수 있다.

인공지지체는 크게 두 가지로 나눠서 살펴볼 수 있는데, 자연에 존재하는 물질로 제작한 인공지지체와 합성 고분자를 이용하여 제작하는 합성 고분자이다. 자연에 존재하는 인공지지체에는 시체 기증자로부터 유래하는 것을 포함하여 자가, 동종이계, 이종의 것으로 분류하여 살펴볼 수 있다. 또한, 조직의 세포를 제거하는 공정을 거쳐 탈세포화된 조직 유래물을 인공지지체로 사용하기도 한다. 탈세포화된 자연의 인공지지체는 면역학적 문제가 없고, 탈세포화한 조직에 다양한 성장인자들이 남아 있어서 새로운 조직의 유도 시 잔존하는 성장인자의 효과를 노려볼 수 있다. 최근에는 스마트 이식제라는 명칭으로 자연인공지지체에 인체에 존재하는 펩타이드를 제작하여 결합시킨 인공지지체가 보고되고 있다. 이러한 인공지지체는 세포의 부착, 증식, 분화 등의 효율성을 더 높일 수 있는 기능성 인공지지체로서 적용이 가능하다. 이에 반해 합성 인공지지체는 다양한 생체 분해성 고분자를 이용하여 제작하는 인공지지체를 말한다. 합성 고분자의 특징은 균일한 내부 형상을 유지할 수 있는 방법이 있고, 외형도 이식하는 환자의 요구 모습에 따라 제작이 가능하다는 이점을 갖는다. 또한, 세포가 거동하는 공간도 조절이 가능하여 최근에는 합성 고분자를 이용한 다양한 연구들이 보고되고 있으며, 임상적 적용 사례들도 보고되고 있다. 이처럼 조직 및 장기 재건을 위해 적용되는 다양한 인공지지체의 재료는 기존의 치료가 완치로 이어지지 않았던 문제를 해결할 수 있는 방안 중의 하나로 떠오르고 있다.

2) 유전자 치료

세포 기반의 재생연구는 세포의 생화학적 환경에 의존하는 치료라고 할 수 있다. 줄기세포의 분화능력을 향상시키기 위해서 성장인자들을 세포 내에 침투시키는 다양한 연구도 진행되었다. 이러한 변화는 유전자 이입으로 줄기세포를 생체 외에서 장기로 유도할 수 있음을 시사하는 것이다. 인체 내에서 성장인자를 이용한 효과를 유도하기 위해서는 조직의 재생을 유도할 수 있는 충분한 시간과 이식 부위의 공간이 주변의 조직으로부터 일정시간 보호될 수 있는 시간이 확보되어야 한다. 하지만, 인체 내에서 이러한 시간적 문제를 해결하고 조직의 빠른 재생을 유도하는 방안으로 유전자 이입된 줄기세포의 이식이 연구되고 있다. 유전자가 이입된 줄기세포를 이용하여 생체 외에서 분화 후 이식하는 방법은 좀 더 효과적인 조직 재생을 유도할 수 있을 것이다. 결과적으로 앞서 언급한 바와 같이 유전자 이입을 위한 바이러스와 벡터의 사용은 인체 사용 시 안전성의 문제가 아직 해결되지 않았다. 따라서, 인체 사용에 안전성을 갖는 새로운 방안을 개발하고 평가하여 인체에 무해한 시스템의 구축이 필요할 것이다.

References

1. Kern S, Eichler H, Stoeve J, et al. Comparative analysis of mesenchymal stem cells from bone marrow, umbilical cord blood, or adipose tissue. Stem Cells 2006;24: 1294-1301.
2. H.J.Rippon, A.E.Bishop. Embryonic stem cells. Cell Proliferation. 2004;37(1); 23-34.
3. Gronthos S, Franklin DM, Leddy HA, et al. Surface protein characterization of human adipose tissue-derived stromal cells. J Cell Physiol 2001;189: 54-63.
4. Zuk PA, Zhu M, Mizuno H, et al. Multilineage cells from human adipose tissue: implications for cell-based therapies. Tissue Eng 2001;7:211-228.
5. Cheng L, Qasba P, Vanguri P, et al.Humanmesenchymal stem cells support megakaryocyte and pro-platelet formation from CD34+ hematopoietic progenitor cells. J Cell Physiol 2000;184, 58-69.
6. Smith JR, Pochampally R, Perry A, et al. Isolation of a highly clonogenic and multipotential subfraction of adult stem cells from bone marrow stroma. Stem Cells, 2004;22, 823-31.
7. Takahashi K, Yamanaka S. Induction of pluripotent stem cells from mouse embryonic and adult fibroblast cultures by defined factors. Cell 2006;126: 663-676.
8. Okita K, Nakagawa M. Generation of mouse induced pluripotent stem cells without wiral vectors.Science 2008;322:949-953.
9. Yu J, Hu K, Smuga-Otto K. Human induced pluripotent stem cells free of vector and transgene sequences. Science 2009;324:797-801.
10. Kotterman MA and Schaffer DV. Engineering adeno-associated viruses for clinical gene therapy. Nature Reviews Genetics. 2014. 15:445-451.
11. Augustin I.Wnt signaling in skin homeostasis and pathology. J Dtsch Dermatol Ges. 2015 Apr;13(4):302-6.
12. E. Fuchs, J.A. Nowak Building Epithelial Tissues from Skin Stem Cells. Cold Spring Harb Symp Quant Biol. 2008; 73: 333–350.
13. Byoung-Hyun, Tian Zhu Li. Stem cells in musculoskeletal system for clinical application. J Korean Med Assoc 2011 May; 54(5): 491-501.
14. Do-Sun Lim, Stem Cells for Cardiovascular Disease, Korea Korean Circulation J 2004;34(5):435-440.
15. Young CS et al, A Single CRISPR-Cas9 Deletion Strategy that Targets the Majority of DMD Patients Restores Dystrophin Function in hiPSC-Derived Muscle Cells. Cell Stem Cell. 2016 Apr 7;18(4):533-40.
16. Sung-Bum Kang, Taek-Gu Lee, Muscle Regeneration: Research for the Treatment of Fecal Incontinence, J Korean Soc Coloproctol. 2010 Feb;26(1):1-7.
17. Jin-Mo Park, Byung-Ok Choi, Clinical Applications of Neural Stem Cells for the Treatment of Peripheral Neuropathy. Hanyang Med Rev 2012;32:154-158.
18. Chi Bum Ahn, Kuk Hui Son, Jin Woo Lee. 3D Printing Technology and Its Applications for Tissue/Organ Regeneration. J Korean Soc Transplant 2015;29:187-193.
19. 신영민, 신흥수. 생분해성 고분자를 이용한 조직공학용 재료의 개발 현황. Polymer Science and Technology 2007 Oct. Vol. 18, No.5.
20. Khademhosseini, A. Vacanti J, Langer, R. Progress in Tissue Engineering.Scientific American 2009 May Vol.300 No.5.

7 흉터성형술
Scar Revision

범진식 경희의대

1. 흉터(Scar)

흉터는 정상 조직의 연결성이나 구조가 파괴된 상처를 보수하는(repair) 상처치유과정(wound healing process)을 통해 콜라겐(collagen) 섬유조직이 상처에 축적되어 남은 자국이다.

1) 흉터의 발생

조직에 상처가 생기면, 성체(adult)에서는 염증기, 증식기와 재구성기의 상처치유과정을 거치면서 죽은 조직, 이물질이나 병원체를 제거하고 굵고 성긴 콜라겐다발(collagen bundle)이 주성분인 섬유조직으로 결손부위를 빽빽이 채우고 수축(contraction)과 교차결합(cross-linking)을 통해 조직의 연결성(integrity)과 장력(tensile strength)을 유지하게 된다. 이런 흉터는 1~2년에 걸쳐 재구성되면서 안정된 흉터(mature scar)가 된다. 피부에서 얕은 진피(superficial dermis)가 손상되면 거의 흉터가 남지 않지만, 깊은 진피(deep dermis)가 손상되면 흉터가 남게 된다. 그러나 초기 태아에서는 염증반응이 거의 없어 염증기가 거의 일어나지 않고 바로 증식기와 재구성기가 일어나 정상 콜라겐 구조와 비슷한 극소의 흉터만 남는 치유과정을 보인다. 흉터는 이런 상처치유과정에서 피부장력, 면역반응, 감염, 지연치유, 외부자극, 호르몬 등의 상처조건에 따라 비후성 흉터(hypertrophic scar)나 켈로이드(keloid)와 같은 거대 흉터에서부터 초기 태아에서의 극미세 흉터까지 나타난다(5장. Wound Healing 참조).

2) 흉터의 종류

상처는 대부분 외상, 수술, 감염 등과 같은 외부 원인에 의해 발생되며, 종종 허혈, 출혈, 면역반응 등과 같은 내부 원인에 의해도 발생된다.

찢긴 상처(열상, laceration)나 절개 상처는 봉합 후 초기 상처크기보다 약간 짧고 수축된 줄흉터(선상흉터, linear scar)를 남기는데, 피부장력(skin tension)에 의해 흉터가 벌어지거나 튀어나오기도 한다. 강한 장력으로 봉합하거나 봉합사를 일찍 뽑지 않으면 봉합사에 의한 피부손상으로 지네 모양의 봉합흉터(stitch mark)가 남는다. 잘못된 봉합으로 한쪽 피부판이 반대쪽 피부판을 올라타 겹치면(overlapping) 계단형 또는 역단층변형이, 양쪽 모서리가 안으로 말려들어가면(inversion) 협곡변형이 생긴다.

V, U, C자형으로 찢겨 들린 상처(결출열상, avulsion laceration)에서는 들린 피부판 아래의 상처바닥 전체가 수축되면서 피부흉터는 함몰되고 들린 피부판은 안으로 접혀 돌출되는 뚜껑문 변형(trapdoor deformity)이 생긴다. 이는 피판술(flap surgery)이나 갑상선수술 후에 상부 피부판이 돌출되는 원인이기도 하다. 찰과상(abrasion)이나 화상(burn)은 깊은 진피까지 침범되면 다양한 모양의 흉터를 남기고, 심한 경우 빨갛게 돌출된 비대흉터가 되기도 한다. 특히 손톱이나 뾰족한 물체에 긁히거나 레이저 시술, 여드름과 같은 염증질환으로 진피가 소실된 상태에서 상피화되면 함몰흉터(depressed scar)가 남는다. 국소적 타박상(contusion)에 의한 피하혈종(subcutaneous hematoma)이나 수술 등으로 피하지방이 소실되면, 피하흉터가 수축되면서 함몰변형이 발생된다. 두피, 눈썹, 윗입술과 같이 털이 나는 부위는 모낭(hair follicle)이 손상되거나 흉터가 벌어지면서 흉터탈모(cicatrical alopecia)가 발생된다.

위축성흉터(atrophic scar)는 흉터가 결손부위를 채우지 못하거나 콜라겐 교차결합력이 약해 피부장력에 의해 벌어지고 얇아진 흉터로, 여드름 함몰흉터나 벌어진 흉터(widened scar)가 해당된다.

비후성흉터(비대흉터, hypertrophic scar)는 상처에 굵고 성긴 콜라겐 섬유다발이 과도하게 생산되면서 두껍고 붉게 튀어나온 흉터를 말한다. 상처가 감염이나 깊은 손상에 의해 상피화가 지연되면 열린 상태가 계속되어 염증기와 증식기가 지속되고 콜라겐이 주성분인 육아조직(granulation tissue)이 과도하게 형성되면서 발생된다. 또한, 상처가 상피화된 후에도 재구성기 때 콜라겐 교차결합에 의한 흉터의 인장강도보다 피부장력이 강하여 그 장력에 저항하기 위해 더 많은 섬유다발을 생산하면서 발생된다. 강한 피부장력이나 염증유발 자극이 지속되면 흉터는 계속 비대한 상태를 유지하게 된다. 이때 흉터수축이 심하게 일어나면 주위 조직이 당겨져 구조적 변형이나 기능적 장애가 유발되는 흉터구축(scar contracture)변형이 동반되기도 한다. 이런 비대흉터는 강한 장력이 발생되는 주름선 역방향, 어깨, 가슴, 복부, 무릎, 강한 피부봉합 상처나 깊은 피부결손 상처(심부 화상, 찰과상)에서 주로 발생된다.

켈로이드(keloid)는 원래의 상처범위를 벗어나 정상 피부를 침범하면서 피부장력의 방향을 따라 진행되는 붉게 돌출된 흉터로, 정상피부를 침범하지 않는 일반 비대흉터와는 임상적으로 쉽게 구별된다. 여드름, 모낭염, 귀걸이나 내시경의 천공상처, 절개상처 내에 지속되는 아급성 염증반응으로 인해 그 주위에 과도한 흉터가 둘러싸 축적되면서 발생되고, 피부장력 방향을 따라 염증반응이 퍼져가면서 비대한 흉터가 정상피부를 침범해 계속 진행하게 된다. 염증반응 정도에 따라 심한 정도가 결정되고 염증원인이 소실되면 저절로 안정화되기도 한다. 켈로이드가 귓바퀴, 턱밑, 어깨, 가슴과 같은 깊은 피지샘(sebaceous gland)이 많이 분포한 부위에 호발하는데, 이 때문에 선행원인으로 염증성 피지반응(sebum reaction) 가설이 힘을 얻고 있다.

3) 흉터 관리(Scar management); 흉터 예방, 치료 및 성형술

상처치유과정을 보면 상처가 난 직후부터 8주 이내에 흉터의 운명이 결정된다고 할 수 있다. 그래서 이 시기에 상처치료와 함께 흉터예방 처치가 가장 중요한 흉터관리라 할 수 있다. 흉터변형이 이미 발생했다면, 적합한 비수술적 흉터치료를 복합적이고 지속적으로 시행하여 최대한 흉터를 개선시킨다. 보통 흉터가 만족스러울 만큼 좋아지려면 6개월에서 1년까지는 흉터관리를 해주어야 한다. 흉터변형이 남는 경우는 수술적 흉터성형술(scar revision)을 고려하며, 이로 인한 상처도 마찬가지로 적극적인 상처치료 및 예방을 해주어야 좋은 결과를 얻을 수 있다.

흉터관리에서는 미용적, 기능적 문제뿐만 아니라 정신적 문제도 고려해야 한다. 따라서, 흉터의 크기, 색깔, 질감을 보고 주위구조물과의 관계나 변형여부를 확인한 후 환자의 정신적 문제를 고려하여 치료에 의한 실제 기대치(realistic expectation)를 환자에게 충분히 이해시키는 것이 중요하다. 또한 실제 기대치를 높이기 위해서 치유과정에 맞는 효율적인 흉터관리 방법과 술기들을 이해하고 익혀야 한다.

2. 흉터 예방 및 치료(Scar prevention and treatment)

상처치유과정에서 염증반응이 지속될수록 콜라겐 합성이 증가되고 재구성기가 지연될수록 더 심한 흉터가 발생된다. 따라서, 상처 초기부터 흉터가 안정이 될 때까지 염증(inflammation) 및 염증유발 원인들과 피부장력(skin tension)을 지속적으로 차단하면서 태아나 정상조직과 같은 환경을 지속적으로 제공하고, 동시에 복구세포의 활성화를 촉진시켜 주는 것이 흉터예방의 기본 개념이다.

열린 상처는 생리식염수나 하트만용액으로 충분히 세척한 후 습윤드레싱(moisturized dressing)으로 덮어준다. 약물치료로서 항생제, 항염제, 항알러지제, 항히스타민제, 항산화제 등을 충분히 투여한다. 상처를 빨리 닫아주기 위해 상피화 촉진치료, 조기 봉합이나 수술을 하며, 상피화 후에도 안정될 때까지 충분한 보습과 보호를 유지한다. 비대흉터나 흉터구축 등이 예상될 때는 일찍 압박이나 주사치료를 시행한다.

수술 절개상처나 찢긴 상처에서는 정확한 층별봉합(layer-by-layer closure)이 중요한 예방법이다. 수술 절개는 피부긴장선(relaxed skin tension line, RSTL)과 평행하게 절개하며, 찢긴 상처가 피부이완선을 수직이거나 가로지르면 피부장력이 강해 흉터가 잘 벌어지므로 피하 및 진피봉합을 충분히 시행한다. 피부 봉합자국이 남지 않게 하려면 피부봉합실을 세게 묶지 않고 일찍 제거해야 한다(얼굴 4~5일, 몸통 7일). 봉합실 제거 후에 상처의 콜라겐 결합력이 충분히 증가되는 2개월까지는 피부장력에 저항하는 피부반창고고정(skin taping)을 시행해주면 매우 효과적이다. 봉합흉터가 명확하게 보이거나 불규칙한 요철을 보이면, 조기에 압박치료나 레이저치료를 하기도 한다.

흉터가 벌어지거나 함몰되거나 돌출되거나 구축변형이 발생되면 흉터가 안정이 될 때까지 기다리지 말고 알맞은 치료를 복합적으로 사용하여 흉터변형의 진행을 막고 흉터 자체를 개선시키는 것이 좋다.

1) 항염증-항섬유제 투약 (Anti-inflammatory and antifibrotic medication)

조직 내 과도한 염증반응 및 면역작용을 억제하여 과도한 콜라겐 형성과 흉터 발생을 예방하거나 흉터를 조기에 안정시킬 목적으로 항염증-항섬유제를 전신적으로 투여하거나 국소적으로 도포한다. 전신적인 투여로서, 항염증제는 스테로이드(steroid) 및 비스테로이드 항염제(NSAID) 모두 사용된다. 스테로이드는 초기에 전신 및 국소적으로, 후기엔 국소적으로만 사용된다. NSAID는 ibuprofen, aspirin, COX2 inhibitors 등이 있고, 후기까지도 사용한다. 그 외에 항알러지제나 항히스타민제(tranilast), 항산화제(glutathione, alpha-lipoic acid, vitamin B, C), ACE 억제제, 센텔라추출물(centella asiatica extract)들도 염증 및 흉터형성을 억제하는 목적으로 단기 또는 장기간 복용하기도 한다.

2) 피부 반창고 고정(Skin taping)

반창고고정(taping)은 상처의 수직방향이나 피부장력 방향으로 피부를 모아서 반창고를 붙여주는 치료로, 장력이완, 압박, 보습의 3가지 기능이 있다. 이 방법은 흉터 벌어짐과 비후성 흉터를 예방할 수 있는 간단하고 효과적인 방법으로, 봉합된 모든 상처나 줄흉터에 적용된다(그림 1-7-1). 적용기간은 기본적으로 봉합실 제거 후 시작하여 흉터 콜라겐의 결합력이 최고조에 달하는 2개월까지이고, 이후 흉터가 안정될 때까지 지속해서 시행하는 것이 좋다. 재료로 자극이 없는 종이, 천, 플라스틱이나 실리콘 반창고들을 사용하며, 피부상태에 따라 1~2일마다 제거하고 깨끗이 씻은 후 몇 시간 개방했다가 다시 부착한다.

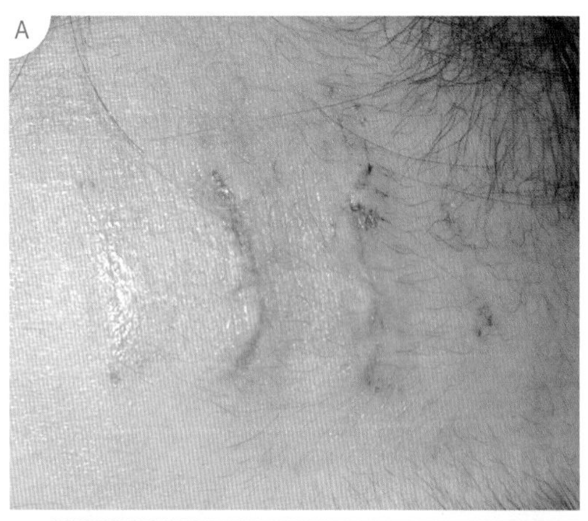

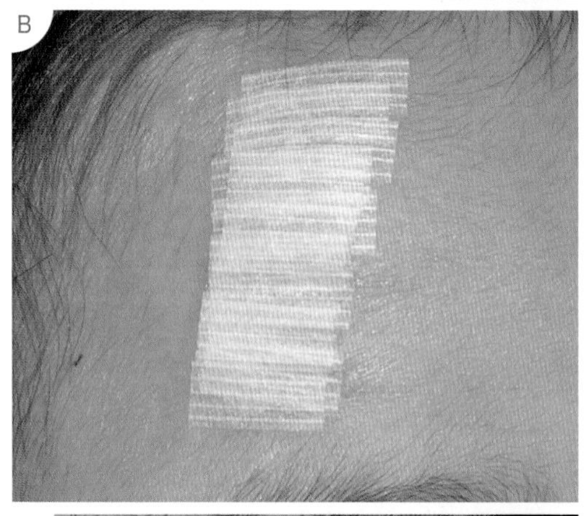

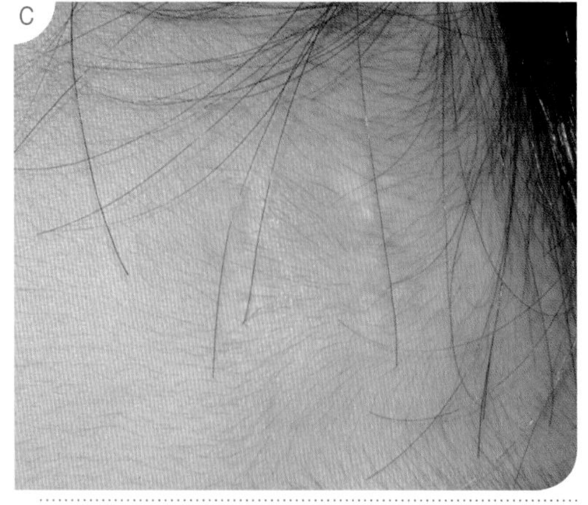

▷그림 1-7-1. **반창고 고정.** A. 찢긴 상처 발생 후 7일째. B. 종이 반창고를 흉터의 수직방향으로 겹겹이 붙인 상태. C. 피부테이핑 4개월 시행 후 9개월째 모습.

3) 집중보습(Intensive moisturization)

대표적인 집중보습치료는 실리콘젤시트(silicone gel sheet)나 습윤드레싱(hydrocolloid dressing)으로 흉터를 덮어 주는 것인데, 완전 밀폐에 의해 흉터 깊숙이 강력하게 수분을 공급해 줌으로써 흉터개선을 유도한다. 그러나 오히려 땀이 차서 흉터나 피부가 물러지기도 하므로 주의가 필요하다. 수술상처, 화상이나 찰과상 흉터, 비대흉터나 켈로이드, 피부이식 공여부에 이용되며, 압박치료와 함께 시행하면 좋은 효과를 보인다.

4) Triamcinolone 병변내주사 (Triamcinolone intralesional injection); 단독 또는 혼합

Corticosteroid 중 장기간 작용하는 triamcinolone은 강력한 항염증작용과 함께 섬유모세포의 증식과 콜라겐 합성을 억제하고 세포부착분자를 감소시키며 콜라겐섬유다발을 위축시키고 혈관형성을 억제하여 급격한 흉터의 퇴화(degradation)를 유도한다. 흉터위축 효과가 뛰어나 비대흉터, 켈로이드의 치료에 가장 많이 사용된다. 흉터상태에 따라 1:2~1:6 비율로 생리식염수나 리도카인을 섞어 2~4주마다 국소주사로 투여한다. 부작용은 국소적으로 모세혈관 확장, 피부 탈색 및 위축, 함몰 등이 발생할 수 있고, 전신적으로 생리불순이나 혈당 변화가 있으므로 주의해야 한다.

항대사제인 bleomycin이나 5-fluorouracil(5-FU)을 혼합하여 함께 주사하면 적은 양으로 안전하고 빠른 흉터개선 효과를 볼 수 있다(그림 1-7-2).

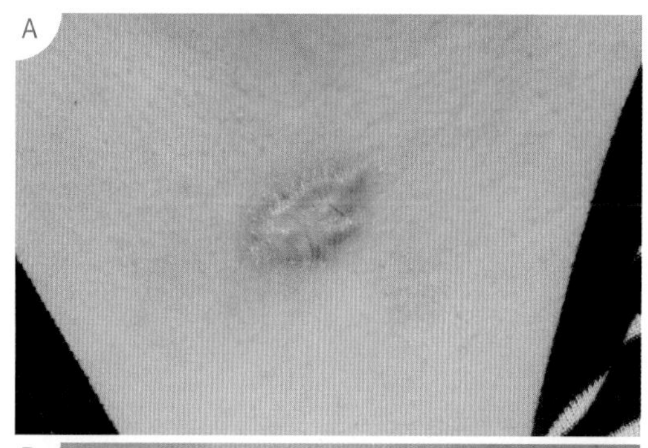

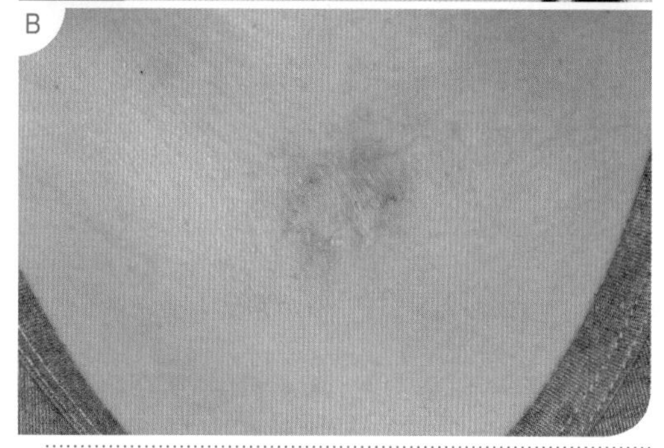

▷그림 1-7-2. Triamcinolone 병변내주사. A. 여드름 염증 후 발생한 켈로이드흉터. B. Triamcinolone과 bleomycin을 혼합하여 6회 국소주사한 후 15개월째 모습

5) 압박치료 (Compression or pressure therapy)

압박치료는 흉터 콜라겐다발의 수축과 성긴 배열을 물리적으로 펴주고 장력을 분산시켜 이완시킴으로써 돌출된 흉터를 편평하게 하고 흉터구축을 예방하거나 치료하는 데 흔히 사용된다. 상처가 최대로 수축되는 시기가 2~3주째 이므로 10일 이내에 시작하며 흉터가 안정화될 때까지 장기간 시행하는 것이 좋다. 재료는 탄력섬유로 된 압박의복(compression garment, 옷, 장갑, 양말, 밴드)이나 반창고 등이 있고, 상처나 흉터에 폼드레싱, 패드, 실리콘판 등을 먼저 대주고 압박하면 매우 효과적이다. 또한, 뚜껑문변형, 비대흉터, 켈로이드와 같은 흉터변형에서도 triamcinolone 주사와 함께 치료하면 좋은 결과

를 보인다(그림 1-7-3).

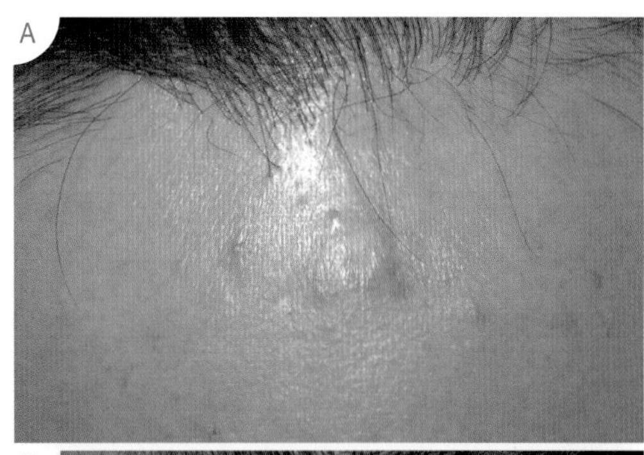

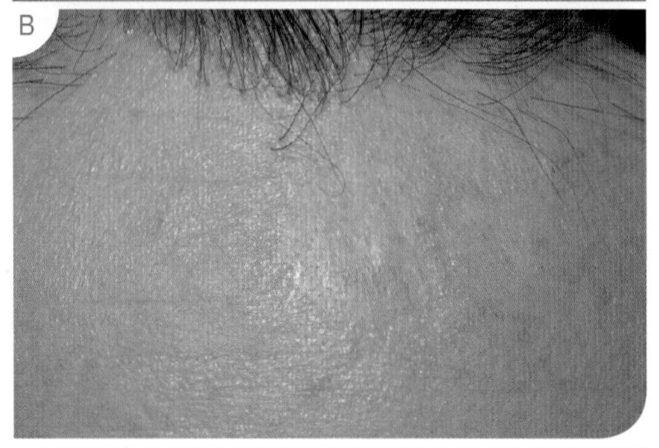

▷그림 1-7-3. **압박치료.** A. 아래로 들려 찢긴 상처의 뚜껑문 변형. B. Triamcinolone 국소주사와 실리콘판 압박의 결합 치료 후 3개월 모습.

6) 세포치료(Cell therapy)

세포치료는 줄기세포(stem cell)나 잠재적재생세포(potential regenerative cell)를 주입하여 손상된 조직을 회복시키는 치료이다. 자가지방조직을 채취해 중간엽줄기세포(mesenchymal stem cell)가 포함된 세포성분만 추출한 지방유래기질혈관분획세포(adipose-derived stromal vascular fraction cell, SVF cell)의 주사치료가 가장 많이 이용되고 있다. SVF세포치료는 면역을 조절하고 세포를 활성화하며 혈관재생을 촉진함으로써 뛰어난 항염-항섬유화 및 재생효과를 보여, 난치성 상처나 심한 흉터변형 치료뿐만 아니라 이식조직의 생존율 향상과 흉터유착 예방에도 효과적으로 사용되고 있다.

7) 레이저 치료(Laser treatment)

(1) 혈관제거레이저(Vascular removal laser) 치료

흉터가 모세혈관이 확장되어 붉다면, 헤모글로빈에 흡수되는 파장의 레이저빔을 가진 long-pulsed Nd:Yag laser (1,064 nm)나 pulsed dye laser (585 nm)를 사용하여 모세혈관을 파괴하여 흉터안정과 색깔호전을 유도한다. 불안정한 비대흉터에서는 레이저치료 후 종종 염증반응에 의해 오히려 악화되는 경우도 있어 주의해야한다. triamcinolone 주사와 함께 치료하면 비대흉터나 켈로이드에서도 좋은 효과를 보인다.

(2) 프랙셔널 레이저(Fractional laser) 치료

하나의 레이저빔을 일정 간격과 모양으로 잘게 나눠 분획된 가는 레이저빔으로 흉터와 경계선 주위에 수많은 작은 수직구멍을 뚫는 치료법이다. 수많은 수직구멍이 콜라겐섬유를 끊어주고 그 구멍들이 수축하면서 흉터와 피부가 편평하게 되어 흉터와 경계선이 잘 보이지 않게 된다. 레이저는 보통 fractional CO_2나 Er:Yag laser를 사용하며, 줄흉터, 얕은 함몰흉터나 불규칙 흉터의 치료에 많이 사용되고 있다. 외상이나 수술 후 한 달 이내에 시작하기도 하며, 보통 1~2달 간격으로 수회 반복하여 시행하면 양호한 개선효과를 보인다고 한다.

(3) 레이저절제술(Laser ablation)

일반 비분획 CO_2레이저나 Er:Yag레이저를 사용하여 돌출된 흉터부분을 표면부터 제거하여 편평하게 만들어주는 방법으로, 오래된 돌출흉터나 불규칙 흉터를 치료하는 데 많이 사용된다

(그림 1-7-4). 레이저치료 부위에 상처가 생기므로 적극적인 치료가 필요하다. 비대흉터나 켈로이드 치료에도 사용되기도 하나 재발률이 높고 악화되는 경우가 있어 주의해야 한다.

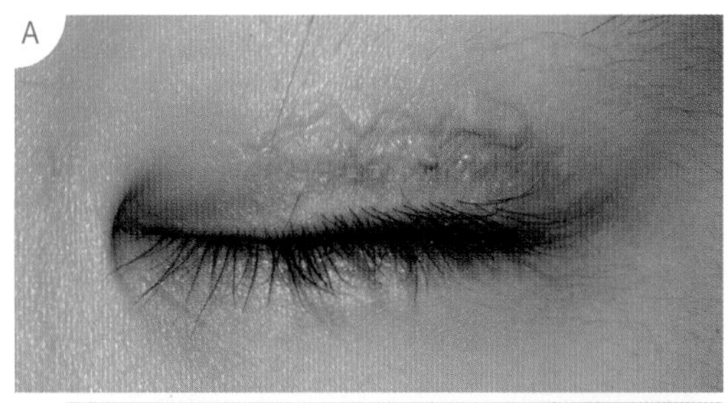

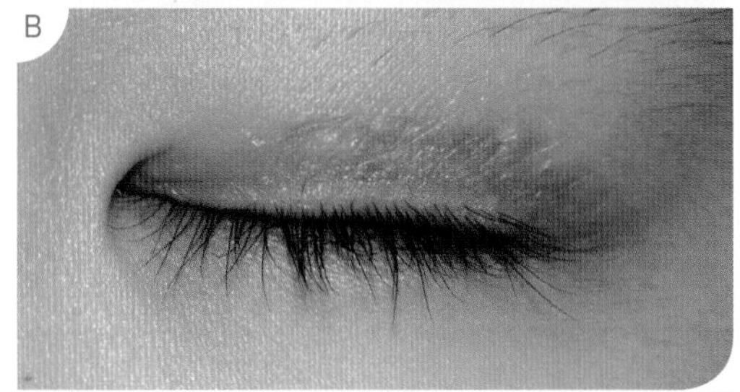

▷그림 1-7-4. **레이저절제술.** A. 찢긴 상처의 불규칙 돌출흉터, B. CO_2레이저절제술 1회 시행 후 모습

(4) 레이저홀 치료(Laser hole treatment)

일반 비분획 CO_2레이저를 이용하여 1~3 mm 간격으로 크고 작은 레이저구멍을 깊은 진피까지 뚫어(laser hole technique) 땀구멍과 비슷한 작은 함몰흉터들을 남게 하여 주위피부와 유사한 색깔과 질감으로 회복시키는 방법이다. 다양한 종류의 윤이 나는 하얀 흉터(glossy hypopigmented scar)나 얕은 함몰흉터의 치료에 매우 효과적이며, 보통 1~2개월 간격으로 2~3회 시행한다(그림 1-7-5).

8) 방사선조사치료(Radiation therapy)

Superficial electron beam을 흉터에 조사하여 피지샘, 면역세포, 섬유모세포 등을 억제함으로써 염증반응을 감소시키고 콜라겐 합성을 억제시키고 흉터 위축을 유도하는 치료로, 심한 비대흉터나 켈로이드 치료에 이용된다. 보통 얼굴은 10~15 Gy를 2~3회로 나눠서, 사지나 몸통은 20~24 Gy를 3~4회로 나눠서 매일 연속하여 조사한다. 초기 수개월간은 상당히 효과가 있으나 시간이 지남에 따라 다시 재발하는 경우가 많아, 다른 비수술적 또는 수술적 치료와 함께 결합하여 사용된다.

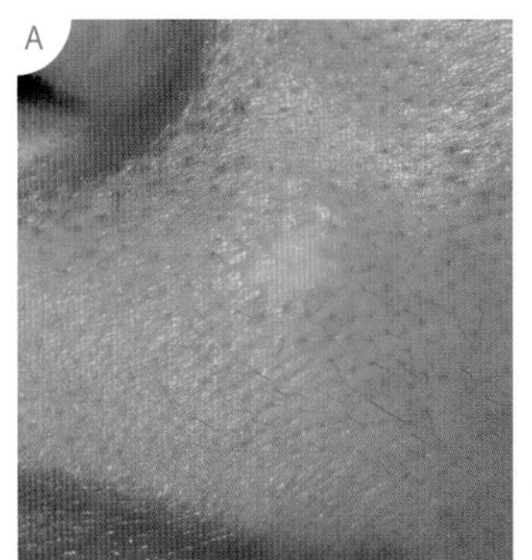

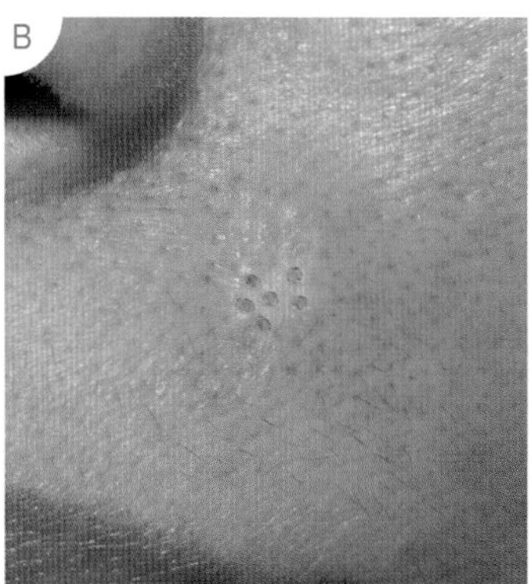

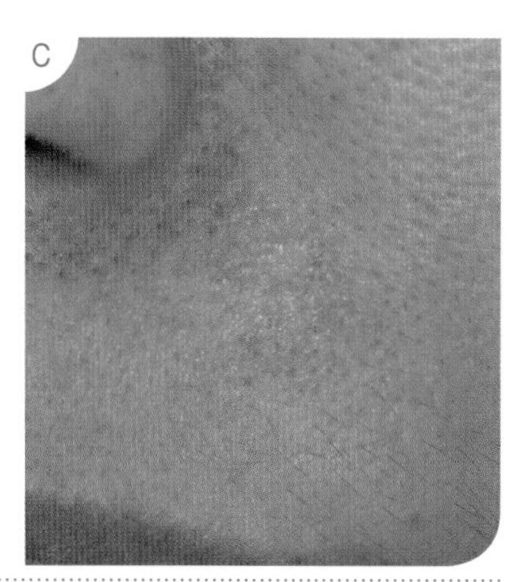

▷그림 1-7-5. **레이저홀 치료.** A. 하얗고 광택있는 타원형 흉터, B. 흉터 위에 일반 CO_2레이저로 작고 깊은 레이저구멍을 뚫음, C. 레이저홀 성형술을 2회 시행한 후 3개월째 모습.

3. 흉터성형술(Scar revision)

흉터성형술(scar revision)은 흉터나 흉터변형을 절제(excision), 피판술(transposition), 이식(grafting), 박피술(dermabration) 등을 통해 주위 피부와 구조물의 형태에 맞게 복구시켜주는 수술적 흉터치료를 말한다. 어떤 수술이든 흉터 예방을 위한 수술기법의 원칙인 무손상조작(atraumatic technique), 무장력봉합(tension-free closure), 피부외번(skin eversion), 정확한 맞춤(perfect apposition), 피부긴장선 사용(use of skin tension line)을 해야 한다. 수술방법을 선택할 때는 술기가 간단하고(simple), 주위 정상조직의 손상이 적으며(minimal invasive), 만족스러운 결과(satisfactory outcome)를 얻을 수 있는 방법을 찾는 것이 중요하다. 또한 비수술적 흉터치료를 수술 전후로 어떻게 시행할 것인가도 함께 고려해야 좋은 결과를 얻을 수 있다.

- **흉터의 상태**: 피부긴장선(relaxed skin tension line, RSTL)은 피부의 장력 때문에 가장 세게 당겨지는 방향의 긴장선을 말하며, 이 선과 평행하게 절개하면 상처가 가장 적게 벌어지고 수직으로 절개하면 가장 많이 벌어진다(그림 1-7-6). 그래서 흉터의 방향을 고려하여 수술 절개선이나 봉합선은 피부긴장선과 같거나 비슷한 방향이 되도록 도안해야 결과가 좋다. 흉터가 긴 경우, 절개선을 지그재그로 꺾이게 하여 눈에 덜 띄게 하는 것이 좋다. 흉터가 눈가, 겨드랑이, 손가락 사이, 관절 안쪽과 같이 함몰된 부위는 흉터수축으로 흉터띠가 생길 수 있으므로 중간에 꺾인 선이 있도록 도안한다. 흉터가 깊어 피하건막(subcutaneous fascia)이나 깊은 근막(muscle fascia)을 침범하였으면 흉터막을 박리하거나 끊어 주위조직의 유착을 풀어주어야 한다. 뚜껑문변형에서는 들린 피판이 두꺼우므로 바닥의 흉터막을 제거하고 높이를 반대편보다 조금 낮춰 봉합해야 변형 재발을 예방할 수 있다. 함몰변형이 있으면 피부진피 및 피하조직의 결손 여부를 파악하여 진피나 지방이식술로 채워 올려준다. 한 번에 교정하기 어려운 폭이 넓은 흉터는 여러 번 나눠 절제(serial excision)하거나 조직확장술을 이용한 단계적 성형술(staged revision)을 시행한다.

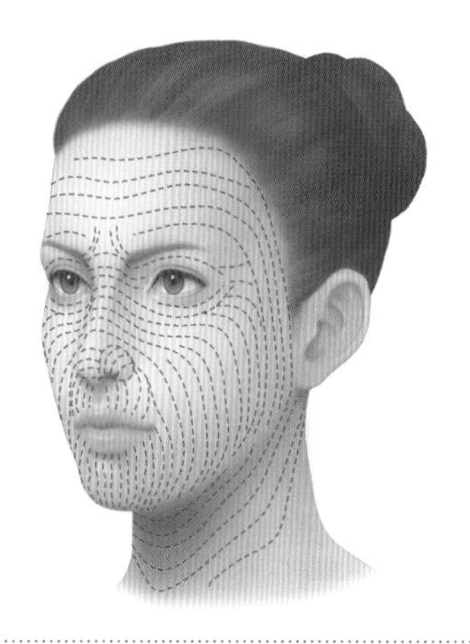
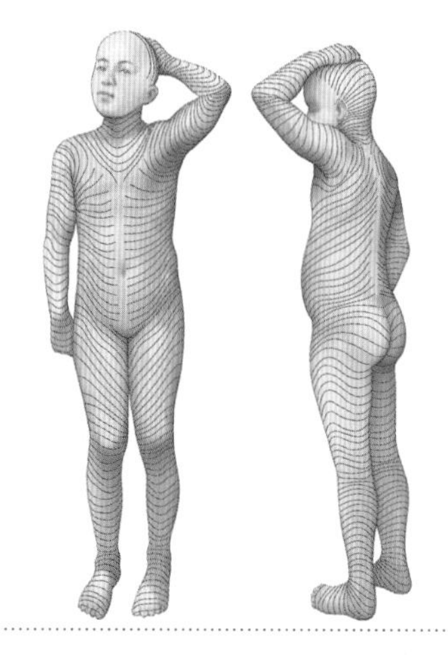

▷그림 1-7-6. **피부긴장선**(relaxed skin tension line)

- **주위 중요 구조물의 침범**: 얼굴의 눈썹, 눈꺼풀, 코, 입술과 같이 주위 중요 구조물의 형태가 흉터로 인해 변형이 되어 있다면 우선적으로 중요구조물의 형태를 복원하는 것에 중점을 두고 흉터성형술을 계획한다. 특히 중요구조물의 윤곽선은 외형에 결정적인 영향을 주므로 최대한 복원해 주어야 한다.

- **흉터성형술의 시기**: 일반적으로 흉터성형술은 흉터가 성숙하여 색깔이 연해지고 부드러워진 후(6~12개월)에 시행되는 것이 좋다. 그러나 심한 흉터변형이 예상되거나 이미 발생되어 주위구조물이나 관절에 구조변형이나 기능적 문제가 있는 경우는 조기에 교정해주어야 한다. 최근엔 세포치료나 흉터주사와 같은 적극적 흉터치료를 통해 조기에 흉터를 안정시킨 후 흉터성형술이나 교정술을 시행하는 추세이다.

- **피부장력**: 흉터성형술 후 다시 흉터가 벌어지고 비대흉터가 발생하는 것은 피부장력 때문이다. 따라서 봉합상처의 콜라겐 장력이 회복되는 2개월까지 수술상처에 장력이 걸리지 않게 충분한 피하건막 및 심부진피의 매몰봉합이 중요하다. 피부장력이 강한 신체부위에서는 매몰봉합 때 비흡수성 봉합실을 사용하기도 한다.

1) 조기 교정봉합(Early revisional closure)

찢긴 상처(열상, laceration)나 수술 절개상처에서 한쪽 피판이 올라탄(overlap) 계단상 봉합변형이나 양쪽 피부가 안으로 말려들어간 주름골변형(inversion)이 나타나면 다시 상처를 열고 다듬어 층을 맞춰 정확히 봉합을 해주는 것이 좋다(그림 1-7-7). 이는 계단상변형이나 주름골변형

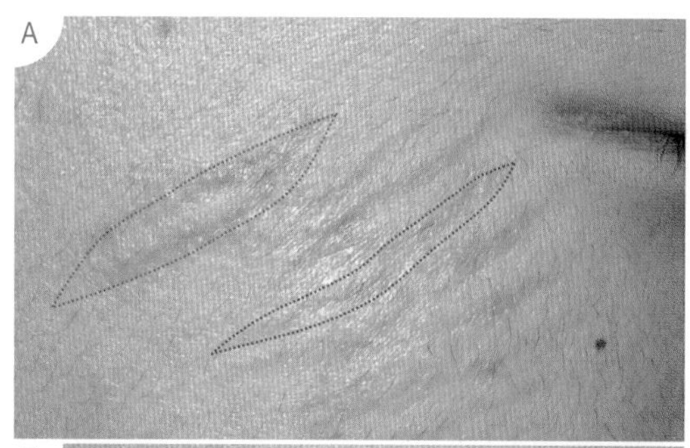
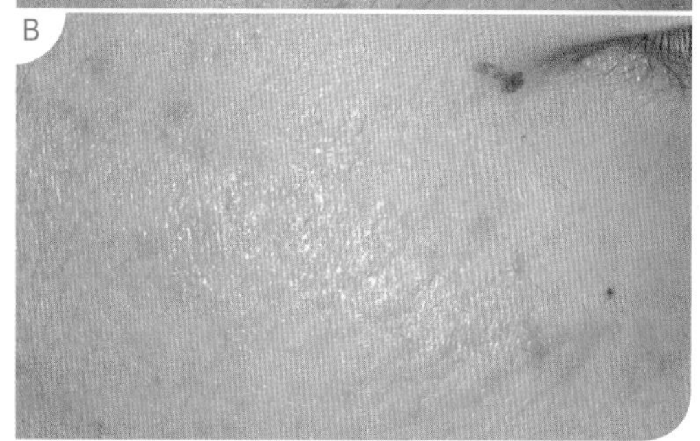

▷그림 1-7-8. **방추형절제성형술**. A. 심부 찰과상에 의한 다발성 함몰 줄흉터와 두 곳에 방추형절제를 도안한 모습, B. 수술 후 2년째 모습

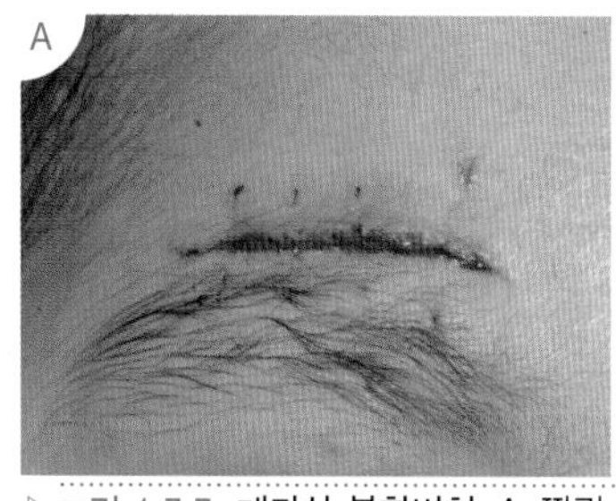
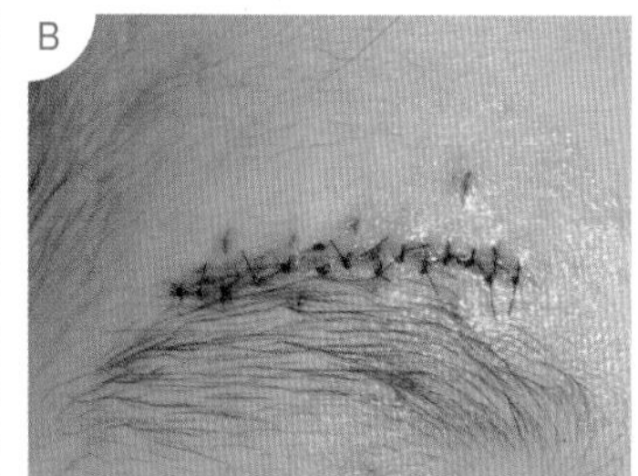
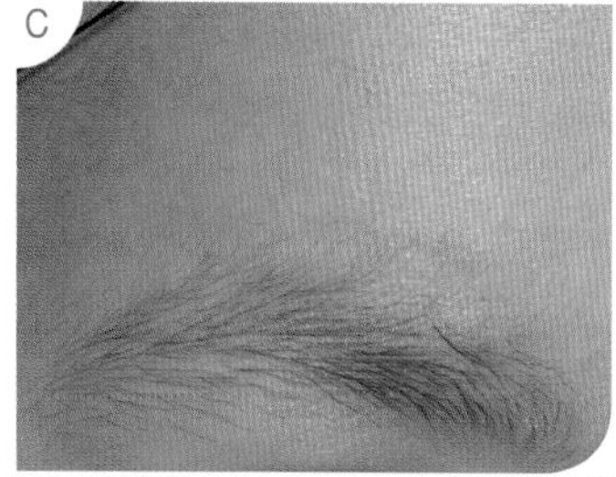

▷그림 1-7-7. **계단상 봉합변형**. A. 찢긴 상처 봉합 후 5일째. 이마 피판이 올라타 겹쳐(overlap) 계단상 흉터변형이 예상됨, B. 상처를 다시 열고 교정봉합 시행, C. 교정봉합 후 5개월째

은 매우 보기 싫고 나중에 교정하기도 매우 어렵기 때문이다.

2) 절제성형술(Excisional revision)

(1) 방추형절제성형술(Fusiform excisional revision)

방추형절제성형술은 흉터를 안쪽에 두고 정상 피부에 방추모양으로 도안하여 절제 봉합하는 성형술이다. 피부긴장선과 같거나 비슷한 방향을 가진 크지 않은 흉터나 모반 제거에 가장 많이 사용된다(그림 1-7-8). 반창고고정치료를 함께 해주면 가는 선흉터만 남게 되며 좋은 결과를 보인다.

(2) W-성형술(W-plasty)

W-성형술은 흉터 양쪽에 톱날(연속된 W자) 모양으로 절개하여 흉터를 제거한 후 양쪽 작은 삼각피판들을 교대로 끼워넣어 봉합하는 흉터성형술이다. 수술흉터가 지그재그 형태로 피부긴장선과 비슷한 방향의 분절과 그렇지 않은 분절로 나눠져 연속성이 끊겨져 눈에 덜 띄게 된다. 주위 조직의 뒤틀림없이 흉터의 방향을 바꾸고 연속성을 끊어주는 장점이 있어 다양한 줄흉터 교정에 많이 이용된다(그림 1-7-9). 단점은 정상 피부도 일부 절제되어 피부긴장이 더 증가되고, 작은 삼각피판들이 정확히 맞물리게 봉합하는 기술이 요구되며, 수술시간이 오래 걸린다는 것이다. 보통 한변 의 길이를 4~7 mm, 각도를 90° 전후 (60~120°)로 도안한다.

W-성형술의 변법인 지도형 꺾은선(geometric broken line)성형술은 절개선을 모양과 크기가 다른 삼각형, 사각형, 사변형 등으로 다양하게 도안하여 불규칙한 분절로 나눠서 봉합하는 술기이다. 흉터가 연속되지않아 훨씬 눈에 덜 띄지만 도안과 봉합하는 데 많은 시간이 걸린다.

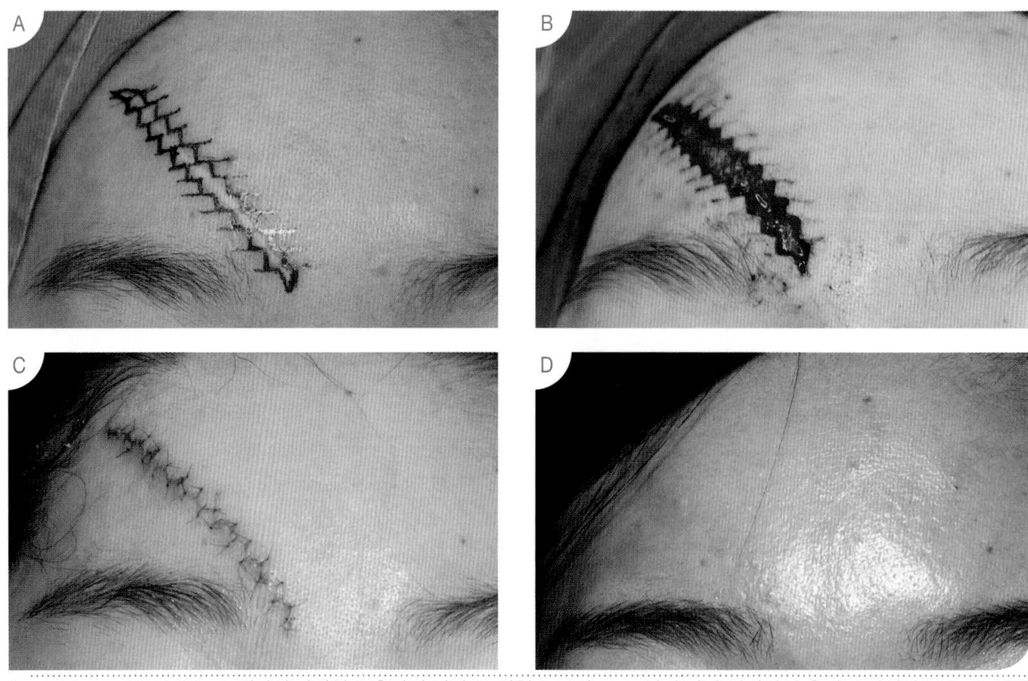

▷그림 1-7-9. **W-성형술.** A. 이마의 사선형 줄흉터에 대해 W-성형술 도안, B. 도안선 따라 절개하여 흉터를 절제한 모습, C. 봉합 후 모습, D. 수술 후 2년째 모습

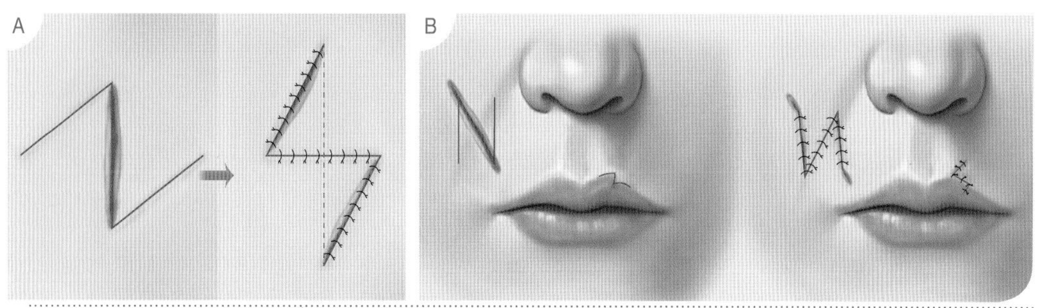
▷그림 1-7-10. **Z-성형술의 원리와 장점.** A. 중심변 방향의 길이연장, B. 흉터의 방향전환, 직선흉터의 분산 및 구조물의 축 이동

3) Z-성형술(Z-plasty)

(1) 단순 Z-성형술(Simple Z-plasty)

Z-성형술은 절개선이 Z자 모양으로 만들고 있는 2개의 삼각피판이 그 위치를 서로 바꾸는 술식으로, 전위피판(transposition flap)의 일종이다. 흉터방향에 Z의 중심변에 두고 중심변 양끝에서 양편으로 각각 1개의 다리변을 도안하여, 2개의 삼각피판이 자리를 바꾸어 들어맞도록 한다(그림 1-7-10). 이때 폭은 좁아지고 길이는 길어진다. 중심변과 다리변의 각도는 사용목적에 따라 다양하나 보통 45~60°를 사용한다. 흉터절제가 필요한 경우는 방추형 절제선을 먼저 그린 후 다리변을 도안한다. Z-성형술의 장점은 중심변 방향으로 길이를 연장하고, 흉터방향을 피부긴장선의 방향으로 전환할 수 있으며, 직선흉터를 분산시키고, 구조물의 축을 이동시킬 수 있다. 그래서 줄흉터나 흉터띠, 주요구조물의 경계선 단락을 교정하거나 관절부위의 흉터수술 시 많이 사용된다(그림 1-7-11). 길이연장은 이론적으로 양쪽 삼각피판의 끝각이 60°일 때 75%를, 45°일 때 50%를 얻을 수 있는데, 실제는 피판수축에 의해 항상 예측보다 적게 연장된다는 것을 고려해야 한다. 단점으로는 삼각피판이 전위되면서 뒤틀려 외측변은 여유있어 돌출되고 횡방향(폭)이 단축되어 긴장으로 함몰되는 경우가 있다. 삼각피판의 크기가 클수록 길이 연장이나 조직이동이 좋으나 정상조직을 많이 침범하고 피판의 뒤틀림이 심해지며 횡방향(폭)의 긴장이 심해져 봉합이 어렵고 흉터가 길어지는 문제점이 있다.

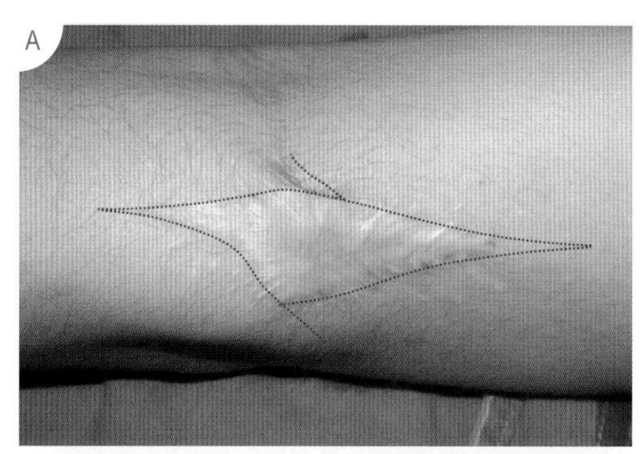
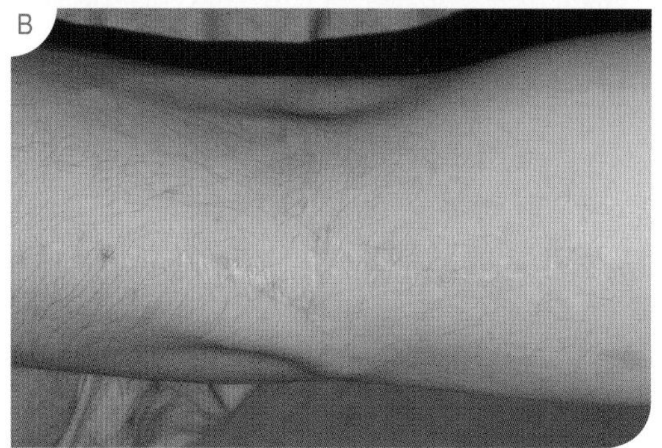
▷그림 1-7-11. **Z-성형술 임상례.** A. 팔꿈치 외측의 비대수술 흉터와 흉터절제 및 Z-성형술 도안, B. 수술 후 2년째 모습

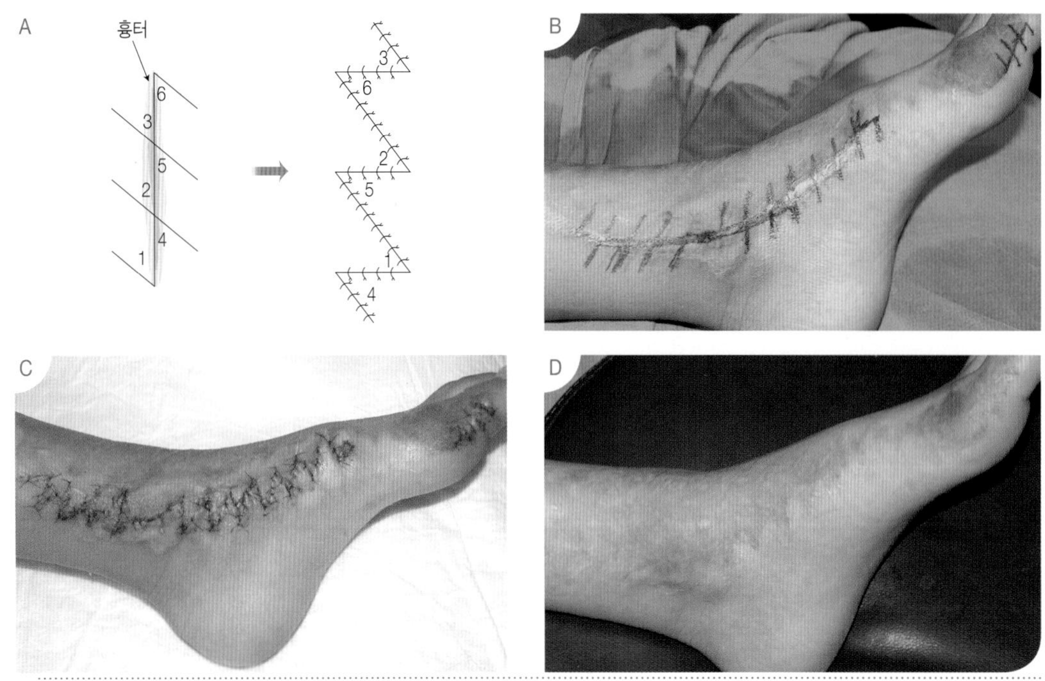

▷그림 1-7-12. **연속 다중 Z-성형술.** A. 길이연장 원리, B. 발등의 이식피부와 정상피부 사이에 구축띠 형성, C. 연속 다중 Z성형술 직후 모습, D. 수술 후 3년째 모습

(2) 다중 Z-성형술 (Multiple Z-plasty)

길이 연장이 필요하나 단축될 폭의 여유가 적은 경우는 한 개의 큰 Z-성형술 대신 작은 Z-성형술을 여러 개 연속적으로 해주는 방법이다. 길이 연장이 되면서도 폭이 훨씬 적게 단축되어 피부긴장이 덜하고 흉터가 분절되어 눈에 덜 띄게 된다(그림 1-7-12). 길이가 긴 흉터띠나 구축띠를 교정할 때 사용된다.

(3) 4피판 Z-성형술(Four flap Z-plasty)

Z-성형술에서 각도를 90°나 120° 도안한 다음 이 각도를 45°나 60°로 분할하여 양편 2개씩 총 4개의 삼각피판을 만들고 서로 자리바꿈을 하여 길이를 최대한 연장시키는 방법으로, 양쪽 피부 여유가 비슷한 흉터구축띠를 교정하는 데 사용

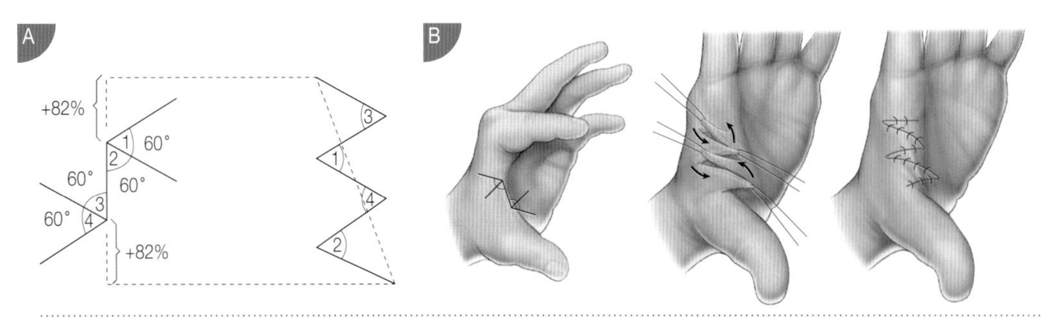

▷그림 1-7-13. **4피판 Z-성형술.** A. 도안 및 원리, B. 무지 및 집게손가락 사이의 흉터구축띠를 교정하는 예

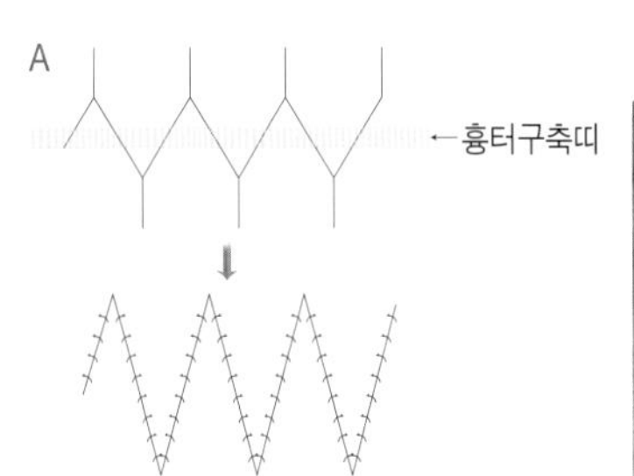

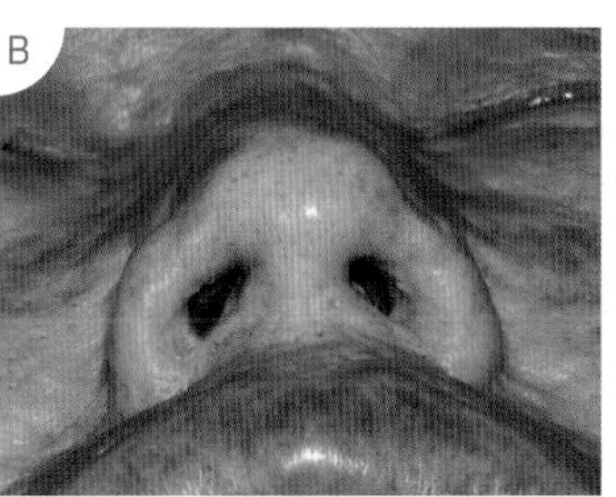

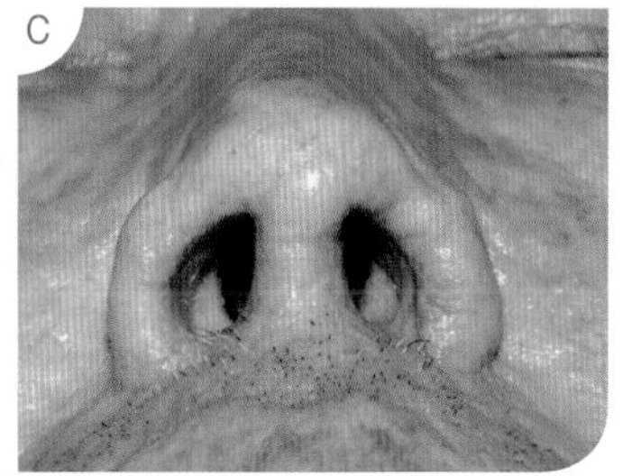

▷그림 1-7-14. **연속 Y-V 성형술.** A. 도안과 원리, B. 흉터구축에 의한 양쪽 콧구멍 협착, C. 연속 Y-V 성형술 후 모습.

된다(그림 1-7-13).

4) 연속 Y -V 성형술(Running Y-V plasty)

흉터띠를 분산하고 길이를 연장하기 위해 흉터띠를 가로질러 양편에 연속되는 Y자 연결을 도안하고 절개한다. 양편의 들린 삼각피판 끝을 반대쪽 Y의 끝에 전진시켜 V자형으로 봉합한다(그림 1-7-14). 이때 원래의 흉터띠 부분이 정상 조직으로 채워지면서 충분히 펴지게 된다. 연속 Y-V성형술은 전진피판(advancement flap)의 일종으로, 장점으론 피판의 혈관분포가 좋고 절제를 거의 하지 않아 조직결손이 적으며 주위조직의 뒤틀림없이 길이를 늘려줄 수 있다. 그래서 선상구축(linear contracture)이나 구축띠 치료에 사용된다.

5) 이식술(Grafting)

(1) 초박편 부분층피부이식술 (Ultra-thin split-thickness skin grafting, STSG)

흉터를 기계박피술로 깍아내고 표피와 유두진피(papillary dermis)만을 포함시킨 매우 얇은 부분층피부편를 채취하여 이식하는 수술이다. 일반 부분층피부편과는 달리 이식후 과색소침착이 덜 발생되어 반짝거리고 탈색된 흉터나 보기 싫은 넓은 화상흉터뿐만 아니라 백반증(vitiligo) 치료에도 사용된다(그림 1-7-15). 단점으로 매우 얇은 피부를 채취하는 데 기술적인 어려움이 있다.

(2) 전층피부이식술 (Full-thickness skin grafting, FTSG)

전층피부이식술은 보통 흉터를 절제한 후 결손부위가 넓어 봉합이나 피판으로 덮기 힘들 때 시행하게 된다. 그러나 혈행이 충분히 공급되는

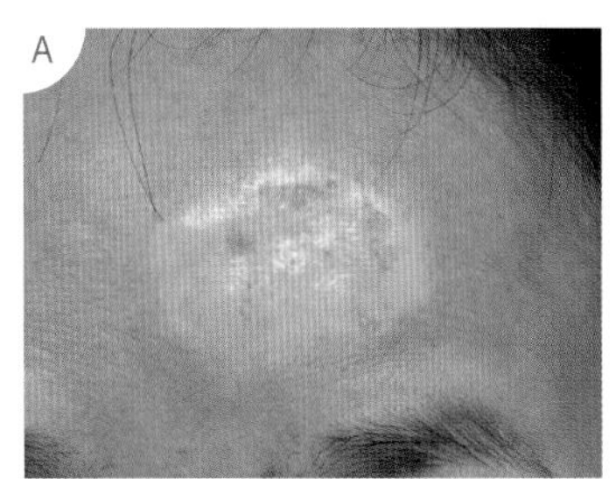

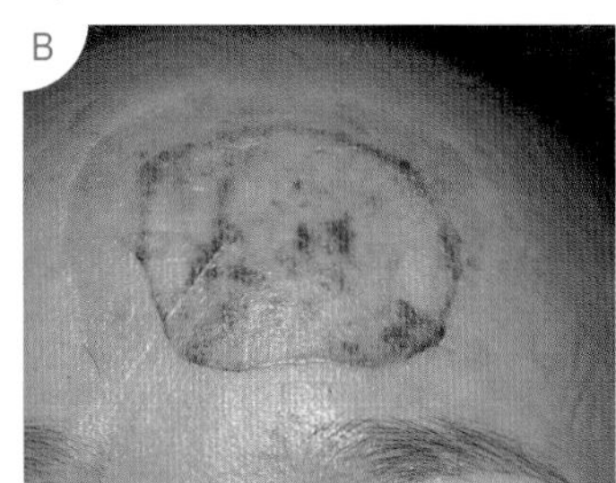

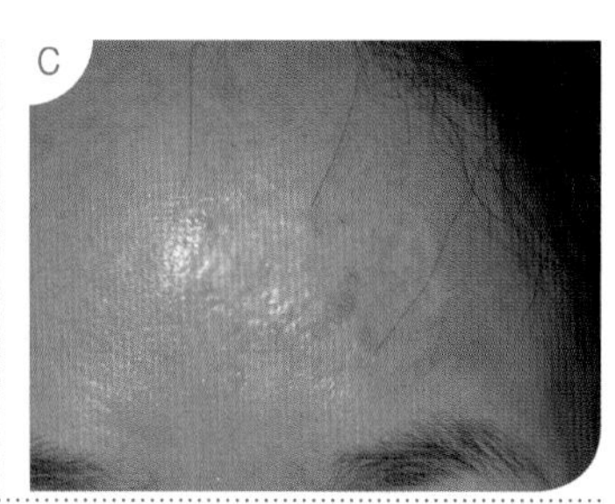

▷그림 1-7-15. **초박편 부분층피부이식술.** A. 심부 찰과상에 의한 깊고 커다란 이마흉터, B. 기계박피술 및 초박편 STSG 후 4일째 생착 모습, C. 수술 후 레이저홀치료 받고 4개월째 모습

A
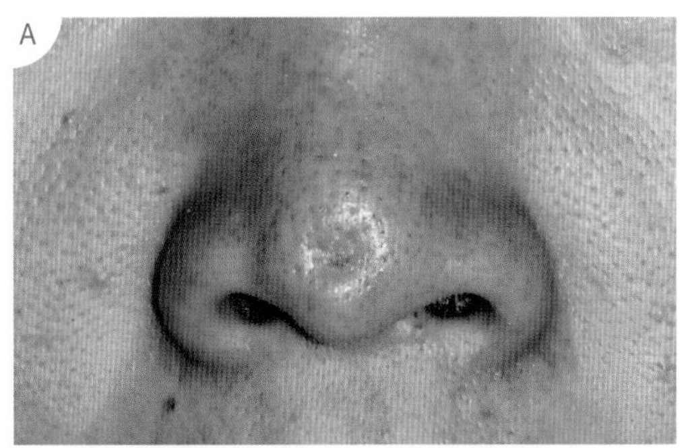
B
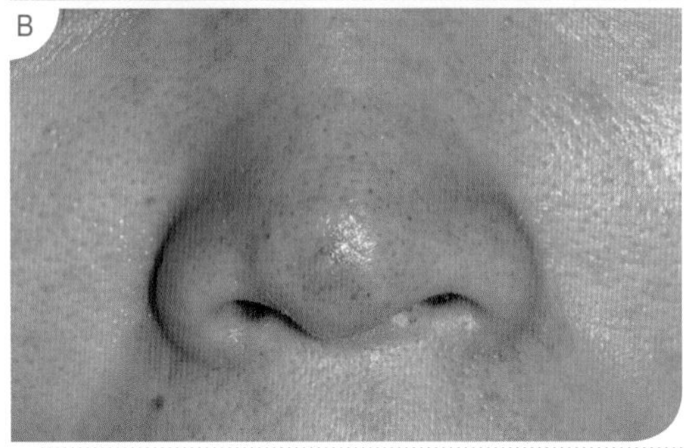

▷그림 1-7-16. **진피지방이식술.** A. 코 보형물 돌출 후 발생된 함몰 흉터, B. 피하박리 및 진피지방이식술 후 모습

조건에서 구조물의 형태에 맞게 피하지방 일부를 포함한 전층피부이식술을 하면 피판과 유사한 정도의 결과까지도 얻을 수 있어 처음부터 계획하기도 한다.

(3) 진피지방이식술(Dermofat grafting), 지방이식술(Fat grafting)

외상이나 염증으로 피하지방이나 진피가 결손된 다양한 함몰흉터는 피부자체 치료만으론 교정되기 어렵다. 피하의 흉터를 끊어주고(subcision) 그 사이에 진피지방 또는 지방을 이식하면 효과적으로 교정할 수 있다(그림 1-7-16). 진피지방이식의 채취부위는 좋은 혈행이 필요하면 귀뒤나 쇄골위를 선택하고, 큰 이식편이 필요하면 사타구니나 엉덩이 사이 천골부를 선택한다.

(4) 모발이식술(Hair transplantation), 모낭이식술(Hair follicle grafting)

두피나 윗입술, 턱과 같이 털이 나는 부위에 탈모흉터가 발생한 경우, 두피에서 모낭을 채취하여 탈모부위에 이식해주면 생착된 털이 자라면서 탈모와 함몰이 동시에 해결되어 흉터가 보이지 않게 된다. 눈썹부위는 모발이 계속 자라기 때문에 관리문제를 고려해야 한다.

6) 기계 박피술(Dermabrasion)

기계로 피부를 얇게 갈아내는 방법으로, 작고 불규칙한 함몰흉터나 돌출흉터가 있을 때 고속회전하는 diamond fraises로 표피와 얕은 진피(papillary dermis)까지 갈아내어 편평한 표면으로 만든다. 보통 외상 후 8주경에 시행 가능하고 8주 간격으로 시행할 수 있다. 이 방법은 흉터성형술이나 흉터치료 후에도 사용되며, 전층피부이식술 후 발생된 과색소침착을 교정하는 데도 사용된다.

7) 조직확장술(Tissue expansion)

두피의 화상성 탈모와 같이 흉터가 매우 크지만 주위 피부로 덮어주는 것이 더 좋다고 판단된 경우, 주위 피부 밑에 조직확장기를 삽입하여 충분히 확장한 후 흉터절제와 함께 그 확장된 피판으로 결손부위를 덮어주는 단계적 흉터성형술이다. 얼굴이나 목의 화상흉터를 모두 덮을 수 있는 매우 넓은 한판의 전층피부이식편이 필요할 때도 조직확장술을 이용해 얻을 수 있다.

References

1. 강진성, 흉터성형술. In: 강진성 저, 성형외과학 3판 1권. 서울: 군자출판사. P.431-469, 2004
2. 김석화, 이민구, 김용진. 정중흉골절개에서 adhesive skin tape 적용과 반흔에 대한 연구. 대한성형외과학회지 1996;23(2):524-530
3. 대한성형외과학회. Z-성형술과 W-성형술. In: 대한성형외과학회 저. 표준성형외과학 2판. 서울: 군자출판사. p64-74, 2015
4. Burm JS, Lee YK, Cho JY. Treatment of facial hypopigmented scars by the laser hole technique using a non-fractional carbon dioxide laser in Asian. Plast Reconst Surg 142(2): 126e-132e, 2018.
5. Burm JS, Yang WY. Modification of running Y-V plasty to correct bilateral nostril stenosis with a circular, linear contracture. J Plast Reconstr Aesthet Surg. 2011;64(12):1665-8.
6. Burm JS, Hansen JE. Full-thickness skin grafting with marginal deepithelialization of the defect for reconstruction of helical rim keloids. Ann Plast Surg 2010;65(2):193-6.
7. Domergue S, Bony C, Maumus M, et al. Comparison between stromal vascular fraction and adipose mesenchymal stem cells in remodeling hypertrophic scars. PLoS One. 2016;11(5):e0156161.
8. Jang JU, Kim SY, Yoon ES, et al. Comparison of the effectiveness of ablative and non-ablative fractional laser treatments for early stage thyroidectomy scars. Arch Plast Surg. 2016;43(6):575-581..
9. Kim JS, Hong JP, Choi JW, et al. The efficacy of a silicone sheet in postoperative scar management. Adv Skin Wound Care. 2016;29(9):414-20.
10. Koike S, Akaishi S, Nagashima Y, et al. Nd:Yag laser treatment for keloids and hypertrophic scars: an analysis of 102 cases. Plast Recostr surg Glob Open 2014;2(12):e272.
11. Lorenz P, Sina Bari A. Scar prevention, treatment, and revision. In: Gurtner GC. Neligan PC, eds. Plastic Surgery: vol. 1. London, New York: Elsevier Saunders; 2013:297-318.
12. Mobley SR, Sjogren PP. Soft tissue trauma and scar revision. Facial Plast Surg Clin N Am 2014;22:639-651.
13. Ogawa R. The most current algorithms for the treatment and prevention of hypertrophic scars and keloids. Plast Rconstr Surg 2010;125(2):557-68.
14. Parkhouse N, Cubison TCS, Dalvi Humzah M. Scar revision. In: Mathes SJ, edi. Plastic Surgery. 2nd ed, vol. 1. Philadelphia: Saunders Elsevier; 2006:235e67.
15. Shridharani SM, Magarakis M, Manson PN, et al. The emerging role of antineoplastic agents in the treatment of keloids and hypertrophic scars. Ann Plast Surg 2010;64:355-361.
15. Thomas JR, Somenek M. Scar revision Review. Arch Facial Plast Surg 2012;14(3);162-174.

8 피부이식
Skin Graft

정윤규 연세의대

피부이식은 피부가 결손된 부위를 덮기 위해 신체의 한 부분(공여부)에서 혈류 공급이 차단된 상태로 피부를 떼어내 다른 부분(수혜부)으로 전이하는 것이다.

1. 해부 및 생리 (Anatomy and physiology)

피부는 진피와 표피로 구성되어 있으며 그 외 피부부속기를 포함하고 있다. 피부는 환경과 세균등으로부터 신체를 보호하며 체온 조절, 면역체계의 일차 방어선 역할을 한다.

1) 표피(Epidermis)

표피는 피부의 가장 겉면을 덮는 구조로 외부 환경과 인체 간의 일차 방어선 역할을 한다. 이는 Keratinocyte들이 일정한 층(Stratum corneum, Stratum lucidum, Stratum granulosum, Stratum spinosum, Stratum basale (Basement Membrane))을 이루는 특징적인 구조를 띄고 있다. 특히 Basement membrane은 피부의 결손이 일어났을 때 keratinocyte의 재생이 일어나는 가장 중요한 층으로 피부의 재생에 관여한다.

피부에 발생한 창상으로 인해 표피가 결손된 경우 우선 basement membrane의 keratinocyte들이 자가복제를 하며 basement membrane층이 회복되게 되고(de-differentiation) 이후 basement membrane 세포들이 분화하여 stratum spinosum → S. granulosum → S. lucidum → S. corneum 층을 재생하는 differentiation과정으로 피부가 재생된다.

2) 진피(Dermis)

진피는 두꺼운 결합조직으로 구성되어 있어 피부의 물리적 특성에 관여한다. 진피를 구성하는 결합조직에는 collagen, glycosaminoglycans, elastin 등이 있다. 때문에 피부 이식을 할 때 진피의 포함 여부는 피부이식의 물리적 결과에 큰 영향을 미친다.

진피의 윗부분은 papillary dermis, 아랫부분은 reticular dermis로 구성되어 있다. Papillary dermis는 미세혈관 및 말초 신경들을 포함하고 있으며, 매우 세밀한 콜라겐 섬유로 이루어져 표피의 basement membrane과 맞닿아 있다. 이는 특징적으로 물결모양을 띠고 있어 epidermis와

dermis 간의 접촉면을 극대화시킬 수 있는 구조로 되어 있어 epidermis와 dermis 간의 접촉 구조를 좀 더 안정되게 만들어 준다.

Reticular dermis로 갈수록 콜라겐 섬유들은 굵고 거칠게 분포한다.

피부를 구성하는 콜라겐은 주로 type I 콜라겐이 분포한다.

3) 모낭(Hair follicles)

모낭은 hair bulb와 isthmus, entrance of the hair follicle의 구조로 나뉜다. 이중 bulb는 basement membrane 세포를 품고 있으며 일부 matrix stem cell을 포함하고 있고, isthmus에는 bulge stem cell 이 분포하는 것으로 알려져 있다.

4) 땀샘(Sweat glands)

땀 전신의 피부에 존재하나 고막, 입술, 손톱바닥, 유두에는 존재하지 않는다. 주로 온도에 의해 분비가 자극되나 일부 손발바닥, 얼굴, 겨드랑이 등은 주로 감정에 의해 분비가 자극된다.

5) 피지선(Sebaceous glands)

진피 전반에 걸쳐 존재하며 특히 깊은 진피에 위치해 있다. 기름기가 풍부한 세범(sebum)을 주로 분비한다.

2. 피부이식의 종류

1) 유전학적 분류

(1) 자가이식(Autograft)

동일개체에서 이식하는 것으로 거부반응이 없다.

(2) 동인자이식(Isograft)

유전적으로 동일한 개체, 사람에서는 일란성 쌍생아 사이의 이식으로 거부반응이 없다.

(3) 동종이식(Allograft or homograft)

같은 종이지만 유전형이 다른 개체 간의 이식으로 거부반응이 있다.

(4) 이종이식(Xenograft or heterograft)

서로 다른 종 간의(species) 이식으로 강한 거부반응이 있다.

2) 이식될 피부의 두께에 의한 분류 (Thickness of grafted skin)

(1) 부분층 피부이식(Split-thickness skin graft)

부분층피부이식은 표피와 진피의 일부를 포함하는 것으로 포함된 진피의 양에 따라 얇은부분층식피술(Thin STSGs)과 두꺼운부분층식피술(Thick STSGs)로 구분된다.

(2) 전층 피부이식(Full-thickness skin graft)

표피와 진피의 모든 층을 함께 이식하는 것이다.

▷표 1-8-1. 부분층피부이식과 전층피부이식

	적응증	장점	단점
얇은 부분층 피부이식 (Thin STSGs)	화상 등 넓은 부위에 피부이식이 필요한 경우	공여부의 창상 치유가 빠르다. 같은 부위에서 여러 번 채취함이 가능하며, 채취할 수 있는 부위가 넓고 다양하다. 생착이 쉽고 빠르다.	피부이식의 이차 구축이 심하며 착색 등의 미용적인 문제가 뒤따른다.
두꺼운 부분층 피부이식 (Thick STSGs)	화상 등 넓은 부위에 피부이식이 필요한 경우	얇은 부분층 피부이식에 비해 이차 구축이 적다. 생착이 비교적 쉽고 빠르다.	얇은 부분층 피부이식에 비해 공여부의 창상 치유가 늦다.
전층피부이식 (FTSGs)	안면부, 수부 등 미용상, 기능상의 필요가 있는 경우. 염증이 없고 혈류가 좋은 창상	피부이식 부위의 이차 구축이 적다. 이식편과 수혜부간의 색깔 차이가 비교적 적다. 모근의 재성장이나 피부 부속기(땀샘 등)의 기능이 비교적 잘 유지된다.	이식편 채취 시 크기의 제한이 있다. 피부이식의 생착이 부분층에 비해 어려워, 혈류가 좋지 않은 창상에 있어서는 생착 실패 가능성이 크다.

3. 임상적 적용

피부가 결손된 상태로 방치할 경우, 창상은 상피화(epithelialization)와 수축(contraction) 과정을 통해 치유하게 된다. 그러나 이러한 과정을 겪는 동안 창상은 감염에 취약하며, 반흔구축으로 인한 기능적, 미용적 결함을 유발하고, 또한 변성되어 Marjolin's ulcer와 같은 피부암으로 발전될 수 있다. 따라서 피부결손이 있는 큰 창상은 제때에 피부이식으로 덮어주어야 반흔을 최소화하면서 위에 언급한 합병증을 방지할 수 있다.

4. 공여부의 선택, 채취 방법 및 처치

1) 부분층 피부이식

얼굴을 제외한 모든 신체부위에서 채취할 수 있으나, 환자의 성별 및 나이, 이식할 부위의 위치와 크기, 색상 및 공여부의 결함을 고려해서 선택한다(그림 1-8-1). 흔히 대퇴부, 둔부, 복부, 배부, 두피, 내측 상완부 등이 이용된다. 일반적으로 수혜부에 인접할수록 색상의 조화가 어울리므로 이를 감안하는 것이 좋다. 채취는 free knife (razor or Humby knife), 드럼형 피부절제

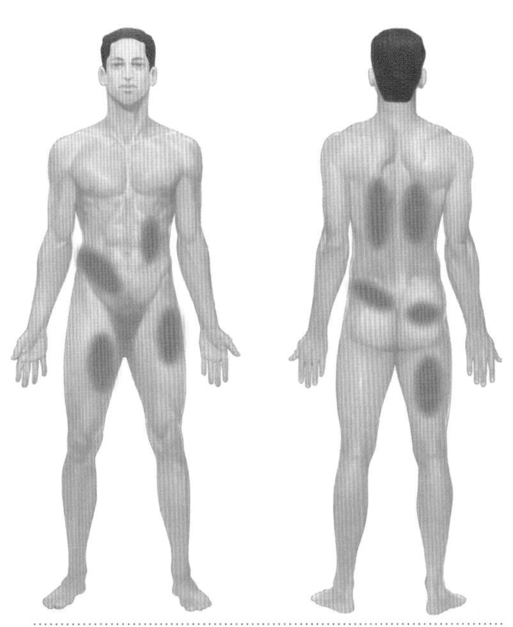

▷그림 1-8-1. 부분층 피부이식의 공여부

기(Padgett dermatome), Powered dermatome (electrical or air-driven dermatome) 등으로 할 수 있다. 크기가 작은 부위는 면도날을 이용하면 편리하다. 많은 양의 피부가 필요할 경우에는 피부절제기가 유용하며 이 방법은 두께를 일정하게 조절할 수 있다. 채취할 크기 및 두께를 측정하여 공여부에 표시한 후 절제기의 두께 레버를 0.1에서 1.0 mm 사이의 원하는 위치에 맞춘 다음, 공여부에 소독된 젤리 또는 바셀린을 바른다. 조수(assistants)와 함께 피부를 편평하고 긴장되게 당긴 다음 절제기로 피부를 채취한다(그림 1-8-2).

공여부는 즉시 에피네프린을 적신 거즈로 덮어 지혈시킨 후 흡수성의 드레싱 제재로 감싸 놓았다가 드레싱을 올린다. 공여부에 적용하는 드레싱 제재에 대해서는 다양한 드레싱 제품이 있으며, 이에 관련된 여러 문헌을 쉽게 찾아볼 수 있다. 대개의 경우 간단한 반투과성, 점착성 재료가 사용되고 있으며 창상에서 나오는 삼출물을 충분히 흡수할 수 있는 제재를 선택하게 된다. 공여부의 창상은 보통 2~3주 후 상피화 기전에 의해 낫게 되며, 적절한 재료를 선택하여 보통 수술 24시간 후에 드레싱을 갈아주며 그 후 드레싱에 출혈 소견이 없으면 일주일 후에 갈아준다. 다만 채취한 피부의 두께에 따라 치유 기간이 다르므로 이보다 조금 더 길게 드레싱을 유지시켜야 될 경우도 있다.

A

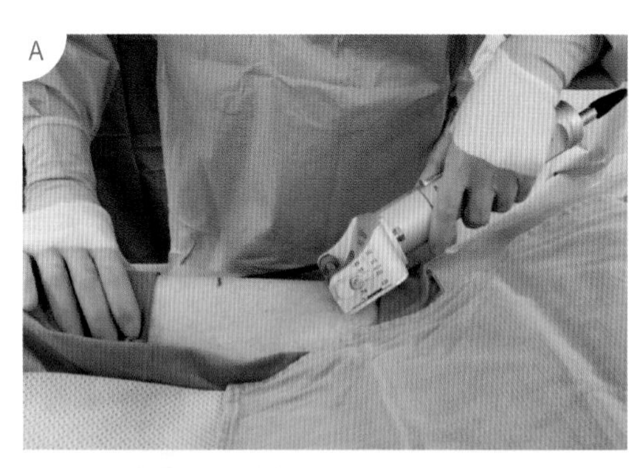

B

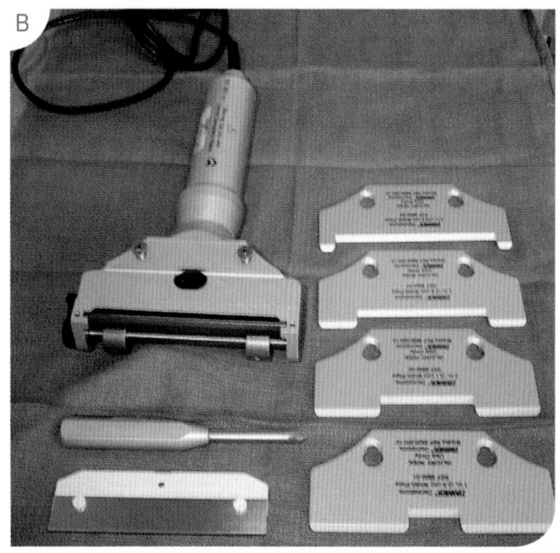

▷그림 1-8-2. **피부이식의 채취 모습 및** Electrical Powered Dermatome

2) 전층 피부이식

전층 피부는 부분층 피부보다 이차구축이 적으므로 안면부나 수부및 족부 관절부위의 재건에 주로 사용된다. 부분층이식과 마찬가지로 환자의 성별 및 나이, 이식 할 부위의 위치와 크기, 색상 및 공여부의 결함을 고려해야 하며 공여부를 일차봉합할 수 있을 정도로 채취해야 한다(그림 1-8-3). 후이개부, 쇄골 상부, 상안검, 주관절부, 손목관절부, hypothenar area, 서혜부, 둔부주름부 등이 사용된다. 특수한 경우, 소음순, 유륜, 구강 점막 등이 이용되기도 한다.

채취 방법은 결손부의 형판(template)을 만들어 공여부에 도안하고 도안된 선을 따라 절개하여 표본을 채취하고 표본의 양쪽 끝을 소형 겸자로 잡아 늘어뜨리고 피부에 붙어 있는 지방 조직을 제거한다. 피부를 수혜부에 봉합한 후 11번 knife로 작은 구멍들을 만들어 혈종이 생기지 않도록 해준다.

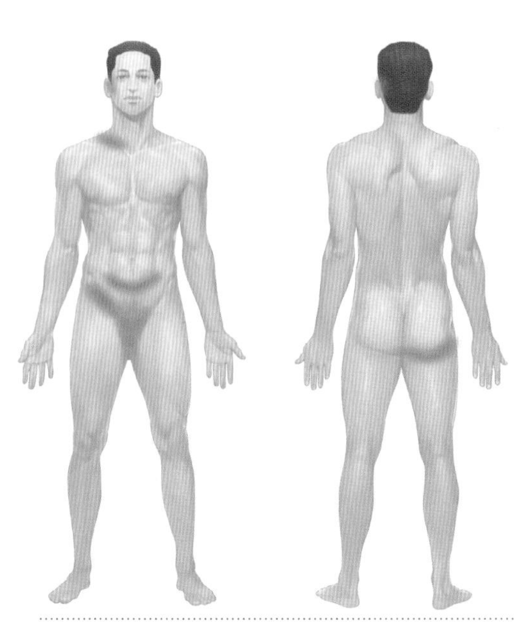

▷그림 1-8-3. 전층 피부이식의 공여부

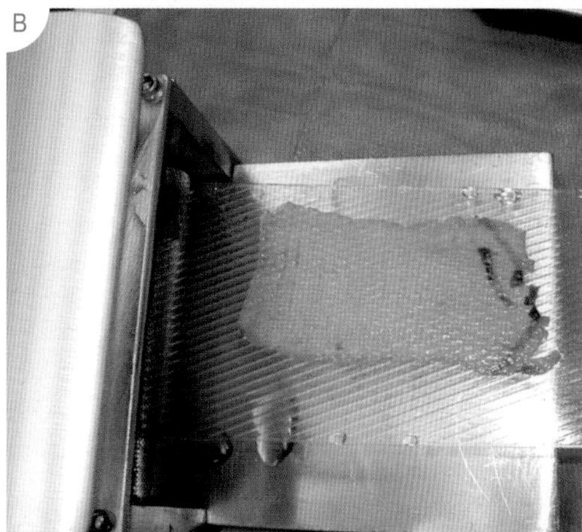

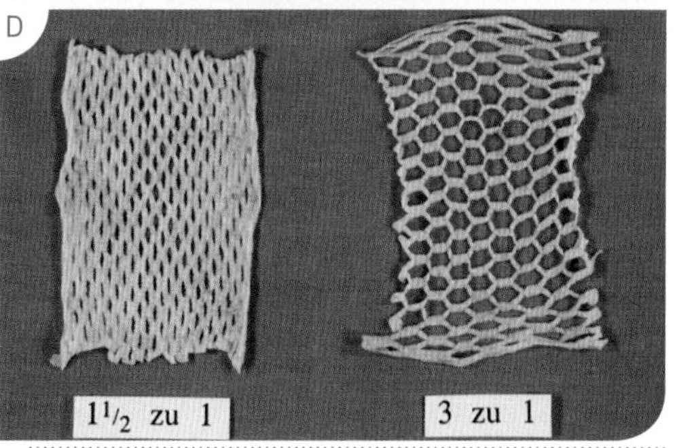

▷그림 1-8-4. 망상피부이식편의 준비. A. 망상 피부이식편을 만드는 Mesher, B. Mesh plate에 피부를 고르게 펴서 준비한다, C. Mesh를 만드는 모습, D. 1:1.5 및 1:3 Mesh

5. 기타 이식 방법

1) 망상 피부이식(Meshed skin graft)

부분층 피부이식술의 변형으로 결손부가 너무 커서 공여부가 감당할 수 없을 때 또는 관절 주위같이 편평하지 않고 불규칙한 표면을 덮을 때 사용된다. 피부를 늘리는 방법으로는 11번 knife로 여러 개의 구멍을 만들어 늘리거나 mesher 기계 장치를 이용한다. 필요에 따라 1:1에서 1:9까지 확장시킬 수 있다(그림 1-8-4). mesher는 수동으로 작동되는 기계장치와 다양한 크기의 플라스틱 형판(plastic template)으로 구성되어 있다. 채취한 피부를 원하는 크기의 플라스틱 형판에 편평하게 올려 놓고 기계장치에 통과시키면 구멍이 뚫리게 된다. 피부 사이의 뚫려진 구멍은 상피화와 수축으로 자연 치유되므로 필연적으로 반흔이 남고 구축이 남게되므로 얼굴 등 노출 부위, 관절 부위에는 사용하지 말아야 한다.

2) 복합이식술(Composite graft)

두 가지 이상의 조직층을 포함시키는 이식을 지칭하며, 피부와 연골, 전층 피부, 즉, 표피및 진피와 함께 피하지방층을 포함시켜 이식하는 것이 가장 흔히 사용된다.

기본적으로 전층 피부이식술과 동일하나 생착 단계 중 혈장흡수기에 영양분이 확산해야 하는 거리가 길어지므로 피부이식보다는 생착률이 떨어질 수 있다. 전통적으로 비익 결손에 사용되는 복합 이식물의 크기는 직경 1 cm 이하가 이상적으로 생각되고 있다. 비첨부(nasal tip), 비익부(ala)의 재건에 주로 사용되며 어린이에게서 특히 생존율이 높다.

6. 성공적인 피부이식이 되기 위한 조건

1) 수혜부의 조건

혈관의 재통(revascularization)은 수혜부의 상태에 따라 결정되므로, 수혜부 바닥에는 혈류량이 좋은 혈관의 수와 분포가 많아야 한다. 방사선 조사를 받았거나 당뇨 등으로 인한 허혈성 조직은 혈류량이 적어 피부이식이 생착되기 어렵다. 따라서 수술 전 처치로 건강한 육아조직

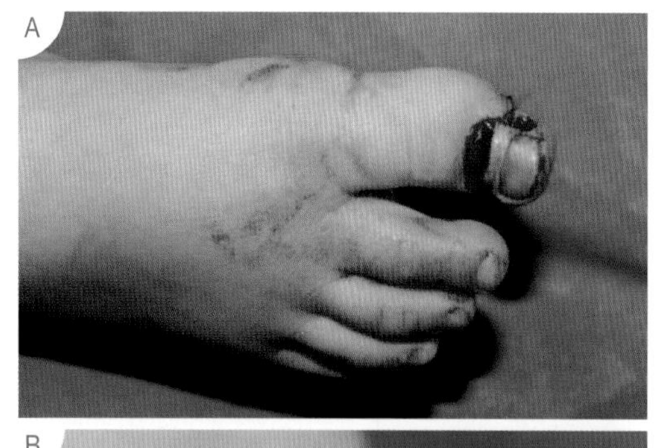

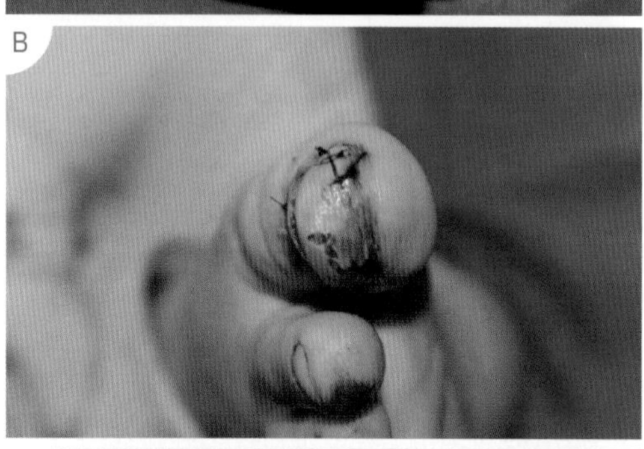

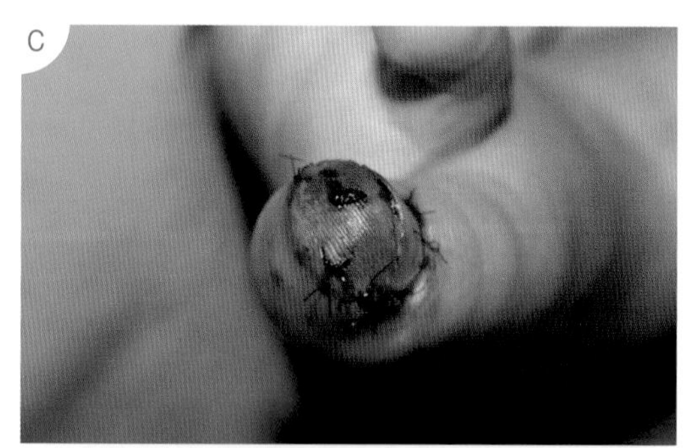

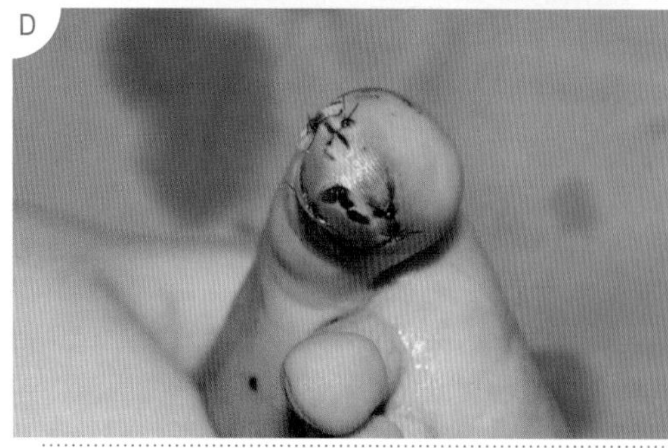

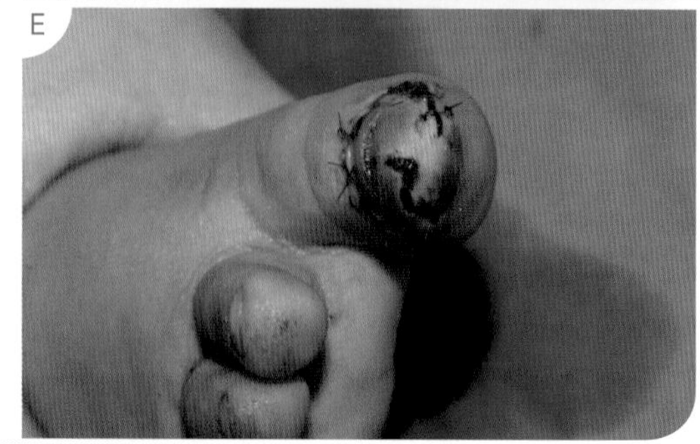

▷그림 1-8-5. **복합이식편의 색깔의 변화.** A. 발가락 절단편의 모습, B. 복합이식술 직후: 이식편이 파리함(pale), C. 1일 후: 이식편이 bluish한 것을 볼 수 있다, D. 고압산소 치료 후 이식편에 붉은기가 도는 모습, E. 이식편의 생착 후 모습

을 만들어 주어야 한다. 골막이 없는 골, 연골막이 없는 연골, 건초가 없는 건, 신경 외막이 없는 신경도 혈류량이 없어 피부가 생착되지 않는다. 그러나 최근에는 크기가 작을 경우진피대체물(dermal substitutes)을 덮어 주거나 Negative-pressure wound therapy (NPWT)로 육아조직을 만들어 피부이식을 하기도 한다.

수혜부 창상에 있는 괴사된 조직은 이식된 피부로 혈관이 자라 들어가는 것을 방해한다.

만성적 창상은 오염된 상태이므로 수술 전 조직 1 g을 채취하여 배양검사를 해야 한다.

만약 박테리아의 수가 10만을 넘으면 수술을 연기하여 soaking dressing과 변연 절제술과 레이저, 물분사(water jet), 초음파 등을 이용하는 방법으로 박테리아의 수를 줄이는 노력을 해야 한다.

2) 피부이식과 수혜부 간의 접착

이식된 피부가 생착되기 위해서는 수혜부와 잘 접촉이 되어야 한다. 피부는 이식된 지 첫 72시간 동안 fibrin에 의해 수혜부 바닥에 붙어 있게 되며 그 이후에는 섬유조직과 혈관들이 이식된 피부로 자라 들어가 접착이 이루어진다. 따라서 이 기간 동안 수혜부와 공여부 사이에 움직임이 있게 되면 생착이 어려워진다.

7. 피부이식편의 고정과 드레싱

1) 고정 방법

이식한 피부가 잘 생착되기 위해서는 이식된 피부의 움직임이 없어야 한다. 이때 이식 피부를 너무 당겨지거나 지나치게 느슨해지지 않게 고정하는 것이 중요하다. 적절한 장력으로 이식편을 수혜부에 위치시킨 후 수혜부의 가장자리와 바닥에 봉합사로 봉합한다. 중요한 것은 이식피부, 수혜부의 바닥과 가장자리가 빈 공간없이 잘 붙도록 세지점고정(three point fixation)을 정확히 해주어야 한다. 봉합사 대신에 봉합용 스테이플러(staple)나 피부용 접착제(sealant) 등을 이용할 수 있다.

2) 드레싱 방법(Dressing)

(1) Tie-over (Bolster) dressing

비교적 작은 크기의 피부이식에 적합하며 얼굴이나 수부의 움직임이 많은 부위에 특히 유용하다(그림 1-8-6). 봉합사를 길게 남기고 봉합된 이

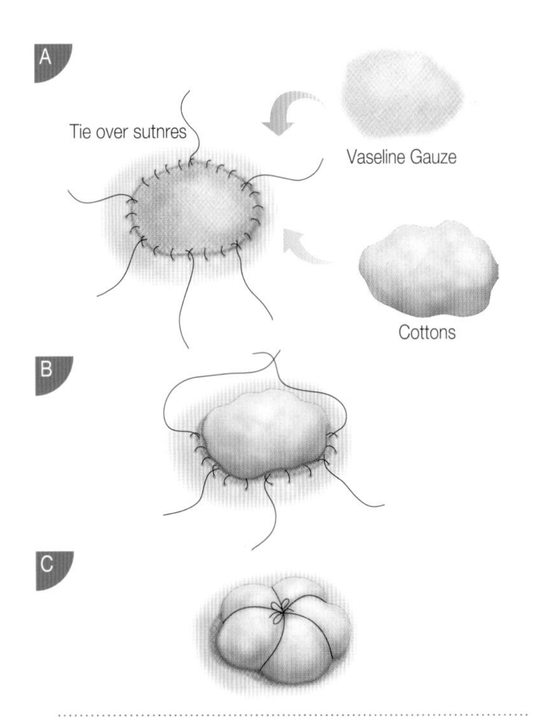

▷그림 1-8-6. Tie over dressing. A. Tie over dressing 순서, B. Vaseline gauze와 cotton을 올리고 Tie하는 모습, C. 완성된 tie over dressing

식편 위에 바셀린 거즈를 덮고 항생제 연고를 도포한 후 식염수에 약간 적신 솜 또는 거즈로 빈 공간 없이 잘 밀봉한 후 길게 남겨진 봉합사를 그 위에서 묶어 주며 4~5일 후에 1차 드레싱을 확인하여 문제가 없으면 다시 사용할 수 있다.

(2) Skin graft inlay

볼고랑(buccal sulcus), 바깥귀길, 코 내측면, 질강(vagina)처럼 깊숙이 들어간 곳에 피부이식술을 할 때는 미리 Silastic 또는 dental compound로 틀(mold)을 만들어 피부이식편의 진피면이 바깥쪽으로 향하도록 덮어씌운 다음, 이것을 수용부에 고정하는 방법이다. 틀을 6개월간 끼워 두어서 피부이식편이 수축하지 못하도록 한다(그림 1-8-7).

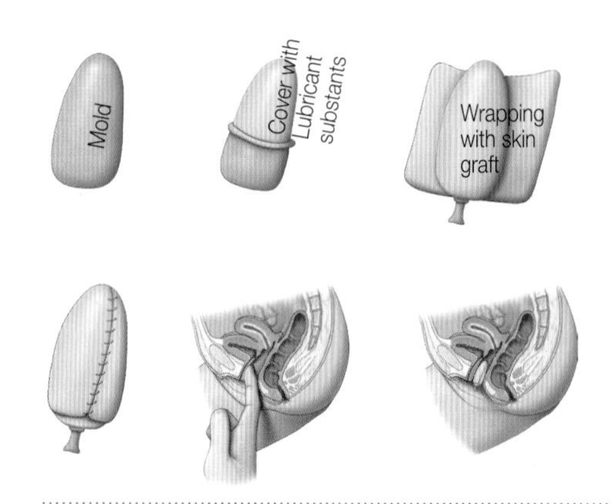

▷그림 1-8-7. Vagina agenesis의 치료 시 이용되는 피부이식 기법

(3) Skin graft outlay

속넣기피부이식술(skin graft inlay)에 대칭되는 방법이라 볼 수 있다. 이것은 솜뭉어리위묶음 드레싱(tie-over dressing)을 할 때 솜 신에 dental compound로 만든 틀을 사용하는 것이다. 피부 결손부위의 면적보다도 더 넓은 피부이식편을 수용부에 이식하고자 할 때 시행한다. 그렇게 하면 나중에 피부이식편이 구축(contracture)되었을 때 면이 평평하게 된다

(4) 개방한 채로 드레싱하는 방법(Open dressing)

넓은 개방상처(open wound)를 피부이식편으로 덮어준 다음 드레싱하지 않고 그대로 두는 간편한 방법이다. 이 방법은 상처 바닥에 출혈이나 액체가 생기지 않고 환자가 협조적일 때 가능하다. 수술 후에 혈청종(seroma)이나 혈종(hematoma)이 생기면 뾰족한 칼끝으로 피부이식편을 찔러서 구멍(stab incision)을 내서 배출시킨다.

(5) 생리학적 드레싱(Biologic dressings)

창상을 피부이식술로 일시적으로 덮어 주는 것을 생리학적 드레싱이라고 한다. 이것은 창상이 최종적인 수술에 이르기 전까지 마르고 더욱 손상되는 것을 방지해 준다. 공여부의 피부가 모자랄 때 유용하며 사용할 수 있는 피부 대체물(skin substitutes)로는 동종이식인 사체 피부(cadaveric skin)와 태반(amnion), 이종이식으로는 돼지 피부(pig skin) 등이 있다. 동종이식도 자가이식처럼 생착되나 면역억제제가 투여되지 않으면 이식 약 7~10일 후 거부반응이 일어난다. 반면에 이종이식(xenograft)은 생착되기 전에 거부반응이 일어난다.

실리콘 중합체(silicone polymers) 같은 합성피부대체물(synthetic skin substitutes)도 사용되고 있다. 인간 표피도 배양하여 상피세포판으로 사용되고 있으나 진피층이 없어 마찰력에 취약하다.

8. 수술 후 관리

일반적으로 피부이식술을 한 지 24시간이 지나면 드레싱을 풀고 피부이식편의 상태을 관찰한다. 만약 피부이식편 밑에 혈장액이나 혈액, 고름이 고여 있으면 피부이식편을 뾰족한 칼끝으로 찔러서(stab incision) 액체를 면봉으로 살살 밀어내거나 가까이 있는 봉합 가장자리를 통해서 밀어낸다. 감염이 있거나 삼출액(exudate)이 많은 수용부에 피부이식편을 이식한 경우에는 이식한 부위를 개방해 두거나, 혹은 24~48시간마다 드레싱을 바꾸어 주어야 한다. 피부이식술 후에 감염이 있다고 해서 첫 24시간 내에 곧장 열이 나지는 않는다. 만약 이 기간에 고열이 있으면 오히려 호흡기감염이나 요로감염을 의심해야 한다. 그러나 피부이식술 후 2~4일 사이에 미열이 나고, 수용부에서 냄새가 나고, 수용부 주변에 발적(redness)이 있고, 환자가 통증을 호소하면 감염을 의심해야 한다. A군 베타용혈 사슬알균(group A β-hemolytic Streptococcus)에 의한 감염은 피부이식편을 녹여버리는 특성이 있으므로, 균에 적합한(sensitive) 항생제를 전신적으로 투여해야 하며, 녹농균(pseudomonas aeruginosa)에 의한 감염이 있으면 국소적으로 polymyxin을 사용하는 것이 좋다.

피부이식편 중 괴사된 부분이 있으면 조기에 조심스럽게 제거하고 생리식염수로 자주 세척해준다. 이식한 피부이식편을 보호하고 상처 바닥에 구축(contracture)이 적게 일어나도록 하기 위하여 피부이식술을 시행한 부위를 기능적인 위치(functional position)에 두고 석고붕대(plaster cast)나 부목(splint)를 대준다. 수축하는 데 소요되는 기간이 부위에 따라 다르므로 목 앞면, 입안, 코 안, 질 안에는 6개월간, 어깨, 손가락 굴곡면, 무릎 뒷면, 팔꿈치 앞 면에는 2~3개월간 부목을 대주어야 한다. 관절부위는 하루에 2번 정도 부목을 풀고 완전한 관절운동을 하도록 한다. 다리에 피부이식술을 한 경우에는 1~2주간 걷지 말도록 당부한다.

9. 피부이식편의 생착 기전

1) 혈장 흡수기 (Phase of plasmatic imbibition)

혈관 재개통이 이루어지기 전 1~2일 동안 피부이식편은 섬유소(fibrin)에 의해 수용부에 부착된 채로 수혜부로부터 혈장을 통해 확산(diffusion)으로 영양분과 산소를 빨아 들이면서 생존하게 된다.

2) 혈관재개통(Revasularization)

이식 후 24~48시간 후부터 혈관의 재개통이 일어나기 시작한다. 세 가지 이론이 제기되어 있다. 첫째 수혜부와 피부이식편의 잘린 혈관이 만나 연결되는 혈관 접합(inosculation, anastomosis), 둘째, 수혜부로부터 이식편으로 신생 혈관이 자라 들어가는 신생혈관화(neovascularization), 셋째, 수혜부의 내피세포가 증식하여 이식편에 혈관이 퇴화하고 남아있는 기저판(basal lamina)을 통해 자라 들어가 혈관이 개통되는(ingrowth of endothelial cell) 것 등이다. 이러한 재혈관화는 피부이식 후 48시간 이내 시작하여 4일째에 혈액순환이 이뤄지며, 1개월 때 완성된다. 이식편의 림프배액(lymphatic drainage)은 이식 후 4~5일에 이루어진다. 만일 피부이식편 밑에 혈종이나 액체가 고이면 그 정도에 따라 혈관 개통이 지연되거나 실패하므로 앞서 언급한 바와 같이 드레싱 교체 시에 고인 액체가 보이면 적절한 방법으로 고인 것을 제거해 주어야 한다.

10. 이식된 피부의 특성

이식된 피부는 대개 공여부의 특성을 유지하나, 감각(sensation)과 발한(sweating)은 수혜부의 특성을 갖는다. 이식된 피부는 수축(contraction), 색상(color), 상피부속기(epithelial appendages), 감각(sensation), 내구성(durability) 및 성장(growth)에 특징적인 변화가 일어난다.

1) 수축

(1) 일차수축(Primary contraction)

진피 내 탄력섬유에 의해 피부를 공여부에서 떼어낼 때 바로 피부이식편의 넓이가 감소하는 것으로 전층 피부(41%)가 얇은 부분층 피부(9%)에 비하여 일차수축이 더 심하다(그림 1-8-8).

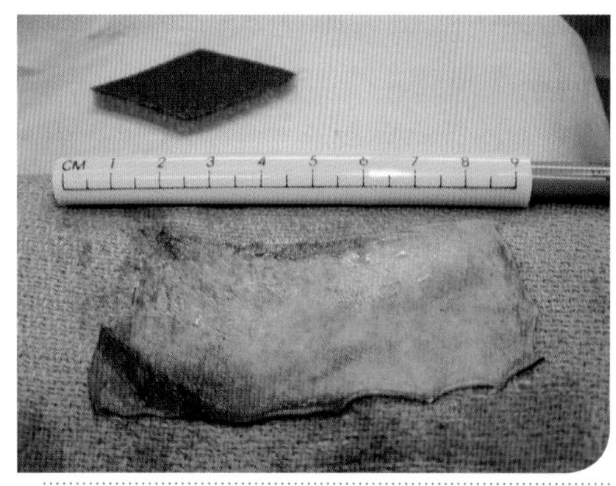

▷그림 1-8-8. 피부이식편 채취 직후 보이는 일차 수축의 모습

(2) 이차수축(Secondary contraction)

수혜부 바닥의 근섬유모세포(myofibroblast)에 의한 수축과 이식피부의 진피층의 상처 수축 현상으로 초래되며 이식 후 10일째부터 시작되어 6개월까지 지속된다.

이식된 피부가 두꺼울수록, 수혜부의 바닥이 경직(rigid)될수록, 이식 피부의 생착이 잘 될수록 이차수축이 적다. 따라서 두꺼운 피부 이식술을 시행하고, 피부의 생착이 잘 되도록 하며, 피부이식 부위가 관절에 걸쳐 있으면 4~6개월간 부목을 대줌으로써 이차수축을 예방할 수 있다.

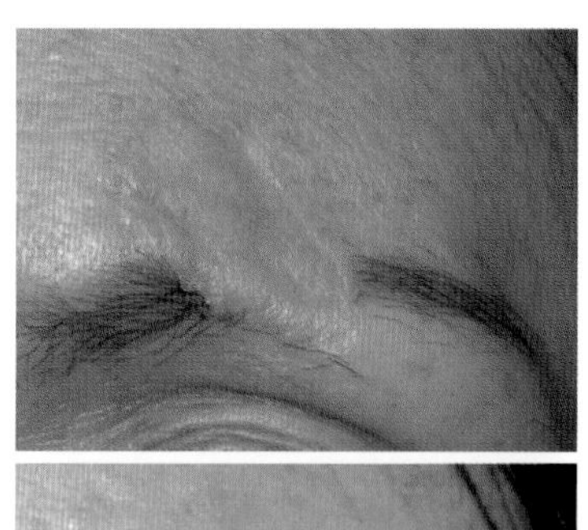

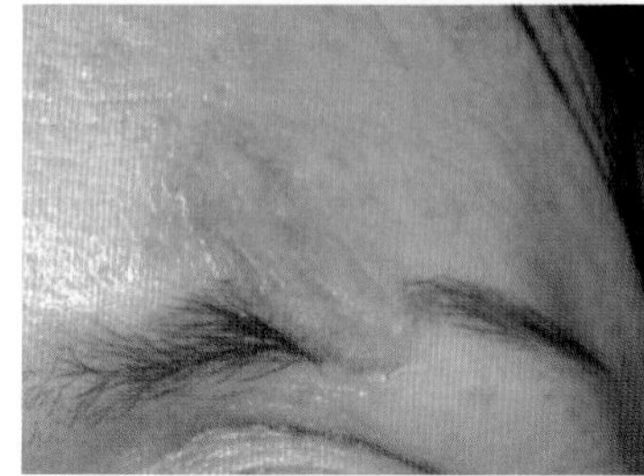

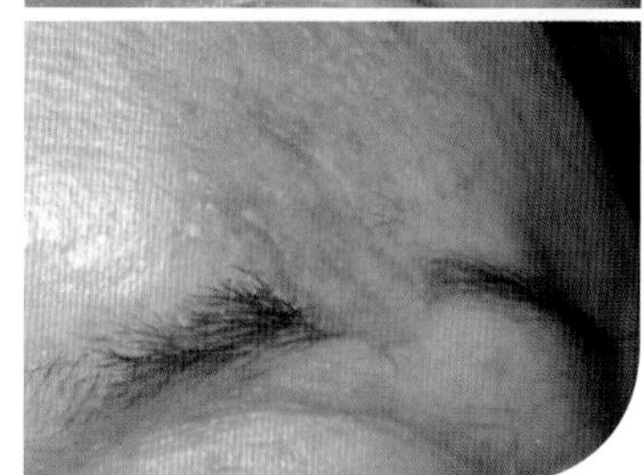

▷그림 1-8-9. 전층 피부이식 후 2주, 한 달, 두 달째 모습

점차 피부이식 시행부위 내에 수축현상으로 인한 찌그러짐이 발생함을 관찰할 수 있다.

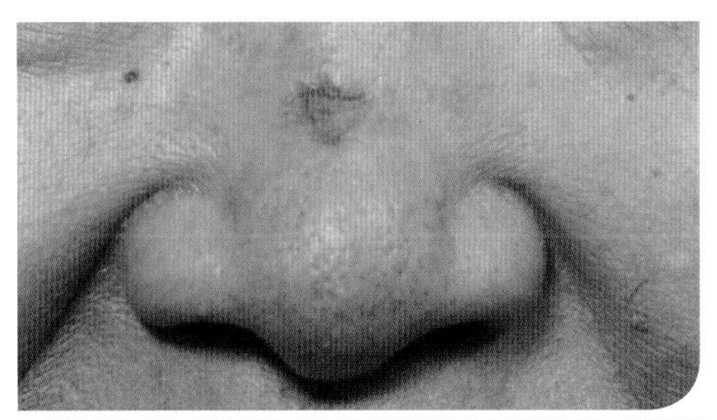

▷그림 1-8-10. **부분층 피부이식 후 한 달째 모습**. 이차수축으로 인한 일그러짐, 주름을 관찰할 수 있다.

2) 색상

쇄골을 기준으로 그 상부의 피부는 불그레한 색조를 띠고, 그 하부의 피부는 황색 또는 갈색을 띈다. 이식한 피부의 과색소침착은 호르몬이나 태양의 자외선에 의해 멜라닌세포(melanocyte)가 자극받았기 때문이다. 과색소침착의 예방을 위하여 두꺼운 피부를 이식하거나 자외선 차단용 연고 등을 이용하며, 6개월간 피부이식 부위에 직사광선을 피하는 것이 좋다(그림 1-8-11).

일단 과색소 침착이 일어나면 치료하기가 어려운데 박피술로 과색소 침착을 줄이도록 시도해 볼 수 있겠다.

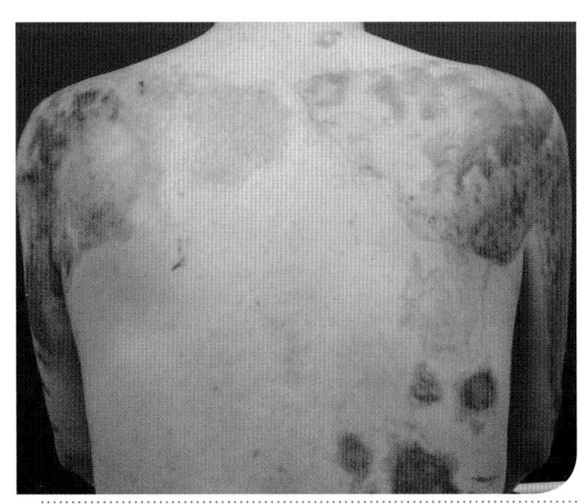

▷그림 8-1-11. **피부이식 부위의 다양한 정도의 착색**

3) 상피부속기(Epithelial appendages, skin appendages)

모낭, 피지선, 한선 등 상피부속기는 전층 또는 두꺼운 부분층 피부이식술을 시행할 경우, 즉 이식된 피부에 상피부속기가 포함될 때는 수술 후 일정기간이 지나면 기능을 계속한다.

모발은 피부이식술 후 3주 내에 탈모되었다가 8~10주에 새로운 모발이 자라 나오는데 공여부의 특성을 지닌다. 피지선의 분비기능은 신경회복과는 상관없이 수개월 후에 회복되므로 그동안 피부이식 부위에 적절한 보습제를 사용해야 한다. 한선은 감각신경이 회복되어야 발한 기능이 나타나며 발한의 양상은 수혜부의 특성을 따른다. 얇은 혹은 중간 두께의 부분층 피부이식 후에는 피부이식편에 모낭과 한선이 포함되어 있지 않으므로 모발의 생성이나 땀 분비 기능을 기대할 수 없으며, 이러한 두께의 피부이식편에 피지선이 포함되어 있더라도 모발이 없으면 피지선의 배출통로가 막히므로 피지선의 분비 기능을 상실한다.

4) 이식 피부의 감각

이식 후 40일이 경과하면 수혜부의 가장자리와 바닥으로부터 이식된 피부 내로 신경이 자라 들어와 재생되어 감각이 회복되므로 감각의 양상은 수혜부의 특성을 따르며, 통감(pain)이 가장 먼저 회복되고 촉감(touch), 열감(heat), 한감(cold), 재질 분별력(tactile discrimination)순으로 회복된다. 감각 회복은 피부이식술 후 3주때부터 시작되어 1년 반 내지 2년 후 최고에 달한다. 피부가 두꺼울수록 얇은 피부보다 감각회복의 속도는 느리지만 감각은 더 좋으며, 수혜부의 감각신경 분포상태에 따라 감각회복 정도가 결정되나, 정상 감각보다는 둔하다.

5) 이식 피부의 내구성

이식피부가 두꺼울수록 그리고 감각 회복이 좋을수록 이식 피부의 내구성이 커진다.

6) 이식 피부의 성장

진피 내의 탄력섬유가 많은 전층 피부이식은 어린이의 체표면적의 성장과 함께 성공적으로 자라지만, 부분층 피부이식은 성장이 다소 제한된다. 이러한 피부의 성장에 가장 크게 영향을 주는 인자는 피부에 가해지는 장력(tension)이다.

11. 합병증

1) 혈종(Hematoma)

피부이식 후 발생할 수 있는 가장 흔한 합병증으로 피부이식편의 생착을 방해하여 피부이식 실패의 가장 흔한 원인이다. 이를 예방하기 위해 피부이식 수술 시, 수혜부 지혈에 주의를 기울여야 하며, 피부이식 드레싱 직전, 피부이식편 아래 반복되는 출혈이 있는지 반드시 확인하여야 한다. 드레싱 교환 시 혈종이 관찰되면 피부이식편의 slit incision을 통해서 혹은 새로운 slit incision을 만들어 혈종을 반드시 제거해 주어야 한다.

2) 장액(Seroma)

혈장(plasma)의 흡수(imbibition)는 피부이식의 생착에 있어 필수적인 단계이다. 그러나 과도한 혈장의 생성은 장액의 원인이 된다. 장액은 대개 맑은 액체로 혈종에 비해 제거가 용이하여 적절한 slit incision으로 예방이 된다.

3) 감염(Infection)

피부이식편이 감염이 되면 피부이식편 아래로 농이 발생하여 매우 급격히 주변 피부이식 부위로 퍼지게 된다. 피부이식 드레싱의 교환 시 분비물의 양이 많고 냄새가 나면 피부이식의 감염을 의심하여야 하며 추가적인 항생제 치료를 위하여 균배양 검사를 실시해야 한다.

또한 이식편 아래 고여 있는 분비물들을 제거하고 항생제 연고, 은성분이 함유된 드레싱 제재 등 항균작용이 있는 드레싱 제재를 사용하여 드레싱을 교환하여야 한다.

4) 피부이식 탈락(Nontake)

영양부족, 혈관염, 전신 피부질환 등 여러 가지 요인에 의하여 혈관 재생성이 방해받는 경우 피부이식에 충분한 영양 공급이 되지 않아 피부이식편이 괴사될 수 있다.

5) 반흔 구축

앞서 기술된 바와 같이 피부이식은 이차 구축이 흔히 일어난다. 이러한 이차 구축은 피부이식 후 6개월이 지나도 구축이 지속되는 반흔 구축으로 이어지기도 한다. 이는 창상 부위에 과도한 콜라겐 생성 및, myofibroblast에서 생성되는 alpha-SMA에 의해 발생한다. 때문에 관절 부위 등에 피부이식을 시행할 경우 추후 반흔 구축에 의한 관절 운동범위 제한이 발생할 수 있음에 주의하여야 한다.

6) 반흔

피부이식 부위는 흔히 주변과의 색상 차이, 반흔 구축, 주변 조직과의 높낮이 차이 및 질감의 차이를 보이는 경우가 흔하다. 이를 최대한 예방하기 위해 부위에 따라 공여부를 취사 선택해야 하며, 인조 진피 등의 사용을 고려하여야 한다.

7) 공여부의 감염 및 반흔

피부이식 후 공여부에서는 다량의 혈장 분비물이 관찰된다. 이를 적절한 흡수성 제재로 드레싱하여 드레싱을 적절한 시기에 교환해 주어야 한다. 환자가 공여부위의 과도한 통증을 호소하며, 드레싱 교체 시 악취 및 다량의 분비물, 분비물이 끈적해지는 양상 등이 관찰된 경의 공여부의 감염을 의심하여 국소적인 항생제 연고의 도포 등을 고려하며, 이의 드레싱 교환 시기를 빠르게 하여야 한다.

또한 피부이식 시행 시, 피부이식 시행 부위 뿐 아니라 피부이식의 공여부의 반흔을 반드시 고려하여야 한다. 피부이식 공여부 역시 주변과의 색상차이, 비후성 반흔이 관찰될 수 있다. 피부이식 공여부의 감염, 창상 치유 지연 등은 공여부의 반흔에 안좋은 영향을 미칠 수 있다.

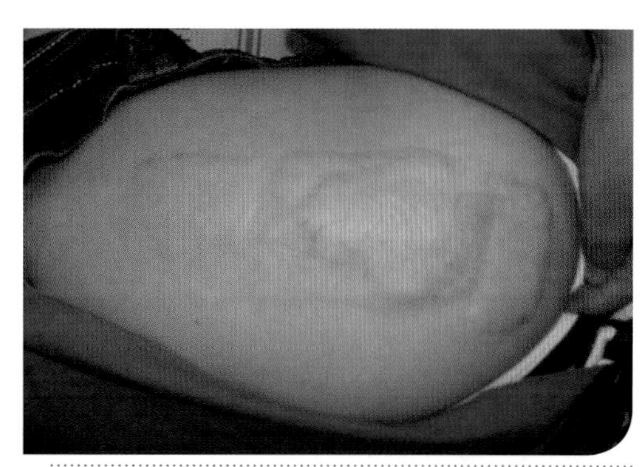

▷그림 1-8-12. **피부이식 공여부의 비후성 반흔.** 비후성 반흔과 함께 저색소성 반, 일부 과색소 침착을 함께 관찰할 수 있다.

References

1. Saja S, Giorgio P, Dennis PO: Skin graft: Plastic Surgery 3rd edition; vol1:318-338
2. Tanner Jr JC, Vandeput J, Olley JF. The Mesh Skin Graft. Plast Reconstr Surg. 1964;34:287–292
3. Capla JM, Ceradini DJ, Tepper OM, et al. Skin graft vascularization involves precisely regulated regression and replacement of endothelial cells through both angiogenesis and vasculogenesis. Plast Reconstr Surg. 2006;117:836–844.
4. Boyce ST, Goretsky MJ, Greenhalgh DG, et al. Comparative assessment of cultured skin substitutes and native skin autograft for treatment of full-thickness burns. Ann Surg. 1995;222:743–752.
5. 이삼용: 피부이식술: 표준성형외과학 2판; 군자출판사 24-39

9 연골이식
Cartilage Graft

전영준 가톨릭의대

연골은 결합 조직의 일종으로, 연골세포와 II형 콜라겐 섬유, 단당류, 탄성섬유로 이루어진 세포외 기질로 구성되어 있으며, 구성성분에 따라 유리질 연골, 섬유성 연골, 탄성 연골로 구분된다.

유리질 연골은 연골 중 가장 일반적인 유형으로 늑골, 귀, 기관(trachea), 코 연골에서 볼 수 있으며, 귀 연골을 제외하고는 유리질 연골의 대부분은 연골막으로 덮여 있다. 또한 콜라겐 II형뿐만 아니라 글리코사미노글리칸이 풍부하므로 견고성이 있고 지속적인 압력에 견디게 된다.

섬유성 연골은 두꺼운 콜라겐 섬유의 다발로 이루어져 있으며, 작은 사슬과 같이 배열되어 있다. 이 특이한 구조로 인하여 섬유 연골은 높은 인장 강도와 지지 기능을 제공할 수 있으며, 관절반달(meniscus), 추간판, 연골결합, 관절 부분과 같이 스트레스 상황에 가장 잘 노출되는 영역에 존재한다. 다른 연골들과 달리, 섬유 연골은 I형 콜라겐으로 구성되어 있으며, 적당량의 단당류가 들어있으나, 글리코사미노글리칸은 거의 없다.

탄성 연골은 풍부한 양의 탄성섬유가 있기 때문에 매우 높은 탄성력을 특징으로 한다. 유리질 연골과 조직학적으로는 비슷하나, 많은 탄성 섬유를 포함하고 있으며, 콜라겐 섬유와 함께 탄성 섬유망을 이루고 있다. 이러한 구조적 특징은 훌륭한 유연성을 제공하며, 반복되는 굽힘에도 견딜 수 있게 된다. 주로 외이구조에서 발견되고, 후두와 연구개에서도 발견되며, 연골막으로 둘러싸여 있다.

연골막은 고밀도의 불규칙한 결합 조직층으로 두 개의 분리된 층, 즉 외부 섬유층과 내부 연골형성층으로 이루어져 있다. 콜라겐 섬유와 섬유아세포는 섬유층을 구성하며, 연골형성층은 부분적으로 미분화된 채 남아 있으며, 연골 회복과 재생에 큰 역할을 하는 중간엽 줄기세포와 연골형성 전구세포를 포함하고 있다.

연골은 세포수와 혈관의 희박성으로 인해 대사율이 낮은 독특한 조직이다. 연골의 당분해 작용과 산소 소비는 무산소 환경에서 이루어지고, 조직액 확산을 통해 영양분을 공급받는다. 이러한 특징으로 이식된 연골이 이식 후 비교적 쉽게 생존하게 된다. 연골 조직이식은 코나 귀 결함을 복원하고 순수 연골이식 또는 복합 조직이식의 형태로 다른 조직 재건에도 널리 쓰이며, 유리 이식 또는 미세혈관 복합 이식의 형태로 시행 되어진다. 또한 유리 연골막 조직도 연골 재건에 흔히 쓰이는데, 이것은 오래 전부터 연골막의 연골 재생 능력을 인정받았기 때문이다.

1. 자가 연골 이식 및 적용

연골은 "면역학적 특권"이 있으며, 동종 연골 이식이 가능한 조직으로 알려져 있으나, 자가 연골 이식이 현재까지 가장 유용한 연골 이식으로 알려져 있다. 자가 연골 이식의 일반적인 공여 부위는 귀, 코, 늑골 연골이 있다.

1) 귀 연골 이식

탄성 연골로서 귀 연골은 이상적인 이식편이 될 수 있으며, 여러 가지 용도로 쉽게 조작할 수 있고 다양한 형태로 윤곽 형성이 가능하므로 모든 연골 이식에 다양하게 쓰일 수 있다. 귀 연골은 국소 마취로 쉽게 얻을 수 있으며, 특히 귓바퀴의 상당 부분은 공여 부위 변형을 일으키지 않고 채취될 수 있다.

하지만, 임상에서는 귓바퀴 연골 전체를 쓰게 되면 귓바퀴의 오목/볼록한 부위가 무너지고, 가로로 짧은 귀로 만들어질 수 있으며, 이러한 문제점을 극복하기 위해, Han 등은 귀연골 채취 시 (1) 눈에 보이는 흉터를 최소화하기 위해 귀 뒤쪽을 절개하며, (2) 조가비틈(cymba concha) 전체와 이갑개강(cavum concha)을 따로 분리해서 채취하고, 그 사이의 지주가 되게끔 최소 5 mm의 이륜 각(helical crus)과 측면연장을 살리고, 외이도 벽을 따라 2 mm 바깥 테두리를 남겨두며, (3) 봉합고정(tie-over)을 이용하여 이개모양의 틀을 만들어 귓바퀴 연골 이식 시행 후 윤곽 불규칙 또는 변형을 피하는 기술을 제시하였다.

귀 연골 이식은 귀 재건이나 귀 기형 교정을 위한 골격으로 흔히 쓰이며, 귓바퀴 연골은 코, 눈꺼풀, 유두 재건에서 단일층 이식 조직으로 쓰이기도 한다.

귀 연골의 또 다른 중요한 적용으로는 코 재건을 위한 복합 연골피부 이식에 쓰이는 것이며, 귀 복합 조직이식의 공여 부위를 미학적으로 어떻게 조작하느냐가 성공적인 적용에 중요하다.

유리 귀 복합 이식조직의 임상 적용에 한계점은 이식 후 즉각적인 혈류 공급 부족으로 인한 크기의 제한이지만, 미세혈관 이동식 귀 복합 조직이식은 이러한 한계점을 극복할 수 있으며, 특히 큰 코 결함을 복원할 때 유용하다. 최근 Zhang 등은 표재관자혈관을 기반으로 전이개 및 이개피판을 이용한 큰 코 결함의 수술적 치료에 대한 63개의 임상 사례를 보고하였으며, 코 결손 재건에서 혈관성 전이개 및 이개피판을 이용하는 것이 신뢰할 수 있는 방법이라는 것을 보여주었다.

2) 코 연골 이식

코 연골은 사용가능한 양이 제한적임에도 불구하고, 눈꺼풀 재건을 위한 복합 연골피부 이식에 사용된다. 코중격 연골은 코 연골 이식편의 중요한 공급원이며, hemi-transfixion 절개를 통해 접근 가능하다. 양쪽 점막성연골막을 들어올리면, 중격 연골을 채취할 수 있으며, L-모양의 중격 지주는 코 지지와 붕괴를 막기 위해 반드시 보전되어야 한다. 좋은 지지를 제공하기 위해 필요한 L-모양의 지주 연골의 양은 코 중격과 다른 코 조직의 강도, 두께, 그리고 면적에 따라 크게 달라진다.

1979년 Tessier가 보고했듯이, 코 연골점막 이식편으로 쓸 수 있는 다른 부위로는 위 가쪽 코 연골이 있다. 유경 코 연골점막 피판은 콧등동맥의 말단 가지를 기반으로 코 가쪽 벽을 따라 만들어, 한쪽 또는 반대쪽으로 채취 가능하며, 피부이식편은 피부 덮개로 사용할 수 있다. 이러한 술식을 이용하면, 한 번의 수술로 얇고 유동적인 눈꺼풀을 재건할 수 있다. 눈꺼풀 복원뿐만 아니라, 중격 연골 이식은 코 성형수술, 기관지 복원에도 쓰이며, 확대된 중격 이식은 코끝 돌출 모양을 조절하는 데 쓰이기도 한다.

3) 늑골 연골 이식

늑골 연골은 사용할 수 있는 양과 기계적 강도에 있어서 연골 이식편 중 최고이며, 자가 늑골 연골은 사실상 어떤 모양으로도 조작 가능하고, 기본적인 외과적 원리를 따르는 경우 이식 후 형태와 부피를 유지할 수 있다. 늑골 연골 이식은 종종 귀 전체 재건을 위한 연골 골격으로 사용된다. Tanzer, Thomson 등과 Brent는 각각 귀 골격을 세우기 위해 늑골 연골을 수확하는 기술에 대해 설명하였으며, 6번째와 7번째 연골의 결합과 더불어 8번째 늑골 연골을 연골막과 함께 채취하여 재건하였다. 또한, 전체 귀 재건을 위한 Nagata의 방법은 첫 번째 단계로 4개 늑골 연골을 채취하고, 두 번째 단계로 1개 또는 2개 늑골연골을 이용하여 귀를 재건하였다고 보고하였다.

Uppal 등은 귀 재건술을 받은 42명의 환자들에서 늑골 연골 채취와 관련된 이환율에 대한 조사를 보고하였으며, 가장 흔한 합병증으로 통증과 흉벽의 딸각거림이 있었다. 주로 수술 후 1주차에 제일 심하며, 3개월에 걸쳐 서서히 줄어들었다. 다른 문제로는 흉터와 흉벽 기형이었으며, 그 중 가장 어려운 문제는 수술 중 발생한 기흉과 이로 인한 비정상적인 흉벽 외형이었다.

이 문제점을 해결하기 위해, Kawanabe와 Nagata는 수술 중 및 수술 후 합병증과 문제점들을 피하면서 늑골 연골을 수확하는 새로운 방법을 개발하였으며, 이 방법에 의하면 늑골 연골을 en bloc으로 채취하였으며, 연골막은 완전히 그대로 남게된다. 귀 연골 구조의 제작 후 남은 늑골 연골은 작은 토막으로 잘라 연골막 주머니에 형성된 공간을 채우는 데 사용할 수 있다. 잔류 연골막은 늑막의 손상을 막는 데 도움이 될 뿐만 아니라 연골발생 줄기 세포가 존재하므로 연골 재생을 촉진시키게 된다.

귀 재건 외에도, 늑골 연골 이식의 다른 적용으로는 안장코 재건, 코와 턱의 형성 장애(Binder's syndrome), 유두 재건, 코중격 성형, 기관지 재건이 있다.

2. 자가 연골막 이식

1959년 Lester는 이식된 연골막으로 새로운 연골 형성이 가능하다는 것을 처음으로 발표하였으나, 연골막 이식을 연골 재생에 적용하는 것은 한계가 있으며, 퇴행 무릎 관절 연골의 재건과 같은 특정 조건으로 제한된다. 채취 기술을 포함한 적용 한계점의 잠재적인 원인으로는 수용부위의 산소화가 나쁘고, 새로운 조직의 혼합에 모든 영향을 끼칠 수 있는 연골전구세포가 존재한다는 것이다. 적절한 미세 환경에서 연골막 매개 연골 재생이 가능함이 실험 연구로 밝혀졌으며, Sari 등은 토끼의 배 근육에 이식 후 6주째에 접힌 관절 연골막에서 새로운 연골이 형성되는 것을 발표하였다.

연골막 이식의 주요한 임상 적용 중 하나는 연

골 복원이다. 이미 1975년 초에, Engkvist 등은 토끼 모델에서 관절 연골막 이식에 의한 공간 관절의 연골 재생에 대한 예비 실험 연구를 발표하였으며, 관절염 환자 5명에서 임상 시험을 시행하였다. 퇴행 관절을 제거한 후, 늑골 연골막 이식술을 시행하였고 관절 연골 재생이 이루어짐을 확인하였다.

다른 중요한 임상적 적용으로는 연골막 이식 또는 연골막피부 이식을 통한 코 재건이다. 최근, Boccieri와 Marianetti는 코 수술에 연골막 이식을 적용하는 것을 발표하였으며, 얇고 순응하는 성질 때문에, 연골막은 특히 연골 이식의 모든 부분을 덮는 데 적당하였고, 어떤 부분을 채우거나, 더 큰 두께가 필요할 때 다양한 층으로 쉽게 접히기 때문에 2차 코 성형술에 흔히 사용된다. 또한, 얼굴 재건, 코 결함 재건, 귀 결함 재건, 안검외반의 복원에 쓸 수 있다는 것이 보고되었으며, 연골막과 연골막피부 이식 모두 임상적으로 조직 결함 복원에 널리 쓰임에도 불구하고, 이식된 연골막이 유의한 양의 연골 조직을 재생시킬 수 있다는 이론을 뒷받침할 임상적 근거는 아직 부족한 상태이다.

3. 연골 조작

연골은 아마도 성형 수술에서 가장 흔히 쓰이는 조직 이식편들 중 하나일 것이며 위에 언급한 바와 같이 예전부터 귀 재건, 코 성형, 기타 외과 수술들에 사용되었다. 하지만 자가 연골 이식은 쓸 수 있는 양이 한정적이고 공여 부위 기형을 유발한다는 단점이 있다.

조직 공학은 1980년 후반부터 1990년 초반까지 개발된 새로운 생체기술로, 자가 조직을 만드는 공학적 접근을 통해 인간 조직을 재생하고 복원하는 것을 목표로 하고 있으며, 실제로 연골은 조직 공학의 발전과 밀접한 관련이 있다. 왜냐하면 연골은 기초 원리를 증명하기 위한 조직 표적으로 사용되었기 때문이다. 흥미롭게도, nude mouse 모델에서 인간의 귀 모양 연골 제작이 성공한 것은 조직 복원과 재생을 위한 성형 수술에 있어서 조직 공학 기술의 큰 가능성을 극명하게 보여주는 예라 할 것이다.

조직 공학의 기본 개념은 세포들이 이식되기 전에 원하는 기관 또는 조직으로 발생하고 형성할 수 있는 체계를 제공하는 scaffold를 포함한다. 이 scaffold는 대체된 조직의 세포가 적절한 세포외 기질을 생성할 수 있을 때까지의 초기 생체역학적 환경을 제공한다. 새롭게 발생한 기질이 형성, 침착, 조직화하는 동안, scaffold 또한 분해 또는 대사되고, 결국 조직 기능을 회복, 유지 또는 향상시키는 아주 중요한 기관 또는 조직으로 만들어지게 된다.

일반적으로, 조직 공학 과정는 3가지 요소로 이루어지며, (1) 종자 세포: 기질 생산, 침착, 조직 형성을 위한 구성 요소 (2) scaffold: 세포가 살고, 증식하며 기질을 생성할 수 있는 3D 공간을 제공하는 물질 (3) 조직 형성 환경: 세포가 scaffold에 심어진 후에, 세포는 성장을 시작하고 scaffold에 세포외 기질을 생성하고 침착시킨다. 적절한 환경에서 scaffold가 점진적으로 분해되면서 세포 증식, 기질 생성 및 적절한 조직 재형성으로 조작된 조직이 점차 형성되어 성숙하게 된다.

지난 20년 동안 연골 공학의 기본 및 응용 연구에서 엄청난 진보가 이루어졌으며, scaffold와 같은 여러 가지 생체재료의 탐색, 여러 가지 세포 원천의 탐색, 줄기 세포의 연골발생 유도와 더불어 시험관 내에서 골 조직의 재건과 같은 연골 조직 형성 기술의 발전이 있었다. 이미 귀 재건, 코 성형, 얼굴 윤곽과 같은 성형수술에서 연골 공학의 위대한 잠재력을 보여주었다.

1) 관절 연골의 조작

연골 공학 연구에서 중요한 업적은 인간 귀 모양 연골을 생성할 수 있는 기술의 개발이다. 이것은 성형 수술의 적용 가능성을 분명히 보여주기 때문이다. 연골 공학의 translational 연구의 예를 소개하고자 한다.

인간의 귀 모양 연골을 생성하기 위해서는 원칙에 따라 종자 세포, scaffold 물질 및 동물 모델을 선택해야 한다. 여러 연구에 의하면, 송아지 연골, 폴리 글리콜 산(PGA), 부직 섬유 및 nude mouse 모델에서 유래된 연골 세포가 연골을 구성하기위한 기본 구성 요소가 되었다.

세포를 분리하기 위해 먼저 연골 조각을 상완관절과 상완척골 관절의 관절 표면에서 채취한 다음 37 ℃에서 12~18시간동안 배양 배지에 콜라겐 분해효소의 분해(3 mg/mL)를 수행하였고, 생성된 조직 소화 용액을 여과하고 원심 분리하여 연골 세포를 수집하고 세포를 시험관 내에서 팽창시켰다.

사람의 귀 모양을 위한 scaffold를 준비하기 위해 3세 아동의 귀모양을 본떠서 alginate를 사용하여 주조되었고, 석고 캐스팅을 틀로 사용하여 약 100 μm 두께의 PGA 부직포를 염화 메틸렌에 폴리 락트산(PLA) 1% (w/v) 용액으로 코팅하여 침수 후, 직물을 제거하고 석고 보철 틀을 사용하여 인간의 귀 모양으로 만들었다.

세포-scaffold 구조물을 제조하기 위해, 귀 모양의 scaffold를 배양 접시에 넣고 3 ml의 연골 세포 현탁액(1.5 × 108 세포)을 뿌리고 4시간 동안 배양기에 두어 종자 세포를 scaffold에 부착시킨 후 배양 배지(10% 태아 송아지 혈청, 5 ㎍/mL 아스코르브 산, 292 ㎍/mL L- glutamine, 100 U/mL penicillin 및 100 ㎍/mL streptomycin이 보충 된 Hamm의 F-12)를 첨가하고, 구조물을 37℃, 5% CO_2에서 1주간 배양기에서 배양하였다. 세포가 배양된 구조물은 좋은 귀 모양을 유지할 수 있었으며 scanning 전자 현미경으로 scaffold 및 기질 생산에 좋은 세포 부착을 확인하였다

1주간의 시험관 내 배양 후, 세포-골격 구조물을 nude mouse의 피하 조직에 이식하고 모양을 유지하기 외부의 stent를 지지하였다. 12주간의 시험관 내 이식 후에 인간의 귀와 거의 동일한 3D 형태의 귀 연골 구조가 형성되었으며, 조작된 귀 연골의 형성을 확인하기 위해 조직을 채취하고 피하 조직을 제거하고, 그 결과 육안과 조직학적으로 잘 형성된 귀 모양 연골을 확인하였다. 이 선구적인 연구를 통해, 연골 공학 연구를 특히 조작된 귀 재건과 같은 성형수술 적용으로 변환하는 방법의 예를 알 수 있다.

이 기술을 임상 적용으로 전환할 가능성을 탐구하기 위해 컴퓨터 지원 설계(CAD) 및 컴퓨터 지원 제조(CAM) 기술을 사용하여 시험관 내 인간의 귀 모양 연골 조작 기술을 개발해왔다. 컴퓨터 단층 촬영을 사용하여 기하학적 데이터를 수집하기 위해 환자의 정상 귀를 스캔하여, CAD 시스템으로 정상 귀의 양성 및 음성 영상 데이터를 생성하였다. 데이터 결과는 CAM 시스템에 입력되어 정상 귀의 절반 크기의 3D 구조로 틀을 인쇄 후, PGA 부직포를 틀에 넣고 0.3% PLA 용액으로 코팅하여 상대적으로 단단한 귀 모양 scaffold 재료를 만들었다. 인공 scaffold는 3D 이미지를 생성하기 위해 레이저 스캐닝되어 원래의 귀 3D 이미지와 디지털 방식으로 비교되어 3D 구조의 유사성을 분석할 수 있다. 귀 모양의 인공 scaffold는 원래 귀 모양의 positive mold에 비해 97% 이상의 유사도를 나타내어 CAD/CAM으로 제작된 틀이 정상 귀에 거울상 대칭인 모양의 귀로 정확하게 scaffold를 가공할 수 있었다.

그 후 1mL 부피의 총 50 × 106개 세포를 귀 모양 scaffold에 골고루 뿌리고, 시험관 내에서 규칙적인 시간 간격으로 교체된 배양액에서 배양하였으며, 귀 연골은 12주간의 배양 후 우수한 탄력성을 발휘함을 보여주었다. 조작된 연골은 lacuna 구조 형성과 Safranin-O 및 콜라겐 II에 대한 강한 염색으로 연골의 성숙한 조직학적 구조를 나타내었다. 시험관 내에서 형성된 인간의 귀 모양 연골이 positive ear mold에 82.6%의 형태학적 유사성을 나타낼 수 있다는 것인데, 이는 이 기술이 체외에서 연골 조직을 생성할 수 있을 뿐만 아니라 설계된 3D 조직 구조를 유지할 수 있음을 의미한다. 많은 연구에서 생체 내 삽입 후 시험관 내에서 조작된 귀 모양의 연골의 운명을 연구하기 위해 끊임없이 노력하고 있으며, 이 분야의 진전이 조작된 귀 모양 연골의 최종 임상 적용에의 길을 열 것이라고 기대하고 있다.

연골의 독특한 특성 중 하나는 골절을 일으키지 않으면서 비틀림과 굽힘이 가능한 우수한 탄력성과 유연성이 있다는 것이며, 이는 귀 모양의 연골 및 그 적용에 중요한 고려 대상이다. 2005년 Xu 등은 연조직 귀 연골을 생성하는 새로운 방법을 보고하였으며, 그의 연구에서 효소 소화에 의해 돼지 귀 연골로부터 귀 연골 세포가 분리되고, 섬유소 고분자가 scaffold로 사용되었다. 또한, 귀 연골막을 채취하여 동결 건조시켰으며, fibrinogen 현탁액과 thrombin 용액의 동량을 함께 혼합하여 연골세포-섬유소 중합체 현탁액을 생성시킨 후 현탁액을 뼈 왁스로 만든 귀 모양의 틀에 넣고 중합시켰다. 연성 연골을 생산하기 위해 중합된 연골세포-섬유소 구조물을 동결 건조된 돼지 연골막 2개의 층 사이에 끼워넣어 3층 귀 모양의 구조물을 형성한 다음 무흉선 쥐에 피하로 이식하여 조작된 연골화 조직이 형성됨을 확인하였다.

연골막이 적층된 조작 연골은 천연 돼지 귀와 유사한 기계적 성질을 나타내었으며, 3D구조는 여전히 개선되는 와중에도 골절 없이 심한 비틀림과 굽힘을 견딜 수 있었다. 또한, 조작된 연골과 동결 건조된 연골세포 간의 좋은 통합을 보여주었다. 동결 건조된 연골막의 층상배열이 조작된 귀 연골에 유연성을 주는 신뢰할 수 있는 방법이라는 것을 보여주었으며, 미래에 적절한 scaffold의 선택은 더 나은 3D구조를 가진 유연한 귀 연골을 생성하기 위해 정확하고 상세한 구조를 조절하는 데 도움이 될 수 있을 것이다.

동물 연골세포를 이용한 실험적 연구에 더하여, 인간 연골세포는 조작된 연골 형성 능력에 대해서도 많은 연구가 이루어졌다. Kamil 등은 정상적인 연골세포와 환자로부터 얻은 소이증 연골세포를 비교 연구한 결과, 세포 증식과 연골 조직 형성에 있어 유사한 능력을 보였으므로, 소이증 환자에서 유래한 연골이 사람 귀의 연골을 조작하는 세포의 공급원이 될 수 있음을 시사하였다. Yanaga 등은 조작된 인간 연골을 이용한 귀 재건의 임상 시험을 보고하였으며, 소이증 환자의 연골 잔존물에서 분리된 연골세포를 시험관 내에서 다층 배양법으로 배양한 다음, 생성된 gelatin 연골모양 기질과 함께 확장된 세포를 주사기에 0.5-1 × 10^7개 세포/mL 밀도로 모은 후, 40~73 mL의 세포/gelatin 기질을 16 gauge 내재 바늘을 사용하여 환자의 하복부 근막의 피하에 부착된 주머니에 주사하여 귀 골격으로 만들 수 있는 조작된 연골 토막을 만들었다. 이식 후 6개월째 복부 환경에서 큰 연조직 연골이 형성되었고, 이는 조직 검사에서도 확인되었다. 이 조작된 연골 토막은 귀 골격을 만들기에 충분한 연골을 제공하며, 이식 후 수년 동안 명백한 흡수 없이 재건된 귀를 잘 지지할 수 있었다. 이 예비 연구는 조작된 귀 재건의 미래 임상 적용에 중요한 지지 증거를 제공하게 될 것이다.

2) 코 성형술 및 안면 윤곽술을 위한 조작된 연골

귀 재건 외에도 코 성형은 조작된 조직 연골이 임상적으로 적용될 수 있는 또 다른 영역이며, 귀 재건과 달리, 주사 가능한 연골은 조작된 연골을 이식하기 위한 중요한 물리적 형태이다.

조직 공학 연구의 초기 단계에서 주사 가능한 연골을 이용하여, 천천히 굳는 칼슘 alginate 젤 또는 Pluronic 젤, 그 사이 다른 것들을 사용하여 조작된 연골의 유용성에 대한 연구가 이루어졌으며, 최근 발표 된 연구에서, 인간 연골세포는 주사 가능한 scaffold를 사용하여 연골을 형성할 수 있다는 것이 확인되었다.

대부분의 조작된 주사 가능한 연골에 대한 연구는 동물 세포 또는 동물 모델을 사용하는 실험 단계에 머물러 있지만, 주사 가능한 연골의 임상 적용에 대한 몇 가지 보고가 있다. Yanaga 등은 코 확대를 위해 배양된 주사 가능한 자가 연골세포의 임상 시험을 보고하였다. 연골 세포를 추출하기 위해 귀에서 연골 조각을 채취하고, 세포를 시험관 내에서 겔 유형의 세포 함유 덩어리로 팽창시킨 후 , 환자의 콧등에 골막하 피부 주머니를 만들고, 연골세포를 겔 덩어리 내에 이식하여 3주 동안 부목과 테이프로 고정시켜, 주입된 조직의 생검으로 이식 후 1개월째 조작된 연골 형성을 확인하였다.

이 수술은 8명의 환자에서 1차 코 확대 또는 실리콘 이식물 노출 또는 만곡으로 인한 기형을 교정하기 위해 적용되었으며, 환자들은 6개월에서 2년 동안 추적 관찰되었고 주사된 연골은 재흡수되지 않고 형태를 유지함을 관찰하였다.

주사 가능한 연골 이외에, 생체 내 조작된 연골은 코 재건을 위해 잠재적으로 사용될 수 있으며, Farhadi 등은 인간 코 연골의 조작법을 보고하였다. 연구에서 연골세포는 코 중격에서 분리되어 에스테르화 된 히알루론산(Hyaff-11)의 부직포 그물에 뿌려, 세포-scaffold 구조물을 시험관 내에서 2주 또는 4주 동안 배양한 다음 nude mouse에 이식하였다. 그 결과, 2주간의 생체 내 이식 후 연골이 잘 형성되었고 조작된 연골은 우수한 기계적 성질을 나타내었다.

3) 관절 연골 복원 및 재건을 위한 조작된 연골

조작된 연골은 관절 연골 복원 또는 재건을 위한 복합 이식편으로 사용될 수 있다. 턱 관절(TMJ)과 손가락뼈 관절의 두 가지 목표가 있으며, 2001년 Weng 등은 뼈와 연골의 조작된 조직 합성물로 하악 융기관절 재건술에 대한 예비 연구를 발표하였다. 이 연구에서는 PLA가 코팅된 PGA의 scaffold를 인간 하악 융기관절 모양으로 만든 후, 각각 골모세포 및 연골세포를 뿌리고 nude mouse에 생체 내 이식을 실시하였다. 12주

후에 융기관절 모양의 뼈 조직이 표면에 귀 연골로 잘 형성되었고 조직학적으로 확인된 유리질 연골과 기둥 뼈 형성은 임상적으로 TMJ 재건을 위한 가능성을 보여주었다.

연골은 손가락 사이 관절이나 중수지 관절의 주요 조직 구성 요소로서 중요한 기능적 역할을 한다. 1999년 초에 Isogai 등은 조작된 조직 접근법을 사용하여 작은 손가락 및 전체 관절을 구축하는 예비 연구를 보고하였다. scaffold로서 PLA 또는 PGA의 사용을 포함하며, 신선한 소의 연골막으로 뼈 조작을 위한 scaffold를 감싼 후, 연골세포와 tenocyte를 관절 연골 및 관련 힘줄 조직을 형성하기 위해 scaffold에 뿌렸다. 그 결과, 인간 손가락뼈 및 관절의 크기와 모양의 예비적 복합 조직이 형성됨을 보여주었다. 이 연구들이 비록 예비적이지만, 그 결과는 관절 재건에서 조작된 연골의 앞으로의 응용에 대한 약속을 밝혀주리라 생각된다.

4. 미래 방향

귀와 코 재건에서 조작된 연골에 대한 몇 가지 예비 임상 시험에도 불구하고, 연골 연구를 임상 적용으로 전환하기 전에 기초 연구와 응용 연구 모두에서 할 일이 많이 남아있는 현실이다. 목표를 달성하기 위해 다음 영역이 향후 방향을 제시할 수 있으리라 생각된다.

1) 줄기 세포 기반 연골 조작

귀 연골 및 코 연골 모두 연골세포를 추출하는 원천으로 사용되었지만, 이용 가능한 조직의 양은 제한적이며, 더 많은 부피의 조직이 갈비 연골로부터 수확될 수 있지만, 수확할 수 있는 세포의 양은 낮은 세포 밀도로 인해 제한되게 된다. 줄기 세포, 특히 성인 줄기 세포는 다분화 잠재력(연골형성능 포함)과 강력한 증식 능력 때문에 대체 세포원천으로 생각되어진다.

골수와 지방 조직에서 유래한 성인 간엽 줄기세포는 연골 조직 공학에서 가장 유용한 세포원이며, 연골 세포의 분화는 성장 인자 유도 또는 연골 세포 또는 연골형성 기질과의 공동 배양으로 얻을 수 있다. 최근 몇 년 동안, 연골 미세 환경의 분자 신호 전달은 줄기 세포의 연골 형성 분화 및 연골 형성을 촉진시키는 데 중요하게 고려되었다. Paracrine factor, 연골 형성 기질, 그리고 적절한 지형구조의 적절한 조합에 의한 연골 형성 유도 체계의 최적화는 줄기 세포의 연골 분화를 촉진시키고 줄기 세포로 조작된 연골의 구조와 기능을 향상시킬 것으로 보인다.

2) 강화된 기계적 강도를 지닌 연골의 시험관 내 조작

성형 수술의 적용은 재건 수술 과정을 위한 귀와 코 틀을 만들기 위해 즉시 이용 가능한 연골 이식을 필요로 하게 되며, 생체 내 조작된 연골은 먼저 인체를 생물 반응기로 사용하고 생체 내 조작된 연골 블록을 원하는 틀로 재구성하는 작업으로, 2단계 수술로 진행해야 한다. 또한 환자는 생체 내 조작의 첫 번째 단계가 실패하는 경우 불필요한 고통을 겪을 수 있으며, 시험관 내 연골 공학은 2단계 수술을 피할 수 있을 뿐만 아니라 환자의 고통 유발 없이 시험관 내에서 실시간으로 조작할 수 있는 연골을 더 많이 만들 수 있기 때문에 실패의 위험을 줄일 수 있다.

오늘날, 시험관 내 연골 조작은 이미 연골 세

포 또는 간엽 줄기 세포를 이용한 실험적 연구에 의해 실현되었지만, 시험관 내에서 조작된 연골의 기계적 강도는 생체 내에서 조작된 연골에 비해 상대적으로 약하게 남아있다. 시험관 내와 생체 내의 미세 환경 차이에 기인할 가능성이 있으며, 후자는 조작된 연골의 성숙을 촉진하여 콜라겐 IX와 pyridinoline과 같은 주요 기질 분자의 분화적 발현과 향상된 기계적 강도를 이끌 수 있다. 환경적 기전을 정의하는 것은 여전히 어려운데, 생체 내 미세 환경 요소를 부분적으로 모방하는 것은 시험관 내 연골의 기계적 성질을 향상시키는 데 도움이 될 수 있을 것이다. 미래에, 콜라겐 성숙을 용이하게 할 수 있는 다른 인자뿐만 아니라 기계적 부하가 생체 내 연골 조작을 위한 미래의 방향 중 하나가 될 수 있을 것이다.

3) 조작된 연골 3D 구조의 설계 및 정밀 제어

귀 및 코 재건에서 조작된 연골을 적용하기 위해서는 3D 구조의 정밀한 제어가 필요하며, 앞에서 설명한 것처럼 CAD/CAM 시스템은 3D 정보를 수집하고 환자의 본래 귀 또는 코 구조와 일치하는 특정 3D 구조로 scaffold를 제작하는 데 필수적이다. 또한, 연골 형성 중에 정확한 3D 구조를 유지할 수 있는 적절한 scafflod 제작은 중요한 고려 사항이 될 수 있으며. 느린 분해율을 갖는 내부 중심 스텐트는 성숙한 연골 형성 후 내부 중심이 분해되기 시작하면 3D 구조를 유지하는 데 도움이 될 수 있을 것이다.

References

1. Han K, Kim J, Son D, et al. How to harvest the maximal amount of conchal cartilage grafts. J Plast Reconstr Aesthet Surg. 2008;61:1465–1471.
2. Zhang YX, Yang J, Wang D, et al. Extended applications of vascularized preauricular and helical rim flaps in reconstruction of nasal defects. Plast Reconstr Surg. 2008;121:1589–1597.
3. Tanzer RC. Total reconstruction of the auricle. The evolution of a plan of treatment. Plast Reconstr Surg. 1971;47:523–533.
4. Thomson HG, Kim TY, Ein SH. Residual problems in chest donor sites after microtia reconstruction: a long-term study. Plast Reconstr Surg. 1995;95:961–968.
5. Brent B. The correction of microtia with autogenous cartilage grafts: II. Atypical and complex deformities. Plast Reconstr Surg. 1980;66:13–21.
6. Brent B. Auricular repair with autogenous rib cartilage grafts: two decades of experience with 600 cases. Plast Reconstr Surg. 1992;90:355–374.
7. Nagata S. A new method of total reconstruction of the auricle for microtia. Plast Reconstr Surg. 1993;92:187–201.
8. Uppal RS, Sabbagh W, Chana J, et al. Donor-site morbidity after autologous costal cartilage harvest in ear reconstruction and approaches to reducing donor-site contour deformity. Plast Reconstr Surg. 2008;121:1949–1955
9. Kawanabe Y, Nagata S. A new method of costal cartilage harvest for total auricular reconstruction: part I. Avoidance and prevention of intraoperative and postoperative complications and problems. Plast Reconstr Surg. 2006;117:2011–2018.
10. Lester CW. Tissue replacement after subperichondrial resection of costal cartilage: two case reports. Plast Reconstr Surg. 1959;23:49–54
11. Sari A, Tuncer S, Ayhan S, et al. What wrapped perichondrial and periosteal grafts offer as regenerators of new tissue. J Craniofac Surg. 2006;17:1137–1143.

12. Engkvist O, Johansson SH, Ohlsén L, et al. Reconstruction of articular cartilage using autologous perichondrial grafts. A preliminary report. Scand J Plast Reconstr Surg. 1975;9:203–206.
13. Boccieri A, Marianetti TM. Perichondrium graft: harvesting and indications in nasal surgery. J Craniofac Surg. 2010;21:40–44.
14. Weng Y, Cao Y, Silva CA, et al. Tissue-engineered composites of bone and cartilage for mandible condylar reconstruction. J Oral Maxillofac Surg. 2001;59:185–190.
15. Peter C. Neligan. Plastic Surgery. Third edition, 2013
16. 강진성. 성형외과학. Third edition, 2004

10 골이식
Bone Graft

이혜경 을지의대

1. 골이식의 성형외과적 이해

성형외과 의사에게 골이식이라는 의미는 이식된 골조직 또는 골 대체물질이 주변의 좋은 혈행을 가지고 있는 연부조직 또는 피판으로 충분히 안전하게 피복되어 치유되도록 하기까지의 과정을 포함하여 수술을 완성하는 것이라고 할 수 있을 것이다. 여러 연구 결과에서도 이러한 주변 조직의 혈행이 골이식 또는 골 대체물의 이식 후 치유 과정에서 osteogenic properties를 증가시키는 것과 연관성을 보여주고 있다.

2. 서론

Wolff's law: Jullius Wolff (German, 1892)가 주창하였듯이 골조직은 매우 단단하고 안정되어 보이지만 우리 신체의 어느 조직보다도 외부 자극에 대한 반응과 끊임없는 리모델링이 이루어지고 있는 부분이라는 것을 이해하고 이에 대한 일련의 과정 중 아직까지 명확하게 밝혀지지 않은 것들도 매우 많으나 현재까지 이루어진 연구의 결과를 토대로 골 이식이 성공적으로 이루어질 수 있도록 적응증에 맞는 다양한 방법을 적용하는 것이 필요할 것이다. 또한 골이식은 여러 종류의 이식 수술 중에서 단연 잦은 빈도를 보이며 이는 이의 유용성을 반증하는 것이라 할 것이다.

이상적인 골이식 또는 골 대체물의 이식에는 3가지 주요 요소가 있는데 골전도 구조물(Osteoconductive matrix), 골유도 요소(Osteoinductive factors) 그리고 골혈성세포(osteogenic cells)가 그에 해당된다.

3. 골이식의 적응증

골이식을 함으로써 구조적인 결손을 재건할 뿐만 아니라 치유 속도를 높여 결과적으로 불유합이나 이식골의 골절 빈도를 낮출 수 있다.

1) 외상

급성 골절, 불유합, 지연 유합, 골절단면의 결손부위를 메우거나 유합촉진을 위하여 하며 관절 사이를 메꾸거나 관절 고정을 위함이다.

2) 종양

종양 등 제거 후 생긴 빈 공간을 메꾸게 되는데 감염 등 골조직의 결손부위에 골조직 또는 대체 물질을 이식하여 골치유를 빠르게 진행시키고 도와주는 수술을 말한다.

4. 골이식의 종류

1) 자가골 이식(Autograft)

(1) 자가해면골(Cancellous bone) 이식

일명 'Gold Standard'라 하여 골이식 치유 과정의 3가지 주요 요소를 모두 제공할 수 있다. 공여부로는 장골릉(iliac crest), 대천자골(greater trochanter), 원위부대퇴골(distal Femur), 경골(tibia), 발꿈치뼈(calcaneus), 요골(radius), 상완골(humerus) 등을 들 수 있으며 이 중 장골릉이 가장 많이 사용되는 공여부이다. 채취방법은 골피질에 어느 정도 크기의 구멍을 내고 긁어내는 방법과 천공을 만들어 흡인하는 방법 등이 사용된다. 흡인된 이식골에는 osteoprogenitor cell과 Nucleated cell의 비율이 5만 대 1이라고 알려져 있으며 이는 나이가 많아짐에 따라 4분의 1 수준으로 낮아지게 된다.

장점은 골이식 치유의 3가지 요소를 모두 갖추고 있다는 것이며 단점으로는 채취량의 제한, 공여부의 유병률, 초기에 지지구조로서의 역할이 다소 부족하다는 것이나 이는 빠른 치유가 이루어진다면 어느 정도 극복된다고 할 수 있다.

(2) 자가피질골(Cortical bone) 이식

해면골 이식에 비하여 생물학적 요소가 부족하고 revascularization되는 데에 해면골에 비하여 3배 정도 뒤늦게 혈관 침투가 이루어진다고 알려져 있으나 지지구조로서의 역할은 우수하다. 즉 해면골에 비하여 다공질 구조가 미약하고 접촉 면적이 좁으며 cellular matrix가 적다는 단점이 있다. 비골(fibula), 늑골(rib), 두개골의 외측 피질(outer cortex of calvarium) 등이 주요 공여부이다.

한편 성형외과 영역에서는 큰 결손부를 재건하는 데에는 혈관경을 포함하는 vascularized cortical bone graft를 사용하고 있어 골형성 요소와 골유도 요소를 함께 제공할 수 있도록 한다.

이때 골막도 포함하여 이식하면 수혜부와 골이식 이행 부위의 치유를 좀 더 효과적으로 진행시킬 수 있다. 대표적인 공여 피판으로는 DCIA (deep circumflex iliac artery) bone flap, fibular free flap 등이 있다.

2) 동종골 이식(Allograft)

(1) 개요

해면골 또는 피질골 모두 사용할 수 있으며 이를 다루는 업체 또는 기관에 따라 fresh graft, fresh frozen graft, freeze dried graft로 나눌 수 있다. 다량의 골이식을 사용할 수 있고 골전도 구조물을 제공하고 방사선 또는 ethylene oxide로 감염원을 차단하게 되지만 특히 HIV, Hepatitis B, C 등의 전파를 막는 것이 중요하다. 미국에서는 이에 대한 표준화된 감시 체계를 갖추고 The American Association of Tissue Banks (AATB)에서 관리 감독을 하고 있다.

(2) fresh bone allograft

공여자의 감염 여부를 확인할 수 있는 시간이 부족하여 감염과 면역에 대한 위험성을 배제할 수 없어 관절면을 재건하는 데에만 제한적으로 사용하고 있다.

(3) fresh frozen allograft

감염과 면역에 대한 검증을 할 시간이 확보되며 FDA에서 관리하고 있고 구조적 대체물로서 좋은 이식골이다.

(4) freeze-dried allograft

감염과 면역에 대한 검증을 할 시간이 확보되며 이 또한 FDA에서 관리하고 있고 실온에서 5년간 보존 사용 가능하다.

▷표 1-10-1. 골이식 종류에 따른 세 가지 주요 요소에 대한 비교

골이식 종류	구조적 강도	골전도	골유도	골형성
자가해면골	-	+++	+++	+++
자가피질골	+++	++	++	++
동종해면골	-	++	+	_
동종피질골	+++	+	_	_

3) 골대체물 이식 (Bone graft substitues graft)

(1) 필요성

자가골 이식이든 동종골 이식이든 공여부의 유병률, 공급의 부족, 감염성, 면역 체계에 대한 극복 등 여러 제한점이 있고 이러한 단점을 보완하고 치유 과정의 주요 요소들을 첨가하여 사용하고자 하는 요구가 대두되게 되었다.

(2) 역할과 특징

자가골 이식의 대체물로서 또는 부족분을 보충하고 자가골 이식의 치유를 보조하는 역할이 있으며 그 구성 성분에 따라 흡수되는 정도가 다양하다. 또한 다공성의 구조와 밀도, 분포에 따라 다양한 흡수율을 나타낸다. 다공성은 단순히 밀도나 크기보다 연결성이 보다 중요한 인자이다. 압박에 대한 강도는 대개 해면골의 그것과 유사하며 내고정 장치를 사용하여 이식한다.

(3) 종류

▷표 1-10-2. 대표적인 골대체물의 비교

성분	성상	주요 요소 기능
Calcium phosphate	Injectable paste	골전도
Calcium sulfate	Pellets	골전도
Collagen based matrices	Powder, strip	골유도
Demineralized bone matrix	Various form	골전도, 제한적 골유도
Hydroxyapatite	Various form	골전도
Tricalcium phophate	Injectable paste	골전도

4) 골유도 물질(Osteoinductive agents)의 조건과 종류들

① MSCs (mesenchymal stem cells)의 recruitment를 할 수 있어야 한다.
② MSCs의 osteoblast로의 분화를 촉진시킬 수 있어야 한다.
③ Osteoblast는 In Vivo study에서 Ectopic bone을 만들 수 있어야 한다.
④ BMPs (bone morphogenic proteins), FGF(fibroblast growth factors) TGF-β (transforming growth factor),

PDGF (platelet derived growth factor) 등이 있다.

5. 골이식의 생착에 관여하는 주요 과정과 요소

1) 골전도(Osteoconduction)

골이식재가 결손 부위를 메웠을 때 수혜부의 혈관, 주변 조직, osteoprogenitor cell들이 이식골 내부로 자라 들어오거나 침투하는 과정을 말한다. 이 때 이식된 골 또는 대체물질이 반드시 생존 가능할(viable) 필요는 없으나 구조적으로는 자가해면골과 유사한 다공성과 미세 구조를 가지고 있어야 생착이 지연되지 않을 것이다.

2) 골유도(Osteoinduction)

골형성 성분을 생산하도록 자극하는 일련의 과정을 말하며 중간엽세포가 연골이나 골형성세포로 분화하도록 유도하는 BMPs의 조절을 받는다. 자가해면골이식은 골유도에서 우수하며 앞서 언급한 이상적인 골이식 조건에 가장 많이 부합하는 방법이다. 다시 말하면 어떤 형태의 골치유 과정이라도 나타날 수 있으며 미성숙 세포를 preosteoblast로 변화하도록 자극하는 것이다.

대표적으로 골절 시 흔히 나타나는 현상으로서 다양한 BMP, osteoinductive material 등 내외부 요인으로 더 잘 진행될 수 있으며 이에 대한 기전이 잘 밝혀지고 방법이 개발된다면 커다란 골 결손의 발생 시 공여부의 유병률을 최소화하고도 골 재건을 할 수 있을 것이다.

3) 골형성세포(Osteogenic cells)

골형성세포는 중간엽세포형의 세포이며 이식된 골수나 수혜자의 골수로부터 제공(summon)되는데 대부분은 수혜부로부터 이식골로 제공된 것을 알 수 있고 이는 수혜부의 혈행과 조직의 상태가 골이식 성공에 중요한 인자임을 시사한다.

4) Osseointegration

성형외과 영역에서 필요한 개념으로서 보형물과 골조직 사이에 일어나는 안정적인 접촉을 말하며 기능적, 구조적 결합을 지칭한다. 또는 생체의 조직과 보형물 사이에 직접적인 결합을 말한다. 즉 골치유 시와 달리 중간에 연골조직 등이 나타나는 현상은 없으며 . 보형물의 표면성상에 따라 이 현상의 성공여부가 결정된다고 볼 수 있다. 아주 미세한 요철이 있는 것이 덜 미끄러져 유리하다.

5) 골이식 생착(Incorporation of graft) 과정

(1) Primary phase

혈종 형성과 염증 반응이 일어나고 조혈모세포의 축적, 괴사골의 소실이 일어난다. 즉 소실과 중간엽세포의 골형성세포로의 분화가 반복적으로 일어나면서 골형성이 진행된다.

(2) Second phase

골모세포가 죽은골기둥에 배열되고 조혈 골수세포들이 새로운 골수를 형성한다. 이러한 과정에서 초기의 Woven bone은 서서히 Lamellar bone으로 변형되는데 이것은 골모세포와 파골세포의 반복적인 조정에 의한 것이며 결과적으로 이식골이 정착되게 된다.

(3) 해면골과 피질골의 차이

해면골은 'Creeping substitution'에 의하여 골흡수와 골형성이 동시에 일어나 빨리 결합하나 초기에는 지지구조로서의 역할은 부족하며 피질골은 파골작용이 먼저 일어나고 골모작용이 나중에 일어나게 된다.

6) Bone remodeling

이식골은 지속적으로 리모델링이 되는데 연부조직에서 흉터를 형성하는 것과는 대조적인 특징이다. 덧붙여 apposition에 의한 intramembranous ossification과 hyaline template을 형성하는 endochondral ossification에 대한 이해가 필요하다.

7) 골이식에 관여하는 세포들과 기질

(1) Osteoblast

① **Major signaling pathways**

아직까지 이 과정에 대한 명확한 것이 모두 밝혀지지는 않았으나 Wnt/Beta-catenin signaling, notch signaling, TGF-beta/BMP, FGF등은 이 과정의 수행하는 데에 주요 역할을 나타낸다고 알려져 있다.

② **Transcriptional regulation**

Cell cycle regulation에 관여하는 runt-related transcription factor 2 (RUNX2) RUNX2 osteoblast differentiation에도 가장 중요한 인자로 알려져 있다.

(2) Osteocyte

Osteoblast로부터 분화된 이 세포는 골조직의 90% 이상을 차지하나 그에 반해 명확이 그 실체와 역할에 대한 지식이 정립되지 않은 상태이다. 일부 확인된 바로는 mechanosensory cell로서의 역할이다. 즉 어떤 외부의 힘을 화학적 또는 전기적 신호로 바꾸어 bone remodeling을 하도록 유도한다는 것이다. 다음으로 periosteocytic osteolysis라 하여 osteoclast같은 역할도 있다고 알려져 있다.

(3) Osteoclast

골흡수에 관여하는 세포로서 골의 성장, 골절의 치유과정, 치아 생성 등에 관여하며 골의 remodeling을 담당한다.

(4) Extracellular matrix (ECM)

Osteoblast로부터 대부분이 생성되며 type I collagen을 포함하여 30여 가지의 collagen, osteopontin, BSP 등의 phosphoprotein, osteonectin 등의 glycoprotein으로 구성되어 있다. 그 외 osteocalcin 등이 주요 요소이다.

References

1. 대한성형외과학회. 성형외과학. 여문각, 1994
2. 대한성형외과학회. 표준성형외과학 2판. 군자출판사, 2009
3. Neligan PC. Plastic Surgery 3rd Edition. Elsevier, 2013
4. Banyard DA, Bourgeois JM, Widgerow AD, Evans GR. Regenerative Biomaterials: A Review. Plast Reconstr Surg. 2015 Jun; 135(6):1740-8
5. Bauer TW, Muschler GF. Bone Graft Materials. An Overview of the Basic Science Clin Orthop Relat Res. 2000 Feb; (371):10-27. Review.
6. Buck DW 2nd, Dumanian GA. Bone Biology and Physiology: Part I. The Fundamentals Plast Reconstr Surg. 2012 Jun; 129(6):950e-956e
7. Buck DW 2nd, Dumanian GA. Bone Biology and Physiology: Part II Clinical Correlates Plast Reconstr Surg. 2012 Jun; 129(6):950e-956e.
8. Chapman MW. Chapman's Orthopedic Surgery. 3rd Edition, Lippincott Williams & Wilkins, 2001
9. Deng AD, Innocenti M, Arora R, Gabi M, Tang JB. Vascularized small-bone transfer for fracture nonunion and bony defect. Clin Plast Surg. Vol 44 267-285, 2017
10. Dimitriou R, Jones E, McGonagle D, Giannoudis PV. Bone regeneration: current concepts and future directions. BMC Med. 2011 May 31;9:66. Review.
11. Lieberman JR, Friedlaender GE. Bone Regeneration and Repair: Biology and Clinical Applications. Humana Press Inc

11 신경의 봉합과 이식
Repair and Grafting of Peripheral Nerve

김진수 광명성애병원

1. 개요

신경은 타박상, 압궤손상, 완전 또는 부분 파열 등 다양한 형태로 발생한다. 감각신경이 손상되면 감각의 이상을 운동신경이 손상되면 운동 기능의 장애가 발생한다. 손상의 정도에 따라 감각신경은 완전 파열 되면 해당부위의 감각소실이 되나 부분손상 또는 압박으로 손상되면 감각의 저하 또는 이상 감각이 발생한다. 운동신경이 손상을 받으면 부위와 정도에 따라 다양한 운동 기능의 장애를 유발한다

신경의 파열은 즉시 봉합을 하는 것이 가장 바람직하며 결손이 있는 경우 신경의 이식, 도관, 신경의 전이 등 다양한 방법으로 재건할 수 있다. 주변조직에 의하여 신경이 압박되어 발생하는 손목터널증후군(carpal tunnel syndrome)과 같은 신경압박증후군은 압박의 원인을 제거하여 신경의 기능을 회복하도록 하여야 한다.

2. 말초 신경의 해부

신경은 신경세포체(cell body)와 축삭(axon)으로 구성되어 있다(그림 1-11-1).

① 신경외막(epineurium): 신경의 가장 외측을 둘러 싸고 있는 막으로 신경의 구성 중 가

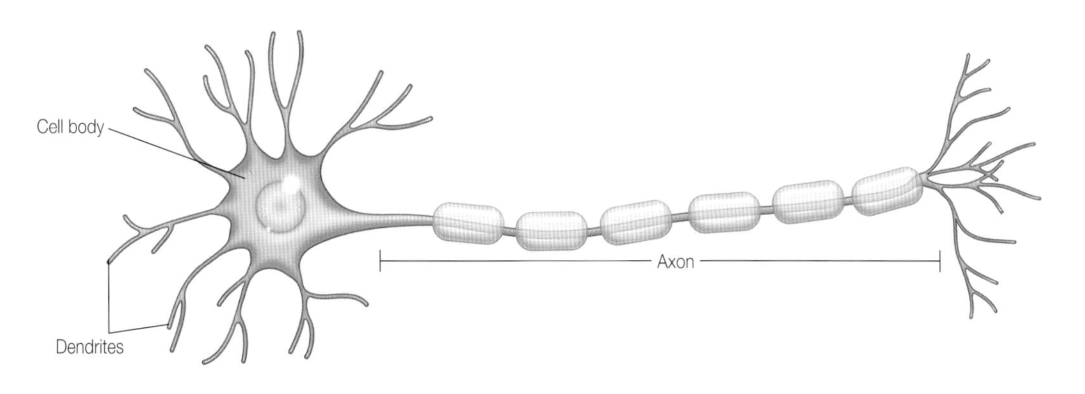

▷그림 1-11-1. 신경의 구조

장 튼튼한 구조로 신경의 물리적인 강도를 유지하고 혈류를 공급하는 혈관의 포함하고 있다.

② 신경다발막(perineurium): 신경외막 내부에서 신경다발(fascle)을 둘러 싸고 있는 막으로 이것으로 의하여 신경다발이 구분된다.

③ 신경섬유막(endoneurium): 신경다발 내부의 섬유조직으로 신경다발을 구분한다.

④ 신경내막(fascicle): 신경다발막에 의하여 구획되어지는 신경의 단위이다(그림 1-11-2).

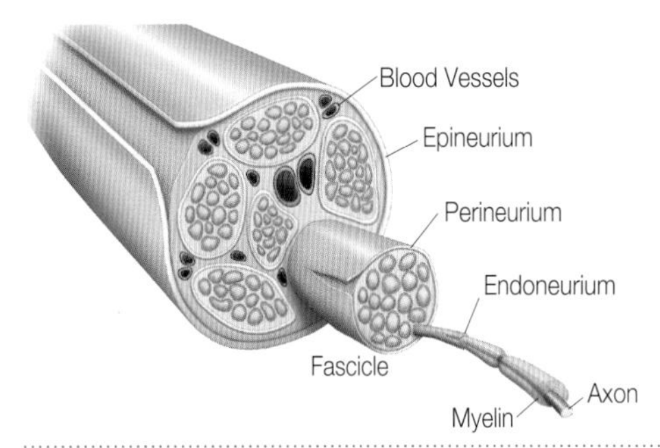

▷그림 1-11-2. 축삭의 구조

3. 신경손상

1) 신경손상의 형태

(1) 단열손상

신경이 부분적 또는 완전히 연속성이 손상된 경우로 대부분 칼, 유리 등과 같은 날카로운 물체에 의하여 발생하며 완전 단열에서 부분 단열 등 다양한 정도로 발생한다. 신경의 지배영역의 감각이상과 운동기능이상을 보이며 주변의 피부, 근육 또는 혈관의 손상과 동반한 경우가 흔하다.

(2) 압궤손상

해당부위가 눌린 후 발생하는 신경손상의 형태이다. 신경이 연속성은 손상되지 않는 경우가 많으며 골절 또는 주변조직의 손상이 동반 될 수 있다. 눌린 부위에 혈종 또는 부종으로 내부 압력이 증가하여 구획(compartment) 내에 위치한 신경 동맥 근육 등에 과도한 압박이 가해지고 혈류순환이 차단되고 빠른 시간 내에 압력의 증가가 해소되지 않으면 해당 구조물들의 비가역적인 손상이 발생한다. 산업재해 또는 교통사고로 인하여 발생하는 경우가 많고 피부의 손상이 없이 발생하는 경우도 있으며 진단이 늦어지는 경우가 많다.

(3) 견출손상

신경이 당겨지면서 근위부에서 뽑혀 나오는 형태의 손상이며 상완신경총(brachial plexus)에서 흔히 발생한다. 분만 중 산도를 통과하면서 어깨에 과다한 압력이 가해지면서 발생하거나 교통사고 등에서 신경이 근위부에서 당겨지면서 손상되는 경우가 흔하다.

(4) 신경압박 증후군(Nerve entrapment syndrome)

신경이 해부학적으로 좁은 부위에서 주변조직에 의하여 신경이 압박되고 혈류순환이 저하되어 나타나는 형태로 손목터널증후군, 척골신경 압박 등이 대표적인 형태이다.

2) 신경손상의 분류

(1) 생리적 신경차단(Neuraparaxia)

신경외막과 축삭의 구조적 손상이 없이 일시적으로 전도기능이상(conduction block)이 발생한 것으로 치료를 하지 않아도 시간이 지나면서 회복된다.

(2) 축삭 절단(Axonotmesis)

신경의 외부구조인 신경외막과 신경다발막은 손상되지 않고 축삭만 손상되는 형태로 정도에 따라 자연히 회복되기도 하나 손상된 축삭부위가 반흔으로 변화되어 축삭의 재생을 방해하는 경우 수술적 치료를 하여야 한다.

(3) 신경절단(Neurotmesis)

신경이 모든 구조물이 단열된 경우로 신경봉합을 하지 않으면 신경은 재생되지 않는다(그림 1-11-3).

4. 신경손상의 진단

1) 신체검사

신경손상을 확인할 수 있는 가장 중요한 방법이다. 감각신경이 손상되면 해당부위의 감각이 저하된다. 2점식별력검사(2 point discrimination test)을 시행하면 도움이 될 수 있다. 통증 또는 긴장이 심한 환자, 감각저하를 정확하게 표현하지 못하는 소아는 감각 검사만으로 진단이 어려우므로 손상의 깊거나 동반된 혈관손상이 의심되는 경우 탐색술(exploration)을 시행하는 것이 바람직하다. 감각의 이상이 없어 단순봉합을 하더라도 추후 신경손상에 대한 재평가가 필요할 수 있음을 알려 주어야 한다. 운동신경이 손상되면 해당 신경으로 지배받은 근육의 기능이 저하되는 것으로 진단할 수 있다. 개방성 상처의 경우 신경손상과 근육의 손상이 동반되어 근육손

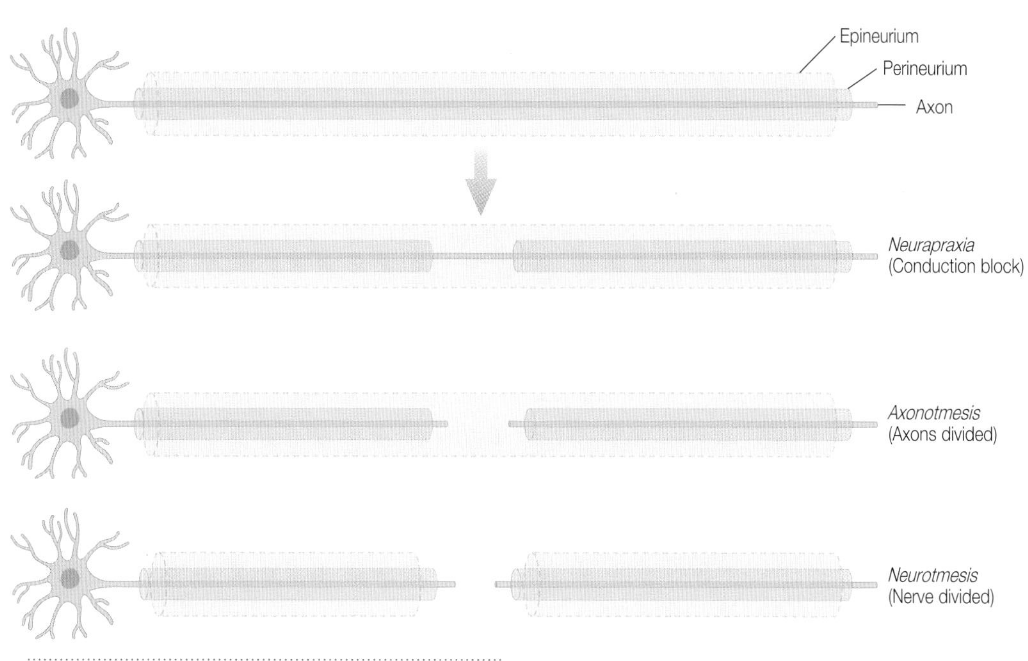

▷그림 1-11-3. 신경손상의 분류

상으로 인한 운동장애로 오진하고 신경손상을 간과할 수 있어 주의하여야 한다. 대부분 신경은 감각을 담당하는 신경과 운동을 담당하는 신경이 혼합되어 있어 다양한 형태의 기능소실을 유발한다. 운동신경만 선택적으로 손상된 경우 감각은 이상이 없으므로 감각검사만으로 신경손상이 없다고 판단할 수 있는 위험이 있어 해당 신경의 해부학 지식을 바탕으로 세심한 진찰과 검사를 하여야 한다.

2) 신경생리학 검사

신경전도검사(nerve conduction study)에서 신경손상의 특징은 fibrillation과 positive sharp wave이다. 신경검사는 손상 후 약 3주 내에는 나타나지 않는 경우가 많아 손상 직후 진단에는 도움이 되지 않는다. 근전도검사는 손상된 근육에서 전기활동을 측정하는 검사로 근육의 신경재생(reinnervation)보다 약 1개월 정도 선행하므로 예후판단에 도움이 된다.

3) 방사선 검사

크기가 큰 신경의 경우 MRI, 초음파검사가 진단에 도움이 될 수 있으나 보조적인 수단이다.

5. 신경 손상의 재생

신경 세포체(cell body)가 손상되면 신경이 사멸하게 되어 재생되지 않는다. 축삭(axon)의 손상 시에는 대부분 재생이 가능하며 손상의 형태에 관계 없이 원위부 쪽으로 유사한 방법으로 신경이 재생하면서 기능이 회복된다. 회복까지 걸리는 시간은 손상된 위치에 따라 결정된다.

1) 염증반응과 왈러변성 (Wallerian degeneration)

손상 직후 손상된 창상회복(wound healing process)에 따라 염증반응이 시작된다. 원위부 축삭은 변성(degeneration)이 되고 변성된 조직

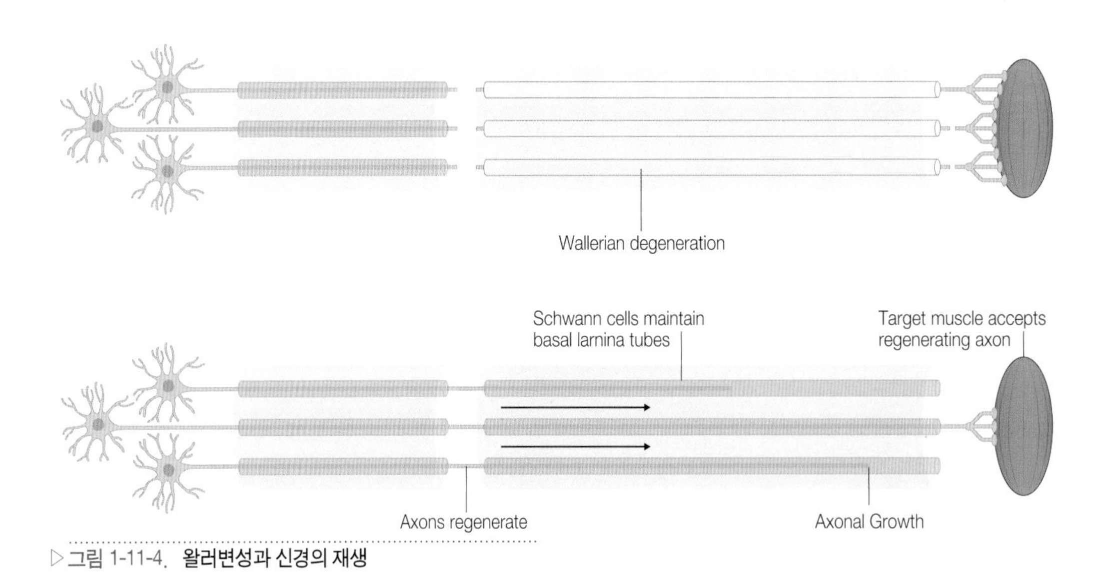

▷그림 1-11-4. 왈러변성과 신경의 재생

들은 대식세포(macrophage) 등의 활동으로 흡수되고 원위부에는 빈 신경관만 남는데 이 현상은 Wallerian degeneration이라고 한다.

2) 신경의 재생

근위부에서 도관만 남은 원위부 쪽으로 신경이 자라 들어가는 방식으로 신경이 재생된다. 연속성의 손상이 없는 축삭절단(axonotmesis)은 신경외막(epineurium)이 손상되지 않아 근위부 신경이 자라 들어갈 수 있으나 신경절단(neurotmesis)은 신경을 연결하여 연속성(continuity)을 회복시켜야 신경재생이 가능하다. 이상적인 환경에서는 하루에 1 mm의 속도로 신경의 재생이 된다. 신경의 재생하면서 하며 신경재생이 가장 왕성한 부위에서 두드릴(tapping) 때 나타나는 저릿저릿한 감각은 Tinel sign이라고 하며 신경재생되는 부위를 확인할 수 있는 방법이다. 신경이 원위부로 재생되면서 감각수용기(sensory receptor), 신경근수용체(neuromuscular receptor)에 도달하면 신경재생이 완성된다(그림 1-11-4).

6. 신경 손상의 치료

1) 신경 봉합(Primary neurorrhaphy)

수상 직후 신경 봉합을 시행하는 것이 이상적이다. 신경은 운동신경과 감각신경이 복합되어 있으므로 봉합을 하더라도 감각수용기(sensory receptor), 신경근수용체(neuromuscular receptor) 등 매우 다양한 요소가 기능회복에 관여한다. 신경봉합 후 축삭(axon)의 재생이 잘 되더라도 이는 기능적인 결과와 비례하지 않는 경우도 많으므로 축삭의 재생이 잘 된다는 것과 기능회복은 별개의 문제일 수도 있음을 이해하고 있어야 한다.

(1) 봉합의 원칙

① 섭세한 술기

신경은 매우 예민한 구조물이므로 손상된 신경을 섬세하게 다루어야 한다. 봉합을 하면서 신경다발을 세게 잡거나 압박을 주면 그 부위의 반흔으로 인하여 신경의 재생을 방해한다. 따라서 섬세한 술기가 중요하며 이를 위하여 수술 현미경 또는 확대경을 이용하고 미세수술에 적절한 기구를 사용하여야 한다. 또한 봉합사로 인하여 봉합부위에 반흔을 만들 수 있으므로 섬세한 봉합사를 사용하여야 한다. 최근 섬유소 접착제(fibrin glue)를 이용하여 이물 반응을 최소화하는 방법도 시도되고 있다.

② 방향성(Orientation)

신경은 감각신경과 운동신경이 혼합되어 있다. 감각신경과 운동신경을 교차봉합을 하

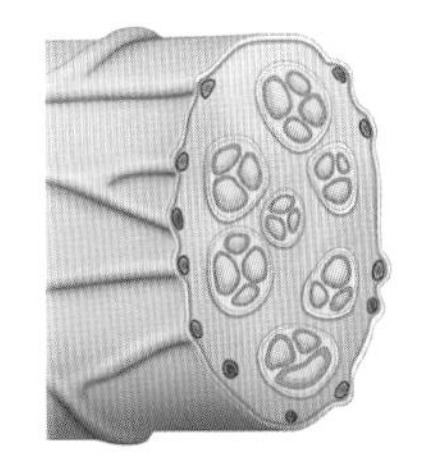
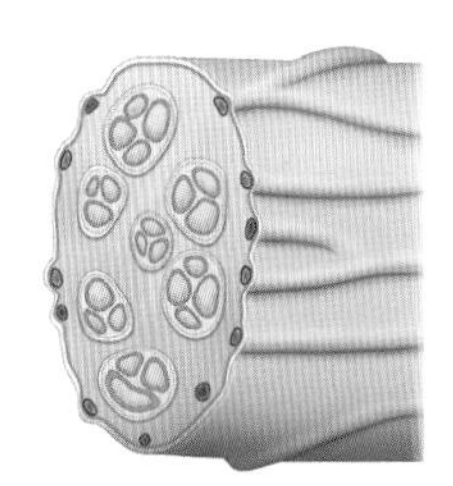
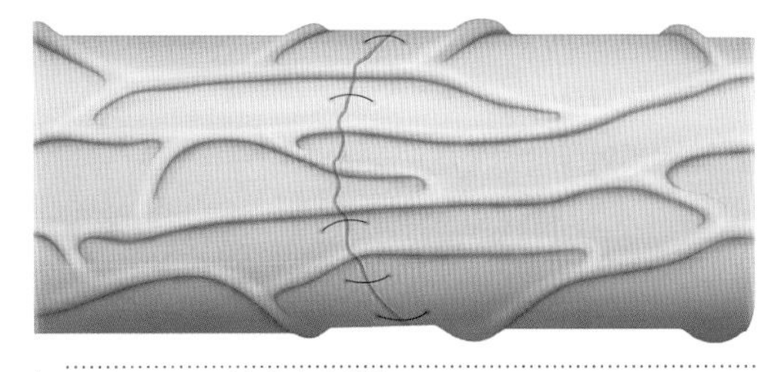

▷그림 1-11-5. 신경의 방향성

면 기능회복이 되지 않으므로 감각신경은 감각신경과 운동신경은 운동신경과 봉합하여야 한다. 단열된 신경의 방향성(orientation)을 확인하는 방법은 신경절단면을 비교하여 혈관의 위치와 신경다발(fascicle)의 크기와 위치를 확인하여 대칭이 되도록 봉합하거나(그림 1-11-5), Sunderland 신경지도를 참고할 수 있다. 국소마취하에서 또는 전신마취 후 신경은 노출 후 마취를 깨워(awake surgery) 신경을 자극하여 운동신경과 감각신경을 구분할 수 있다.

③ **긴장의 최소화(Minimal tension)**

신경봉합 부위에 긴장(tension)이 존재하면 봉합부위가 미세하게 분리(separation)되고 이 부위에 반흔이 발생하게 된다. 이 반흔은 신경재생의 방해물로 작용하여 신경봉합을 하였음에도 신경이 재생되지 않는다. 수술실에서는 긴장이 없이 봉합하였더라도 수술 후 관절의 운동에 따라 봉합부위에 분리(separation)가 발생할 수 있으므로 이를 고려하여야 수술방법을 선택하여야 한다. 긴장이 발생할 경우 이를 극복할 수 있는 방법으로는 신경외막 부목법(epineural splint), 신경이식(nerve graft), 해당 관절이 굴곡, 골의 단축 등이 있으며 손상부위, 동반된 손상 등을 고려하여 재건 방법을 선택하여야 한다.

(2) 봉합의 방법

① **신경외막 봉합법(Epineural repair)**

신경은 질긴 외막으로 둘러싸여 있으며 이 막을 봉합하는 방법이다. 봉합 시에는 외막에 존재하는 혈관을 확인하여 방향성을 결정하는 데 도움이 된다. 이 방법은 신경주막(perineurium)을 직접 봉합하지 않으므로 반흔을 최소화할 수 있다는 장점은 있으나 봉합된 외막내부에서 신경속(fascicle)이 꼬이거나 접합(coaptation)이 되지 않는 경우가 있다.

② **신경주막 봉합법**
(Perineural or fascicular repair)

신경속을 직접 봉합하는 방법으로 외막의 혈관과 신경속의 크기에 따라 방향성을 결정한다. 신경속을 직접 봉합하므로 꼬이거나 overlapping을 예방할 수 있으나 재생하여야 하는 신경속을 직접 봉합하므로 반흔과 섬유화가 심해질 수 있다(그림 1-11-6). 봉합의 방법은 어느 방법이 우수하다는 실험실 상황에서 주장은 많으나 현실은 상황에 따라 신경외막봉합, 신경주막봉합 또는 섬유소 접착제(fibrin glue)를 상황에 따라 선택하여 시행하는 것이 바람직하다.

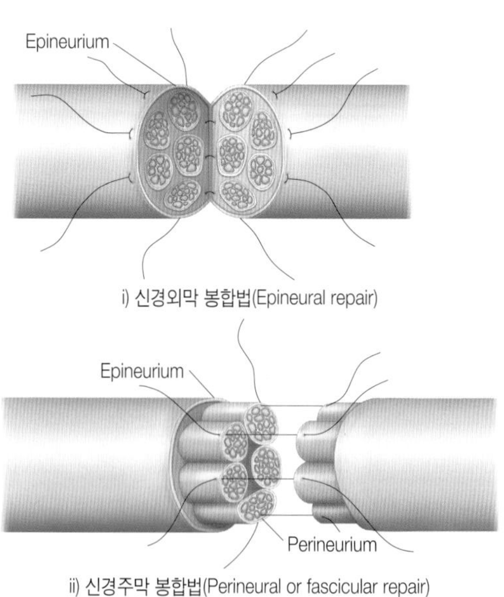

▷그림 1-11-6. **신경봉합의 방법**

2) 직접봉합이 불가능할 경우 재건방법

(1) 신경이식술

① **자가 신경 이식술(Autologous nerve graft)**

가장 바람직한 방법으로 자가신경을 채취하여 신경 결손(nerve gap)에 위치시키고(interposition) 봉합하여 재건하는 방법이다. 운동신경을 신경이식의 공여부로 할 경우 해당 신경의 지배를 받는 근육의 장애를 유발하므로 주로 감각신경을 채취하여 사용한다. 감각신경을 공여부로 사용할 경우 해당부위의 감각이 저하되므로 이를 미리 고지하여야 한다. 비복신경(sural nerve)이 가장 흔하게 사용되며 손상부위에서 가까운 위치에 있는 신경 또는 접합이 불가능한 절단부위가 있을 경우 해당부위에서 신경을 채취하여 사용할 수 있다.

② **혈관부착 신경이식술(vascularized nerve transfer)**

자가신경이식은 피부이식과 유사하게 주변부로부터 순환이 완성되어야 생착할 수 있다. 혈류순환이 풍부하지 않은 경우 반흔이 심한 조직에 이식한 신경이 생존하지 못한다. 따라서 반흔이 심한 부위 이식하는 경우 또는 동맥의 손상이 동반되어 동시에 재건이 필요한 경우 이식할 신경에 혈액을 공급하는 혈관을 주변혈관에 봉합하여 신경의 혈류순환을 확보하여야 신경이 생존하여 재생이 가능하다.

③ **동종이식(Allograft, acellular nerve graft)**

사체에서 채취한 신경을 특수처리 후 신경이식의 재료로 사용할 수 있다. 환자의 자가신경을 채취하지 않아도 되므로 공여부의 감각저하를 피할 수 있고 수술 시간을 절약할 수 있으나 비용이 비싼 단점이 있다.

④ **신경도관(Conduit)**

신경의 결손부위를 도관(conduit)으로 연결하는 방법으로 자가정맥 또는 흡수성 재질로 만들어진 도관을 사용하여 결손부위를 연결하고 도관의 비어있는 부위로 신경이 재생하여 반대편까지 연결되는 방법이다. 신경을 채취하지 않아도 되므로 공여부 결손이 적고 수술시간이 짧은 장점은 있으나 3 cm 이하의 결손에만 사용가능하나 동종이식에 비하여 결과가 좋지 않다.

⑤ **단측연결(End to side repair)**

손상된 신경의 원위부를 주변 정상신경의 측면부에 봉합하는 방법으로 길이 제한이 없는 장점은 있으나 회복이 좋지 않고 정상신경의 외막을 절개하여 손상을 주는 단점이 있다.

⑥ **신경전이술(Nerve transfer)**

손상되지 않은 주변의 신경의 전체 또는 부분을 절단하여 손상된 신경에 봉합하는 방법이다. 일차봉합과 같은 방식으로 재생되므로 빠른 재생이 가능하다. 그러나 정상신경을 손상하여야 하고 감각 또는 운동이 공여신경에 지배를 받으므로 재교육(reeducation)이 필요한 단점이 있다.

3) 시기(Timing of repair)

신경절단(neurotmesis)이 의심되면 빠른 시일

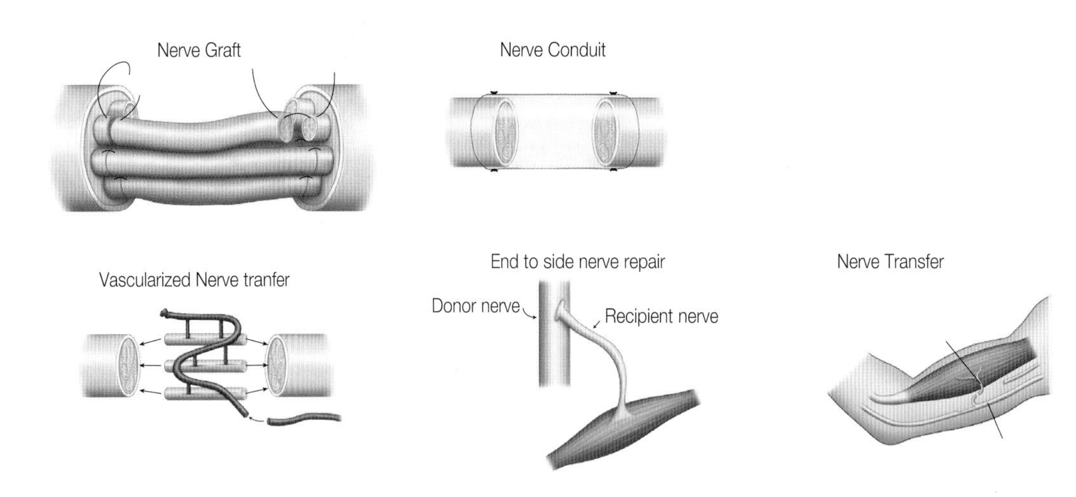

▷그림 1-11-7. **신경결손의 치료방법**

내에 확인하고 봉합하는 것이 바람직하다. 수상 후 2~3주 후에도 신경의 직접봉합(primary repair)이 가능한 경우도 있으나 시간이 지날수록 신경이 근위부와 원위부로 당겨지고 신경절단면의 반흔으로 방향성을 확인하기 어려워져 직접봉합의 가능성이 낮아진다. 운동신경이 재생되는 동안 신경에 의하여 지배받는 근육은 위축이 진행되므로 이를 최소화할 수 있도록 전기자극 또는 물리치료로 하지 않도록 하여야 한다. 신경재생이 늦어질수록 영구적인 근위축이 발생하여 신경이 재생되더라도 근육의 기능의 회복되지 않을 수 있으므로 재건의 시기와 방법을 결정하여야 한다.

References

1. Seddon HJ. Three Types of Nerve Injury. Brain. 1943;66:237–288.
2. Sunderland S. Nerves and Nerve Injuries. 2nd ed. Edinburgh: Churchill Livingstone; 1978.
3. Millesi H. Microsurgery of peripheral nerves. Hand. 1973;5:157–160.
4. Millesi H. The nerve gap. Theory and clinical practice. Hand Clin. 1986;2:651–663
5. Cabaud HE, Rodkey WG, McCarroll Jr HR, et al. Epineurial and perineurial fascicular nerve repairs: a critical comparison. J Hand Surg Am. 1976;1: 131–137.
6. Ray WZ, Mackinnon SE. Management of nerve gaps: autografts, allografts, nerve transfers, and end-to-side neurorrhaphy. Exp Neurol. 2010;223:77–85.
7. Brandt KE, Mackinnon SE. Microsurgical repair of peripheral nerves and nerve grafts. In: Aston SJ, Beasley RW, Thorne CHM, eds. Grabb and Smiths' Plastic Surgery. New York: Lippincott-Raven; 1997:79–90.
8. Terzis JK, Sun DD, Thanos PK: Historical and basic science review: past, present, and future of nerve repair. J Reconstr Microsurg 1997;13:215-225.
9. Sunderland S: Nerve and Nerve Injuries, 2nd ed. New York, Churchill Livingstone, 1978.
10. Mackinnon S, Dellon A: Surgery of the Peripheral Nerve. New York, Thieme, 1988.

12 지방이식 Fat Graft

변재경 성균관의대

1. 지방이식의 역사

독일의 의사 Gustav Adolf Neuber(그림 1-12-1)가 1893년 안면 변형(facial deformity)에 처음으로 지방을 이식했다고 보고하였다. 1909년에는 Eugene Hollander에 의해 유리지방 주입술이 안면부와 유방변형의 치료에 처음으로 시도되었다. 이후에도 지방이식의 가능성과 보고들은 이어졌으나 지방이식의 흡수 경향과 기름낭종(oil cyst)을 일으키는 문제점 때문에 지방이식에 대하여 많은 의사들이 비관적이었다. 지방 주입술은 지방흡입이 도입된 1980년대에 재발견되면서 주목을 받았지만 흡수율이 너무 높아 역시 널리 시행되지는 못하였다. 1990년대에 Sydney Coleman이 harvesting, purification, placement에 대해 Coleman technique으로 체계화시키면 흡수율을 낮출 수 있다고 발표하면서 지방이식술의 새로운 시대가 열리게 되었다. 2001년 Zuk 등은 지방유래 줄기세포(adipose-derived stem cell)가 다른 세포로 분화할 수 있다는 것을 보고하였고 2007년 Gino Rigotti는 ASC를 방사선 손상 조직에 이식한 ASC의 재생능력에 대하여 보고하면서 지방이식의 치료적 관점이 주목받게 되었다.

▷그림 1-12-1. A. Gustav Adolf neuber., B. Sydney Coleman.

2. 지방이식술의 분류

지방 이식술은 다음의 4가지 방법이 역사적으로 이용되어 왔다.

1) 유리 지방 이식술(Free fat graft)

자가 지방을 채취하여 이식하는 방법으로 혈류 공급이 원활한 작은 부위의 사강(dead space)이나 두경부 영역에서 윤곽의 교정을 필요로 하는 경우에 주로 사용되고, 술 후 흡수를 줄이기 위하여 조심스러운 조작이 필수적이다.

2) 진피 지방 이식술(Dermis-fat graft)

진피조직을 함께 이식하는 방법으로 작은 부위의 윤곽의 보정을 위하여 사용하거나 신경과 피부가 직접적으로 맞닿는 것을 막기 위하여 사용하는 경우, 건 혹은 근육이 부드럽게 미끄러지면서 움직이는 것이 필요한 부위의 유착방지를 위하여 사용한다(그림 1-12-2).

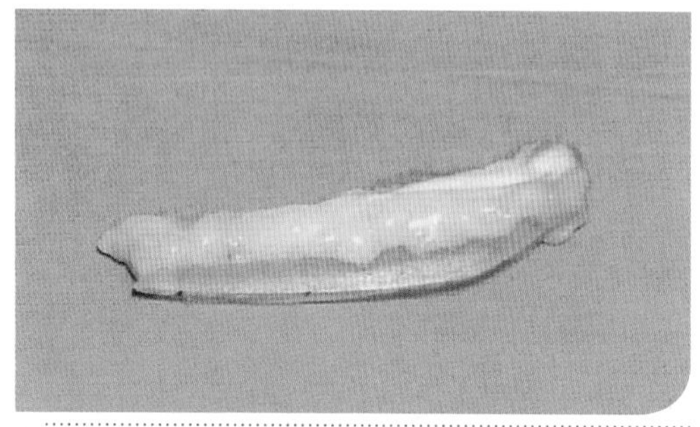

▷그림 1-12-2. 진피 지방 이식술

3) 유리 지방 피판술(Free fat flaps)

미세수술(microsurgery)을 이용하여 지방이식의 유리피판전이술을 시행하는 방법이다. 과거에 유리대망 피판술은 안면 위축이나 Romberg 병의 치료에 비교적 성공적으로 사용되었으나 시간이 경과함에 따라 중력과 안면근육 움직임에 따라 밑으로 처지므로 요즈음은 복부나 흉배부, 회음부의 탈상피한 유리지방 피판술을 선호하고 있다(그림 1-12-3). 이 방법은 혈관문합을 하여 살아있는 조직이므로 수술 후 흡수되거나 양이 줄어들지 않는다.

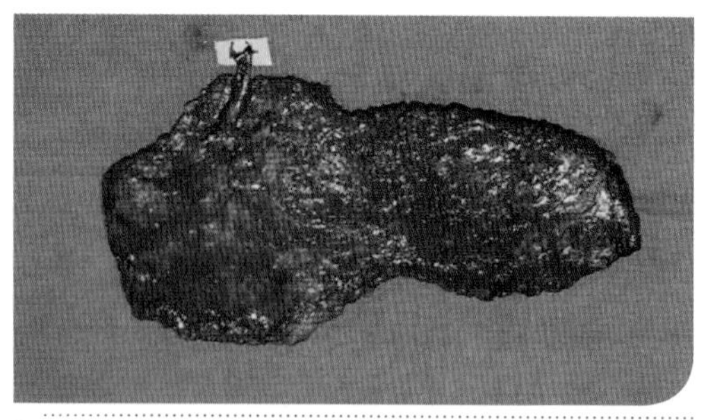

▷그림 1-12-3. 유리 지방 이식술

4) 유리 지방 주입술(Free fat injection)

Coleman이 제시한 방법을 기본으로 사용하고 있고 지방을 체내에서 흡입하여 원심분리로 지방세포를 농축시킨 후 이식하는 방법이다. 얼굴과 몸통 구별 없이 이 방법을 사용하여 볼륨 증대와 피부 질 개선 등과 같은 효과를 줄 수 있다. 지방 주입술의 장점으로는 환자 자신의 조직으로 면역 거부 반응이 없고 알러지의 위험이 없다는 점이 있다. 또한 비교적 쉽게 수술을 시행할 수 있고 간단하게는 하루 내에 수술방에서 국소마취하에도 시행될 수 있으며 수술 후 환자가 즉시 일상으로 돌아갈 수 있다는 점이 있다. 비용도 저렴하고 원할 때 여러 번 반복하여 시술할 수 있으며 몸의 어디든 적용할 수 있다. 절개 흉터 또한 거의 눈에 띄지 않고 수술 후 결과도 자연스러우면서 이식되어 생존한 지방은 비교적 평생 유지된다. 반면 단점으로는 치료된 부위에 부종(swelling)과 발적(erythema), 멍(bruise)이 발생하게 되고 이식된 지방이 일부 흡수된다는 점이 있다. 흡수율은 다양하여 정확한 결과 예측이 어렵고, 따라서 안정된 결과를 얻기 위해서는 보통 2~3번의 시술이 필요하게 된다.

3. 적응증과 금기

지방이식은 유방, 안면, 몸통 등 다양한 부위에서 조직 복구의 여러 가지 형태로 널리 사용될 수 있다. 유방에서의 경우 미용 혹은 재건 수술과 관련하여 유방삽입물(implant) 제거 전이든 후든 유방확대술 후 변형의 교정, 작은유방증(micromastia), 결절유방(tuberous breast), 폴란드증후군(Poland syndrome)과 같은 선천 기형의 치료, 종괴절제술(lumpectomy) 혹은 유방절제술(mastectomy)과 같은 외과적 수술 후 변형 회복, 유방 재건에 의해 발생한 조직 결핍과 변이, 유두재건 등에서 사용될 수 있다(표 1-12-1)(그림 1-12-4). 또한 얼굴 부위 확대술(facial augmentation)과 결핍(deficiency)의 교정 등은 중요한 적응증이다. Facial rejuvenation으로 조직 결핍 부위 채움과 주름 완화, 처진 피부 개선에 사용될 수 있고, 코 성형술(rhinoplasty), 입술 증대술(lip augmentation), 광대와 볼 결핍의 교정 등과 같은 안면윤곽성형술(facial contouing)의 일환으로도 사용될 수 있다. 이로 인한 얼굴 비율의 변화 효과도 얻을 수 있는데 특히 볼과 턱과 하악에 주입 시 그 효과를 얻을 수 있다. 이러한 안면의 미용적인 효과뿐만 아니라 재건면에서도 사용될 수 있는데, 예를 들어 사람면역결핍바이러스(HIV)와 관련된 지방위축 등과 같은 질환이나 방사선 치료에 의한 이차적 지방 위축에서도 사용될 수 있고 반얼굴왜소증(hemifacial microsomia), Treacher Collins syndrome과 같은 선천 안면 기형, 안면 위축, 외상, 안면거상술(facelift)과 같은 수술 후 조직 결핍에서도 사용될 수 있다(그림 1-12-5). 뿐만 아니라 몸통 부위에서도 볼기 확대술(gluteal augmentation)과 윤곽 결핍(contour deformity) 복구, 노화된 수부 rejuvenation, 음경 확대(penile enlargement)와 미용적인 개선, 함몰반흔의 개선, 지방 흡입(liposuction) 후의 변형 등을 위해 사용되기도 한다(그림 1-12-6).

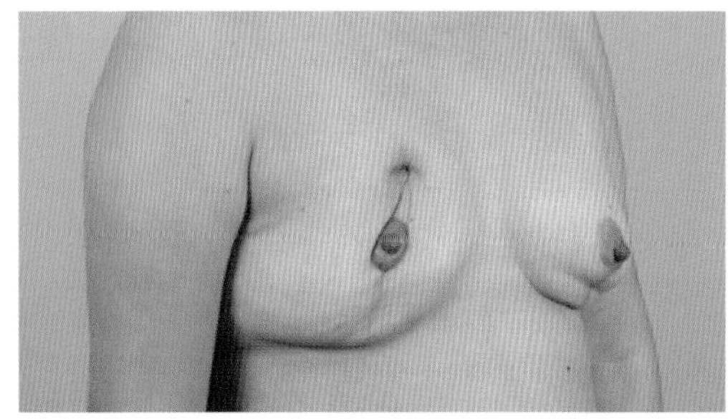

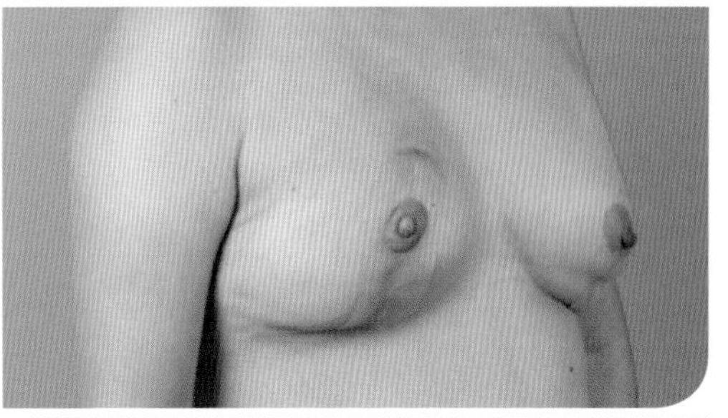

▷그림 1-12-4. 유방삽입물 제거 후 변형에의 적용

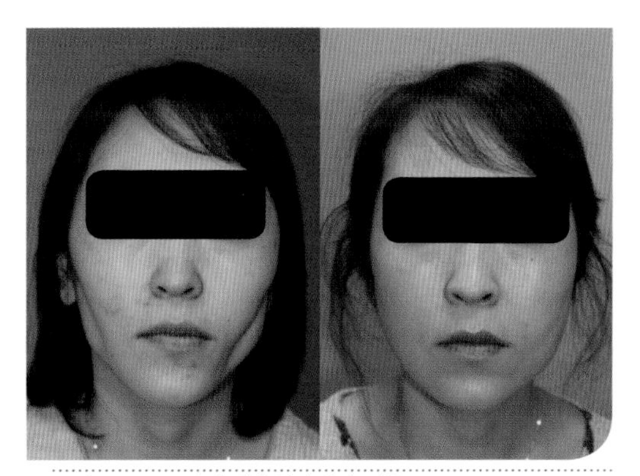

▷그림 1-12-5. 안면 위축환자에서 적용

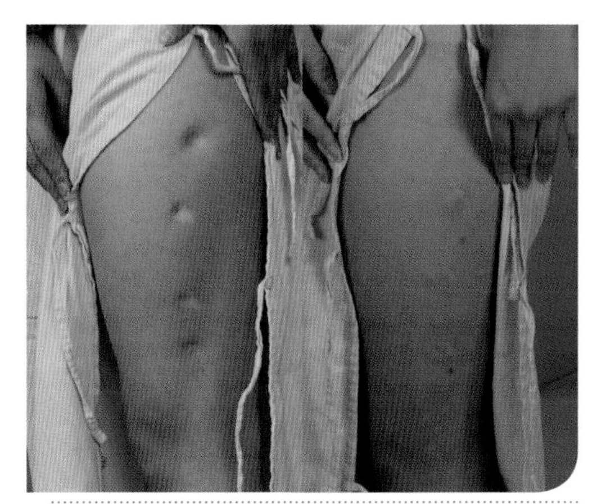

▷그림 1-12-6. 함몰반흔에의 적용

▷표 1-12-1. 유방에서 지방 이식의 적응증.

안전하고 효과적인 적립된 적응증	효과적이고 안전한 적응증	안전하지만 아직 증명되지는 않은 적응증
피판 경계 높이 차이	종괴절제술(lumpectomy)과 방사선 치료 후 변형	일차 재건
지방 괴사로 인한 함몰	미용적 유방 확대술	
유방절제술(mastectomy) 피판 두께에서 불균일성	잔물결(rippling), 보이는 변형과 같은 유방 확대술후 변형	
부적절한 피판 볼륨의 보충		
피판 재건에서 방사선에 의한 변형		
재건으로 시행한 보형물의 날카로운 경계		
재건으로 시행한 보형물 잔물결 변형		

지방 이식을 시행하는 데에는 몇 가지 금기사항이 있다. 먼저 마취를 시행할 수 없을 정도로 건강이 좋지 못한 환자에서 금기가 된다. 작은 부위에서 지방 이식을 시행하면 국소마취하에 시행될 수 있지만 어느 정도 이상의 범위를 포함하게 되는 경우는 보통 진정(sedation)을 필요로 하게 된다. 따라서 적절한 마취를 시행할 수 없는 환자는 금기가 되는 것이다. 또한 몸의 지방을 이식하기에 충분하지 않게 마른 환자나 근육이 과도하게 많은 보디 빌더에게도 적절하지 않다. 이는 얼굴에 비해 유방, 몸통에 지방을 이식해야 하는 경우는 보통 많은 양의 지방을 필요로 하기 때문에 마른 환자에서는 종종 부족한 경우가 있기 때문이다. 따라서 만약 환자가 몸무게를 추후 유지할 수 있다면 수술 전에 환자에게 충분히 살을 찌우라고 하고 나서 수술을 시행하는 것도 좋은 방법이 될 수 있다. 또한 과도한 양의 늘어진 피부를 가진 나이든 환자도 좋은 적응증이 될 수 없다. 이 환자들은 수술 후에도 늘어짐이 남아 있을 가능성이 많고 완전히 지방이식으로 채웠다고 해도 자연스럽지 못한 결과로 나타날 수 있기 때문이다. 그래서 이런 경우들에는 안면거상술로 피부를 먼저 팽팽하게 만들고 나서 지방으로 부피감을 더해주는 것이 더 나은 결과를 줄 것이다. 그밖에 비현실적인 기대를 가진 환자나 식욕부진(anorexia) 환자도 수술에 적절하지 않다.

4. 지방이식술의 시행 방법

지방이식은 1990년대 Coleman이 원심분리를 통해 지방세포를 농축시키고 여러 층에 골고루 지방을 이식하는 기본 방법을 도입하고 나서 그 처음 개념에서 크게 변화하지 않고 지속적으로 사용되고 있다. 기본 원칙은 세 가지가 있다. 지방을 부드럽게 채취하여 섬세한 구조를 유지하는 것과 생존 불가능한 요소들을 원심분리로 정제하여 제거함으로써 지방만을 농축시켜 추후 볼륨감을 예측 가능하게 이식해주는 것과 생착을 위한 표면적을 늘려 주기 위해 작은 지방단위로 위치시켜 혈류를 적절히 공급해주는 것 이렇게 세 가지이다. 이 원칙들이 고수되었을 때 지방이식은 비교적 예측 가능하고 안전한 치료 방법이 되고 최근 조직학 연구에 따르면 이러한 방법으로 시행할 시 높은 지방이식 생존을 나타내며 거의 정상에 가까운 지방 세포 효소 작용을 보였다고 한다.

1) 수술 전 디자인(그림 1-12-7)

결손 부위는 수술 전 사진, 반대편 정상측 모양과 비교, 이전에 수술을 받았을 경우는 당시 수술기록과 병리학 결과지 등을 포함하여 가능한 많은 정보를 이용하여 수술 전에 미리 분석하면 도움이 된다. 특히 과거 수술 후 결손을 채우는 경우는 일반적으로 검사물(specimen) 무게가 수술기록과 병리학 결과지에 포함되어 있는 경우가 많기 때문에 추후 이식할 볼륨을 측정하는 데 도움을 줄 수 있다. 이러한 여러 자료를 통한 분석으로 이식할 볼륨감을 추정할 수 있고, 역시 그것을 이용하여 공여부에서 채취할 볼륨까지도 간접적으로 수술 전에 결정할 수 있다.

환자에게 미리 수술에 대한 충분한 설명과 동의를 받고 디자인을 시행하게 된다. 디자인을 시행할 때는 환자가 선 자세로 머리 위로 빛이 비춰질 때 그 그림자로 가장 명확하게 외관 불균일성을 보일 수 있기 때문에 이때 보이는 수술 부위로 표시를 한다. 이는 가장 중요한 단계일 수 있는데 환자가 강한 수술방 불빛 밑에 이미 누워 있을때는 애매한 음영이 생길 수 있어 서 있을 때는 눈에 띄었지만 수술방에서는 간과될 수 있는 부위를 미리 정확히 확인하기 위함이다. 이에 따라 수술자는 이식에 필요로 하는 지방의 양도 측정하고 적절한 공여부를 표시하게 된다(그림 1-12-7).

2) 채취(Harvesting)

지방 이식의 공여 부위 선택은 충분한 지방을 제공해 줄 수 있는 부위인지, 접근이 용이한지와 환자의 기호에 따라 달라진다. 이는 이식 생착율

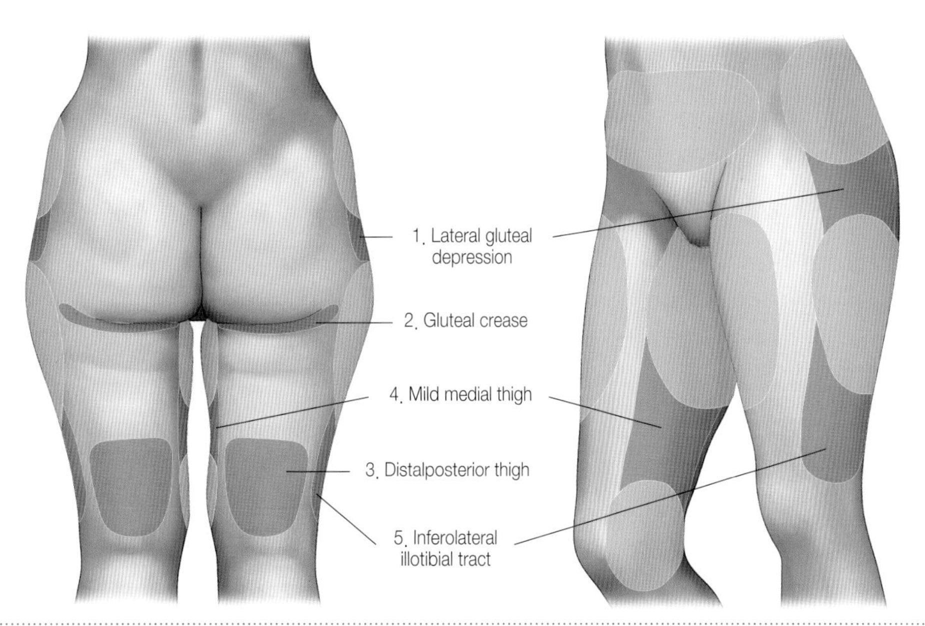

▷그림 1-12-7. **수술 전 디자인.** 수술 전 환자가 선 채로 머리 위로 빛이 비춰질 때 수술을 시행할 부위를 디자인 해 두어야 한다.

이 공여 부위마다 서로 차이가 거의 없는 것으로 연구상에서 확인되었기 때문이다. 복부나 허벅지 내측은 자칫 주름이 생길 가능성이 있지만 love handle과 엉덩이 뒤쪽, 외측 허벅지는 그러한 위험성이 비교적 적어 일반적으로 많이 사용된다. 다량의 지방을 필요로 할때는 지방 흡입 시 중요한 아래의 zone of adherence를 고려하면서 채취하는 것이 contour deformity를 유발하지 않을 수 있는 방법이다.

절개는 주름(crease), 흉터, 털이 나는 부위 등에 가능하면 숨겨지게 작은 절개창을 내게 된다. 이 절개창을 통해 뭉툭한 주입 케뉼(blunt Lamis infiltration cannula)로 국소마취제가 주입된다. 국소마취하 수술이 진행될 때는 0.5% 리도카인(lidocaine)과 1:200,000 에피네프린(epinephrine)으로 구성된 국소 마취용액이 사용된다. 더 많은 볼륨의 지방이 채취되는 전신마취하에서도 혈액 손실을 최소화하기 위해 국소 마취용액이 주입되는데 이때는 0.2% 리도카인(lidocaine)과 1:400,000 에피네프린(epinephrine)으로 구성된 용액이 사용된다. 이때 채취되는 지방의 구조를 유지하기 위해 주입하는 용액의 양은 제거되는 지방의 양과 같게 해 주어야 한다.

지방은 이후 10 cc 일회용 Luer-Lock syringe에 두 개의 구멍이 있는 뭉툭한 케뉼(2-hole Coleman harvesting cannula)로 채취하게 된다(그림 1-12-8). 흡입 시에 수술자의 4, 5번째 손가락으로 오직 몇 밀리미터(mm)만 플런저(plunger)를 뒤로 당겨서 적은 음압이 발생되게 하여 지방 세포가 파괴되지 않은 채로 온전하게 흡입되도록 한다. 여기서 지방 조직의 정상 구조를 유지시킨 채 부드럽게 채취하는 것이 가장 중요한데 그래서 지방을 채취할 때 10 cc 이상 크기 시린지나 plunger-locking 기구를 사용하면 안

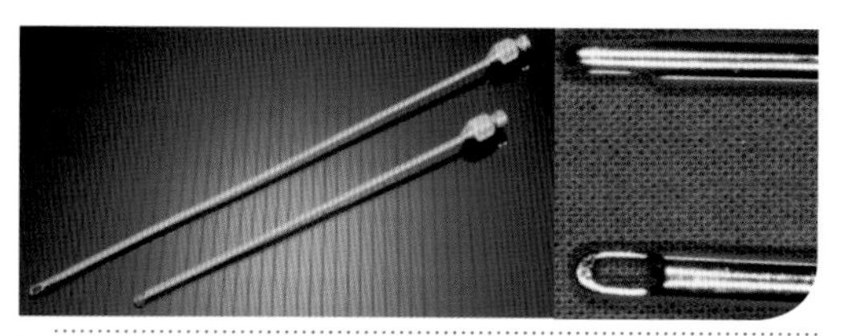
▷그림 1-12-8. Coleman 채취 케뉼

된다. 이는 너무 높은 음압을 발생시키게 되면서 지방 조직에 손상을 주고 결국 괴사를 야기하기 때문이다. 케뉼은 채취 부위로 밀어 넣고 약한 음압으로 당긴 채 긁어내는(curetting) 형태의 동작을 반복하여 시린지로 지방을 빨아들이게 되고 시린지가 차면 케뉼을 제거하고 Luer connector 끝에 무균 마개로 덮어 두고 플런저는 제거하게 된다. 시린지의 열려 있는 끝 부위는 테가덤과 같은 제제로 덮어 두어 플런저 제거 후 시린지 내용물이 무균상태가 유지되게 한다. 채취가 끝나면 흡입에 사용했던 절개창은 나일론을 이용한 단속 봉합으로 닫아준다.

3) 정제(Refinement)

지방이 초반에 채취될 때는 시린지에 보통 많은 국소 마취용액이 포함되게 되고 반면 흡입이 지속되면서 후반의 시린지는 비교적 적은 양의 주입 용액과 많은 양의 혈액을 포함하게 된다. 준비된 시린지는 원심분리기에 위치시키고 원심분리가 시행될 동안 무균상태를 유지하기 위해 무균화가 가능한 회전자와 슬리브(sleeve)로 준비한다. 원심분리는 1,286 g 혹은 3,000 rpm에서 1~3분간 돌리게 되고 시린지 내용물은 밀도에 따라 크게 3층으로 분리가 된다. 이식할 지방은 중간층에 농축되고 국소마취제와 혈액의 수분을 포함한 성분은 아래 층에 모이게 된다. Luer-Lok 마개를 느슨하게 풀어서 아래 층을 버려내

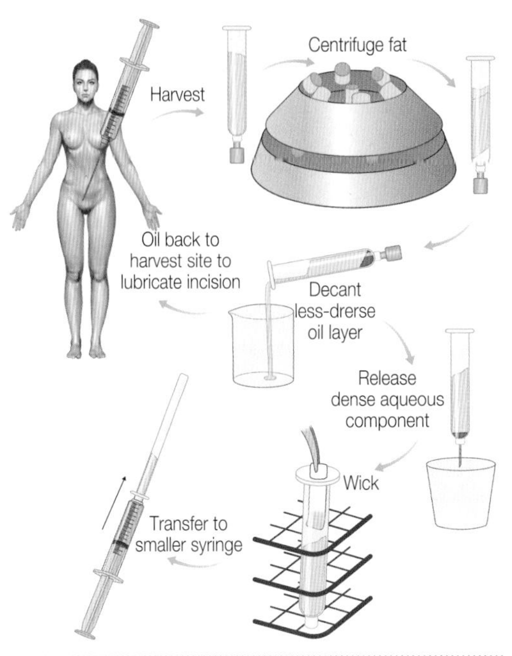

▷그림 1-12-9. **Coleman 정제 과정.** 채취된 지방을 원심분리하여 지방을 농축시켜 작은 시린지로 옮겨담아 이식을 준비하게 된다.

어 제거하고 추가적으로 깨진 지방세포와 그들이 생성한 기름은 맨 위 층에 모여 있어 Telfa pad 심지로 빨아내어 제거하거나 윗층을 따라내서 제거하게 된다. 이 준비된 지방은 비교적 순수한 농축된 지방 조직이고 이를 이식할 시 초기 불순물에 의한 흡수율을 줄여 수술 후 생착될 볼륨감을 예측할 수 있게 도와준다. 이후 지방은 Luer- to-Luer connector를 이용하여 얼굴이나 손에 넣을 경우 1 cc 시린지로, 가슴과 몸으로 넣을 경우 3 cc 시린지로 옮겨진다(그림 1-12-9).

4) 이식(Placement)

계획된 부위에 2 mm 정도의 작은 찌름 절개선(stab incision)을 필요한 개수 만큼 만들고 0.5% 리도카인과 1:200,000 에피네프린을 섞은 마취를 시행한다. 이는 지방을 위치시키기 전에 혈관수축을 일으켜서 멍이 드는 것을 막아줄 뿐만 아니라 지방의 혈관 내로의 색전 가능성을 줄여준다. 이후 Coleman 케뉼 중 적당한 것 하나를 선택하여 지방을 위치시킨다(그림 1-12-10). 여러 케뉼들 중에 보통 주입 케뉼은 정확한 지방 적재를 위해 구멍 하나로 구성된 앞이 뭉툭한 케뉼을 이용하는데 이 주입 케뉼들은 각기 다른 길이와 유연성을 제공한다. 만약 지방 괴사 혹은 방사선 손상 등으로 흉터가 존재하고 함몰이 생겨 이것이 풀리는 것이 필요한 부위는 cutting edges 형태의 뾰족한 케뉼의 선택이 필요하다. 하지만 이 케뉼을 사용할 경우 만약 흉터 부위 밑으로 삽입물(implant)이나 피판 줄기(pedicle)가 근처에 있다면 위험할 수 있기 때문에 주의를 필요로 한다.

주입 케뉼을 이식할 부위로 넣고 앞으로 전진시켜서 터널을 만들어 지방 이식을 시행할 부위를 준비한다. 이식을 시행할 때 케뉼을 뒤로 빼면서 주입하는 것이 중요하고 처음 케뉼을 도입하며 만들었던 터널로 지방을 섬세한 원기둥 모양으로 부드럽게 여러 층으로 적재한다. 이때 시린지의 플런저는 천천히 그리고 같은 압력으로 가해주면서 시행한다.

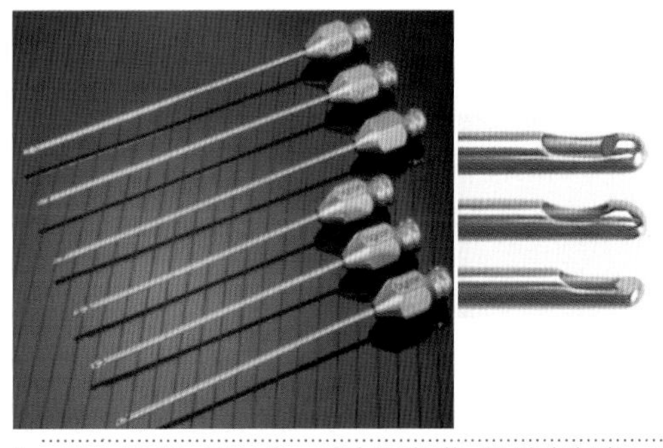

▷그림 1-12-10. **이식 케뉼.** 여러 주입 케뉼 중 적당한 것을 선택하여 이식한다.

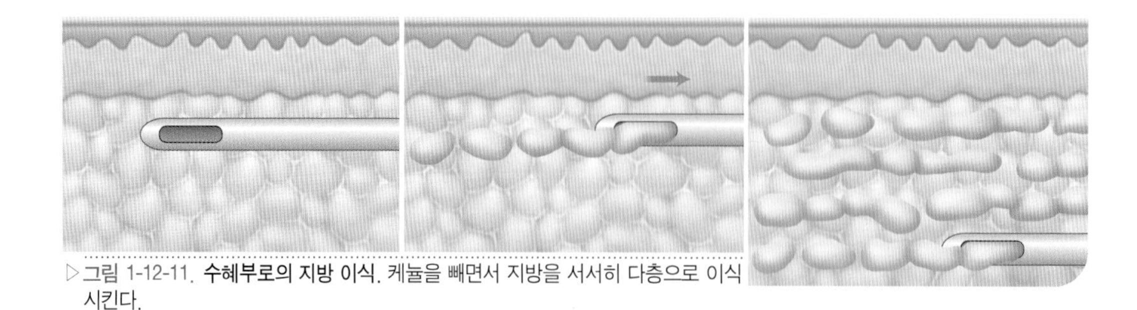

▷그림 1-12-11. **수혜부로의 지방 이식.** 케눌을 빼면서 지방을 서서히 다층으로 이식시킨다.

유방에서 함몰 부위는 crosshatch 방법으로 여러 터널을 만들어 치료하게 되고 산등성이(ridge)와 잔물결(rippling) 형태의 변이는 세로방향(longitudinal)의 몇개의 긴 터널로 이식하여 좋은 결과를 낼 수 있다. 유방 확대를 위하거나 종괴절제술(lumpectomy) 후 볼륨을 보충하는 경우는 케뉼을 반복적으로 각 주입부위에 방사형 형태로 지나가게 하여 결과적으로 여러 층에서 그물망 패턴으로 적재가 되면서 효과를 볼 수 있게 한다.

지방 이식의 성공은 채취와 정제뿐만 아니라 지방을 더 많이 생착시킬 수 있는 방법으로 위치시키는 것에도 달려 있다. 여기에는 지방 덩어리가 뭉치지 않고 균형적으로 분포하도록 하여 주변 조직들과의 인접 면적을 최대화시킴으로써 이식된 지방으로 혈류 공급이 충분히 이루어지도록 하는 것과 관련 있다(그림 1-12-11). 큰 덩어리째로 이식하게 되면 중앙부의 괴사를 야기할 수 있고 결과적으로 흡수되어 부피가 줄어들고 낭(cyst)을 형성할 수도 있게 된다.

지방은 또한 각기 다른 여러 층으로 위치시킬 수 있는데 이는 각각 다른 효과를 주기 위함이다. 골격과 관련하여 얼굴과 몸통의 모양을 바꾸고 싶을 때에는 골막위로 지방을 이식하지만 지방을 진피 밑으로 이식하기도 한다. 이 경우에는 피부의 질을 개선시키고, 주름을 감소시키며, 모공 크기 및 흉터까지도 줄여주는 효과를 얻게 된다. 하지만 지방을 이처럼 얕은 층에 넣을 때는 고르지 못한 모양이 이 층에서 더 쉽게 두드러지기 때문에 주의가 필요하다. 특히 얇은 피부를 가지고 있는 하안검과 같은 곳에서 잘 나타나므로 주의해야 한다. 또한 유방 확대술을 위해 주입하는 경우는 유방 실질을 피해 피하층에 주입하는 것이 중요하고 추가적인 볼륨을 원할 경우에는 근육 밑이나 근육 내, 유선(gland) 밑으로 이식해야 한다.

지방을 쌓아 이식한 후 이식한 지방을 다른 위치로 옮겨 놓는 molding을 최종적으로 할 수 있다. molding이 시행될 수 있는 유일한 시기는 수술방을 떠나기 전이다. 수술방을 나서기 전 이식한 부위 표면이 부드러운 것을 꼭 확인해야 하며 그렇지 못한 경우에 molding을 고려해야 한다. 하지만 과도한 molding은 지방의 일부나 전체를 괴사시킬 수 있어 결과적으로 고르지 않은 외관을 만들 수 있으니 주의해야 한다.

목표하는 볼륨에 다다르면 찌름 절개선(stab incision)은 나일론을 이용한 단속 봉합으로 닫아 주거나 유방의 경우는 접착띠(adhesive strip)로 붙여주기도 하고 모양을 맞추는 드레싱을 시행한다.

5. 지방이식편의 생존

이식한 지방조직의 생착에 관해서는 이식한 지방세포기 모두 죽어 파괴되면 수용부와 조직구가 파괴된 지방에서 나온 지질을 포식하여 새로운 지방세포가 된다는 숙주세포대치설(host cell replacement theory)보다는 이식해 준 지방세포의 일부가 살아 남는다는 세포생존설(cell survival theory)을 기초로 하고 있다.

통째로 유리 지방이식을 시행하던 초기 임상가들은 지방이식의 흡수를 알아챘고 이를 막기 위해 지방과 근막을 함께 이식하거나 지방을 조각으로 자르는 것과 같은 다양한 방법을 시도하였다. 지방 이식 생존의 초기 연구 결과는 25%에서 50%였고 그래서 임상가들은 과이식을 옹호하기 시작하였다. 그래서 최근까지도 수술 시 20%에서 40% 정도로 과교정하는 것이 받아들여지고 있다. 하지만 얼굴에서는 과교정이 추천되지 않는데 이는 이식된 지방 조직을 제거하는 것보다는 추후 새로운 지방 조직을 추가로 이식하는 것이 훨씬 쉽기 때문이다.

유리지방을 채취하기 위해서는 최소 침습적인 방범을 통하는 것과 높은 생존능력(viability)을 가지게 하는 것이 일반적인 원칙이다. 그래서 3~4 mm 뭉툭한 케뉼이 사용되고 물리적인 손상을 피하기 위해 흡입력의 양은 적게하여 사용하도록 제안되고 있다. 또한 원심분리 힘과 공기 노출에 의한 세포 손상을 피해야 한다. 지방의 괴사는 채취하는 동안 조직 및 세포 손상이 중요한 원인이 되고 그외 이식된 지방의 부족한 혈관신생(vascularization)도 원인이 될 수 있다.

최신 발전을 보면 vascular endothelial growth factor (VEGF) 유전자가 전달감염(transfection 된 지방줄기세포를 이식에 포함시켜서 혈관신생을 개선하고 이식된 지방의 생존을 개선시키는 것에 관한 여러 보고들이 있다. basic fibroblast growth factor (bFGF)와 platelet-derived growth factor (PDGF)와 같은 다른 angiogenic growth

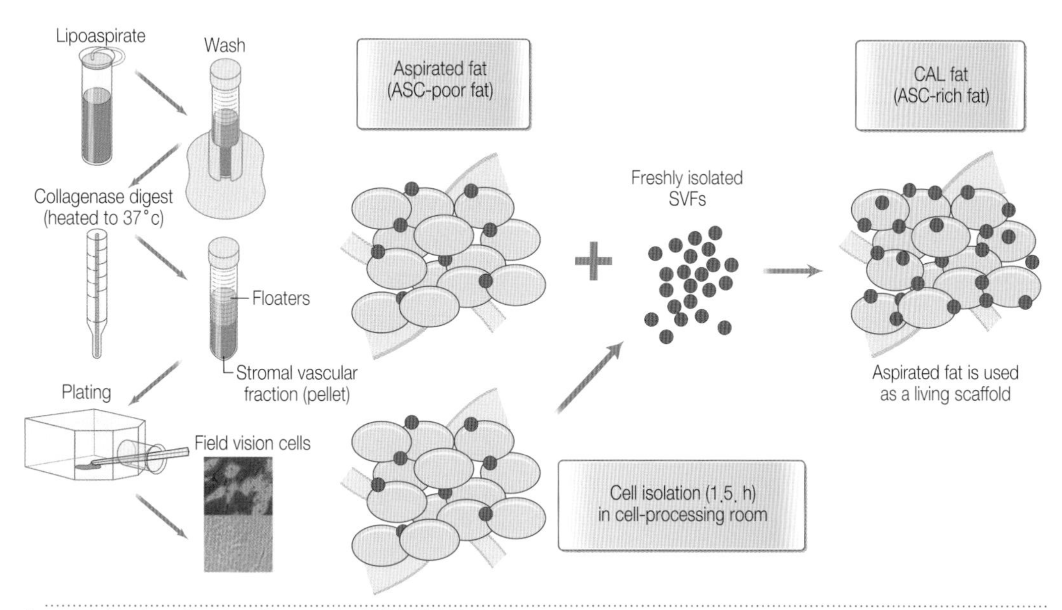

▷그림 1-12-12. cell-assisted lipotransfer (CAL) 개념의 도식

factor들이나 endothelial progenitor cell (EPC)도 지방 이식에 섞어 사용하는 경우 vascularization 및 angiogenesis을 촉진시켜 조직 생존을 증진시킬 수 있을 것이라고 기대되고 있다.

또한 cell-assisted lipotransfer (CAL)의 개념의 도입으로 이것의 적용과 그로 인한 좋은 결과가 보고 되었다. adipose-derived stem/stromal cell (ASC)는 stromal vascular fraction (SVF)에서 분리되고 ASC가 풍부한 지방을 만들기 위해 지방흡입하여 채취한 지방에 이를 섞어 사용하게 된다(그림 1-12-12). ASC는 성숙한 지방세포보다 더 angiogesis의 잠재력이 높고 같이 뿌려진 지방 세포가 틀로 작용해 주기 때문에 이 경우 더 높은 생존율을 보이게 된다.

adipose-derived stem/stromal cell (ASC)는 stromal vascular fraction (SVF)에서 분리되고 ASC가 풍부한 지방을 만들기 위해 채취한 지방에 이를 섞어 cell-assisted lipotransfer (CAL) fat을 만들어 사용한다.

6. 수술 후 처치

지방 이식 후에 이전에는 상안검을 제외한 얼굴의 모든 부위로 microfoam tape을 이용해 마스크와 같은 형태로 덮어 두었으나 최근에는 유연하고 내구성이 있는 제제인 tegaderm을 사용하여 드레싱을 시행하고 있다. 이식 후 모양 유지도 있지만 지방을 이식시킬 때 조직 손상이 발생하고 이는 멍과 부종을 야기하게 되므로 이를 최소화하기 위해 tegaderm을 주입한 부위 위에 수술 후 즉시 붙이게 되는 것이다. 이것은 3~4일간 지속시키는 것이 도움이 된다. 눈 주변 드레싱의 경우는 조심히 시행되어야 하고 하안검을 밀어 내리지 않도록 해야 한다. 흡입이 시행된 얼굴 부위의 경우는 1/2인치 짜리 reston foam을 부착하고 tegaderm이나 microfoam tape를 이용해 foam에 압박을 가해준다. 얼굴 부위가 아닌 손은 일반적으로 microfoam tape로 드레싱한다. 공여부에는 압박의류나 복대를 이용하여 드레싱하고 공여부 몸과 손의 suture는 보통 5~7일에 제거한다. 유방의 경우에는 수술 후 넉넉하게 유방을 받쳐주는 특수 의류를 입게 하고 이식한 부위 위로는 면 보풀(fluff)을 함께 깔아준다.

드레싱 외 추가적으로 한랭요법(cold therapy)이 수술 후 72시간까지 추천된다. 또한 가벼운 마사지를 통한 림프액 배액 요법은 얼굴이나 몸에 시행 시 부종을 감소시키는 데 도움을 줄 수 있다. 하지만 깊게 누르며 시행하는 마사지는 첫 1달 동안 피하는 것이 좋고 이는 비록 최근 이식된 지방을 움직이기게 하기는 어렵지만 강한 압력을 가하게 되면 지방이 원하지 않는 위치로 움직이게 될 수도 있으니 조심해야 한다. 유방에 이식을 시행한 환자의 경우는 1주 동안 팔 움직임을 최소화하게 교육하는 것도 필요하다.

수술 후 회복은 보통 최소 2주 걸리고 때때로 6주까지 걸리기도 한다. 급성기 부종은 1~2주 동안 지속되지만 몇 개월간 지속될 수도 있다. 만약 부기가 좋아지고 나서도 외관 변형이 지속된다면 다른 이식을 더 추가로 시행해 볼 수 있지만 최소 6개월은 기다리고 하는 것을 추천한다.

7. 수술 후 결과 및 합병증

지방 이식 후 부피 변화뿐만 아니라 덮고 있

는 피부의 질 변화도 개선시킬 수 있다는 많은 보고가 있다. 방사선을 받고 궤양이 발생한 피부 밑에 지방을 이식했을 때 해당 피부가 정상화되었나는 보고가 있고, 늘러 붙은 흉터가 호전되고 피부 감촉, 유연성, 색, 흉터도 개선되는 보고들도 있다.

지방 이식에서 독특하게 고려할 점은 환자의 현재와 미래의 몸무게이다. 그 이유는 이식 후에 환자 체중에 큰 변화가 발생하는 경우에는 이식된 부위의 사이즈의 변화도 함께 발생되기 때문이다. 즉 만약 환자 몸무게가 수술 이후에 많이 빠지면 교정된 것 또한 상실될 수 있고 반대로 몸무게가 많이 증가하면 지방의 양도 증가할 수 있음을 이해하게 해야 한다. 그래서 환자들은 이 수술을 받을 때 본인의 가장 이상적인 몸무게에서 시행받도록 교육하고, 가능하다면 그 몸무게를 유지하도록 하게 해야 한다. 그밖에 항레트로 바이러스 약을 복용하는 일부 환자에서 지방의 증가가 보이기도 했다는 보고도 있다.

수술이 위험하지 않아 합병증은 많지 않으나 그래도 환자에게 미리 주지시켜야 할 합병증들은 몇 가지가 있다. 우선 부종과 발적, 멍이 있다. 지방을 위치시키면서 케뉼이 여러 번 지나가면서 일반적으로 상당한 부종과 멍이 나타나게 된다. 보통 주입 후 약 2주 정도는 부종이 지속되며 발적은 1년 가량 지속되는 경우도 있다. 멍은 대부분 2~3주 후에 좋아지지만 하안검과 같은 얇은 피부에서 쉽게 보이는 피하 색소침착이 지속되는 케이스가 몇개 있었다. 이는 'tea staining'이라고 하고 몇 달 후에는 대개 좋아진다. 이러한 멍, 출혈과 혈종은 뭉툭한 케뉼의 사용으로 발생을 줄일 수 있다. 비대칭도 발생할 수 있으나 보통은 수술 전에 이미 있는 상태이기 때문에 이를 환자에게 주지시키는 것이 필요하다. 또한 기저의 근육과 신경으로의 일시적인 손상이 있을 수 있다. 지방을 의도적으로 근육으로 위치시키지는 않지만 우연히 발생하게 되면 이 부위 부기가 근육의 정상 움직임을 방해할 수 있다. 이는 부기가 호전되면서 완전히 회복할 수 있다. 그밖에 드물지만 운동 및 감각신경 마비 등의 심각한 부작용도 보고된 바 있어 뭉툭한 케뉼을 사용하는 것이 좋다. 대개는 마비가 발생한다 해도 보통 60일 내에 호전된다. 피하의 울퉁불퉁함은 공여부와 수혜부에서 문제가 될 수 있다. 공여부에서는 너무 많은 지방이 제거된다면 울퉁불퉁함이 남을 수 있고 반면 수혜부에서도 지방이 과도하게 이식될 경우 피부 밑에 덩어리로 나타날 수 있다. 또한 과도한 이식은 지방괴사로 이어져 단단한 종괴와 석회화 현상까지도 나타나게 된다. 이 울퉁불퉁함은 특별히 안와 주변 같은 피부가 얇은 곳 밑에 너무 많은 양의 이식을 시행할 때 나타나곤 하는데 이러한 지방들은 제거하기가 어렵다. 혹시 이런 경우가 발생했다면 주입에 사용된 같은 케뉼을 이용해 지방을 다시 흡입하거나 직접 절제해내고 아직 승인받은 치료는 아니지만 lipodissolve를 사용한다는 술자도 있다.

감염도 매우 드물지만 만약 발생하게 된다면 이식된 지방의 흡수를 야기하게 된다. 따라서 엄격한 무균 기술이 지방 이식 동안 사용되어야 하고 구강 점막을 뚫는 케뉼의 경우는 오염된 것으로 간주되어야 한다. 그래서 입술 확대술이 시행될 경우 다른 부위에 먼저 지방 이식을 시행하고 가장 마지막으로 시행되어야 한다.

가장 걱정스러운 합병증은 혈관 내 색전이지만 다행히 이것의 발생은 매우 드물다. 안면부 주입 시 실명이 발생하였다고 보고된 것이 이러한 이유에서인데 이는 지방이 우연히 압력하에 작은 동맥으로 주입되면서 발생하게 된다. 심장이 다음 수축을 시행하면서 이 동맥 내 지방이 세동맥(arteriole) 끝을 색전시켜서 조직 허혈을 일으킬 수 있게 하는 것이다. 이는 다행히 뭉툭한 케뉼을 이용했을 때는 보고된 바가 없고 그래서 진피에 직접 지방을 위치시키는 경우를 제외하고는 뾰족한 케뉼을 사용하는 것과 강한 압력을 사용하는 주입총(injection gun)을 사용하는 것은 피해야 한다. 또 지방을 위치시킬 때 꼭 케뉼을 뒤로 빼면서 이식을 시행해야 한다. 유방에 지방 이식을 시행했을 경우에는 종종 석회화(calcification)와 기름낭종(oil cyst)이 발생할 수 있다. 이는 부분 지방 괴사의 결과로 생각되고 유방촬영상 확인이 되며 보통 숙련된 영상 전문가에 의해 구분될 수 있다. ASPS Fat Graft Task Force는 2009년 보고에서 적은 수의 케이스 연구에 따르면 이것들은 유방암 발견에 방해를 주지 않는 것으로 보이나 확신하기 위해서는 더 많은 연구가 필요하다는 결론을 지었다. 낭종 발생 시에는 수술적 절제로 효과적으로 치료될 수 있다. 만약 유방에서 부종이 2달 이상 지속된다면 지방괴사나 지방괴사성 낭종의 생성을 의미하게 된다. 이 합병증은 이식된 지방의 볼륨이 커질수록 함께 커지게 되는데 이것이 발생하면 우선은 지켜보며 기다리는 것이 최선이지만 만약 낭종이 계속 의심된다면 초음파로 확인해 볼 수 있다. 지방이식 후 암의 위험성은 아직 이론적인 단계이다. ASPS Fat Graft Task Foce는 지방이식을 받은 환자들을 연구하여 오직 2건의 유방암 케이스를 보고하였다. 하지만 하나는 이식되지 않은 유방에서 발생하였고 하나는 잠재적으로 이식된 것으로 보이는 부위에서 발견되었다. 그래서 암의 발생 위험성은 아직 모르는 것으로 간주되고 있으나 추가적인 연구가 증명을 위해 필요할 것이다.

References

1. 강진성. 강진성 성형외과학. 제 3판. 한국: 군자출판사. 제 1권 p.226~238, 2004
2. 대한성형외과 학회. 표준성형외과학. 제 2판. 한국: 군자출판사. P. 105~ 106, 2009
3. Aston, Sherrell. Aesthetic Plastic Surgery. 1st ed. USA: Elsevier Science Health Science. chapter 61 ,2009
4. Carvajal J, Patiño J. Mammographic findings after breast augmentation with autologous fat injection. Aesthet Surg J. 2008;28(2):153–162.
5. Coleman SR. Avoidance of arterial occlusion from injection of soft tissue fillers. Aesthet Surg J. 2002;22(6):555–557.
6. Coleman SR. Harvesting, refinement and transfer. Structural Fat Grafting. St. Louis, MO: Quality Medical; 2004:29–51.
7. Coleman SR. Lower lid deformity secondary to autogenous fat transfer: a cautionary tale. Aesthetic Plast Surg. 2008;32(3):415–417.
8. Coleman SR. Overview of placement techniques. Structural Fat Grafting. St. Louis, MO: Quality Medical; 2004:70–71.
9. Coleman SR, Saboeiro AP. Fat grafting to the breast revisited: safety and efficacy. Plast Reconstr Surg. 2007;119(3):775–785.
10. Erol O, Agaoglu G, Uysal A. Liponecrotic pseudocysts following fat injection into the breast. Plast Reconstr Surg. 2010;125(4):168e–170e.

11. Gutowski KA; ASPS Fat Graft Task Force. Current applications and safety of autologous fat grafts: a report of the ASPS fat graft task force. Plast Reconstr Surg. 2009;124:272–280.
12. Guyuron, Bahman. Aesthetic Plastic Surgery Video Atlas. 1st ed. USA: Elsevier Science Health Science. Chapter 15, 2012
13. Hunting CB, Noort WA, Zwaginga JJ. Circulating endothelial (progenitor) cells reflect the state of the endothelium: vascular injury, repair and neovascularization. Vox Sang. 2005;88:1–9.
14. Lu F, Li J, Gao J, et al. Improvement of the survival of human autologous fat transplantation by using VEGF-transfected adipose-derived stem cells. Plast Reconstr Surg. 2009;124:1437–1446.
15. Neligan, Peter C. Plastic Surgery. 3rd ed. USA: Elsevier Science Health Science. Volume 1, 2, 5, 2012
16. Nicolo Scuderi, Bryant A. Toth. International Textbook of Aesthetic Surgery. 1st ed. USA: Springer. Chapeter the face; facial lipofilling, 2016
17. Peer LA. The neglected free fat graft. Plast Reconstr Surg. 1956;18(4):233–250.
18. Rohrich RJ, Sorokin ES, Brown SA. In search of improved fat transfer viability: A quantitative analysis of the role of centrifugation and harvest site. Plast Reconstr Surg. 2004;113:391.
19. Shiffman MA, Mirrafati S. Fat transfer techniques: the effect of harvest and transfer methods on adipocyte viability and review of the literature. Dermatol Surg. 2001;27:819–826.
20. Yoshimura K, Sato K, Aoi N, et al. Cell-assisted lipotransfer for cosmetic breast augmentation: supportive use of adipose-derived stem/stromal cells.Aesthetic Plast Surg. 2008;32:48–55.

13 조직공학, 인공삽입물과 생체재료

Tissue Engineering, Implants and Biomaterials

김우섭 중앙의대

1. 조직공학

1) 서론

조직공학이란 생명과학, 의학, 공학이 융합된 학문영역으로 공학의 원칙과 방법을 생명과학에 적용하여, 조직의 기능을 회복, 유지, 향상시키기 위한 생물학적 대체물을 연구·개발하는 학문이다. 선천성 기형이나 외상, 암 절제 후에 생긴 결손 부위를 복원시키기 위한 재건성형수술은 대부분 자가 조직을 이용하므로 공여부에 또 다른 반흔과 추형을 남기게 된다. 이를 피하기 위해 이종 이식을 시도하기도 하지만 면역거부반응, 면역억제재의 부작용을 피할 수 없다. 공여부 손상을 최소화하면서 원하는 조직을 형태적, 기능적으로 복원시킬 수 있다는 가능성을 보여주는 조직공학은 의학발전에 획기적인 기여를 할 수 있어 많은 생체공학자, 세포생물학자, 임상의사들의 주목을 받아왔다. 오래 전부터 이용되어온 백혈병 환자에서의 골수이식은 세포치료기법이고 재생의학이라고 할 수 있다면, 외과 영역에서 세포와 생체적합재료를 이용하여 새로운 조직을 재생시켜 손상된 조직을 복원하는 시술을 조직공학이라고 할 수 있으므로 근본적으로 재생의학과 조직공학은 궁극적으로 같은 개념이라고 볼 수 있다.

조직공학에서 이용되는 스케폴드(Scaffold)는 독성이나 이물반응이 없고, 다공성이나 표면처리 등 스케폴드의 미세구조가 실체 생체의 자연적인 세포외기질(extracellular matrix)과 유사해서 세포친화력이 우수해야 하므로 공학적, 세포생물학적인 측면이 상호유기적으로 고려되어야 한다. 또한 이러한 세포-스케폴드 복합체가 생체 내에서 원하는 조직으로 재생되기 위해서는 충분한 영양과 산소를 공급받아야 하므로 주변에서의 혈류공급도 또 하나의 중요한 인자라고 할 수 있겠다. 지난 20년간 조직공학의 발전은 여러 종류의 줄기세포와 다양한 형태의 스케폴드를 이용한 연구 및 혈관형성에 대한 왕성한 연구성과로 실제 임상에 성공적으로 시도되고 있다.

2) 조직공학에서 필수 구성요소

세포기능을 유지하여 조직으로 재생되기 위해서는 다양한 성장인자나 사이토카인뿐 아니라 세포와 스케폴드의 생체역학적인 구조와 연관이 되어있으므로 세포, 기질-세포지지체, 세포생존을 위한 혈류 이 세 가지 부분은 조직공학에서 매우 중요한 요소이다.

(1) 세포

조직공학에 이용되는 세포에 대해 알아보면 초기에는 케라틴세포, 섬유모세포, 연골세포 등 성체세포를 이용하였으나 배양과정에서 세포성상이 바뀔 수 있고, 증식에 한계가 있어 최근에는 다양한 분화능과 무한한 자가재생능을 지닌 줄기세포가 주로 이용되고 있다. 특히 태아줄기세포는 전분화능이 있어 모든 조직으로 분화될 수 있으나 그 불안정성과 기형종 발생 가능성이 문제시된다. 골수조직이나 지방조직에 있는 중배엽성 성체줄기세포는 골세포, 연골연골세포, 지방세포, 근세포 등으로 분화시킬 수 있어 조직공학 연구에 많이 이용된다. 조직공학에 이용되는 세포는 면역거부반응을 피하기 위해서 자가세포가 바람직하다. 초기에는 골수줄기세포를 주로 이용하였으나 우리 몸에 풍부하게 존재하는 지방조직에서 많은 양의 줄기세포를 손쉽게 얻을 수 있다는 장점이 있다. 피하조직에서 얻은 지방줄기세포 수나 그 분화능은 개체, 나이, 부위에 따라 매우 다양하지만, 대개 100 mL 지방흡입액에서 약 2×10^8개의 지방줄기세포를 얻을 수 있다. 지방조직을 효소처리 후 원심분리하여 얻은 간질혈관 분획(stromal vascular fraction, SVF)에는 지방줄기세포 외에도 내피줄기세포, 혈관주위세포, 섬유모세포내피세포, M2항염세포, 혈액모세포 등 다양한 세포가 존재한다. 지방줄기세포는 CD29, CD44, CD90, CD146 같은 다양한 표식자를 이용해서 분리하게 되는데, 다른 줄기세포와 마찬가지로 지방줄기세포에만 반응하는 표식자는 없어 배양과정을 통해서 순수 지방줄기세포를 분리한다. 최근 Rodeheffer 등은 CD24 표식자가 지방줄기세포에만 특이 반응한다고 하였다. 지방주입만을 목적으로 할 경우 SVF에 있는 내피줄기세포가 혈관형성에 중요한 역할을 하기 때문에 순수한 지방줄기세포만 정제하는 것은 바람직하지 않다. 중배엽성 줄기세포는 주조직적합성복합체 클래스II항원(major histocompatibility complex class II) 표식자에 반응하지 않아 조직공학적 목적으로 줄기세포 은행에 보관하여 동종이식에 사용할 수 있다는 보고도 있다. 배아줄기세포는 그 전분화능과 무한한 증식능이 있어 유전자 측면에서 질병연구가 가능하다는 주장이 있지만 면역성 및 암 발생 가능성, 윤리적인 문제로 인한 법적 규제가 심해 실제 임상적용에는 장벽이 있다. Takahashi 등은 피부 체세포에 네 가지 전사인자를 이용해 배아줄기세포와 같은 기능이 있는 유도만능줄기세포(induced pluripotent stem cells)로 역분화시키는 데 성공하였다. 이 세포는 태아줄기세포와는 달리 이종면역반응이나 윤리적인 문제를 고려하지 않아도 된다는 점에서 매우 고무적이나 전사인자 주입 시 사용되는 바이러스 감염, 암 발생가능성이 제기되어 이에 대한 연구가 더 필요하다.

세포는 주변의 환경이나 다양한 성장인자로 인해 생화학적 신호, 물리학적신호에 영향을 받게 된다. 금속단백, 성장인자, 케모카인은 거식세포에 작용하여 조직성장과 재생에 결정적인 역할을 하는데, 이러한 염증성 사이토카인 및 국소 혈관재생성 성장인자는 멀리 떨어져 있는 내피줄기세포에 신호를 보내 내피세포의 이동과 증식, 세포분화를 자극한다. 그러나 이러한 상품화된 성장인자들은 가격이 비싸고, 반감기가 짧고, 암 절제 후 재건에 사용 시 암을 재발시킬 수 있어 그 사용에 한계가 있다. 세포는 이러한 화학적 환경뿐 아니라 세포 주변의 물리학적 환경에도 다양하게 반응한다. 세포 표면에 있는 수용기가 주변환경의 물리적 강도에 따라 반응하여 세포배양접시에 2차원 배양하는 경우 단단하게 펴져서 붙게 된다. 그러나 3차원 구조물에 배양을 하면 세포는 뭉쳐져 구형을 이룬다. 이렇게 인테그린에 의해 조절되는 세포와 세포외기질과의 접촉은 그 양상에 따라 유전자 발현, 세포이동과 분화에 결정적인 영향을 미치게 되므로 세포외기질의 물리학적 강도는 세포운명에 중요한 인자가 될 수 있다. 또한 세포 주위 환경의 물리학적 성상은 세포외기질단백의 생성과 분해, 세포이동, 유체전단력에 의해 조절되는데 이는 배자발생이나 창상치유과정에서 지속적으로 일어나는 현상이다.

(2) 기질-세포지지체

초기 조직공학 연구에서는 용해성 봉합사 같은 임상에서 안전하게 사용되는 합성재료들이나, 알지네이트나 콜라겐 같은 천연재료가 사용되었으나 최근 여러 연구자들은 다양한 기능을 가진 생체와 유사한 다양한 생체적합물질을 개발하여 임상적용전 시험관과 동물실험으로 그 안정성과 효용성에 대한 연구를 하고 있다. 이러한 생체재료들은 세포와 조직형성을 위한 구조적인 버팀대 역할을 하게 되는데 세포와 접촉하면서 세포에 중요한 영향을 미쳐 다양한 성장인자를 분비케 하거나, 세포의 성장분화에도 영향을 미친다. 조직공학을 위한 이상적인 생체물질은 생체적합성이 있어야 하고, 재생하려는 조직에 적합한 물리적성상이 있어야 하며 분해될 때에도 적절한 강도를 유지하고 분해산물이 무독성이고, 생체에 유해한 불순물이 포함되지 않아야 하고, 조직형성을 방해하는 생체반응이 없어야 하며, 재생하려는 조직과 유사한 구조로 제작할 수 있으며 제조단가가 적절해야 하고, 멸균 시 화학적 물리학적 성상에 변화가 없고 안정성이 있어 저장을 오래 할 수 있고 세포의 증식이나 분화 및 유전자 발현 같은 세포반응을 촉진할 수 있어야 한다. 현재 조직공학에 이용되는 생체재료로서 위의 모든 조건을 갖춘 재료는 없다. 전세계 재료공학연구자들은 위에 나열한 조건을 모두 갖춘 보다 완벽한 재료를 개발하기 위해 노력하고 있다. 이러한 생체재료는 그 재료의 종류와 양, 표면적, 표면처리 방법, 삽입된 부위

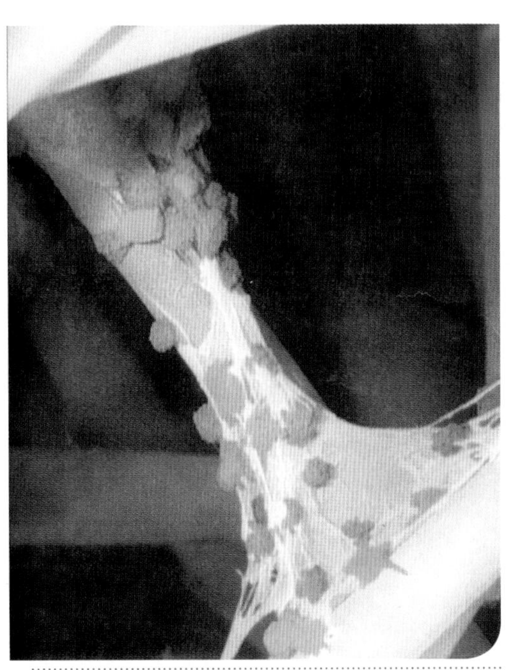

▷그림 1-13-1. 연골세포(붉은색)가 PGA 스케폴드(하늘색)에 생착및 증식하여 세포외기질(하얀색)을 분비하는 모습(전자현미경 사진)

에 따라 수일에서 몇 년까지 시간을 두고 분해가 되고, 분해가 진행됨에 따라 그 기계적 강도도 점점 약해지게 된다. 또한 폴리락티드(poly-lactic acid, PLA)나 폴리글리코사이드(poly-glycolic acid, PGA) 같은 재료들은 자가촉매반응에 의해 분해되면서 산성환경을 만들어 심한 경우 조직괴사를 야기시키기도 한다. 이런 측면에서 분해속도와 구조를 적절하게 조절하는 것이 무엇보다 중요하다.

분해성이나 세포와의 반응이 인체조직과 유사한 천연재료는 여러 가지 측면에서 장점이 많지만 순도 높게 분리하기 쉽지 않고, 멸균소독이나 보관이 어렵고 면역성을 고려해야 한다는 점에서 실제 사용에 한계가 있다. 콜라겐, 젤라틴, 실크 같은 단백질, 키토산, 하이알유로닉산 같은 다당류, 또는 세포외기질 추출물이나 뉴클레오티드 등 기본 재료로 다양한 화학적 가교반응을 가해서 분해속도를 조절하려는 연구도 시도되고 있다. 조직공학에서 이용되는 합성재료들은 다양한 화학적 구조를 가지고 있는데 그중 폴리에스테르, 폴리글리콜릭, 폴리락틱, 폴리카프로락톤, 폴리클리코릭-락틱 중합체 등이 가장 흔하게 사용되는 재료들이다. 이들 재료들은 분자량, 성분, 결정체 양상을 조절하여 기계적 강도, 분해속도를 적절하게 조절할 수 있다. 이러한 화학합성 재료들은 그 화학구조에서 보듯이 친수성인 세포외기질과는 달리 반수성이다. 생체 내에서 반수성 표면에 조직이 닿을 때 단백이 비특이적으로 흡착되어 변형이 되면 이물반응을 유도하기도 한다. 하이드록시아페타이트나 생활성유리 같은 세라믹 생체재료는 뼈 같이 딱딱한 조직을 재생할 때 사용되는데 잘 부서지기 쉬우나 뼈와 잘 유착되고, 뼈 유도성이 높다는 장점이 있다. 하이드로겔은 콜라겐, 젤라틴, 하이알유론산, 알지네이트 같은 천연 하이드로겔과, 폴리에틸렌글리콜 같은 합성물질도 있는데, 가교결합되어 건조중량의 1,000배까지 물을 흡수하여 액상형태로 되어 생체조직과 유사하고, 세포결합리간드가 세포외기질에 있는 분자와 결합이 쉽게 되어 세포상호작용에 유리하다. 안정성유지와 분해속도는 다양한 물리학적, 화학적 결합 정도에 따라 결정되고 외부 환경에 따라 분자형태가 변화되거나 젤처럼 만들 수 있어 세포나 약제와 혼합해서 주사기로 주입할 수 있다. 세포의 반응으로 기질 메탈로프로테이아제(metalloprotease)란 효소가 분비되면 생체재료는 적절히 분해되어 조직이 형성되고 자라게 되는데 이러한 조직의 형성되는 정도에 따라 생체재료가 적절한 속도로 분해되는 것이 가장 이상적이다. 또한 임상에서 흔히 이용되는 합성 생체제료에서 간혹 볼 수 있는 이물반응이 없는 생체재료를 개발하는 것이 숙제이다. 약 30 μm 크기의 다공성 폴리머와 작은 반경의 파이버를 사용하여 섬유화를 줄이거나 세포접촉리간드의 부착에 영향을 미치는 생체재료 표면의 화학적성상을 조절하거나, 면역반응을 야기시킬 수 있는 호스트단백이 변성을 줄여 비특이성 흡착을 최소화시키면 이러한 이물반응을 줄일 수 있다고 보고 되었다.

조직공학목적으로 사용되는 생체재료는 광조형공정법, 선택적 레이저소결법, 삼차원 프린팅법, 왁스프린팅법, 흉합침적 모델링기법, 바이오플로터 기법, 폴리머 분상기법, 입자템플레이팅, 기포템플레이팅, 전기방사법 등 다양한 공학적 방법으로 다공성 스케폴드나, 하이드로겔, 망사형, 마이크로 스피어 형태로 만들어진다. 조직공학을 목적으로 만들어지는 생체재료는 만들려고 하는 조직에 따라 그 디자인을 다르게 해야 하는데 각각의 조직에 적합한 디자인이 명확하게 규정되어 있지는 않지만 조직재생에 영향을 미칠 수 있는 중요한 변수로서, 생체재료의 성분(화학성분, 분자량, 분산성), 스케폴드 내부 삼차원적 다공구조,생체 재료의 표면의 화학적 성상 및 표면양상(거친 정도), 분해양상 및 분해산물, 분해 전과 후의 기계적 강도, 세포의 이동, 증식, 분화 및 세포부착 등 세포에 미치는 영향, 제조의 재현성 및 경제성, 생체재료 성상에 영향을 주지않고 소독이 가능한지 등을 고려해야 한다.

스케폴드는 분자운반, 세포이동, 혈관 신생이 가능할 정도의 다공성을 가져야 한다. 폴리락틱코글리콜릭산(polylactic-co-glycolic acid, PLGA)스케폴드인 경우 최소한 300 μm 이상의 다공성이 있어야 조직생존이 가능하다고 보고된다. 스케폴드는 전체 볼륨의 90%까지의 다공성을 지니게 제작될 수 있지만 다공성이 클수록 기계적 강도가 약해지는데, 생체재료의 기계적 강도는 조직공학으로 재생하려는 조직의 강도와 비슷하게 만드는 것이 이상적이다. 중배엽유래 줄기세포는 스케폴드 강도에 따라 분화에 영향을 받는다. 뇌조직과 유사한 탄성률을 지닌 연성의 하이드로겔을 사용하였을 때는 신경성 분화가, 조금 강도를 높여 근육과 유사한 탄성률의 하이드로겔에서는 근육성분화, 뼈와 같은 강도의 하이드로겔에서는 골성분화가 되는 것을 관찰할 수 있다. 즉 기계적 강도에 따라 세포의 형태, 유전자발현, 세포이동이나 분화에 영향을 미치게 된다는 것을 알 수 있다. 최근에는 생체재료를 이용하지 않고 세포 덩어리 자체를 삼차원적인 프린터 기법으로 원통모양으로 만들어 배양해서 조직을 재생하는 새로운 방법도 시도되고 있다.

생활성분자는 자연적인 조직의 형태형성에 중요한 역할을 하게 되는데, 공간적, 시간적으로 어떠한 양상으로 유리되느냐는 조직형성에 중요한 영향을 미치게 된다. 성장인자나, 항염 펩타이드, 기타 약제 같은 생활성분자들을 생체재료에 포함시켜 조직형성 과정의 적정시점에서 적절한 양과 속도로 공급하면 효율적인 조직재생을 도모할 수 있다.

성장인자는 세포유착, 증식, 분화, 이동이나 유전자 발현에 영향을 미쳐 세포운명을 조절한다. 이러한 성장인자는 생체 내에서는 비교적 반감기가 짧기 때문에 일정하게 공급될 수 있도록 적절히 조절해주는 것도 중요하다. 예를 들면 자가지방을 젤라틴 마이크로스페어에 섬유모세포 증식인자를 결합시켜 생체에 주입하였을 때 증식인자가 유리되어 많은 양의 지방조직 생성이 가능하다.

(3) 혈관신생-영양공급

연골조직은 조직 내에 직접적인 혈류가 없어도 주위 혈관에서 영양과 산소공급이 확산에 의해 이루어지고, 힘줄과 인대도 비교적 단위면적당 세포수가 적어 산소와 영양공급이 크게 필요없으나 대부분의 조직들은 조직 내에 미세혈관으로부터 끝임 없는 영양과 산소공급을 필요로 한다. 세포는 미세혈관에서 150 μm 이상 떨어져 있으면 생존할 수가 없다. 뇌조직, 근육, 콩팥 내의 세포들은 저산소 환경에 매우 예민하나 줄기세포나 태아조직은 저산소 환경에서 비교적 잘 견딜 수 있다. 이러한 혈관생성은 성공적인 조직재생에 중요하게 고려해야 할 부분이다. 체외에서 조직을 재생시켜 이식하면 혈관이 조직 내로 자라들어 올 때까지 이식된 조직은 주위 혈관에서 확산에 의해 영양과 산소를 공급받게 된다. 이때 혈관형성 성장인자를 사용하거나 내피세포와 중배엽유래 줄기세포를 같이 배양하여 혈관 형성을 촉진하기도 하고 세포를 허혈 환경에 전처리하여 새로운 환경에 미리 적응하게 하기도 한다. 또한 스케폴드를 쥐에 20일간 삽입하여 스케폴드 내로 혈관이 자라 들어오게 한 후, 이를 같은 유전자를 가진 다른 쥐에 이식하면, 이식 6일째 기존 스케폴드 내로 자랐던 혈관이 주변 혈관과 연결되어 재관류가 이루어진다는 보고도 있다. 최근에는 유방재건이나 유방확대 수술 시 외부에서 장기간 음압을 가하여 유방을 빨아들여 피부와 유방조직을 느슨하게 만들어 잠재공간을 만든 다음 엉덩이나 복부 지방에서 흡입한 지방을 원심분리처리 후 주입하게 되면 이식한 지방생존율이 높아진다는 보고가 있는데 이는 흡입자극으로 생성된 염증성 사이토카인이 혈관재생을 자극하게 하고 유방조직 주변의 줄기세포를 유인함으로써 이식된 지방조직의 생존을 높이는 기전이다.

3) 조직공학으로 재생될 수 있는 조직

(1) 피부

피부는 진피조직을 만들고 그 위에 케라틴 세포층을 덮어 만들 수 있다. 조직공학적으로 재생된 피부는 만성창상이나 화상치료에 이용될 수도 있지만, 시험관에서 난치성질환인 백반증, 건선증 같은 피부질환을 재현하여, 신약의 안정성, 효용성 검사에 상업적으로 이용될 수 있다. 조직공학적 기법을 이용한 피부재생연구도 조직공학의 세 가지 구성요소인 세포, 스케폴드, 혈관재생 측면을 고려하여 실험디자인을 해야 할 것이다. 섬유모세포를 이용하면 골라겐구조를 보다 더 완전하게 재생시킬 수 있을 뿐 아니라 호중구세포가 세균을 공격하는 데 방해가 되어 섬유모세포의 국소적 노화를 유발시키는 바이오필름형성 문제를 해결할 수 있다. 섬유모세포가 생체재료와 합쳐지게 되면 호중구세포, 표피유래줄기세포, 중배엽유래 줄기세포가 활성화되어 창상치유가 촉진된다. 또한 모낭세포를 신생아의 진피섬유모세포와 같이 배양하여 모낭과 피지선을 포함하는 조직공학적 피부를 만들 수 있다면 완벽에 가까운 피부재생이 가능하다.

피부에서 스케폴드의 역할이 매우 중요하다. 창상면에서 스케폴드로 혈관과 진피조직이 자라 들어오게 되는데 이 스케폴드에 생체모방 단백을 첨가하거나 스케폴드 표면에 화학적, 지형적 성상에 변화를 주면 세포의 성장과 분화 등 세포운명에 영향을 줄 수 있다. 그러나 최근에 만들어진 피부대체품들은 창상면과 유착이 잘 되지 않아 혈관생성이 저하되어 이식한 세포에 불리한 영향을 준다는 단점이 있다. 줄기세포는 허혈환경에서 혈관형성성장인자를 분비하므로 혈관재생을 촉진하기 위해 재생된 진피스케폴드에 줄기세포를 올려놓기도 한다. 이러한 줄기세포의 창상치유효과는 조직공학과 결합되어 창상치료제로도 사용될 수 있을 것이다.

(2) 지방조직

지방조직을 조직공학적 기법으로 재생할 수 있다면 폴란드 증후군, 롬버그 질환, 노화, 유방재건이나 외상, 화상, 방사선조사 후 발생될 수 있는 결손부위 재건에 유용하게 사용될 수 있을 것이다. 지방세포는 허혈환경에 매우 약해서 세포배양이 어렵고 생체 내에서는 증식하지 않기 때문에 지방조직에서 얻은 SVF나 골수에서 얻은 전구세포를 이용하여 조직공학적 기법으로 지방재생을 시도하기도 하지만 시간과 비용이 많이 소요되어 실제 임상에서는 지방조직주입 방법을 개선함으로써 지방생존율을 높인다.

이식된 지방의 운명에 대한 다양한 가설이 있는데, 이식한 세포가 생존하여 지방조직을 만드는지, 아니면 이식한 지방세포성분에서 나오는 다양한 신호가 내생적으로 지방을 만들게 하는지에 대한 논란이 많다. 섬유모세포 성장인자를 넣은 메트리젤과 인체 지방조직과 인체 지방줄기세포를 각각 쥐에 이식하였을 때, 두 그룹 모두에서 새롭게 생성된 지방은 이식한 지방조직이나 줄기세포에서 유래된 것이 아니고 내생적으로 쥐에서 유래된 지방조직이라는 보고가 있다. 이식한 조직이나 세포 주위로 식세포가 보이는 것으로 봐서 이식한 조직이나 세포에서 나오는 신호가 염증반응을 일으켜 내생적으로 지방을 형성하게 하는 것으로 해석할 수 있다. 동물실험에서 주입 후 4주째 내생적으로 생성된 지방이 보이기 시작하고 8주가 되면 최고조에 달한다. 이는 이식한 지방이 8주째까지 남아있는 것을 볼 수 있는데 8주째 내생적으로 생성된 지방이 이를 대치한다고 볼 수 있다.

흡입지방을 처리한 SVF와 같이 인체에 주사하였을 때 이식율이 높아진다는 보고도 있는데 이는 이식된 줄기세포가 생존해서 지방세포로 바뀌는지, 아니면 이식한 줄기세포의 염증성 파라크라인 효과로 내성적 지방생성을 촉진시켜 이식이 높은 것처럼 보이게 하는지는 확실하지 않다. 기질의 기계적인 강도는 지방재생과 혈관재생에 중요한 역할을 한다. 메트리젤, 근육에서 만들어진 마이오젤, 지방세포외 기질로 만들어진 생체재료가 지방생성이나 혈관생성에 효과적이라는 여러 보고가 있으나 높은 제조비용이나 법적규제 등 해결해야 할 과제가 남아있다.

(3) 근육

조직공학적 기법으로 골격근육을 재생할 수 있다면 근육이형성증이나 외상이나 암절제후에 생긴 근육결손, 신경손상으로 인한 근육위축을 치료할 수가 있고 운동생리학이나 다양한 근육질환모델, 신약의 안전성 효용성 검사 등에 이용할 수 있을 뿐 아니라 동물 줄기세포를 이용하여 식용고기를 만들 수도 있을 것이다.

근육은 다핵세포로 이루어진 근육섬유가 신경말단에서 분비되는 아세틸콜린에 반응하여 수축을 하는 기능을 가진 매우 복합적인 구조이다. 근육조직 재생에는 근섬유 기저층에 있는 줄기세포의 일종인 위성세포가 이용된다. 골격근육에 있는 근육모세포는 시험관에서 배양 증식이 가능하나 이차원 계대배양은 거듭할수록 근육세포로 분화가 어렵다. 콜라겐과 메트리젤을 이용한 삼차원 배양이나, 생체내 세포외 기질 내에서는 세포증식과 분화가 가능하다. 섬유모세포와 근육모세포를 같이 배양하거나, 피브린젤이나 라미닌을 이용해서 배양하면 배양기간이 짧고 근수축력이 조금 더 우수하다. 삼차원구조의 콜라겐젤에 근육모세포를 배양한 다음 전기자극을 주면 근관으로 분화되며, nox 유전자 표현이 증가하고 혈관내피 성장인자가 상승된다. 또한 바이오리엑터 등을 이용해서 섬유모세포에 주기적으로 기계적인 자극을 주어 실제 근육세포와 비슷한 환경에 처하게 하면 수축력이 증가하고, 삼차원 기질에 신경조직과 같이 배양하면 아세틸콜린 수용기가 있는 신경-근 접속점도 생성되게 되어 근육기능을 향상시킬 수 있다는 연구보고도 있다.

세포외기질의 성분도 섬유모세포의 분화와 배열에 결정적인 역할을 한다. 폴리글리코락틱산 메시(PLGA mesh), 폴리카프로락탐(poly-caprolactam, PCL), 키토산, 유리섬유, 극소형 나노섬유, 파상형 실리콘 등은 세포 배열과 분화, 증식에 영향을 미친다. 그러나 이러한 인조재료들을 생체에 사용하기 위해서는 탄력성, 독성, 생분해성도 같이 고려되어야 한다. 탈세포시킨 골격근육 같은 생체 스케폴드 사용은 면역성을 고려하지 않아도 되고, 조직에서 다양한 활성 사이토카인, 성장인자를 포함하므로 매력적인 생체재료가 될 수 있을 것이다. 실제 근육모세포를 탈세포화시킨 근육기질에 심은 후 쥐 복부벽 결손부위에 이식하였을 때 기존 근육과 잘 유합되고 혈관생성도 잘 되는 것을 관찰할 수 있다. 그러나 이러한 의미 있는 연구결과에도 불구하고 충분한 크기의 근육을 재생시키는 데는 아직 난관이 많아 조직공학적 기법으로 근육이형성증에서 근육을 성공적으로 만들어줄 수 있을지 의문이 있다. 하나의 대안으로 유전자 전이기법으로 섬유모세포에서 인슐린유사 성장인자, 적혈구생성촉진인자, 혈관생성인자를 만들 수 있게 할 수 있다면 근육재생에 도움이 될 수 있을 것이다.

(4) 신경

신체 각 부위에 있는 신경은 그 미세환경이 각각 다르므로 조직공학적 적용도 달라야 한다. 끊어진 말초신경 양쪽에 속이 비어있는 튜브를 사용하여 신경재생을 유도하면 10 mm까지의 간격은 신경이 자라나오게 할 수 있다. 이때 사용되는 튜브는 분해가 되지 않는 폴리머를 사용되나, 분해성인 콜라겐 신경유도 튜브도 상품화되어 사용된다. 영장류실험에서 10 mm 이상 신경간격이 있는 경우에 생체섬유나 하이드로겔에 세포를 첨가하는 경우 성공적으로 복구될 수 있었다. 신경재생을 유도하는 튜브 내측면에 일정한 방향을 배열된 피브린이나 콜라겐을 코팅시키면 보다 큰 신경결손 간격이 있는 경우에도 신경섬유재생을 유도할 수 있다. 스케폴드에 슈반세포를 이식하거나 다양한 신경영양인자, 약제를 적절히 유리되게 하여 신경재생을 유도하는 보고도 있다.

중추신경손상이 있을 때는 주변환경이나 세포반응은 재생을 억제하는 방향으로 진행된다. 척추신경 손상이 있을 경우 줄기세포가 신경재생에 효과가 있는데 그 자세한 기전은 아직 알려지지 않았다. 중추신경에서는 손상부위에 줄기세포를 직접 사용하면 신경세포로 분화되지 않는 경향을 보이기 때문에 줄기세포에서 유래된 신경전구세포를 사용하는 것이 보다 효율적이다. 구멍이 일정한 방향으로 배열되게 만든 다공성 스케폴드를 사용하면 신경돌기와 세포가 스케폴드 속으로 일정한 방향으로 자라 들어오게 되어 신경재생에 유리하다. 다양한 세포와 생체재료, 생체활성분자를 이용한 신경조직의 조직공학적 재생연구가 시도되고 있어 향후 신경손상치료의 획기적인 발전이 기대된다.

(5) 혈관

실험실에서 혹은 생체에서 자가이식, 이종이식이나 비흡수성 폴리머 인조혈관 등을 대치해서 사용할 수 있는 조직공학 혈관을 만들어 사용하는 시도가 있다. 천연재료 혹은 합성재료로 만들어진 흡수성 스케폴드에 혈관생성 성장인자를 넣은 다음 내피세포를 이식하면 미세혈관이 더 많이 자라 들어 온다는 것을 관찰하였는데 실제 임상사용을 목적으로 폴리에스테르 메시와 콜라겐으로 만들어진 인조혈관이 상품화되어 사용되고 있다. 또한 다른 시도로서 스케폴 없이 시험관에서 섬유모세포를 메시형으로 배양하고 이를 바닥의 세포외기질과 함께 말아 튜브형태로 만든 다음 안쪽 면에 환자의 내피세포를 뿌려 자라게 하여 신생혈관을 만드는 방법도 고안되고 있다.

플라스딕, 하이드로겔 혹은 탈세포화시킨 인간피부를 기질로 하고 그 위에 내피세포나 시험관 내에서 내피모세포, 인체 제대정맥내의 내피세포를 배양하면 미세혈관 같은 구조의 혈관네트워크가 만들어진다. 미세한 마이크로체널 형태로 만들어진 스케폴드를 사용해서 혈관망을 삼차원적으로 만들 수 있다. 최근 연구들은 다양한 세포 덩어리를 삼차원 프린팅 기술을 이용하여 튜브형태로 만들 수 있는데 이렇게 하면 혈관 네트워크가 환자의 순환기와 연결되는 장기를 제조할 수 있다.

시험관 내에서 만들어진 혈관네트워크를 환자의 기존의 혈류와 연결시켜주는 것이 관건인데, 면역결핍 쥐를 이용한 실험에서는 새롭게 만들어진 혈관이 기존혈관과 연결되는 것을 볼 수 있다. 이렇게 다양한 방법으로 외부에서 혈관을 만들어 이식하게 되면 면역거부현상이나 만들어진 혈관과 기존혈관과 연결되는 시점 등이 문제가 될 수 있어 내생적으로 혈관생성이 되게 하는 것이 보다 바람직하고 이에 대한 연구가 필요하다.

(6) 뼈

뼈의 조직공학에서는 스케폴드의 적절한 기계적 강도가 중요하고, 스케폴드에 뼈세포가 붙어 증식하고 이동할 수 있게 충분한 골전도성이 있어야 한다. 베타트리칼슘포스트페이트(β-tricalcium phosphate), 수산화인회석(hydroxyapatite) 같은 세라믹은 적절한 강도와 골전도성이 있어 뼈의 대체물로 실제 임상에서 사용되고 있다. 폴리락틱산(polylactic acid, PLA), 폴리카프로락탐(PCL), 같이 서서히 분해되는 폴리머 또한 조직공학적 이용목적으로 연구되고 있는 재료이다. PCL로 만들어진 재료는 이미 미국식품의약국의 승인을 받아 임상에 사용되고 있다. 생체에서 뼈조직과 연부조직을 단단하게 결합시킬 수 있어 생 활성재료라고 불리는 실리카 함유 칼슘, 나트륨, 무기인 산화물도 상품화되어 사용된다.

스케폴드는 세포와 영양분의 이동이 가능할 수 있게 300 μm 이상의 다공성을 지니고 있어야 하지만 새로운 뼈조직이 형성될 때까지 어느 정도의 주변조직에서 오는 기계적 압박도 이길 수 있어야 하므로 다공성과 함께 재료의 성분, 강도 등이 중요하다. 순수 세라믹을 이용하면 다공성이 충분하여 혈관재생은 잘되지만 충분한 강도를 유지하기가 어려워 임상에 사용하기에 제한이 있다. 이러한 문제를 해결하기 위해 폴리락틱산(PLA)에 하이드록시아페타이트(hydroxyapatite) 나노입자를 섞은 복합재료를 사용하기도 하고, 적절한 다공성과 기계적 강도를 가지고 있는 산호도 뼈의 조직공학연구에 많이 이용된다.

뼈 재생에 사용되는 스케폴드는 다공성과 기계적 강도도 고려해야 하지만, 뼈형성단백(bone morphogenetic protein) 같은 골유도성장인자를 스케폴드 내에 첨가하여 적절한 속도로 내보내게 제조함으로써 뼈조직 성장을 촉진시킬 수 있게 만든다. 뼈형성단백 외에도 형질전환성장인자-β1 (transforming growth factor-β1, TGF-β1), 섬유모세포성장인자-2 (fibroblast growth factor-2, FGF-2), 혈소판유래성장인자(platelet derived growth factor, PDGF) 등도 골형성을 촉진시키는 효과가 있다고 알려져 있다. 실제 임상에서 척추수술 시 뼈형성단백을 사용하면 좋은 효과가 있다는 것이 증명되었으나 가격이 매우 비싸 통상적으로 사용되지는 않는다. 스케폴드에 골수줄기세포를 포함하는 골수유래 기질세포 같은 뼈전구세포를 시험관에서 자라게 한 다음 생체에 이식 시키면 세포가 스케폴드 내로 들어가 붙은 후 증식 분화되면 세포외 기질을 형성하여 뼈를 재생시킬 수 있으나 이러한 세포를 이용한 뼈의 재생에서 재생된 뼈의 성장이 이식한 세포에서 유래한 것인지에 대해서는 아직 확실히 밝혀지지 않았다. 조직공학적으로 뼈를 재생시킬 수 있다면 삼차원 컴퓨터단층촬영과 삼차원 프린트를 이용하여 뼈의 결손 부위를 정확하게 재건할 수 있을 것이다.

(7) 연골

연골조직은 그 산소와 영양공급을 주변의 혈관에서 확산에 의해 받기 때문에 조직공학적 기법으로 재생하기에 비교적 용이하여 실제 임상에 이용되기도 하지만 아직 그 효용성, 일정한 재현성, 적용할 수 있는 범위 등이 확실하게 적립되지 않아 보편적으로 사용하기에는 한계가 있다. 관절연골 결손의 치료에서 자가세포를 이용한 치료법은 이미 미국 식품의약국 허가를 받아 사용되기도 하지만 세포배양에 많은 시간과 노력이 소요되고 충분한 크기의 결손치료에는 한계가 있어 보편적으로 사용되지는 않지만, 배양이 잘 되는 줄기세포를 연골세포로 분화시켜 사용하는 것은 또 하나의 대안이 될 수 있을 것이다. 연골세포는 삼차원 구조물에서 기능을 하여 세포외 기질을 분비하여 새로운 연골조직재생이 가능하기 때문에 적절한 스케폴드 디자인이 필요하다. PLGA, PCL, 하이알유론산, 젤라틴, 콜라겐을 이용한 다양한 흡수성 폴리머로 만든 재료들이 다양한 구조의 스케폴드나 미세구형으로 만들어져 사용되는데, 실제 상품화되어 임상에 사용된다. 스케폴드에 세포를 심어 시험관에서 자라게 한 다음 생체에 이식하거나, 스케폴드만 넣어 주변 조직에서 세포가 스케폴드 내로 자라 들어오게 하는 방법 등도 사용되는데 이렇게 세포를 이용할 경우 세포주변의 물리적인 미세환경이 매우 중요하다. 또한 다양한 바이오리엑타를 이용하여 연골세포가 심어진 스케폴드에 중력과 유체 역학적인 힘을 주어 생체환경과 비슷하게 만들어주면 보다 양질의 연골조직을 얻을 수 있다.

(8) 요로기계

요관재건을 위해 인체방광조직에서 콜라젠기질을 얻어 요관위에 올려놓거나 작은창자의 점막하조직을 튜브형태로 만들어 이식시키는 시도도 있었지만 요관을 완전하게 재생하지는 못하였다. 방광재건을 위해서는 방광조직에서 얻은 자가세포를 흡수성 스케폴드에 심어 배양한 다음 인체에 이식하였더니 방광조직이 재생되고, 방광기능이 수년간 개선되었다는 보고가 있었다. 이 연구는 2009년 미국 식품의약국 2단계 임상시험이 완료되었으나 아직 광범위하게 사용되기에는 더 많은 연구가 필요하다.

4) 요약

1990년대 초반 Vacanti 박사팀의 획기적인 조직공학기법 개발로 임상의사들은 환자의 결손부 복구나 기능적 재건에 대한 긍정적인 전망을 가지게 되었지만 세포배양 과정에서 세포변형은 해결해야 할 큰 과제였다. 그러나 곧 무한한 복제능과 분화능이 있는 줄기세포를 조직공학에 응용함으로써 조직공학기법은 임상적용에 한 단계 더 다가서게 되었다. 또한 체세포를 줄기세포로 역분화시키는 방법개발로 줄기세포 사용의 윤리적인 논란은 피할 수 있고, 재료공학, 생물학 등 기초과학의 많은 발전이 있었지만, 환자에게 보편적인 시술방법으로 사용되기 위해서는 암발생 가능성, 면역거부반응 등 실제 환자에게 생길 수 있는 모든 부작용에 대한 기전을 밝히고 이를 해결할 수 있는 연구가 필요하다.

2. 인공삽입물과 생체재료 (Implants and biomaterials)

의료용 인공삽입물은 손상된 생체조직을 보강하거나 대체하기위해 만들어진 의료용 기구로서 성형외과 영역에서 융비술, 유방확대, 안면윤곽, 창상치유 등의 목적으로 사용될 뿐 아니라 인공치아, 인조관절, 심장방동조율기, 인공달팽이이식, 인조혈관, 인조심장판막 등이 전 의료분야에 광범위하게 사용되고 있다.

미국 NIH (National Institutes of Health)에서는 조직이나 기관 혹은 기능을 보강할 목적으로 일시적, 영구적으로 삽입하는 인조물 혹은 자연재료로 된 모든 물질을 총칭해서 생체재료라고 정의하였다. 최근에는 조직공학분야의 발달로 생체조직과 같거나 유사한 조직으로 손상된 조직을 대체하거나 보강할 수 있게 되었다.

1) 이상적인 인공삽입물의 조건

인공삽입물이 인체 구조물의 기능을 대신할 수 있기 위해 필수적으로 가져야할 조건은 염증이나 이물반응이 없어야 하고, 대체하는 조직과 유사한 탄력성을 가져야 하며, 각 환자에게 맞춤형으로 제조할 수 있어야 하고. 주변조직과 쉽게 융합되며 삽입물 내로 콜라겐증식이 가능하고, 지속적으로 조직재생을 유도하며, 인장강도(tensile strength)가 좋고, 염증환경에도 잘 견디며, 부작용을 최소화할 수 있어야 할 뿐 아니라 발암성분이 없어야 한다.

2) 종류

(1) 금속(Metals)

스테인레스 스틸은 철(iron)-크롬(chromium)-니켈(nickel) 합금으로 인장강도는 높으나 잘 휘어져 견고한 고정을 위해서는 적합치 않으나, 치열활봉(arch bar)이나 수술용 철사 등의 재료로 쓰인다. 이 스테인레스 스틸합금은 크롬성분이 17% 이상 되게하여 부식방지막을 형성하게 만들어졌으나 철성분이 주변조직에 침출되어 심한 염증반응이나 통증을 유발할 수 있다는 단점이 있다. 코발트(cobalt)-크롬(chromium)-몰리브데늄(molybdenum)합금은 부식저항력과 강도를 높이기 위해 개발되었으나, CT영상에 산란된 인공음영(artifact)을 남긴다는 단점때문에 치과 영역 외에는 거의 사용되지 않고 있다. 티타늄(titanium)합금은 1980년초에 개발된 재료로서, 가볍고, 강하며 부식이 거의 되지 않아 염증반응을 잘 유발하지 않고, 철성분이 소량(0.5% 이하) 포함되어 금속탐지기에 감지가 안 되며, CT나 MRI 영상에 인공음영을 남기지 않을 뿐 아니라 주변 조직의 무기염류(mineral)와 화학적 결합을 하기 때문에 티타늄보형물과 뼈 사이에 섬유화조직이 생기지 않는다는 장점이 있어 최근까지 가장 많이 사용되는 재료이다. 24 캐럿 금(gold, 순도 99.9% w/w) 또한 주변 조직과 화학적으로 반응하지 않아 토안치료에 사용되고, 금과 비슷한 성상을 가진 플라티늄(platium)은 금 과민성이 있는 환자에게 사용되는데 금에 비해 밀도가 높아 얇게 제조할 수 있어 눈에 덜 띈다는 장점이 있으나, 면역반응을 야기시켜 오랫동안 노출되면 눈, 코, 목에 자극을 주거나, 호흡기, 피부 등에 알러지반응을 유발할 수 있다는 단점도 있다.

(2) 중합체(Polymers)

중합체의 물리학적 성상은 단량체(monomer)의 구조와 중합체 체인 내에서의 단량체 숫자, 가교형성의 결합강도에 따라 결정되는데 중합체 체인의 가교형성의 강도를 조절하여 고체형이나 젤형으로 제조된다.

의학용으로 가장 많이 쓰이는 실리콘(silicone)은 실리콘분자(Si)와 산소분자(O)가 반복적으로 결합된 중합체의 총칭으로 화학적 처리방법에 따라 다양한 재형으로 제조될 수 있는데 의학용으로 사용되는 재형은 주변조직과 반응이 거의 없는 폴리디메틸실록산(polydimetylsiloxane, PDMS)이다. 30개 이하의 단량체로 제조된 저분자량 PDMS은 점도가 낮아 액상형이고, 고분자량 PDMS는 3,000개 이상의 단량체로 구성된 단단한 고체형이다. 고체형은 광대뼈, 코, 턱 성형이나, 관절, 힘줄, 뼈 재건에 사용되고 액상형은 유방확대보형물 등의 재료로 사용된다. 1902년 FDA에서 유방보형물에 사용되는 액상실리콘 제재에 대해 잠정적 사용유예판정(moratorium) 이후 공신력있는 기관의 연구가 포함된 35편 이상의 잘 디자인된 광범위한 연구에서도 실리콘이 질환을 유발한다는 결론을 내지 못하였다. 실리콘은 일회용 주사바늘, 주사기, 정맥튜브, 심장박동기, 인공관절 등 현재 의학용구에서 가장 많이 사용되고, 립스틱, 로션, 헤어스프레이, 심지어는 껌 제조 시에도 사용될 정도로 흔한 재료이다.

폴리테트라플루오로에틸렌(Polytetrafluoroethylene, PTFE)은 상품명인 테프론(Teflon®)으로 불리기도 하는데, 이 PTFE를 늘려 가열하여 제조된 ePTFE (expanded PTFE)는 상품명인 고어텍스(Goretex®)로 불려지고 교차결합이 되지 않아 신축성, 유연성이 있으며 화학적 안정성이 있는 재료이다. 의학용 고어텍스는 내부에 10~30 μm의 구멍을 가진 다공체로서 주변조직이 자라 들어와 혈관이식, 복벽재건, 안면윤곽용 삽입물 용도로 사용되고 있으나 간혹 염증을 유발한다는 단점이 있다. 폴리에스테르(Polyester)로 만들어진 Mersilene®은 탈장치료, Dacron®은 인조혈관 재료로 사용된다. 폴리프롤린(polyprolene)은 강한 강도와 이물반응이 적어 탈장이나 골반구조물 탈장 치료목적으로 사용되었으나 주변조직에 미란을 유발시킬 수 있다는 단점이 있다. 메다포어(Medpor®)는 폴리에틸렌(Polyethylene)을 재료로 만들어진 재료로서 환자에게 맞는 모양으로 조각해서 사용할 수 있고 다공성으로 조직과 혈관이 자라 들어올 수 있으나, 고어텍스에 비해 딱딱하여 삽입하기가 힘들고 제거하기 힘들고 안와벽 재건 시 CT에 잘 보이지 않아 삽입 위치를 정확히 진단할 수 없다는 단점이 있다. 생물분해성 중합체인 폴리락틱산(polylactic acid, PLA), 폴리글리콜릭산(polyglycolic acid, PGA), 폴리락틱코글리콜릭산(polylactico-glycolic acid, PGLA)은 흡수성 중합체로서 봉합사, 망사형, 고정판, 고정나사형 등 다양한 재형으로 제조되어 임상에서 사용되고, 생체에서 가수분해되어 흡수되는데 폴리락틱산의 함유량이 높여 분해속도와 강도를 조절할 수 있다. 뼈 고정목적으로 사용 시 첫 8주간은 고정판과 나사의 강도가 유지되기 때문에 뼈

치유를 도모할 수 있다.

(3) 세라믹(Ceramics)

세라믹은 1960년대 이후부터 의학용으로 개발 사용된 재료로서, 이물반응이 적고, 박테리아집락형성(colonization)에 저항성이 높으며, 내구성이 있고, 원하는 모양으로 제조할 수 있으며, 다공성이라 주변에서 조직이 자라 들어올 수가 있다는 장점이 있으나 잘 깨지거나 부서지기 쉽다는 단점이 있다. 칼슘 포스페이트(calcium phospahates)는 골유도성(osteoinduction) 및 골전도성(osteoconduction)이 있어 성형외과 영역에서 가장 흔히 쓰이는 세라믹재료이다. 칼슘 포스페이트는 2가지 제형이 있는데 하이드록시아파타이트(hydroxyapatite, $Ca_{10}(PO_4)_6(OH)_2$)는 흡수율이 작고, 골전도를 강화시켜서 사용되고, TCP (tricalcium phosphate, $Ca_3(PO_4)_2$) 는 흡수율이 높아 뼈로 치환되는 속도가 빠르다는 장점이 있다. 이 재료는 입자형, 블록형, 시멘트형으로 제조되어, 체중을 받지 않는 안면 두개골 수술에 흔히 사용된다.

(4) 접착제(Adhesives and glues)

의학용으로 사용되는 접착제는 두 조직을 접합시거나 지혈하기 위해 사용된다. 접착제로서 가져야 할 이상적인 요건은 알러지 반응이 없고, 질병전염의 위험이 없어야 하며 공간을 밀폐할 수 있어야 하고, 사용이 쉬우며, 비용이 적절하여야 한다.

혈소판겔(plate gels)은 혈소판이 풍부한 혈장(platelet-rich plasma, PRP)으로 만들어 사용하기도 하는데 이 PRP에는 상품화된 제품보다 피브리노겐(fibrignogen)의 양이 적어 접착력이 떨어진다. 피브린 조직접착제(fibrin tissue adhesives)는 FDA승인을 받은 제품으로서 피브린(fibrin) 과 트롬빈(thrombin)이 분리된 특수 실린지에 분리 포장되어 사용 직전에 약간의 factor XIII와 칼슘을 섞어 주입하거나 분무하여 사용된다. 접착력은 피브리노겐과 트롬빈농도가 높을 수록 중합률이 높아 접착력이 강하다.

시아노아크릴레이트(cyanoacrylate)제재 중 초기 개발된 부틸시아노아크릴레이트(butyl-cyanoacrlyate)는 분해속도가 빠르고 염증반응을 야기시킨다는 단점이 있어, 최근에는 곁가지(side chain)가 길게 제조된 옥틸시아노아크릴레이트(octyl- cyanoacrylate)가 분해속도가 늦고 접착력이 강해 주로 사용된다.

(5) 피부대체제(Skin subtitutes)

이상적인 피부대체제의 조건은 창상에 빨리 유착이 되어야 하고, 정상 피부의 생리학적, 기계적 성질로 회복시킬 수 있으며, 비싸지 않아야 하며, 면역학적 거부반응이 없어야 하며 조직재생과 창상복구를 촉진할 수 있어야 한다.

인테그라(Integra®)는 돼지의 콜라겐염기와 글리코사민콘드로이틴슬페이트(glycosaminoglycan-chondroitin-6-sulfat)로 된 진피층과 표피역할을 하는 실리콘 층으로 된 두층의 피부대체재이다. 창상치유과정 시 진피층이 환자 자신의 세포로 대치되면 실리콘층은 떼어낸 후 재생된 진피층 위에 부분층식피술을 한다. 인테그라는 자가이식, 동종이식, 이종이식에 비해 빠르게 창상치유를 유도할 수 있어 이식피부가 생착되지 않는 복합창상에 사용된다. 신생진피는 창상바닥에 생착되어 혈관화가 되는 데는 10~14일 이상 소요되고, 생착 후 그 위에 부분층 피부을 할 수 있다. 바이오브란(Biobrane®) 역시 실리콘 필림에 콜라겐이 결합된 나일론직물이 포함된 제품이다. 에피셀 (Epicel®, 배양표피자가이식)은 환자 피부를 채취하여 자가표피세포를 2~8개의 세포층으로 배양하여 바셀린거즈에 붙혀 환자에게 사용하게 된다. 심재성 2도 화상이나 전층화상이 전체 체표면적의 30% 이상일 때, 부분층 식피술과 같이 사용되기도 한다. 더마그래프트(Dermagraft®)는 폴리글락틴(polyglactin)망사에 신생아 섬유모세포(fibroblast)가 붙어있는 형태로, 폴리글락틴은 점차 흡수되고 생착된 섬유아세포는 콜라겐과, 글리코아미노글리칸, 파이브로넥틴 등 여러 성장인자를 분비하여 전층화상, 정맥성궤양, 압박궤양 등에서 메시형 부분층식피술의 생착율을 높일 수가 있다. 에플리그라프(Apligraf®)는 1형의 소의 콜라겐으로 된 진피층과 신생아포피세포에서 얻은 섬유모세포와 각질세포로된 표피층, 두개의 층으로 되어있고, 5일은 실온에서 보관 가능하며 정맥성궤양, 당뇨발과 같은 만성궤양에 사용된다.

(6) 생체인공삽입물(Bioprosthetics)

인공삽입물의 부작용을 피할 수 있게 인체조직이나 동물조직을 탈세포화시켜 제품화한 것으로 주로 메시(mesh)형으로 사용된다. 인체나 동물조직의 세포, 세포파편 등 면역성을 가진 성분은 제거하고 세포외기질은 잘 보존시켜 조직을 재생하거나, 재형성되게 하여 흉터 대신 자가조직으로 대체될 수 있게 제조되었다. 소장점막밑층(small intestinal submucosa, SIS)은 돼지 소장의 점막층, 근육층, 장막층을 제거하여 만들어진 강한 골라겐기질층으로 서혜부탈장, 방광재건, 경막재건, 뇨실금 시술 등에 이용된다. 인체무세포 진피기질(human acellular dermal matrix. HADM)은 기부된 인체 피부의 표피와 피하조직을 제거한 후 동결건조시키거나 화학처리하여 진피기질의 콜라겐을 이용하는 것으로 알로덤®, 시메트라® 등 다양한 상품명으로 연부조직 복원술 시 사용되고 있다. 돼지무세포 진피기질(porcine acellular dermal matrix, PADM)은 이종이식 면역반응억제와 콜라겐기질 분해감소를 위해 인위적으로 콜라겐섬유를 화학교차결합시켜 만든 1세대 제품은 세포침투와 혈관생성 기질재구성을 억제한다는 단점이 있어 최근에는 화학적 교차결합없이 효소처리하여 면역반응에 결정적인 역할을 하는 항원(galactose-α(1,3)-galactose)을 제거한 스트라티스®(Strattice®) 같은 2세대 제품이 개발되었다. 그러나 교차결합이 되지 않은 진피기질은 자가세포나 혈관 침투가 용이하나 물리적 강도가 약하다는 단점도 있다.

References

1. Langer R, Vacanti JP. Tissue engineering. Science. 1993;260(5110):920-6.
2. Zuk PA, Zhu M, Mizuno H, Huang J, Futrell JW, Katz AJ, et al. Multilineage cells from human adipose tissue: implications for cell-based therapies. Tissue Eng. 2001;7(2):211-28.
3. Frese L, Dijkman PE, Hoerstrup SP. Adipose Tissue-Derived Stem Cells in Regenerative Medicine. Transfus Med Hemother. 2016;43(4):268-74.
4. Rodeheffer MS, Birsoy K, Friedman JM. Identification of white adipocyte progenitor cells in vivo. Cell. 2008;135(2):240-9.
5. Kocher AA, Schuster MD, Szabolcs MJ, Takuma S, Burkhoff D, Wang J, et al. Neovascularization of ischemic myo-

cardium by human bone-marrow-derived angioblasts prevents cardiomyocyte apoptosis, reduces remodeling and improves cardiac function. Nat Med. 2001;7(4):430-6.

6. Aly LA. Stem cells: Sources, and regenerative therapies in dental research and practice. World J Stem Cells. 2015;7(7):1047-53.
7. Takahashi K, Tanabe K, Ohnuki M, Narita M, Ichisaka T, Tomoda K, et al. Induction of pluripotent stem cells from adult human fibroblasts by defined factors. Cell. 2007;131(5):861-72.
8. Kang HJ, Kim JY, Lee HJ, Kim KH, Kim TY, Lee CS, et al. Magnetic bionanoparticle enhances homing of endothelial progenitor cells in mouse hindlimb ischemia. Korean Circ J. 2012;42(6):390-6.
9. Huebsch N, Lippens E, Lee K, Mehta M, Koshy ST, Darnell MC, et al. Matrix elasticity of void-forming hydrogels controls transplanted-stem-cell-mediated bone formation. Nat Mater. 2015;14(12):1269-77.
10. Castner DG, Ratner BD, Grainger DW, Kim SW, Okano T, Suzuki K, et al. Surface characterization of 2-hydroxyethyl methacrylate/styrene copolymers by angle-dependent X-ray photoelectron spectroscopy and static secondary ion mass spectrometry. J Biomater Sci Polym Ed. 1992;3(6):463-80.
11. Hoffman AS. Hydrogels for biomedical applications. Adv Drug Deliv Rev. 2002;54(1):3-12.
12. Boudou T, Crouzier T, Ren K, Blin G, Picart C. Multiple functionalities of polyelectrolyte multilayer films: new biomedical applications. Adv Mater. 2010;22(4):441-67.
13. Hollister SJ. Scaffold design and manufacturing: from concept to clinic. Adv Mater. 2009;21(32-33):3330-42.
14. Cao Y, Mitchell G, Messina A, Price L, Thompson E, Penington A, et al. The influence of architecture on degradation and tissue ingrowth into three-dimensional poly(lactic-co-glycolic acid) scaffolds in vitro and in vivo. Biomaterials. 2006;27(14):2854-64.
15. Norotte C, Marga FS, Niklason LE, Forgacs G. Scaffold-free vascular tissue engineering using bioprinting. Biomaterials. 2009;30(30):5910-7.
16. Vashi AV, Abberton KM, Thomas GP, Morrison WA, O'Connor AJ, Cooper-White JJ, et al. Adipose tissue engineering based on the controlled release of fibroblast growth factor-2 in a collagen matrix. Tissue Eng. 2006;12(11):3035-43.
17. Folkman J, Hochberg M. Self-regulation of growth in three dimensions. J Exp Med. 1973;138(4):745-53.
18. Demarchez M, Hartmann DJ, Prunieras M. An immunohistological study of the revascularization process in human skin transplanted onto the nude mouse. Transplantation. 1987;43(6):896-903.
19. Khouri RK, Schlenz I, Murphy BJ, Baker TJ. Nonsurgical breast enlargement using an external soft-tissue expansion system. Plast Reconstr Surg. 2000;105(7):2500-12; discussion 13-4.
20. Kim H, Son D, Choi TH, Jung S, Kwon S, Kim J, et al. Evaluation of an amniotic membrane-collagen dermal substitute in the management of full-thickness skin defects in a pig. Arch Plast Surg. 2013;40(1):11-8.
21. Kang BS, Na YC, Jin YW. Comparison of the wound healing effect of cellulose and gelatin: an in vivo study. Arch Plast Surg. 2012;39(4):317-21.
22. Salibian AA, Widgerow AD, Abrouk M, Evans GR. Stem cells in plastic surgery: a review of current clinical and translational applications. Arch Plast Surg. 2013;40(6):666-75.
23. Choi J, Minn KW, Chang H. The efficacy and safety of platelet-rich plasma and adipose-derived stem cells: an update. Arch Plast Surg. 2012;39(6):585-92.
24. Stillaert F, Findlay M, Palmer J, Idrizi R, Cheang S, Messina A, et al. Host rather than graft origin of Matrigel-induced adipose tissue in the murine tissue-engineering chamber. Tissue Eng. 2007;13(9):2291-300.
25. Kanno S, Oda N, Abe M, Saito S, Hori K, Handa Y, et al. Establishment of a simple and practical procedure applicable to therapeutic angiogenesis. Circulation. 1999;99(20):2682-7.
26. Dennis RG, Kosnik PE, 2nd. Excitability and isometric contractile properties of mammalian skeletal muscle constructs engineered in vitro. In Vitro Cell Dev Biol Anim. 2000;36(5):327-35.
27. De Coppi P, Bellini S, Conconi MT, Sabatti M, Simonato E, Gamba PG, et al. Myoblast-acellular skeletal muscle matrix constructs guarantee a long-term repair of experimental full-thickness abdominal wall defects. Tissue Eng. 2006;12(7):1929-36.
28. Bellamkonda R, Aebischer P. Review: Tissue engineering in the nervous system. Biotechnol Bioeng. 1994;43(7):543-54.

29. Straley KS, Foo CW, Heilshorn SC. Biomaterial design strategies for the treatment of spinal cord injuries. J Neurotrauma. 2010;27(1):1-19.
30. Yoo SJ, Kim J, Lee CS, Nam Y. Simple and novel three dimensional neuronal cell culture using a micro mesh scaffold. Exp Neurobiol. 2011;20(2):110-5.
31. Hwang SJ, Kim SW, Choo SJ, Lee BW, Im IR, Yun HJ, et al. The decellularized vascular allograft as an experimental platform for developing a biocompatible small-diameter graft conduit in a rat surgical model. Yonsei Med J. 2011;52(2):227-33.
32. Konig G, McAllister TN, Dusserre N, Garrido SA, Iyican C, Marini A, et al. Mechanical properties of completely autologous human tissue engineered blood vessels compared to human saphenous vein and mammary artery. Biomaterials. 2009;30(8):1542-50.
33. Stosich MS, Moioli EK, Wu JK, Lee CH, Rohde C, Yoursef AM, et al. Bioengineering strategies to generate vascularized soft tissue grafts with sustained shape. Methods. 2009;47(2):116-21.
34. van Gaalen SM, Kruyt MC, Geuze RE, de Bruijn JD, Alblas J, Dhert WJ. Use of fluorochrome labels in in vivo bone tissue engineering research. Tissue Eng Part B Rev. 2010;16(2):209-17.
35. Zhao L, Patel PK, Cohen M. Application of virtual surgical planning with computer assisted design and manufacturing technology to cranio-maxillofacial surgery. Arch Plast Surg. 2012;39(4):309-16.
36. Glowacki J, Mizuno S. Collagen scaffolds for tissue engineering. Biopolymers. 2008;89(5):338-44.
37. Yoo JJ, Olson J, Atala A, Kim B. Regenerative medicine strategies for treating neurogenic bladder. Int Neurourol J. 2011;15(3):109-19.
38. Leeuwenburgh SC, Jansen JA, Malda J, Dhert WA, Rouwkema J, van Blitterswijk CA, et al. Trends in biomaterials research: An analysis of the scientific programme of the World Biomaterials Congress 2008. Biomaterials. 2008;29(21):3047-52.
39. Williams DF. A model for biocompatibility and its evaluation. J Biomed Eng. 1989;11(3):185-91.
40. Ratner BD, Bryant SJ. Biomaterials: where we have been and where we are going. Annu Rev Biomed Eng. 2004;6:41-75.
41. Cumberland VH. A preliminary report on the use of prefabricated nylon weave in the repair of ventral hernia. Med J Aust. 1952;1(5):143-4.
42. Scales JT. Tissue reactions to synthetic materials. Proc R Soc Med. 1953;46(8):647-52.
43. Fiala TG, Novelline RA, Yaremchuk MJ. Comparison of CT imaging artifacts from craniomaxillofacial internal fixation devices. Plast Reconstr Surg. 1993;92(7):1227-32.
44. Jobe RP. A technique for lid loading in the management of the lagophthalmos of facial palsy. Plast Reconstr Surg. 1974;53(1):29-32.
45. Olszewski U, Hamilton G. A better platinum-based anticancer drug yet to come? Anticancer Agents Med Chem. 2010;10(4):293-301.
46. Brinton LA. The relationship of silicone breast implants and cancer at other sites. Plast Reconstr Surg. 2007;120(7 Suppl 1):94S-102S.
47. Janowsky EC, Kupper LL, Hulka BS. Meta-analyses of the relation between silicone breast implants and the risk of connective-tissue diseases. N Engl J Med. 2000;342(11):781-90.
48. Nicolai JP. EQUAM Declaration on Breast Implants, July 4, 1998. European Committee on Quality Assurance and Medical Devices in Plastic Surgery. Plast Reconstr Surg. 1999;103(3):1094.
49. Mobley SR, Hilinski J, Toriumi DM. Surgical tissue adhesives. Facial Plast Surg Clin North Am. 2002;10(2):147-54.
50. O'Grady KM, Agrawal A, Bhattacharyya TK, Shah A, Toriumi DM. An evaluation of fibrin tissue adhesive concentration and application thickness on skin graft survival. Laryngoscope. 2000;110(11):1931-5.
51. Toriumi DM, O'Grady K, Desai D, Bagal A. Use of octyl-2-cyanoacrylate for skin closure in facial plastic surgery. Plast Reconstr Surg. 1998;102(6):2209-19.
52. Pham C, Greenwood J, Cleland H, Woodruff P, Maddern G. Bioengineered skin substitutes for the management of burns: a systematic review. Burns. 2007;33(8):946-57.
53. Peck MD, Kessler M, Meyer AA, Bonham Morris PA. A trial of the effectiveness of artificial dermis in the treatment

of patients with burns greater than 45% total body surface area. J Trauma. 2002;52(5):971-8.
54. Heimbach D, Luterman A, Burke J, Cram A, Herndon D, Hunt J, et al. Artificial dermis for major burns. A multicenter randomized clinical trial. Ann Surg. 1988;208(3):313-20.
55. Butler CE, Orgill DP, Yannas IV, Compton CC. Effect of keratinocyte seeding of collagen-glycosaminoglycan membranes on the regeneration of skin in a porcine model. Plast Reconstr Surg. 1998;101(6):1572-9.
56. Lantz GC, Badylak SF, Coffey AC, Geddes LA, Blevins WE. Small intestinal submucosa as a small-diameter arterial graft in the dog. J Invest Surg. 1990;3(3):217-27.
57. Burns NK, Jaffari MV, Rios CN, Mathur AB, Butler CE. Non-cross-linked porcine acellular dermal matrices for abdominal wall reconstruction. Plast Reconstr Surg. 2010;125(1):167-76.
58. Bejjani GK, Zabramski J, Durasis Study G. Safety and efficacy of the porcine small intestinal submucosa dural substitute: results of a prospective multicenter study and literature review. J Neurosurg. 2007;106(6):1028-33.

14 혈관 영역
Vascular Territory

장 학 서울의대

1. 서론

Vascular territory란 '혈관 영역' 혹은 '혈관 분포'라는 의미를 가진다. 특히 이것은 피판을 거상할 때 필수적으로 고려해야 하는 사항으로 피판에 혈류를 공급(supply)하는 혈관경(pedicle)이 지배하는 영역이라고 생각할 수 있다. 혈관 영역(vascular territory)에 대한 구체적인 내용들은 혈관구역(angiosome)에 대한 연구로부터 비롯되기 때문에 혈관구역에 대한 연구의 역사, 내용을 잘 이해해야 한다.

기본적인 인체의 혈관 구조는 그림 1-14-1과 같이 혈관 고리의 연속적인 구조를 지닌다. 동맥에서 모세혈관으로 진행할수록 혈관의 수는 증가하나 크기와 직경은 감소한다. 정맥계에서는 이과 반대되는 구조를 가지고 있다. 이러한 아케이드(arcade) 구조에서 눈여겨 보아야 할 것은 동맥계에서는 choke artery와 정맥계에서는 양방향으로 혈류가 소통하는 avalvular oscillating vein (choke vein)이다. 이들은 모세혈관을 가로지르는 압력차(pressure gradient)를 조절하는 데 중요한 역할을 한다. 뿐만 아니라 피판의 혈관영역을 결정하는 데에 있어서도 중요한 역할을 한다. 이 둘에 대해서는 이후에 자세히 설명하겠다.

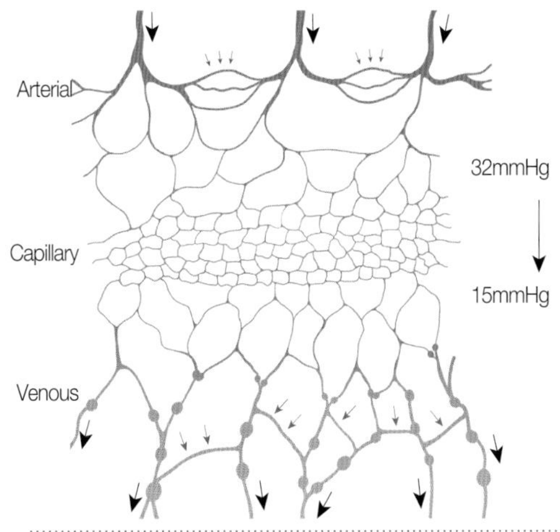

▷그림 1-14-1. **피부에서 동맥의 공급과 모세혈관을 거쳐 정맥으로 배출되는 혈관망 배열의 모식도.** Choke artery(빨간 화살표)와 avalvular oscillating vein(파란 화살표)이 혈류와 압력이 서로 평형을 이룰 수 있도록 한다.

2. 연구의 역사 및 방법

1) 연구의 역사

1889년 Manchot는 최초로 인체의 피부(integument)의 혈액 공급에 대한 최초의 연구를 발표한다. 그는 피부천공지(cutaneous perforator)를 발견하였고, 원천 혈관(source vessel)에 따라서 피부의 혈관 영역을 나누었다. 그는 방사선기술 발명 전에 연구를 하였기 때문에 방사선을 이용하지 못했다. Manchot의 연구는 후에 Salmon의 방사선을 이용한 연구에 의해 좀 더 세분화된다.

1983년 Spalteholz는 카데바 연구를 통해서 피부천공지의 근원(origin), 경로(course), 분포를 발표하였다. 그는 젤라틴(gelatin)과 다양한 색소를 섞어 동맥에 주사하는 방식으로 연구를 하였다. 그는 피부로 가는 혈관을 두 가지로 분류하였다. 직접 피부를 공급하는 직접피부혈관(direct cutaneous vessel)과 근육과같은 심부기관을 공급하는 혈관의 종말가지(terminal branch)인 간접피부혈관(indirect cutaneous vessel)이 그것이다.

이후 수많은 해부학자, 성형외과의사의 공헌으로 인해 혈관영역에 대한 연구는 발전을 거듭한다. 특히, 유리피판, 천공지피판의 발전과 함께 이 분야는 중요한 연구분야 중 하나이다.

2) 연구의 방법

(1) 조영제(Contrast agent)

혈관 영역에 대한 연구의 가장 중요한 도구는 혈관조영술(angiography)이다. 혈관조영술은 다양한 조영제로 시행가능하다. 혈관 연구를 위해 가장먼저 도입된 것이 India ink이다. India ink는 다양한 염료와 혼합이 가능해서 육안해부(gross anatomy)를 관찰하기에는 용이하다. 하지만 방사선투과성(radiolucent)이어서 혈관조영 영상을 얻기 불가능하다. 이후 방사선비투과성(radiopaque)인 산화납(lead oxide)과 바륨(barium)과 자주 활용되어왔다. 하지만 산화납은 독성물질이라는 단점이 있고, 가루로 되어있어 물과 혼합해야하는 단점이 있다. 바륨은 인체에는 무해하나 용해(dilution)하여 사용해야 한다는 단점이 있다. 이 둘은 액체 성상을 띄기에 해부학적 박리(anatomical dissection) 시 혈관에서 새어나오므로 젤라틴(gelatin)과 섞어서 사용을 한다. 이러한 젤라틴혼합물(gelatin-mixture)은 고체화되는데 최소 하루 정도의 시간이 걸린다. 산화납과 바륨은 분자량이 커서 모세혈관(capillary)을 지나갈 수 없다. Silicone rubber injection compound (Microfil®)은 산화납과 바륨의 단점을 보완할 수 있는 장점이 있는 조영제이다. 다양한 색깔이 있어 육안해부에도 장점이 있고, 고체화도 금방 이루어져서 시간소요가 적으며, 방사선비투과성이다. 또한 모세혈관도 지나갈 수 있어서 정맥까지 조영이 가능하다.

(2) 촬영방법

촬영방법은 우리가 실제 임상에서 적용하는 방법과 큰 차이는 없다. 기본적으로 단순촬영을 통해 1차원적 분석이 가능하다. 연부조직엑스선시스템(soft tissue X-ray system)을 이용하면 작은 혈관도 보다 자세하게 관찰할 수 있다. 이 시스템을 이용하여 위상차를 둔 두 개의 영상을 얻어 프로그램으로 조합하면 3차원적인 영상도 얻을 수 있다. 연속방사선촬영술(serial radiography)를 이용하면 실시간 조영 영상도 얻을 수 있다. 최근에는 전산화단층촬영(computed tomography)이 널리 활용된다. 특히 3차원(three-dimensional)적인 영상을 얻는 데 큰 장점이 있다. 연속전산화단층촬영을 이용하면 4차원(four-dimensional) 영상도 얻을 수 있다. 3차원적 영상을 이용한 입체적인 분석에는 전산화단층촬영의 방법이 유리한것은 자명한 사실이나 choke vein과 같이 미세한 혈관구조를 보기에는 아직까지 연부조직엑스선시스템이 유리한 부분도 있으므로, 연구목적과 시설에 따라서 적합한 방법을 사용하는 것이 좋다.

3. 혈관분포영역 개념 (Angiosome concept)

1987년, Taylor와 Palmer는 "The vascular territories (angiosomes) of the body: experimental study and clinical applications"라는 제목의 논문을 발표한다. 10년 이상 걸린 연구를 바탕으로 작성한 이 논문에서는 372개의 주요한 혈관구역에 대한 지도화(mapping)가 제시되어있다(그림 1-14-2). 그들은 '혈관분포영역'이라는 개

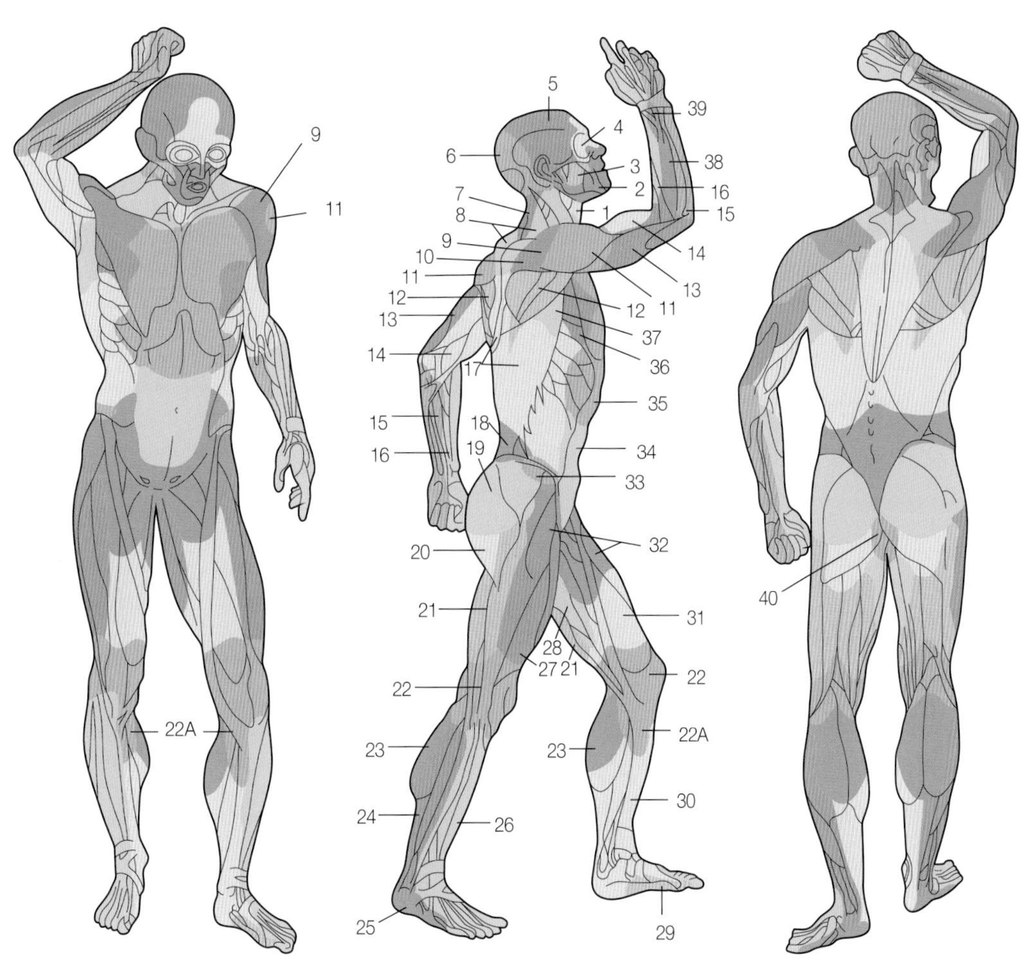

▷그림 1-14-2. **Talyor에 의한 인체의 혈관구역. 천공지의 원천 동맥에 따라 혈관 구역을 묘사한 것으로 다음과 같이 나눌 수 있다.** 1. 갑상(thyroid), 2. 얼굴(facial), 3. 볼속위턱(buccal internal maxillary), 4. 눈(ophthalmic), 5. 얕은관자(superficial temporal), 6. 뒤통수(occipital), 7. 깊은목(deep cervical), 8. 목가로(transverse cervical), 9. 가슴봉우리(acromiothoracic), 10. 어깨위(suprascapular), 11. 뒤윗팔휘돌이(posterior circumflex humeral), 12. 어깨휘돌이(circumflex scapular), 13. 깊은위팔(profundabrachii), 14. 위팔(brachial), 15. 자(ulnar), 16. 노(radial), 17. 뒤갈비사이(posterior intercostals), 18. 허리(lumbar), 19. 위볼기(superior gluteal), 20. 아래볼기(inferior gluteal), 21. 깊은넙다리(profunda femoris), 22. 오금(popliteal), 22A. 무릎내림두렁(descending geniculate saphenous), 23. 장딴지(sural), 24. 종아리(peroneal), 25. 가쪽발바닥(lateral plantar), 26. 앞정강(anteriortibial), 27. 바깥넙적다리휘돌이(lateral femoral circumflex), 28. 깊은모음(adductor profunda), 29. 안쪽발바닥(medial plantar), 30. 뒤정강(posterior tibial), 31. 얕은넙다리(superficial femoral), 32. 온넙다리(common femoral), 33. 깊은엉덩휘돌이(deep circumflex iliac), 34. 깊은아래배벽(deep inferior epigastric), 35. 속가슴(internal thoracic), 36. 가쪽가슴(lateral thoracic), 37. 가슴등(thoracodorsal), 38. 뒤뼈사이(posterior interosseous), 39. 앞뼈사이(anterior interosseous), 40. 속음부(internal pudenal)

념을 처음 소개하는데 이를 "원천 동맥으로부터 혈액공급을 받는 복합조직으로 구성된 3차원적 조각그림(three-dimensional jigsaw made up of composite blocks of tissues supplied by source arteries)"이라고 하였다. 그림 1-14-2를 보면, 각각의 원천동맥이 지배하는 영역이 표시되어 있다. 가령, 외측대퇴회선동맥(lateral femoral circumflex artery)을 혈관경으로 하여 피판을 거상한다면, 표시된 영역 내에서는 안전하게 피판을 거상할 수 있다고 판단 가능하다.

하지만, 피판을 거상할 때 반드시 원천 혈관의 혈관영역 내로 피판의 혈류영역이 국한되는 것은 아니다. 각각의 혈관영역은 choke artery (reduced-caliber) 혹은 true anastomosis (without reduction in caliber)와 양방향흐름(bidirectional flow)을 허용하는 choke vein (avalvular oscillating vein)으로 연결되어 있기 때문에 이를 포함하면 보다 넓게 피판을 거상할 수 있다. 예를 들어 위의 그림 1-14-2에서 가슴등동맥(thoracodorsal)의 독립적인 영역은 좁게 표시되어 있지만, 실제로 가슴등동맥혈관을 혈관경으로 하여 피판을 거상할 때에는 어깨회선(circumflex scapular) 영역, 뒤쪽갈비사이(posterior intercostal) 영역인 부분까지 포함하여 훨씬 크게 거상(elevation)하는 것이 가능하다.

1) 동맥 영역(Arterial territories)

피부를 공급하는 천공지의 경로는 원천동맥에 따라 달라진다. 앞서서 언급하였듯이 피부를 공급하는 혈관은 크게 직접피부동맥(direct cutaneous artery)과 간접피부혈관(indirect cutaneous artery)으로 나누어진다. 직접피부혈관은 깊은 근막(deep fascia)을 뚫고 나오기 전 깊은 조직(deep tissue) 사이를 주행하며, 주로 피부 자체를 공급하는 큰 혈관으로 넓은 혈관영역을 가진다(예: 어깨회선동맥). 간접피부혈관은 이차적으로 피부를 공급하는 혈관이라고 생각할 수 있다. 근육 및 다른 깊은 조직을 공급하는 종말가지(terminal branch)로부터 비롯된다. 대다수는 피부를 공급하는 근육피부천공지(musculocutaneous perforator)이다(그림 1-14-3). 직접피부혈관과 간접피부혈관은 방대하게 서로 연결된 네트워크(network)를 이루며 피부를 공급하고, 직접피부혈관과 간접피부혈관의 분포, 그리고 그들의 혈관 영역은 사람마다 큰 차이를 보인다. 각각의 천공지의 영역 역시 다양하며 인접한 동맥영역에 상호 영향을 주고받는 특성이 있다.

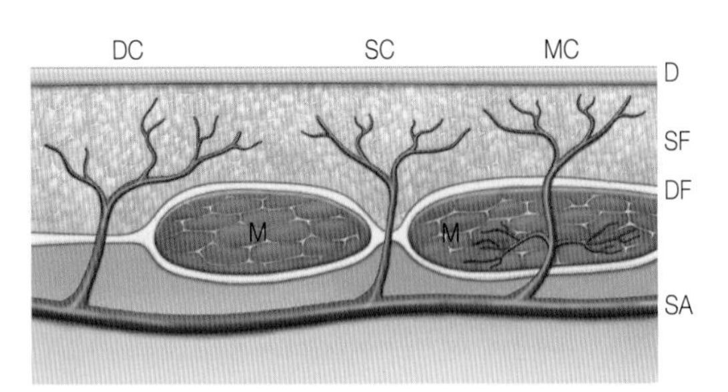

▷그림 1-14-3. **직접피부혈관과 간접피부혈관의 모식도.** DC (direct cutaneous vessel): 직접피부혈관, SC (septocutaneous vessel): 근막피부혈관, MC (musculocutaneous vessel): 근육피부혈관, M(muscle): 근육, SA (Source artery): 근원 혈관, D(dermis): 피부, DF (deep fascia): 깊은근막

2) 정맥 영역(Venous territories)

피부정맥 역시 동맥과 마찬가지로 삼차원적으로 복잡하게 연결되어 있는 구조를 가진다. 정맥은 판막구획(valved segment)이 있어 이곳에서는 특정한 방향으로 흐름이 유지된다. 반면, 판막이없는구획(avalvular segment) 또한 존재하는데, 이곳에는 양방향으로의 흐름을 허용함으로

써 인접한 정맥의 구획을 연결한다. 특히, 반대 방향으로 밸브의 방향이 위치한 구획을 서로 연결함으로써 혈류와 압력의 균형을 유지해준다. 일반적으로 정맥의 판막은 심장방향으로 혈류를 유지하는 방향으로 되어있지만, 그렇지 않은 경우도 많다. 대표적인것 예가 천하복벽 정맥(superficial inferior epigastric vein)으로 하복벽 피부의 혈류는 서혜부(groin) 방향으로 배출된다.

일반적으로 정맥은 동맥과 평행한 구조를 가진다. 정맥은 직접피부동맥과 간접피부동맥과 함께 주행하여 깊은 조직에서는 원천동맥의 동반정맥(venae comitantes)이 된다. 즉, 깊은 원천동맥과 거울상(mirror image)을 이룬다고 볼 수 있다. 하지만, 예외적으로 동맥에 독립적인 정맥들이 존재한다. 대복재정맥(great saphenous vein), 요골측피부정맥(cephalic vein)이 그 대표적인 예이며 이들은 독립적인 배출영역을 가진다. 전완부에는 요골(radial)동맥, 척골(ulnar)동맥 모두 한쌍의 동반정맥이 있지만 큰 직경의 피하정맥-노쪽피부정맥, 척골측피부정맥(basilic vein), 전완부정맥(antecubital vein)은 독립적인 체계를 가지고 있다.

4. 천공지구역 개념 (Perforasome concept)

혈관구역 개념은 '조직의 복합블럭(composite block of tissue)'에 대한 혈관영역에 관한 것이었다면 보다 진화한 개념이 나타난다. 이른바 천공지구역(perforasome)이 그것이다. 1989년 Koshima와 Soeda는 복직근(rectus abdominis muscle)을 포함하지 않은 하복벽피부피판(inferior epigastric skin flap)으로 구강바닥과 서혜부의 결손을 재건한 증례를 발표하였다. 이것이 천공지 피판의 시발점이 되었다. 천공지피판은 공여부이환(donor-site morbidity)을 줄이고, 불필요한 조직이 피판에 포함되지 않은 두껍지 않은 피판을 거상할 수 있게 함으로써 더 정교한 재건을 가능하게 하였다. Taylor는 이를 "근육과 피부로 이루어진 햄버거로부터의 탈출(to escape from the hamburger of muscle and skin)"이라고 표현하였다. 하지만 천공지를 박리하기 위해서는 세심한 미세 수술 기법이 필요하므로 수술 시간이 다소 길어질 수 있으며, 천공지의 위치와 혈관 크기가 환자마다 다를 수 있다는 점, 그리고 박리 중 혈관이 쉽게 손상될 수 있다는 단점이 있다. 천공지피판에 대해서는 다음 장에서 자세히 설명하겠다. Saint-Cyr 은 2009년 40개의 신선사체연구(fresh cadaver study)를 통해 천공지구역 개념을 발표하였다.

그림 1-14-4는 하나의 천공지가 공급하는 영역을 나타낸 모식도이다. 천공지를 중심으로 촘촘

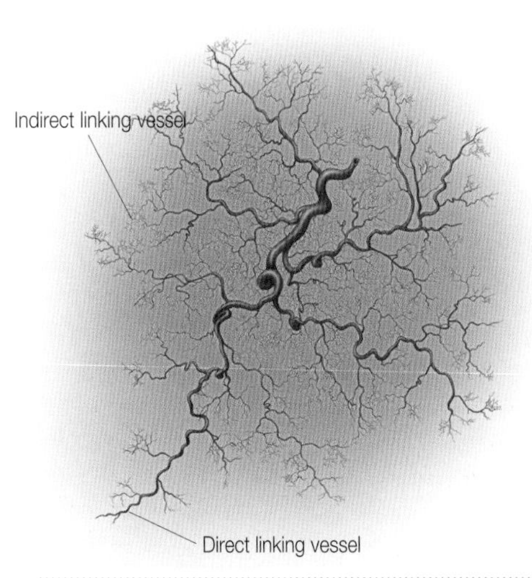

▷그림 1-14-4. **천공지구역의 동맥구조.** 촘촘한 그물망 혈관구조가 가운데에 위치하며, 주변부로 진행하면서 희미해진다. 주변부에 직접연결혈관(direct linking vessel)과 간접연결혈관(indirect linking vessel)이 다양한 방향으로 존재하고있다.

한 그물망 혈관구조(vascular network)이 형성되어 있고, 주변부로 진행할수록 희미해지는 것을 알 수 있다. 간접연결혈관(indirect linking vessel), 직접연결혈관(direct linking vessel)가 표시되어 있는데, 이는 천공지구역 사이를 연결하는 혈관이다. 혈관구역에서의 choke vessel 혹은 true anastomosis와 유사한 개념이라고 볼 수 있다.

직접연결혈관은 하나의 천공지와 인접한 천공지를 연결하는 혈관이다. 이를 통해 하나의 천공지를 통해, 여러 개의 천공지구역을 포함하는 피판을 거상할 수 있는데, 확장전외측대퇴피판(extended anterolateral thigh flap)이 대표적인 예이다.

간접연결혈관은 피하얼기(subdermal plexus)를 통해 천공지구역을 인접한 천공지구역와 연결하는 혈관이다.

그림 1-14-5를 보면 천공지구역 사이가 직접연결혈관, 간접연결혈관으로 서로 연결되어 있음을 알 수 있고, 직접연결혈관과 간접연결혈관은 교통가지(communicating branch)로 인해 서로 연결되어 있다는 것을 알 수 있다. 이 교통가지는 양방향흐름(bidirectional flow)이 가능하다.

결국, 천공지피판의 혈관영역을 결정하는 중요한 요소는 연결혈관이 될 수 있다. 따라서 피판의 디자인 방향은 연결혈관의 방향을 따라야 한다. 사지에서는 사지의 장축을, 몸통에서는 근육의 결이나 갈비뼈의 방향을 따라서 연결혈관이 배열되어 있다.

5. 정리

혈관구역 개념, 천공지구역 개념은 피판의 혈관 영역을 결정짓는 중요한 기본 배경이다. 보다 안전하게 혹은 넓은 범위의 피판을 거상하기 위해서는 이러한 해부학적인 기초에 대한 고려가 반드시 선행되어야 한다. 고식적 방법인 근육피부피판(musculocutaeous flap), 근막피부피판(fasciocutaneous flap)은 비교적 안전하게 거상할 수 있지만, 현재 가장 널리 사용되는 천공지피판은 보다 세밀한 해부학적 기초에 대한 고려가 필요하다.

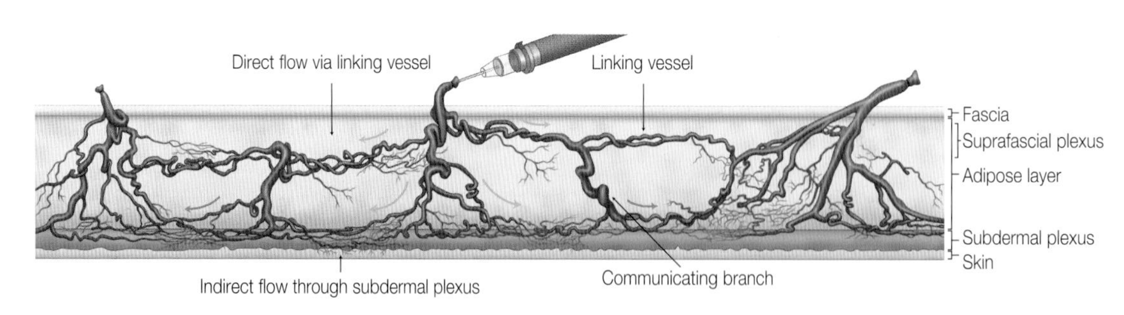

▷그림 1-14-5. **천공지사이의 혈류 흐름을 나타낸 모식도.** 직접연결혈관은 인접한 천공지구역과 직접적으로 연결되어 있으며 근막위층과 지방층사이를 주행한다. 간접연결혈관은 피하얼기를 통해 인접한 천공지구역과 연결된다. 이 둘은 교통가지(communicating branch)를 통해서 연결된다.

References

1. Geddes CR, Morris SF, Neligan PC. Perforator flaps: evolution, classification, and applications. Ann Plast Surg 2003;50:90–9.
2. Hallock GG. Direct and indirect perforator flaps: The history and the controversy. Plast Reconstr Surg 2003;111:855-65.
3. Koshima I, Soeda S. Inferior epigastric artery skin flaps without rectus abdominis muscle Br J Plast Surg 1989;42:645-48.
4. Manchot C. Die Haurtarterien des Menschlichen Korpers. Leipzig: FCW Vogel, 1889.
5. Saint-Cyr M, Wong C, Schaverien M, et al. The perforasome theory: vascular anatomy and clinical implications. Plast Reconstr Surg 2009;124:1529-44.
6. Schaverien M, Saint-Cyr M, Arbique G, et al. Three- and four-dimensional computed tomographic angiography and venography of the anterolateral thigh perforator flap. Plast Reconstr Surg. 2008;121:1685-96.
7. Spalteholz W. Die Vertheilung der Blutgefasse in der Haut. Arch Anat Entwcklngs-Gesch(Leipz) 1: 54, 1893.
8. Taylor GI, Palmer JH. The vascular territories (angiosomes) of the body: experimental study and clinical applications. Br J Plast Surg 1987;40:113-41.
9. Wei F-C, Mardini S. Flaps and reconstructive surgery. 2nd ed. New York: Elsevier; 2009;7-15.
10. Morris SF, Taylor GI. Vascular territories. In: Neligan PC eds. Plastic surgery. 3rd ed. Philadelphia: Elsevier; 2012. Vol. 1: p.479-511.

집필에 도움을 주신 분　　박성오　한양대병원 임상조교수

15 피판의 분류와 적용 및 천공지 피판

Classification and Application of Flap, Perforator Flap

박명철 아주의대

1. 피판의 분류

피판은 그 혈관 구조물을 이동할 수 있도록 구성된 조직이다. 피판은 피부(피하지방을 포함하여), 피부와 근막, 피부와 근육, 또는 피부, 근육, 및 뼈 또는 다양한 조직의 구성으로 이루어져 있다. 이동할 조직의 혈액순환이 피판의 생존에 가장 결정적 요인이기 때문에, 피판술의 발전은 피부와 그 아래의 연부 조직의 혈관구조를 명확히 밝히는 것에 좌우되어 왔다.

피판의 첫 번째 분류는 무작위성피판(random pattern flap)으로, 혈관줄기(pedicle)를 확인한 피판과 혈관줄기에 대해 확인하지 않는 피판으로 나뉜다. 피판술에 적용되던 혈관구조에 대한 이전의 개념은, 피부의 순환이 종적인 형태의 진피하 혈관총에 기인한다는 것이었다. 진피하 혈관총에 기반을 둔 무작위성피판은 특정 길이의 피부 및 피하 조직 박리가 진행되도록 설계되었다. 피판의 형태와 이동은 중요한 특징 요소이다(그림 1-15-1). Milton은 길이-너비 비율을 순환 정도에 기인한 피판의 생존 능력으로 보는 것은 결과적으로 틀렸음을 입증했다. 더 나아가 돼

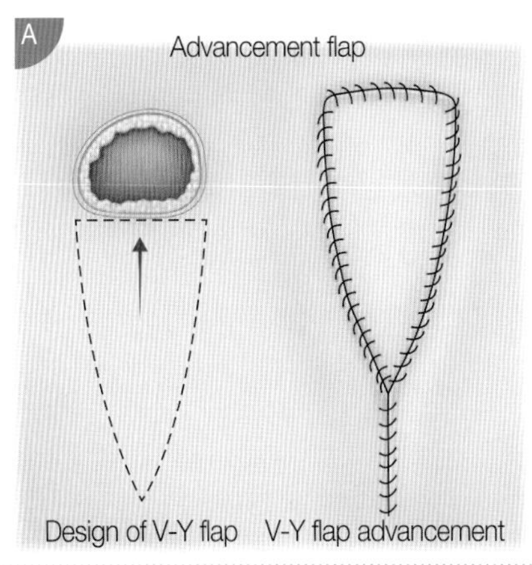

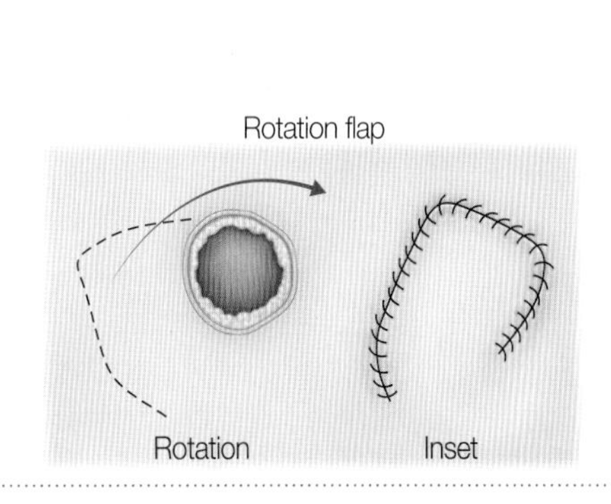

▷그림 1-15-1 A. 전진피판 B. 회전피판

지실험을 통해 피판에 가하는 지연성 처치가 피판의 규모를 더욱 증가시킨다는 것을 보였다. 역사적으로, 상처와 멀리 떨어져 있으며, 진피하 순환에 기반한 무작위성 피판(random pattern flap)을 이용하려는 시도는 결과적으로 tubed 혈관줄기 flap의 시작으로 이어졌다. 초기의 양경 피판 설계에 대한 일련의 지연성 처치를 통해, 피판 회전 방식이 증가했다. 대안으로, 피판을 arm carrier에 부착했으며, 추후에 arm carrier는 몸의 한 부위에서(공여부), 다른 한 부위로(이식부) 이동이 필요했다. 지연 처지, 혹은 arm carrier를 이용한 무작위성피판의 이용은 특히 머리와 목 부위 등의 멀리 떨어진 복합 결손부나 주변 조직을 위한 재건이 어려운 경우의 피복을 가능하게 했다.

원거리에 이식되었을 때, 무작위성피판은 새로운 혈액 순환을 제공하지 않는다. 이러한 피판의 성공은 영양 공급을 위한 주변 상처의 환경에 근본적으로 크게 좌우된다.

그러한 피판의 범위의 한계에도 불구하고 무작위성피판은 주변의 상처를 덮기 위해 올려지거나 회전될 수 있다. 진피하 혈관총 또는 인지하지 않은 혈관구조를 기반으로 한 일반적인 피판은 양경 피판(bipedicled flap), 전진 피판(i.e., V-Y), 그리고 회전 또는 전위 피판 등으로 구성된다. 오늘날 이러한 수술법은 아직도 주변의 피부로 재건이 가능한 소형 또는 중형 크기의 결손을 위해 널리 사용된다. 비슷한 개념으로 몸통 또는 사지의 대형 상처에 이용되는 것이 keystone 피판이다. Behan에 의해 기술된, 쐐기(keystone) 피판은 곡선의 사다리꼴 형태로 설계된 피판이며 필수적으로 피판의 종축을 따라 두 개의 V-Y 전진 피판으로 이루어진다. 피판 종축의 장력이 풀어져 중간 영역의 이완 및 여유가 만들어짐을 통해 최소한의 장력으로 결손부 쪽으로 횡축 이동이 가능하게 된다. 피판의 거대한 크기 때문에 혈관적인 근원을 밝히는 것이 필수적이지 않고 깊은 근막에서 들어오는 천공지에서 시작된 다양한 혈류가 있을 것이라고 간주한다. 그러나 천공지가 도플러 초음파를 통해 밝혀지면 또한 이것을 keystone-design perforator island flap이라고 명명할 수 있다.

무작위성피판은 이동의 종류, 피판의 형태 또는 해부학적 부위로 분류되었지만, 혈관의 해부학적 구조가 더욱 분명해지고 중요성이 인식되면서 피판은 혈액순환(공급방법)에 따라 기술되었다. 무작위성피판(random pattern flap)에서 근막피부피판, 근육피부피판 그리고 최근의 천공지 피판으로의 진보는 몸 전체의 혈관 구조에 대한 연구의 발전으로 비롯됐다. Angiosome의 개념(Taylor, Palmer)은 피판 해부술기에 새로운 정보를 제공하였으며, 현재는 angiosome의 개념에서 천공지(perforator)를 기본단위로 하는 "perforasome"으로 진보하였다.

2. 근육과 근육피부 피판

1981년, Mathes와 Nahai는 근육과 해당 혈관줄기의 해부학적 관계에 기반하여 근육에 대한 분류 시스템을 기술했다:

① 근육으로 들어가는 혈관줄기의 인접 부위 기원
② 혈관줄기의 크기와 숫자
③ 근육의 기시부과 종지부에 대한 혈관줄기의 위치
④ 근내 혈관의 혈관 조영 양상

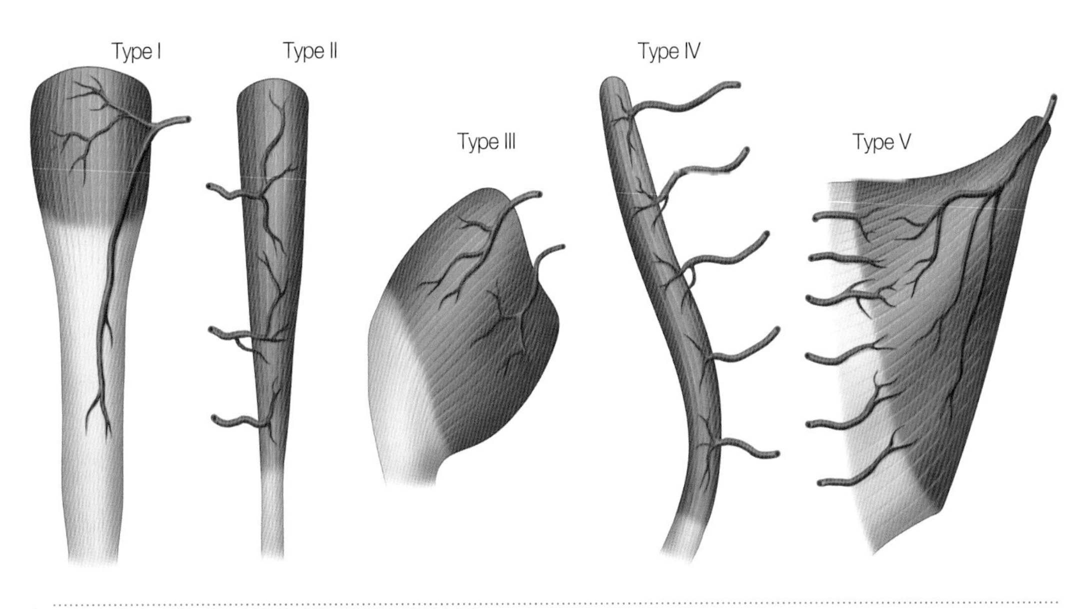

▷그림 1-15-2 근육피판과 근육피부피판의 5가지 분류

이 분류는 집도의로 하여금 혈관의 해부학적 구조를 기반으로 하여 다양한 근육과 근육피부피판을 분명히 다르고, 임상적으로 적용 가능한 그룹으로 분류할 수 있도록 했다. 다양한 근육을 분류하는 다섯 가지 혈관 분포양상이 있다.(그림 1-15-2).

Type I: 한 개의 주된 혈관줄기－Type I 근육은 하나의 단일 혈관줄기로부터 공급받는다(표 1-15-1).

Type II: 주된 혈관 줄기와 가는 혈관 줄기(minor vascular pedicle)－Type II 근육은 주된 혈관 및 가는 혈관줄기 모두에게서 공급받는다. 더 큰 우세 혈관 혈관줄기는 피판 거상 후에 주로 순환을 유지해줄 것이다. 이것은 사람의 해부학적 구조에서 가장 흔히 볼 수 있는 형태이다(표 1-15-2).

▷표 1-15-1. Type I 근육

Abductor digiti minimi (hand)
Abductor pollicis brevis
Anconeus
Colon
Deep circumflex iliac artery
First dorsal interosseous
Gastrocnemius, medial and lateral
Genioglossus
Hyoglossus
Jejunum
Longitudinalis linguae
Styloglossus
Tensor fascia lata
Transversus and verticalis linguae
Vastus lateralis

Type III: 두 개의 주된 혈관 혈관줄기－Type III 근육은 각각 기원이 다른 두 개의 큰 혈관 혈관줄기를 갖는다. 이 혈관줄기들은 순환 기원을 독립적으로 갖고 있을 뿐만 아니라 근육의 반대편에 위치한다. 피판 거

▷표 1-15-2. Type II 근육

Type II 근육
Abductor digiti minimi (foot)
Abductor hallucis
Brachioradialis
Coracobrachialis
Flexor carpi ulnaris
Flexor digitorum brevis
Gracilis
Hamstring (biceps femoris)
Peroneus brevis
Peroneus longus
Platysma
Rectus femoris
Soleus
Sternocleidomastoid
Trapezius
Triceps
Vastus medialis

상 동안 한 혈관줄기의 분할은 이것의 혈액 분포 내에서 근육의 손실을 초래하지는 않는다. 근육은 주로 둘 중 하나의 혈관줄기만으로 생존할 수 있다. 이 혈관 분포양상은 근육을 나누어 근육 혹은 피부-근육 피판으로 사용할 수 있게 한다(표 1-15-3).

▷표 1-15-3. Type III 근육

Type III 근육
Gluteus maximus
Intercostal
Omentum
Orbicularis oris
Pectoralis minor
Rectus abdominis
Serratus anterior
Temporalis

Type IV: 분절(segment)으로 혈관 줄기를 갖는 것- Type IV 근육은 근육의 주행에 따라 들어가는 부분 혈관 혈관줄기를 통해 공급된다. 각 각의 혈관줄기는 근육의 부분 부분에 혈류를 공급한다. 피판 거상 동안 2-3개 이상의 혈관줄기 분리는 원위부 근괴사를 유발할 수 있다(표 1-15-4).

▷표 1-15-4. Type IV 근육

Type IV 근육
Extensor digitorum longus
Extensor hallucis longus
External oblique
Flexor digitorum longus
Flexor hallucis longus
Sartorius
Tibialis anterior

Type V: 한 개의 주된 혈관줄기와 보조적인 분절 혈관줄기를 갖는 것- Type V 근육은 1개의 우세 혈관 혈관줄기와 2차 부분 혈관 혈관줄기에 의해 공급된다. 이 근육들은 근육의 닿는 곳 주변에 큰 우세 혈관 혈관줄기가 있고 근육의 기원 주변에 몇 개의 부분 혈관 혈관줄기를 갖고 있다. 내부의 혈관 구조는 주된 혈관줄기 또는 부분적인 분절 혈관줄기 모두에게서 공급받을 수 있으며 그러므로 이런 근육은 두 가지 혈관 시스템에 모두에 따라 피판으로서 거상이 가능하다(표 1-15-5).

▷표 1-15-5. Type V 근육

Type V 근육
Fibula
Internal oblique
Latissimus dorsi
Pectoralis rnajor

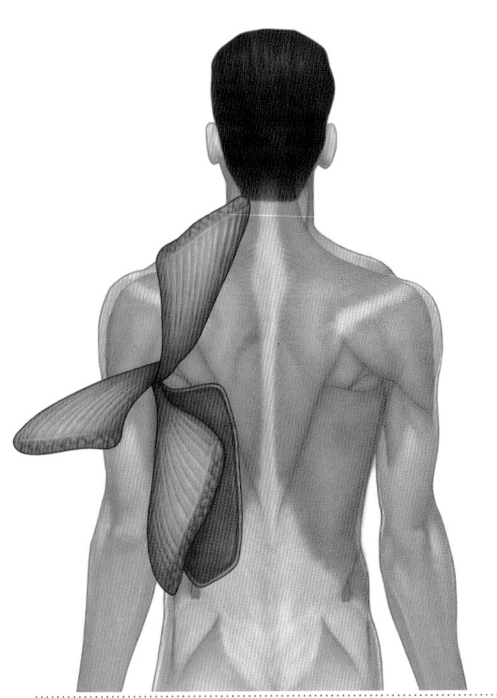

▷그림 1-15-3. 근육피판의 회전호(등배근)

피판이 혈관줄기의 기반하여 국소 혹은 섬 피판으로 사용될 때, 우세 혈관 혈관줄기는 보존된다. 성공적인 피판 전위를 가능하게 하는 요소는 회전에서 피판의 원호(arc)이다. 회전의 호는 근육의 해부학적 기반으로부터 올림의 범위와 혈행을 끊지 않고 주변 부위에 다다를 수 있는 정도에 따라 결정된다. 근육의 기동성은 혈관 혈관줄기의 개수와 근육의 기원과 닿은 곳과 연관된 우세 혈관 혈관줄기의 위치에 좌우된다(그림 1-15-3). 회전호로 덮여지는 영역은 개인에 따라 다양하다. 회전부위에서 원위부로의 피판 길이와 혈관 혈관줄기의 길이에 기반하여, 피판의 안전한 회전호는 각각의 피판에서 측정된다. 개량된 회전호 또한 설계의 개선 및 특정화된 피판의 변형을 기반으로 하여 이용 가능하다. 안전한 표준적 또는 변형된 회전호는, 과도한 장력 또는 과도한 박리에 따른 혈관줄기 손상으로 피판을 잃는 것을 막는 데에 필수적이라고 할 수 있다.

보통의 경우 회전호는 혈관 혈관줄기의 개수와 반비례한다. 만일 근육이 많은 수의 혈관줄기를 갖고 있다면, 그것은 제한된 회전호를 갖는다. 봉공근이나 전경근 같은 Type IV 근육은 다발성의 부위 혈관 혈관줄기를 갖고 있으나 제한된 회전호를 갖는 예이다. 비슷하게, 해당 근육의 기원과 닿은 곳과 연관된 우세 혈관 혈관줄기의 위치는 중요하게 회전호를 결정한다. 우세 혈관 혈관줄기가 근육의 기원이나 닿는 곳에 가까울 수록, 회전호는 더 커지는 경향을 갖는다. types I, II, III, 및 V 근육의 회전점은 주로 근육의 한쪽 끝 또는 근위부 1/3 지점에 위치해 있다. 예를 들어, 대흉근과 활배근 같은 type V 근육은 주요 혈관 혈관줄기를 그것의 닿는 곳 주변에 갖고 그에 따라 넓은 회전호를 갖는다. type V 같은 특정 근육은 두 개의 회전호를 갖는다. 첫 번째 회전호는 우세한 혈류 공급에 기인하며 두 번째는 2차 부위 혈관 혈관줄기에 기인한다. 역 회전호는 그것의 이차 부위 혈관 혈관줄기에 기반한 피판의 전위 정도와 관련있다.

근육은 나뉘어질 수 있고 근육의 한 부분을 사용한 전위 피판을 주요 혈관줄기와 연속성이 있는 부위로서 사용될 수 있다. 근육 조직과 그 기능을 보존할 수 있는 절개술은 기술되어 있다. 근육의 이는 곳과 닿는 곳이 보존되어 있는 남은 근육은 기능이 보존되게 유지된다. 그러므로 근육 전체를 모두 분리하여 동시에 두 결손 부위를 수복하는 데 사용될 수 있다. 종종 주요 혈관줄기에 가까운 근육의 한 부분만이 미세혈관 이식을 위해 거상된다. 또한 피부분포영역은 변화될 수 있고 두 개의 다른 피부 섬피판으로 나뉘거나 혹은 하나의 근육 피판의 부분으로 거상될 수 있다. 그러나, 피부분포영역은 반드시 분절 피판으로부터의 피부근육 천공지 혈관을 통한 혈관의 연결이 포함되어야 한다.

대흉근 절개의 기초는 1985년 Tobbin에 의해 보여졌다. 흉근은 세개의 신경혈관 분절, 쇄골 분절(the clavicular subunit), 흉늑 분절(the sternocostal subunit), 외근 분절(the external subunit) 단위로 되어 있다. 이들은 수술적으로 분리될 수 있고 각각 흉견봉혈관, 내흉혈관, 외흉혈관으로부터 혈관줄기로 이동될 수 있다. 흉곽 및 경부 재건을 위해 내흉혈관이 닿아 있는 내측 천공지 분절에 기반해 있는 흉근의 늑간 부위 분절을 이동할 때 대흉근을 분절로 분리하게 된다. 근육의 분절 전위의 개념은 독립적인 신경근육 단위(하나의 신경다발에 의해 지배받는 근육 단위)의 이식을 가능하게 하였다.

가장 적절한 재건의 방법으로 선택하는 것은 어려울 수 있다. 수복의 모든 방법을 신중히 고려해야 하고, 각각의 기술의 장단점을 그에 맞춰 잘 따져야 한다.

- **근육피부 피판의 장점은 다음과 같다.**
  ① 혈관줄기가 명확하고 믿을 수 있다.
  ② 혈관줄기가 종종 결손부의 바깥에 위치해 있어서, 넓은 손상범위의 상처에 대해서 특히 도움이 될 수 있다.
  ③ 근육근 깊고 넓은 범위의 결손에 필수적 구조물(건, 신경, 혈관, 뼈, 인공물 등)이 노출된 부위를 보호 할수 있는 충전재로서의 부피를 제공한다.
  ④ 근육은 구부러질 수 있고 원하는 모양이나 부피로 만들어 조작할 수 있다(접을 수 있음).
  ⑤ 혈관분포가 좋은 근육은 박테리아의 침입 및 감염에 저항성이 있다.
  ⑥ 근육 및 근육피부 피판을 사용한 재건은 보통 한 단계(one-stage)의 수술로써 수복 가능하다.
  ⑦ 어떤 피판은 기능의 회복(운동이나 감각)이 가능하다
  ⑧ 근육과 근육피부 피판은 비교적 쉽고, 믿을 만한 피판이므로 피복 방법이 불가능하거나 부적절한 특정 결손에서 재건의 완벽한 대체 가능한 방법으로서 쓰일 수 있다.

- **근육과 근육피부 피판의 단점은 다음과 같다.**
  ① 공여부의 기능을 일정 부분 잃을 수 있다.
  ② 공여부 결손이 미용적으로 바람직하지 않을 수 있다.
  ③ 근육 및 근육피부 피판은 공여된 근육의 위축으로 피복이 불충분 할 수 있다.
  ④ 일반적으로 사용이 가능치 않은 중요한 근육을 사용할 때 그 기능 보존에 유의해야 한다.

기능 보존의 기술은 보통 이는 곳과 닿는 곳을 많은 부분 유지해야 한다. 예를 들어, 보행가능한 환자에서 대둔근의 상위 절반 부위로서 천골부위를 피복하는 것은 허벅지의 신전 혹은 골반의 안정성의 손상 없이 가능한데 이는 대둔근의 나머지가 기능적으로 보존되었기 때문이다.

3. 천공지

피판의 개선점들은 천공지 피판의 개발을 이끌었다. 천공지 피판은 근육이나 근막을 담지 않은 근육피부와 근막피부 피판으로부터 유래되었다. 그것은 공여부의 기능적 손실을 최소화하는

동시에 미세 수술의 진보를 가져왔다. 이러한 진보의 좋은 예로 복직근 피판(TRAM)으로부터 근육 보존 복직근 피판(muscle-sparing TRAM)으로, 심부하복벽천공지 피판(DIEP)으로 진화한 것을 들 수 있다. 이러한 피판의 진화들은 근육을 포함한 피판이나 근막의 혈관 망 조직이 피판 생존에 필수적이지 않다는 것을 보여준다. 그러므로 천공지 피판은 하나의 천공지에 기반한(근막을 포함하거나 포함하지 않는) 피부 피판이다. 천공지 피판의 이상적인 디자인을 얻기 위해서는 하나의 천공지 피판의 영역의 해부학과 생리학적 원리를 이해하여야 한다. Saint-Cry에 의한 천공지분포영역 이론은 천공지 피판의 다음과 같은 네 가지 특징을 보고했다. (1) 각각의 천공지분포영역은 직간접적인 연결되어 있는 혈관의 도움으로 근접한 천공지분포와 연결되어 있다. (2) 피판 디자인과 피부조직 방향은 연결 혈관의 방향에 기반해야 하고 연결 혈관은 말단부와 축을 이루고 몸통부의 정중선에 수직한다. (3) 천공지분포영역의 충만(filling)은 다른 근접한 근원 동맥들의 천공지에 뒤따라 같은 근원 동맥의 천공지분포영역 안에서 일어난다. (4) 관절에 근접해서 발견되는 천공지의 많은 혈관분포는 같은 관절로부터 유도된다. 이 이론은 천공지 피판 혈관분포에 대한 이해를 제공해주며 임상적으로 더 안전한 유리 피판 및 천공지 피판의 수득을 도와줄 수 있다.

1989년 koshima와 soeda는 근육 천공지를 기반으로 한 배꼽 옆의 피부 및 지방의 섬피판을 수득하면서 '천공지 피판'이라는 단어를 사용 하였다. 그 때부터 아랫배의 피부 피판을 사용한 천공지 기반 피판을 유방 재건에 적용하기 시작했다.

천공지 피판의 명명은 혼동되고 종종 잘못 진술되고 있다. 천공지 피판은 피판의 위치(예: 전외측 대퇴부 피판), 혈관 공급(예: 심부하복벽 천공지피판), 또는 기원되는 근육(예: 비복근천공지피판)에 의해 명명되고 있다. Hallock은 천공지를 기원과 상관 없이 깊은 근막층을 관통하는 혈관으로 정의했다. 천공지 피판 용어에 대해 현재 받아들여지는 기준으로는, 다른 구조적 조직을 순회하지 않는 깊은 근막을 관통하는 천공지를 직접 천공지라 하고, 근육, 격막, 근주막과 같이 더 깊은 구조물을 관통하는 천공지를 간접 천공지라 정의하고 있다. Nakajima 등의 근막 천공지의 여섯 가지 패턴으로부터 발전하여, 현재 받아들여지고 있는 천공지(피판)의 종류로는 다섯 가지가 있다. 1형: 깊은 근막만을 관통하는 직접 천공지. 2형: 주로 피하층을 공급하는 간접 근육 천공지. 3형: 주로 근육을 공급하나 피하층으로 이차적 가지를 갖고 있는 간접 근육 천공지. 4형: 근막을 관통하기 전에 근육 섬유 사이의 근주막안에서 순회하는 간접 근주막 천공지. 5형: 근막을 관통하기 전에 근육간의 격막을 순회하는 간접 격막 천공지. 다른 천공지들의 이러한 차이에 기반하여, 현재 받아들여지는 천공지 피판에 대해 정의와 분류는 다음과 같다.

- **정의 1:** 천공지 피판은 피부와 그리고/혹은 피하층을 포함하는 피판이다. 피판에 혈액을 공급하는 혈관은 고립된 천공지이다. 이러한 천공지들은 심부 조직들(주로 근육) 사이에 혹은 통과하여 지나간다.

- **정의 2:** 근육 천공지는 가로놓여있는 피부를 공급하는 격막과 지나쳐서 가로지르는 혈관이다.

- **정의 3:** 격막 천공지는 가로놓여있는 피부를

▷표 1-15-6. 천공지 피판의 종류와 해부학적 위치

Flap-abbreviation	Flap-full name	Nutrient artery
Muscle perforator flaps		
DIEP	Deep inferior eplgastric perfortor	Deep inferior eplgastric vessels
TAP	Thoracodorsal artery perfortor	Thoracodorsal vessels
SGAP	Superior gluteal artery perfortor	Superior gluteal vessels
IGAP	Inferior gluteal artery perfortor	Inferior gluteal vessels
IMAP	Inferior mammary artery perfortor	Inferior mammary vessels
ICAP	Intercostal perfortor	Intercostal vessels
PLP	Paralumbar perfortor	Paralumbar perforating vessels
GP	Gracilis perfortor	Medial circumflex femoris vessels
TELP	Tensor fasciae latae perfortor	Transverse branch of the lateral circumflex femoris vessels
ALTP	Anterolateral thigh perfortor	Descending branch of the lateral circumflex femoris vessels
AMTP	Anteromedial thigh perfortor	Innominate branch of the descending branch of the lateral circumflex femoris vessels
SAP	Sural artery perfortor	Sural vessels
PTAP	Posterior tibial artery perfortor	Posterior tibial vessels
ATAP	Anterior tibial artery perfortor	Anterior tibial vessels
Septal perforator flaps		
RAP	Radial artery perfortor	Radial vessels
AP	Adductor perfortor	Medial circumflex femoris vessels
AMTP	Anteromedial thigh perfortor	Innominate branch of the descending branch of the lateral circumflex femoris vessels (if perfortor runs only septum)
ALTP	Anterolateral thigh perfortor	Descending branch of the circumflex femoris lateralS vessels (if perfortor runs only septum)

From Biondeel PN. Van Landuyt KH. Monstrey SJ. et al. The "Gent" consensus on pertorator flap terrninology: preliminery definitions, Plast Reconstr Surg. 2003;112:1378-1383; quiz 1383, 1516; discussion 1384-1387.

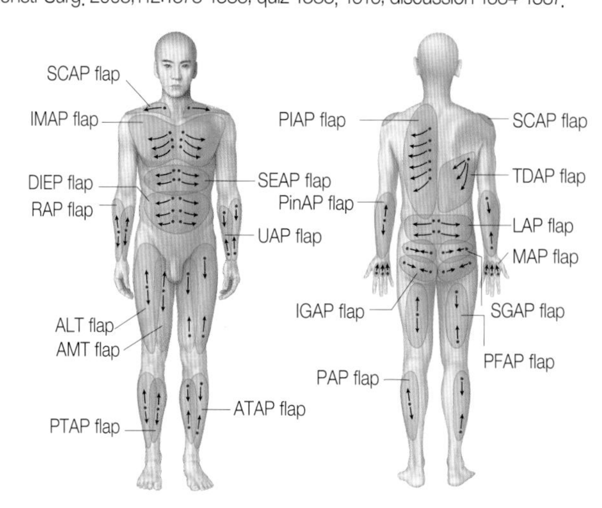

공급하는 격막만을 통해 가로지르는 혈관이다.

- **정의 4:** 근육 천공지로부터 혈관 분포가 되어 있는 피판은 근육 천공지 피판이라고 부른다.

- **정의 5:** 격막 천공지로부터 혈관 분포가 되어 있는 피판은 격막 천공지 피판이라고 부른다.

- **정의 6:** 천공지 피판은 근본적인 근육이 아닌 영양을 주는 동맥 혹은 혈관의 이름을 따서 명명해야 한다. 만약 하나의 혈관에서 여러 개의 천공지 피판을 사용할 수 있을 때엔, 각각의 피판의 이름은 해부학적 위치나 근육에 기반해야 한다.

간접. 직접 천공지 피판 및 중격, 근육 천공지 피판의 용어 및 분류는, 심부근막을 통과 하기 전 small terminal branches의 경로와 수술적 절차를 함축할 수 있도록 설정되어 있다. 표 1-15-6은 이 용어에 기반한 대중적인 천공지 피판 종류를 보여주고 있다. 이 분야의 최근 혁신으로 인해 용어 및 분류 중 일부가 다소 오도된 것으로 나타났다. 이 분야의 혁신으로 새로운 용어 및 분류가 지속적으로 업데이트 될 것이다. 천공지 피판의 개념은 고전적 국소 피판의 한계를 극복하고 단순화했다. 혈관줄기로써 천공지를 식별하고, 혈관줄기 쪽으로 추가적으로 박리를 함으로써 피판의 생존율과 이동성이 향상되었다. 천공지 기반 국소피판의 한 형태인 프로펠러 피판(propeller flap)은 축회전(axial rotation)을 통해 결손부에 도달하는 도서형피판(island flap)이다. 천공지 프로펠러 피판(Perforator propeller flap)이 거상(elevation)될 때, 천공지는 꼬임 가능성을 최소화하기 위해 근막과 지방 유착으로부터 자유롭게 박리된다. 비록 회전을 덜 하는 것이 꼬임 가능성을 낮추지만, skin island은 180도까지 안전하게 회전될 수 있다.

- **천공지 피판 이점**
  ① 공여부 기능 상실의 감소
  ② 피판 디자인의 다양성
  ③ 근육 보존(기능적 손실 감소)
  ④ 수술 후 회복 향상

- **천공지 피판 단점**
  ① 꼼꼼하고 지루한 피판 박리
  ② 수술 소요 시간 증가
  ③ 천공지 혈관(perforator vessels)의 위치와 크기의 다양성
  ④ 가파른 학습곡선(learning curve)

그러나, 자유로운 접근방법(free-style approach) 그리고 supermicrosurgery와 같은 변화가 천공지 피판에 대한 접근과 이용을 용이하게 했다. 자유로운 접근방법은 우선 피판에 분포하는 천공지를 찾은 후 혈관줄기를 향해 근위쪽으로 박리한다. 반면 고전적 방법(classic approach)은 혈관줄기를 먼저 찾고 이후 천공지를 향해 박리한다. 이로써 어떠한 천공지 기반으로도 피판을 자유롭게 작도할 수 있다. Supermicrosurgery approach, 천공지간 문합(perforator to perforator anastomosis)은 피판박리 시간을 줄이면서 박리에 혈관줄기의 손상을 최소화시킨다.

4. 피판을 이용한 재건

유경 피판 또는 유리피판을 불문하고 다양한 원인에 의한 결손을 재건하는 데 사용된다. 전반적인 생존율은 적당한 피판의 선택, 수술전 계획, 수술 중 술기, 수술 후 관리에 의해 좌우된다.

1) 수술 전 계획

수술 전 평가는 모든 재건에 있어서 첫 번째 단계이다. 먼저, 최종 결과와 주변 요인에 대해 생각해야 한다. 주변 요인으로는 정신의학적 지지치료, 방사선 치료, 보철 또는 보행 필요 여부 등이 있다. 일단 대략적인 계획인 정해지면, 첫 번째 중요한 단계는 외과 의사가 절차와 가능한 결과를 교육하고, 정보에 입각한 동의를 얻는 것이다. 결손부의 종적 횡적인 요인에 대한 평가가 이루어져야 한다. 종적인 문제는 뼈, 근육, 인대, 신경, 주요 혈관 그리고 심부 조직과 같은 피하조직을 말한다. 횡적 문제는 피판의 두께와 면적을 말한다. 결손부의 필요에 기반하여 기능적 근육(functional muscle) 또는 감각 피판(sensate flap)과 같은 추가 기능이 계획되어야 한다. 상처의 위치, 크기, 물리적 구성요소의 관점에서의 평가가 포함되어야 한다. 결손부가 신체 표면의 상당 부분(예: 화상 또는 거대 모발 모반에 의한 결손)을 포함하는 경우, 재건 방법은 신속 재건(예: 화상)에 적합한 피부 이식술 그리고 예정 재건(예: 거대 모발 모반)에 적합한 순차적 조직 확장술로 제한된다. 복잡한 재건은 이상적인 재건을 위해 다양한 피판을 결합하거나, chimeric flap을 결합해야 할 수 있다. 각 구성요소는 결손부의 기능과 형태에 영향을 준다. 재건 방법의 선택은 결손부위의 각 구성요소를 대체할 수 있는 가능성과 상대적 중요성에 근거하여 이루어진다. 수술 전 계획을 통해 다양한 조직을 결합하기 위한 이상적인 혈관 시스템을 선택하고 설계할 수 있다. 재건 전에 전신적 요소도 고려 되어야 한다. 비만, 흡연, 고혈압, 면역억제. 심부전, 당뇨, 과응고성, 말초혈관질환, 만성신부전 등은, 피판 괴사는 물론 공여부 및 결손부 합병증 증가와 연관성이 있다. 그러나 미세 수술 기구와 기술의 향상이 지속됨에 따라, 잘 알려진 위험 요소들이 피판 생존율에 있어 중요도가 덜해지고 있다. 그럼에도 불구하고, 전신적 요소는 flap 관련 합병증뿐만 아니라 공여부 합병증도 최소화될 수 있도록 조절되어야 한다. CT(전산화 단층 촬영) 스캔, 혈관 조영술 또는 MR(자기공명) 혈관 조영술을 이용한 이미징은 결손부 및 공여부의 혈관 상태를 확인하는 데 도움을 준다. CT 혈관 조영술의 사용은 사타구니의 동맥 천자로 인한 합병증의 위험 없이 수혜부 영역의 혈관 정보를 얻을 수 있으며, 기증부 혈관 정보를 제공하여 계획 및 수술 절차를 용이하게 한다. 그림 1-15-4는 외측대퇴선회동맥(lateral femoral circumflex artery)의 내림 분지(descending branch)가 원위부 다리로의 흐름을 담당하는 측방 혈관이고, 이 major collateral에 기반하여 전외측 대퇴피판(anterolateral thigh flap)을 들어서는 안 되며, 하지로의 흐름을 방해할 수 있다. 하지의 이전 상해와 관련하여, 수술 전 정례적인 혈관 조영술 평가에 대한 논란의 여지가 있지만, 하나 이상의 말초혈관의 상실, 손상 후 2차적 신경학적 결손, 정복술과 외고정 또는 내고정술을 시행받은 말단부 복합 골절이 있는 환자들에서는 선택적으로 권장될 수 있다. 이전의 외상 또는 절개는 피판의 vascular 혈관줄기에 손

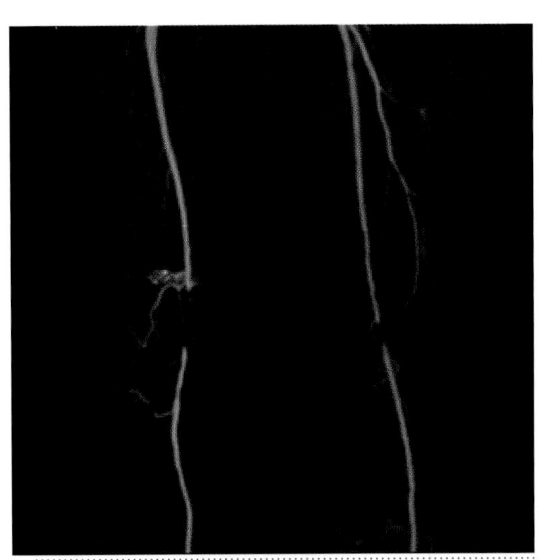

▷그림 1-15-4. 측대퇴곡목동맥(lateral femoral circumflex artery)의 내림 분지(descending branch)가 원위부 다리로의 흐름을 담당하는 측방 혈관이고, 이 major collateral에 기반하여 전외측 대퇴피판(anterolateral thigh flap)을 들어서는 안 되며, 하지로의 흐름을 방해할 수 있다.

상을 주었을 수 있기에, 혈관줄기 상태를 확인하기 위한 수술 전 영상의학적 평가가 이루어져야 한다. 천공지 피판의 혈관줄기에 대한 정보를 모으기 위해 수술 전 영상 평가의 사용이 확대되고 있다. 그것은 피부에 도달하는 깊은 근막을 관통하는 상둔동맥(superior gluteal artery)의 천공지를 보여줄 수 있다. 또한 영상은 천공지를 시각화하고, 해당 피판에 있어 가장 적합한 천공지를 우리가 선택할 수 있도록 도와준다. CT 혈관 조영술은 혈관줄기의 구경, 혈관줄기의 근육 내 경로, 해당 피판의 위치 및 혈관줄기로부터의 피하분지 등과 같은 정보를 제공한다. 이 정보는 피판에 관한 보다 상세한 수술 전 계획을 가능하게 한다. CT 혈관 조영술은 수술 전 영상검사에 있어 gold standard라고 할 수 있다.

휴대용 도플러는 천공지와 주축 혈관에 대한 정보를 간단하고 신속하게 얻을 수 있게 해준다. 그러나, 천공지의 주행경로와 같은 자세한 정보가 부족하고, 실제 양성 결과가 임상적으로 상관관계가 없을 수 있다. 그럼에도 불구하고 휴대용 도플러는 피판의 혈관줄기에 대한 정보를 모으는데 있어 쉽고 바로 쓸 수 있는 도구로 남아 있다. 컬러 도플러 영상은 더 나은 정보를 제공하고, 외과 의사가 혈관의 존재, 혈류의 방향, 흐름의 패턴이 정맥인지 동맥인지 그리고 유속이 어느 정도인지 식별할 수 있게 도와준다.

국소 피판의 경우, 결손부가 표준 회전 각도 이상으로 위치하여 혈관줄기에 과도한 장력을 유발할 때 피판의 손실이 발생할 수 있다. 피판 혈관줄기의 혈관 영역을 넘어서는 결손 크기는 피판 크기의 부적절한 증가 또는 삽입부 과도한 피판 장력을 초래할 수 있다. 기존의 혈관 손상이 있었던 환자에서 상해 영역에 위치한 혈관줄기 및 피판의 선택은 실패를 초래할 수 있다. 상해 부위의 부분(segmental) 또는 원위부를 작도한 변형 피판(flap modification) 역시 잠재적 손실 및 혈관 문제(vascular compromise)가 일어나기 쉽다. 따라서 피판의 성공 여부는 수술 전 해부학적 디자인과 특이적 재건 자격요건에 대한 평가에 의해 결정된다.

피판의 선택에는 결손부위의 모양이나 기능에 바탕을 둬야한다. 근판 이나 근피판, 건판, 건피판, 천공지피판은 전신의 모든 구역에 사용할 수 있도록 기술되어 왔다. 혈관 가지 대하여 혈관 영역에서 적절한 디자인을 바탕으로 피판이 생존할 수 있다. 결손부 복원에 대하여 선택된 방법은 정상적인 모양과 윤곽을 복원해야 한다. 근피판이 초기에 결손부복원에 대해 안전하다고 경험적으로 알고 있지만, 그 결과로서의 거대 피판은 미관적으로 선호되지 않았다. 근판과 피부 이식술의 결합은 수여부의 우수한 복원력으로 자주 사용되었다. 근육과 근막 단위의 정의를 이용한 표준적인 피판 전위술 혹은 미세혈관조직 이식술로 결손부 복원에 적합한 피판을 선택할 수 있다. 피부 부분(skin island)이 필요할 경우는 피하 조직의 얇은 층이 포함된 피판(i.e., 요측전완피판 or 요측전완천공지피판) 혹은 지방흡입술이나 절제술을 이용한 이차적 절제술를 통해 두꺼운 피판의 윤곽을 개선할 수 있다. 특별히 고려될 수 있는 재건 요소로는 모발 유무, 감각, 골격 지지, 운동성과 같은 요소가 있다. 재건에는 이 특별한 요소를 고려해야 한다. 이러한 요소의 재건이 필요한 복합적 단계적인 재건 과정이 필요하지만, 단일 단계의 복원 수술로도 기능적 복원이 가능하기도 하다. 결손부위의 특성을 평가한 이후 표 1-15-7은 circulation, composition, contiguity, construction, conditioning and conformation과 같은 피판 선택의 과정에 도움을 줄 것이다. 최종적인 피판 작도는 결손부위의 경계가 확인될 때까지 늦춰져야 한다. 겉으로 보이는 결손부위(the apparent defect)보다 실제의 결손 부위(the true defect)를 평가해야 한다. 이상적인 재건은 비슷한 조직이나 같은 조직을 이용한 모양과 기능을 최적으로 제공해야 한다. 공여부 결손은 피판 선택에 있어 반드시 고려해야 할 요소이다. 가능하다면 공여부는 모양을 보존하는 선에서 봉합되어야 한다. 결손부위 재건의 위한 피판 구득에서 결손부위에서 피부이식이 허용되는 경우는 이 피판의 구득이 피부이식 없이 구득된 피판에 대해 월등히 재건에 유리할 때이다. 조직 확장기를 통하여 피판 거상 후 단계적 구득하는 방법에 있어서는 결손부위 재건에 유리한 크기의 피판을 구득 가능하게 된다. 결손부위의 복원의 궁극적인 모습은 수상 이전의 모습이지만 이것을 위한 공여부의 과도한 모양 변화는 지양해야 한다. 결과적으로 공여부의

▷표 1-15-7. 피판선택에 도움을 주는 요소들

1. Circulation (blood supply)
Direct vessels
axlal
septocutaneous
endosteal
Indirect vessels
myocutaneous
periosteal
2. Constituents (composition)
Skin (with subcutanecus fat)
Fasclocutaneous/Tascia
Muscle/musculocutaneous
Visceral
Nerve
Bone
Cartilage
Lymph node (with subcutanecus fat)
Other
3. Contiguity (destination)
Local
Regional
Distant (free)
4. Construction (flow)
Unlpedicle*
Bipedicle
Antegrade*
Retrograde (reverse)
Turbocharged
Supercharged
Arterialized venous
5. Conditioning
Delay
Tissue expansion
Prefabrication
Sensate (sensory nerve)
Functional (motor nerve)
None*
6. Conformation
Special shapes
Tubed
Conbined flaps
None*

*Denotes defualt or standard for flaps and can be omitted in the use of complate classitication.

선택은 공여부의 결손이나 변형을 공여부의 기능과 모양이 유지된 상태에서 이루어질 때 재건의 균형 맞게 이루어졌다 한다. 공여부 결손도를 위해 많은 술자들이 근판의 내시경적 구득(endoscopic harvest)의 효용성을 평가 중이다. 다양한 근판의 구득을 위한 최소 침습적 기술들이 기술되어왔다. 이러한 것들은 광배근, 복직근, 박근, 대퇴직근, 외복사근과 비복근을 포함하는 피판이다. 내시경하 근육을 거상할 때 복강경적 기술은 장간막을 얻을 때에 자주 이용된다. 이는 흉터를 적게 남기고 수술 후 통증을 줄여주며 이론적으로 적은 공여부 결손을 보여준다. 피부 혹은 천공지 피판은 눈에 덜 띄는 부위에서 얻기 위해 연구되어왔다. 많은 요소들이 천공지피판을 선택하는 데에 요소하지만, 심하복벽천공지(deep inferior epigastric perforator DIEP), 상둔동맥천공지(superior gluteal artery perforator SGAP), 천장골회선동맥(superficial circumflex iliac artery perforator SCIP), and 흉배동맥천공지(thoracodorsal artery perforator TDAP) 피판과 같은 구득 장소들이 평상복에서 가려지고, 낮은 공여부 결손도를 보여준다. 결과적으로 수술 전 계획에서 술자는 언제나 이상적으로 이루어지지 않은 제 1의 선택지를 대신할 두 번째 선택지를 고려해야한다. 이는 수술 전 시각화, 수술 시간의 감소, 불필요한 변수 최소화, 그리고 높은 동기부여 정신을 유지할 수 있다

5. 수술 중 기법

환자는 가능하면 공여부와 수여부를 모두 볼 수 있는 자세로 수술에 준비되어야 한다. 이는 두 수술팀의 접근을 가능하게 하고 자세변화로 인한 수술 시간 연장을 막을 수 있게 한다. 완전한 변연절제술 이후 상둔동맥천공지피판은 수술 중 환자의 자세변동 없이 재건에 사용할 수 있었다. 긴 수술 시간이 예상되는 수술의 경우 최상의 결과를 도출하기 위해 잠재적 욕창 발생 가능 부위에 조심스럽게 부드러운 것을 받쳐주는 것, 저체온증(말초 혈류를 줄인다)을 막기 위한 체온상승요법, 심부정맥혈전증 예방요법, 그리고 당뇨환자의 경우 공격적인 당소설이 요구된다. 수여부는 반드시 피판 준비 전에 준비되어야 한다. 암의 경우 적절한 절제 경계가 얻어져야 하고 상처는 반드시 변연절제술 후 청결한 상태를 얻어내야 한다. 피판의 디자인은 제일 중요한 요소이다. 표준적 전위술, 단계적 확장술, 미세혈관 조직이식을 위한 최종적인 피판 디자인은 반드시 실제 결손부위 크기가 고려되어야 한다. 최초의 피판디자인은 장래에 진행하게 될 혹은 재발하게 되었을 때의 추가적 수술에 영향을 주게 된다. 보통 피판디자인은 적절한 상처 변연절제 혹은 종양 절제가 완전히 이루어진 이후로 미루어지게 된다. 만약 절제와 동시에 피판거상이 이루어질 경우 최대의 결손을 가정한 피판 디자인이 이루어져야 한다. 조직확장기가 사용되었을 경우 전진피판술이나 피판전위술에서 절제 되기 전 잠재적 결손 부위를 상정하여 준비해야 한다. 준비된 조직이 절제 후 발생된 결손부위 덮기에 적절하지 않은 경우 반복적인 확장이 필요하다. 박테리아 침범이나 혈관 손상이 있는 생존불가한 조직, 구조물을 제거위한 변연절제술의 범위를 세심하게 평가해야 한다. 단일 과정으로 적절한 변연절제술의 범위를 상정할 수 없을 때에는 단계적 상처 관찰과 박테리아 배양 검사를 통한 단계적 변연절제술이 도움된다. 만일 부분적 혈류 부족이 있는 경우 예방적 혹은 동시적 혈관 시술이 변연절제술과 상처덮기에 필요하다. 만성 골수염환자에서 어떤 구성의 피판이 유리한지에 대한 논쟁은 여전히 진행되고 있지만 적절히 변연절제술이 이루어진다면 근육 혹은 피부 구성

의 피판이라도 동일하게 효과적이라는 보고가 늘어나고 있다. 추가적으로 피부, 건피판의 경우 단계적 재건에 유리하고 근판에 비하여 추후 추가적인 시술을 위한 거상술에서 흉터나 섬유화가 적게 일어난다고 알려져 있다. 또한 피부,건피판은 특히 미용적인 관점에서도 얇은 피판을 제공하여 더 좋은 미적 결과를 도출한다. 피판 거상술의 경우 피판해부학에 대한 자세한 지식을 필요로 한다. 임의피판술은 보통 작은 상처에서 쓰이나 피판크기의 증가에 따라 혈관줄기와 혈관 분포영역이 생존율에 중요해진다. 유리피판술의 경우 미세 수술에 앞서 수여부 혈관이 준비되고 평가되어야 한다. 피판을 삽입할 때에는 혈관 줄기의 장력을 최소화해야 한다. 수술 후 부종은 혈관 줄기의 장력을 증가시킬 수 있다. 피판 수여부의 꼼꼼한 지혈술이 환자의 술 후 혈종을 줄이는 데에 중요한 역할을 한다. 폐쇄적 흡입 배액은 공여부와 수여부 양측에 자주 쓰인다. 음압이 혈관 줄기의 근처에 놓여지는 경우 혈관줄기를 누르게 될 수 있기 때문에 배액관의 위치 선정 또한 혈관 줄기에서 멀어지는 것이 중요하다. 배액관 제거는 장액종의 형성가능성을 높힐 수 있기 때문에 환자가 움직일 수 있게 될 때까지 제거하지 않는다. 조직확장기나 인공 삽입물의 근처에 놓여진 배액관은 감염의 원인이 되므로 가능한 빠른 시기에 제거한다. 24시간 배액량이 20 ml 이하로 줄어들 경우 폐쇄적 배액관은 제거할 수 있다. 가능한 경우 수술 후 10일까지는 제거되어 상처의 오염을 방지해야 한다.

6. 수술 후 관리

수술 후 피판 관리는 재건의 성공에 중요한 역할을 담당한다. 적절한 자세유지, 일시적 부동, 적절한 드레싱은 매우 중요하다. 수술 후 피판 관리기간 동안 피판 아래부분에 작용하는 압력을 피해야 한다. 가능한 경우 피판이 이식된 영역을 머리, 그리고 사지 재건에서와 같이 거상을 시켜놓아야 한다. 피판 영역에 보호 감각이 부족한 경우, 재건 부위를 비의존성자세(nondependent position)에 놓는다. 척수 손상 환자의 경우 의존성 영역(dependent area)에 대한 압박을 피하기 위해 공기 공급식 침대를 사용하는 것이 좋다. 특히 피판 아래부분 영역에서 혈관줄기에 미치는 압력으로 피판의 혈류순환을 방해할 수 있는 압박 붕대를 피해야 한다.

수술 후 초기기간 동안 잠재적으로 발생할 수 있는 순환문제가 모니터링되어야 한다. 미세 혈관 조직 이식으로 머리와 목을 재건하는 환자는 머리나 목 주위에 아무것도 놓이지 않도록 엄격하게 관리되어야 한다. 코 삽입관, 산소 마스크, 안경, 기관절개 고정장치 등은 혈관줄기를 누를 수 있으므로 사용을 피해야 한다.

피판 재건부위의 과도한 움직임은 인접 영역의 패딩으로 방지해야 한다. 사지재건에서 피판 재건부위에 대한 관절 근위부 및 원위부를 고정하기 위해 석고 부목을 사용하는 것이 좋다. 피판의 순환을 관찰하기 어렵고 수술 후 부종과 연관된 압박의 위험 때문에 원형 석고붕대는 피해야 한다.

오염된 결함이 있는 부위에서 피판을 재건할 경우 수술기주위 항생제를 사용하는 것이 좋다. 만약 확장기나 영구 보형물 공간이 이전에 감염된 적이 있다면, 역시 항생제가 추천된다. 상처부위의 배양결과에 따라 수술 후 항생제 치료의 필요성이 결정된다. 수술 후 항생제의 지속적인 사용은 상처조직의 균 배양과 균 특정 항생제의 선택에 근거해야 한다.

재건 수술 후 가능하면 지속적인 침상안정은 피한다. 회음부나 하지 재건인 경우를 제외하면, 대부분의 환자들은 수술 첫 날 이후에 이동할 수 있다. 상지 및 하지를 거상하고 부동유지 하는 것은 일반적으로 10일 동안 권장되며, 그 다음에는 최대 6주 동안 체중부하를 피하는 것이 좋다. 욕창을 예방하기 위하여 재건된 피판 위치에서의 체중부하는 4~6주 동안 피해야 한다. 공여부의 운동 범위는 관절의 경직성과 근육의 약화를 피하기 위해 보통 수술 후 7~10일경에 상처 치료가 완료될 때 권장된다.

공여부나 수혜부에서 기능을 회복하는 데 어려움을 겪으면 물리 치료 프로그램이 필요하다. 복잡한 결함으로 치료받는 환자의 통증 관리를 위해서는 통증 전문 클리닉과 정신과 의사와의 상담이 필요할 수 있다. 직업 치료는 직장으로 돌아갈 수 없는 환자들을 위해 필요하다. 암 치료를 받은 환자에 대한 다학제적 접근은 종양 감시와 보조요법을 제공하는 데 필수적이다. 특히 욕창의 위험이 있거나 척수 손상이 있는 환자들은 상처가 재발생할 위험이 있기에 재건된 피판의 압력 및 전단력을 방지하기 위한 지침이 필요하며 향후 피부 손상을 방지하기 위한 장치(즉, 적절한 패딩이 있는 휠체어)를 이용하여야 한다.

수술 후 항혈전요법의 사용에 대한 구체적인 증거는 없지만, 항응고제의 사용은 여전히 많은 외과 의사들에 의해 실행되고 있고 보통 미세혈관 조직이식에서 고려된다. 일반적으로 복용하는 진통제에는 아스피린, 헤파린 또는 덱스트란이 포함된다. 아스피린은 시클로옥시게나아제(cyclo-oxygenase)를 차단하여 혈소판을 활성화시킨다. 헤파린은 항트롬빈 III억제제이다. 덱스트란은 혈소판의 응집성을 감소시키고 혈소판 응집을 억제하며 혈액 점도를 감소시킨다. 이러한 약물들의 사용은 외과 의사들 사이에서 다양하게 이용되고 있다.

피판의 수술 후 모니터링은 재건수술 후 환자 치료에 있어 매우 중요한 구성 요소나. 많은 기술들이 피판을 모니터링하기 위해 개발되었으며 주로 미세수술 피판에 초점을 맞추고 있다. 이러한 모니터링 방법은 미세혈관의 미세문합부 개통성을 평가한다. 목표는 피판을 살릴 수 있을 정도로 조기에 문합부의 문제를 발견하는 것이다.

근피판 또는 천공지피판과 같이 혈관줄기가 분리되지 않은 피판은 일반적으로 임상 관찰을 통해 모니터링된다. 임상 관찰에는 일반적으로 피부색, 피부긴장도, 온도, 모세혈관 재충만 시간 및 픽 프릭(pinprick)평가가 포함된다.

이상적인 모니터링 방법은 신뢰할 수 있고 재현 가능하며 민감하고 비용 효율적이며 사용자 친화적이며 연속적이어야 한다. 보조 방법으로는 레이저 유량계, 이식형 도플러, 산소 부분 압력 프로브, 경피성 산소 장력, 양면 스캔 및 휴대용 도플러와 같은 방법을 이용하여 피판 모니터링을 할 수 있다.

7. 특정 피판의 선택

1) 근판과 근피판

근육 또는 근육 조직의 피판을 사용하기로 결정한 후에는 특정 근육을 선택해야 한다. 근육의 선택에 도움이 되는 일반적인 지침은 다음과 같다.

① 이상적으로 근육이 결손부와 가까워야 한

다.

② 근육은 결손부를 덮을 만큼 충분히 크고 크기도 커야 한다. 피판의 최종 디자인은 결함이 완전히 정해진 후에만 이루어져야 한다. 종양의 노출이나 상처의 변연절제술이 필요할 때, 그 결함은 종종 처음에 예상했던 것보다 훨씬 더 크고 깊다. 변연절제술 후 피판을 최종 디자인하면 부족한 수복으로 인하여 많은 비용이 드는 오류를 방지할 수 있다. 결손부가 불안정하거나 가장자리가 불분명한 경우(종양 병리학이 불가능한 경우), 상처 패킹 또는 일시적 피부 이식 범위가 추천된다. 근육은 근피판 이동 후 신경이 손상되면 상당한 양의 위축이 생긴다는 점도 고려해야 한다.

③ 사용 가능한 근육을 써야 한다. 공여근육의 기능이 보존되지 않는다면 다른 근육을 사용해야 한다.

④ 피판을 유지하기 위한 혈관줄기의 상태를 수술 전에 미리 확인해야 한다. 예정된 근육 피판의 혈관줄기 근처에 수술의 이력이 있거나 신체검사에서 근육 마비가 나타난 경우 선택적 동맥조영술이 고려되어야 한다. 운동 신경이 잘라진 경우 혈관줄기의 결찰을 초래할 수도 있다. 동맥조영술이 특별히 유용한 임상적 상황의 예로서, 무릎 수술 후의 비복동맥(비복근), 목과 어깨수술 후의 경횡동맥(승모근), 겨드랑이 수술 후의 흉배동맥(넓은등근)평가가 있다.

⑤ 공여부의 결함을 주의 깊게 고려해야 한다. 일부 환자들은 공여부에서 피부 이식이 불가능할 수 있으나 어떤 근육들은 상처수복을 위해 이식이 필요할 가능성이 더 높다. 마찬가지로, 어떤 환자들은 특정 부위의 흉터 자국을 다른 부위보다 더 선호하기도 한다(유방재건에서 횡복직근피판의 복부 흉터 대 넓은등근피판의 등부위 흉터가 그 예다).

⑥ 피판의 피부 영역은 크기와 질감이 충분해야 한다. 채취한 피부는 수혜부와 일치해야 한다(예를 들어, 털이 자라는 것이 아닌).

⑦ 감각 또는 운동 기능의 회복이 필요한 경우 몇몇 근판, 근피판, 근막피판을 사용할 수 있다. 감각이나 회복 기능을 제공하는 근육의 흔한 예로는 톱니근, 배곧은근, 넓은등근이 있다.

⑧ 조직 외에도 혈관공급이 있는 뼈가 필요한 결함에 대해서는 골근피판을 사용할 수 있다. 예를 들어, 혈관공급이 있는 빗장뼈를 포함한 승모근 피판, 혈관공급이 있는 갈비뼈를 포함한 견갑골극, 대흉근 피판, 외측대퇴회선동맥의 상승 및 가로가지(ascending and transverse branch)에 기반을 둔 장골의 골근피판 그리고 광배근-견갑골의 골근피판이 있다.

⑨ 수술은 기술적으로 간단해야 한다.

2) 근막판, 근막피판, 그리고 천공지 피판

몇 가지 상황을 제외하고는 특정한 근막판, 근막피판, 그리고 천공지피판을 선택하기 위한 일반적인 가이드라인은 근육판 및 근육피판에서와 비슷하다. 회전/프로펠러피판을 계획한다면 근막판, 근막피판, 그리고 천공지 피판들은 결손부 근처에 있어야 한다. 계획된 피판은 결손부위를 재건하기 위해 충분한 크기와 부피가 필요하다. 근막판, 근막피판, 그리고 천공지 피판은 큰 부피를 차지 하지 않는 부위에 적합하다. 그 부위의 혈액공급이 적합한지는 수술 전에 평가가 되어야 한다. 만약 피판술 예정이라면 수술 전에 피판 이동이 가능한지 도플러로 천공지 혈관을 평가해야 한다. 피판술 시행 가능 여부는 충분한 천공지 혈관의 유무가 결정한다.

3) 혈관분포영역

혈관 분포영역 이론에 따라 전체 피판에는 충분한 혈류가 공급되는 영역만 포함되어야 한다. 천공지 피판에서는 주된 천공지를 확인한 후 작은 천공지를 깊은 근막 깊이에서 잘라내야 한다. 그러나 작은 천공지가 근원이 되는 혈관과 같이 박리된 경우 천공지피판의 혈류는 더 좋아진다. 공여부위의 결손 또한 고려해야 한다. 공여부의 결손은 근막판의 경우처럼 일차봉합이 되는 경우도 있으나 피부이식이 필요할 정도로 큰 피부섬이 생기기도 한다. 근막피판이나 천공지 피판의 경우 감각의 복원도 가능하다.

4) 천공지 피판(자유형)

이전에 찾은 천공지에서 피판을 올리는 것과 대조적으로 먼저 피부섬(skin island)을 선택하고 피판에 있는 적절한 천공지를 나중에 찾을 수도 있다. 이것이 자유형의 핵심이며 피판을 들어올릴 때 발생할 수 있는 예기치 않은 사건이나 해부학적 변형을 효율적으로 처리할 수 있다. 특정 공여부나 동맥의 근원은 집도의에 의해 제한되지 않는다. 피판의 위치와 크기가 결정되고 특정한 공여부가 선택되면, 적절한 천공지를 찾아야 한다. 이 자유형의 접근법은 피판 선택에 대해 최대한의 자유를 제공하지만 먼저 이러한 접근법에 익숙해져야 한다.

8. 합병증

피판 사용으로 인한 합병증은 술 전 계획, 테크닉, 환자 관리의 3개의 범주로 나눌 수 있다. 가장 흔한 합병증으로는 장액종, 혈종, 앞은 부위 피부의 괴사, 상처의 벌어짐, 결손부위가 제대로 덮이지 않은 것, 감염, 부분적 또는 전체 피판의 손실이 있다 이러한 합병증을 술 전 계획, 테크닉, 환자 관리의 범주와 관련해서 분석할 때 집도의는 발생할 수 있는 합병증을 막기 위해 각각의 합병증이 일어나는 원인을 잘 이해할 수 있어야 한다.

술 전 계획에서의 실수는 대개 불충분한 준비, 불충분한 피판 작도, 또는 불충분한 해부학의 이해로 발생한다.

불충분한 준비는 수술을 위한 충분한 자원이 없이 수술을 진행하는 것이다. 예를 들어 집도의가 다리의 말단 1/3을 포함한 광범위한 궤양을 갖고 있는 노인을 평가한다고 할 때, 환자가 말초혈관병 등의 위험한 요인들을 갖고 있는데도 수술전 혈관 검사 없이 집도의가 근육판의 미세혈관 이식을 권유하는 것이다.

수술 중에 충분한 수혜부 혈관을 찾지 못해서 피판이 실패할 수 있다. 이것은 수술 전 준비의 중요성을 강조하는 것이며 특히 진단적 검사가 수술 과정의 준비에 영향을 준다는 것을 의미한다.

집도의의 실수로 인한 불완전한 피판의 설계는 집도의가 수술적 결함의 모든 면을 고려하지 않아서 발생한다. 피판은 상처의 변연절제술 전에 작도되거나 채취해서는 안 된다. 원래 결손부에 비해 작은 피판을 초래하게 된다. 피판은 결손부위가 충분히 변연절제가 된 이후 작도하고 채취되어야 한다.

불충분한 해부학적 지식은 박리를 할 때 혈관줄기에 손상을 일으켜 피판 실패로 이어질 수 있다. 직접적인 혈관줄기의 손상뿐만 아니라 집도의는 손상구역(zone of injury), 즉 감염이나 방사선에 의한 괴사와 관련된 결함이 있는 피판의 혈관줄기를 사용하면서 간접적으로 손상을 일으킬 수 있다.

이러한 환경에 있는 혈관줄기들은 해결될 수 있다. 예를 들어 원위부를 기반으로 한 피판에서 작은 혈관줄기가 보통 결손부 근처에 있고 결손의 원인에 의해 영향을 받는다.

이것이 지배적이고 중요한, 또는 분절된 2차 혈관줄기가 존재하는 근육판보다 원위부 기반 피판의 신뢰도가 더 낮은 이유이다.

이러한 미묘한 해부학적 차이를 이해함으로써 적절한 피판 선택과 안전한 피판 전위를 이룰 수 있다. 집도의는 근판과 근피판의 정확한 해부학적 구조와 이들의 혈관줄기와의 관계를 이해하고 있어야 한다.

수술 기술은 모든 수술 결과에 직접적인 영향을 미친다. 조직, 특히 혈관줄기의 조작은 피판술의 성공에 있어 가장 중요하다. 혈관은 수술 중 어느 단계에서도 손상을 받을 수 있으며 경련, 꼬임, 전단 및 비틀림이 발생할 수 있다. 근육피판 천공지 혈관의 전단을 방지하기 위해 피판의 피부와 아래에 있는 근육 또는 근막사이에 임시 봉합을 하는 것이 하나의 예방책이다. 경련과 손상을 피하기 위한 다른 방법으로는 절대적으로 필요한 경우가 아니면 혈관줄기를 골격만 남기는 것을 피하는 것이다. 마지막으로, 피부 아래로 터널처럼 통과하는 피판에서는 위쪽 피부의 잠재적인 수축을 피하는 것이 중요하다.

궁극적인 피판손실은 내재적 또는 외인적인 이유로 생길 수 있다. 내재적인 이유에 의한 피판손실은 주로 혈액공급 부족으로 발생하며 이는 피판 손상의 가장 일반적인 원인이다. 외인적인 환경에 의한 피판 손상에는 감염, 저혈압, 압박에 의한 혈관 수축이 있다. 혈종에 의한 피판의 압박이나 긴장또한 외인적인 요소에 의한 피판손상의 원인이다. 피판의 실패가 의심될 때 피판의 탐색술은 빠르게 이루어져야 한다.

공여부의 합병증으로는 사강으로 인한 체액의 저류(장액종, 혈종), 상처의 벌어짐, 감염과 피판 채취 중 주변 조직의 손상 등이 있다.

환자관리의 실수는 수술 후 합병증의 일반적인 원인이다. 피판술을 받는 환자의 경우 가장 흔한 실수는 다음과 같다. (1) 환자의 과거력에 대한 부적절한 관심, (2) 혈관내의 체액량에 대한 부적절한 평가 또는 관리, (3) 피판의 생존력 및 관류에 대한 부적절한 감시 근육판과 근피판의 안정성과 신뢰성이 반복적으로 입증되었다. 이러한 성공은 형태와 기능을 향상시킬 수 있을 때 집도의가 간단한 방법 보다 더 복잡한 방법을 선택하도록 만든다.

예를 들어 하지의 결손에 대한 재건에서 가자미근과 비복근은 안정적이고 안전한 재건을 제공한다. 그러나 미적, 기능적 결과는 어떤 환자들에서는 받아들여지지 않을 수 있다. 이러한 환자에서는 천공지 프로펠러 피판, 미세수술을 이용한 천공지 피판 등의 보다 정교한 기술을 이용한 방법이 더 적절할 수 있으며 재건엘리베이터 개념에 따른 선택 방법이 될 수 있다.

미세혈관 조직의 이식은 특정결손을 재건하기 위해 극도로 유용하게 선택되고 있다.

실제로 두경부 결손부의 재건에서 미세혈관 유리피판의 사용은 두경부외과를 혁명적으로 만들었고 큰 결손부 재건에 기능적이고 심미적으로 좋은 결과를 내고 있다.

미세수술이라는 용어는 초미세수술의 개념으로 발전했고 피판의 다양성과 개념은 근피판에서 천공지피판으로 진화했다. 재건의 복잡성과 접근법은 발전하고 있지만 피판을 선택하고 적용하는 기본원칙은 동일하다.

References

1. Milton SH. Pedicled skin-flaps–the fallacy of the length: width ratio. Br J Surg. 1969;56:381.
2. Behan FC. The keystone design perforator island flap in reconstructive surgery. ANZ J Surg. 2003;73:112–120.
3. Tolhurst DE. A comprehensive classification of flaps: the atomic system. Plast Reconstr Surg. 1987;80:608–609.
4. Saint-Cyr M, Wong C, Schaverien M, et al. The perforasome theory: vascular anatomy and clinical implications. Plast ReconstrSurg. 2009;124:1529–1544.
5. Mathes SJ, Nahai F. Classification of the vascular anatomy of muscles: experimental and clinical correlation. Plast Reconstr Surg. 1981;67:177–187. The muscle flap vascularization classification scheme is described based on the anatomy of the vasculature. It plays a vital role in elevating the muscle flaps.
6. Blondeel PN. One hundred free DIEP flap breast reconstructions: a personal experience. Br J Plast Surg. 1999;52:104–111.
7. Blondeel M, Hallock GG, Neligan PC. Perforator Flaps. 2nd ed. St. Louis: QMP; 2013.
8. Duymaz A, Karabekmez FE, Vrtiska TJ, et al. Free tissue transfer for lower extremity reconstruction: a study of the role of computed angiography in the planning of free tissue transfer in the posttraumatic setting. Plast Reconstr Surg. 2009;124:523–529.
9. Masia J, Larranaga J, Clavero JA, et al. The value of the multidetector row computed tomography for the preoperative planning of deep inferior epigastric artery perforator flap: our experience in 162 cases. Ann Plast Surg. 2008;60:29–36.
10. Seify H, Jones G, Sigurdson L, et al. Endoscopic harvest of four muscle flaps: safe and effective techniques. Ann Plast Surg. 2002;48:173–179.
11. Schoeller T, Wechselberger G, Hussl H, et al. Aesthetic improvements in endoscopic gracilis muscle harvest through a single transverse incision in the groin crease. Plast Reconstr Surg. 2002;110:218–221.
12. Avital S, Rosin D, Brasesco O, et al. Laparoscopic mobilization of an omental flap for reconstruction of an infected sternotomy wound. Ann Plast Surg. 2002;49:307–311
13. Huang SC, Zhnag Y. All roads lead to Rome: the impact of multiple attainment means on motivation. J Pers Soc Psychol. 2013;104:236–248.
14. Webb TL, Sheeran P. Mechanisms of implementation intention effects: the role of goal intentions, self-efficacy, and accessibility of plan components. Br J Soc Psychol. 2008;47:373–395.
15. Hong JP, Yim JH, Malzone G, et al. The thin gluteal artery perforator free flap to resurface the posterior aspect of the leg and foot. Plast Reconstr Surg. 2014;133:1184–1191.
16. Roehl KR, Mahabir RC. A practical guide to free tissue transfer. Plast Reconstr Surg. 2013;132:147e–158e.
17. Hong JP, Shin HW, Kim JJ, et al. The use of anterolateral thigh perforator flaps in chronic osteomyelitis of the lower extremity. Plast Reconstr Surg. 2005;115:142–147.
18. Nenad T, Reiner W, Michael S, et al. Saphenous perforator flap for reconstructive surgery in the lower leg and the foot: a clinical study of 50 patients with posttraumatic osteomyelitis. J Trauma. 2010;68:1200–1207.
19. Park G, Kim H. Treatment of chronic osteomyelitis using the medial sural perforator flap. J Plast Reconstr Aesthet Surg. 2010;63:153–159.
20. Yazar S, Lin CH, Lin YT, et al. Outcome comparison between free muscle and free fasciocutaneous flaps for reconstruction of distal third and ankle traumatic open tibial fractures. Plast Reconstr Surg. 2006;117:2468–2475, discussion 76–77.

21. Tintle SM, Levin LS. The reconstructive microsurgery ladder in orthopaedics. Injury. 2013;44:376–385.
22. Riaz M, Khan K, Leonard AG. Complications associated with suction drains after microvascular anastomeses. Microsurgery. 1996;17:51–52.

집필에 도움을 주신 분 **한형민** 아주대병원 임상조교수

16 피판의 병태생리학과 약리학
Flap Pathophysiology and Pharmacology

탁민성 순천향의대

피판술은 성형외과 분야의 재건술에서 매우 유용하게 사용되는 술식이다. 하지만 경험이 많은 의사에게도 유경피판과 유리피판 모두 일정 부분에서 피판 괴사가 발생하게 되며 이러한 괴사는 부분적으로 혹은 전체적으로 발생할 수 있다. 따라서 피판 실패를 예방하기 위해 허혈성 괴사의 원인을 찾고 약리적인 치료법을 개발하는 것은 매우 중요하다.

1. 피판 실패의 병태생리학

1) 피판 실패 발병기전에서 혈관 연축 및 혈전증

임상적, 실험적으로 허혈성 괴사는 주로 유경피판과 유리피판의 말단부위에서 발생한다. 피판 실패의 주요 병인 요인은 수술 외상에 의한 혈관연축 및 혈전증 그리고 원위부의 부족한 혈류 때문에 발생한다. 하지만 그 기전은 피판의 혈관 수축성 신경 내분비 물질이 말초혈관의 국소조절에 관여하여 혈관의 연축 및 혈전을 발생할 수 있다고 알려져 있다.

Prostacyclin (PGI2), Nitric oxide (NO) 같은 혈관내피 이완인자(endothelium derived relaxing factors, EDRFs)는 혈관 평활근을 이완시키고 혈소판 응집을 억제한다. Thromboxane A2 (TXA2)나 Endothelin-1 (ET-1) 같은 혈관내피수축인자 Endothelium derived contractic factors (EDCFs)는 혈관을 수축시킨다. 이러한 생리작용 조절로 적절한 조직 관류를 유지시킨다.

수술적인 외상으로 교감신경 말단의 손상이 발생한 경우, 신경말단에서 발생한 Norepinephrine (NE)과 손상된 혈소판에서 방출된 Thromboxane A2, Leukotriene B4, Serotonin, 적혈구에서 방출된 Hemoglobin이 혈관수축 및 혈관 내의 혈소판 응집을 일으킨다. 또한 비만세포에서 나오는 Histamine은 손상받은 혈관내피에서 발생한 PGI2와 NO 같은 EDRFs의 합성과 방출도 감소시킨다. 즉 이러한 물질들은 피판술에서 혈관 연축 및 혈전증을 촉진시키는 요인이 된다. 허혈성 혈관 재관류 시 혈소판, 호중구에서 superoxide radical ($O_2 \cdot$)이 만들어지고 이러한 free radical이 혈관벽을 손상 시킬 수 있다.

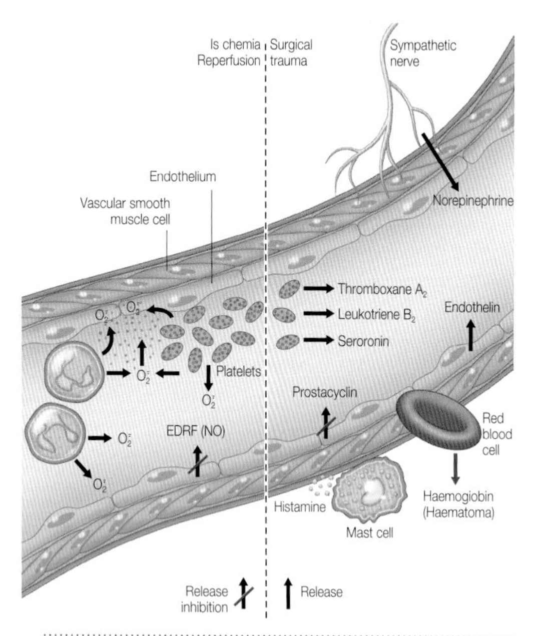

▷그림 1-16-1. **수술외상으로 인한 혈관 수축 및 혈관손상에서 허혈-재관류 손상.**

2) 허혈 재관류 손상의 발생기전

유리 피판술 시, 피부와 근육은 문합술 시행 전 공여부에서 수혜부로 이동하는 동안 혈관 클램프에 의해 전체 온허혈(상온)상태로 만들어진다. 인간의 근육과 피부는 각각 2~2.5시간, 6~8시간 동안 전체 온허혈을 견딜 수 있다. 과다한 허혈성 손상은 에너지 고갈 및 산소 유래 free radical을 발생시켜 허혈-재관류 손상을 초래할 수 있다(그림 1-16-2).

장기간 허혈상태에서 피부와 근육의 adenosine triphosphate (ATP)는 세포질(cytosolic) Ca_2+의 증가와 함께 Hypoxanthine으로 단계적으로 대사된다. 동시에 세포질 protease가 세포내 Ca_2+에 의해 활성화되어 xanthine dehydrogenase를 xanthine oxidase로 변환시킨다. 재관류 시, xanthine oxidase는 hypoxanthine의 존재하에 산소 분자를 1가 환원시켜 superoxide (O_2•)를 형성한다. 불안정한 O_2•는 자발적으로 불균등화(dismutation)하여 H_2O_2를 만든다. 더 나아가서 불안정한 O_2•는 전이 금속(transition metal) (e.g. iron) 존재하에 H_2O_2와 반응하여 Haber-Weiss (fenton) 반응을 통해 가장 강력한 세포독성을 가진 hydroxyl radical (OH•)를 만든다(그림 1-16-2). 이러한 hypoxanthine/xanthine 산화효소 시스템은 허혈성 쥐의 피부, 근육에서 oxyradical의 주 요인이 되는 것으로 밝혀졌다. 쥐의 골격근에 2시간 허혈 및 30분 재관류를 시킨 상태에서 allopurinol에 의한 xanthine oxidase의 활성화가 방해되거나, tungsten diet로 인한 xanthine oxidase의 감소는 미세혈관 손상을 악화시키는 것으로 나타났다. 하지만 또한 hypoxanthine/xanthine 산화효소 시스템이 돼지와 인간의 피부 및 골격근에서 oxyradical의 주요 공급원이 아님을 밝히는 증거도 동시에 발표되고 있다.

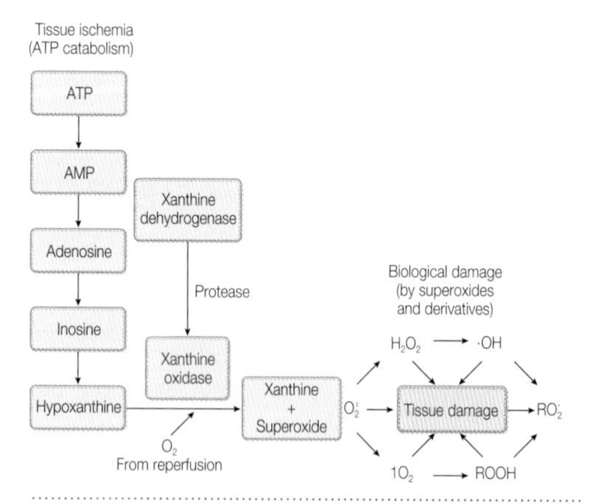

▷그림 1-16-2. **허혈성 조직의 재관류에서 산소 유래 free radical의 병인.**

3) 유리 피판술 실패의 허혈-재관류 손상 기전에서 Neutrophilic nicotinamide adenine diphosphate (NADPH)와 myeloperoxidase (MPO) 효소 시스템

유리 피판술 시 허혈-재관류 손상에 있어 호중구(neutrophile)는 매우 중요한 역할을 한다. 활성화된 호중구는 NADPH 산화효소를 통해 많은 양의 O_2•를 생성하며 이러한 O_2•는 고농도의 H_2O_2와 OH•를 불균등화시켜 조직 손상을 유발한다고 잘 알려져 있다. 호중구에만 풍부하게 존재하는 MPO는, H_2O_2를 잠재적인 세포 독성이 있는 산화제인 hypochlorous acid (HOCl)로 변환($H_2O_2 + Cl^- + H^+ \rightarrow HOCl + H_2O$)시키는 촉매작용을 한다. 또한, 호중구-내피 세포 부착 분자에 대응하는 단일클론항체 치료는 허혈-재관류된 토끼 귀, 쥐의 상복부 섬 피부 피판, 돼지의 광배근 근피부피판의 피부 괴사를 막아준다고 보고된다.

다른 한편으로, 동물 또는 인간의 심근 허혈-재관류 손상의 병인에서 호중구의 중요한 역할에 대한 논쟁이 있다. 즉 허혈-재관류 손상은 배양된 동물 심근세포 및 인간 심방 절편이나 적출 관류 동물 심장 같은 호중구 없는 상태에서 발생할 수 있다. 또한 intercellular adhesion molecule-1에 붙는 단일클론항체와 anti-CD18 항체가 실험실 동물에서 허혈-재관류 손상 시 심근 보호에 효과적이었으나 약제를 사용한 임상시험에서는 부정적인 결과를 나타냈다. 따라서 인간 피부와 골격근의 허혈-재관류 손상 시 호중구의 인과적 역할을 명확하게 하는 것이 중요하다.

4) 유리 피판술 실패의 허혈-재관류 손상 기전에서 세포 내 Ca2+ 과부하 (Intracellular Ca2+ overload)

최근 실험적 증거에 따르면 세포내 Ca_2+ 과다는 심근 재관류 시 세포 사멸을 일으키는 핵심적인 역할을 한다.

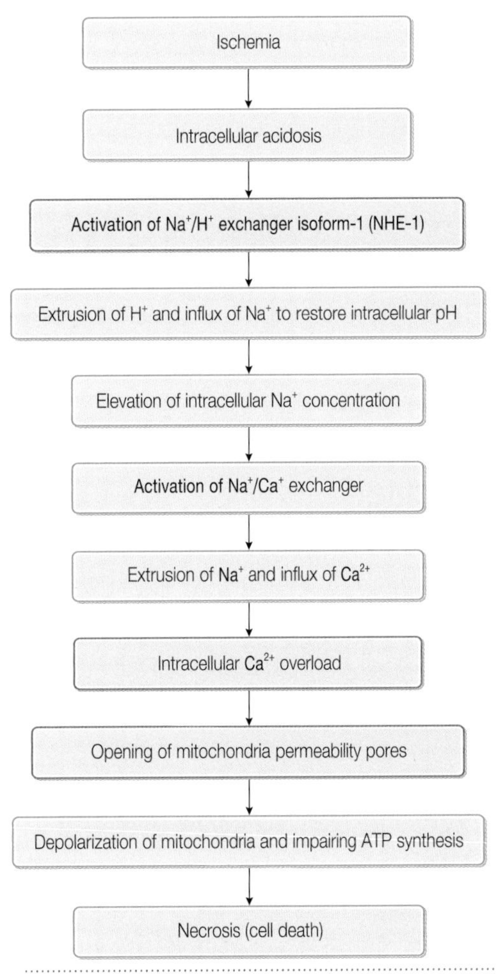

▷그림 1-16-3. 허혈-재관류 손상의 발병 기전에 있어서 세포 내 Ca_2+ 과부하의 제시된 역할

지속적인 허혈 상태에서 미토콘드리아 ATP합성은 중단되고 해당분해가 일어나 결과적으로

ATP의 순 분해 및 lactate와 세포 내 H+의 축적이 세포 내 산증을 유발한다. 이 세포내 H+의 축적은 Na+/H+ 역수송체 isoform-1 (NHE-1)를 활성화 시켜 H+의 방출과 세포 내 Na+의 축적을 통해 세포 내 pH를 회복시킨다. Na+방출은 에너지 의존성 Na+-K+-ATPase pump의 불활성화에 의해 제한되어 세포내 Na+ 축적이 더 증가한다. 세포 내 Na+ 농도의 상승은 Na+/Ca2+ 교환기의 활성화에 의한 세포 내 Ca2+ 유입으로 세포기질(cytosol) Ca_2+를 증가시킨다. 이러한 경우가 지속되면, 세포기질(cytosol) Ca_2+ 과부하가 발생하고, 세포기질에서 미토콘드리아로 Ca_2+가 두드러지게 흡수되어, 미토콘드리아 탈분극과 ATP 합성 장애, 세포 괴사를 일으키는 미토콘드리아 Ca_2+ 과부하가 발생한다(그림 1-16-3). 재관류 시 세포외(extracellular) H+의 빠른 wash-out은 NHE-1을 재활성화시켜, 세포 내 H+의 방출과 세포 내 Na+의 축적으로 인한 Na+/Ca_2+ 교환을 통해 세포액 Ca_2+의 과부하를 일으킨다.

세포액 Ca_2+ 과부하는 미토콘드리아 Ca_2+과부하를 일으키고 ATP 합성 장애와 세포 사멸을 일으킨다. 최근에 미토콘드리아 Ca_2+ 과부하가 골격근 허혈-재관류에 있어서 중요한 역할을 한다.

5) 유리 피판술의 No-reflow 현상 발병 기전

허혈은 내피세포(endothelial cell)와 실질세포(parenchymal cell)의 팽창 및 모세혈관 내강(capillary lumen)의 협착, 혈관 내 혈액 세포의 응집, 간질 공간(interstitial space)으로의 혈관 내 체액 누출로 부종을 일으킨다. 이러한 병리기전은 1시간에서 8시간으로 허혈 시간이 길어짐에 따라 증가하고, 혈류 장애는 허혈 12시간 후에 비가역적으로 변하여, no-reflow 및 피판의 궁극적인 괴사로 이어진다. 실험동물들의 골격근에서 no-reflow 현상에 대한 3가지 발병 기전이 제시되었다. (1) 산소유도 free radical에 의한 내피 및 실질세포의 손상, (2) 세포막 손상이 Ca_2+를 유입시켜 세포 내 과부하를 일으키며 (3) arachidonic acid 대사의 변화가 혈관 확장 및 내피세포의 항혈전성(antithrombotic) PGI2 합성을 감소시키고, 혈관 수축 및 혈소판의 혈전성 TXA2 합성을 증가시킨다.

2. 유경피판 생존력 증가를 위한 수술적 처리

피판의 생존력을 증가시키기 위한 여러 가지 수술적 처리방법이 시도되었다.

피판술에서 피판의 길이는 피판경의 폭에 달려있다는 것은 잘못된 생각이라고 밝혀졌다. 무작위 패턴 돼지 피부 피판에서 최종 유경 피판의 생존 가능한 길이는 관류압과 혈관 저항 사이의 균형에 의해 결정됨이 밝혀졌다. 유경 피판의 폭을 넓히는 것은 그저 같은 종류의 추가적인 혈관과 같은 관류 압력을 추가하기 때문에 피판 생존력의 길이를 증가시킬 수 없다. 그러나 다른 신체 부위에서, 피판 유경의 폭을 넓히는 것은 큰 동맥을 포함할 확률이 높아질 수 있다. 따라서 피판 생존 능력을 증가시키기 위한 수술 조작 중 하나는 동맥이나 큰 천공지를 추가하여 무작위 패턴 피부 피판을 동맥화된 피부 피판으로 전환시키는 것이 중요하다.

1) 유경 피판의 생존력 증가를 위한 외과적 지연술(Surgical delay)

외과적 지연술 그리고 혈행 시연은 모두 인간 환자뿐만 아니라 생쥐, 쥐, 토끼, 돼지 등의 실험실 동물들의 피판 생존능을 증가시키는 방법으로 밝혀졌다. 유경 피부 피판의 생존능을 증가시키기 위해서 2~3단계의 외과적 지연술이 필요하다. 구체적으로 피부 피판이 공여부에 표지되고, 그 후 두개 세로 방향으로 절개한다. 그 후 피판은 양측 유경 피판을 형성하기 위해 절개 및 박리되고 다시 봉합된다. 양측 유경 피판을 만든 2~3주 후 세 번째 말단부가 절개되고 바로 혹은 절개 후 2~3일 간격으로 2단계를 거쳐 피판의 전이가 이루어진다. 외과적 지연술은 피판의 원위부가 피부괴사 없이 창상 재건을 하도록 도움을 준다고 알려져 왔다. 돼지의 무작위 패턴 피부 피판 실험에서 외과적 지연술 시행 2~7일 사이에 피부 피판의 모세혈관 혈류량이 증가했다. 이 모세혈관 혈류량 증가는 주로 지연 피부 피판의 무작위 원위부에서 나타났다.

2) 유경피판의 생존력 증가를 위한 혈관 지연술

생쥐, 쥐 및 토끼에서 혈류량 증가와 광배근 피판 원위부의 생존력 증가를 위한 혈관 지연은 근육 피판을 들어올리기 1~2주 전 원위부 천공 동맥을 분리시킴으로써 시행할 수 있다. 이 현상은 실험실 동물과 인간 환자의 횡복직근(transverse rectus abdominis myocutaneous, TRAM) 피판에서도 나타난다. 복직근에 혈액을 공급하는 1~2개의 우세 동맥이나 천공지를 피판 수술 2~3주 전에 분리하면 쥐 횡복직근 피판 생존능을 증가시켰으며, 돼지 횡복직근 피판의 피부와 근육 혈류량과 생존능이 증가하였다. 환자에서 심부하복벽동맥(deep inferior epigastric arterie)을 피판 수술 2~4주 전 결찰하여 횡복직근 피판의 피부 혈류량과 생존능을 증가시킬 수 있었다.

외과적 지연술 및 혈관 지연은 임상적으로 피판 생존능을 증가시켰으나 이러한 외과적 시술은 추가적인 수술이 필요하는 등 비용-시간 측면에서 낭비이다. 적어도 하나 이상의 전신마취하 추가적인 수술 단계가 필요하다. 따라서 허혈성 괴사를 예방/치료하기 위해서 약리학적 연구를 통해 외과적 지연 현상의 기전을 이해하는 것이 필요하다.

3) 유경피판의 생존력 증가를 위한 외과적 지연술의 기전

(1) 외과적 지연술이 동정맥 단락(AV shunt) 혈류를 감소시킨다.

Reinisch는 돼지 피부 피판에서 수술 후 fluorescein 염색과 최종 피부 생존력의 연관성에 대한 연구를 하였다. 그는 급성기 피부피판 시술이 교감신경을 차단하여 동정맥 단락(AV shunt) 혈류를 열어 원위부 허혈성 괴사를 유발한다는 가설을 세웠다. 그는 단락 혈류가 피부 피판을 통해 일어났고 근위부 혈류에 동정맥과 모세혈관 혈류량이 충분히 공급되었으나, 총 혈류량이 적은 피부 피판의 원위부로 갈수록 단락이 치명적인 영향을 미쳤을 것이라고 추측했다. 외과적 지연술에서, 양측 유경 피부 피판은 교감신경절제 초반에 충분한 혈류를 공급하였고 동정맥 단락을 열었다. Pearl은 쥐 복부동맥 피부 피판의 실험에서 외과적 지연술이 피부 피판으로 하여금 양측 유경피판(bipedicle skin flap)에서 단측 유경 피부 피판(single-pedicle skin flap)으로 전환되기 전 과아드레날린성 상태에서 회복되도록 도와준다는 것을 제시했다.

그러나 이러한 의견에 동의하지 않은 연구자들도 많이 있다. Prather는 다양한 실험 테크닉을 사용하였으나, fluorescein 염색이 되지 않은 원위부 급성기 돼지 축 패턴 피부 피판(axial pattern skin flap)에서 혈관 관류에 대한 어떠한 증거도 찾지 못했다. Guba는 모세혈관과 총 혈류량 및 양측 유경 축 패턴 돼지 피부 피판의 동정맥 단락 혈류 각각을 측정하기 위해 15 μm와 50 μm 방사성 미소구체(radioactive microsphere)를 이용하였는데, 돼지의 양측 유경 피부 피판에서 2~7일간의 외과적 지연 후 모세혈관과 동정맥 단락혈류량이 모두 증가하였으나, 이 지연에 의한 양측 유경 피부피판 모세혈관 혈류량의 증가는 동정맥 혈류량의 감소 때문은 아니라고 하였다. 그 후 Kerrigan은 fluorescein 염색 및 15 μm와 50 μm 방사성 미소구체를 사용한 연구에서, fluorescein 침투가 없는 괴사될 운명인 급성기 무작위(random) 및 동맥(arterialized) 돼지 피부 피판의 원위부에서 동정맥 단락 혈류의 증거를 발견하지 못했다고 보고하였다. Pang 등은 동정맥 단락이 돼지 무작위 패턴 피부 피판에서 원위부 허혈성 괴사에 중요한 역할을 하지 않으며 외과적 지연술로 원위부 피부 생존능을 증가시키는 것은 동정맥 단락의 폐쇄 여부에 의존하지 않고 기존 혈관의 혈관확장과 연관된다고 설명하였다. Sasaki와 Pang은 쥐에서 술 후 6시간 내의 복부 섬 피부 피판에서 동정맥 단락 혈류가 총 피부 혈류량의 10% 이하밖에 안 된다는 것을 관찰했다. 더 최근에는 Kreidstein은 제한적으로 관류되는 인간 배꼽 주위 피부의 동정맥 단락 혈류가 총 피부 혈류량의 1% 이하임을 관찰했다. 이를 종합해 보면, 동정맥 단락은 급성기 유경 피부 피판의 원위부 허혈성 괴사 발병기전에 있어 중요한 역할을 하지 않는 것으로 보인다.

(2) 외과적 지연술이 피부 피판에서 전혈전성 및 혈관수축 물질을 고갈시킨다

국소 조직에 포함된 NE, TXA2, 5HT 그리고 ET-1 같은 전혈전성 및 혈관수축 물질은 수술적 외상에 의해 증가된다고 알려져 있다. 이러한 물질은 손상된 혈액 세포, 내피세포, 교감신경 말단 부위에서 국소적으로 방출되며 강력한 혈관수축 물질이다. 일반적인 개념상 혈관연축(vasospasm) 및 혈전증(thrombosis)은 급성기 피부 피판의 허혈성 괴사에서 주요 발병기전이며, 외과적 지연술이 이러한 물질의 국소적 발생을 감소시킨다. 또한 양측 유경 피판이 단측 유경 피판으로 전환되기 전 혈관수축 및 전혈전성 물질 생성을 고갈시킨다고 알려져 있다. 과거 피부 피판 수술 연구에서 피판의 생존력을 증가시키기 위해 혈관 확장 그리고 항혈전성 약제를 사용하는 것에 초점이 맞추어져 있었다. 하지만 지금까지 유경 피판의 허혈성 괴사를 예방/치료하기 위한 약리학적 치료 결과는 기대 이하였다.

(3) 외과적 지연술이 기존의 초크 동맥을 개방시켜 혈관영역 확장을 일으킨다.

Pang 등의 지연 무작위패턴 돼지피부피판의 모세혈관 혈류량 연구에서는 모세혈관 혈류량이 지연 2일 후부터 뚜렷하게 증가하여 최대 모세혈관 혈류량은 지연 2~3일 째 측정되었고, 조직검사상 동맥 밀도의 증가 없이(arteriogenesis) 지연 4~14일 동안 유지되었다. 이러한 관찰들은 혈관영역의 확장이 기존의 동맥들이 열려서 발생한 것이고 이러한 현상은 연구자들에 의해 기존 초크 혈관이 개방되어 혈관분포영역의 확장이 일어난 것으로 생각되었다.

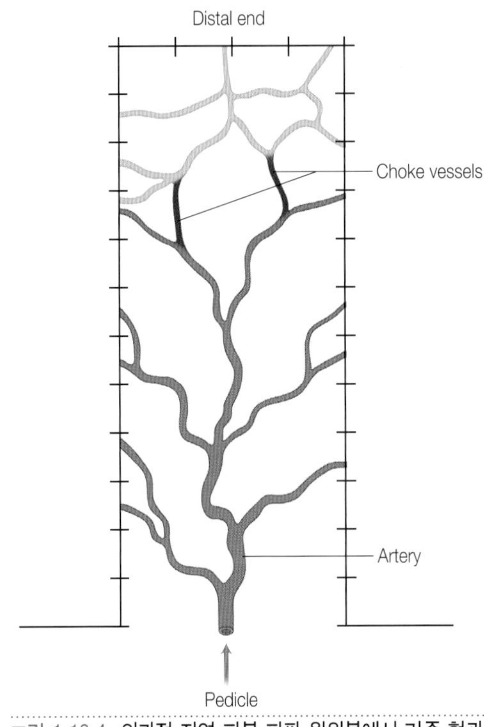

▷그림 1-16-4. 외과적 지연 피부 피판 원위부에서 기존 혈관의 개방(choke vessel 초크혈관)

(4) 외과적 지연술이 신생혈관생성을 일으킨다

Lineaweaver 등은 혈관 지연이 쥐 횡복직근 피판의 피부 생존능을 증가시켰다고 보고하였고 혈관 지연의 이러한 효과가 쥐 횡복직근 피판 피부내의 혈관표피성장인자(Vascular endothelial growth factor, VEGF) 및 섬유모세포 성장인자(Fibroblast growth factor, FGF)의 유전 발현을 혈관 지연 12시간 내에 뚜렷하게 증가시켰다. 이 연구자들은 이러한 cytokine들이 쥐 횡복직근 피판 피부의 생존능을 증가시키기 위해 혈관확장 및 신생혈관생성을 일으켰다고 추측하였으나 외과적 지연술의 혈관 메커니즘은 아직 불명확하다고 할 수 있다.

3. 유경피판의 생존 증가를 위한 약리학적 치료

1) 유경, 유리 피판술에서 혈관 수축과 혈전증을 막는 약물 치료

NE, TXA2, 5HT, ET-1 같은 혈관 수축 전혈전성 물질은 피부 피판 수술에서 외상의 결과로 증가하는 것으로 알려져 있다. 이는 매우 강력한 혈관 수축 물질이다. 과거 연구 상 피부 피판 수술의 생존을 증가시키기 위해 혈관 확장 및 항혈전성 약물에 초점이 맞추어졌다. 이러한 연구는 1990년대까지 다양한 연구자들이 리뷰 하였다. 약물 분류 상: α-아드레날린 수용체 길항제; 신경 말단에서 catecholamine 고갈을 유발하는 약물; 신경말단에서 catecholamine 방출을 막는 약물; β-아드레날린 수용체 작용제; 직접 혈관 확장제, 칼슘 채널 차단제, 혈류학적 약제; 혈관 확장 eicosanoid 및 그 합성 억제제; 소염제; 호중구 유착 및 축적을 막는 약제; free radical scavenger가 포함되어 있다. 최근에는 피판의 생존 증가를 위한 약물 연구가 혈관 확장, 항혈전, 호중구의 유착과 축적을 막는 것에 초점이 맞추어져 있다. 일반적으로 유경 피판의 생존능을 증가시키기 위한 이러한 혈관 확장제 및 항혈전제를 사용한 치료는 외과적 지연술과 큰 차이가 없는 정도였다. 또, 이러한 연구의 대부분은 인간 피부와 혈관 분포가 다르거나 해부학적으로 다른 느슨(loose)한 피부를 가진 실험실 동물들(쥐, 토끼 등)에서 이루어진 것이었다. Pang 및 그 동료들은 다른 연구자들에 의해 쥐 피부 피판의 생존능을 증가시킨다고 보고된 약물들(글루코코르티코이드, α-아드레날린 수용체 길항제, 혈관 평활근 이완제, β-아드레날린 수용체 작용제, TXA2 합성 억제제, TXA2 수용체 길항제, 혈관확장 prostanoid 등)을 보다 임상적으로 관련있다고 알려진 돼지 유경 피부 피판 모델에서 테스트했다. 하지만 피부 혈류 및 생존능도 이러한 약물들에 의해 증가되지는 않았다. 따라서 지금까지 피부 피판의 생존능을 증가시키는 데 있어서 외과적 지연술이나 혈관 지연을 모방할 수 있는 효과적인 약물 치료법은 없다.

2) 유경 피판 생존능을 증가시키기 위한 혈관신생 cytokine 단백질 또는 유전자 치료

VEGF, FGF, platelet-derived growth factors (PDGF)같은 cytokine들은 모세혈관 밀도를 증가시킨다고 알려져 있다(angiogenesis). 최근, 피판의 생존능을 증가시키기 위한 연구는 국소 혈관신생 cytokine 단백질 치료(local angiogenic cytokine protein therapy)에 초점이 맞추어져 있다. 예를 들어 쥐 등배부 무작위 패턴 피부 피판을 들어 올린 후 바로 VEGF를 국소 피하 주사하거나, 쥐 상복부 섬 피부 피판을 들어올린 후 바로 VEGF 국소 동맥 내 주사하여 피판의 생존능이 증가된 것을 보고하기도 하였다. 또 쥐 등배부 무작위 패턴 피부 피판을 시행하기 30분 전 FGF 피내 주사 후, 쥐 등배부 무작위 패턴 피부 피판 시행 직후 및 술 후 48시간째 FGF 피하 주사, 생쥐 귀 동맥 피부 피판 시행 18일전 FGF 피하 주사를 시행하여 피판의 생존능이 증가된 것을 보고하기도 하였다. VEGF가 피부 피판 생존능을 증가시키는 기전은 수술 후 초기 단계(6시간 내)에 VEGF 혈관확장 효과 그리고 수술 후 후기 단계에 VEGF의 혈관신생 효과(모세혈관 밀도의 증가)에 따른 것으로 밝혀졌다. 피부 혈관 분포에 있어서 VEGF는 잠재적인 혈관확장제로 작용한다는 점이 중요하다.

VEGF의 생물학적 반감기는 정상 산소하에서 30-45분, 저산소상태에서 6-8시간이다. 따라서 VEGF 단백질 치료 효과는 짧은 반감기 때문에 효과가 제한적이며, VEGF 유전자 치료만이 수술 전후로 해서 VEGF의 꾸준한 방출을 제공해 줄 수 있는 방안으로 볼 수 있다. 그러나 문헌의 데이터 리뷰 결과, 쥐 등배부 피부 피판 생존능의 증가가 VEGF 단백질과 유전자 치료에서 비슷하게 나타났고, 피부 피판 생존능이 외과적 지연술 시행하였을 때 보다는 15~20% 가량 낮았다. 따라서 피판 생존능의 증가에 있어서 외과적 지연술과 비슷한 효과를 내기 위해서는 현재의 VEGF에 대한 연구는 아직 부족하다고 생각된다.

4. 유리 피판의 생존능 증가를 위한 약물학적 치료

1) 유리 피판술의 혈관 연축 및 혈전증을 예방하기 위한 약물 치료

(1) 항응고제(Anticoagulant agents)

헤파린, 아스피린, 덱스트란은 미세수술에 가장 흔하게 사용되는 세 가지 항혈전제이지만, 그들의 효과는 불분명하다. 예를 들어, 정맥 내 헤파린 주사는 토끼 혈류 복원 전에 주어질 경우 문합부의 혈전증 발생율을 감소시킨다고 보고되었다. 그 뒤에, 유리 피판술에 대한 임상적 실험

결과, 수술 중 낮은 용량의 헤파린 치료 (3,000 또는 5,000유닛 정맥 내 주사)가 혈종 이나 수술 중 출혈 비율을 증가시키지 않는다고 보고되었다. 그러나 이러한 낮은 용량 헤파린 치료는 미세 혈관 혈전증 예방에 뚜렷한 효과를 나타내지 못하였다. 유리 피판술에서 혈종 생성 없이 문합 후 혈전증 예방을 위한 효과적인 헤파린 용량을 파악하기 위해서는 더 많은 임상적 연구가 필요하다.

토끼에서 낮은 용량 아스피린(10 mg/Kg)은 혈소판에서 만들어지는 TXA2(혈관수축제)를 감소시킴으로써 항혈전효과를 보였다. 또한 낮은 용량의 아스피린은 쥐에서 문합 후 혈전증을 억제하고 미세순환을 증가시키는 것이 관찰되었다. 인간에서 낮은 용량의 아스피린(40~325 mg)이 혈관내피세포유래 PGI2의 최소 억제와 함께 혈소판 cyclooxygenation에 의해 형성된 TXA2생성을 억제하는 것이 관찰되었다. 또한 낮은 용량의 경구 아스피린(325 mg/day)은 임상적 유리피판에서 술 후 혈종을 일으키지 않았다. 더 나아가서, 낮은 용량의 아스피린이 술 전이나 술 후 24시간 이내 투여되었을 경우 관상 동맥 graft 폐색을 예방하는 데 효과적이라는 임상적 증거가 있다.

저분자량 덱스트란 40 (MW 40,000)과 덱스트란 70 (MW 70,000)은 인간에서 혈액량의 증가와 항혈전효과가 있다고 알려져 있다. 그러나, 덱스트란 40은 과민반응(anaphylaxis), 폐 및 뇌부종, 그리고 신부전이라는 달갑지 않은 부작용이 있다. 추가적으로, 술 전이나 술 후 저분자량 덱스트란 치료가 유리 피판 생존능을 증가시키는 데 효과적이지 않다는 임상적 증거도 많이 나오고 있다.

(2) 혈전용해제(Thrombolytic agents)

피판의 생존을 증가시키기 위해 사용되는 약물 중 생성된 혈전을 녹이는 혈전 용해제도 선택적으로 사용될 수 있다. 임상 유리피판에서 성공적으로 사용된 대표적인 혈전용해제는 streptokinase, recombinant tissue plasminogen activator이다. 이들의 효과적인 용량 또한 논의 중이며 아직 많은 연구가 필요한 부분이다.

(3) 진경제(Antispasmodic agents)

Papaverine, nifedipine, lidocaine 등은 임상 미세수술 후 가장 많이 사용되는 국소 진경제이다. Papaverine은 특히 연축 시 혈관 평활근을 이완시키는 데 효과적인 opiate alkaloid이다. Cyclic adenosine monophosphate (cAMP)를 분해시키는데 연관된 효소인 Phosphodiesterase를 억제시킴으로써 cAMP의 축적을 일으키고 혈관 확장을 일으킨다. Nifedipine은 칼슘채널차단제이다. 그 메커니즘은 칼슘이 동맥 평활근 세포로 유입되는 것을 막아 평활근 세포의 이완을 일으킨다. Lidocaine의 혈관확장 효과는 Na+/Ca2+ 이온 교환 펌프에 영향을 미쳐 세포 내 칼슘 함량을 감소시켜, 혈관확장을 일으킨다.

2) 유리 피판술의 허혈-재관류 손상에 대응하는 전허혈, 후허혈 약리학적 조절

(1) 골격근의 허혈-재관류 손상에 대응하는 국소 전허혈 조절

돼지 광배근(latissimus dorsi m.)피판에서 혈관을 클램프로 집고 10분간의 폐색/재관류를 3회씩 시행한 결과, 이 근육 피판이 4시간 온허혈(warm ischemia) 후 48시간 재관류 시행하였을 때 근육 경색이 30~50% 가량 감소하였음을 보고하였다. 이후 이를 뒷받침하는 비슷한 연구들이 발표되어 그 효과가 입증되었다. 그러나 국소 전허혈 조절은 피판의 혈관경을 반복적으로 클램핑 하면서 허혈-재관류 사이클을 시행하기 때문에 혈관 손상의 위험성이 있어 임상적으로 한계가 있다. 그러나 국소 전허혈 조절에 대한 메커니즘을 이해함으로써 그와 유사한 효과를 나타내는 약물학적 치료의 발견에 도움을 줄 수 있을 것이다.

(2) 골격근의 허혈-재관류 손상에 대응하는 원격(Remote) 전허혈 조절(Preischemic conditioning)

Oxman 등은 재관류에 의한 빈박성 부정맥이 전처치 된 쥐에서 뒷다리에 압박띠(tourniquet)를 10분 간격으로 적용하여 폐색 재관류를 시행한 실험을 하였다. 이는 원격 전허혈 조절로 알려져 있다. 이 기술에 기반하여 Addison 등은 허혈-재관류 손상에 대응하는 돼지 뒷다리 골격근의 전반적인 보호를 위한 비침습성 원격 전허혈 조절의 효과에 대해 처음 기술하였다. 전신마취하 돼지 뒷다리에 tourniquet (~300 mmHg)으로 10분간 폐색/재관류 3 사이클을 시행하여 4시간 허혈, 48시간 재관류된 근육의 경색으로부터 다양한 위치의 다발성 골격근을 보호하였다(그림 1-16-5).

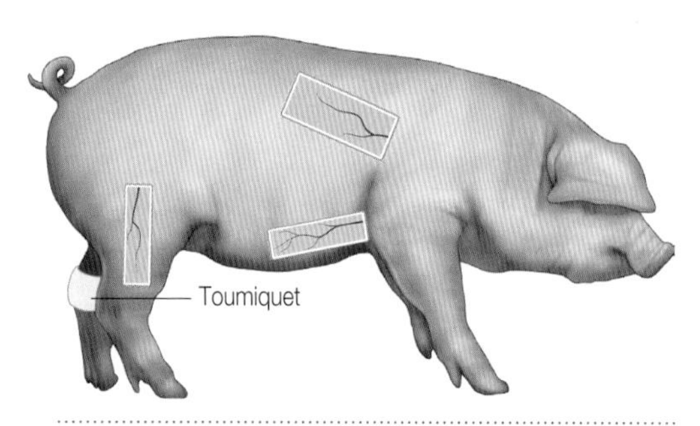

▷그림 1-16-5. **허혈-재관류에 대응하는 골격근의 전반적인 보호를 위한 비침습성 원격 전허혈 조절.** 돼지 뒷다리의 touniquet 적용(~300 mmHg)으로 10분간 3사이클의 폐색/재관류 시행하여 광배근, 박근, 복직근 피판을 4시간 허혈 및 48시간 재관류 후 경색으로부터 보호하였다.

이 연구자들은 또한 mitochondrial KATP채널이 돼지 골격근 경색에 대응하는 뒷다리 원격 전허혈 조절의 방아쇠(trigger) 및 중개(mediator) 기전에서 중요한 역할을 하는 것을 관찰하였다. 그 후 Moses 등은 돼지 골격근 원격 전허혈 조절 경색-보호 효과가 이상적(biphasic)이며 그 과정이 토끼와 개의 심근과 쥐의 골격근에서의 국소 전허혈 조절과 유사하다고 설명하였다. 뒷다리 원격 전허혈 조절 직 후 시작된 초기 경색 보호는 4시간 이내 약해졌으며, 원격 전허혈 조절 6시간 후에 완전히 사라졌다(그림 1-16-6). 후기(두 번째 창) 경색 보호는 뒷다리 원격 전허혈 조절 후 24시간 내에 나타났고, 72시간까지 지속되었다. 더 중요한 것은, sarcolemmal 그리고 mitochondrial KATP채널이 상대적으로 방아쇠 그리고 중개 기전에 중요한 역할을 하는 것이 관찰되었다. 논리적으로 접근해야 할 중요한 부분은 미세수술 전후 48시간 동안 허혈-재관류 손상으로부터 골격근을 보호하기 위해 수술 24시간 전에 경구로 섭취할 수 있는, 비 저혈압성 예방 약제를 발견하는 것이다.

(3) 유리 피판 생존능 증가를 위한 후허혈 조절(Postischemic conditioning)

Khiabani와 Kerrigan은 돼지 광배근 근육 피판과 엉덩이 피부 피판에서 6시간의 허혈 후 18시간 동안 NO donor SIN-1 국소 동맥 내 주입히는 것이 재관류 손상 후 허혈 피부와 근육을 구제하는 데 효과적이라고 보고했다. 또 McAllister 등은 4시간 허혈 후 30초간의 재관류/재폐색을 4사이클 시행하였을 때, 돼지 광

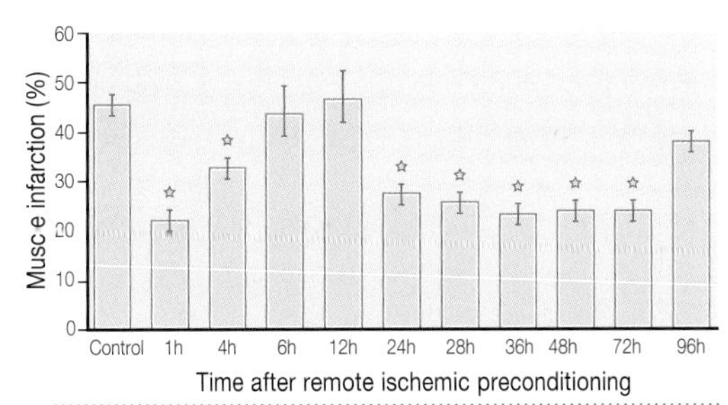

▷그림 1-16-6. **원격 허혈 조절 허혈-보호 효과의 이상적(biphasic) 시간 변화.** 치료군과 대조군의 근육 피판은 4시간 허혈, 48시간 재관류를 거쳤다. 치료군은 원격 허혈조절의 0, 4, 6, 8, 24, 28, 36, 48, 72 또는 96시간 후 4시간의 허혈이 시작되었다. 허혈 보호는 원격 조절 후 0~4시간, 24~72시간 사이에 일어났다.

배근 피판 경색이 재관류 48시간째 측정하였을 때 50%가량 감소하였음을 측정하였다. 이 현상은 후허혈 조절로 알려졌다. 하지만 이 기술은 임상적으로 사용되기엔 너무 침습적이었다. McAllister는 또한 mitochondrial free Ca^{2} 농도를 낮추는데 관여한 돼지 골격근 후허혈 조절 기전이, mitochondrial permeability transitional pores (mPTP)를 닫고, 근육 ATP 농도를 증가시켰음을 설명했다. 후허혈 조절의 경색-보호 효과는 재관류 5분 전 정맥 내 mPTP opening inhibitor cyclosporine A (10 mg/Kg) 주입으로 유사하게 나타날 수 있다. 이 관찰은 cyclosporine A가 재관류 손상으로부터 허혈 접합부 및 근육 유리 피판을 구할 잠재적인 치료제임을 제시하고 있다. Mowlavi 등은 전허혈, 후허혈 cyclosporine A치료(15 mg/kg, 경구)가 4시간 허혈 및 24시간 재관류를 시행한 쥐 박근 생존율을 증가시켰다고 보고하였다. 그러나, 통계적 유의성은 전허혈 치료에서는 얻어졌으나, 후허혈 치료에서는 밝히지 못하였다. 높은 용량의 경구 cyclosporine A는 후허혈 치료에 요구될 수 있는데, 그 이유는 McAllister 등에 따르면 돼지 골격근 피판의 후허혈 조절을 위한 효과적인 cyclosporine A 의 용량이 정맥 내 10 mg/kg이기 때문이다. 현재 재관류 손상으로부터 탈체(ex vivo) 허혈 인간 복직근의 구제에 cyclosporine A의 효과와 기전에 관한 생체 외(in vitro) 모델이 연구에 사용되고 있다. 최근에, McAllister 등은 Na^{+}/H^{+} 교환 억제 cariporide (3 mg/kg, 정맥 내)에 의한 전허혈, 후허혈 치료가 mitochondrial free Ca^{2+} 및 4시간 허혈 그리고 48시간 재관류 시행한 돼지 광배근 피판의 경색 크기를 유의하게 감소시켰다고 보고하였다. 이 관찰은 후허혈 조절의 기전이 mitochondrial free Ca^{2+} 농도를 감소시키고, mPTP가 열리는 것을 억제하는 것과 관련있으며, mPTP opening inhibitor cyclosporine A가 재관류 손상으로부터의 허혈 돼지 골격근을 구하는 데 효과적이라는 연구를 지지하고 있다.

5. 결론

외과적 혈관 지연술은 피부 근육 피판 생존능을 증가시키는 유일한 임상적 기술이다. 그러나 이러한 수술적 처치는 시간 및 비용 소모가 크다. 유사하게 전허혈 및 후허혈 조절은 실험실 동물에서 허혈-재관류 손상 후 유리 피판의 보호에 효과적이지만, 이 기술은 침습적이고 시간 소모적이다. 따라서 피부 근육의 혈류량 및 유경 피판의 원위부 관류량을 증가시키고 유리 피판술 및 접합술 후 허혈-재관류 손상으로부터 피부 및 근육을 보호하는 약물학적 치료에 대해 연구를 지속적인 연구가 필요할 것으로 생각한다.

References

1. Grabb WMM. Basic techniques of plastic surgery. In: Grabb WC, Smith JW, eds. Plastic Surgery. Boston: Little Brown; 1979.
2. Daniel RK, Kerrigan CL. Principles and Physiology of Skin Flap Surgery. In: McCarthy JG, ed. Plastic Surgery. Philadelphia: WB Saunders; 1990.
3. Milton SH. Pedicled skin- aps: the fallacy of the length: width ratio. Br J Surg. 1970;57:502–508.
4. Reinisch JF. The pathophysiology of skin ap circulation. The delay phenomenon. Plast Reconstr Surg. 1974;54:585–598.
5. Pearl RM. A unifying theory of the delay phenomenon–recovery from the hyperadrenergic state. Ann Plast Surg. 1981;7:102–112.
6. Prather A, Blackburn JP, Williams TR, et al. Evaluation of tests for predicting the viability of axial pattern skin aps in the pig. Plast Reconstr Surg. 1979;63: 250–257.
7. Oxman T, Arad M, Klein R, et al. Limb ischemia preconditions the heart against reperfusion tachyarrhythmia. Am J Physiol. 1997;273:H1707–H1712.
8. McAllister SE, Ashrafpour H, Cahoon N, et al. Postconditioning for salvage of ischemic skeletal muscle from reperfusion injury: ef cacy and mechanism. Am J Physiol Regul Integr Comp Physiol. 2008;295:R681–R689.
9. McAllister SE, Moses MA, Jindal K, et al. Na+/H+ exchange inhibitor cariporide attenuates skeletal muscle infarction when administered before ischemia or reperfusion. J Appl Physiol. 2009;106: 20–28.

17 조직확장술
Tissue Expansion

이삼용 전남의대

1. 서론

종양이 커지면서 종양을 덮고 있는 피부가 서서히 같이 늘어나고 임부의 복벽도 점차 늘어난다는 점을 이용하여, 늘여주고자 하는 조직의 아래층에 실리콘 조직 확장기를 삽입한 후 수 주 또는 수 개월에 걸쳐서 생리식염수를 서서히 주입하여 피부와 피하조직을 팽창시키서 늘어난 조직으로 결손 부위를 재건을 하는 방법을 조직확장술이라고 한다.

2. 역사적인 배경

1976년 Radovan과 Austad, Rose가 실리콘 고무로 만든 조직 확장기를 사용하였다. 그 중 Radovan의 조직 확장기는 주기적으로 생리식염수를 주입함으로써 확장기가 점차 커지는 방식을 사용하였으며, 점차 널리 사용되어 현대에 이르고 있다.

3. 조직확장술의 장단점

이 수술의 장점은 기존의 피판술 및 식피술과는 달리 인접한 피부를 늘여 이를 전진시켜 재건할 부위로 가져가므로 ① 피부 질감, 피부 색깔, 감각 및 상피 부속기가 동일한 조직으로 결손부를 재건하게 되고 ② 공여부의 조직 결손 및 반흔 등의 문제가 없으며 ③ 조직확장기를 이용하여 확장하고 있는 기간 중이라 하더라도 일상 생활을 할 수 있다는 것이다. 단점으로는 ① 확장기를 삽입하는 수술과 피부확장 후 재건하는 수술 등 최소한 2회의 수술이 필요하고 ② 조직 확장기를 서서히 팽창시켜야 하므로 시간이 오래 걸리며 ③ 확장기간 동안 조직 확장기를 달고 다녀야 하므로 일상 생활에 지장을 초래할 수 있다는 점이 있다.

4. 조직확장술의 적응증과 금기

일차 봉합술로 간단히 치료해 줄 수 없는 넓은 연부 조직의 결손이거나, 일차 봉합술로 봉합이 가능하더라도 피부의 긴장이 심하여 봉합부가 벌어지거나 반흔이 심하게 남을 것으로 예상되는 경우에는 조직확장술이 유용하다. 그러나 급성 외상의 경우에는 염증이나 조직의 반흔화 현상이 병행될 수 있어, 창상 치유가 된 후 이차적인 재건 수술 방법으로 고려하는 것이 좋다. 좋은 적응증으로는 ① 외상성 두피 결손 또는 남성형 대머리 ② 광범위한 반흔 ③ 종양 절제 후 결손 부위 재건 ④ 유방 절제 후 재건 ⑤ 압박궤양 ⑥ 소이증 등이 있다. 금기 사항으로는 ① 화상 반흔과 같이 잘 늘어나지 않는 조직 ② 방사선 치료를 받은 부위 ③ 감염되었거나 감염의 위험성이 많은 부위 ④ 정서적으로 불안정한 환자나 비협조적인 환자 등이다.

5. 조직 확장에 따른 생리적인 변화

1) 피부(Skin)

조직 확장 초기부터 표피는 두꺼워지며 이는 대부분 4~6주 안에 정상 두께로 돌아가며 일부에서 몇 달 정도 지속된다. 조직 확장하는 동안 상피세포의 유사분열 속도가 증가하여 피부가 증가한다. 모낭은 새롭게 형성되지 않으며 기존 모낭들이 넓게 늘어나게 된다. 확장 중에는 멜라닌세포의 활동이 증가하나 재건이 끝난 후 수개월에 걸쳐서 정상으로 돌아온다. 조직 확장하는 첫 수 주 동안 진피는 신속하게 얇아지며 확장하는 기간 동안 지속된다.

2) 피막(Capsule)

피막은 확장 2개월에서 가장 두꺼워지며 지속적인 콜라겐 합성이 3개월을 지나면서 진행된다. 피막은 확장기가 제거한 후 시간이 지나면서 소실된다. 피막은 풍부한 콜라겐과 혈관총(vascular plexus)을 가지며 섬유모세포, 근육섬유모세포, 큰포식세포가 많다.

3) 근육(Muscle)

확장하는 동안 확장기의 위 혹은 아래에 있는 근육의 위축이 나타난다. 국소적인 근육 섬유의 퇴행과 간질의 섬유화(interstitial fibrosis)가 관찰되며 일부 근육 섬유는 근육원섬유마디의 근육원섬유가 해체되는 모습을 보인다. 확장기를 제거하면 정상 근육의 구조와 혈관, 기능을 회복한다.

4) 골(Bone)

조직확장기 밑에 있는 두개골은 골 흡수가 일어나 골의 두께와 부피가 감소한다. 조직확장기 주변으로는 골막 염증 반응이 관찰되고 골 밀도는 영향을 받지 않는다. 두개골은 장골보다 골 두께에 영향을 받는다. 장골의 재형성은 조직 확장기를 제거한 후 5일 내에 시작되며 2개월 안에 정상으로 돌아온다. 두개골은 재형성에 2~3개월이 걸린다.

5) 확장된 조직의 혈관분포

확장된 조직에서 새로운 혈관이 생기며 혈류가 증가된다. 기존 혈관들의 콜라겐 섬유가 확장 초기에 감소하지만 탄력섬유는 기계적인 자극에 반응하여 증가한다. 확장된 조직의 허혈에 반응하여 혈관생성이 이루어지며 혈관성장인자(vascular growth factor)가 정상 조직에 비해 높

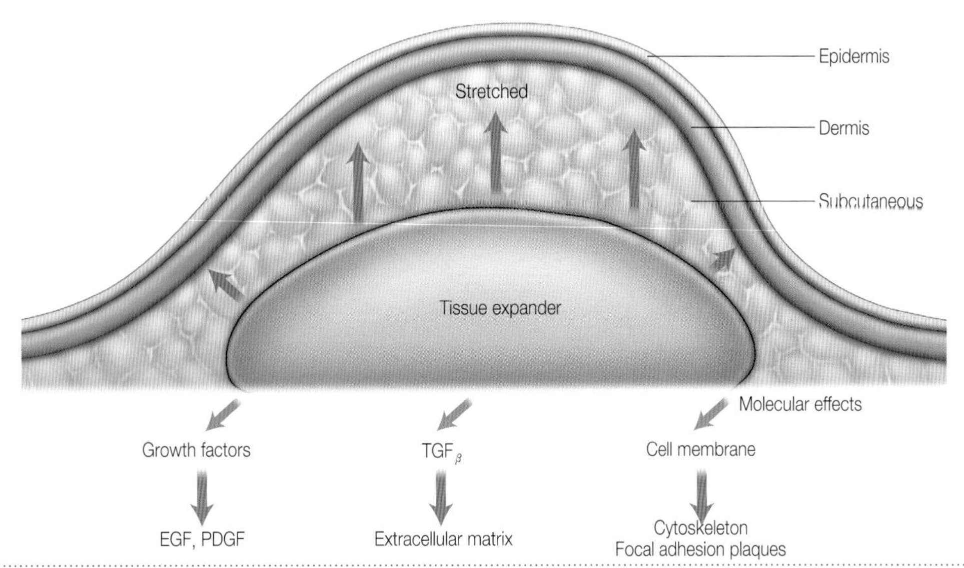

▷그림 1-17-1. **조직확장이 주변에 미치는 영향.** 확장에 의해서 피부 세포 증식을 촉진하는 혈소판유래성장인자(platelet-derived growth factor, PDGF) 같은 성장인자들이 반응한다. 다른 성장인자들로 전환성장인자-β(transforming growth factor-β,TGF-β)는 세포외 기질의 생산을 촉진하며 단백질키나아제 같은 막과 결합되어 있는 분자들이 세포 내 신호 연쇄반응(intracellular signaling cascades) 조절에 중요한 역할을 한다. *표피성장인자(epidermal growth factor, EGF)

게 발현된다. 이렇게 확장된 피판은 지연처치한 피판보다 높은 생존율을 보인다.

6) 조직확장술에서 세포와 분자의 이해

세포에 기계적인 자극이 가해짐으로서 다양한 세포 구조와 신호 경로에 영향을 준다(그림 1-17-1)이 통합된 과정은 기계적인 자극을 통해 새로운 조직이 어떻게 생성되는지를 보여준다.

6. 조직확장기의 종류

1) 원격 주입구(Filling ports)를 가진 확장기

보편적으로 사용되는 확장기로 생리식염수 주입을 위한 주입구가 확장기 본체와 튜브로 연결되어 있어서 덮고 있는 피부나 연부조직이 얇은 경우 유용하게 사용된다.

2) 주입구가 부착된(Integrated ports) 확장기

주입구가 확장기에 결합된 확장기로 주입구를 위한 추가적인 박리가 필요 없으나 주입 중 확장기가 천공될 위험이 있다.

3) 자동 팽창식 확장기 (Self-inflating expander)

확장기 속에 삼투압 물질이 들어있어 삼투압에 의해 세포외 수분이 실리콘 막을 통하여 확장기 안으로 들어와 팽창하도록 하는 확장기이다. 소안구증이나 안구 결여증 등에서 안와확장을 위하여 사용될 수 있다.

확장기의 형태는 원형뿐만 아니라 반구형, 사

각형, 초승달형, 서양배형 등 다양한 모양의 상품이 있다(그림 1-17-2). 표면이 거친 실리콘 확장기는 고정이 잘 되고 피막형성의 위험이 낮은 장점이 있다. 표면에 고분자 물질을 포함한 확장기가 개발 중으로 반흔 발생이 적어 빠른 확장이 가능하고 항균 기능이 있다.

4) 영구적 확장기(Permanent expander)

유방재건술 때 주로 사용하는 확장기로 원하는 만큼 확장기를 확장시킨 후 원격 주입구만 제거하고 확장기를 영구적으로 두어 형태를 유지하게 한다.

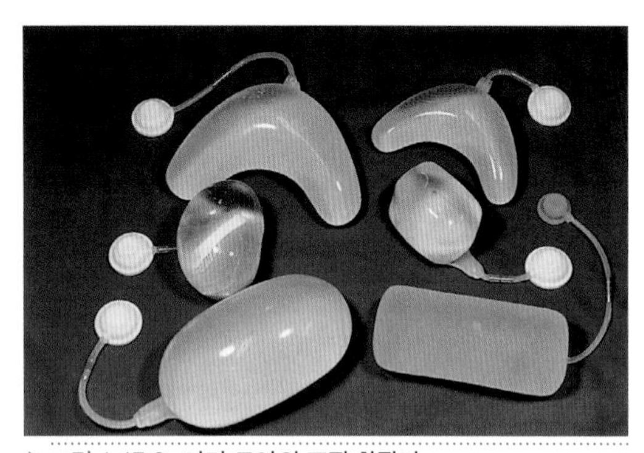

▷그림 1-17-2. 여러 모양의 조직 확장기.

7. 조직확장기 사용의 기본 원칙

조직확장은 안정적이고 일시적인 시술이지만 분명한 추형이 발생하므로 심리적으로 안정된 환자에게 적합한 시술이다. 모든 나이에 적용할 수 있으나 확장기의 팽창이 골 발육 특히 두개골 발육에 지장을 줄 수 있어 3세 이후에 적용하는 것이 좋다.

1) 절개선 도안과 보형물의 선택

조직확장은 계획하는 피판술의 종류에 따라 절개선을 신중하게 도안한다. 절개선이 피판의 한쪽 경계선이 되도록 하고 반흔과 봉합선의 긴장을 줄여야 한다. 초기 확장 시 절개선과 확장의 방향이 평행할 경우 봉합선의 긴장이 커지므로 수직이 되도록 도안한다. 확장기의 조작이 쉽도록 박리를 충분히 하고 절개 부위는 층층에 맞추어 봉합해야 한다. 조직확장기의 크기는 공여부의 모양 및 크기와 관계있다. 확장기는 공여부와 같거나 조금 작은 크기를 사용한다.

2) 조직확장기의 크기

확장기는 용량의 3~5배까지 팽창될 수 있으므로 확장기의 용량은 크게 중요하지 않지만, 재건해야 할 폭보다 확장기의 밑면의 크기가 조금 작거나 비슷한 것을 선택하는 것이 좋다. 크기가 큰 한 개의 확장기보다는 작은 크기의 여러 개의 확장기를 사용해야 합병증을 줄이고 빠른 조직확장이 가능하다.

3) 조직확장기의 위치

확장기는 재건해야 할 부위에 인접한 건강한 피부 밑에 위치시키고, 확장기를 삽입하기 위한 최소한의 피부 절개를 하며 절개선은 확장될 부위로부터 1~2 cm 떨어져 있게 하고, 연부 조직 봉합은 절개선으로부터 1 cm 이상부터 층층 봉합하여 추후 조직확장에 따른 긴장이 피부 절개 봉합 부위에 미치지 않아야 한다. 확장기를 넣는 위치는 피부와 연부조직의 하부, 근막 상부에 넣는 것이 일반적이다. 두피(scalp)에서는 모상건막하부에, 전두부에는 전두근 하부에, 경부에서는 넓은목근(platysma) 하부에 넣어준다. 식염수 주입구는 조직확장기 본체와 떨어져 쉽게 촉진되도록 위치시키고 연결관이 관절을 지나가지 않게 한다.

4) 확장기 삽입을 위한 방의 크기

확장기 밑면 크기보다 조금 더 크도록 박리하여 확장기가 접히지 않도록 해야 한다. 확장기 삽입 직후 식염수를 확장기 용량의 10~20% 주입 팽창시켜 사강(dead space)을 줄이고, 압박에 의한 지혈 효과로 혈종이나 장액종을 예방한다.

5) 생리식염수 주입 방법

확장기 삽입 후 약 2~3주부터 주입하며 25게이지 혹은 그보다 가는 바늘을 사용하되, 주입구의 모든 방향에서 주입하도록 하여, 한두 군데 집중적인 주입에 따른 식염수 누출을 방지하여야한다. 주입은 보통 주 1회 시행하며 2~3일 간격도 가능하다. 소량을 자주 주입하는 것이 조직생리학적으로 적합하다. 한 번에 주입하는 양은 환자가 불편감을 호소하거나 확장기 위의 피부가 창백하게 될 때까지 주입한다.

6) 확장의 종결

필요한 만큼 피부가 확장되어 있는지를 아는 방법으로는 확장된 피판의 폭에서 확장기 밑면의 폭을 뺀 길이가 재건할 부위보다 길면 충분히 확장되었다고 판단할 수 있다(그림 1-17-3).

확장이 끝난 후에도 확장기를 삽입한 상태로 6~8주 유지한 후 피판을 사용하면 피판의 수축으로 인한 긴장을 줄여줄 수 있다. 또 확장기를 제거하기 24시간 전과 수술 직전에 마지막으로 과팽창시키면 피부를 최대한 확장시킬 수 있다.

8. 합병증

1) 조직확장기 천공(Perforation)

조직확장기를 삽입하기 전에 반드시 확장기의 천공 유무를 확인해야 하고, 주입구를 확장기에서 멀리 떨어진 자리에 위치시켜야 한다. 주입구

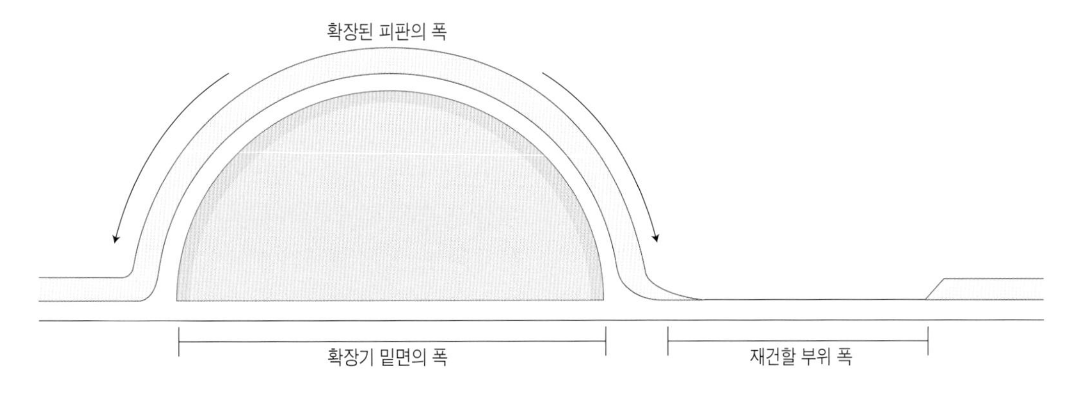

▷ 그림 1-17-3. 확장된 피판의 폭이 확장기 밑면의 폭과 재건할 부위의 폭을 합한 것보다 커야 한다.

와 확장기가 가까울수록 확장기의 천자나 주입구와 확장기를 연결하는 관(tube)을 천자할 경우가 있어 주입된 식염수가 누출될 수 있다. 확장기를 보호하기 위해서는 주입구에 90도의 각도로 바늘을 진입시켜야 한다. 천공이 의심되는 경우는 식염수 주입 시는 단단한 느낌으로 조직이 확장된 것이 촉지되나, 하루가 지난 뒤에는 다시 줄어든(deflation) 소견을 보이는 것으로 판단할 수 있으며, 초음파 검사상 액체 고임(fluid collection) 현상을 보인다. 더 구체적인 검사는 CT나 MRI 검사 방법이 있다.

2) 감염

수술 중 세균의 유입이 초기 감염의 가장 큰 원인이다. 확장기 근처의 개방창상이나 림프부종, 방사선 조사 부위등은 수술 이후 감염을 일으킬 수 있다. 감염은 확장기 노출의 원인이 되므로 예방적 차원의 항생제를 투여하되 장기간 투여는 불필요하다. 후기 감염은 확장 과정에서의 세균 유입에 의해 발생한다. 혈종과 장액종이 생길 경우 감염의 원인이 되므로 철저히 지혈해야 한다.

확장 부위의 통증, 열감 혹은 전신의 고열, 오한 등은 감염의 증상일 수 있다. 초기 감염의 경우 확장기를 제거하고 3~4개월 후 재수술을 한다. 후기 감염의 경우 확장기 제거 후 확장된 조직의 안쪽 염증 조직을 절제 후 늘어난 조직만큼 전진시켜 봉합한다.

3) 조직확장기의 노출

삽입할 방의 크기가 작아 조직 확장기가 접혀 피판에 압박을 가하거나 확장기가 피부 절개선 가까이 위치하여 확장 시 봉합 부위가 약해져, 창상열개(wound dehiscence)가 나타날 수 있으며, 염증이 진행되면 확장기가 노출되고, 드물게 주입구를 덮고 있는 피부에 긴장도가 가해져 주입구가 노출될 수 있다.

부적절한 박리나 너무 큰 확장기를 사용할 경우 초기에 확장기가 노출될 수 있다. 초기 노출의 경우 확장기 제거 후 3~4개월 후 재수술하는 것이 최선이다.

후기 노출은 빠르고 과도한 양의 확장 때문에 발생할 수 있다. 크기가 작거나 후기에 확장기가 노출된 경우 항균크림을 바르며 확장을 지속할 수 있다. 방사선 치료나 외상, 화상 등의 조직에서 확장기 노출은 더 빈번히 발생한다. 조직확장기 주입구의 노출도 흔한 합병증이다.

4) 피판 괴사

확장기 및 주입구가 혈행이 좋지 않은 부위에 위치하면 표면 조직의 괴사를 일으킬 수 있다. 피부괴사의 위험이 있으면 식염수를 뽑아내고 피판이 안정될 때까지 기다린 후 재주입을 시행한다. 등이나 후두부에 삽입한 경우 수면 시 압박이 가해지지 않도록 주의를 시킨다.

5) 혈종 및 장액종

수술 시 배액관을 이용하여 혈종 및 장액종에 대한 염증을 예방하여야한다. 혈종이나 장액종이 지속될 경우 배액관을 오래 유지할 수 있으나, 배액관을 통한 역류성 염증을 유발할 수 있으므로, 철저한 지혈로 혈종을 예방하고, 이미 확인된 혈종은 봉합부위를 통해 혈종을 제거해야한다.

6) 신경마비

확장기 밑으로 지나가는 신경이 압박되어 신경마비 현상이 나타날 수 있다. 만약 신경마비가 일어나면 감압 후에 서서히 팽창시키고 증상의 호전이 없으면 확장기를 제거해 준다.

9. 임상적 적응

1) 증례별 임상적 적응

(1) 화상환자

일차 봉합이 어려운 넓은 범위를 지닌 화상 반흔 교정에 조직확장기를 적용함으로써 좋은 결과를 얻을 수 있다. 모든 화상이 치유되고 흉터가 성숙(mature)된 후 미용단위(aesthetic unit)와 봉합선 그리고 흉터를 고려하여 조직확장기를 흉터와 인접한 정상 조직 아래 삽입하여야 한다. 화상환자에서의 조직확장기 사용 원칙은, 한 개의 큰 용량의 조직확장기를 사용하기보다, 용량이 작은 여러 개의 조직확장기를 사용하는 것이 낫다는 것이다. 화상환자에서는 감염의 확률이 높아질 수 있으므로 수술 전 항생제를 사용하도록 한다.

(2) 소아환자

소아의 피부와 연부조직은 성인에 비해 얇아 합병증의 발생률이 성인보다 높다. 따라서 조직확장기 용량의 선택에 있어 어른에 비해 작은 것이 선호되고, 확장하는 방법에 있어서도 점차적으로 반복하여 확장시키는 것이 좋다. 5세 이후 소아들은 적절히 협조가 되어 합병증의 발생률이 줄어든다. 확장 때 도포형 국소마취제를 사용하여 환자의 불편감을 줄일 수 있다. 성장과 함께 발생할 수 있는 구축은 입과 눈주위에서 더 흔하게 발생하므로, 확장을 충분히 한 후 휴지기(6~8주)를 거쳐 재건 수술을 시행하며, 추후 교정술(revision)이 필요할 수 있다.

(3) 피판술에서의 적용 - Prefabrication

면적이 넓은 결손부위를 덮는 치료방법인 근피판술에서 조직확장기를 사용함으로써 더욱 더 넓은 결손부위를 재건할 수 있다. 피판 아래에 조직확장기를 위치시킨 후 확장 시키면 피판의 혈관분포(vascularity)가 증가하기 때문이다. 예를 들면 광배근과 대흉근의 경우 이 방법을 이용하여 약 2배 가량 확장시킬 수 있어 확장된 피판을 이용하여 흉부와 복부 대부분의 결손이 재건 가능하다. 다만 조직확장기를 위치시킬 때 혈관경(pedicle)을 손상하지 않도록 주의해야 한다. 근막피판의 경우에는 전위(transposition) 수술 전, 후 모두에서 적용이 가능하다. 전위 피판에 적용할 때는 혈관경과 최대한 거리를 두는 것이 좋다.

(4) 전층피부이식술에서의 적용

공여부에 발생하는 결손 때문에 전층피부이식술은 쉽게 사용할 수 없다. 이런 경우 조직확장기를 공여부 아래 넣어 확장시킴으로써 더 넓은 부위를 재건하면서도 공여부는 일차 봉합이 가능하게 되어 공여부 반흔을 최소화할 수 있다.

2) 부위별 임상적 적응

(1) 두피

두피는 모발이 있는 부위로서 인체의 다른 부위가 대신 할 수 없는 특별한 부분이다. 따라서

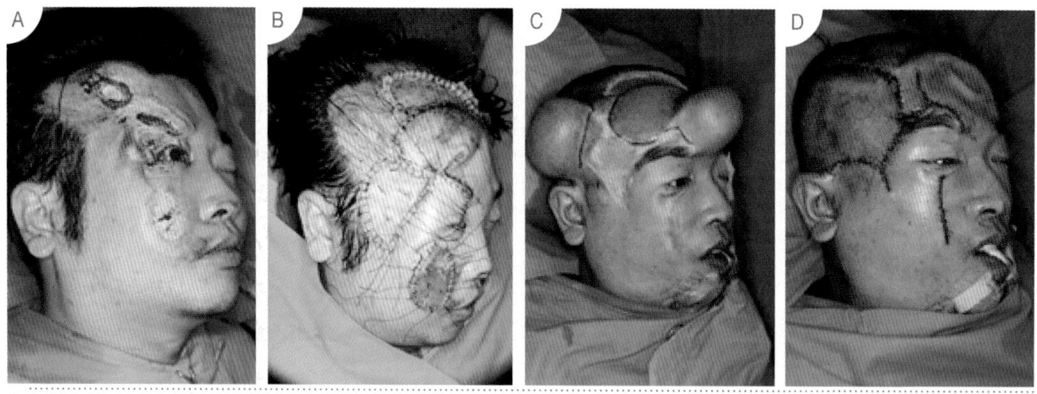

▷그림 1-17-4. A. 외상으로 인한 두피, 이마, 상안검 결손이 생긴 모습 B. 일차로 피부 결손 부위를 주변 조직을 국소 피판술로 덮은 후 C. 조직확장기를 이용하여 정상 측 이마와 주위 두피를 확장한 후 D. 결손부를 재건한 모습.

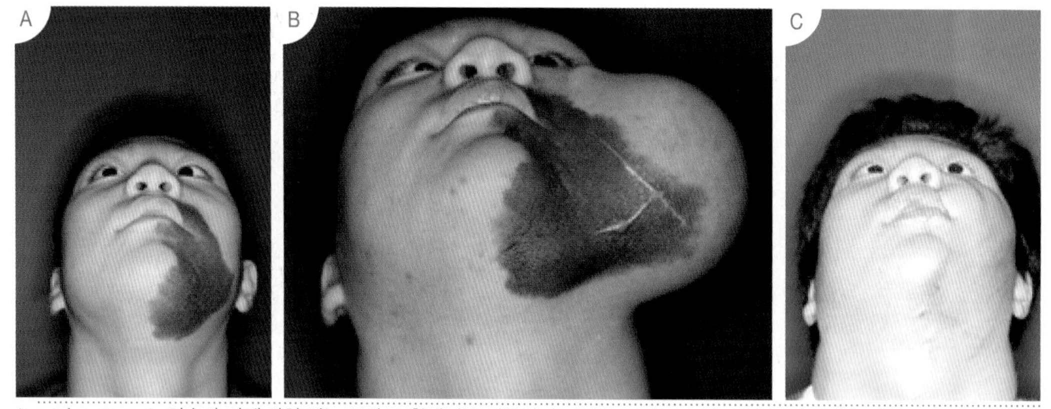

▷그림 1-17-5. A. 입술과 뺨에 걸쳐 있는 모반 B. 확장기를 이용하여 피부를 늘린 모습 C. 모반 완전 절제후 재건 모습

두피의 결손을 재건하는 데 있어 모발을 고려한다면 선천성 두피결손, 남성형 탈모, 외상으로 인한 반흔성 탈모부위에는 조직확장기가 유일한 치료 방법이다(그림 1-17-4).

(2) 안면부와 경부 부위별 임상적 적응

이마를 재건할 때는 전두근 밑에 확장기를 삽입하며, 50~60%의 조직결손을 재건할 수 있다. 낮은 두발선(hairline)을 가진 두개안면기형(craniofacial anomaly)에 유용하게 적용 가능하다. 외측 안면부(lateral face)는 귀 앞쪽으로 절개선을 넣고 삽입하며, 얼굴신경 손상을 방지하기 위해 관골궁 위에 확장기가 걸치지 않게 하여야 한다(그림 1-17-5). 코 전체의 결손일 경우 이마 피부를 확장하여 사용이 가능하며, 코 전체를 재건할 때는 이마를 확장시킨 후 이마 피판을 이용하여 재건할 수 있다. 목의 넓은 부위에 대해 확장술로 재건할 경우, 확장기의 밑바닥 부분은 확장되지 않은 두꺼운 재질로 이루어진 것을 사용하여야 피부 확장의 실효성이 있으며, 안면부와는 달리 아주 서서히 늘려야 확장기의 노출 위험이 적다.

(3) 유방재건

종양으로 인한 유방절제술, 유방 무형성증, 발육부전 등의 경우에 조직확장기를 치료에 이용할 수 있다. 대흉근과 전거근 아래에 삽입하며 폴란드 증후군과 같이 대흉근이 없는 경우에는 광배근을 먼저 거상하여 제 위치에 옮긴 뒤 광배근 심부에 확장기를 위치시켜야 한다. 추후 유방 확대 보형물을 삽입할 예정이라면 과잉 팽창시킨다.

(4) 체간부 및 사지재건

주로 선천성 거대모반증, 넓은 화상반흔, 식피술 후의 반흔, 종양 제거후의 결손, 외상 등에 이용될 수 있다. 하나의 확장기보다는 여러 개의 확장기를 이용하는 것이 좋은 결과를 만든다. 사지의 종축 방향으로 늘이는 것 보다는 횡축 방향으로 늘이는 것이 쉽고, 수술 결과도 좋다.

하지보다는 상지 확장이 좀 더 용이하나, 안면부보다는 오랜 시간을 두고 확장시켜야 하며, 일차 확장 수술 후 잔존해 있는 부위 재건을 위해 확장기를 재차 삽입할 경우는 확장 성공 확률이 낮아진다는 것을 명심하여야 한다.

References

1. 강진성 성형외과학 Vol 1. General principles & techniques chap. 20 Tissue expansion P389 - 410
2. Nelligan Plastic surgery 3rd edition Vol 1. chap. 27 Principles and applications of tissue expansion p 622-653
3. Radovan C. Breast reconstruction after mastectomy using the temporary expander. Plast Reconstr Surg. 1982;69:195–208
4. Austad ED, Rose GL. A self-inflating tissue expander. Plast Reconstr Surg. 1982;70:588–594.
5. Takei T, Mills I, Arai K, et al. Molecular basis for tissue expansion: clinical implications for the surgeon. Plast Reconstr Surg. 1998;102:247–258.
6. Elias DL, Baird WL, Zubowicz VN. Applications and complications of tissue expansion in pediatric patients. J Pediatr Surg. 1991;26:15–21.

18 미세수술 Microsurgery

간산윤 경희의대

1. 서론

미세 수술은 수술용 현미경과 확대경, 특수 정밀 도구 및 다양한 수술 기법을 결합한 수술 분야로서 외상, 암 및 선천성 결손에 대한 인체 조직의 복합적 수복을 가능하게 하여, 응급 절단 상태에서부터 유방 재건과 혈관화 동종조직 이식에 이르기까지 다양한 의료 문제의 회복과 치유를 가능하게 하였다. 또한 면역학의 발달과 함께 여러 분야에서 특히 조직이식 분야에서 과거에는 불가능했던 수술이 가능해지는 혁신적인 발전을 기대할 수 있게 되었다.

1) 미세수술(Microsurgery)의 정의

미세수술이란 수술용현미경을 사용하는 수술을 총칭하여 부르는 일반적인 용어라 할 수 있다. 조작하는 구조물에 따라 미세 혈관 수술(microvascular surgery, 직경 약 1 mm 근처의 혈관 수술), 미세신경 수술(microneural surgery), 미세림프관 수술(microlymphatic surgery 등을 포함한다. 초미세수술(Supermicrosurgery)은 직경 약 0.5 mm 근처의 혈관(0.3~0.8 mm)을 연결하는 수술로 특히 림프관 재건과 천공지간 연결(perforator to perforator anastomosis) 수술에 매우 유용하다.

하지만 이러한 형식적인 정의는 전문 분야의 폭과 복잡성을 전달하지 못하고 있다. 실제로 미세수술은 단순한 정의보다 훨씬 더 많은 것을 포함하며, 성형외과학과 예술이 혼합되어 있고, 수년간의 훈련이 필요한 분야이다.

2) 미세수술의 역사

미세수술의 시작은 1920년대 현미경이 발명되면서 시작되었으나, 본격적인 것은 사물의 확대, 조명, 미세조작 가능 기구가 개발되고, 미생물학, 병리학 분야가 발달하면서 확장 되었다. 혈관수술의 개념은 1552년 Pare에 의해 처음 제안되었고, 1759년에 최초의 brachial artery 문합이 있었고, 1897년이 되어서 Murphy가 femoral artery invagination에 성공하였다. 1800년과 1900년대에 혈관의 끝끝(end-to-end) 또는 단측(end-to-side)문합과 정맥이식이 Eck, Carrel과 Guthrie의 노력으로 가능하게 되었다. 그 이후로 다수의 장기 및 사지의 이식 실험이 있었으며, 1921년에 Nylen이 단안현미경을 동물실험과 만성중이염 환자진료에 사용하였다. 1922년에

Holmgren이 양안 현미경을 발명하였고, 1946년에 Perrit이 안과진료에 이용하였다.

현대적인 미세혈관수술분야는 1960년 Jacobson과 Suarez가 직경 1 mm 정도의 혈관을 현미경하에서 연결하여 100% 개존율(patency rate)을 얻었다고 발표하면서 말초신경 수술, 성형 및 재건 수술, 실험적인 장기이식과 신경외과 분야로 확장되었다. 1964년 Malt와 Mckahnn이 다수의 손목 재접합 성공을 보고하였고, 1965년에는 Komatsu와 Tamai가 절단된 무지를 수술현미경을 이용하여 미세수술로 재접합 하였다. 1966년에 Young은 제2족지 수지 치환을, 1969년에 Cobbett가 무지 수지 치환술로 무지 재건에 성공하였다.

미세혈관수술을 이용한 피판술은 1965년에 처음으로 동물실험을 통하여 유리피판술이 시도된 이래 1970년에 Mclean과 Buncke가 장간막(omentum)을 이용한 두피 재건을 성공시킨 것이 임상에서 성공한 첫 번째 수술이 되었으며, 1973년에 Daniel과 Taylor가 처음으로 샅고랑피판(groin flap)을 이용한 복합조직 피판(composite flap)을 성공하였다. 이후 수 십년간 새로운 피판들이 개발되어 다양한 수술에 적용되었고, 현재는 유리피판술의 성공률이 95.9~99%에 달하고 있다.

또한, 1980년 후반부터는 천공지 피판이 개발되면서 공여부 근육과 혈관의 기능을 보존하면서 수혜부(recipient site)를 완벽하게 재건하는 노력이 시작되었다. 최초의 천공지 피판으로 1989년 Koshima와 Soeda가 심하복벽 천공지(deep inferior epigastric artery perforator)피판을 발표하였다. 그 이후 hand doppler를 사용하여 천공지의 위치를 청음하고, 피판을 거상하는 free-style flap이 시작되었으며, 약 400여개에 이르는 천공지 피판의 문이 열렸다.

재건미세수술의 또 하나의 큰 발전은 동종이식(allotransplantation)이며, 1998년에 최초로 손이식(hand transplantation)이 시행되었고, 안면이식은 2005년에 시작되었다. 한국에서는 2017년에 최초로 손이식(hand transplantation)이 성공하였다. 한국의 안면이식은 아직 관련 법안이 제정되어 있지 않다.

2. 미세수술의 장비와 기구

1) 수술 현미경(Operating microscope)

수술자는 현미경에 익숙해져야 하며, 편안하게 사용할 수 있도록 조정한다. 양안간 거리(interpupillary distance)와 도수(diopter)를 정확하게 맞추어야 한다. 자세는 편안한 의자에 바르게 앉아서 팔은 소독포위에 혈관문합과 동일한 높이가 되도록 내려놓은 상태가 되어야 피로도가 적고 떨림이 최소화 될 수 있다. 발은 지면에 평행하도록 한다. 초점은 시작 전에 가장 높은 배율에서 맞춘다. 일반적으로 수술 현미경은 기울임(tilt), 초점(focus), 확대(zoom)가 가능하고, 발판을 이용하거나 손 조정판을 이용하여 자유롭게 조정할 수 있어야 한다. 수술자와 조수가 동시에 수술 시야를 볼 수 있는 두 개의 대안렌즈와 디지털 기록을 위한 독립적인 head가 구비되어야 한다. 수술 종류에 따라 작업거리(working distance)와 배율의 범위를 조절할 수 있어야 하며, 항균 코팅(antimicrobial coating)이 되어있어야 한다. 대물렌즈의 작업거리(working distance)는 17.5~25 cm인 것이 이상적이며, 현미경에서 배율은 혈관을 박리할 때는 6~12배, 혈관을 연결할 때는 15~19배 정도가 적당하다. 일부 현미경에서 수술중 형광(intraoperative fluorescence tool)판독 보조기구를 지원하는데, 이것은 림프관 미세수술과 정밀한 종양제거, 피판의 혈류공급 상태를 판정하는데 중요한 정보를 제공한다.

2) 수술 확대경(Magnifying loupe)

수술 확대경은 2.5~8배의 배율을 제공하고, 안경이나 머리밴드에 부착하여 사용할 수 있다. 혈관이나 신경을 현미경하에서 연결하기 전 단계까지 조직을 박리 하는 과정에서 유용하다. 고배율의 확대경은 1 mm의 혈관까지 문합할 수도 있으며, 수술 현미경과 3.5배의 확대경을 사용한 미세혈관 유리피판술의 결과를 비교하였을 때 성공률에서 차이가 없는 것으로 나타났다. 그러나 소아의 경우와 1.5 mm이하의 혈관의 경우는 수술 현미경이 필요하였고, 천공지 피판술, free-style 피판과 초미세수술(supermicrosurgery)이 확대 시행되면서 고배율과 고조도가 필요하여 수술현미경을 많이 사용하고 있다.

수술 확대경의 선택에서 2,5배율 정도로 수부의 수술과 피판거상에 사용할 수 있으며, 3.5~4.5배 정도까지도 필요하다면 적절하게 사용할 수 있다. 4.5배율이 초과하게 되면 일상적으로 사용하기에는 무겁고 피로도가 증가되어 수술 현미경을 사용하는 것이 낫다.

3) 미세수술기구(Microinstruments)

미세수술기구는 미세한 조직을 벌리고, 잡고, 자르고, 봉합할 수 있도록 끝이 미세한 구조로 되어 있어야 하며 불빛에 반사가 적고 손잡이가 사용하기 편하도록 만들어져야 한다. 또한, 많은 미세수술기구에 스프링 장치가 부착되어 있어서 적절한 탄성의 유지가 매우 중요하다. 미세수술기구는 쉽게 손상받기 때문에 미세수술 이외의 목적으로 사용하지 말아야 하며 항상 특별히 고안된 미세수술기구 보관함에 보관하여야 한다.

(1) 가위(Scissors)

미세수술용 가위(microvascular scissors)는 스프링 장치를 이용하며, 날은 날카롭지만 부드럽게 휘어있고, 둥근 끝단의 형태를 하고 있다. 가위를 오무렸을 때 혈관에 손상을 주지 않으면서 박리하는 기구의 용도로 사용할 수도 있다. 혈관 끝 단면의 외벽(adventitia)을 재단하는 목적의 가위는 곧으면서 뾰족한 끝을 갖고 있고 봉합사를 자르기에도 적당하다(그림 1-18-1).

(2) Jeweler' s Forceps

미세수술용 jeweler's forcep은 집게의 끝부분이 10-0 Nylon 봉합사의 직경과 일치하는 1/1,000 inch이며, 적절한 힘을 주었을 때 3 mm 정도가 서로 밀착되어 봉합사를 잡을 수 있어야 한다. jeweler's forcep은 혈관벽과 같이 미세한 조직을 붙잡는 용도로 사용하며, 그 외에 봉합사를 묶거나, 혈관의 끝을 벌리는 혈관확장기(dilator)의 역할을 하기도 한다. No. 2, No. 3, No. 5와 No. 7이 있으며, No. 5가 가장 집게부분이 얇고, No. 7은 끝부분이 휘어져 있다. 가장 흔한 유형의 집게는 끝(tip)이 매끈한(smooth) 모양이지만, 휘어진(curved) 것, 이빨이 달린(toothed) 것 그리고 끝이 구멍이 나 있는 것 등 다양한 모양을 갖고 있다(그림 1-18-1).

(3) 지침기(Needle holders)

수술용 봉합사의 작은 봉합침을 잡을 수 있도

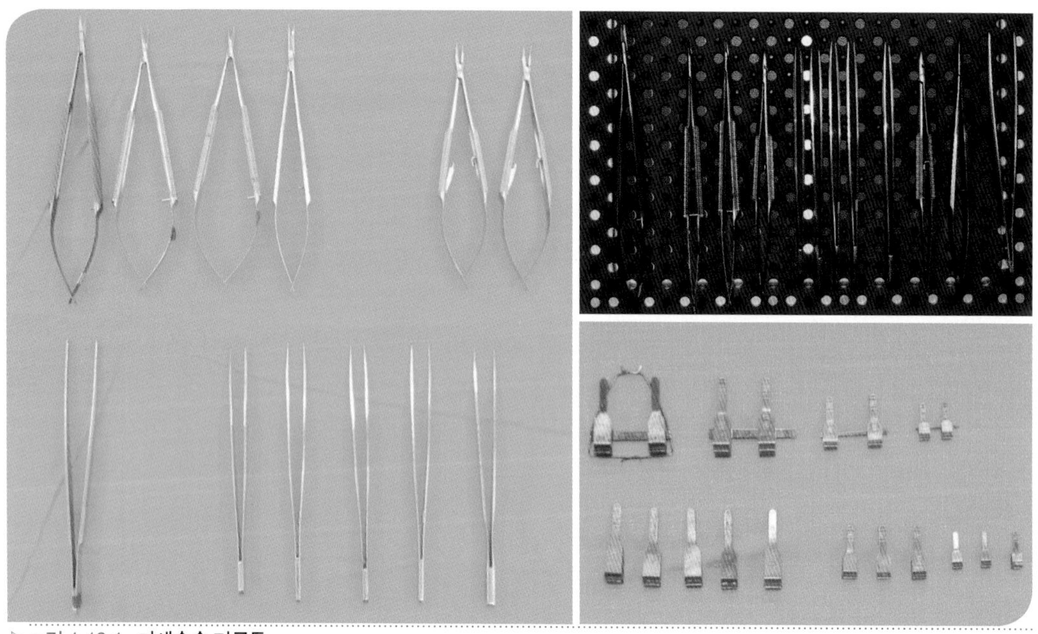

▷그림 1-18-1. 미세수술 기구들.

록 약간 휘어지면서 얇은 첨부의 형태로 고안되었고, 연필을 쥐듯이 무지와 검지 및 중지를 사용하여 잡는다. 바늘을 잡는 부분이 직선으로 고안된 것도 있으나, 휘어지는 형태가 더 섬세하게 만들 수 있고, 혈관을 확장시킬 일요가 있을 경우 더 용이하다. 잠금 장치가 있는 것은 봉합침을 계속 잡고 있어야 하는 경우 또는 지침기를 다른 수술자에게 전달할 경우 유리하지만, 비숙련자에서 잠금장치를 조작할 때 혈관에 손상을 입히기 쉬워 주의하여야 하며, 익숙해지면 잠금장치가 없는 것이 사용하기에 더 편리하다(그림 1-18-1).

(4) 혈관 클램프(Clamps)

혈관 클램프는 혈관을 문합할 때 혈류를 일시적으로 차단시키기 위하여 사용하며, 혈관에 손상을 주지 않으면서 출혈을 막고 혈관 직경차이를 보완할 수 있는 충분한 압력을 제공할 수 있어야 한다. 각각 다른 차단 압력(closing pressure)을 가진 다양한 크기의 클램프가 있으며 혈관의 종류와 크기에 알맞게 선택한다. 이상적인 압력은 한 클램프에서 가장 큰 혈관에 5~10 g/mm^{2}와 가장 작은 혈관에 15~20 g/mm^2 정도이다. 가능한 정도 내에서 가장 작은 클램프를 사용하는 것이 큰 클램프를 사용하는 것보다 혈관 손상을 최소화 할 수 있다. 이상적인 클램프는 혈관의 손상을 최소화하면서 혈류를 확실하게 차단시키도록 고안된 것이며, 양쪽 혈관 끝을 함께 고정하여 차단할 수 있는 이중 클램프(double clamp)와 혈관 한쪽 끝만 차단하는 단독 클램프(single clamp)가 있으며, 정맥용과 동맥용으로 구분한다(그림 1-18-1).

(5) 양극성 전기 소작기(Bipolar coagulator)

1956년에 양극성 전기소작기가 개발된 이후, 미세수술은 더 발전하게 되었다. 양극성 전기 소작기는 집게 모양의 소작기 양 끝 사이에만 전기가 흐르게 하여, 주 혈관에 2 mm 거리까지 작은 혈관을 정확하고 안전하게 소작할 수 있도록 한다. 전류의 세기를 조절하여 주변 조직 및 주혈관(main vessel)에 손상을 주지 않도록 주의해야 한다. 이 기기를 조직 박리용으로 사용하는 것을 선호하기도 한다.

(6) 세척 및 흡입(Irrigtion and suction)

적은 양의 혈액이라도 시야를 흐리게 하고 성공적인 혈관 문합에 방해요소가 된다. 세척의 목적은 혈관의 협착을 막고, 실이 조직에 들러붙는 것을 예방하며, 혈액을 제거하여 좋은 시야를 제공하고, 혈전형성 성분을 제거하여 문합 성공률을 높이기 위한 것이다. 주로 링거액(Ringer's lactate) 또는 헤파린을 섞은 식염수를 사용한다.

(7) 미세 봉합사(Microsutures)

혈관문합을 위하여 매우 가느다란 봉합사와 바늘이 필수적이다. Buncke는 75 mm 스테인레스 철사줄에 구멍을 뚫고, 실크 봉합사를 사용하여 토끼의 귀에서 1 mm혈관을 문합하였다. 가장 많이 사용되는 봉합사는 9-10 monofilament nylon에 100- ㎛ 바늘과 10-0 nylon에 75-㎛ 바늘을 장착한 봉합사이며, 전자는 약 2 mm 직경의 혈관에, 후자는 약 1~2 mm 직경의 혈관에 사용한다. 직경이 0.5~1 mm인 혈관의 문합에는 직경이 60~80 ㎛인 봉합침과 직경이 약 20 ㎛인 봉합사가 필요하다. 봉합침의 특성은 직경이 마이크로미터(㎛)로 표기되어 있으며 봉합침 호의 길이(arc length)는 밀리미터(mm)로 그리고 봉합침의 휘어짐(curve)은 원을 8등분하여 표시되어 있다(예, 3/8 circle). 어린이의 작은 혈관이나 미세 림프관 수술에는 11-0에서 12-0 굵기의 나일론실을 사용한다.

(8) 혈관 연결기(Anastomotic devices)

1962년에 Nakayama가 처음으로 두 개의 금속 링을 서로 맞물리게 하고 핀으로 고정하는 혈관 연결 기구를 고안하였다. 이후 기술적인 발전을 거듭하여 체내에서 영구적으로 남는 제품에서 일정기간 후 분해되어 없어지는 제품까지 개발되었다. 혈관 문합기는 주로 정맥 연결에 사용하였으나, 동맥 연결에도 좋은 성적을 나타내고 있다. 동맥에 사용할 때 혈관외번이 안될 정도로 두꺼운 혈관벽, 혈관 직경이 차이가 1.5:1 이상 되는 경우, 방사선 치료나 석회화 등으로 혈관이 뻣뻣한 경우, 그리고 혈관 직경이 1.5 mm 미만인 경우들은 금기에 해당한다.

3. 미세혈관 문합술 (Microvascular anastomosis)

1) 미세혈관 문합술에서 고려할 기본 원칙

미세혈관 수술을 임상 환경에서 보고 배우기는 하지만 실제적으로 혈관문합 실험실습 여건에서 시작하는 것이 이상적이다. 미세혈관 수술을 성공하기 위해서는 꾸준한 실습을 통하여 기구 사용에 익숙해져야 하며, 동물실습을 통해 직경 1 mm 이하의 혈관을 문합했을 때 성공률이 90% 이상 될 정도로 숙달되어야 한다. 미세혈관 문합을 통한 유리피판술을 성공하기 위하여 다음의 사항들을 고려한다.

첫째, 적절한 굵기와 혈액의 유출이 좋은 정상 상태의 수혜부 혈관을 선택하여야 한다. 특히 건강한 혈관은 손상 받은 혈관에 비해 부드럽고 쉽게 박리가 된다. 손상 받은 부위의 혈관은 섬유성 조직에 둘러싸여 있고 박리할 때 출혈이 잘된다. 손상 받은 부위의(zone of trauma) 혈관, 방사선 치료를 받은 부위, 하지의 손상, 만성 당뇨병, 죽상혈관 질환 등을 가진 경우는 혈관의 상태를 확인하기 위하여 수술 전 검사를 진행할 필요가 있다. 수술 중 혈관의 상태와 정상적인 혈류의 여부를 현미경하에서 관찰하고, 손상이 보이면 혈관 박리를 더 상부로 진행한다(그림 1-18-2).

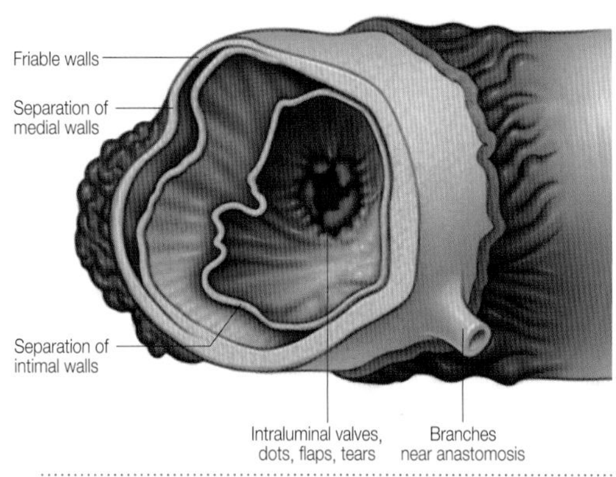

▷그림 1-18-2. **비정상적 혈관 내부:** 내벽 분리, 찢어짐, 혈전, 죽상 혈관, 석회화된 혈관벽, 분지 존재 등.

둘째, 혈관의 직경이 비슷한 혈관을 선택한다. 이상적인 수혜부의 정맥은 피판의 정맥과 최소한 비슷한 정도이나, 연결하고자 하는 혈관의 직경 차이가 2:1 정도까지는 무난하게 연결이 가능하다. 그 이상이 되면 기술적인 어려움이 생기고, 연결 부위에 와류(turbulent flow)가 생겨 수술 후 혈관 내부의 혈전형성으로 실패할 위험성이 높아진다.

셋째, 연결부위에 과도한 당김(tension)이 없어야 하며, 혈관이 꼬이거나 꺾여서는 안 된다. 혈관이 너무 짧아 과도한 긴장이 생기지 않게 하고, 필요한 경우 정맥이식을 고려한다. 반면에, 혈관이 너무 길어도 꼬이거나 꺾이는 문제가 발생하게 되므로 적당한 길이의 혈관을 유지 하는 것이 중요하다.

넷째, 피판을 혈관 문합 전에 먼저 고정하는 것을 고려하고, 혈관 문합전 피판 및 수혜부의지혈을 확실하게 한다. 혈관경의 적당한 길이와 혈관경의 배치 경로를 예측하고, 안정적인 피판의 고정 위치를 화보할 수 있으며, 혈관 문합 과정에서 발생할 수 있는 피판 떨어뜨림 등의 우연한 사고를 예방할 수 있다. 혈관 연결 후 피판의 부종이 발생하면 피판의 고정이 어렵고, 지혈이 안 되어 있을 경우 혈종 발생의 위험성이 있다. 내유방 동맥에 연결하는 유방재건과 같이 혈관경의 위치와 깊이 등을 고려하여, 피판의 선고정이 어려운 경우 혈관을 먼저 연결할 수 있다.

2) 미세혈관 문합술

미세혈관을 문합하는데 동맥 또는 정맥의 어느 것을 먼저 연결하는 것이 좋은가에 대해서는 명확하게 정해진 바가 없다. 혈관의 위치, 문합의 어려운 정도, 허혈 상태 등을 종합적으로 고려하여 순서를 결정한다. 미세 혈관을 문합하는 술기에는 끝끝연결법(end to end anastomosis)과 끝옆연결법(end to side anastomosis)이 기본적인 방법이며, 끝끝연결법이 가장 많이 시행된다.

(1) 끝끝연결법(End to end anastomosis)

① **준비 단계**

혈관의 상태가 정상인지 확인한 후 두 혈관의 양끝을 이중 클램프를 이용하여 붙잡고 혈관의 양끝이 가볍게 닿을 정도로 모아준다. 봉합을 시행할 부위의 혈관 외막 주위

조직(periadventitial layer)을 3~4 mm정도 제거하고, 혈관 내 이물질은 세척하여 제거하거나, 포셉을 이용하여 집어낸다. 봉합사 묶음(tie)의 강도가 과도할 경우 연결부위의 혈관괴사가 발생하고, 동맥류(aneurysm)를 형성할 수 있다.

② **주 봉합(Key suture)**

혈관을 연결할 준비가 되면 주 봉합(key suture)을 먼저 시행한다. 주 봉합은 혈관 단면을 180°로 이등분하는 것과 120°로 삼등분하여 위치하는 방법이 있다. Carrel은 각 120°에 해당하는 부위에 봉합을 하는 것을 창안하여 양 끝단의 혈관내벽이 밀착되도록 하였으며, 혈관 후벽이 혈관내로 말려들어가는 것과 혈관의 내경이 좁아지는 것을 방지하였다. Cobbett는 혈관 전벽에 두 군데의 120°위치에만 주 봉합을 하여 장력이 적게 작용하는 후벽의 혈관이 전벽에서 떨어지도록 개선하였다. 직경이 작은 정맥은 전벽을 봉합할 때 후벽이 포함되는 것을 피하기 위해 이 방법을 사용하는 것이 안전하다. 두꺼운 동맥이나 직경이 꽤 큰 정맥에서는 180°로 이등분하여 전벽과 후벽으로 나누어서 봉합하는 것이 편리하다(그림 1-18-3).

③ **전벽(Anterior wall)**

주 봉합 후 두 번째 봉합이 가장 중요하며, 봉합의 방법을 결정하게 된다. 일단, 혈관을 봉합할 때 바늘이 혈관의 내벽을 포함하여 혈관 전벽 전층을 수직으로 관통해야 하며, 혈관 끝에서 바늘이 통과하는 거리는(bite) 혈관벽의 두께와 비슷하게 고려하고, 문합하는 동안 일정하게 유지한다. 봉합사의 묶음은 최초에 봉합사를 두 번 감는 double throw를 시행하고, 다음에 두 번의 single throw를 한다. 두 혈관의 끝이 서로 약간 외번될 정도에서 묶음을 멈춘다. 혈관의 내벽(intima)이 손상될 정도로 강하

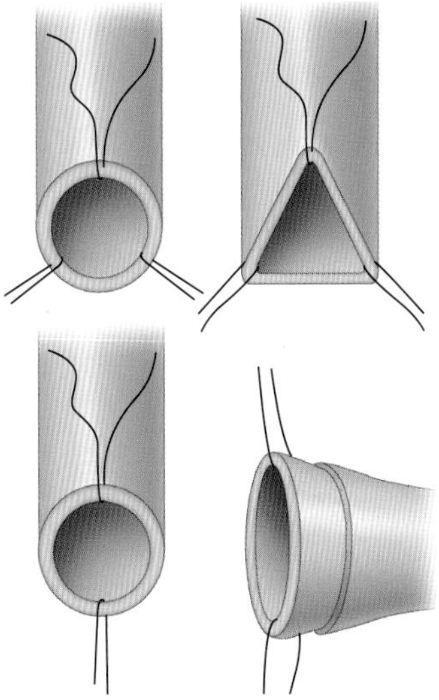

▷그림 1-18-3. **주봉합의 위치:** 120도로 3등분, 180도로 2등분 또는 120도로 2개의 단속 봉합을 시행한다.

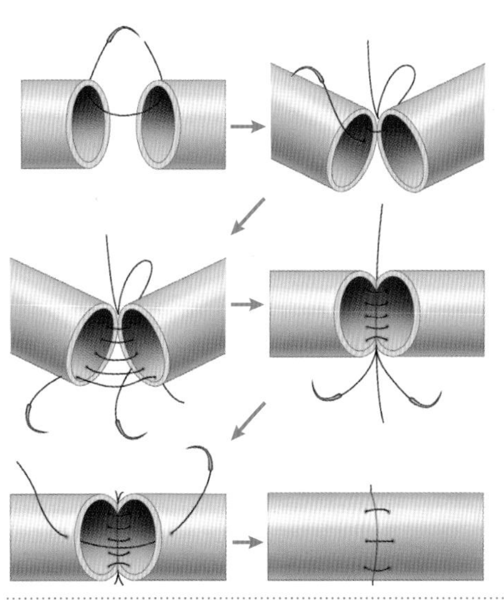

▷그림 1-18-4. **후벽 선봉합:** 전벽봉합을 먼저 하기 어렵거나 혈관의 뒤집음이 안되는 경우 후벽 봉합을 먼저 시행한다.

게 묶을 경우 혈전이 발생하고, 혈관의 중벽(media)이 손상될 경우 혈관벽의 괴사가 발생하여 재혈관화(re-endothelialization)가 이루어지지 않는다. 봉합이 진행될 될수록 혈관내부를 볼 수가 없으므로 몇 개의 봉합은 묶지 않은 상태로 놔두어 마지막 봉합을 시행하고 최종적인 묶음을 한다. 전벽을 봉합한 후 후벽 봉합을 위한 혈관의 뒤집음이 어렵다고 판단될 경우, 후벽을 먼저 봉합하는 back wall-up technique을 하여 전벽을 나중에 문합하도록 한다(그림 1-18-4).

④ **후벽(Posterior wall)**

전벽의 봉합을 끝낸 후 미세수술용 집게를 이용하여 클램프를 뒤집어서 후벽을 노출시키는데 후벽이 전벽 봉합에 같이 묶이지 않은 것을 확인한 후에 후벽의 봉합을 시작한다. 봉합의 개수는 혈액이 새지 않도록 하는데 필요한 최소한으로 하여 혈관의 내경이 좁아지는 것을 방지하고, 봉합사에 의한 이물 반응을 줄일 수 있다. 대개 1 mm 정도 굵기의 혈관인 경우 6~8개의 단속 봉합으로 충분하다.

(2) 끝옆 연결법(End to side anastomosis)

다른 혈관의 한 쪽 끝단을 혈관의 측면에 문합을 하는 것으로 상지나 하지에서 가용 혈관이 하나 밖에 없어서 공여 혈관으로 희생시킬 수 없는 경우나, 연결할 혈관의 직경 차이 또는 혈관벽의 두께 차이가 매우 클 경우에는 유용한 방법이다(그림 1-18-5).

(3) 기타 혈관 봉합 방법

봉합 방법은 단속봉합법(interrupting suture)이 가장 많이 시행되며 그밖에 연속 봉합법(continuous suturing)과 슬리브 봉합법(sleeve anastomosis), 커플러(Coupler)를 사용한 봉합법이 있다.

① **연속 봉합법**

연속 봉합법은 혈관의 직경차이가 적고, 직경이 약 2~3 mm정도인 혈관에 유용하다. 혈관문합시간을 절약하는 장점과 함께 개존율도 단속 봉합법과 비슷하다. 봉합사를 묶을 때 쌈지봉합(purse-string suture)효과로 문합부의 혈관이 좁아지지 않도록 주의하여야 한다.

② **슬리브 봉합법(Sleeve anastomosis)**

슬리브 봉합법은 두 개의 혈관외 봉합(extrmedullary suture)을 이용하여 한 쪽 혈관의 끝을 다른 한쪽 혈관의 내부로 집어넣어 봉합하는 방법으로써, 시간이 절약되고 혈관 내면에 봉합사가 적게 노출되는 장점에

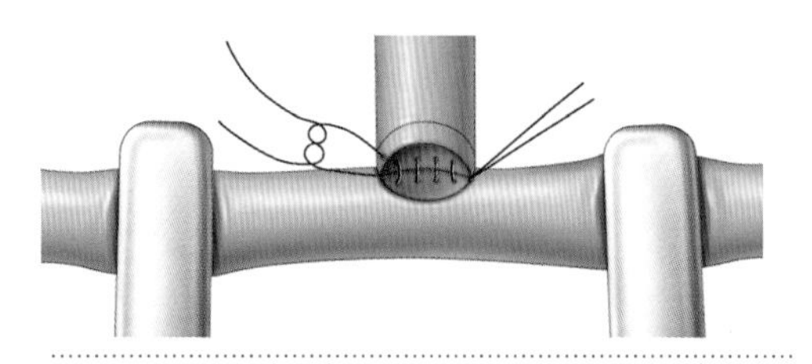

▷그림 1-18-5. **끝옆문합**(end to side anastomo sis). 혈관직경 차이가 클 경우에도 적용이 가능하다. 후벽봉합을 먼저 하는 것이 유리하다.

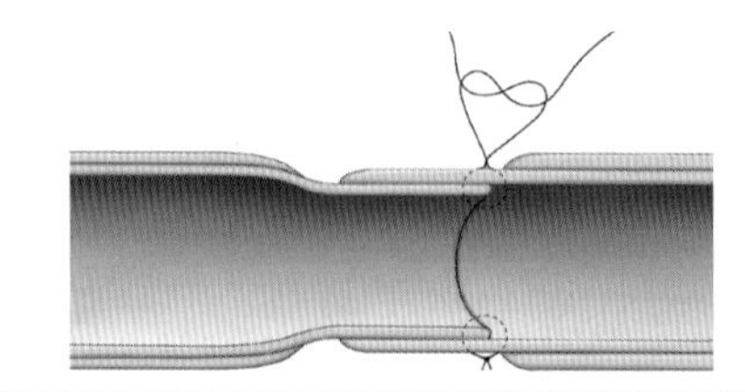

▷그림 1-18-6. **슬리브 봉합법**(sleeve anastomo osis).

도 불구하고 개존율이 좋지 못하다는 단점으로 많이 시행되지 않는다(그림 1-18-6).

③ **레이저를 이용한 봉합법**

최소한의 봉합으로 혈관 연결을 시도하려는 방법들 가운데 레이저를 이용하여 혈관을 연결하는 방법이 실험적 및 임상적으로 시도되고 있다. 여러 가지 레이져를 사용하여 정맥문합을 시도한 실험결과는 100%의 개존률을 보여 고식적인 봉합방법보다 나은 것으로 평가되었으나. 임상적으로 레이저를 사용한 혈관문합에서 문합부위의 파열, 혈종의 발생 등의 부작용이 보고되었다. 레이져를 사용할 경우 문합부위의 인장강도가 약하다는 단점으로 혈관 문합의 용이함과 시간의 단축이라는 장점에도 불구하고 임상적으로 활성화되지 못하고 있다.

④ **섬유소풀(Fibrin glue) 또는 조직접착제를 이용한 봉합법**

Fibrin glue를 사용할 경우 혈관 내 유입을 방지하기 위하여 몇 개의 단속 봉합을 시행한 후 glue를 도포한다. 혈관봉합의 개수를 적게 하여 시간을 단축시키는 장점이 있으나, 고식적인 봉합방법에 비하여 개존률이 낮고, glue가 혈관내로 유입될 경우 알러지 반응과 아나필락시스(anaphylaxis) 반응의 가능성이 잠재하여 임상적으로 많이 사용되지 않는다. 조직접착제(Cyanoacrylates)는 실험결과에서 조직 독성, 이물 육아종 형성, 혈관벽의 약화, 내막의 석회화 등 다양한 부작용이 보고된 바 있다.

⑤ **커플러를 이용한 봉합방법(use of the Coupler)**

커플러를 사용한 봉합방법은 고식적인 혈관 문합에 큰 변화를 가져왔다. 문합시간의 단축 효과가 매우 크다. 비흡수성 및 흡수성 재료를 사용하는 것이 있으며, 커플러에 혈관 모니터링 장치를 부착하는 제품도 개발되었다.

(4) 양쪽 혈관의 직경에 차이가 있을 때 봉합법

① **물리적인 확장**

약간의 직경 차이가 있을 때에는 작은 쪽의 혈관 내부에 미세수술용 집게를 넣어 물리적으로 확장시킬 수 있다.

② **비스듬하게 절단**

직경이 작은 쪽의 혈관을 비스듬하게 잘라서 직경을 넓게 한다.

③ **작은 혈관의 측면 절개**

작은 혈관의 측면을 혈관에 평행하게 절개(longitudinal cut)한다.

④ **정맥 이식**

혈관 직경의 차이가 3:1 이상이 될 경우

⑤ **끝옆 문합(end to side anastomosis)**

혈관 직경의 차이가 3:1 이상이 될 경우

⑥ **작은 곁가지 연결**

혈관 직경이 비슷한 곁가지를 찾아 연결한다.

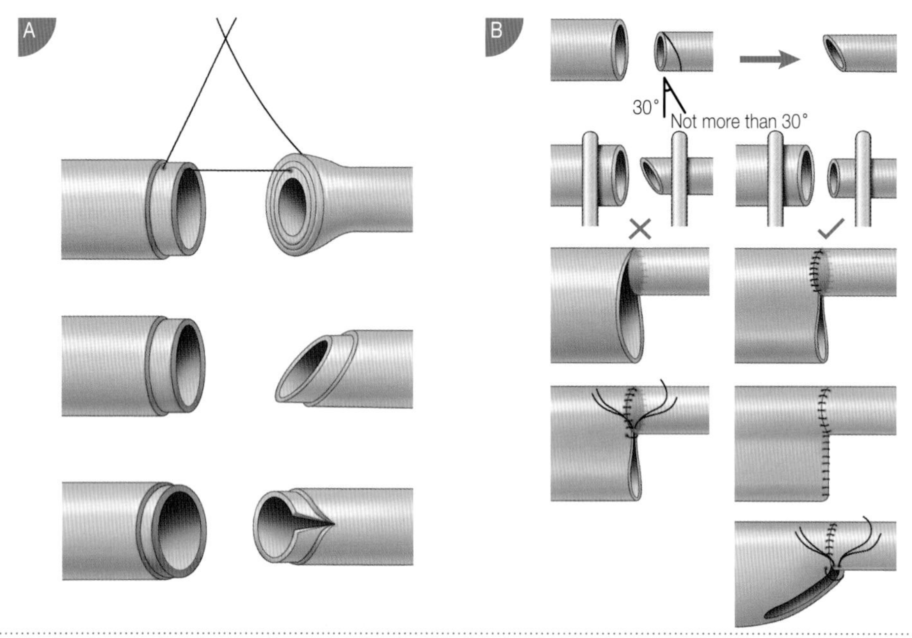

▷그림 1-18-7. 연결하는 혈관의 직경차이를 극복하는 방법들.

⑦ **작은 혈관을 끝끝(end to end anastomosis) 연결 후 큰 혈관 재단**

작은 혈관의 직경에 맞게 큰 혈관에 연결하고, 큰 혈관의 남는 개방 부분을 직접 일차 봉합하거나 클램핑을 시행한다(그림 1-18-7).

3) 혈관 이식(Microvascular graft)

혈관이식은 정맥이식과 동맥이식을 시행할 수 있다.

(1) 동맥이식의 장점 및 공여부

동맥은 밸브가 없고, 형태가 잘 유지되며, 조작하기가 쉽고, 또한 첫 3주 동안 prostacyclin 성분을 분비하여 항혈전 효과를 나타내므로 동맥이식이 여러 가지 면에서 정맥이식에 비래 장점이 많으나 공여부가 제한되어 있다. 공여부에는 견갑하 분지, 전방 및 후방 골간 동맥, 요골 또는 척골 동맥, 심하복벽 동맥, 천하복벽 동맥, 족배 동맥 등이 있다.

(2) 정맥이식 적응증

정맥이식은 혈관 연결을 한 번 더 해야 한다는 단점이 있지만 정상적인 상태의 혈관에 연결함으로써 수술 성공률을 높인다.

① 연결할 혈관의 길이 부족
② 연결 부위의 과도한 긴장 감소
③ 혈관 직경의 차이 해결
④ 손상구역 또는 방사선 치료 부위 등의 해부학적 문제 부위 회피
⑤ 한 개의 혈관에 여러 개의 혈관 연결 또는 우회

(3) 정맥 이식 시 고려할 점

이상적인 정맥 이식은 정맥의 직경이 서로 일

치하여야 하며, 가능하다면 동일한 해부학적 구역에서 가져오는 것이 좋다. 예를 들면 상지에서 혈관을 문합할 때 정맥 이식 공여부로 상지의 정맥을 사용한다.

① **정맥 이식의 길이**

이식한 정맥의 길이가 과도하게 길면 혈전이 생기거나 혈관이 꼬여서 혈류가 막힐 가능성이 높으므로 적당한 길이를 이식해 주는 것이 중요하다. 동맥부족을 위한 정맥을 채취할 때, 동맥이 이완된 상태에서 부족한 길이보다 33% 길게 측정하여 채취하며, 채취 후 자연적인 수축으로 인해 약 30%정도 수축함으로 적당한 길이가 된다. 반면에 정맥의 부족한 길이를 보충하기 위해서는 부족한 길이와 같은 길이로 정맥을 채취 한다.

② **혈관 직경의 차이**

이식할 정맥은 직경이 잘 맞는 것을 선택하며, 직경의 차이가 2:1을 넘지 않도록 한다. 수지 동맥이나 수부이식에는 손목과 전완부의 정맥 또는 족배부의 정맥이 적당하다.

③ **이식할 정맥의 박리**

정맥을 채취할 때는 가급적 손상을 입히지 않도록 주위조직을 잘 박리 하며, 분지들은 조심스럽게 결찰하거나 소작한다.

④ **혈류 방향의 표시**

작은 정맥도 밸브를 갖고 있을 수 있으므로, 원래의 혈류방향이 바뀌지 않도록 한쪽 끝에 표시를 하거나 클램핑을 해 둔다.

(4) 정맥 연결(Anastomosis of vein)

혈관 봉합 부위에 과도한 긴장(tension)이 가해지면 혈관 벽에 괴사(necrosis)가 일어난다. 정맥은 동맥보다 이러한 긴장에 좀 더 잘 견디는 경향이 있다. 정맥에서는 혈관내피세포의 재생이 더 늦게 일어나며 때로 수술 후 3~4주가 걸리는 경우도 있다. 정맥은 혈관 벽이 얇기 때문에 동맥보다는 난이도가 높고, 특히 직경이 작은 정맥은 더욱 어렵다.

4) 혈관 개통 검사(Testing for patency)

연결을 끝낸 후 원위부의 혈류가 확인되고, 피판의 가장자리에서 출혈이 있으면 개통이 유지되고 있음을 확인할 수 있다. 피판에 혈류공급이 없거나, 피판 또는 정맥이 충혈(engorgement)되는 경우, 공여부 정맥의 색깔이 수혜부보다 더 어두운 경우 등 혈류가 원활하지 않은 결과를 보인다면 문합부위를 포함하여 혈관의 상태를 조사 한다. 혈관꼬임과 혈관 경련 여부를 확인하되 혈관을 과도하게 조작하지는 않는다. 만약 수 분이상이 경과한 후에도 혈관의 경련이 있으면, 물리적 조작이나 약물을 사용한다. 처치에도 불구하고 혈관경련이 지속될 경우 연결부를 확인하여 정맥 연결 부위가 막혀있다면, 동맥폐색으로 진행될 수도 있으므로 동맥의 개존 여부도 검사한다. 연결 부위에서 혈류가 막히는 것은 혈관 문합의 기술적 문제가 가장 흔한 원인이며, 단순 조작 보다는 절단 후 혈관을 다시 봉합 한다. 혈관 개통 검사법은 다음과 같다.

(1) Milking test (Empty and refill test)

정맥 연결부위의 원위부에서 시행한다. 미세수술용 집게로 문합부위 원위부의 혈관을 살짝 잡아 혈류를 차단시키고 또 하나의 집게로 처음 잡은 집게의 바로 원위부에서 시작하여 더 혈류방향으로 혈액을 밀어내고 그 지점에서 혈관을 잡아 역류되는 혈류를 막는다. 혈관이 비어진 것을 확인하고 처음 잡았던 집게를 놓으면서 혈액이 신속하게 비어있던 혈관 내로 들어오는 것을 보고 혈관개통을 확인할 수 있다(그림 1-18-8). 이 검사는 동맥보다는 정맥에 더 적합하고, 혈관에 손상을 줄 수 있으므로 신중하게 시행한다.

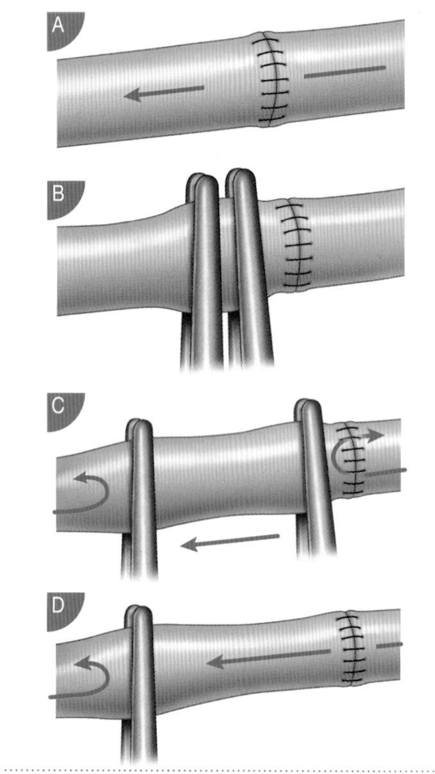

▷그림 1-18-8. Milking test.

(2) 들어올림 검사(Up-lift test)

연결부보다 원위부 혈관 밑에 기구를 받치고 혈류가 부분적으로 정지될 정도로 가볍게 들어올린다. 혈류가 잘 통하는 혈관에서는 박동에 맞추어 반복적으로 혈액이 차고 다시 비워지며 흐르는 현상을 볼 수 있다.

4. 수술 후 환자 관리

1) 피판 및 환자 감시

피판을 감시하는데 있어서 효과적이며 경제적인 방법이라고 단정할 수 있는 것은 없다. 현실적으로 수술 직 후부터 최소 72시간 까지 일정한 짧은 간격으로 주기적인 임상적 관찰이 가장 중요하며 기본적인 방법이다. 피판의 상태를 검사하는 물리적인 방법은 pin prick test, 피판 표면 온도 측정(measurement of flap surface temperature), hand-held Doppler, 흡수성 또는 비흡수성 혈관주변 감지기 삽입, Laser Doppler, pulse oximetry과 스마트 폰을 이용한 원격 감시 등이 있고, 피판의 전부가 피부 또는 다를 조직으로 덮이는 경우(buried flap) 이식용 소형 도플러를 삽입하거나 피판의 일부를 피부쪽으로 노출 시키는 방법이 있다

5. 미세혈관 문합술 실패의 원인

1) 혈관 문합의 기술적 실패

혈관 문합 실패에는 기계적 실패, 혈관의 내적 원인 또는 혈관 경련 및 혈전 형성 등 여러 가지 원인이 있다. 기계적 실패는 혈관의 찢어짐, 혈액의 유출, 혈관내경의 축소와 협착, 외벽의 문합부 함입, 혈관의 건조 등 수술 당시 기술적 오류가 원인이 될 수 있다. 가장 흔한 원인이 혈관을

연결 기술미숙 이며, 기술적인 오류로 인해 혈관이 막힌 경우에는 문합부위를 절제하고 새롭게 문합 한다. 혈관 벽의 손상이나 클램프로 잡았던 부위의 혈전 형성이 원인이면 혈전과 손상 받은 혈관을 제거하고 다시 연결한다.

2) 혈관 경련(Vasospasm)

혈관 경련은 약 5~10%에서 발생하며 유리피판술 실패의 중요한 원인이 되고, 수술 중 또는 수술 후 약 72시간까지 발생할 수 있다. 전신적인 원인은 저체온, 저혈압, 얕은 마취심도로 인한 통증에 대한 교감신경 반응 등이 있고, 국소적인 원인으로 혈관의 손상 및 건조, 국소 출혈과 혈액 접촉, 혈관 외벽의 긴장, 혈관 이상 등이 있다. 정맥은 동맥에 비하여 혈관 경련에 둔한 편이나, 발생하면 더 심하게 나타나 해결하기가 더 어렵다. 혈관 경련 발생 시 혈관을 따뜻하게 유지하면서 수 분간 혈관을 놔둔 상태로 관찰하며, 풀리지 않을 경우 약물사용 또는 물리적 확장을 시도한다.

약물의 사용은 papaverine, lidocaine과 calcium channel blockers (nifedipine, verapamil, nicardipine)을 선택적 국소적으로 사용한다. 상지의 경우 액와신경총에서 교감신경 차단이 효과적이라는 보고도 있다. 물리적인 치료는 혈관의 절단부를 기계적으로 조심스럽게 확장하는 것과 혈관의 외막(adventitia)을 제거하는 것으로써 교감신경 차단의 효과와 더불어 혈관벽의 두께를 얇게 하고 이완이 쉽게 되도록 한다.

정상 혈관에서 경련이 발생하였을 경우 자연 해소가 되지 않는다면, 미세수술용 집게로 혈관의 내부를 물리적으로 살짝 확장시키고, 2% 리도카인(lidocaine)이나 베라파밀(verapa mil)과 같은 약제를 사용하면서 젖은 거즈로 덮고 잠시 기다리면 이완될 수 있다. 결국 조절되지 않는 혈관 경련은 정상적인 혈관이 나타날 때 까지 적극적인 혈관 절제가 필요하며, 이런 경우 혈관이식이 수반될 가능성이 있다.

3) 혈전 형성(Thrombogenesis)

혈전은 미세혈관 수술 후에 혈류의 장애를 초래하여 수술의 성패를 결정지을 수 있는 가장 중요한 요인이다. 혈전 형성은 문합 후 48시간 내에 4~80%가 나타난다. 혈전 형성은 혈관 내 혈류의 변화, 혈관내벽의 손상 및 혈액응고(coagulability) 상태 변화에 관련되어 있다. 동맥과 정맥의 혈전형성 기전은 서로 차이가 있는데, 동맥의 경우 혈소판의 응집과 관련되어 처음 24시간

▷표 1-18-1. 미세혈관수술의 실패 인자

혈관 조작의 기술적 원인	혈류 및 혈액 응고 이상	수술 후 관리 오류
전/후벽 동시 봉합 오류	혈류재중단현상(no-reflow phenomenon)	과도한 압박
혈관 조작 미숙 및 혈관 손상	와류 발생	탈수, 저체온증
과도한 혈관 직경 차이	혈관 경련	산증
과도한 혈관 봉합부 긴장	혈액 과응고 상태 및 조건	감염
과도한 혈관 클램프의 압력	혈액량 감소	저체온증
혈관 꼬임(kinking)	혈관 수축제 사용	
피판의 무게	저체온/저혈압	

내에 주로 발생하고, 정맥은 동맥보다 나중에 나타나는 경향이 있고, 피판의 상태에 영향을 많이 받으며, 섬유소 응집 등과 관련되어 있다(표 1-18-1).

(1) 혈류의 변화

정상적인 혈류는 층류(laminar flow)로써 혈관의 압력, 혈관의 저항 그리고 혈관 직경과 같은 요소들에 의해 결정된다. 층류의 상태에서 변연부의 분자가 혈관 벽에 달라붙음으로써 저항이 발생하고, 저항은 혈관 직경에 반비례한다.

수술 후 혈류의 변화는 외부 기계적 원인과 관계가 있고, 혈관 내 와류(turbulence)의 형성은 문합 기술상의 미숙으로 인한 혈관 내벽의 돌출, 혈관 내 봉합사 또는 혈관 직경의 차이로 나타난다. 혈관 문합이 매끄럽게 잘 된 경우에 혈전이 발생하였다면, 혈류가 회복되고 약 한 시간이 경과하며 혈전이 대부분 사라진다는 보고가 있다.

(2) 혈관의 손상

혈관내벽이 손상되면 endothelial cell은 대표적인 혈관수축제로 작용하는 endocyclin-1과 함께 혈관 확장 효과가 있는 nitric oxide와 prostacylin을 분비하고, 혈소판 응집과 혈액응고기전이 촉발된다. 그리고 혈관 연결 방법과 수술자의 숙련도에 따라서도 혈전 형성의 가능성이 달라지며, 노출된 혈관 및 혈관 주위가 장시간의 수술로 건조되는 것도 혈전이 잘 생기는 조건이 된다. 한편, 죽상혈관질환, 당뇨, 버거씨 병(Buerger's disease) 등과 같은 전신적인 혈관 병변이 있을 경우에도 혈전이 발생할 가능성이 높아진다.

(3) 혈액 응고 변화

과혈액응고 상태를 초래하는 국소적 혹은 전신적인 상태는 가능하면 수술 전에 확인하고 교정한다. 혈소판(platelet)이 증가하는 출산 후, 외상, 심한 출혈 상태와 혈소판의 흡착성이 증가하는 뇌종양, 다발성 경화증(multiple sclerosis), 외상 그리고 고지혈증(hyperlipidemia)등을 확인한다. 혈액 응고 장애를 나타내는 activated protein C, hyperfibrinogenemia, antiphospholipid syndrome, 및 reactive thrombocytosis 등도 수술 전에 치료한다. 혈액 응고 시간(clotting time)은 심한 출혈, 외상, 감염, 부신피질 호르몬제(corticosteroids) 및 에스트로겐(estrogen) 등에 의해 짧아진다. 임상적으로는 탈수(dehydration)가 점도를 높이게 되는 가장 흔한 원인이고 그 외에 세균감염과 적혈구증가증(polycythemia) 등도 점도를 높이는 원인이 된다. 수술 중에 창상에서 분비되는 thromboplastin도 혈액응고에 영향을 미치므로 헤파린을 혼합한 용액으로 자주 세척 한다.

4) 항혈전제

항혈전 치료의 목적은 혈전예방을 목적으로 사용하며, 혈소판 기능 과 응집억제, 혈소판과 섬유소에 대한 thrombin의 작용 완화, 혈액의 점도 저하 또는 혈류량 증가의 효과를 기대한다. 대표적인 약물은 헤파린, 덱스트란, 아스피린, 프로스타글란딘(prostaglandin), 거머리(leeches) 등이 있다.

(1) 헤파린

헤파린은 혈소판 응집의 억제, 항트롬빈 III의 활성화, 혈액 점도 감소와 직접적인 혈관확장의 효과를 나타낸다. 정상 혈관과 잘 문합된 혈관보다 죽상혈관, 손상된 혈관과 이식혈관 등 혈류에 문제가 발생할 가능성이 있는 경우 효과적으로 사용할 수 있다. 저분자량 헤파린(low molecular weight heparin)을 사용하여 출혈 경향을 낮추면서 혈관문합 개존률을 높일 수 있다. 헤파린을 전신적으로 사용할 때 헤파린에 의한 thromboytopenia의 발생을 주의한다.

(2) 덱스트란(Dextran)

고분자 다당류로써 혈장량을 증가시키고 혈액의 점성을 낮추어 미세 혈류 개선 효과가 있다. 동시에 혈소판 응집과 혈액응고인자 VIII-Ag를 감소시키고 섬유소 구성에 영향을 미쳐 항 혈전 효과를 나타낸다. Dextran-40이 미세혈관 수술에서 더 많이 사용되고, 혈관문합 후 약 일주일까지 효과를 보인다. 일반적으로 25 ml/hour로 5일간 사용하고, 소아에서 8~10 ml/kg/24hours를 투여한다.

(3) 아스피린

항혈소판 제제로서 cyclooxygenase를 억제하는 강력한 혈관 수축제이며 혈소판 응집효과를 나타내는 thromboxan의 생성을 막는다. 저용량 아스피린(75 mg/day)이 선택적으로 혈관문합 부위에서 thromboxan 억제 효과와 prostacyclin 생성효과를 갖는다. 소아에서 사용할 경우 Reye's Syndrome의 발생을 유의한다.

(4) 프로스타글란딘 E1(Prostaglandin E1)

프로스타글란딘 E1은 말초동맥폐색 질환에 사용하는 약제로, 오랫동안 허혈/재관류 손상에서 조직을 보호하는 목적으로 사용하였다. 혈관 경련 완화, 혈류량 증가와 혈소판 응집억제에 효과를 나타내며, 고용량에서 말초정맥에, 저용량에서 말초동맥에 작용하여 혈전형성 경향을 감소시킨다. 후행성 대규모 임상 실험에서 약물을 사용하지 않은 대조군과 비교하여 차이가 없다는 보고도 있다.

(5) 거머리(Leeches - hirudin)

거머리에서 분비하는 hirudin은 트롬빈의 길항제로서 혈소판 인자-4(platelet factor-4)에 의해 비활성화가 되지 않고, 정맥성 울혈이 있는 피판에 효과적이다. 거머리 부착은 상당량의 출혈을 동반하기 때문에 생체 징후와 혈색소치를 검사하여야 하며, 필요시 수혈을 시행한다. Aeromonas Hydophilia 감염이 될 수 있으므로 예방적 항생제로 cefotaxime 또는 ciproploxacin을 사용한다.

(6) 섬유소 용해제(Thrombolytic agent)

스트렙토키나제(streptokinase), 유로키나제(urokinase)와 tissue plasminogen activator 등과 같은 약제는 미세혈관 수술 후 혈전형성의 구제술에서 사용한다. 후행성 다기관 연구에서 약물의 효과가 없다는 보고도 있다. 약물이 전신적으로 주입될 경우 혈전용해 효과로 출혈이 발생할 수 있는 위험성이 있으므로, 국소적으로 사용한다. 유로키나제와 tissue plasminogen activator는 plasminogen에 직접 작용하고, 항원항체 반응이 적다.

6. 허혈-재관류 손상 (Ischemia-reperfusion injury) 및 no-reflow phenomenon

장시간의 warm ischemia는 피판의 괴사 및 피판술의 실패의 원인이 되고, 이차성 허혈은 문합한 혈관이 막히면서 발생한다. 허혈에 대한 내성은 조직의 대사에 관계되며 피부, 신경, 뼈, 근육, 내장기관 순서로 나타난다. 장시간의 허혈이 지속된 상태에서 미세혈관 문합으로 피판에 혈류를 재관류 시킬 때, 허혈시간 동안 발생한 oxygen radical로 인하여 국소적 전신적으로 염증반응이 과하게 발생하는 것을 허혈-재관류 손상이라고 한다.

심한 허혈-재관류 손상은 불가역적인 혈관 수축과 혈관이 개통되어 있음에도 불구하고 피판에 혈류공급이 중단되는 'no-reflow phenomenon'을 발생시킨다. 피판의 허혈로 인한 세포 및 세포간질의 부종, 혈소판 및 백혈구의 응집이 일어나고, 혈류량 감소와 함께 혈전이 형성과 피판의 실패로 이어진다.

헤파린, 혈관 이완제, 프로스타글란딘 E1, 칼슘 채널 차단제, 프로스타 사이클린과 혈전용해제의 사용, free radical scavenger로서 deferoxmin과 superoxide dismutase가 실험적인 상황에서 selectin, integrin의 작용과 monoclona antibody의 결합작용을 억제하여 염증반응을 조절하는 하는 것으로 보고된 바가 있다.

7. 실패한 피판(Failed flap)의 관리

피판의 실패는 환자 및 의사에게 정신적, 육체적으로 충격을 준다. 피판이 실패하였을 경우 원인을 확인하고, 구제술 시행 여부, 이차 미세수술 또는 재수술 결정, 수술시기 선정, 창상관리 방법, 합병증 치료와 환자 관리 등 체계적인 고찰이 필요하다. 만약 미세혈관수술을 이용한 이차 피판술이 결정되었다면 수혜부 혈관의 이용 가능성을 평가하고, 일차 수술과 동일한 목적을 갖는지 변화가 있는지 분명히 하여야 한다. 이차 수술의 실패는 수혜부와 공여부의 조직 결손 및 변형 존치와 기능 이상을 초래할 가능성이 커지는 만큼 수술방법의 선택과 목적을 신중히 결정하여야 한다.

8. 미세수술의 임상적 적용

1) 혈관화 복합조직 동종이식 (Vascularized composite tissue allotransplantation, VCA)

임상적 혈관화 복합조직 동종이식은 수부이식에서 100례 이상, 안면이식에서 36례 이상 시행되었다. 이 수술들은 기존의 부분적인 재건 방식에 비해 성형외과적 재건에 새로운 시각과 전망을 갖게 하였다. 혈관화 복합조직 이식은 피부, 근육, 뼈, 신경 등의 복합적인 조직을 한 번에 이식하는 것에서 고식적인 장기이식이 단일 장기 또는 단일 조직의 이식을 시행하는 것에 배해 진일보한 차이를 보인다. 1906년에 Carrel과 Guthrie가 혈관화 사지 또는 복합조직이식이 가능함을 보고한 이래 여러 동물실험과 임상에서 신경과 근육의 기능회복을 보고한 바가 있다. 높은 성공률을 보이는 상황에서 이 수술법의 가장 큰 제약은 기증공여자를 확보하는 것이며, 강력한 면역 억제제를 사용하더라도 초기에 어느 정도의 급성 면역거부 반응을 나타낸다는 것과 장기적인 관점에서 면역억제관리와 이차적인 부작용의 발생이다.

(1) 손이식(Hand transplantation)

손이식이 성공한 이 후, 2017년에도 11살 소년의 양손 이식이 성공적이라는 보고가 있는 반면에 이식한 손의 기능회복이 저조하여 제거해 달라는 환자의 요청이 제기되는 경우도 있다. 손이식은 생명이 위독한 상황에서 생명연장을 위한 수술이 아닌 점에서 일반적인 장기이식과 개념적 차이를 보인다. 그러므로 수술 후 정확한 평가를 통하여 손이식 수술의 지속시행 여부를 결정할 수 있다.

기능 평가 방법으로 상지를 사용하는 일상생활 능력 평가인 Carroll test (a well-validated test), Hand Transplantation Score system (HTTS, the International Registry on Hand and Composite Tissue Transplantation), 감각회복 평가를 위한 Semmes-Weinstein monofilaments examination 등을 사용한다. 손 또는 전완부 이식에 대한 것은 뼈, 혈관, 근육과 건, 신경을 섬세하게 연결하여 주는 것이며(그림 1-18-9), 기능회복과 더불어 일상으로의 복귀를 목적으로 한다.

여러 수술 시행 그룹들은 평가방법을 이용한 운동 기능 및 보호감각(protective sensation), 일상생활 능력 평가를 통하여 수부이식의 결과를 긍정적으로 바라보고 있고, 일상생활로 복귀한 경우를 비롯하여 기능의 회복이 수술 후 4~5년까지도 지속됨을 보고하였다. 이식한 손의 기능적인 회복 외에 지속적인 유지는 성공적인 면역억제관리에 있다.

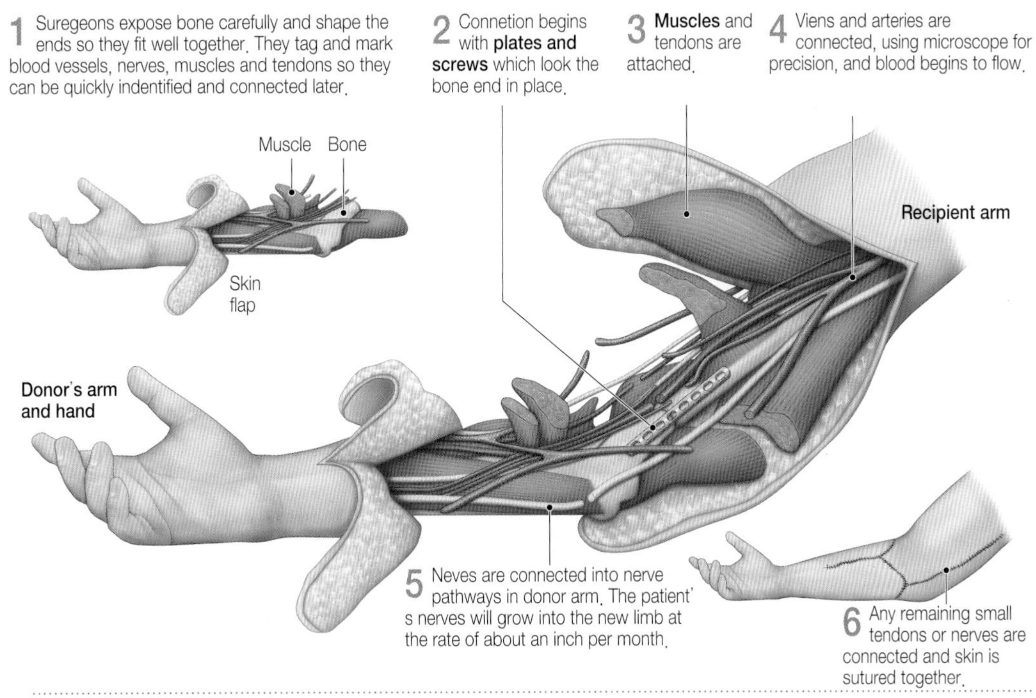

▷그림 1-18-9. 수부이식의 모식도.

국내의 경우 통칭 팔이식이라 불리고 있으나, 정확한 해부학적인 용어가 아니며 손, 전완, 상완 등 이식부위에 따른 명칭의 세분화가 필요하다. 2017년에 1례의 손이식이 시행되었으며, 2018년에 다른 장기이식처럼 건강보험급여 적용이 결정되었다.

(2) 안면이식(Facial transplantation)

안면이식은 부분적인 안면이식이 2005년에 프랑스에서, 전체 안면이식이 2010년에 스페인과 미국에서 시행되었으며, 이 후 중국, 터키, 폴란드에 이르기 까지 여러 국가에서 시행되고 있다. 안면이식의 결과는 기본적인 신체조건 이외에 안면이식 범위, 주조직 적합성 항원(major histocompatibiity complex, MHC), 면역억제제 대한 신체 적응 등의 요소에 의하여 결정되며, 수부이식과 마찬가지로 성공적인 술기로 평가가 되고 있는 상황이다. 안면이식 후 사망한 증례들에서 안면이식과 관련이 없는 사인 외에 면역억제제 사용과 관련한 암 발생이 보고된 바 있어서, 안면이식 수술 결정에 대하여 생물학적 관점의 생명과 사회적 관점의 삶에 대한 충분한 의견소통과 숙고가 필요하다.

국내에서 안면이식은 '얼굴'이라는 개체 고유의 사회적 정체성을 가지고 있는 부위를 다른 얼굴로 이식하는 데 있어 환자 스스로의 정체성 뿐만아니라, 윤리적, 사회적 협의가 필요한 사항으로 남아있다. 국내 장기이식에 관한 법률에서 '얼굴'이 장기이식의 범위에 포함되지 않고 있으나, 수부가 포함된 만큼 향 후 법률상의 이식장기에 관한 폭 넓은 협의가 진행될 것으로 기대한다.

성형외과 영역에서의 동종이식과 관련된 내용은 다음 단원에서 더 자세히 다루도록 한다(I-19 '성형외과 영역에서의 동종이식' 참조).

2) 천공지 피판술, 유리 천공지 피판술 (Perforator flap, Free perforator flap)

1989년 Koshima 등에 의해 천공지 피판의 개념이 소개되었다. 천공지혈관은(perforator vesses) 주혈관가지에서 피부에 이르는 혈류공급 담당 혈관을 말하며, 세 가지 형태로서 직접피부천공지(direct cutaneous perforator), 격막피부천공지(septocutaneous perforator)와 근피부천공지(musculocutaneous perforator)로 구분한다. 이 혈관들을 기반으로 하는 피판이 천공지 피판이며, 적절한 혈관 길이와 직경을 확보할 수 있고, 동시에 공여부의 근육을 보존하여 기능적 손실을 최소화하며, 동시에 얇은 피판도 가능하여 미용적 효과를 계획할 수 있다. 대표적인 피판으로 전외측대퇴부 천공지 피판, 심하복벽 천공지 피판, 흉배동맥 천공지 피판 등이 있으며, 안면, 사지 및 유방 재건에 이르기까지 다양한 부위에 유리피판술 또는 국소피판술로 이용할 수 있다.

(1) 심하복벽 천공지 피판술 (deep inferior epigastric arterial perforaor flap, DIEP)

유방재건에 superior epigastric artery를 이용한 횡복직근 근피부피판술(TRAM flap)을 사용하는 것은 복직근의 결손과 하복부 피부조직의 사용제한이라는 단점이 있었다. 심하복벽동맥의 천공지가 복직근을 관통하여 하복부의 피부에 혈류를 더 많은 면적으로 공급하는 것이 보고되어, 천공지를 혈관경으로 피부피판과 함께 박리하는 것이 가능하게 되었다. 복직근을 보존하는 정도에 따라 MS-0에서 MS-3(DIEP)의 형태로 나누며, 혈관경의 문합은 내유방동맥 및 정맥을 두 번째 늑간부터 네 번째 늑간의 위치에서 선

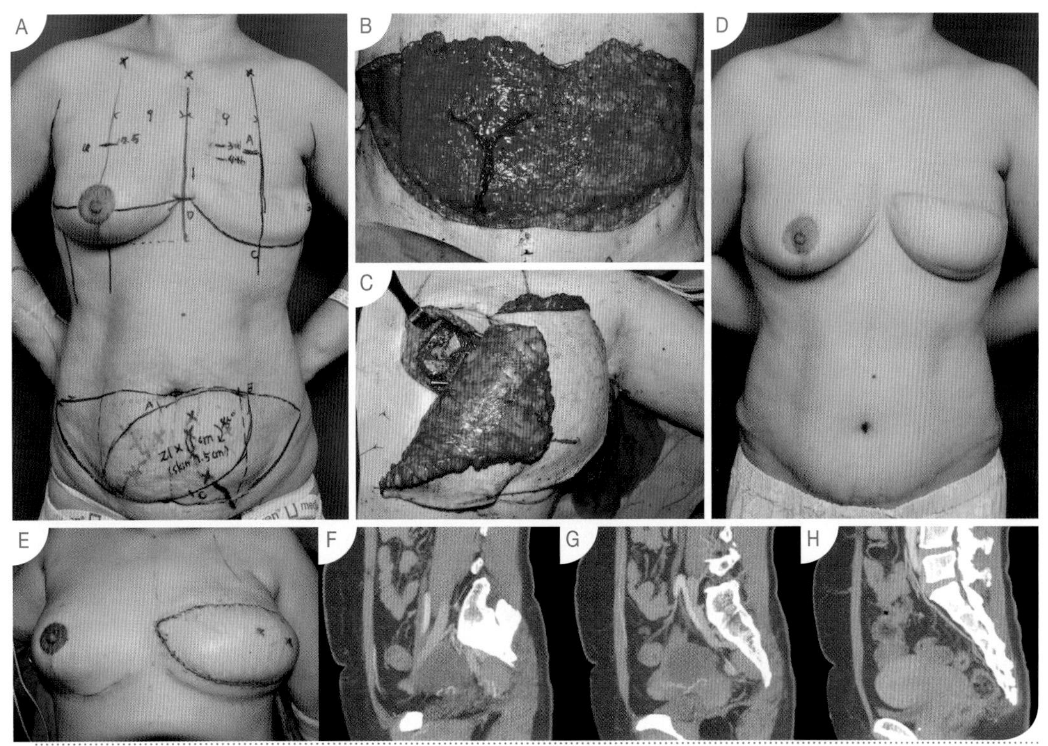

▷그림 1-18-10. **유방전절제술 후 심하복벽 천공지피판으로 지연유방재건을 시행한 예.** A. 수술 전 도안으로 하복부의 피판 위치에 천공지의 경로를 표시함. B. 피판을 거상하고 MS-3형태로 혈관경을 박리함. C. 피판을 고정하고, 내유방 동맥 및 정맥과 혈관 문합을 시행함. D. 유두를 재건하기 전 모습. E. 수술 직후에 피판 감시를 위하여 hand held doppler로 청음할 수 있는 천공지의 위치를 표기함(X 표기 두 곳). F~H. 전산화 단층촬영에서 심부하복벽동맥이 복직근 바닥을 지나 근육내로 주행하여 피부쪽으로 천공지를 내는 모습.

택하여 연결하거나 흉배동맥을 이용하기도 한다(그림 1-18-10).

(2) 유리 전외측 대퇴부 피판술 (Free anteriolateral thigh perforator flap)

전외측 대퇴부 천공지 피판은 대표적인 천공지 피판으로서 가장 많이 사용하는 피판들 중의 하나이다. 외측대퇴선회동맥의 하행분지(descending branch of lateral femoral circumflex artery)의 천공지로서 적절한 직경의 혈관경과 길이를 확보할 수 있고, 안정적이며 상대적으로 넓고 긴 피부 또는 피부 근막 피판을 가져올 수 있으며 공여부의 일차 봉합이 가능하다. 피판을 그대로 사용하거나 얇게 조작하는 것이 가능하여 다양한 부위와 분야의 재건에 이용할 수 있다(그림 1-18-11).

(3) 흉배동맥 천공지 피판술 (Thoracodorsal arterial perforator)

흉배동맥의 천공지를 이용한 천공지 피판은 공여부의 이환률을 최소화 할 수 있으며, 횡분지와 종분지를 자유롭게 사용할 수 있고, 감각피판 및 피판의 자유로운 재단이 가능하여 매우 유용한 피판이다. 환자의 피부조직 상태에 따라 매우 얇은 피판도 가능하며, 횡분지를 사용할 경우 반흔의 노출을 더 줄일 수 있다. 유리피판술의 형태 이외에도 국소적으로 유방재건(그림 1-18-12) 또는 상지의 재건, 경부 및 안면부의

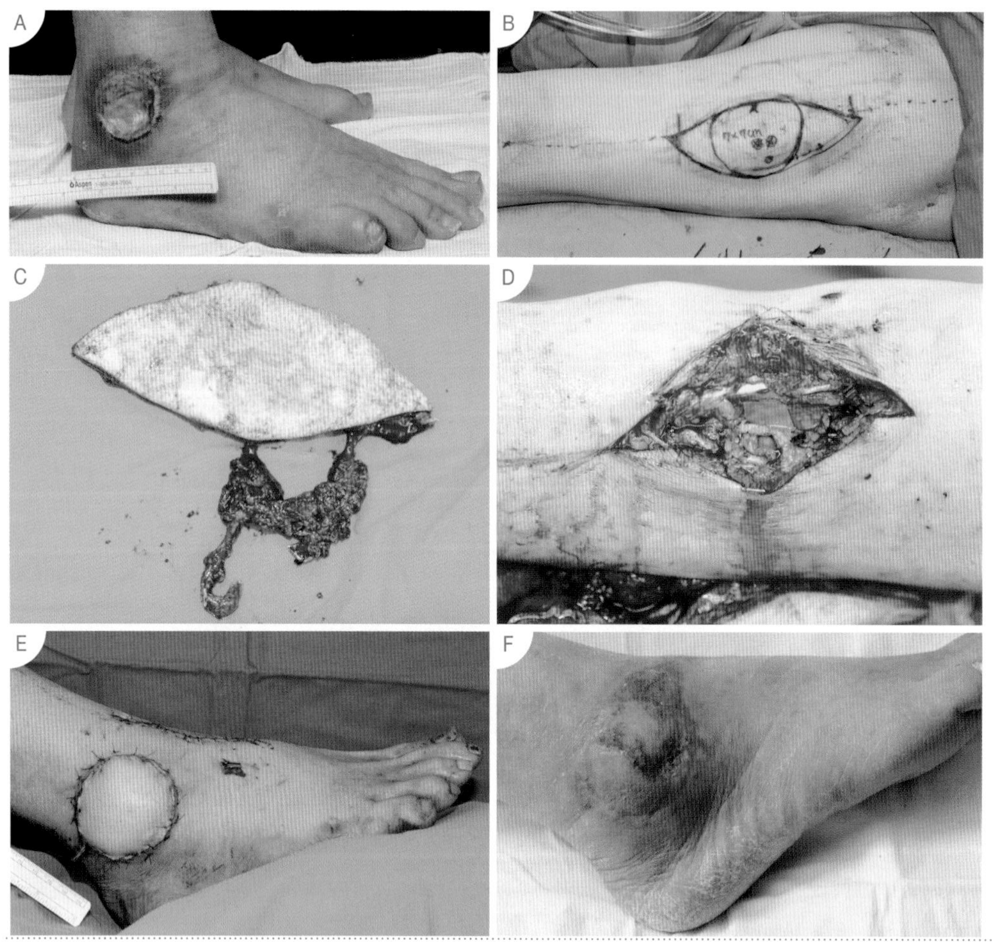

▷그림 1-18-11. **유리 전외측대퇴천공지 피판술로 족관절 외측의 만성 당뇨성 염증성 조직 결손을 재건한 예.** A. 수술 전 조직 결손, B. 전외측 대퇴천공지피판 도안. C. 천공지피판 거상. D. 수혜부 혈관경으로 족배 동맥과 정맥을 피판 혈관과 문합함. E. 수술 직 후 모습. F. 수술 6개월 경과한 상태

재건에 사용할 수 있다.

3) 유리피판술

(1) 유리광배근 피판술
(Free latissimusdorsi muscle flap)

흉배동맥을 혈관경으로 하는 넓은 피판이며, 넓은 부위 재건 및 근육을 혈관경 분지의 방향을 따라 분절하여 사용할 수 있고, 안정적인 피판으로서 근육 단독 또는 피부피판을 부착하여 유리피판 또는 국소근피판으로 사용이 가능하다. 두경부 재건, 상/하지 재건, 족부재건(그림 1-18-13), 유방재건 및 안면마비 재건 뿐 만 아니라 다양한 용도로 사용하며, 탈신경화를 하여 피판이 위축됨으로 시간이 경과하면서 얇은 피판을 얻을 수 있다.

(2) 유리 요측전왕부 피판술(Free radial forearm flap)

유리요골전완부 피판술은 전완부에서 요골동맥을 혈관경으로 하는 피부근막 또는 근막피판

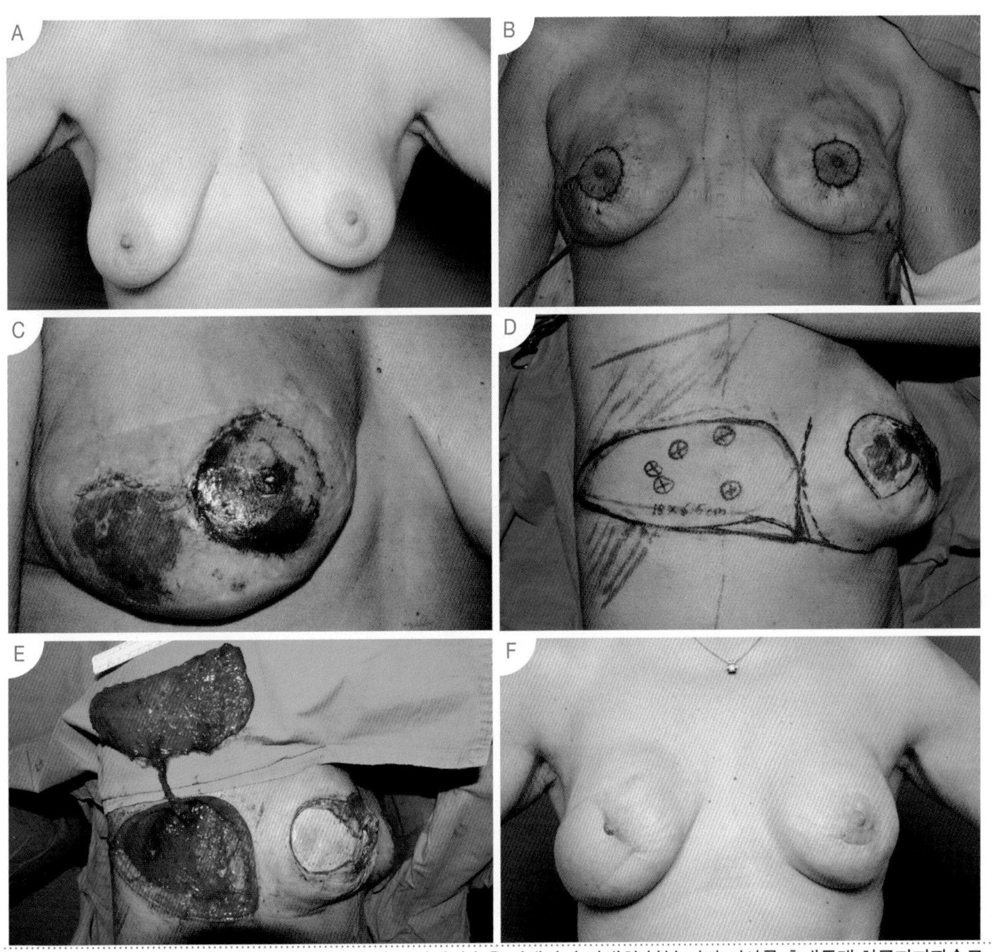

▷그림 1-18-12. **유방전절제술 후 보형물을 사용한 동시재건술을 시행하며 발생한 부분 피판 괴사를 흉배동맥 천공지피판술로 치유한 예.** A. 수술 전 상태, B. 우측 유방의 유방전절제 및 축소술 시행과 좌측 유방의 예방적 유방전절제를 하고 양쪽에 보형물을 사용한 즉시유방재건술(direct to implant)을 시행함. C. 수술 후 9일째 우측 유방 외측에 불안정한 피부피판 관찰됨. D. 흉배동맥 천공지를 표기하고 피부피판을 작도함. E. 천공지 피판을 거상하였으며, 변연절제한 부위에 동종진피가 노출되어 있음. F. 천공지피판으로 재건 후 6개월 경과한 모습

으로 신경, 요골, 건을 포함하는 복합피판으로 사용이 가능하다. 피판의 혈관경의 직경이 충분히 크고 얇은 피판을 얻으려 할 때 매우 안정적으로 사용할 수 있다. 전완부라는 노출면에 반흔을 남기는 것이 단점으로, 몸통이나 사지의 재건보다는 안면부 재건, 두경부 재건과 구강 및 인후부와 식도 재건(그림 1-18-14) 등에 유용하다. 공여부는 지방근막피판(adipofascial flap)의 경우 일차 봉합이 가능하며, 피부근막 피판을 거상한 경우는 대부분 피부이식으로 피복한다. 얇은 천공지 피판으로 대체하려는 경향이 있다.

(3) 유리비골 피판술(Free fibular flap)

유리비골 피판술은 1988년 Hidalgo에 의해 처음 시도되었다. 유리비골 피판술은 충분한 길이의 뼈를 얻을 수 있으며, 비골을 따라 주행하는 비골동맥(peroneal artery)와 영양 혈관 덕분에 절골하여 윤곽을 조절할 수 있고, 장무지 굴곡

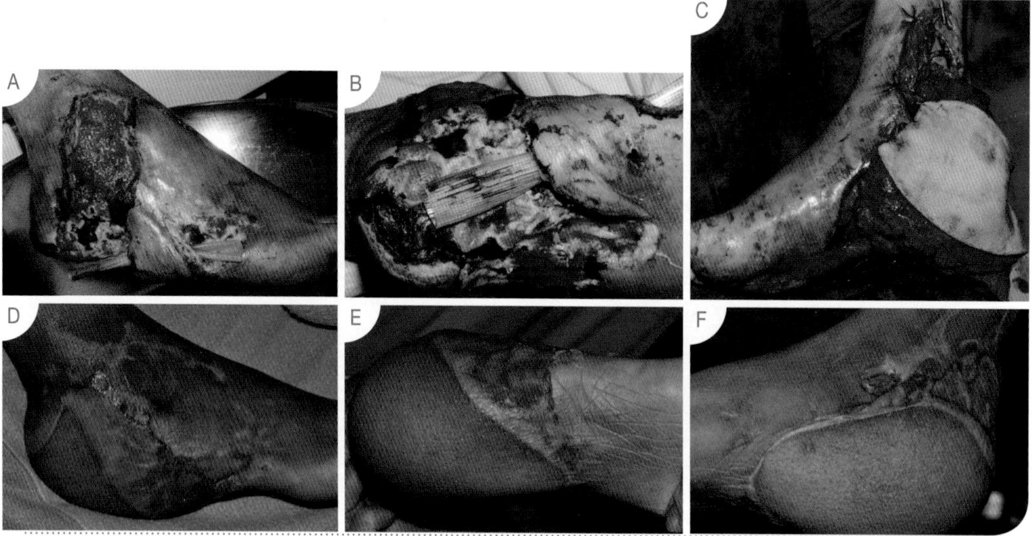

▷ 그림 1-18-13. **족부의 급성 괴사성 근막염으로 발생한 연부조직 결손을 유리 광배근 근피부피판술로 재건한 예.** A. 우측 족부의 외측의 결손부위, B. 족저부의 연부조직 결손 부위, C. 유리 광배근 근피부피판술로 피복하고 후경골 동맥 및 정맥에 피판의 혈관을 문합하였다. D. 수술 후 6개월, 족외측면. E. 족저부, F. 족내측면 모습, 부피축소를 위한 추가 수술(debulking procedure)없이 피판이 얇아져 있다.

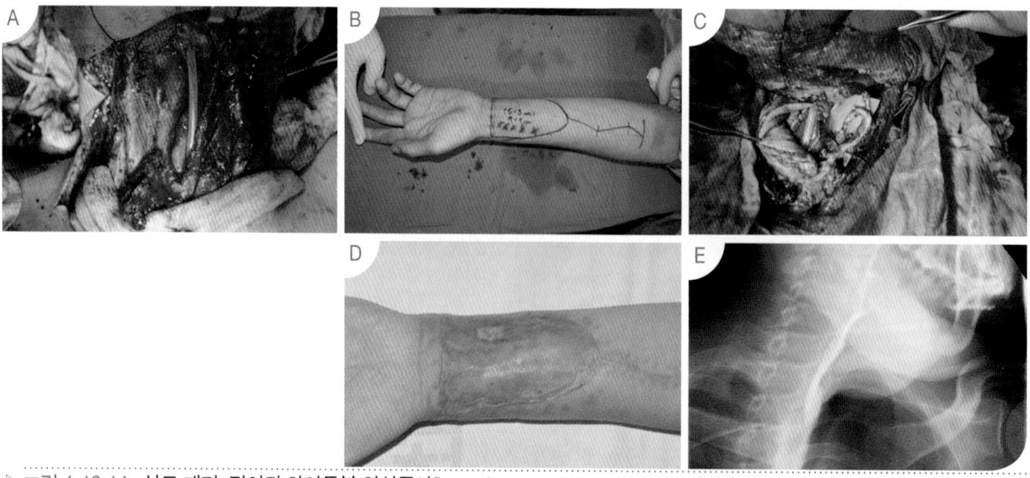

▷ 그림 1-18-14. **식도 재건: 전이된 하인두부 악성종양(hypopharyngeal cancer)으로 종양적출 후 발생한 식도결손을 재건한 예.** A. 식도의 전방 2/3이 결손되었고, 위장관 튜브가 노출된 상태임, B. 요골전완부 피판을 7cm x 9 cm 으로 디자인 함. C. 피판의 피부면이 식도의 점막층이 되도록 봉합하는 과정이며, 혈관경은 위갑상샘동맥(superiorthyroida argery)와 내경정맥 가지를 사용하였다. D. 수술 후 3개월 경과한 공여부 반흔의 상태, E. 수술 후 3주째 식도 조영술에서 조영제 누출이 없음.

근을 포함하는 연부조직의 보충이 가능함과, 공여부에서 중증의 이환률이 적다는 장점들이 있다. 만성 골수염 치료, 대퇴골 결손에서 double barrel 형태로 대퇴골을 치환하여 보조기 없는 보행을 가능하게 하고, 하악 결손에 유용하고, 향후 치아 식립도 할 수 있다.

(4) 발가락을 이용한 무지의 재건 (Toe to thumb surgery)

사고 또는 선천기형으로 무지가 결손된 경우 발가락을 사용하여 무지의 재건이 가능하다. 재건할 손가락과 공여부 발가락의 상태와 형태에 따라 무지 또는 두 번째 발가락을 이전한다.기능적 미용적으로 좋은 결과를 보이고, 공여부의 기능적 이환률은 적다.

4) 역동성 안면마비 재건 (Dynamic reconstruction of facial palsy)

안면 마비의 원인은 선천성, 외상성, 의인성, 악성종양, 자가면역 질환 및 바이러스 감염 등 다양한 원인으로 발생한다. 역동성 안면마비 재건 또는 미소재건(reconstruction of smile)의 수술방법은 환자의 신경상태, 전신적 조건에 따라 비교적 초기에 해당하는 1년 이내의 마비는 신경을 기반으로, 1년 이상의 경우는 국소 근육을 이용하는 술식 또는 기능적 유리근신경 피판술(free functional neuromuscular flap)과 함께, 반대측의 신경이 정상이라면 교차안면신경이식술(CFNG, cross facial nerve graft)을, 반대측 신경을 사용할 수 없다면 교근 신경(masseter nerve), 또는 설하 신경(hypoglossal nerve) 등을 사용한다.

기능적 유리근신경 피판술 및 교차안면신경이식술은 비복 신경(sural nerve)과 분절 박근 신

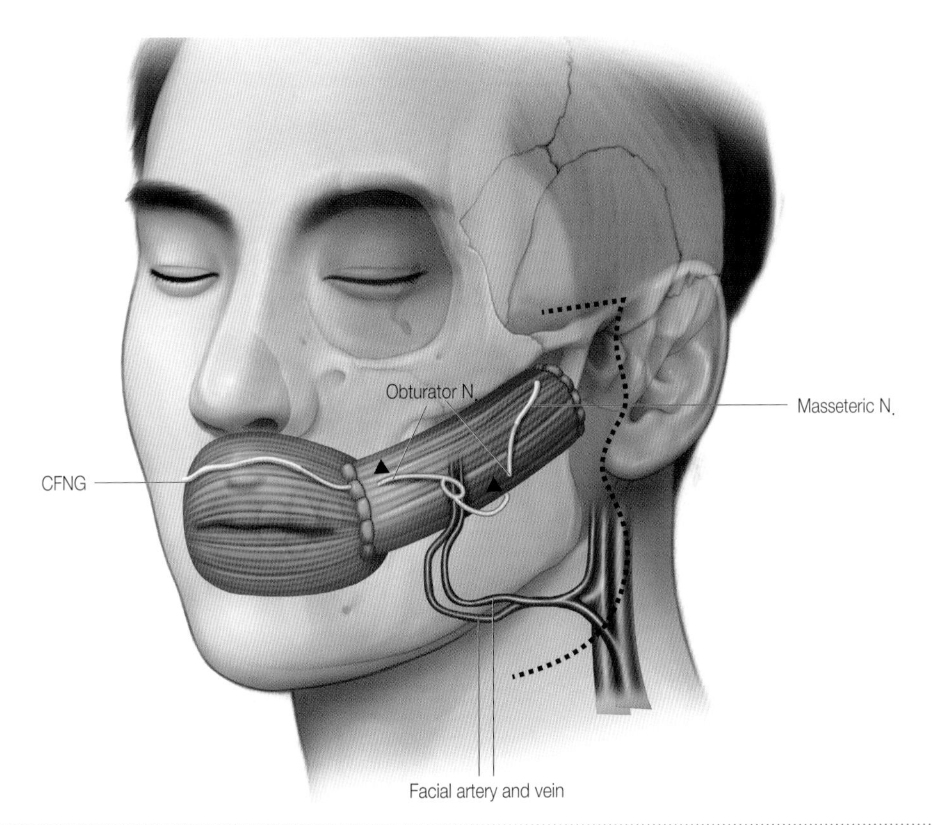

▷그림 1-18-15. One stage 재건의 예 유리 분절 박근 신경 피판술 및 교차안면 신경(CFNG) 이식술과 교근 신경문합을 동시에 시행한 수술법의 모식도이다. 혈관경은 안면동맥 및 정맥을 사용한다.

경 피판(free segmental gracilis neuromuscular flap)을 이용하여 교차안면신경이식술을 먼저 시행하고 이식 신경의 신경화(neurotizaton)를 확인 한 후, 유리 분절 박근 신경 피판술을 시행하는 two-stage 재건을 시행하거나, 한 번에 비복신경이식와 유리 분절 박근신경 피판술을 시행하는 one-stage 재건을 시행한다. One-stage재건과 동시에 교근 신경 또는 hypoglossal nerve 문합을 동시에 시행할 수 있다(그림 1-18-15). 박근 이외에도 소흉근(pectoralis minor muscle), 광배근(latissimus dorsi muscle), 대퇴근(rectus femoris), 복직근(rectus abdominis), 전거근(앞톱니근, serratus anterior)등을 사용할 수 있다.

5) 자유형식 피판(Free style flap)과 Supramicrosurgery

자유형식피판은 혈관경이 완전히 확립되지 않았거나 변이가 많은 경우 hand Doppler 이용하여 혈관의 박동을 청음한 뒤, 근막 수준에서 탐색(직경 0.5 mm정도이며 박동할 것)하여 역으로 모혈관(parent vessel)을 찾아가는 방식의 유리피판술이다. Supramicrosurgery는 Koshima 등이 심부근막으로 들어가기 전의 직경 1 mm 미만의 짧은 혈관경을 사용하는 것을 보고한 바가 있다. 이런 방법들은 공여부의 이환률을 낮추기 위한 방법으로, 더욱 고난이도의 술기와 장비를 필요로 한다.

9. 미세수술의 미래 (Future of microsurgery)

미세수술은 절단, 조직 결손, 변형의 교정 및 회복에 대하여 어느 것보다 적극적으로 만족도를 높일 수 있는 고도의 술기이다. 수혜부의 회복만큼 공여부의 잠재적 문제에 대하여도 관심을 갖고 있어야 하며, 조직 공학과 디지털 장비의 발달, 수술기구와 로봇 수술의 진화가 도움이 될 것이다. 또한 현재 미세수술 분야는 고식적인 장기이식 개념을 넘어 수부이식, 안면이식 등 vascularized composite tissue allotransplantation (VCA)라는 새로운 영역에 진입하였다. 외과적 술기와 과학의 발전에 더불어 성형외과적 예술적 감성과 창의적 사고가 새로운 전기를 마련할 것이다.

References

1. Free Flap Reconsruction of The Head and Neck, New york, Thieme Medical Publishers, Inc.
2. Atlas of Microvascular Surgery, New york, Thieme Medical Publishers, Inc.
3. Microvasucular Reconsrtuction, Berlin Heidelberg New York, Springer-Verlag
4. Maximilian Kueckelhaus,1,2 Sebastian Fischer,1,3, et. al. Vascularized Composite Allotransplantation: Current standards and novel approaches to prevent acute rejection and chronic allograft deterioration, Transpl Int. 2016 Jun; 29(6): 655–662.
5. Mendenhall SD[1], Brown S[2], et. al. Building a Hand and Upper Extremity Transplantation Program: Lessons Learned From the First 20 Years of Vascularized Composite Allotransplantation. Hand (N Y). 2018 Jul 31:1558944718790579[Epub ahead of print]
6. Lee WPA1, Shores JT1, Brandacher G1. From Auto-to Allotransplantation : Immunomodulatory Protocol for Hand and Arm Transplantation. J Reconstr Microsurg. 2018 May 18. doi: 10.1055/s-0038-1651524. [Epub ahead of print]
7. Shores JT1, Malek V1,2, Lee WPA1, Brandacher G3. Outcomes after hand and upper extremity transplantation. J Mater Sci Mater Med. 2017 May;28(5):72.
8. Plastic Surgery, 4th Edition, Vol. 4. London, New york, Oxford, St Louis, Sydner, Tronto. Elsesvier saunders.
9. Khouri RK, Cooley BC, Kunselman AR, et al. A prospective study of microvascular free–flap surgery and outcome. Plast Reconstr Surg. 1998;102:711–721.
10. Carrel A. Anastomose bout a bout de la jugulaire et de la carotide primitive. Lyon Med. 1902;99:114–116.
11. Sehgal SN, Baker H, Vezina C. Rapamycin (AY-22,989), a new antifungal antibiotic. II. Fermentation, isolation and characterization. J Antibiot (Tokyo). 1975;28:727–732.
12. Martel RR, Klicius J, Galet S. Inhibition of the immune response by rapamycin, a new antifungal antibiotic. Can J Physiol Pharmacol. 1977;55:48–51.
13. Hale G, Waldmann H, Friend P, et al. Pilot study of CAMPATH-1, a rat monoclonal antibody that fixes human complement, as an immunosuppressant in organ transplantation. Transplantation. 1986;42:308–311.
14. Hale G, Bright S, Chumbley G, et al. Removal of T cells from bone marrow for transplantation: a monoclonal antilymphocyte antibody that fixes human complement. Blood. 1983;62:873–882
15. Petruzzo P, Badet L, Gazarian A, et al. Bilateral hand transplantation: six years after the first case. Am J Transplant. 2006;6:1718–1724.

19 성형외과 영역에서의 동종이식

Transplantation in Plastic Surgery

은석찬 서울의대

1. 서론

복합조직동종이식(composite tissue allotransplantation, vascularized composite allograft)은 피부, 근육, 신경, 골 등의 여러 가지 조직을 이식하는 것으로 골격 구조의 유지와 기능 및 미용적 효과를 가지고 있다. 동종이식의 역사를 살펴보면 B.C. 7세기경 힌두에서는 피부이식이 널리 시술된 것으로 보인다. 15세기경 이탈리아의 외과의사들도 피부절편을 이용하여 코재건술(rhinoplasty)을 시도하였다는 기록이 있는데 주로 환자 자신의 피부를 이용하였으며(autologous transplantation) 이마뿐 아니라 팔의 피부도 이용하였다고 전해진다. 1503년 이탈리아의한 외과의사가 노예의 피부절편을 이용해 주인의 코를 만들었다는 기록이 있는데 이는 아마도 최초의 동종이형이식(allogeneic transplantation)의 시도라고 볼 수 있을 것이다. 그 후 미세 수술 기법의 발달과 더불어 면역계의 작동기전에 대한 이해와 면역억제제의 발전으로 복합조직동종이식은 현재 임상적으로 세계 각국에서 이루어지고 있다. 세계 최초의 한쪽 팔 이식(single hand transplantation)은 1998년 9월에 프랑스 Lyon에서 시행되었으나 후에 환자의 협조 부족으로 재절단하였다. 1999년 1월에 미국에서 한쪽 팔 이식이 성공하여 현재까지 생존하고 있다.

현재까지 전세계적으로 100례 이상의 수술이 시행되었으며 우리나라는 2017년 2월에 우상현 등이 한국 최초로 팔이식에 성공하였다. 안면이식은 2005년 11월에 프랑스 Lyon에서의 세계 최초 부분 안면이식이 성공적으로 시행됨으로써 안면동종이식(facial allograft) 재건 방법의 가능성이 열렸으며, 그 후 프랑스, 미국, 스페인 및 중국 등 전 세계적으로 30례 이상의 안면이식이 현재까지 시행되었다. 복합조직이식의 증례들을 전세계적으로 체계적으로 수집하기 위해서 2002년 International Registry on Hand and Composite Tissue Transplantation (IRHCTT, www.handregistry.com)이 설립되었으며, 이곳을 통해서 팔 이식과 안면 이식(facial transplantation), 후두(larynx), 자궁, 복벽, 슬관절 등의 다양한 복합 조직 동종 이식의 증례들의 통계가 수집 및 관리되고 있다.

복합조직 이식은 피부, 근육, 골, 건, 신경, 혈

관 등 유전적 불일치(genetic mismatch)를 가진 이질적 항원 조직으로 구성된 복합적 이식체(graft)를 옮기는 것이기 때문에 면역학적 거부반응이 특별히 문제시된다. 이는 신장이나 간과 같이 좀 더 동질성을 가진 기관과 비교하여 다양한 장벽과 복잡성을 나타낸다. 따라서 생명 연장에 직접적인 관계가 없는 사지 조직의 재건을 위하여 수술 후에 평생 면역억제 치료를 받아야 하는 데 따른 윤리적인 이견이 존재할 수 있다. 그러므로 동종복합조직이식술의 실제 적용 여부를 결정하는 데 있어서 위험도(risk)와 이득(benefit)의 정도를 객관적으로 측정하고 평가하는 것이 중요하다.

2. 이식면역학(Transplantation immunology)

현재 이식 기술 및 세포 배양 등의 생물학적 기술이 발달하여 각막, 골수, 뼈, 인대, 연골, 심장판막, 췌도 등의 조직이식뿐 아니라 신장, 간, 췌장, 심장, 폐 등의 고형 장기 이식이 시행되고 있다. 이식된 장기의 생착을 유도하기 위해서는 장기 수여자의 몸에서 일어나는 이식 거부 반응을 극복해야만 한다. 이식 거부 반응의 실체에 대한 고찰은 20세기에 이르러 이루어졌으며 일종의 면역반응이라는 것을 알게 되었다. 그 후 면역거부 반응에 대한 연구가 활발히 이루어지면서 이식면역학이 태동하게 되었고 이식면역학의 발전과 더불어 장기이식이 급속도로 발전하게 되어 현재에 이르게 되었다. 장기이식의 역사적 발전은 이식면역학의 발전과 그 궤를 같이한다고 할 수 있다. 장기이식 후 면역거부 반응의 극복은 성공적인 장기이식을 위해서 반드시 넘어야 할 가장 큰 관문이다.

1) 복합조직의 면역성

복합조직이식은 상당한 양의 피부 요소를 가지고 있으므로, 인체에서 가장 높은 항원성과 면역반응을 가진 조직 중의 하나이다. 장기이식에 비해 복합조직이식은 조직학적으로 이질성을 지녀서 피부, 근육, 골, 골수, 림프절, 신경 및 건 등과 같은 다른 종류의 조직들로 구성되며, 또한, 이식되는 구성 요소에 따라 다른 면역성을 나타낸다. 피부의 항원성이 가장 높고, 근육, 피하조직, 골수를 포함한 골의 순서로 높은 면역반응을 유도하는 것으로 보고된 바 있다. 장기이식 거부 반응이 면역 반응의 일환으로 나타난다는 사실은 최초의 피부이식술이 행해진 후 2,500여 년이나 지나서야 Sir Peter Medawar에 의해서 비로소 알려졌다. 1943년 Gibson과 Medawar는 3도 화상을 입은 환자를 치료하기 위해 환자 자신의 피부 혹은 다른 사람의 피부를 이식하였으며 그 과정에서 관찰한 결과를 보고하였다. 동종이형(allograft, 여기서는 친척의 피부를 사용) 피부 이식의 경우 임상적인 이유로 일주일 간격으로 2회에 걸쳐 이식하였는데 저자들은 2번째 이식절편이 더 빨리 거부되는 것을 관찰하였다. 이러한 관찰 결과를 중요하게 여긴 Medawar는 토끼와 생쥐에서 유사한 실험을 시행하였으며, 동종이형 피부 절편에 대한 거부 반응은 능동적으로 획득되는 면역 반응의 한 형태라는 사실을 발견하였다. Sir Peter Medawar의 관찰 결과는 피부의 allograft에대한 Host-versus-Graft (HVG) response이며 세포 매개성 면역반응이라는 사실은 10년 후 Mitchison에 의해 밝혀졌다. Medawar의 발견은 현재의 이식면역학을 태어나게 한, 역사의 한 획을 긋는 위대한 발견으로 평가되고 있으며 면역억제제의 사용으로 이식거부 반응을 막을 수 있다는 인식을 갖게 했다.

2) 이식거부반응

복합조직 동종이식의 거부반응을 분류하면 과급성 거부반응(hyperacute rejection), 촉진된 거부반응(accelerated rejection), 급성 거부반응(acute rejection) 및 만성 거부반응(chronic rejection) 등과 같이 나눌 수 있다. 과급성 거부반응은 이식 이후 수 분 내에 매우 빠르게 발생하고 이식체 기능 부전의 원인이 된다. 전형적인 항체 매개 거부반응(antigen-mediated rejection process)의 예로서 가장 중요한 인자는 주조직적합복합체(major histocompatibility complex) 항원에 대한 항체가 존재하기 때문이다. 수혈 및 이전에 시행 받은 이식에 대한 거부반응, 다빈도 임신(multiple pregnancy) 등으로 수여자의 순환계에 주조직적합복합체 항원이 존재할 수 있는데, 대부분의 손상은 모세혈관과 작은 세동맥의 내피세포에 영향을 준다. 내피세포의 면역 복합체는 보체(complement)와 응고 과정(coagulation cascade)을 활성화시켜서 혈관 내피세포에 손상을 주고 결과적으로 이식체의 기능부전을 야기시킨다. 촉진된 거부반응은 이식 후 24시간과 5일 사이에 발생하며 동종이식 수여자의 면역감작으로 발생 가능성이 증가하게 된다. 이 과정은 간질 출혈(interstitial hemorrhage), 혈전 및 백혈구 침윤 등과 관계가 있으며, 이식체의 파괴는 내피세포에 광범위하 게 면역글로불린 M, 면역글로불린 G, C3와 같은 체액성 매개체의 침윤, 섬유소성 괴사(fibrinoid necrosis)와 백혈구 침윤 및 동종 항체 생성 등을 동반하게 된다(그림 1-19-1). 급성 거부반응은 이식 후 수일에서

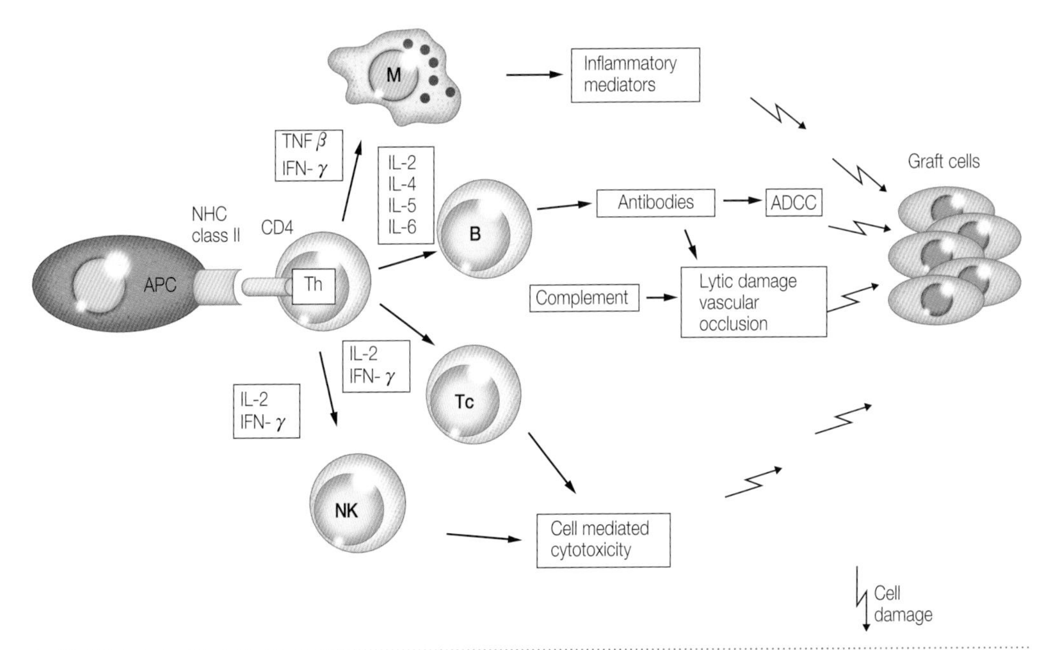

▷그림 1-19-1. Immunologic mechanism of acute allograft rejection (From Siemionow and Klimczak, Plast Reconstr Surg 2008;121:4e-12e, with permission from American Society of Plastic Surgeons).

수 주 사이에 나타나며, 보통 1~6개월 내에 반응 과정이 소멸된다. 급성 거부반응은 모든 경우의 복합조직 이식에서 관찰되며 동맥 중간층의 섬유소성 괴사와 혈소판의 응집 및 혈관 내강의 섬유소 등으로 혈관 폐쇄가 일어난다. 또한, 유출(leakage)과 부분적 괴사도 발생하며 염증 세포들이 이식체 내에 응집하게 된다. 급성 거부반응은 T세포의 일차 활성과 연관되어 여러 다양한 효과기전(effector mechanism)을 활성화시킨다. 만성 거부반응은 1년 이상 경과 후에 단독 기관이나 복합 조직 이식 후 나타나는 특징으로, 만성 거부반응의 빈도는 급성 거부반응의 에피소드, 수여부 감작(sensitization), 주조직적합복합체 항원이 부족한 경우, 수여부의 연령, 인종, 부적절한 면역억제제, 고혈압, cytomegalovirus 감염, 허혈 시간의 연장 및 흡연 등의 다양한 위험 인자들과 연관되어 있다. 이 거부반응의 특징으로 혈관 내피세포의 손상이 발생하는데, 초기 혈관 손상은 염증 과정을 유발시키고, 이식체의 동맥경화(atherosclerosis)와 섬유화를 야기시켜서 결국은 혈관 폐색을 일으키게 된다. 만성 거부반응의 주요 특징 중 하나인 혈관 폐색은 혈관벽으로부터 이주한 평활근 세포의 증식 때문에 일어나며, 결과적으로, 섬유화는 동종이식의 기능부전을 야기시키게 된다.

3) 면역억제제(Immune suppressant)

면역억제제의 개발은 림프구, 특히 거부 반응에 중심적 역할을 하는 T 림프구를 표적하여 개발되었다. 1970년대 말에는 cyclosporine이, 1980년대 말에는 tacrolimus가 개발되었다. 현재는 HLA typing(주조직적합항원이 유사하도록 공여자와 수용자를 선택함)과 면역억제제의 사용으로 거의 모든 장기이식에서 급성 거부반응의 조절이 가능하게 되었다. 이식 수술 시의 면역억제 치료는 수술 전 및 직후에 환자의면역 자체를 떨어뜨리는 유도 치료(induction therapy)와 이후 지속적으로 면역 거부를 방지하는 유지 치료(maintenance therapy)로 나뉘어지며, 거부 반응이 발생할 경우는 상황에따른 대처가 필요하다. 현재 팔 이식 후의 면역억제 치료는 고형 장기 이식과 유사한 약물 요법으로 치료하고 있으며, 유도 치료제(induction agents)로는 monoclonal antilymphocyte antibody 계열의 약물들(thymoglobulin, basiliximab, alemtuzumab)이 주로 사용되고, 유지 치료제(maintenance agents)로는 고형 장기이식에서 대부분 사용하고 있는 삼중 약물 요법(triple-drug immunosupression: 1) calcineurin inhibitors [CNI]-tacrolimus, cyclosporine, 2) antiproliferative agent mycophenolate mofetil [MMF], 3) prednisolone)이 동일하게 사용되고 있으며, 약물의 유지 용량은 팔 이식 초기에는 피부의 강한 항원성을 고려하여 고형 장기 이식술보다 고용량의 면역억제제를 요할 것으로 생각되었으나, 현재까지 치료 결과를 보면 고형 장기 이식의 경우와 비슷한 정도의 용량에서도 적절한 면역억제 효과를 얻고 있다. 이들 약물들은 이전의 약물들에 비해서 효과가 우수하고 부작용이 줄어들었지만, 아직도 여전히 신독성, 발암성, 대사 이상 등의 많은 부작용을 가지고 있다. 이를 줄이기 위한 다양한 약물들이 개발되고 임상에서 사용되고 있지만 아직까지 뚜렷한 한계점을 보이고 있으며, 약물의 양을 줄이거나 종류를 줄이거나 스테로이드를 중지하는 등의 부작용 완화를 위한 많은 연구가 진행 중이다.

4) 면역관용(Immune tolerance)

장기이식 거부 반응의 극복을 위한 가장 이상적인 방법은 면역관용을 유도하는 것인데, 면역관용이란 어떤 특정항원에 대한면역학적 무반응을 뜻한다. 이는 그 특정항원 외의 항원에 대한 면역반응은 정상이라는 사실을 내포한다. 장기이식에서 면역관용이란 '이식된 장기나 조직이거부 반응을 나타내지 않고 생착되어 있는 상태'로 정의 될 수 있다. 실제 임상적으로 일부의 환자 혹은 많은 환자에서 이와 같은 면역관용이 일어날 수도 있지만 현재 이식받은 모든 환자는 면역억제제를 사용하므로 정의상 특정 항원에 대한 면역학적 무반응이라고 보기 어렵다. 따라서 임상적인 관점에서 면역관용이란 '면역억제제를 사용하지 않고 이식된 장기가 거부반응을 나타내지 않고 생착된 상태'로 정의할 수 있다. 1953년 Sir Peter Medawar가 최초로 transplantation tolerance를 보여준 이후 50년 동안 면역관용을 유도하는 여러 가지 방법들이 특히 소동물 모델에서 많이 알려졌다. 이식거부반응에는 세포매개성 면역반응이 중요하고 그 중 T 림프구가 가장 중심적인 역할을 한다는 사실이 알려지면서 T 림프구 활성화를 조절하여 면역관용을 유도하는 방법들이 많이 시도되었다. T 림프구가 활성화되기 위해서는 항원과 결합을 통하여전달되는 신호1과 CD28-B7 등을 통해서 전달되는 보조자극 신호가 모두 필요하다. CTLA4Ig나 antiCD40L항체 등은 T 림프구의 보조자극 신호전달을 차단하는데 이렇게 보조자극 신호 없이 항원에 의한 신호1만 전달받은 T 림프구는 클론아네르기(clonal anergy) 상태가 되며 일단 anergy가 되면 재차 완전한 신호전달이 오더라도 더 이상 반응하지 못하는 상태를 유지하게 된다. T 림프구에 항원을 제시하는 중요한역할을 하는 수지상세포(dendritic cell)를 이용한 방법, 항원에 의한 신호 전달을 조절할 수 있는 항CD3 항체를 이용하는 방법 등이 동물 실험에서 좋은 성적을 보이고 있다. 하지만 여전히 임상에서는 면역억제제에 의존하고 있으며 실험동물에서 증명된 방법들을 임상에 적용하는 데는 여러 가지 제약점이 있다.

3. 동물실험(Animal study)

이식외과의는 수술 전에 동물실험을 통해 다양한 임상 시뮬레이션을 진행한다. 여기에는 네 가지 고려 사항이 있다. 첫째, 이상적으로, 동물 모델은 인간의 해부학적 구조와 유사해야 하며 일관된 혈관 공급을 가져야 한다. 둘째, 복합조직피판은 외과의가 숙주 면역계에 대한 각 조직의 반응을 평가할 수 있도록 피부, 점막, 근육, 신경, 분비선 또는 연골과 같은 다발 조직으로 구성되어야 한다. 셋째, 복합조직피판은 외과의가 기능 회복을 검사할 수 있도록 손상되지 않은 신경근 단위를 포함해야 한다. 넷째, 외과의는 시뮬레이션을 통해 수술시간을 단축하여 이환율과 사망률을 감소시킬 수 있어야 한다. 이들 동물실험들을 통해서 면역억제제에 변화를 주거나, 줄기세포, 새로운 시약을 투여하여 면역억제제의 사용의 감소 가능성, 혹은 생존율의 증가 여부에 관한 연구를 하는 것이다. 1980년대 후반부터 설치류 모델을 사용하여 복합조직이식의 수술 가능성을 다각도로 시험하였다. 우리나라에서는 1989년 백롱민 등이 쥐의 뒷다리이식 실험을 국내논문으로 처음 발표하였다. 2010년도에 은석찬 등이 쥐모델에서 수지상세포를 이용한 면역학적 관용유도에 관한 실험결과를 국제논문에 처음 발표함으로써 국내 복합조직이식 면역관용 연구가 본격적으로 시작되었다. 설치류를 이용한 모델 그 중에서도 쥐(rat)의 뒷다리를 이용한 모델은 적합한 조직 조성(피부, 연골, 뼈 또는 근육)과 골고정, 근육봉합, 혈관 및 신경봉합 등 일련의 실험과정이 인체의 수술과정과 흡사하기 때문에 복합조직이식의 전통적이고 이상적인 모델로 받아들여져 왔다(그림 1-19-2). 다만 안면이식을 실험하기에는 크기가 너무 작아서 적합하지 않다. 이에 반해 토끼 모델은 크기가 알맞고 인간과 구조적으로 유사한 면이 있어서 안면이식실험에서 소동물을 대체하는 모델로 유용하다. 개를 이용한 실험모델은 적절한 동물 크기와 가장 유사한 해부학적 구조, 혈관경의 일관성 등 많은 장점을 가지고 있어 팔과 안면이식의 실험모델로 영장류를 제외하고는 가장 우수하다는 평가를 받고 있으나 윤리적인 문제를 일부 가지고 있다. 돼지를 이용한 모델은 안면과 팔이식 실험모델로 다 사용될 수 있고, 인간과 MHC의 특성이 비슷해서 면역학적 연구를 위해 적합하나 대동물이기 때문에 관리의 어려움이 존재할 수 있다. 최근 면역관용과 관련되어 복합조직 분야에서도 CD4+, CD25+, FoxP3+ 조절 T세포(regulatory T cell)와 연계된 연구가 많이 진행되고 있으며 조혈줄기세포(hematopoieticstem cell) 뿐만 아니라 중간엽줄기세포(mesenchymal stem cell)에 의한 면역관용 가능성도 실험을 통해 보고되고 있다.

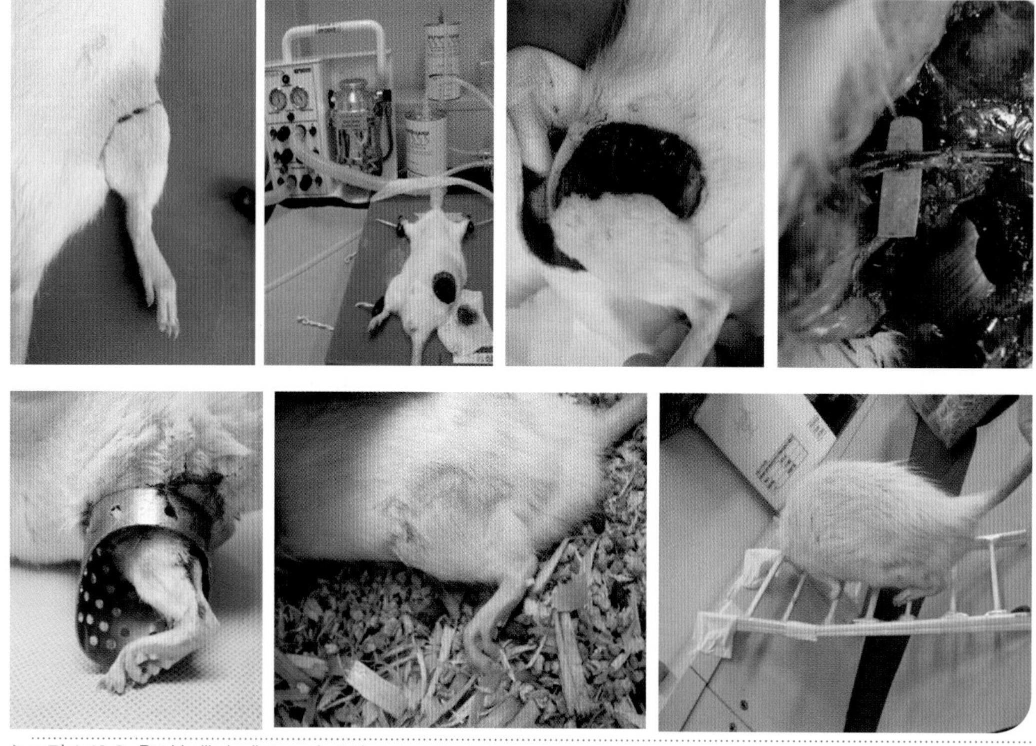

▷그림 1-19-2. Rat hindlimb allotransplantation.

4. 팔이식 (Hand transplantation)

수부이식은 1998년 프랑스에서 처음으로 성공하였으나 면역억제치료가 지속적으로 유지되지 않아 절단술을 시행받았으며, 수술 후 장기간 동안 이식된 수부를 유지하고 기능적으로 만족할 만한 결과를 얻은 것은 1999년 미국에서 시행한 것이 최초의 사례이다. 그 후 2000년 1월 Lyon에서 최초의 양쪽 팔 이식(bilateral hand transplantation)이 성공하였다. 수술의 적응증은 양측(bilateral) 수부나 전완부가 절단된 18~55세 사이의 환자 중에서 신체적으로 건강하고, 정신적으로도 안정되어 수술 전후 과정에 대한 이해와 협조가 충분한 환자이다. 금기증으로는 악성 종양, 최근의 감염증, 인슐린의존형 당뇨병(insulin-dependent diabetesmellitus), 선천성 절단상, 의수에 잘 적응하고 있는 경우, 정신과적 질환이 있는 경우 등이다. 팔 이식술 후 신경 재생과 근육 기능의 회복 등 성공적인 결과를 얻기 위해서는 절단 부위가 중요하며 일반적으로 신경의 재생 길이가 비교적 짧은 원위 전완부에서 손목까지의 부위가 가장 적절한 대상이 되고 있다. 근위 전완부 절단상이나 상완부 절단의 경우에는 기능 회복에 일부 제한이 있을 수 있다.

1) 팔이식 수술기법(Surgical technique)

팔이식술과 재접합술은 전체적인 수술 과정이 비슷한 점이 많으나, 피부 도안과 혈관 문합 시기와 위치, 건 봉합 및 신경 봉합방법 등에서 몇 가지 차이점이 있다. 수술은 공여부를 채취하고 미리 건과 혈관, 신경 등에 표식을 하여 준비하는 팀과 수혜부를 준비하는 두 팀(양쪽 팔 이식의 경우에는 네 팀)이 동시에 진행하여야 하며, 공여부의 모든 조직은 미리 표식을 붙여 놓아야 원활한 진행을 할 수 있다. 피부 도안에서 수혜부는 요측과 척측을 따라서 절개선을 넣고, 공여부는 수장부와 배측에 종절개를 넣는다. 혈관 봉합 시에는 수혜부에서 최대한 손상이 없는 부위까지 박리하여 문합하여야 하기에 공여부 채취 시 가능하면 길게 찾아두어야 하고 최소한 동맥 2개와 정맥 4개는 문합하는 것이 좋다. 건 봉합은 손목 부위에서 이식할 경우 20개 이상의 가능하면 많은 건을 봉합하며, 유착을 방지하기 위해서 서로 다른 부위에서 시행하고 튼튼히 봉합할 수 있는 방법을 사용한다. 건봉합 시 적절한 긴장도를 유지할 수 있는 길이를 맞추는 것이 중요하며, 신전건을 먼저 연결하고 굴곡건을 연결하며, 손목 관절을 수동적으로 굴곡 신전시켜 적절한 움직임이 회복되는지를 판단한다. 신경은 수혜부에서 정상 신경속이 보일 때까지 충분하게 절제하여 깨끗한 부위끼리 봉합해야 회복을 기대할 수 있다(그림 1-19-3). 팔 이식 수술은 9~15시간이라는 긴 시간이 필요하며, 한 팔의 경우 2팀 양 팔의 경우 4팀의 수술 팀이 필요하고, 기증자가 나타나면 즉각적으로 시행되어야 하기 때문에 충분한 인력과 시설, 장비가 절대적으로 필요한 수술이라 하겠다. 적응증의 논란에도 불구하고 한 팔 이식이 흔히 시행되고 있는 것도 수술 인력 확보 등의 문제가 기여하고 있다고 볼 수 있다.

다른 이식 분야와 다르게 CTA에서는 '감시피판(sentinel flap)'이란 개념이 있다. 이것은 같은 공여자로부터 또 다른피판, 즉 감시피판을 수부이식과 동시에 타 부위에 이식하는 것이다. 수부이식에서 거부반응 여부는 이식피판의 피부표면 관찰과 조직검사로 진단된다. 다른 고형장기이식

팔이식 수술 과정

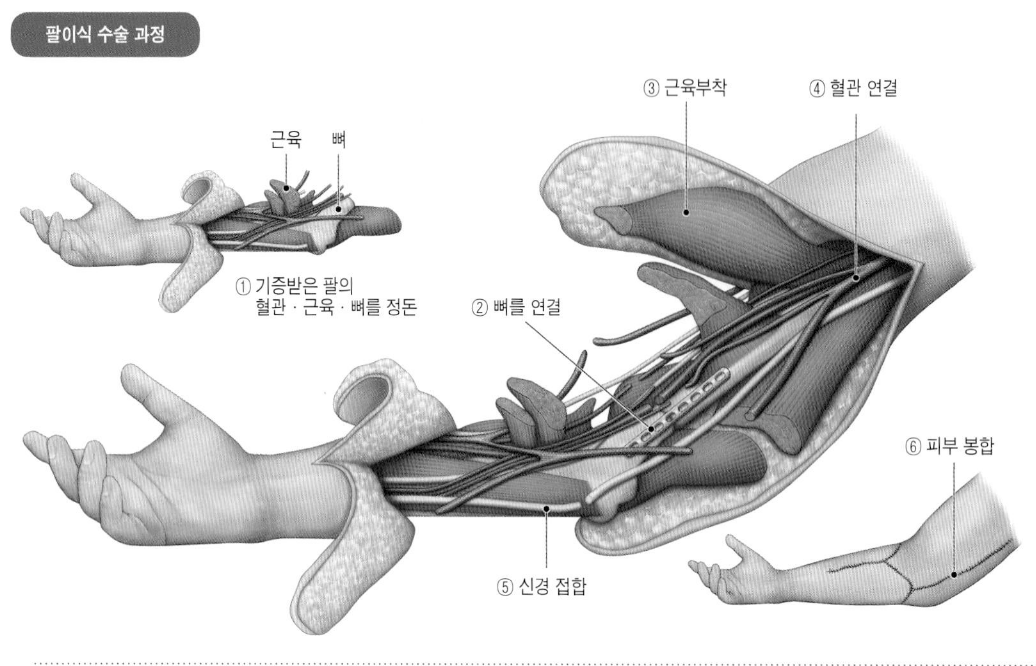

▷그림 1-19-3. Arm transplantation surgery.

은 내부 장기이므로 주로 해당 장기의 기능검사를 통하여 간접적으로 알게 된다. 조직검사가 가장 확실하나 침습적인 방법으로 반복될수록 장기의 손상이 발생한다. 안면, 수부이식의 경우도 표면관찰로 거부반응 여부를 판단하는 것보다는 조직검사로 확진할 수 있다. 복합조직의 경우는 조직검사를 감시피판에서 시행함으로써 이식된 수부의 조직에 손상을 주지 않는다. 감시피판으로는 주로 공여자의 요측전완피판(radial forearm flap)을 수혜자의 복부 혹은 서혜부 상방에 이식하게 된다.

2) 팔이식 면역 (Transplantation Immunology)

수부는 장기이식과는 달리 피부, 지방, 근육, 골, 혈관, 신경조직 등 여러 조직이 포함되어 있는데 피부가 가장 면역원성(immunogenicity)이 높다. 그러나 이들 모두가 함께 존재할 때 면역원성은 단독 조직에 의한 면역원성보다 떨어지는 것으로 알려져 있다. 면역억제제는 단일요법보다는 다제요법이 부작용을 줄이고 억제의 효과가 더 우수하다. 3제요법이 가장 많이 사용되고 있으며, 이는 tacrolimus (FK-506), mycophenolate mofetil, prednisolone으로 구성된다. 스테로이드 계통은 점차 줄이다가 거부반응이 나타났을 때 다시 용량을 올리는 방향으로 진행된다. 면역억제제는 이식된 장기의 거부반응을 없애는 것이지만, 정상적인 면역활동도 억제되어 기회감염(opportunistic infection)을 일으킬 수 있다. 다른 부작용으로는 당뇨, 스테로이드에 대한 부작용, 신독성, 소화기장애 등을 들 수 있다. 아울러 악성종양발생 가능성도 높은 것으로 알려져 있다. 그러므로 면역억제제 사용에 따른 생명을 위협하는(life-threatening) 부작용은 복합조직이식 분야에서 해결해야 하는 윤리적 문제 중 하나다. 면역관용이란 숙주가 공여자의 항원을 숙주 본인의 것으로 인식하여 면역반응을 일으키지 않는 것을 말한다. 대표적인 것이 골수이식(bone marrow transplantation)으로, 숙주의 골수를 공여자의 골수로 치환하여 완전히 공여자의 면역체계로 바꾸는 것이다. 이렇게 바뀌는 것을 키메리즘(chimerism)이라고 정의한다. 수부이식에서는 전완(forearm) 및 수부에서 골(bone)을 가져가기에 일부 키메리즘을 유발한다고 알려져 있다.

3) 술 후 결과 평가 (Postoperative evaluation)

이식된 팔의 기능적 결과에 대한 평가는 DASH (disabilities of the arm, shoulder, and hand) score나 IRHCTT에서 제시한 HTSS (hand transplantation score system)가 많이 사용되고 있다. HTSS는 모양(appearance) 15점, 감각(sensibility) 20점, 운동성(movement) 20점, 심리적/사회적 수용성(psychological and social acceptance) 15점, 일상 생활 및 직업 상태(daily activities and work status) 15점, 환자만족도 및 전신 기능(patient satisfaction and general well-being) 15점으로 구성되어 81~100점은 '아주 좋음(excellent)', 61~80점은 '좋음(good)', 31~60점은 '보통(fair)', 0~30점은 '불량(poor)'로 평가하였다. 대부분의 환자들이 팔 이식술 후 1년 이내에는 60점 정도의 점수를 보이지만 2년 이상이 경과하면 good 이상의 점수를 얻어 좋은 결과를 보였다. 현재까지 시행된 팔이식에서 대부분의 환자가 보호감각(protective sensibility)을 회복하였고, 일상생활이 가능할 만큼의 운동 기능도 회복되는 결과를 보여주고 있다. 손목이나 원위 전완부에서 이식술을 시행받은 환자에서 외재근에 의한 손의 운동은 빨리 회복되었으며, 내재근의 기능은 1년이 지나서 조금씩 나타나기 시작해서 점차 강화되었다. 전체적인 기능은 수술 후 6년까지도 지속적으로 호전되는 양상을 보였다. 현재로서는 팔 이식 수술만이 양팔이 절단된 환자에게서 삶의 질을 획기적으로 향상시킬 수 있는 유일한 방법이므로 점차 적응 범위가 확대될 것으로 기대되며, 우리 나라에서도 적극적인 자세로 팔 이식 수술에 대한 연구와 노력이 필요할 것으로 생각된다(그림 1-19-4).

▷그림 1-19-4. Eating alone A. before and B. after hand transplantation

5. 안면이식 (Face transplantation)

2005년 프랑스에서 세계 최초로 안면이식(face transplantation)이 성공한 이후 2018년 현재까지 총 30건 이상의 안면이식이 시행되었다. 그 중에 총기손상과 전기손상을 포함한 화상이 가장 많다. 그 중 2명은 사망하였으며, 나머지는 생존하고 있다. 시행된 대부분의 국가는 유럽, 미국이 중심이 되고 있으며, 안면이식 시행을 위하여 각 기관은 기초연구에서 임상연구를 망라한 총체적인 연구를 준비하였다. 이를 바탕으로 해당 기관의 승인, 이식행정부서의 승인 등 사회적, 제도적 합의하에 진행되었다.

1) 안면이식의 적응증(Surgical indication)

안면이식의 적응증으로서는 여러 학자들에 의해 의견제시가 활발히 이루어져 왔는데 일반적으로 다음과 같다. 1) 안면이식을 진행하고자 하는 강한 희망이 있는 사람으로 2) 수술 후 2~4년간 지속적인 치료 스케줄을 감당할 수 있어야 하고, 3) 18세 이상 60세 미만의 나이로 최소한의 건강질환 및 외상의 경험이 있고, 4) 6개월 이상의 이식 후 기간 동안에 어떠한 외상에도 노출되지 않아야 하고 5) 모든 신체 내 장기가 정상 범주의 기능을 하여야 하며, 6) 이식과 관련되어 정신과적인 문제가 없이 정신 건강이 좋아야 하며, 7) 결과적으로 이식 관련 전체 의료관리면에서 모두 가능하여야만 바람직하다고 보고하였다. 또한, 비적응증 환자로 절대적인 경우와 상대적인 경우로 나누어 보고하였는데, 절대적 비적응증으로서 기존의 의학적 허약함을 보이거나 사회경제적으로 면역억제제를 처방 받지 못하는 경우, 시술 후 지켜야 할 철저한 스케줄을 따라올 수 없는 경우, American Society of Anesthesiologists (ASA) 5급 환자, 신장 및 여러 장기의 말기질환 환자, 활동적인 종양 환자, 심각한 정신질환을 앓거나 자살시도 경험이 있었던 환자, 완전한 시각 장애 환자, 두 손 및 상지가 절단된 환자 및 정신질환 병력으로 불완전한 정신 상태를 보이는 경우 등으로 정리하였다. 반면에 상대적인 비적응증으로 하루 한 갑 이상의 흡연가, 활동성 박테리아, 바이러스 및 진균 감염자, 활동성 C형 간염 환자 및 알코올과 약물 남용 병력 환자, 1형 당뇨병 환자, 결합조직 장애 환자, ASA 4급 환자, 18세 이하 또는 60세 이상의 환자, 심각한 장기 질환의 경험이 있거나 종양에서 치유된 지 5년 이상 경과된 환자 등과 같이 설명하였다.

2) 수술의 구성요소

다양한 안면부 손상에 대해 재건 방법은 크게 근육 재건의 필요성에 기초하여 2가지 형태로 고려할 수 있는데, 부분안면 이식으로서 안륜근을 회복하기 위한 상안면부 또는 구륜근을 회복하기 위한 하안면부의 회복을 고려할 경우와 전체 안면 이식으로서 안륜근과 구륜근 모두를 재건하기 위한 과정으로 생각할 수 있다. 구륜근의 결손을 보일 경우, 안면이식은 하안면부에 제한될 수 있으며, 이는 코과 입이 결손된 총상 환자에서 볼 수 있으며, 코보다는 입이 결손된 것과 관련하여 안면 이식의 적응증이 될 수 있다. 또한, 화상 환자에서 볼 수 있듯이 상안면부에서는 양측성으로 안검부가 결손된 경우 귀와 코 같은 안면부의 다른 구성 요소와 함께 안면이식의 적응증이 될 수 있다. 안면이식 초기에는 부

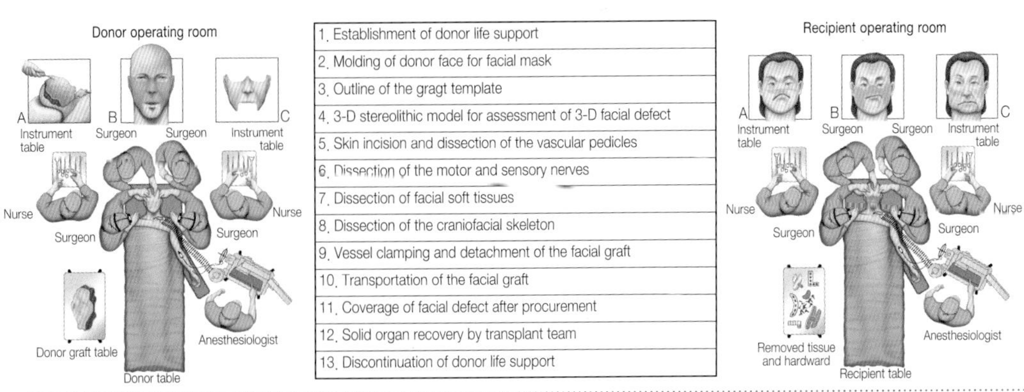

▷그림 1-19-5. (A) Schematic outline of the donor operating room. A, Facial mask molding; B, Facial graft procurement; C, Donor defect coverage. (B) Guidelines of sequences of donor operation for face allograft procurement (C) Schematic outline of the recipient operating room. A, Recipient defect before the input; B, Recipient defect after removal of scar tissue and hardware; C, Inset of donor facial graft (From *Siemionow and Ozturk. J Reconstr Microsurg 2012;28:35-42, with permission from Lippincott Williams [22]*).

분 안면이식(partial face transplantation)이 시행되었으나, 최근에는 전체 안면이식(total face transplantation)으로 이식범위가 확대되고 있다. 감각신경회복은 운동신경회복에 비하여 좋은 결과를 보이며, 빠른 경우 3개월 경부터 호전된다. 운동신경회복은 감각신경보다 늦게 호전되는데, 일부 환자에서는 2개월부터 운동회복호전을 보여 8개월 경에는 완전히 입을 다물 수 있었다.

안면이식 피판에서 중요한 부분은 안면피판의 범위, 혈관경, 운동신경(안면신경), 감각신경(삼차신경)으로 나눠진다. 안면신경의 경우 이하선(parotid gland)을 통과하여 나온 부위를 사용한다. 감각신경에서는 안와하신경(infraorbital nerve), 턱끝신경(mental nerve)이 안면골을 통과하여 나오는 부위를 포함한다. 그러나 전층 안면이식일 경우는 혈관경과 신경 모두 좀 더 근위부인 목 부위에서 거상하게 된다. 전층 안면이식인경우 동맥은 외경동맥(external carotid artery)에서 박리를시작하여 안면동맥, 천측두동맥(superficial temporal artery)을 포함한다. 정맥은 내경정맥(internal jugular vein)의 안면정맥 기시부, 외경정맥(external jugular vein) 및 분지를 경우에 맞게 사용한다. 안면동맥의 사용에도 악하선(submandibular gland)을 포함하여 안면동맥의 손상을 가급적 줄이는 방향으로 진행한다. 부분 안면이식일 경우 해당 부위의 안면신경 분지를 박리하여 사용하면 된다. 그러나 전층 안면이식의 경우는 안면신경 사용 위치를 이하선을 기준으로 두 가지로 나눈다. 즉, 이하선 근위부인 경유돌공(stylomastoid foramen)에서 시작되는 부분을 박리하여 사용하는 경우, 이하선을 포함한 원위부의 안면신경을 사용하는 경우로 나눠진다. 양측 모두 장단점이 있는데, 안면신경 줄기(facial nervetrunk)를 사용하는 경우 수술 술기는 간단하지만, 연합운동(synkinesis) 가능성이 많다. 또한 각각의 분지를 사용하는 경우수혜자의 이하선 제거술이 추가로 필요하다. 감각신경은 각각의 삼차신경과 연결을 하지만, 운동신경과는 달리 신경봉합술(neurorrhaphy)을 하지 않고 안와하 구멍에 위치한 경우에도 감각회복이 이뤄질 수 있다(그림 1-19-5).

6. 복벽이식(Abdominal wall Transplantation)

현대 의학에서 각종 장기의 말기 질환 치료에 해당 장기의 이식이 빼놓을 수 없는 중요한 치료 수단으로 자리잡은 지 오래이다. 흉강 및 복강 내 모든 장기가 이식의 대상이 되었고 소장 역시 여기서 제외되지 않는 장기 중 하나이다. 다만 다른 장기와 비교하여 복잡한 해부학적 구조 및 면역학적 특성으로 말미암아 그 발전의 속도가 다른 장기에 비해서 느렸던 것이 현재 상대적으로 생소한 이식 분야로 남은 요인이라 하겠다. 그러나 최근 수술 술기 발전, 효과적인 새로운 면역 억제제의 개발, 그리고 이식 전, 후 환자 관리 방법의 발달로 인하여 이식 후 결과가 괄목하게 향상되어 현재 소장 기능 부전 환자에서 확실한 치료 방법의 하나로 견고하게 자리잡았음은 주지하는 사실이다. 소장이식수술은 경우에 따라서 소장의 대량 절제가 선행되어 이미 복강의 용적이 현저히 줄어들었거나 다발성 장루의 형성으로 건강한 복벽을 소실한 경우가 흔하다. 이러한 합병증이 없다 하더라도 소장 이식 수술 후 경피적 영양관 삽입, 장루의 형성 등 복벽의 많은 부분들이 이식 수술을 마치기 위하여 필요하게 된다. 따라서 소장 이식 수술의 경우 수술 창상을 봉합하는 마무리 작업이 환자의 생존율에 영향을 미치는 중요한 예후 인자로 작용한다. 복벽 재건 및 수술 창상봉합이 적절하게 이루어지지 못한 경우 개방성 창상으로 인한 창상 감염, 장피 누공 형성, 패혈증 등이 대표적 합병증으로 발생하며 이에 따라 이식편은 정상적인 기능을 하고 있으나 결국 환자를 잃는 경우도 발생하게 된다. 이런 경우 환자 본인의 복벽을 사용하여 수술 창상을 완벽하게 봉합할 수 있으면 가장 좋은데 피하 지방층의 절개를 통하여 복근막의 면적을 늘리는 방법이 사용된다. 또는 소와외과 영역의 복벽 결손증 환자에게 사용하는 장력 발생 기구를 사용하여 점진적으로 복벽의 면적을 인공적인 그물망을 사용하기도 하고 최근 들어 뇌사자의 복막을 채취하여 복벽의 결손을 보강하기도 한다. 최근 뇌사자의 복벽 전체를 이식하는 새로운 방법이 등장하였다. 복벽이식은 이론적으로 가장 이상적인 복벽 재건술로서 뇌사 기증자가 필요하고 또 다른 장기의 이식의 하나로 간주된다.

7. 맺음말

Sir Peter Medawar가 이식거부 반응이 면역반응에 의해 생긴다는 사실을 알린 후 60년이 지나면서 이식면역학 분야는 엄청난 발전을 하였고 그 속도가 점점 빨라지고 있다. 이식면역학의 발달과 미세수술 기법의 발달로 복합조직이식은 눈부시게 발전하여 성형외과의 중요한 치료요법(treatment modality) 중 하나로 자리를 잡았다. 각종 외상과 재해로 인해 발생한 각종 인체결손을 가진 환자들에 대해 기존에 시행되어 왔던 피판술, 피부이식술, 조직확장술, 보형물 삽입술 등의 다양한 재건술은 분명한 한계가 있다. 복합조직이식은 여기에 훌륭한 대안이 될 수 있다. 복합조직이식은 외과적인 수술과정의 중요성과 함께 술 후 발생하는 여러 문제점들을 어떻게 해결해 나갈 것인가가 관건이며 이를 위해서는 여러 전문가들과 팀을 구성하여 좋은 팀웍을 발휘하는 것이 필요하다.

References

1. Siemionow M, Ozturk C. Face transplantation: outcomes, concerns, controversies, and future directions. J Craniofac Surg 2012; 23: 254-9.
2. Eun SC, Baek RM, Park CG. Prolongation of the rat composite tissue allograft survival by the combination of tolerogenic immature dendritic cells and short-term treatment with FK506. Transplant Proc 2013; 45: 1792-6.
3. Murphy BD, Zuker RM, Borschel GH. Vascularized composite allotransplantation: an update on medical and surgical progress and remaining challenges. J Plast Reconstr Aesthet Surg 2013; 66: 1449-55.
4. Pomahac B, Diaz-Siso JR, Bueno EM. Evolution of indications for facial transplantation. J Plast Reconstr Aesthet Surg 2011; 64: 1410-6.
5. Lantieri L. Face transplant: a paradigm change in facial reconstruction. J Craniofac Surg 2012; 23: 250-3.
6. Jang Il M, Multivisceral Transplantation. J Korean Soc Transplant 2006;20:160-171
7. Lee GJ, Limb Transplantation: Indications and Recent Results. J Korean Soc Surg Hand 2012;17(2):89-97.
8. Lohn JW, Penn JW, Norton J, Butler PE. The course and variation of the facial artery and vein: implications for facial transplantation and facial surgery. Ann Plast Surg 2011; 67: 184-8.
9. Shanmugarajah K, Hettiaratchy S, Clarke A, Butler PE. Clinical outcomes of facial transplantation: a review. Int J Surg 2011; 9: 600-7.
10. Yeo Reum Jeon, Jong Won Hong, Young Seok Kim, Tai Suk Roh, Dae Hyun Lew, Dong Kyun Rah, M.D., Ph.D Experimental Hind Limb & Inguinal-Femur Osteocutaneous Flap Model in Rats for Composite Tissue Transplantation. Journal of Korean Burn Society. 2011;14:85-92
11. Eun SC. Composite tissue allotransplantation immunology. Arch Plast Surg 2013; 40: 141-53.
12. Kim YE, Eun SC. Effect of FK506 ointment (Protopic) on rat skin allograft model. Transplant Proc 2014; 46: 1222-5.
13. Moon JI, Multivisceral Transplantation. J Korean Soc Transplant 2006;20:160-171
14. Seo MH, Lee JA, Oh JS, Kim SM, Myoung H, Lee JH. Review of Current Facial Allotransplantation and Future Aspects. J Korean Assoc Maxillofac Plast Reconstr Surg 2013 Sep 35(5):342-351
15. Jeon YR, Hong JW, Kim YS, Roh TS, Lew DH, Rah DK. Experimental hind limb & inguinal-femur osteocutaneous flap model in rats for composite tissue transplantation. J Korean Burn Soc 2011; 14: 85-92.
16. Eun SC, Baek RM. Rat hindlimb allotransplantation with short-term immune suppressants and dendritic cell pretreatment. J Korean Soc Microsurg 2012; 21: 34-40.
17. Eun SC. Skin allograft using donor antigen-pulsed dendritic cell therapy. J Korean Burn Soc 2012; 15: 127-30.
18. Baek RM, Eun SC, Heo CY, Chang H. Experimental facial transplantation surgery. J Craniofac Surg 2010; 21: 648-51.
19. Lee KM, Eun SC. Experimental canine facial transplantation. Transplant Proc 2014; 46: 1208-11.
20. Kim CW, Do ER, Kim HT. A new facial composite flap model(panorama facial flap) with sensory and motor nerve from cadaver study for facial transplantation. J Korean Cleft Palate-Craniofac Assoc 2011; 12: 86-92.
21. Pomahac B. Establishing a composite tissue allotransplantation program. J Reconstr Microsurg 2012; 28: 3-6.

II
두경부

1 수술 전 평가
Cephalometry

조병채 · 최강영 경북의대

안면윤곽을 주소로 내원한 환자의 경우 다른 여타의 질병과는 달리 환자와 의사 사이에 전반적인 치료에 대한 명확하고 효과적인 커뮤니케이션이 중요하고 이것이 정확히 이루어졌을 때 수술이 최상의 결과를 가져올 수 있다. 그 이유는 수술에 대한 절대적인 기준이 없으며 상대적이고 개인적인 이유에 의해서 수술이 진행되는 경우가 많기 때문이다. 그러므로 방사선 사진이나 외형의 사진을 보고 진단기준을 만드는 것은 잘못된 결과를 초래할 가능성이 있으므로 이 장에서는 절대적인 기준을 제시하기보다는 진단에 도움이 되는 요소들을 설명하고자 한다.

체계적인 검사는 악안면윤곽의 문제를 주소로 내원한 환자를 적절히 평가하고 치료계획을 세우기 위해서 필수적이다. 대부분의 경우 다음의 것들을 포함한다.

- 외형에 대한 얼굴 평가
- 방사선학적 평가
- 교합(occlusion)과 석고모형 평가
- 턱관절 평가

1. 외형에 대한 얼굴 평가

평가는 평소의 모습대로 편안하게 서 있거나 앉아 있는 상태에서 체계적으로 수행되어야 하며 자연스런 두상위치에서 중심교합(centric occlusion) 상태의 치아를 가지고 입술을 자연스럽게 한 상태로 평가한다. 자연스런 두상위치란 환자가 느끼기에 그들의 머리가 가장 자연스럽다고 느끼는 위치이다. 적절한 연조직 변화를 확인하기 위해서는 입술에 힘을 빼고 자연스럽게 있어야 한다.

S-N (Sella-Nasion) plane과 F-H (Frankfort Horizontal) plane은 전통적으로 다양한 두부 측정법과 임상적 평가 시에 수평적 참고점으로 사용되어 왔다. 그러나 대개의 환자들은 두부의 이 두 평면과 바닥을 평행하게 유지하는 데 어려움을 겪으므로, 두부 측정 계측점을 기준으로 하는 얼굴의 위치가 무조건적으로 옳은 것은 아님을 알아야 한다. 그러므로 임상적 평가는 자연스런 자세에서의 머리 위치에서 수행되는 것이 좋다.

1) 정면 분석

전반적인 얼굴의 형태, 얼굴의 대칭성, 상중하안면의 관계, 입술, 코 등을 평가하는 것이 중요하다.

(1) 전반적인 얼굴 형태

얼굴의 가로 세로 길이의 관계는 얼굴의 조화에 큰 영향을 미친다. 기본적인 얼굴의 길이-폭 비율은 여자는 1.3:1, 남자는 1.35:1이다. 양 턱간의 넓이는 양쪽 관골 사이 넓이보다 30%는 적은 것이 적절하다(그림 2-1-1).

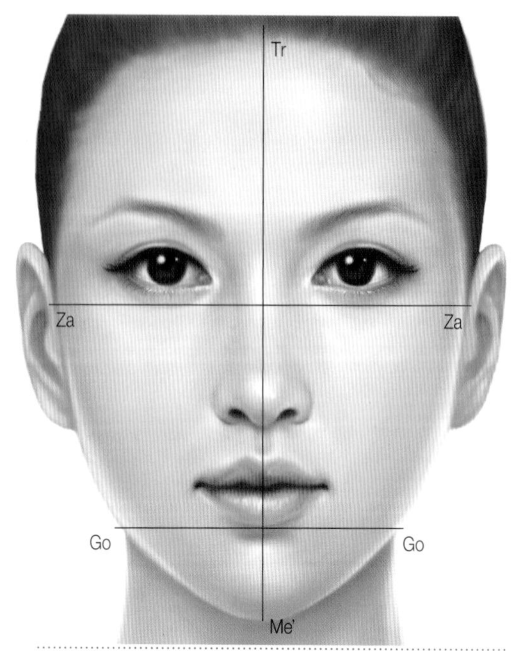

▷그림 2-1-1. **전반적인 얼굴의 형태(정면)**

(2) 얼굴의 대칭성 평가

얼굴 대칭성을 평가하기 위해서 glabella (G'), pronasale (Pn), 인중과 위, 아래 입술의 중앙, 연조직에 있어서 pogonion (pg)을 잇는 가상의 선을 긋는다(그림 2-1-2). 임상적으로 확연한 비대칭이 있을 경우 전후 cephalometric x-ray를 이용하면 평가에 유용하다. cephalometric x-ray를 통해 임상의는 비대칭의 원인이 골격적인 것인지 연조직적인 것인지 아니면 두 가지 다 문제인지를 구분할 수 있다. 평안한 상태에서의 머리의 위치가 중요한데, 수술로 얼굴의 대칭성을 확보하더라도 목과 머리의 자세에서 오는 비대칭은 교정하기 어렵기 때문이며, 과도한 자세의 비대칭여부를 수술계획 전에 반드시 확인해야 한다.

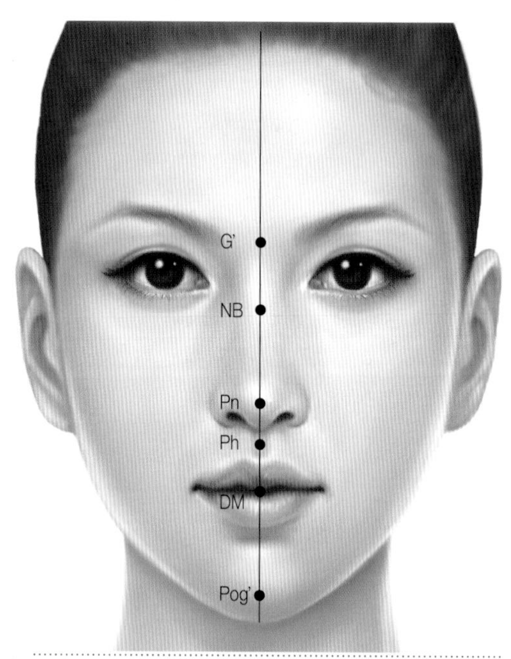

▷그림 2-1-2. **얼굴의 대칭성 평가**

(3) 얼굴 정면의 비율

얼굴은 transverse하게 5개의 부분으로 나눌 수 있는데 그 각각의 넓이는 눈의 가로 길이와 같고 전체적으로는 양쪽 귓바퀴까지다(그림 2-1-3).

가장 외측은 귀 중앙에서부터 바깥쪽 눈꼬리까지이다. 이때 만약 두드러진 귀가 있다면 외측

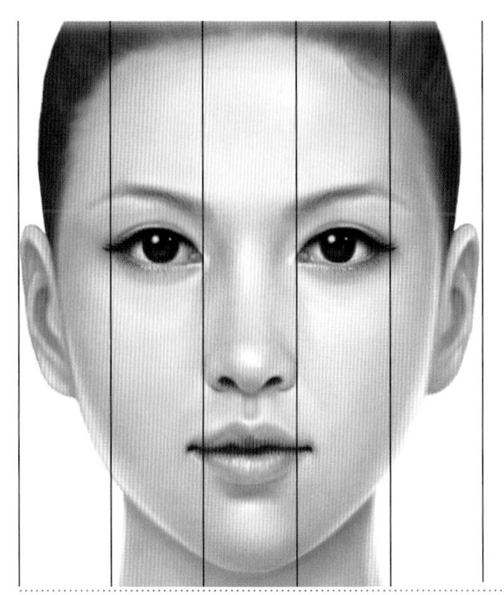

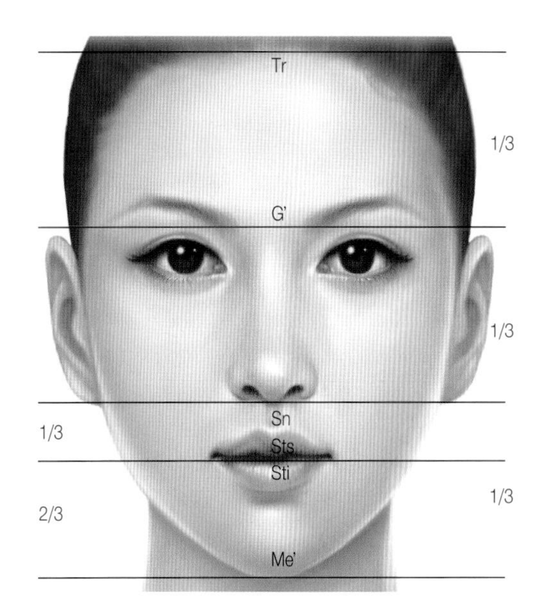

▷그림 2-1-3. 정면얼굴의 비율

은 얼굴의 비율에 영향을 미치는데 이것은 otoplasty로 교정가능하다. masseter 비대로 mandibular angle 비대가 있는 경우 얼굴이 각져 보이고 gonial angle이 바깥 눈꼬리를 벗어남을 확인할 수 있다. 보다 조화로운 얼굴 형태는 이러한 환자들이 양쪽 교근을 줄이고 하악각절제술(mandibular angulaectomy)이 도움이 된다.

가운데 얼굴의 3/5 부분은 바깥쪽과 안쪽 눈꼬리 사이이다. 바깥쪽 경계는 mandibular angle과 일치해야 한다. masseter의 hypertrophy를 가진 환자들은 mandibular angle이 이 선보다 바깥쪽에 위치한다. 안쪽 선 안에서는 입의 넓이가 양쪽 눈의 홍채(iris) 사이 거리와 비슷하다.

5등분 중 가운데 부분은 양쪽의 안쪽 눈꼬리 사이이다. 눈 사이가 먼 환자들의 경우 이 부분이 다른 네 부분에 비해서 넓은 비율을 차지하게 된다. Alar width가 양쪽 안쪽 눈꼬리 사이 간격과 일치해야 한다.

얼굴은 vertical하게는 세 부분으로 나뉘어질 수 있다(그림 2-1-3). 위쪽 1/3은 hairline (trichion)에서 glabella까지, 중간 1/3은 glabella에서 subnasale까지, 아래쪽 1/3은 subnasale에서 menton까지로 정한다.

중안면 평가 시 중안면이 가지는 전후상하적

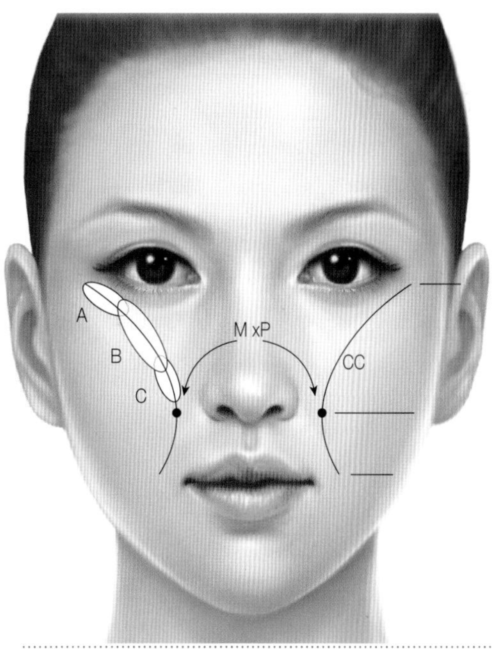

▷그림 2-1-4. 조화로운 Cheek line

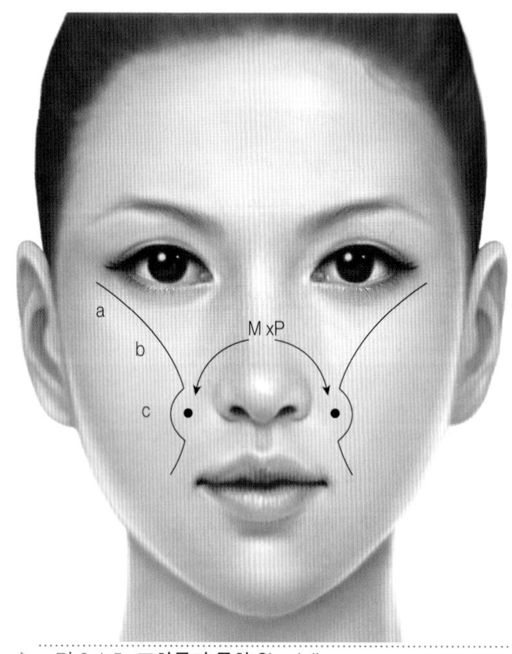

▷그림 2-1-5. **조화롭지 못한 Cheek line**

인 문제도 중요하지만, 조화로운 중안면을 가지기 위해서는 zygoma-cheek-perinasal area-lip을 연결하는 선이 부드럽게 이어지는 커브를 가지는 것이 매우 중요하며, 이선은 얼굴 중앙 부분(zygoma, maxilla, nose)의 조화를 평가하는 유용한 기준이 된다. 이 선은 귀의 바로 앞쪽에서 시작하여 cheek bone을 통과하여 앞쪽으로 확장되고 상악의 앞-아래쪽으로 흘러 nasal base에 가까워지다가 양쪽 입꼬리에서 끝난다(그림 2-1-4). 그림 2-1-5는 maxilla에서 이 선이 조화롭지 못한 경우를 보여주는 예시이다. 이러한 부조화는 대부분 상악의 전후부족이나 하악의 prognathism에서 보인다.

얼굴을 수직으로 나누었을 때 중앙 1/3과 아래 1/3의 비율은 1:0.8이 이상적이며, 아래 1/3이 조금 작은 경우가 그렇지 않은 경우에 비해 더 동안으로 보이는 경향이 있다. 또한 아래 1/3 부위에서 윗입술 길이(subnasale-stomion superius)는 아래얼굴 길이의 1/3을, stomion inferius (Sti)로부터 menton (Me')까지 길이는 아래 얼굴 길이의 2/3를 구성한다. 하안면의 분석에서 정상 성인의 윗입술 길이의 평균치는 치아와의 조화로움을 평가하는 데 중요한데. 특히 상악의 수직 이동에 중요한 참고점이 되며, 일반적으로 여자는 20±2 mm, 남자는 22±2 mm이다. 아랫입술 길이는 stomion inferius (Sti)에서부터 menton (Me')까지 측정했을 때 여자는 40±2 mm, 남자는 44±2 mm이다.

안정위에서 상악치아가 2 mm 정도, 웃을 때는 상악치아 전체와 잇몸이 1~2 mm 내로 보이는 것이 이상적인 치아의 노출 정도이다.

2) 측면 분석(Profile analysis)

(1) 전반적인 얼굴 형태

전반적인 얼굴 형태를 측면에서 분석 시 가장 중요한 것은 부분 간의 길이차이나 전후 위치차이보다는 외형의 선들이다. 대표적으로는 3개의 S-line, 2개의 C-line과 부드러운 긴 커브의 턱선이 있다. 3개의 S-line은 ① 이마에서 코 ② 코와 윗입술 ③ 아랫입술과 턱을 연결하는 선들을 말하며 기본적인 형태가 잘 유지 된다면 국소적인 전후관계는 얼굴 형태에 큰 문제가 되지는 않는다(그림 2-1-6).

(2) 위쪽 1/3

Supraorbital rim은 안구 전방 5~10 mm 정도에 위치하며 인종에 따라서 다양한 차이가 있다. 이곳의 문제로는 frontal bossing, supraorbital hypoplasia, exophthalmos, 또는 enophthalmos 등이 있을 수 있다.

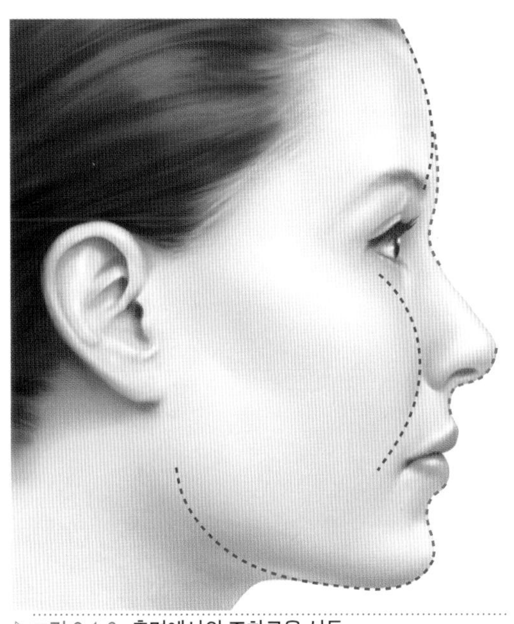

▷그림 2-1-6. 측면에서의 조화로운 선들

(3) 중간 1/3

얼굴의 중간 1/3의 형태를 정확히 평가하기 위해서는 일반적으로 아래쪽 1/3을 함께 분석, 평가하는 것이 도움이 된다.

안구의 가장 돌출된 부분은 일반적으로 infraorbital rim의 전방 0~2 mm에 위치하는 반면, lateral orbital rim은 안구의 가장 돌출된 부분에서 8~12 mm 뒤에 놓여있다(그림 2-1-7). 뺨은 일반적으로 zygoma의 정점에서 oral commissure까지 볼록하다. 정면에서 설명했듯이 zygoma-cheek-perinasal area-lip을 연결하는 선은 정면 및 측면에서 모두 평가되어야 한다. 이 선은 귀 바로 앞쪽에 시작하여 zygoma 앞으로 확장하여, alar base에 인접한 maxilla의 전하방에 이르러 oral commissure의 끝에 이른다(그림 2-1-7). 이상적인 cheek line은 유선형이고, 중단없이 이어져야 하며. 곡선의 중단은 명백한 골격의 기형을 의미한다. 그림 2-1-7의 좌측그림은 maxilla에서 cheek line의 명백한 끊김을 보여주며, 이는 maxilla의 전후 결손을 의미한다. 우측 그림과 같은 cheek line의 중단은 상악 전후 결손 및 하악의 prognathism의 경우에 볼 수 있다.

(4) 아래 1/3

이 부분은 nasolabial angle, 입술의 형태, labiomental fold, chin의 형태, chin-throat area의 평가를 포함한다.

Nasolabial angle은 columella와 upper lip 사이에서 측정하고 일반적인 각도는 85-105°이다. 하악 전후 결손(mandibular anteroposterior deficiency) 환자에게서 nasolabial angle이 증가하고, 이 각도는(Class III malocclusion)을 가진 환자에게서 심각하게 크게 나타난다. maxillary incisor의 수술 또는 후방교정은 nasolabial angle이 큰 환자에게서는 피해야 한다.

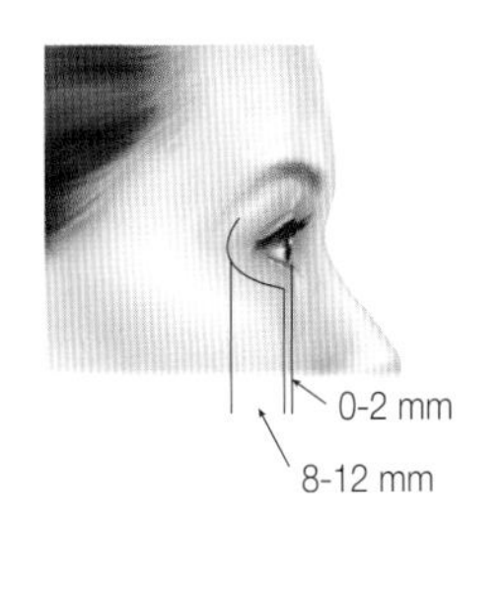

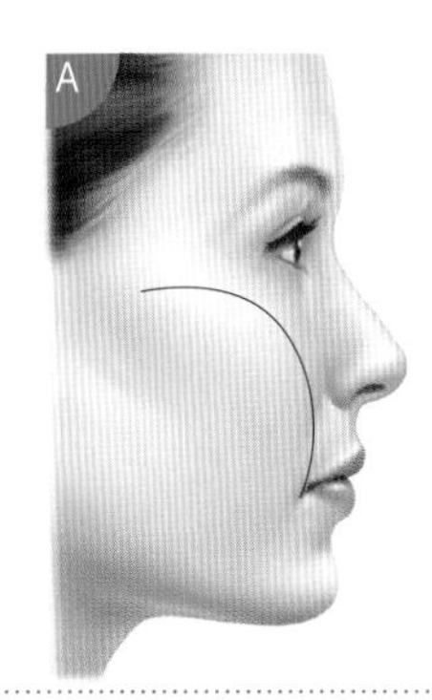

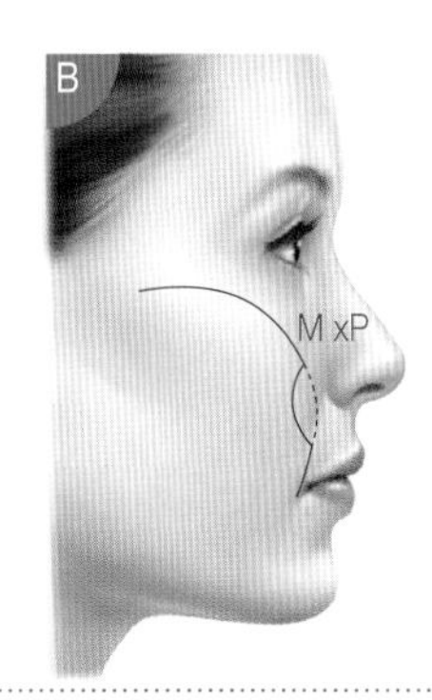

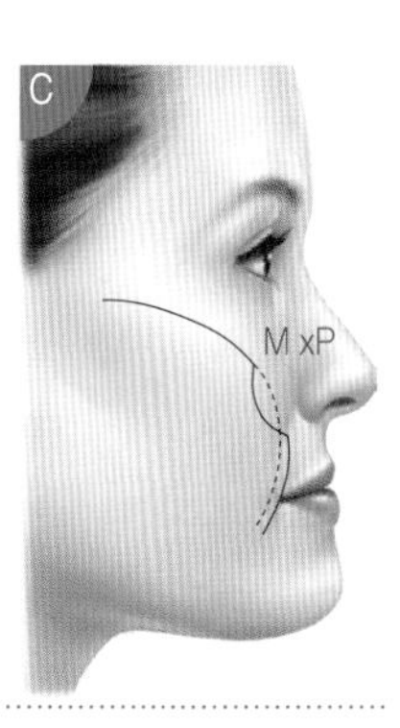

▷그림 2-1-7. A. 조화로운 중간1/3, B,C. 조화롭지 못한 cheek line.

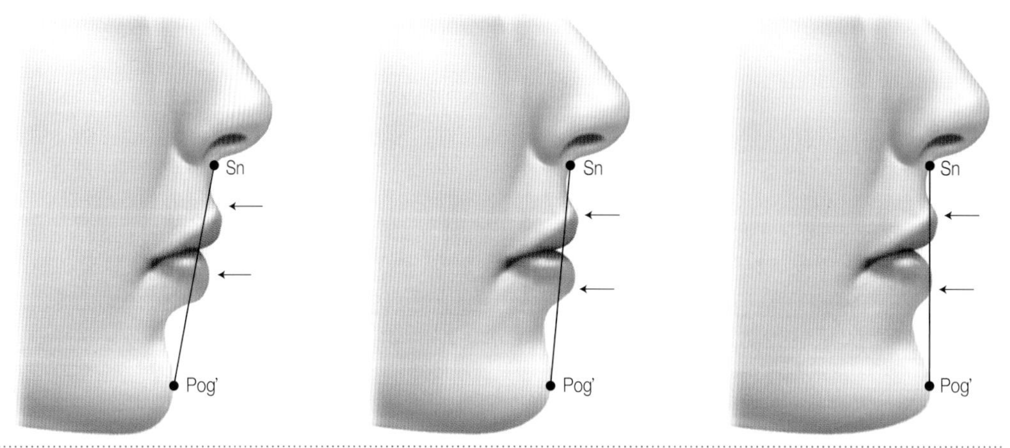

▷그림 2-1-8. **입술의 전후 위치**

입술 연조직 두께는 휴식 시의 입술로 평가된다. 입술의 위치는 상악 치아의 돌출이나 상부 입술의 결손 같이 치아의 위치와 관련이 있으며, 윗입술은 일반적으로 아래 입술의 약간 앞쪽으로 나와 있다. Ricketts의 심미적 선(E-line) 또는 Steiner의 심미적인 면(S-line)의 도움을 받아 전후방 입술 위치를 평가할 수 있다. 얼굴 하부면(lower facial plane)이라고 불리는 subnasale (Sn)-pogonion (Pog') line은 입술과 턱의 위치뿐만 아니라, incisor의 교정 및 수술 위치를 사정하는 데 중요한 지침으로 작용하여 매우 중요하다. 윗입술은 이 선의 전방 3±1 mm에 위치하고, 아랫입술은 이선의 전방 2±1 mm 위치하여야 한다(그림 2-1-8).

아래 입술 턱의 윤곽은 아래 입술 턱의 각도와 부드러운 S-곡선으로 적어도 130°의 각도를 형성해야 한다. 이 각도는 class II malocclusion (retrognathia)에서는 mandibular insisor가 아랫입술을 침범하여, 또는 macrogenia으로 인해 acute하게보이며 microgenia이나 class III malocclusion에 기인한 아랫입술의 긴장(lower lip tension)이 있는 사람들에게서는 obtuse하게 된다. 앞에서도 서술했듯이 적절한 커브의 부드러운 곡선이 턱의 약간의 전후 부조화보다 더욱 중요하다.

이중턱과 지방 조직은 하부 1/3에서 조화로운 턱선을 만드는 데 또 하나의 요소가 된다. 일반적으로 아래 입술-턱-목의 각도는 110° neck-throat angle에서 pogonion (Pog')까지의 거리(submandibulor length, 턱밑길이)가 약 42 mm 이상이 좋다(그림 2-1-9).

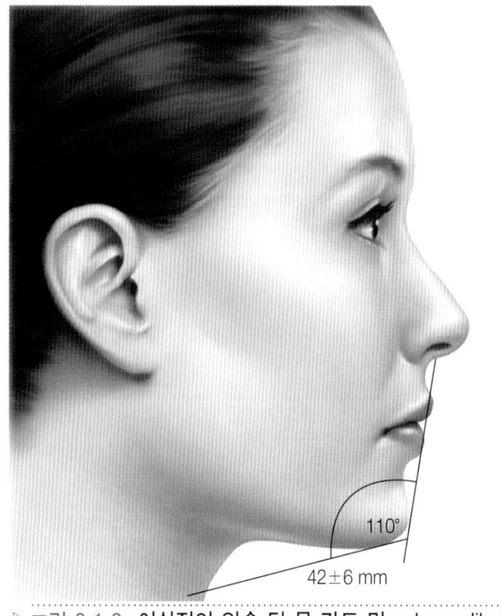

▷그림 2-1-9. **이상적인 입술-턱-목 각도 및 submandibular length(턱밑길이)**

2. 방사선학적 평가

1) Lateral cephalometric radiographic evaluation

두부의 cephalometric radiographic evaluation은 1931년 Broadnet에 의해서 정립되어 그 이후 많은 학자들에 의해 여러 가지 다양한 방법이 제시되었다. cephalometry는 주로 평면 X-ray를 이용하여 인간의 머리를 촬영하는 것을 이야기하고 이를 통해서 분석하는 것은 Cephalometric Analysis라고 한다. 이때 사용되는 방사선필름을 cephalometric Radiographs라고 한다.

처방에 의해서 촬영된 방사선사진을 항상 상의 번짐, 확대축소, 왜곡 등의 문제가 생길 수 있어 본격적인 분석전에 촬영이 적절하였는지를 판단하는 게 가장 중요하다. 적절한 촬영에는 측정자세가 중요한데 일반적으로 두경부 방사선사진 계측 시 환자의 머리는 자연스러운 자세에서 치아는 중심교합 상태로 입술은 자연스럽게 다문 채로 촬영되어야 한다. 하지만 몇 가지 예외로 중심교합위와 중심위가 상당히 차이가 있는 경우, deep bite가 있거나 심한 calssⅢ malocclusion으로 입술의 형태 및 상하악관계가 달라질 때는 중심교합위에서의 방사선 사진 채득과 안정위 중심위 교합에서 촬영을 추가로 시행하여 정확한 분석에 도움이 되게 한다.

(1) 연조직 분석(Soft tissue analysis) 그림 2-1-10

① 연조직 분석 계측점(soft tissue landmarks)

측면의 연조직 계측점은 그림 2-1-10에 나와 있으며 아래를 포함한다.

- 연조직 glabella (G'): 이마의 가장 앞으로 돌출된 지점
- 연조직 nasion (N'): 이마와 코 사이에 정중선에서 가장 깊숙이 오목하게 들어간 지점
- Pronasale (Pn): 코의 가장 앞으로 돌출된 지점
- Subnasale (Sn): 정중시상면(midsagittal plane)에서 윗입술과 코가 합쳐지는 지점
- Labrale superior (Ls): 붉은 위 입술의 점막 변연
- Stomion superius (Sts): 붉은 위 입술의 가장 아래 지점
- Stomion inferius (Sti): 붉은 아래 입술의 가장 아래 지점
- Labrale inferior (Li): 아래 입술의 점막 번연
- 연조직 pogonion (Pog'): 정중시상면에서 턱의 가장 앞으로 돌출된 지점
- 연조직 menton (Me'): 연조직의 턱에서 가장 아래의 지점 뼈의 menton에서 수평선을 수직으로 그어서 알 수 있다.

② 연조직의 계측면(Soft tissue planes)

연조직의 계측면은 아래 그림 2-1-10에 쓰여 있으며 아래의 내용을 포함한다.

- Facial plane: N'에서 Pog'까지를 연결한 선
- Upper facial plane: G'에서 Sn까지를 연결한 선
- Lower facial plane: Sn에서 Pog'까지를 연결한 선
- S- line: Pog'에서 Pn과 Sn사이 중간점을 연결한 선
- E- line: Pn에서 Pog'까지를 연결한 선

③ 연조직 수직 측정 (Soft tissue vertical evaluation)

안면의 높이를 삼등분했을 때 중간과 아래의 얼굴의 연관성을 나타내는 측정치들이다.

G'에서 Sn까지와 Sn에서 Me'까지의 거리를

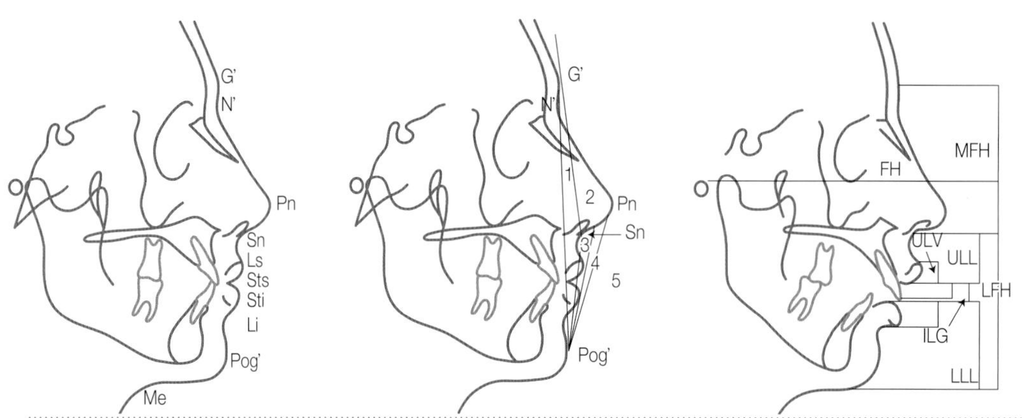

▷그림 2-1-10. **연조직 분석, 수직방향**

측정한다. 이 비율은 대략적으로 1:1이다.

윗입술 길이는 Sn에서 Sts까지 측정되며 남성에서는 22±2 mm, 여성에서 20±2 mm이다. 결국 이 길이는 incisal Show(상악절치가 보이는 정도)를 적절히 만들어 내는데 중요한 측정치가 된다. 즉 정상적인 maxilla의 위치라도 윗입술의 길이가 과도하게 길거나 짧을 경우에는 maxilla의 수직이동량을 얼굴과 윗입술이 길이와 조화롭게 이동하여야 한다. 대략적으로 incisal Show는 2 mm 정도가 적당하다.

아랫입술/턱 길이는 Sts에서 Me'까지 측정되며 남성에서는 44±2 mm, 여성에서는 40±2 mm이다. 수직적 치수의 증가는 하악골의 수직적 길이 증가를 보여줄 것이다. 그에 반하여 수직적 치수의 감소는 하악골의 수직적 길이 감소를 보여줄 것이다. 이 수치는 또한 각 개인에서 과교합과 튀어나온 아래 입술로 인해 짧아질 수도 있다.

입술을 이완하였을 때 입술은 약하게 서로 닿아 있어야 하며 입술 사이 간격은 정상적일 때 0~3 mm이다. 위 붉은 입술의 높이는 아래 붉은 입술의 높이보다 25% 짧은 게 좋다. 즉 Ls-Sts:Sti-Li = 3:4의 비율이 이상적이다. 붉은 입술의 높이는 인종에 따라 특이적이며 측정 시에는 이를 명심해야 한다. 아래 붉은 입술의 노출 증가는 상악의 수직적 길이 증가로 인한 아래 입술의 외전으로 인한다.

④ 연 조직의 전후 방향 계측(Soft tissue anteroposterior evaluation)(그림 2-1-11)

nasolabial angle은 85~105°로 여성에서는 둔각이, 남성에서는 그보다 뾰족한 각이 매력적이라고 간주된다. 이것은 maxillary incisor에 의해서 지지받는 윗입술의 위치와 columella의 경사에 영향을 받으므로, 과도하게 maxillary incisor를 후방이동 시키면 입술지지가 약해져서 nasolabial angle이 증가하게 될 것이다.

- 입술의 두께(lip thickness) - 얇은 입술은 두꺼운 입술에 비해서 치아의 이동에 즉각적으로 반응한다.

아랫입술의 돌출 정도를 가장 잘 나타내는 것은 E-line (esthetic line)인데 아래 입술은 이보다 2±2 mm 아래에 위치한다. 그리고

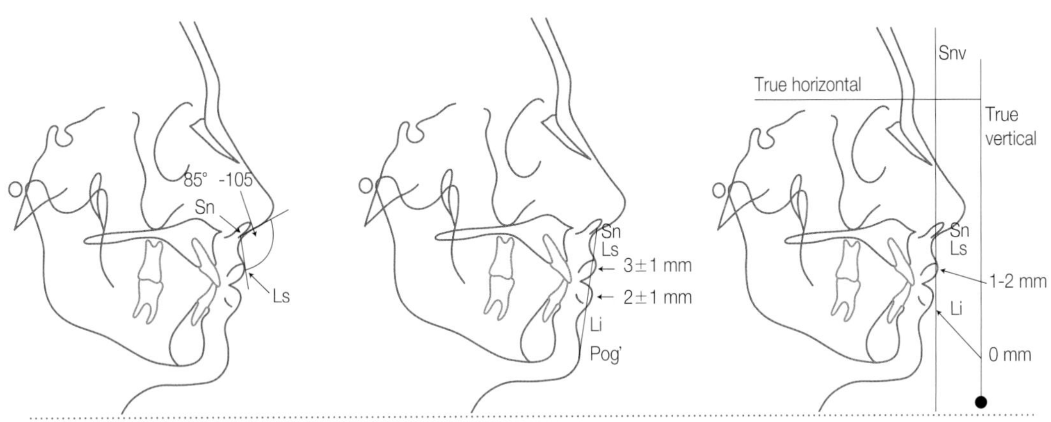

▷그림 2-1-11. **연조직 분석, 수평방향**

입술의 돌출은 Sn에서 Pog'를 이은 선(lower facial plane)으로 계측할 수 있다. Sn-Pog' 라인과 Ls까지의 수직적 거리는 3±1 mm, Sn-Pog' 라인과 Li까지의 수직적 거리는 2±1 mm 정도이다.

또 한 가지는 Sn에 수직으로 관통하는 진정 수평이라 불리는 수직선은 subnasale vertical (SnV)이라 불리며, 윗입술은 이보다 1~2 mm 앞에 위치한다. 아랫입술은 SnV와 일치하거나 약간 뒤에 위치한다. 하악 전후방 결핍인 경우 아랫입술은 SnV보다 1 mm 이상 후방에 위치한다. 이것은 코의 projectoin에 따라서 영향을 받을 수가 있어서 Sn과 Pn 사이의 midpoint에서 Pog까지를 이은선인 S-line (steiner line)을 사용하여 입술의 돌출을 분석하기도 하는데, 상악과 하악의 전후방 위치에 대한 판단 시, F-H plane에 G'를 통과하는 수직선을 그렸을 때 Sn은 이 수직선보다 6±3 mm 전방에, Pog'은 이 선보다 1~4 mm 후방에 위치하는 것이 이상적이다. 예를 들면 상악의 전후방향 결핍인 환자는 Sn이 이 선보다 3 mm 정도만 전방에 위치하며 심한 경우 이 선에 후방에 위치한다. 이 선보다 앞에 있는 Pog'은 하악의 전후방 과도(anterior-posterior excess)를 나타낸다.

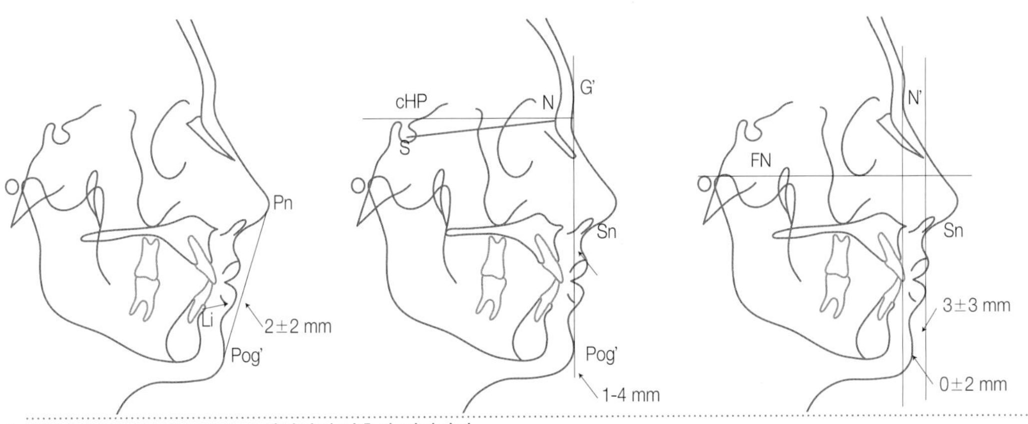

▷그림 2-1-12. **E(esthetic)-line, 상하악의 전후방 위치판단**

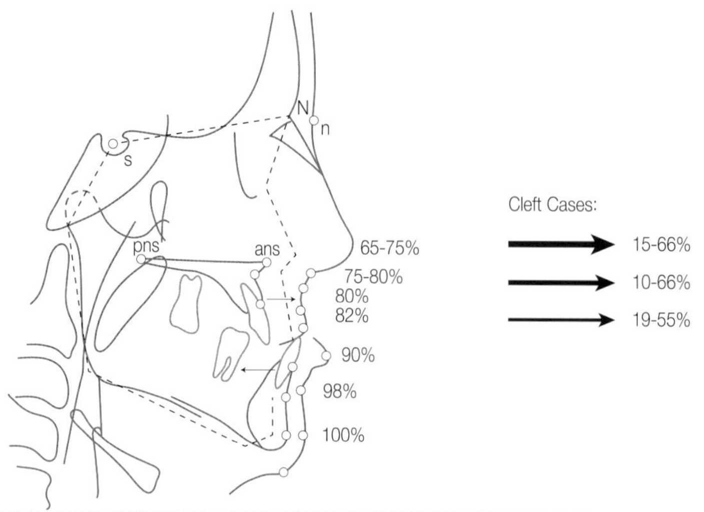

▷그림 2-1-13. **상악의 전방이동과 하악의 후방이동에 대한 연조직의 수평 이동 정도**

턱부위의 연조직 돌출은 F-H plan에 수직이고 N'을 지나는 선(N'Vertical)에서의 거리를 측정함으로써 평가할 수 있다. Pog'는 이 선보다 0±2 mm 전방에 위치한다(그림 2-1-12).

Facial contour angle은 G'에서 Sn까지의 선(upper facial plane)과 Sn에서 Pog'을 통과하는 선(lower facial plane)이 만드는 각도이다. 평균 각도는 -12°로 측정된다. 시계방향의 각은 +으로 특정되고, 반시계 방향의 각은 -으로 측정된다. 남성은 (-11±4°)의 직선적인 옆모습을 갖는 경향이 있으며 여성들에게는 미약하게 볼록한 옆모습이 심미적으로 선호된다(-13±4°). 하지만 이러한 얼굴윤곽의 각도를 보일 수 있는 다양한 얼굴 기형과는 구분해야 하므로 분석 시의 참

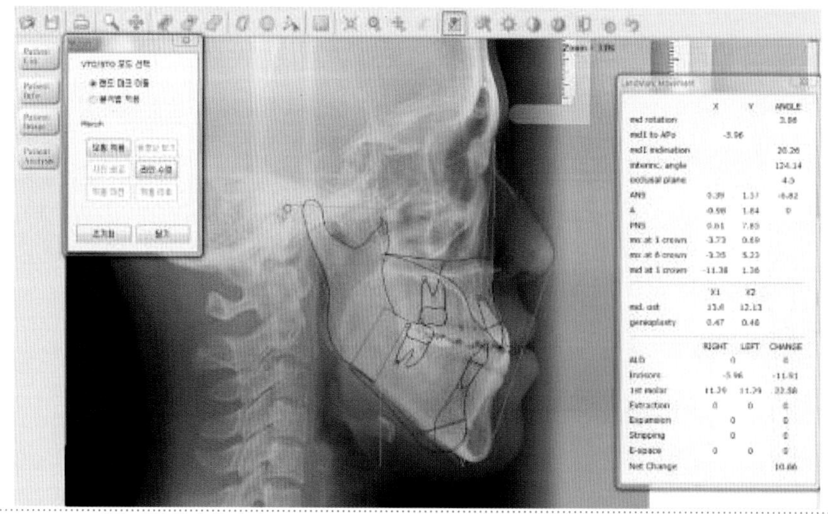

▷그림 2-1-14. **프로그램을 이용한 수술계획**

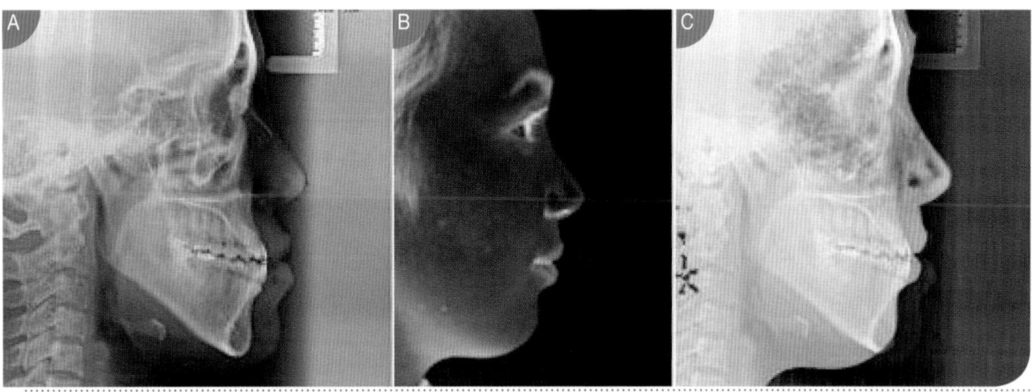

▷그림 2-1-15. **술자 개인에 따른 결과를 예측하기 위한 단계.** A. 수술 전 계획, B. 장기 경과 관찰 후에 촬영한 연조직사진, C. 수술 전 예측된 연조직과 경과관찰 사진의 중첩으로 수술전 계획의 정확성 및 연조직 이동 비율 연구

고 자료만으로 생각해야 한다.

⑤ **연 조직의 경조직에 대한 수술 후 변화량 (Hard-soft tissue evaluation)**

상악의 전방이동과 하악의 후방이동에서의 연조직의 이동 정도는 부위에 따라서 다양하게 나타나므로 각각의 변이 정도에 따라서 술 후 연조직의 형태를 예측하여 수술계획에 차질이 없게 하여야 한다. cleft lip의 경우는 일반적인 경우와는 다소 다르고 결과도 매우 다양하므로 수술 전에 윗입술의 상태에 따라서 잘 대처해야 한다(그림 2-1-13).

계획 및 결과는 술자에 따라서도 다소 차이가 날 수 있는데 요즘은 이런 오차를 개별로 입력하면 그 결과를 예측할 수 있게 하는 프로그램들이 많이 있으므로 수술계획 단계에서 많은 도움이 된다(그림 2-1-14). 또한 1년 이상의 추적관찰 결과를 이용하면 더 정확한 결과를 유추할 수 있다(그림 2-1-15).

(2) 경조직 분석(Skeletal analysis)

① **경조직의 계측점(Hard tissue landmarks)**

- Glabella (G): 전두골(frontal bone)의 가장 앞으로 나온 지점
- Nasion (N, 비근점): Midsagittal plane에서 naso-frontal suture의 가장 앞으로 나온 지점
- Orbitale (Or, 눈확): Infraorbital rim의 가장 아래 지점
- Sella (S, 안장): 안장의 중앙 지점. cephalometric x-ray에서 이 점은 투사되어 나타남
- Pterygomaxillare (Ptm, 익상악): 눈물방울모양의 pterygomaxillary fissure의 꼭대기(입구의 가장 아래 지점)

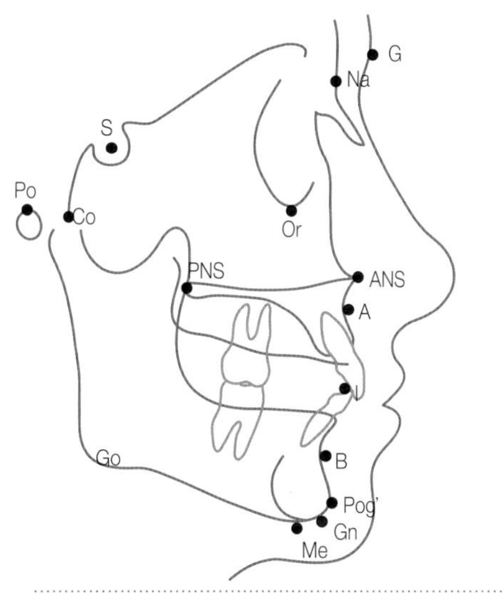

▷그림 2-1-16. **경조직 계측점**

- Basion (Ba, 큰구멍앞점): skull의 midsagittal plane에서 foramen magnum의 anterior border에서 가장 아래 지점과 만나는 지점
- Anterior nasal spine (ANS, 전비극): nasal spine의 최전방
- Posterior nasal spine (PNS, 후비극): palatine bone의 최후방 지점
- A point, or subsupinale: ANS의 아래 앞 모서리와 maxillary incisor가 놓인 이틀뼈가 만나는 오목한 곳의 최후방에 위치한 중간 지점
- B point, or supramentale: mandibular incisor가 놓인 alveolar bone과 pogonion사이의 mandible의 오목한 곳의 최후방의 중간 지점
- Pogonion (Pog, 아래턱점): 아래턱의 가장 앞 지점
- Gonion (Go, 악각점): 두 개의 선의 관계를 통해 정의되는 지점으로 하나의 선은 mandible lower border이고 다른 한 선은 mandible ramus의 뒤 모서리로서 mandible angle에 이등분기를 위치시켜서 이 두 개의 선이 만든 각을 이등분했을 때, 그 이등분선이 mandible border와 만나는 점

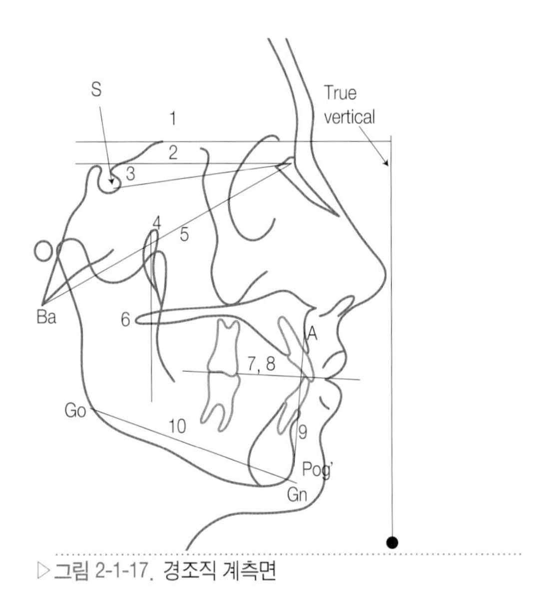

▷그림 2-1-17. 경조직 계측면

- Gnathion (Gn, 턱끝융기점): 턱의 최하방, 최전방 및 하악 결합의 중앙에 위치한 지점
- Menton (Me): 하악 결합에 정중선상에 최하방의 지점
- Porion (Po): 외이공의 최상방의 지점
- condylion(턱뼈머리맨바깥점): 과두에 최후방 상부의 지점

② 경조직 면(Hard tissue planes)

1. Horizontal plane (HP, 진수평면): 방사선 사진에 수직 라인에 수직인 선이다.
2. 구조화된 수평면(cHP, constructed HP): S-N plane에서 7° 각도로 N을 통해 그린 수평면(cHP)이다. 이것은 진정한 수평에 가까운 경향이 있고 그리기 어려운 FH plane을 보완하여 사용한다.
3. Sella-Nasion plane (S-N plane, 전방두개골베이스): S에서 N으로 그려진 선
4. Basion-Nasion (Ba-N) plane: Ba와 N 사이의 선으로 얼굴과 두개골을 분할한다.
5. Frankfort horizontal (FH) plane: Po에서 Or 사이의 선
6. Pterygoid vertical (Ptv) plane: FH plane에 수직선과 Ptm fissure의 원위부 경계로 그린 선
7. Functional occlusal plane(기능 교합 면): Molar와 premolar가 접촉하면서 발생한 선
8. Occlusal plane(교합 면): Molar의 mesial cusp contacter와 전치 overbite의 중간선을 통해 그려진 선
9. Dental plane(치구): A-point와 Pog 사이의 선
10. Mandibular plane(하악 평면): Go에서 Gn의

사이의 선

③ **ANB 각도(ANB angle, steiner analysis)**

ANB 각은 A-N과 N-B 사이의 선에 의해 형성된다. 정상적인 각도는 2°이다. 하지만 이 각도는 상악과 하악 사이의 전후 차이에 대한 상대적인 값일 뿐 얼굴형태의 전체적인 것을 나타내지는 못한다. 그러므로 이것은 S-N plane(전방 두개골 베이스)을 기준으로 상대적인 수직 및 회전 턱의 형태의 측정에 큰 영향을 주기 때문에 시상 골격 부조화의 완벽한 진단을 위해 사용해서는 안 된다. 이러한 단점에도 불구하고, Steiner analysis은 상악과 하악의 전후 관계를 평가하는 일반화된 방법인데 그 이유는 가장 간단하게 측정이 가능하며 많이 알려져 있기 때문이다.

④ **Maxillary depth**
(상악깊이, mcnamara analysis)

N을 통과하는 선과 FH plane이 수직으로 만나는 점과 A사이의 직선거리이다. 정상은 0 mm이다. 선 앞쪽의 A-point는 +의 값으로 나타나고, 선 뒤쪽에 있으면 -의 값으로 된다. 이것은 ANB각과는 달리 두개골에 대한 상악의 위치에 대한 측정치로 상악의 절대적인 위치를 나타내며 대략의 상악의 위치에 대한 정보를 간단히 보여준다. 하지만 중안면의 함몰을 모두 나타내주지는 못하고 단지 dental base로서 상악의 위치를 나타낸다(그림 2-1-18).

⑤ **Facial angle, downs**
(안면각, downs analysis)

안면각은 FH plane과 교차하는 안면선(N-Pog')에 위치한 하부내부각(inferior inside angle)이다. 이 각도는 82~95°이다. 이것은 ANB각과는 달리 두개골에 대한 하악의 절대적 전후 위치를 나타낸다. 즉 절대적인 값으로 사용할 수 있으며 상하악의 모양에 따른 수치의 왜곡없이 하악의 위치를 평가할 수 있기 때문이다(그림 2-1-18).

⑥ **Mandibular plane angle(하악평면각, steiner)**

Mandibular plane은 Go와 Gn에 사이에 그려진다. Mandibular plane angle은 man-

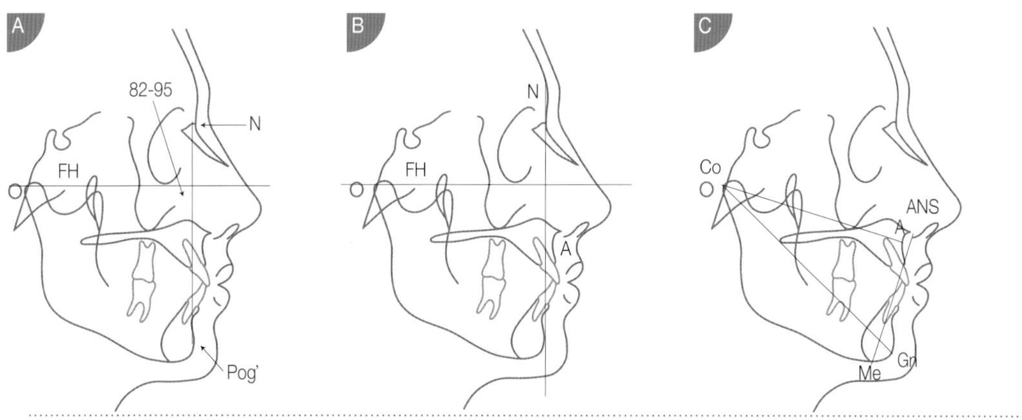

▷그림 2-1-18. A. Facial angle, B. maxillary depth, C. mandibular plan angle.

dibulor plane과 S-N plane (anterior cranial base, 전방두개골 베이스) 사이에 형성된다. 평균 32° 정도이다. 이 값은 전방 및 후방 얼굴 높이의 차이를 나타내며, 높은 각도를 가진 사람들은 Class II malocciusion, 상악의 과도한 수직 상승, 그리고 전방의 open bite를 가진 경향이 있다. 낮은 각도를 가진 환자들은 deep bite가 있고 수직방향으로 부족한 경향이 있다(그림 2-1-18).

⑦ **골격 수직 관계**

(Skeletal vertical relationships)

골격 수직 관계는 N에서 ANS까지 그리고 ANS에서 Me까지 수직 거리로 측정한다. 수직선은 F-H plane에 수직으로 그린다. 결과적으로, 수직으로 떨어지는 선은 N, ANS, 그리고 Me에서 FH plane에 수직선으로 그린 것이고, N에서 ANS까지의 거리와 ANS에서 Me까지 수직 거리의 비율은 일반적 5:6이 정상이며, N에서 ANS까지의 거리는 53 mm이고, ANS에서 Me까지 거리는 65 mm 정도이다. 수직 높이 사이의 relationship(관계)이 절대적 측정값보다 더 중요하다.

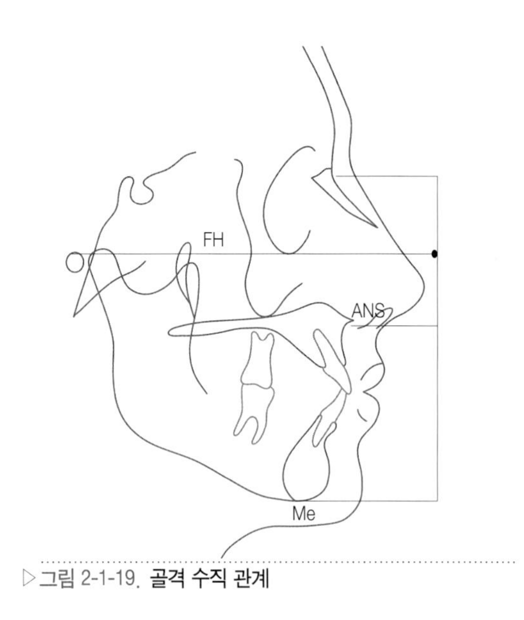

▷그림 2-1-19. 골격 수직 관계

⑧ **치아상태에 따른 분석**

(Analysis of dental relationships)

Steiner analysis에 따르면, maxillary incisor의 상대적 위치는 N-A선에 기울어진 전치 만곡과 관련되어 결정된다. maxillary incisor의 가장 앞쪽에 지점은 N-A선 전방 4 mm 이상이어야 하고, 이 선으로 22° 정도 기울어져야 한다. 또한 N-B선에서 mandibulor incisor angulation은 25°가 되어야 하는 반면, tooth crown의 가장 아래 입술

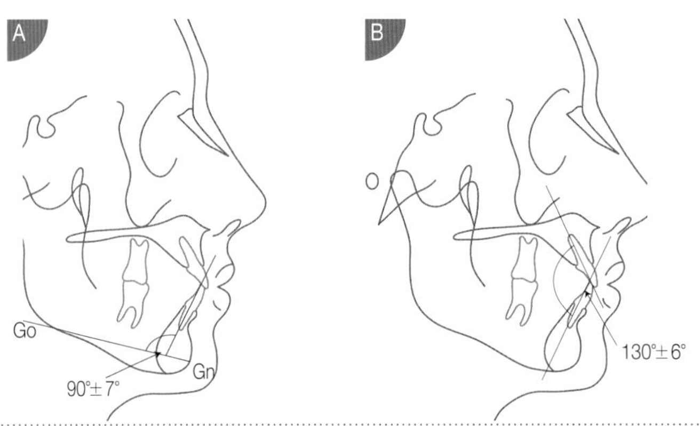

▷그림 2-1-20. A. Incisor mandibular plane angle(IMPA, 하악평면에대한하악절치장축각), B. Interincisional angle(절치각).

부분은 이 선 전방의 4 mm에 있어야 한다. Downs analysis따르면, mandibular plane에 대한 mandibular incisor의 long axis가 이루는 각도(incisor mandibular plane angle. IMPA)는 90±7°이다. Class III의 malocclusion과 보상된 mandibular plane를 가진 환자들에는 이 각도가 작은 경향이 있으며, mandibular plane이 돌출되었을 때, 각도가 더 큰 경향이 있다(예를 들면, 양쪽 또는 Class II, division 1 부정교합).

절치각은 incisor의 tip을 지나는 maxilla와 mandible incisor의 vertical axis들로 형성되는 각이며 정상적으로 130±6°의 범위값을 가진다(그림 2-1-20).

⑨ **Occlusal plane angle(교합 평면 각도)**

Steiner analysis에 따르면, occlusal plane angle은 S-N plane과 occlusal plane사이의 각이며 평균 14°의 값을 가진다. Down analysis에 occlusal plane angle은 F-H plane과 occlusal Plan이 이루는 각도로 평균 9°를 가지게 된다. 환자의 occlusal, palatal 및 mandibular plane angle을 표현할 때 종종 '높은 각도' 또는 '낮은 각도'라는 표현으로 사용되고, 높은 각도를 가진 환자들은 비교적 vertical하게 long anterior facial heights를 가진 반면, 낮은 각도를 가진 환자들은 얼굴이 수직으로 짧은 short anterior facial height 짧은 전방 얼굴 높이를 가지는 경향이 있다.

2) Posteroanterior cephalometric radiographic evaluation (두부 후전방 계측을 위한 방사선 검사, Ricketts, Grummons)

posteroanterior cephalometric radiographic Evaluation은 비대칭의 진단과 치료계획 수립에 중요하다.

(1) 두부 후전방 경조직 계측점 (Hard tissue cephalometric landmarks)

1. External peripheral cranial bone surface
2. Mastoid process.
3. Occipital condyle
4. Nasal septum, crista galli, floor of nose
5. Orbital outline, inferior surface of the orbital plate of the frontal bone
6. Oblique outline, innominate line
7. Superior surface of the petrous portion
8. Lateral surface of the frontosphenoid process of zygoma and zygomatic arch (ZA)
9. Cross section of zygomatic arch
10. Infratemporal surface of maxilla.
11. Mandible (body, rami, coronoid process, condyles)
12. Dental unit

- om: orbital midpoint, crista galli의 기저에서 좌우 lo (lateral orbitale)를 연결하는 선상의 점으로 비중격 최상방점의 연장선상의 점, sagittal plan의 기준점이 된다
- mo: medial orbitale, median plan에 가장 가까운 medial orbital margin상의 점
- tns: tip of nasal spine
- ans: anterior nasal spine, 코의 기저(base of the nose)에서 중심점
- iif: incision inferior frontale, mandibular central incisor(하악 중절치) 끝의 중앙점

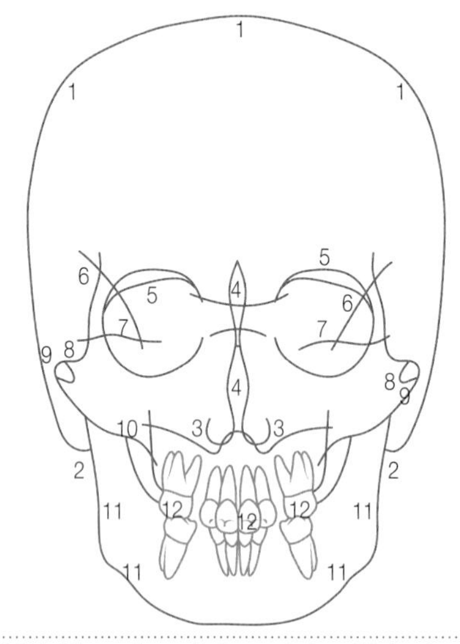

▷그림 2-1-21. posteroanterior cephalometric landmarks

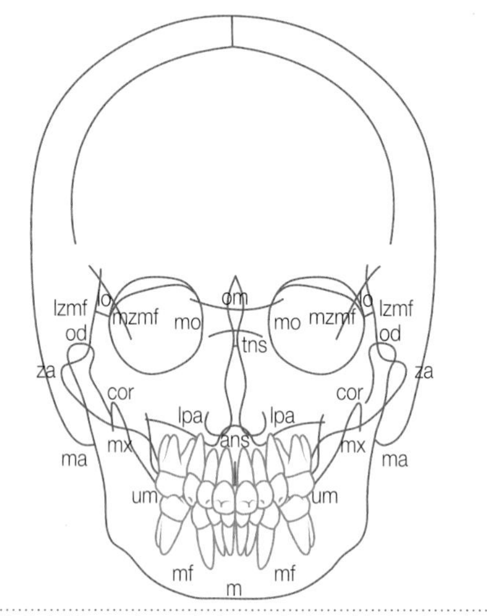

▷그림 2-1-22. posteroanterior cephalometric landmarks for analysis(두부후전방계측 분석을 위한 가상의 점들)

- isf: incision superior frontale, maxillary central incisor(상악 중절치) 끝의 중앙점
- m: mandibular midpoint, 하악의 중앙점
- lo: lateral orbitale, lateral orbital margin과 innominate line이 만나는 점
- lzmf: lateral zygomatic frontal suture
- mzmf: medial zygomatic frontal suture
- cd: condylion, condyle(하악 과두)의 최상방점
- za: most lateral point of zygomatic arch, 관골궁의 가장 외측 점.
- ma: lowest point of mastoid process, 유양돌기의 최하방점
- ag: antegonion, antegonial notch의 가장 상방점
- mx: maxillare, maxillary alueolar process(상악치조돌기)의 외형과 zygomatic buttress의 하방점이 만나는 선, J point와 유사
- J jugulare (J): zygomatic buttress의 curve의 가장 superior and medial point, 즉 most concave point
- um: maxillary molar, maxillary first molar의 가장 외측면
- lm: mandibular molar, mandibular first molar의 가장 외측면
- mf: mental foramen,
- CSP: cental sagittal plan. 여러 가지 방식으로 작도하는데 대표적인 것으로 lo-lo line에 대한 수직선이 om을 지나게 작도, 양측 lzmf나 zmmf를 연결하는 선에 대한 수직선이 om을 지나게 작도한다.

(2) Ricketts 분석법(그림 2-1-23)

1. Nasal cavity width(비강폭): NC-NC nasal cavity의 가장 외측 점사이의 거리
2. Mn. Width: AG-AG Antegonial notch 사이의 거리
3. Mx. Width: Z-AG과 J 사이의 거리
4. Symmetry: CSG에서 좌우 ZA, AG 사이의

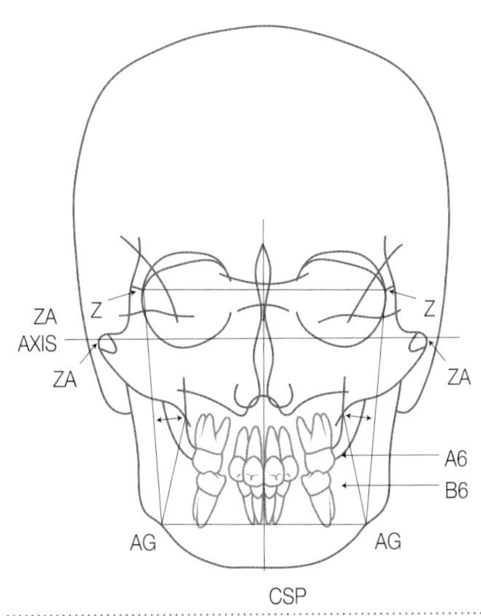

▷그림 2-1-23. Ricketts analysis CSP를 기준으로 각각의 계측점의 상대적인 거리나 각도를 측정하여 분석한다.

거리, CSG와 m 사이의 관계, CSG에서 좌우 J 사이의 거리와 각도

5. Intermolar width: CSG에서 um, lm 사이 거리 각도
6. Intercuspid width: 하악견치의 끝과 CSG와의 거리 각도

(3) Grummons 분석법(그림 17-24~26)

- Z plan: 좌우 mzmf를 연결하는 선
- ZA plan: 좌우 za를 연결하는 선
- J plan: 좌우 J point를 연결하는 선
- Occlusal plan: 좌우측 fist molar의 교합점을 연결
- AG plan: 좌우측 ag를 연결하는 선
- Menton line: Menton을 통과하는 z plan과 평행한 선

저자는 두부 정면 방사선 사진을 이용하여 간단하게 진단과 수술의 방향을 결정하기 위하여 다음과 같은 순서로 시행한다.

① lo (lateral orbitale)를 찾아서 양측을 연결

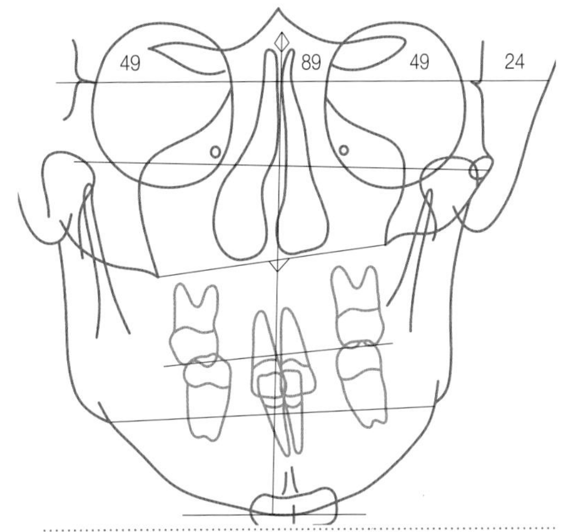

▷그림 2-1-24. Grummons 분석법에 따른 계측평면

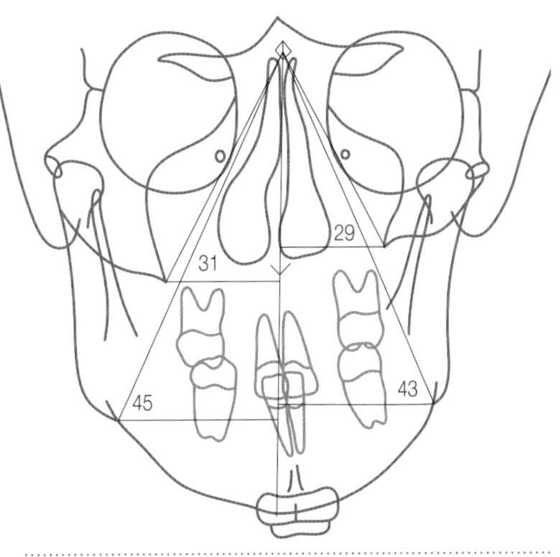

▷그림 2-1-25. Grummons 분석법의 실제 각각의 점들과 선들을 이용하여 비대칭성과 그 양을 측정할 수 있다.

하고 이 선의 수직선이 om을 지나게 작도하여 CSP (central sagittal plane)을 작도한다.

② zygoma의 비대칭성을 보기 위해서 이 CSP에서 다시 수직으로, 좌우의 ZA까지 작도하여 상하와 좌우의 비대칭의 정도를 파악한다. 이것으로 zygoma reduction의 양을 결정하는 데 이용한다.

③ maxilla의 비대칭성을 보기위해서 양측의 J

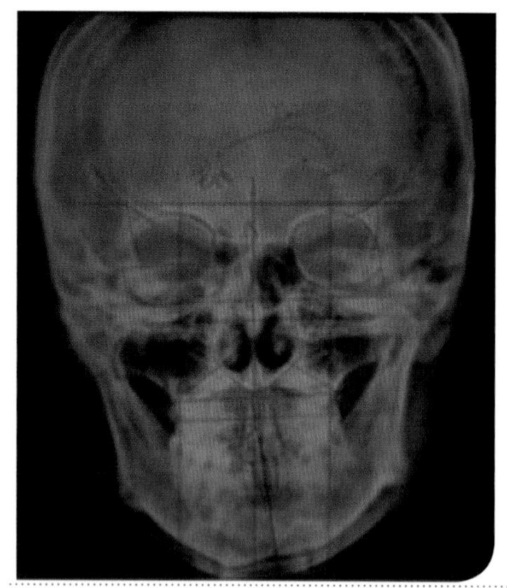

▷그림 2-1-26. KNU quick protocol for PA analysis

point를 연결한 선과 CSP와의 거리와 각도를 측정하여 상악의 상하좌우 비대칭 정도를 파악한다.

④ mandibular centrral incisor의 중간선 또는 mental spine과 menton을 연결한 선과 CSP와의 거리와 각도를 측정하여 mandible의 정중심에서 비대칭 정도를 파악한다.

3. 교합과 악관절의 평가

악안면골의 수술은 다분히 교합과 악관절이 변화를 초래할 수 있으므로 술전에 이들에 대한 정확한 평가가 반드시 시행되어야 한다. 특히 양악수술은 단시간에 교합에 많은 변화가 있으므로 수술 후에 환자가 잘 적응하기 위해서는 현재 정확한 기능을 평가하여 수술로 인하여 교합이나 악관절에 방해를 하는 요인을 만들어서 안 된다.

1) 교합 기능 평가 (Occlusal functional evaluation)

교합 기능 평가의 기본 목적은 정적교합에서 중심 교합(centric occlusion, CO) 및 중심 위(centric relation, CR)사이의 관계를 확인하는 것이다. 즉 수술 전에 이들의 차이는 개인적응 범위 내에 있거나 현재까지 적응된 상태로 있으므로 문제가 되지 않지만 수술로 인하여 이들을 변화시켜 CO를 CR에 맞추는 경우 그 정확성에 문제가 되거나 혹은 수술 전 파악하지 못한 문제로 인한 수술 후에 불편감, 재발, 골의 부정유합, 부정교합의 발생 등의 결과가 생기므로 수술 전에 반드시 이들의 관계를 확인하여야 한다.

또한 기능적인 교합에서 교합간섭에 대한 사항도 파악하여야 하는데 기능하는 쪽의 치아이외에 반대측의 비기능 쪽에서 치아의 교합이 일어나면 치아뿐만 아니라 악관절에도 나쁜 영향을 미치게 되므로 수술 계획에 반드시 고려해야 하며 혹시 수술 직후에 이런 상태가 보여지면 반드시 보호하는 장치물이나 초기 교합조정을 통하여 추후에 발생하는 치아치주조직의 탈락, 악관절 장애, 저작 장애 등의 문제점들을 막아야 한다.

2) 측두하악관절 평가 (Temporomandibular joint, TMJ evaluation)

TMJ는 안면골 수술, 특히 악교정수술에 중요한 구성 요소이므로 주의 깊게 검사해야 한다. 기존 질환이 있거나, 치료 기간 혹은 치료 후에도 문제가 발병할 수 있음을 잘 이해해야 하며 교정 수술 치료를 시작하기 전에, 임상 진단을 시행하고 예후를 평가해야 한다. 기본적인 측두상악 temporomaxillary joint의 평가는 temporomandibular joint의 증상 및 징후, 하악운동에서 개구와 편향(deviations)이 중요하다. TMJ 증상으로는 소리와 통증이 있는데 소리만 있는 경우는 특별한 제한을 받지는 않지만 질환의 초기단계에 생기는 소리는 관심을 기울이고 그 이유를 파악하여 적절한 치료가 선행되어야 한다. 하악운동에서 중요한 점은 충분한 개구가 되는 경우 특별한 제한점이 없으나 과도한 측방이동을 있는 경우는 술 후에 안정성이 떨어지므로 충분히 사전 조사를 하여야 하며 특히 반안면왜소증의 경우는 강력한 교합의 안정성을 위하여 선수술보다는 충분한 교정기간을 가지는 것이 좋다. 개구 시에는 처음과 마지막이 같은 선상에 있는 편위(deflection)의 경우와 이것이 다른 선상에 놓이게 되는 편향(deviation)은 다른 상황으로 면밀히 관찰되어야 한다. 통상적으로 편위는 수술 전에 치료의 대상이 되지는 않지만 수술 후에 변화된 상하악관계에서는 하악운동의 변화로 수술 전에도 치료의 대상이 되는 편향으로 변형되면 조기에 그 원인을 밝혀서 적절히 치료해 주어야 한다.

간혹 수술 후에 생기는 통증 없는 관절소리는 대부분 적응할 수 있게 되지만 경과관찰 중에 그 상태의 변화가 생기는지 계속 확인하여야 한다.

References

1. 두부규격방사선계측학: 알렉산더제곱슨(저), 강승구 김수정 이기수 박영국(역), 지성출판사 2007.
2. Essentials of Orthognathic Surgery, 2nd.: Johan P. Reyneke.: Quintessence Publishing Co, Inc.2010
3. Functional Occlusion, From to Smile Design: Peter E. Dawson ;Mosby 2007.
4. Modern Practice in Orthognathic and Reconstructive surgery, 2nd.: Willian H, Bell.: WB Saunder Co, Philadelphia. 1992
5. Orthognathic Surgery, Clinics In Plastic Surgery, V34-3, July 2007.
6. Principles and Practice of Orthognathic Surgery, Jeffrey C. Posnick: Elsevier Saunders. 2013

2 안면 연부조직 손상
Soft Tissue Injuries of the Face

김태곤 영남의대

현대화와 더불어 급증하는 안면부 손상은, 최근에는 안전에 대한 개념 확대와 각종 보호구의 발전으로 그 빈도와 중증도의 증가 양상은 둔화되는 추세이다. 반면 복잡해지는 현대 사회에서 얼굴의 미묘한 감정적 표현 기능은 더욱 중요시되고 미용적인 측면 또한 강조되고 있는 현실이다. 복잡한 사회의 상호작용에서 의사소통의 기본이 되는 얼굴의 손상 시에 이를 주의 깊게 복원해 주는 치료는 결코 소홀히 할 수 없는 일이다. 안면부 손상 치료의 가장 중요한 목표는 외양과 기능을 손상 이전의 상태로 복원하여 정상적인 사회생활이 가능하도록 하는 것이다. 손상 초기 치료가 예후에 많은 영향을 미치므로 환자를 처음 대하는 의사의 지식과 경험이 매우 중요하다.

1. 수상 환자의 초기 관리

다른 손상 환자와 마찬가지로 심한 안면부 손상 환자에 대한 첫 번째 치료 목적은 생명을 유지하는 것이다. 흔히 안면부 이외의 다른 부위 손상을 동반하게 되므로 응급처치의 우선순위(표 2-2-1)에 따른 치료 과정 이후에 동반손상에 대한 평가와 환부처치가 뒤따르게 된다.

▷표 2-2-1. 심한 안면부 손상 환자에 대한 응급처치의 우선순위

목뼈(cervical spine) 부동화(stabilization)
숨길(airway) 확보
호흡유지
지혈
순환 혈액량 보충

1) 기도확보

원활한 호흡을 위해 최우선적으로 기도를 확보하는 것이 중요하다. 입 안에 들어있는 핏덩어리, 점액, 치아조각, 의치, 음식물 등을 제거하고, 입안이나 코안의 출혈은 지혈한다. 혀가 뒤로 처져서 일어날 수 있는 기도폐쇄를 막기 위해 턱끝을 치켜 올려 기도를 확장시키거나, 혀를 전방으로 당겨 고정한다. 지속적으로 기도를 유지하기 위해 경구적으로 기도유지기(airway)를 넣어주거나 기도삽관(intubation), 기관절개술(tracheostomy) 등을 실시할 수도 있다.

2) 쇼크 치료

치료 원칙으로 수액(lactated Ringer solution)이나 수혈로 혈액의 손실을 보충해 주고, 출혈은 압박, 충전(packing) 또는 결찰로써 지혈한다. 출혈이 있는 환자에서 두경부 이외에 복부, 흉부 또는 사지에서도 쇼크의 원인을 찾아보아야 한다. 두경부에 혈관이 아무리 풍부하더라도 이 부위의 출혈만으로 혈액부족성 쇼크(hypovolemic shock)를 일으키는 경우는 드물기 때문이다.

3) 동반 손상의 처치

악안면 손상 환자에서 두개 내 손상과 목뼈 손상이 동반되어 있다면 이를 빨리 진단하여 먼저 치료해 주어야 한다. 복부 및 흉부의 손상을 동반하여 생명을 위협하는 경우도 적지 않으므로 이에 대한 철저한 검사가 필요하다.

2. 안면 연부조직손상의 평가

1) 해부학

(1) 피부

안면부의 피부는 신체 다른 부위에 비해 두께, 탄력성, 이동성(mobility) 및 감촉(texture)이 부위별로 대단히 다양하다. 손상에 대한 치료나 재건방법도 안면부 손상의 부위에 따라 달라진다.

피부의 망상진피(reticular dermis) 내에는 탄력섬유(elastic fiber)가 매우 풍부하게 존재하는데 이것들에 의하여 피부는 항상 일정한 장력을 유지하게 되고 1861년 Langer가 피부에 존재하는 장력의 방향성을 발견하게 되어 이를 'Langer 선'이라 부르게 되었다. 이 선은 피부가 갖고 있는 최대 장력에 대하여 수직의 방향성을 갖기 때문에 '최소피부긴장선(minimal skin tension line)'이라고도 하며, 이 선과 평행한 창상이나 외과적 절개는 치유과정이나 흉터 측면에서 결과가 좋다. 대개 안면부에서는 최소긴장선이 주름선과 일치하지만 주름선이 불분명한 부위에서는 최소긴장선을 고려하여 치료한다면 좋은 결과를 얻을 수 있다.

(2) 혈액공급

안면부 연부조직은 모든 혈액공급을 외경동맥(external carotid artery)과 내경동맥(internal carotid artery)의 가지에서 받으며, 수많은 곁순환(collateral circulation)이 존재하고 혈류양이 매우 풍부하기 때문에 좁은 피부다리(cutaneous pedicle)만 남겨진 심각한 결출(avulsion)손상에서도 조직의 생존이 가능하다. 따라서 안면의 연부조직 손상 시에 변연 절제술은 즉시 시행하는 것보다는 24~48시간 정도 기다린 뒤 조직괴사가 명확한 부분에 대해서만 절제를 시행하는 것이 좋다.

(3) 신경분포

두개 안면부의 감각은 대부분 삼차신경(trigeminal nerve)이 담당하고, 부분적으로 목신경얼기(cervical plexus), 얼굴신경(facial nerve), 혀인두신경(glossopharyngeal nerve)이 담당한다(그림 2-2-1).

두피와 이마, 결막, 눈, 코곁굴(paranasal sinus), 입안, 치아의 감각을 담당하는 삼차신경은 눈신경(ophthalmic nerve), 위턱신경(maxillary nerve), 아래턱신경(mandibular nerve)으로 나뉘

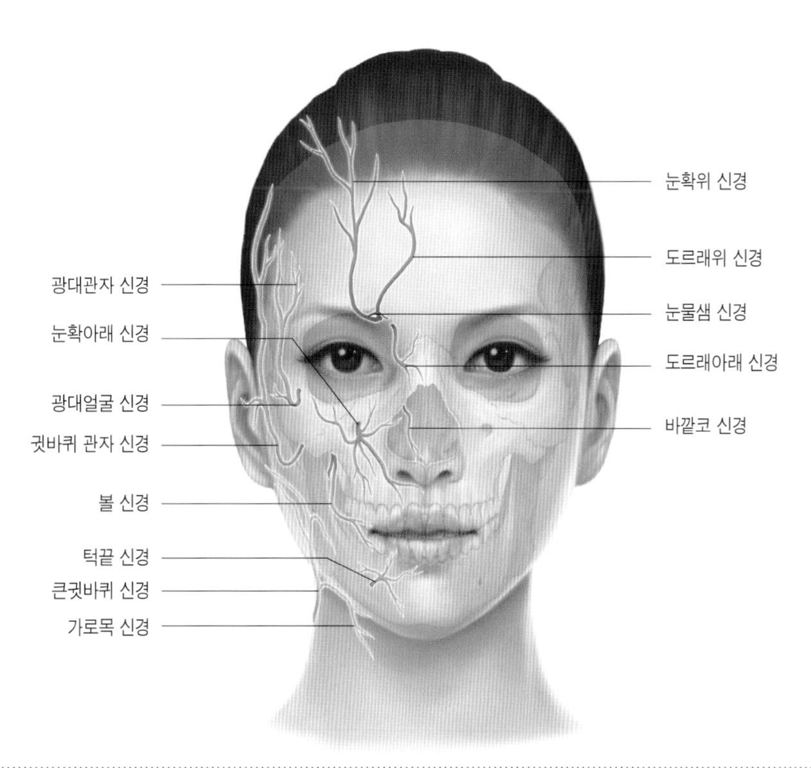

▷그림 2-2-1. 얼굴의 감각을 담당하는 신경의 주행과 해부학적 관계. 눈신경으로부터 눈확위신경, 도르래위신경, 눈물샘신경, 도르래아래신경, 바깥코신경이 분지되고 위턱신경으로부터 광대관자신경, 눈확아래신경, 광대얼굴신경이 나온다. 아래턱신경으로부터는 귓바퀴관자신경, 볼신경, 턱끝신경이 분지되고 목신경얼기의 가지인 큰귓바퀴신경, 가로목신경, 빗장뼈위신경이 얼굴의 아래턱 일부의 감각을 담당하게 된다. 눈확위신경, 눈확아래신경 및 턱끝신경은 동공중앙선과 같은 선상에서 얼굴뼈의 신경 이름과 같은 구멍을 통하여 출현한다.

고 눈신경은 다시 눈물샘신경(lacrimal nerve), 이마신경(frontal nerve), 코섬모체신경(nasociliary nerve)으로 분지된다. 이마신경은 다시 눈확위신경(supraorbital nerve)과 도르래위신경(supratrochlear nerve)으로 분지되고, 코섬모체신경은 도르래아래신경(infratrochlear nerve)과 바깥코신경(external nasal nerve)으로 분지된다. 윗턱신경은 광대관자신경(zygomaticotemporal nerve), 광대얼굴신경(zygomaticofacial nerve), 안와하신경(infraorbital nerve)으로 분지되고 아래턱신경은 턱끝신경(mental nerve), 볼신경(buccal nerve), 귓바퀴관자신경(auriculaotemporal nerve)으로 분지된다.

목신경얼기의 분지인 큰귓바퀴신경(greater auricular nerve), 가로목신경(transverse cervical nerve) 및 빗장뼈위신경(supraclavicular nerve)이 턱뼈각(mandibular angle)과 아래턱 가장자리의 감각을 담당하는데 이 세 신경은 모두 흉쇄유돌근(sternocleidomastoid muscle)의 뒤쪽 모서리의 중간지점인 Erb 점(Erb point)을 지나간다.

얼굴신경의 감각신경은 Arnold 신경으로, 미주신경(vagus nerve)의 귓바퀴분지를 통하여 감각섬유를 보내 바깥귀길(external acoustic meatus)과 이갑개(concha) 부위의 감각을 담당한다. 혀인두신경도 Jacobson신경을 내어 귀길(acoustic canal)과 이갑개, 가운데귀(middle ear) 부위의 일부 감각을 담당한다.

얼굴의 운동신경지배는 얼굴신경과 삼차신경이 담당한다. 얼굴신경은 경유돌공(stylomastoid foramen)을 통하여 두개강 바깥으로 빠져나와 이하선 내에서 두 개의 주요분지인 관자얼굴분지(temporofacial division)와 목얼굴분지(cervicofacial divison)로 나뉜다. 관자얼굴분지는 관자가지(temporal branch, 혹은 이마가지(frontal branch))와 광대가지(zygomatic branch)로 분지되고, 목얼굴분지는 볼가지(buccal branch), 아래턱가지(mandibular branch) 및 목가지(cervical branch)로 분지되어 표재성근건막계통(superficial musculo-aponeurotic system, SMAS) 밑으로 주행한다. 얼굴신경은 입꼬리올림근(levator anguli oris), 턱끝근(mentlis) 및 볼근(buccinator)을 제외하고는 대개 얼굴 표정근의 깊은 곳으로부터 근육으로 들어가 지배하게 된다. 얼굴신경의 귓바퀴가지는 안면신경이 붓꼭지구멍을 빠져나와 이하선 실질로 들어가기 이전에 분지되어 귓바퀴근육(auricular muscle), 뒷통수근(occipitalis muscle), 두힘살근(digastric muscle)의 뒤쪽 힘살(posterior belly) 및 경상설골근(stylohyoid muscle)의 운동을 지배한다. 광대가지의 볼가지 사이에는 많은 수의 연결 가지가 존재하지만 관자가지와 아래턱가지는 그렇지 않아서 관자가지와 아래턱가지에 손상이 발생하면 영구적인 마비증상이 생길 수 있다.

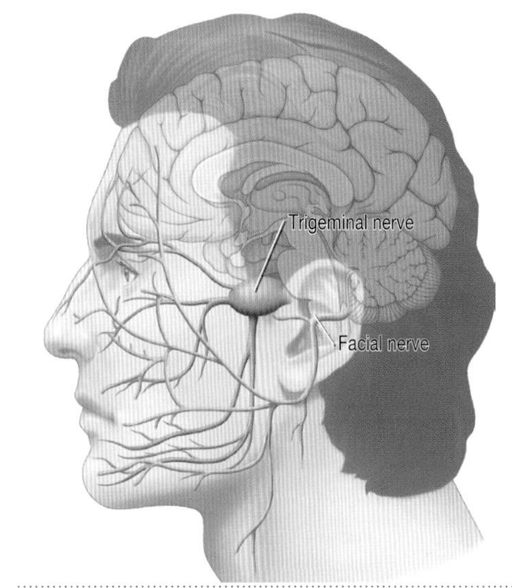

▷그림 2-2-2. 안면신경과 삼차신경의 분포

삼차신경의 아래턱가지는 씹는근육들(관자근(temporalis), 교근(masseter), 안쪽 및 가쪽 날개근(pterigoid muscle))과 목뿔뼈 위쪽 몇 개의 근육을 지배하고, 깊게 위치하기 때문에 직접적인 손상은 흔하지 않다(그림 2-2-2).

2) 임상적 평가

안면연부조직 손상 환자의 평가는 우선순위에 따른 응급처치와 함께 시작한다. 이러한 처치와 확인 후 생명을 위협하는 다른 손상이 없으면 안면부 손상에 대한 정확한 검사를 시행한다. 병력청취부터 시작하여 손상의 원인과 손상 시 상황에 대하여 정확한 정보를 얻는 것이 매우 중요하다. 시진(inspection)으로 손상 부위와 양상 및 정도를 관찰하고, 머리와 얼굴뼈에 대한 전체적인 촉진을 시행하여 골절을 의심할 수 있는 증상의 유무를 확인한다. 창상을 직접 검사하는 것도 손상을 파악하는 데 있어 매우 효과적이며, 이 과정은 반드시 무균적으로 시행하여야 한다. 환자가 통증을 심하게 호소하면 적절한 국소마취가 도움이 되지만 신경 손상이 의심된다면 얼굴의 감각이나 운동에 대한 평가를 한 후에 국소마취를 시행하여야 한다.

눈확(orbit) 주위의 손상은 안구의 동반손상이 없는지 확인하여야 하며 시력저하 및 복시 등 관련해서 나타날 수 있는 증상에 대하여 전부

검사하여야 한다. 볼 부위에 창상이 있다면 얼굴신경의 볼가지나 이하선관의 손상을 염두에 두고 검사를 해야 한다. 입안을 검사할 때는 치아손상에 주의를 기울여야 하고 교합상태도 확인하여야 한다. 입안에 손을 넣어 뼈를 만져보면 골절유무의 확인에 도움이 되며 혀밑 혈종이 있다면 아래턱뼈의 골절을 의심해 보아야 한다.

이러한 이학적 검사 후 뼈손상이 있는지 확인하기 위하여 방사선검사를 시행하는데 일반적으로는 CT가 골절에 대해서는 가장 정확한 정보를 준다.

3. 연부조직손상의 치료

1) 일반적 원칙

(1) 진단

치료를 시작하기 전에 확실한 진단과 분류가 필수적이다. 손상의 발생 시기와 기전, 손상된 조직의 종류와 손상 정도, 인접조직의 상태가 어떤지 알아야 한다. 정확한 의무기록과 임상사진은 귀중한 자료가 되므로 잘 갖추도록 한다.

(2) 마취

진통제가 필요하면 되도록 환자 상태가 완전히 평가된 후에 투여한다. 수술은 국소 마취 또는 전신 마취 하에서 시행한다.

(3) 창상세척과 괴사조직제거술(Debridement)

먼저 상처 가장자리 안쪽 면을 따라 국소마취제를 주사한 후 깨끗이 세척하고 주의 깊게 혈종과 조직에 틀어박힌 이물질을 제거한다. 나중에 외상성 문신(traumatic tattoo)이 생기는 것을 예방하기 위하여 피부 표층에 끼어있는 미세한 이물질도 거즈나 솔, 포셉을 이용해 제거해야 한다. 안면부는 비교적 혈액 공급이 좋으므로 최소한의 괴사조직을 절제하고, 괴사가 의심스러운 경우에는 24시간에서 48시간 정도 기다렸다가 시행하는 것이 좋다.

(4) 복원 수술

털이 나 있는 곳은 털을 깎고 수술하는 것이 좋으나, 눈썹은 봉합할 때 지표가 되므로 깎지 않는 것이 좋으며, 깨끗한 상처는 가능하며 빨리 상처를 봉합하여 준다. 부종이 심하거나 피하혈종, 심한 조직손상 또는 괴사 등이 있을 때는 일차적 창상 봉합을 피하고 나중에 상처를 봉합하도록 한다. 피부 결손이 클 때는 피부이식이나 피판을 이용하여 복원한다. 심한 연조직 손상과 골절이 동반되어 있다면 우선 연조직만 제 위치에 가깝게 봉합하고 이차수술을 준비한다.

동물이나 사람치아에 물려서 찢어진 상처는 우선 철저히 세척을 시행한다. 다친 지 12시간 이내라면 깨끗이 절제하거나 죽은조직제거술을 한 후에 봉합한다. 다친 지 12시간 이상 지났다면 감염의 위험이 있으므로 5~7일이 지나서 지연 봉합을 시행한다. 황색포도알균, 알파용혈사슬알균, 혐기균을 죽일 수 있는 항생제를 사용하고, 봉합한 후에는 연조직에 감염이나 고름집이 생기는지 잘 관찰하고, 만약 생기면 절개해서 배출해 준다.

봉합할 때는 조직을 층별로 봉합하되 죽은 공간(dead space)이 남지 않도록 한다. 깊은 층을 잘 봉합해서 피부를 봉합할 때 피부에 긴장이 과도하게 생기지 않도록 한다. 그리고 매몰봉합수를 될 수 있으면 적게 한다.

(5) 드레싱 및 발사

봉합 후 피부 봉합사의 긴장도에 따라 3~5일째 가능한 빨리 실밥을 제거해야 실밥 자국이 남지 않게 된다.

(6) 파상풍 예방과 항생제

대부분의 외상과 마찬가지로 안면 연부조직 손상 시에도 파상풍 예방주사가 필요하다. 상처가 몹시 오염되었거나 동물 또는 사람에게 물린 것이 아니라면 항생제를 반드시 사용할 필요는 없다.

2) 연부조직 손상의 분류 및 그에 따른 처치 방법

(1) 타박상(Contusion)

둔탁한 물체에 의한 충격에 의해 발생되며, 피하층의 큰 혈관이 있는 곳의 타박상에는 출혈로 인한 혈종이 동반될 수 있다. 피하조직이나 그 아래층의 소량의 혈종은 자연히 흡수되나, 다량의 혈종은 자연 흡수될 때까지 기다리면 조직의 유착과 섬유화가 심해져 외상성 함몰(traumatic dimple) 등의 후유증이 발생할 수 있다. 조기에 천자나 피부절개로 배혈시켜 주는 것이 변형 예방에 도움이 된다.

(2) 찰과상(Abrasion)

접촉 손상으로 인하여 피부의 외피와 진피 일부가 박탈된 상태이다. 국소 자극이 적은 세척제나 식염수로 찰과상 부위를 여러 번 깨끗이 세척하여야 하며, 세척 후 폴리우레탄 폼이나 하이드로콜로이드로 상처 부위를 덮어 주는 것이 좋으나, 환부를 노출시킨 상태로 항생제 연고를 국소 도포하면서 치유할 수도 있다.

(3) 외상성 문신(Traumatic tattoo) 및 이물질(Foreign body)

피부 찰과상 내에 분말상태의 먼지, 기름때, 탄소물질, 흙, 아스팔트 같은 이물질이 피부 진피속에 들어가 있는 채로 치유가 되면 고착되어 문신으로 남게 된다(그림 2-2-3). 일단 외상성 문신이 발생하면 기계박피술, 레이저박피술, 냉동치료 및 유기용제를 이용한 다양한 치료에도 결과가 좋지 않다. 그러므로 수상 후 12시간 이내에 소독된 솔로 문지르고 가는 포셉으로 작은 입자들을 제거하여 주거나 괴사조직을 제거하여야 한다. 이물질은 보통 입자가 큰 것을 말하며 유리조각, 장식용 금속, 나무조각, 이빨조각 등은 찾아서 제거해 주어야 한다.

(4) 단순 열상(Laceration)

날카로운 물건에 베여서 발생하고 일반적으로 상처 가장자리의 조직제거는 필요가 없다. 그

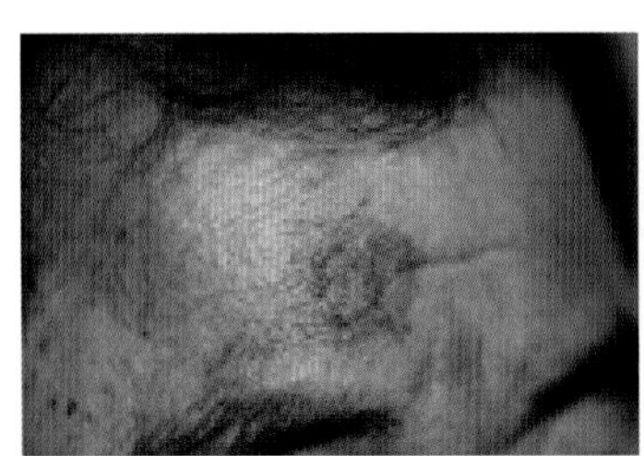
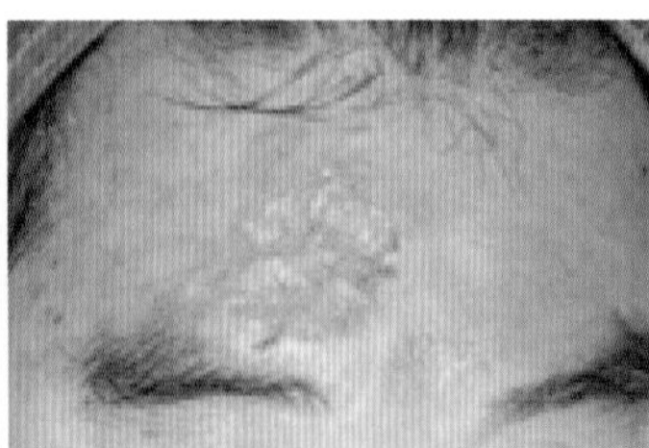
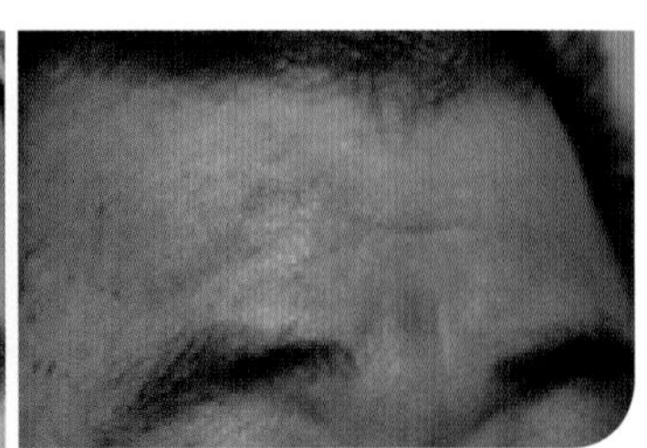

▷ 그림 2-2-3. **이마의 외상성 문신.** 기계적 박피술로 치료한 후 이차 치유로 드레싱하여 제거한다.

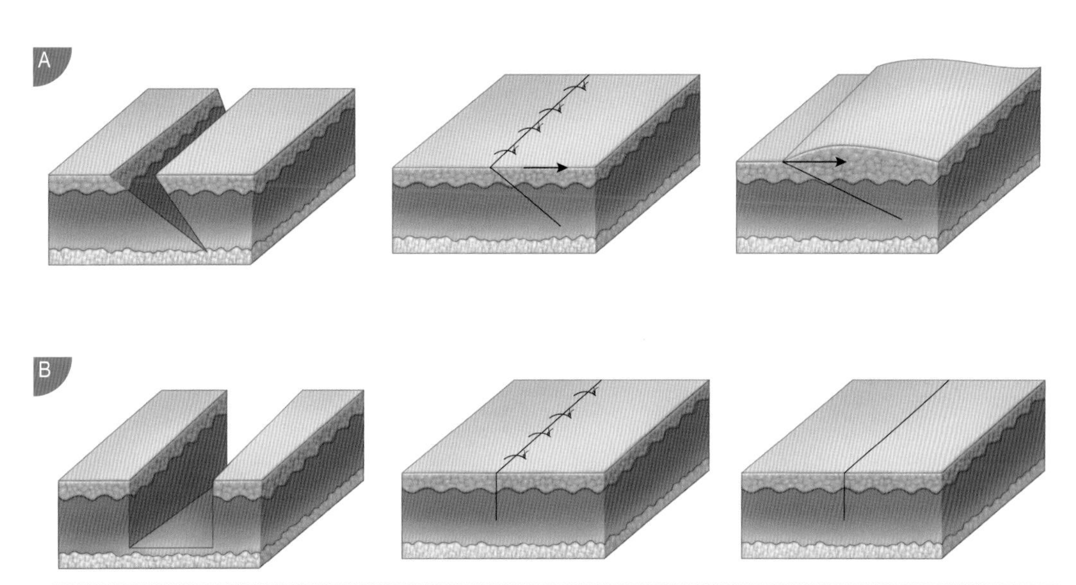

▷그림 2-2-4. A. 피부면에 대해 비스듬하게 발생한 열상(beveled laceration)을 그대로 봉합하게 되면 접합에 생긴 흉터의 수축으로 인해 한쪽 피부면은 높아지고 그 반대쪽은 상대적으로 낮아보이게 된다. B. 비스듬한 열상을 피부면에 대해 수직방향의 열상이 되도록 상처의 가장자리를 피부면에 직각이 되도록 다듬은 후에 봉합한다.

러나 피부면에 비스듬하게 발생한 열상(beveled laceration)을 그대로 봉합하면 흉터구축에 의하여 나중에 열상을 중심으로 양쪽의 높이 차이가 발생하므로 열상의 가장자리를 피부면에 직각이 되도록 절제한 후에 봉합해야 한다(그림 2-2-4).

(5) 잡아뜯긴상처(Avulsion) 및 U 자형 열상

자동차사고 때 얼굴이 앞 유리에 부딪쳐 발생하는 많은 수의 잡아뜯긴 상처는 유리조각을 제거하고 피부면 위로 올라온 부분들만 가위로 잘라 주고 드레싱해 준다(그림 2-2-5).

원형 열상이나 U자형 열상을 그대로 봉합하고

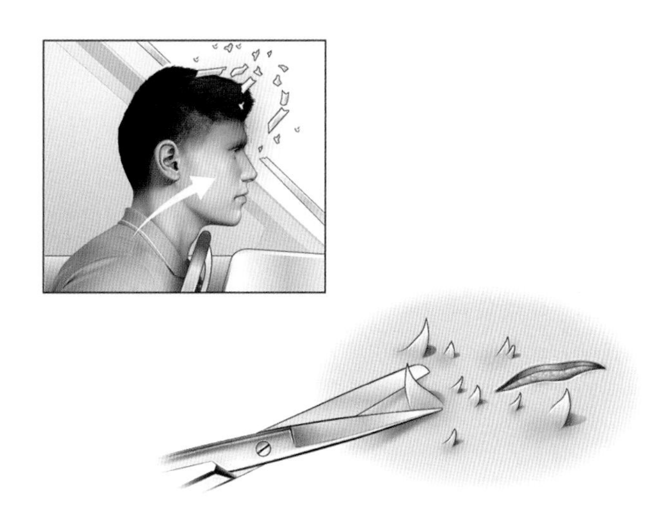

▷그림 2-2-5. 피부면 위로 솟아 올라와 있는 무수한 매우 작고 얇은 피판들은 피부면 수준에서 가위로 잘라 버린다.

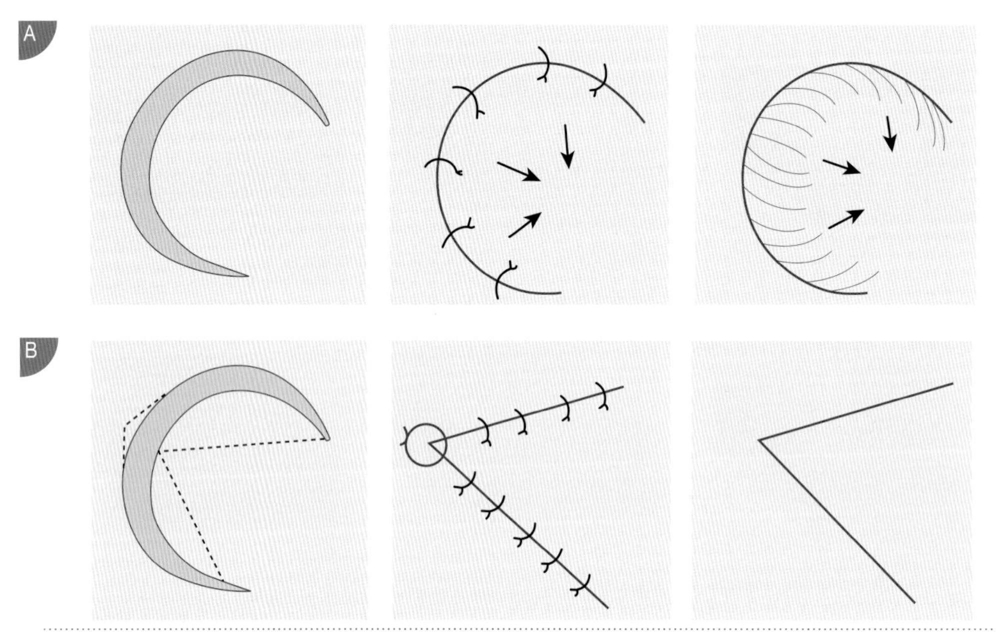

▷그림 2-2-6. A. 마루 뚜껑문(trapdoor) 모양의 열상은 그대로 봉합하면 흉터가 뚜껑문 모양의 변형을 초래한다. B. 뚜껑문 모양의 열상은 가장자리를 방추상으로 다듬고 봉합하면 피부면이 평평하게 된다.

나면 마루 뚜껑문 모양의 흉터(trapdoor deformity)가 생기게 된다. 그러므로 원형 열상이나 U자형 열상은 최소 피부긴장선에 평행하게 방추형으로 다듬어서 봉합해야 한다(그림 2-2-6).

(6) 넓은 전층 피부결손

조직 결손의 폭이 1.5~2.0 cm보다 클 때 일차봉합으로 닫으려 한다면 상처의 끝부분이 부드럽게 마무리가 안 되고 울게 되어 피부의 왜곡이 발생하는 개귀 변형(dog-ear deformity)이 나타난다. 만일 큰 결손부위가 코, 입술 및 눈꺼풀에 가까이 있다면 주위 피부가 당겨 좌우 대칭이 되지 않고 비뚤어지게 된다. 이 때는 차라리 피부이식으로 덮거나 피판을 일으켜 당겨 덮어주는 것이 낫다. 이차교정에 대한 가능성이 항상 있으므로 환자에게 미리 잘 설명하여 이해시켜 놓아야 한다.

3) 손상 부위에 따른 치료

(1) 머리덮개 손상(Scalp)

머리덮개는 머리덮개널힘줄(galea aponeurotica)의 외면을 지나는 천측두동맥(superficial temporal artery), 후이개동맥(postauricular artery) 및 뒷통수동맥(occipital artery)의 가지들이 상호연결되어 있어서 혈액 공급이 풍부하다. 머리덮개가 찢어진 상처에서는 머리덮개의 주요한 혈관들이 얕게 위치하고 있고 머리덮개널힘줄이 탄력성을 갖고 있지 않아서 상당한 출혈이 발생하기 쉽다.

머리덮개의 열상을 봉합할 때는 뼈막, 머리덮개널힘줄 그리고 모발이 있는 피하-피부층 등으로 구별하여 층별로 맞추어 준다. 머리덮개널힘줄에 대부분의 긴장이 걸리기 때문에 봉합할 때 피부에 최소한의 긴장이 걸리도록 하기 위하여

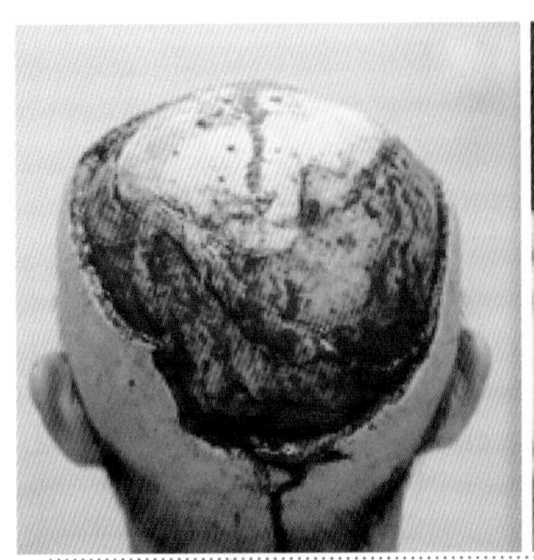
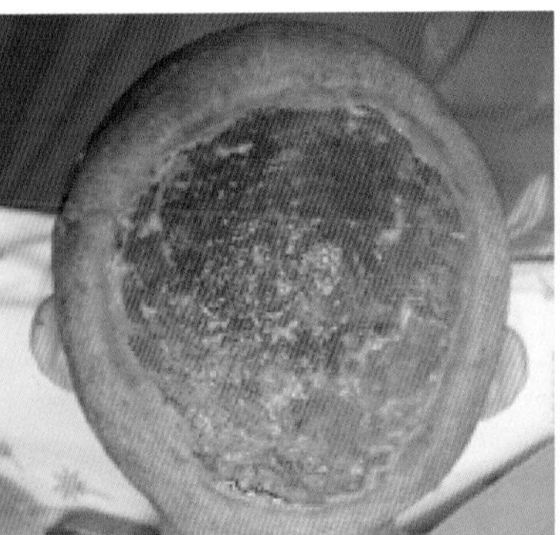
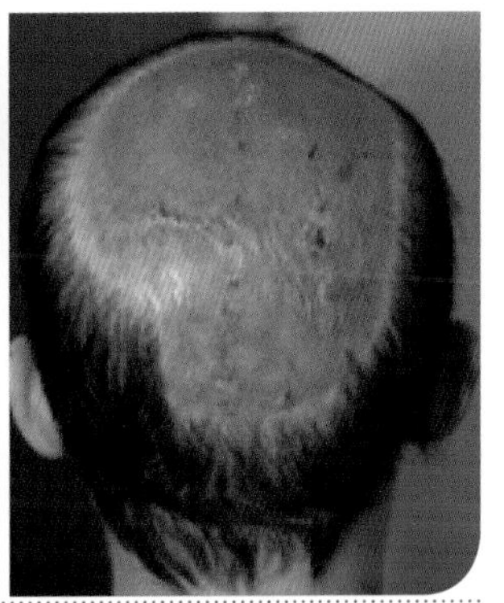

▷그림 2-2-7. 심한 머리덮개의 결출손상 환자. 일차 재이식이 불가능 하다면 보존적 치료로 육아조직이 자라나온 후 피부이식으로 치료할 수 있다.

머리덮개널힘줄을 잘 봉합해준다. 만일 피부를 봉합한 곳에 긴장이 심하면 탈모가 생긴다.

머리덮개의 결손이 발생한 경우 가능하면 머리덮개널힘줄을 일으키거나 일으킨 머리덮개널힘줄에 여러 개의 절개를 해서 긴장이 줄어들게 한 다음, 가능하면 일차봉합을 시행한다. 부위 및 연령에 따라 다르지만 약 2~3 cm 정도의 결손은 주변의 머리덮개널힘줄을 넓게 일으키면 일차봉합이 가능할 수 있다. 일차봉합이 어려운 더 넓은 결손부위는 주위에 있는 머리덮개 조직을 회전-전진피판으로 만들어 덮어 주고, 이것이 여의치 않으면 조직확장술이나 유리피판을 이용한다. 피판으로도 덮어주기 어렵다면 2차 치유를 기다리거나 피부이식술로 덮어준다. 뼈막이 건재하다면 피부이식술을 바로 시행할 수 있지만 머리뼈가 노출돼 있으면 육아조직이 자라나온 다음에 피부이식술을 한다(그림 2-2-7).

일부 환자에서는 흉터로 인한 탈모(cicatrical alopecia)를 재건하기 위하여 2차 수술을 하기도 하는데 처음 수술한 지 최소 수개월 후에 시행한다. 흉터 조직에도 털이식술이 가능하다. 탈모부위가 넓다면 조직 확장술을 이용하여 재건할 수도 있다.

(2) 이마와 눈썹 손상

이마와 눈썹에 손상이 있다면 얼굴신경의 이마가지의 손상 여부를 주의 깊게 진찰해 보아야 한다.

봉합 전에 눈썹털은 되도록 깎지 않는 것이 좋다. 봉합할 때 눈썹의 경계를 바르게 배열하는데 털을 지표로 삼아야 하기 때문이다. 피하층 밑의 근육까지 찢어졌을 때는 나중에 흉이 넓게 벌어지거나 함몰되는 것을 방지하기 위해 근봉합술을 시행해 주어야 한다.

눈썹의 결손이 1 cm보다 작다면 한쪽 또는 양쪽 전진피판으로 덮어줄 수 있고(그림 2-2-8) 그보다 넓다면 유리 털이식술을 하거나 얕은관자동맥을 혈관경으로 하는 머리덮개에서 만든 섬피판을 이용한다.

죽은조직제거술(debridement)이 필요할 때는 절개를 주름선이나 최소피부긴장선에 평행하게 한다. 이마에 잡아뜯긴 상처로 인해 넓은 결손이 생겼다면 한쪽 또는 양쪽 전진피판으로 덮어주는 것이 좋다. 피부이식편은 두꺼운 이마 피부와는 미용상 잘 맞지 않기 때문에 일시적으로만 사용한다. 미용적으로는 조직 확장술로 늘린 국소피판으로 덮어주는 것이 결과가 가장 좋다.

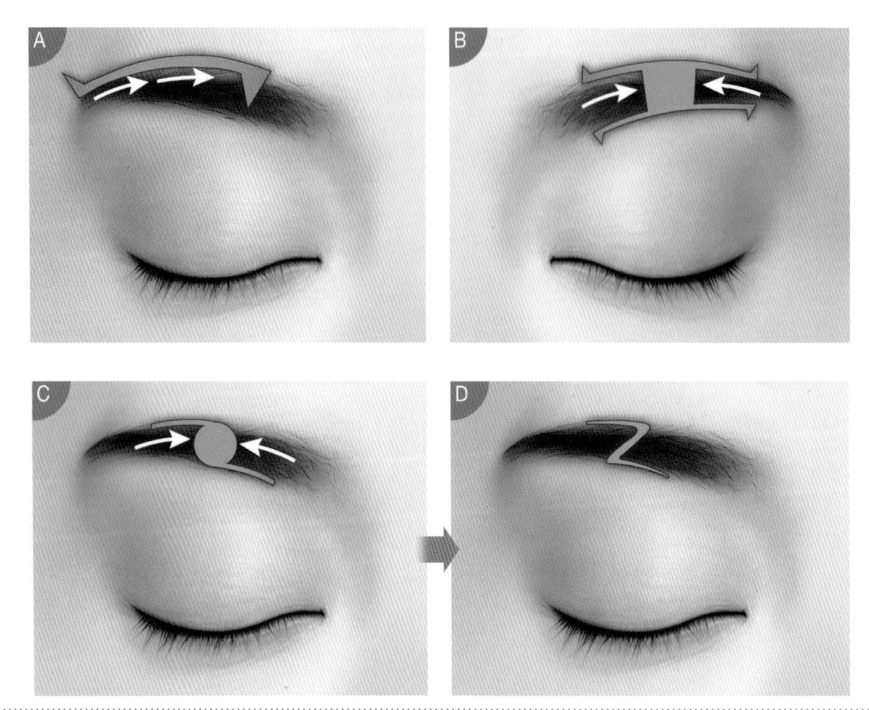

▷그림 2-2-8. **눈썹의 결손이 1 cm보다 작을 때 이용하는 국소피판.** A. Burow 삼각절제를 이용한 한쪽전진피판. B. 양쪽대립사각피판(two opposing rectangular flaps). C, D. O-to-Z 절제를 이용한 봉합법. 수술 후 눈썹 모발 방향의 변화가 다소간 발생한다.

(3) 눈꺼풀 및 눈물관 손상

눈확 주위에 손상이 있다면 눈, 위눈꺼풀올림근(levator palpebrae superioris muscle), 눈꺼풀판(tarsal plate), 눈물기관(lacrimal apparatus), 안쪽눈구석힘줄 등의 손상 여부를 확인하고 기록하여야 하며 치료 전 시력검사를 시행한다.

눈꺼풀을 포함한 눈확 구조물들은 매우 섬세하고 기능도 매우 유기적이기 때문에 복원 수술을 할 때는 특별히 주의해야 한다.

① 눈꺼풀 열상

안과 진찰을 통해 안구 손상 여부를 판정하고, 이물질의 여부를 확인한다. 이물질을 제거할 때는 조심스럽게 안구와의 유착을 확인하면서 시행하여, 추가적인 손상이 생기지 않도록 주의한다.

눈꺼풀의 가장자리와 평행한 방향의 열상은 피부만 단순 봉합(simple suture)하여도 별 문제가 없지만, 수직방향의 열상은 벌어지는 경향이 있으므로 흡수성 봉합사로 근육과 피하조직을 먼저 봉합해 주어야 한다. 눈꺼풀 전층의 열상은 상처의 가장자리를 5각형 모양으로 깨끗하게 다듬은 다음 먼저 회색선(gray line)을 봉합하여 창상연(wound edge)을 바르게 맞춘 다음 결막, 눈꺼풀판, 눈둘레근과 피부를 층별로 봉합해준다. 이때 봉합사의 끝이나 매듭이 결막이나 각막을 자극하지 않도록 처리 한다(그림 2-2-9). 단순히 쐐기모양으로 절제 후 봉합하면 눈꺼풀 가장자리에 패임 변형(notching deformity)이 발생할 수 있다.

위눈꺼풀의 열상과 동반하여 위눈꺼풀올림

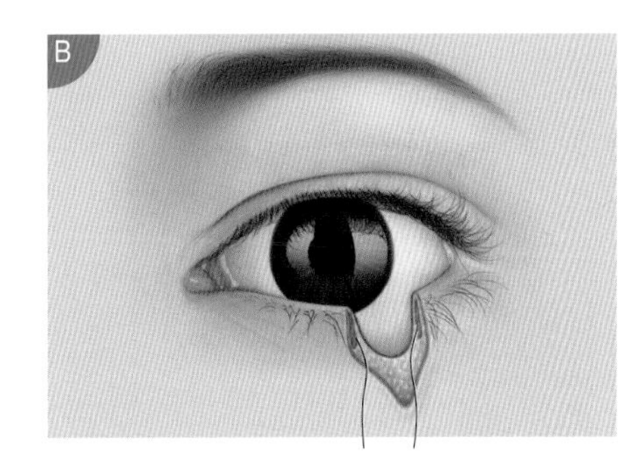

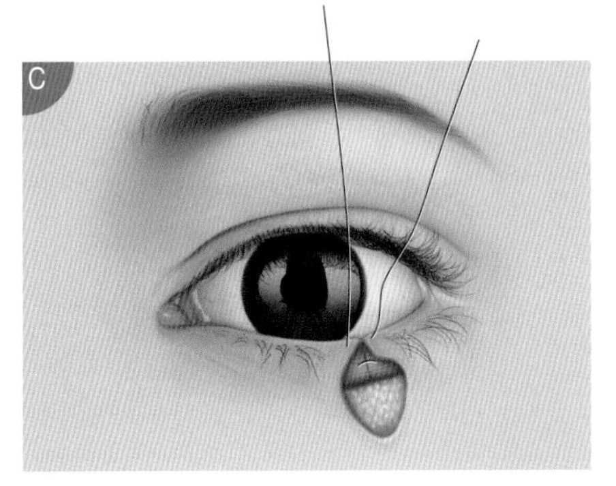

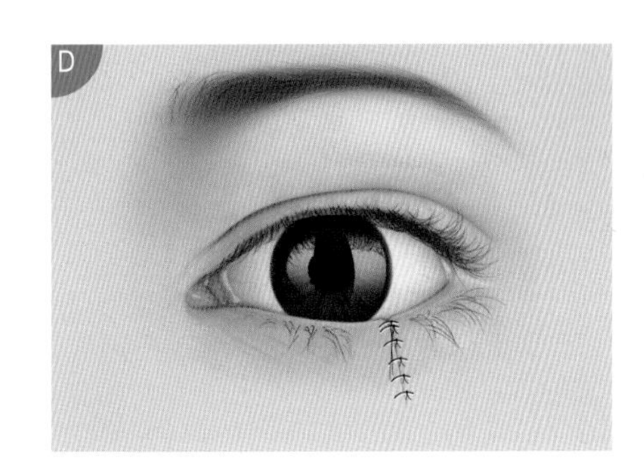

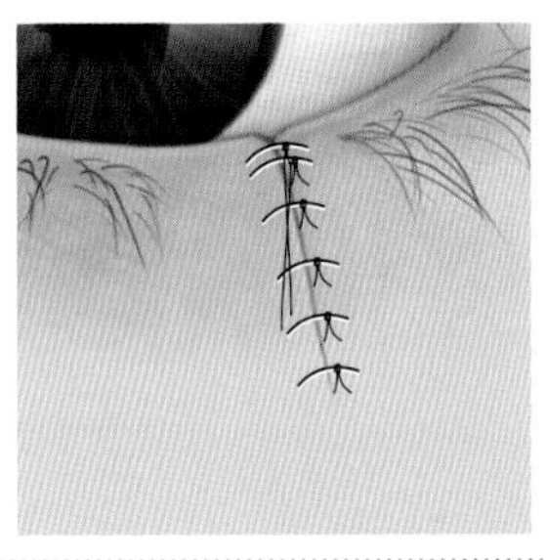

▷그림 2-2-9. **눈꺼풀가장자리의 전층 열상을 봉합하는 방법.** A. 상처의 가장자리를 깨끗하게 다듬은 후, B. 결막과 눈꺼풀판에 봉합사를 걸어 둔 뒤, C. 회색선을 정확하게 맞추어 첫 봉합을 하고 눈꺼풀판에 걸어둔 실을 매듭한다. D. 봉합의 방향은 눈꺼풀 가장자리에서부터 시작하여 멀어지도록 하고 봉합사 끝을 충분히 길게 하여 눈꺼풀 가장자리로부터 멀리 떨어지도록 해서 눈의 자극을 막는다.

근의 손상이 있는지 확인하고, 손상이 있다면 해부학적으로 정확하게 복원해 준다. 제대로 복원이 되지 않으면 토끼눈증이나 눈꺼풀 처짐증이 나타날 수 있으므로 주의를 필요로 한다(그림 2-2-10).

② **눈꺼풀 결손**

눈꺼풀 결손의 재건 목표는 기능과 미용적인 측면이 모두 중요하다. 이상적인 눈꺼풀의 조건은 운동성, 점막층, 얇은 피부, 눈꺼풀판과 같은 지지조직, 그리고 속눈썹 등이다. 눈꺼풀은 그 구조가 독특하여 재건 시에는 인접 부위의 눈꺼풀을 이용하는 것이 이상적이며, 조직 희생을 적게 하면서 안전하고 간단한 수술방법을 사용하는 것이 좋다.

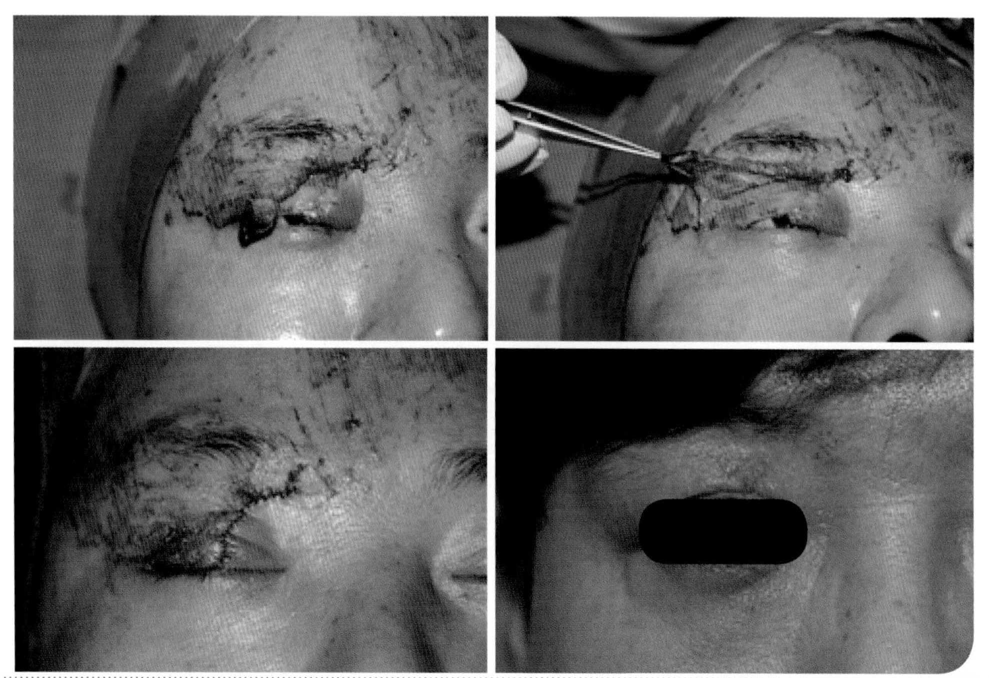

▷그림 2-2-10. 눈꺼풀의 열상을 회색선 및 창상연에 바르게 맞추어 봉합하여 치료한다. 죽은 조직으로 생각되어도 초기에 되도록 절제를 시행하지 않고 세심하게 봉합하는 것이 좋다.

위눈꺼풀 수평길이의 1/4 정도까지 결손은 그대로 일차봉합이 가능하다. 1/3 정도의 결손도 눈꼬리절개술(lateral canthotomy)이나 가쪽 눈구석 절단술(lateral chatholysis) 등을 하면 일차봉합이 가능하다. 1/2이 넘는 결손은 피판술 및 이식술에 의한 재건수술을 하는 것이 좋다.

아래눈꺼풀 결손은 대개 1/3 정도의 결손까지는 쉽게 일차봉합이 가능하고 1/2 정도의 결손에서도 눈꼬리절개술이나 가쪽 안각절개술에 의해 일차봉합이 가능하지만 무리하게 되면 아래눈물소관(inferior lacrimal canaliculus)이 폐쇄될 우려가 있다. 일반적으로 1/2이 넘는 결손에서는 위눈꺼풀

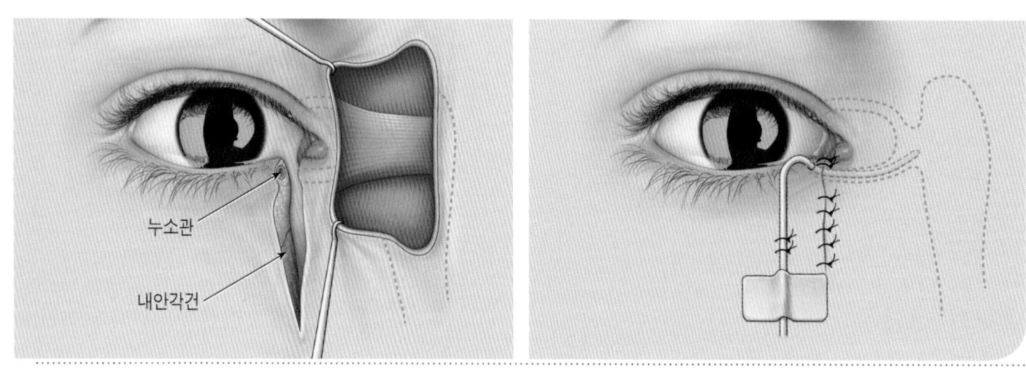

▷그림 2-2-11. **실리콘 튜브를 이용한 절단된 아래눈물소관 복원.** 실리콘 튜브는 2-3달 후에 제거한다.

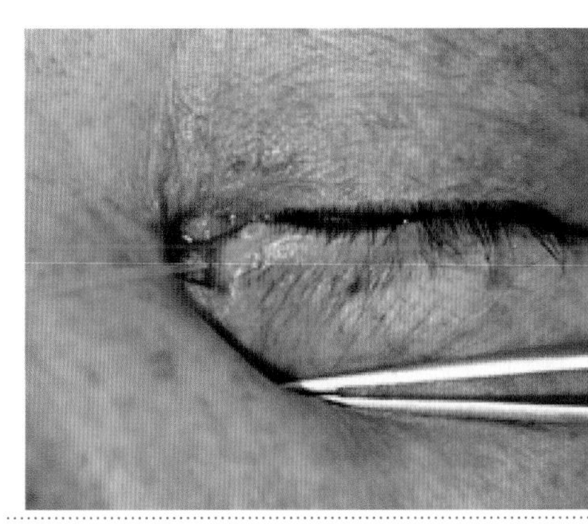
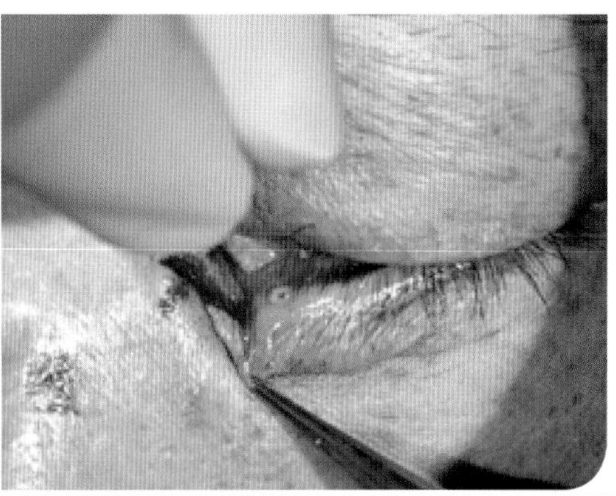

▷그림 2-2-12. **아래눈물소관 복원 시 Mini-Monoka를 이용하는 방법.** 눈물점을 통해 튜브를 넣은 후 눈물점 입구에 끼워 고정하고, 코쪽 말단부로 집어넣어 코속으로 거치 시킨다..

에서와 마찬가지로 피판술이나 이식술에 의한 재건수술을 하는 것이 바람직하다.

③ 안쪽 눈구석힘줄 손상

외상으로 인하여 안쪽눈구석힘줄이 절단되면 안각격리증(telecanthus)이 발생하기 때문에 절단된 부분을 찾아서 코경유철사고정(transnasal wiring)으로 복원해 주어야 한다.

④ 눈물소관(Lacrimal canaliculus) 손상

눈물점과 안쪽눈구석 사이의 눈꺼풀 가장자리가 찢어져 있으면 대개 아래눈물소관이 끊어져 있고, 안쪽눈구석힘줄의 아래쪽 절반이 끊어져 있다. 대부분의 환자들은 위, 아래 두 개의 눈물소관 중 하나만 보존되어 있으면 눈물흘림증(epiphora) 증상을 호소하지 않지만, 둘 다 절단되었다면 적어도 아래눈물소관은 복원을 해 주어야 한다. 아래눈물소관이 절단 시 가쪽 잘린끝(lacrimal stump)은 쉽게 찾을 수 있지만, 안쪽 잘린끝은 안쪽눈구석힘줄 조직 내로 깊이 당겨 들어가기 때문에 찾기가 어렵다. 수상 후 시간이 지체되어 손상부위에 부기가 점차 심해지면 찾아내기가 불가능할 수도 있다. 그러므로 아래눈물소관의 절단 시 손상 후 수 시간 이내에 복원수술을 해주어야 한다. 수술은 현미경 또는 루프 확대경 시야에서 절단된 눈물소관의 양쪽에 가느다란 실리콘 튜브를 끼워 넣고 섬세하게 복원해준다(그림 2-2-11). 따로 고정할 필요가 없이 눈물점에 끼워지는 실리콘 튜브(Mini-Monoka®)를 사용할 수도 있다(그림 2-2-12). 실리콘 튜브는 2~3달 후에 제거하는데 이렇게 복원하였다 하더라도 눈물소관의 폐쇄가 발생할 수 있다는 점을 환자에게 주지시켜야 한다.

같이 손상된 안쪽눈구석힘줄의 아래다리를 제대로 복원해 주지 않으면 눈둘레근이 수평으로 수축하여 눈꺼풀겉말림(ectropion)과 흉터성 눈꺼풀결손(cicatrical coloboma)이 생기게 되므로 반드시 복원해 준다.

(4) 뺨 손상

뺨은 깊은 연부조직손상이 자주 발생하는 곳으로 이하선과 이하선관, 얼굴표정근, 씹는 근육, 얼굴신경가지 등 중요한 구조물이 많으므로 각별한 주의를 요한다.

① 얼굴신경 손상

빰에 깊은 열상이 있으면 반드시 안면신경의 손상 가능성을 염두에 두고 검사에 임해야 한다. 국소마취제는 안면신경에 대한 검사를 마친 후에 사용해야 진찰 결과가 더 정확하다.

관자가지 손상 시 가장 심한 기능장애를 초래하는데 이마근이 마비되어 이마의 주름이 없어지고 눈썹과 위눈꺼풀 피부가 아래로 쳐져 내려온다. 눈꺼풀을 지배하는 신경가지가 손상되면 눈이 덜 감겨 각막이 노출되어 시력이 저하될 수 있으므로 각막이 마르지 않도록 하는 처치가 필요하다. 아래턱 주위에 열상이 있을 때는 아래턱가지의 손상을 의심해야 한다.

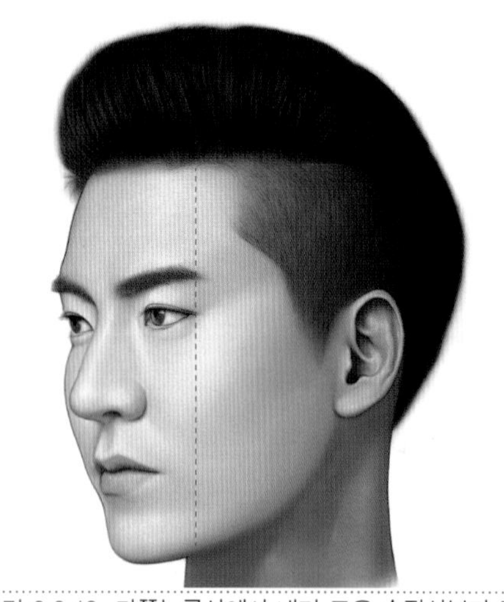

▷그림 2-2-13. 가쪽눈구석에서 내리 그은 수직선보다 전방에서 끊어진 얼굴신경은 복원할 필요가 없다.

가쪽눈구석(lateral canthus)에서 내리 그은 수직선보다 전방에 있는 안면신경의 분지가 손상되었을 때는 찾아서 이어줄 필요가 없다. 말단부의 신경가지들은 가늘어서 찾기도 어렵고, 얕은 얼굴근육들을 지배하는 신경은 그 뒤에서 들어오기 때문이다. 이 선보다 후방의 신경손상은 즉시 복원이 불가능한 경우가 아니라면 48시간 이내에 복원시켜 주어야 한다(그림 2-2-13).

② 이하선 및 이하선관 손상

이하선관은 얼굴신경보다 얕게 위치하기 때문에 손상받기 쉬우며, 빰 뒤 쪽에서 맑은 액체가 흐르면 이하선관이 손상 받았다고 의심할 수 있다. 이하선관은 이주(tragus)와 윗입술 중간점 사이를 연결하는 선의 중간 1/3에 존재하고 교근(masseter muscle)을 횡단한다(그림 2-2-14). 안면 신경의 볼가지

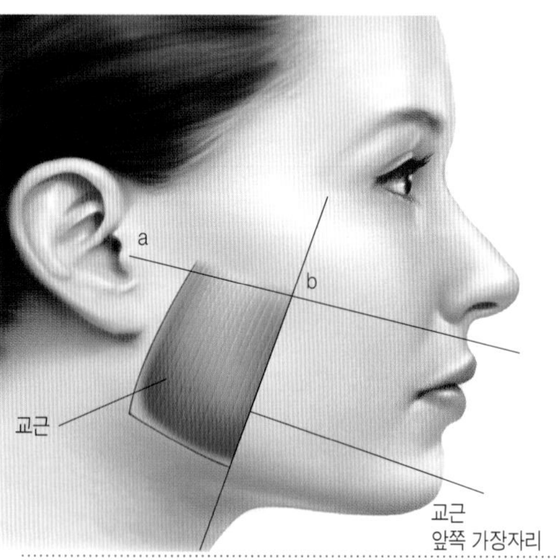

▷그림 2-2-14. 이하선관의 주행 경로는 이주와 윗입술 중간점을 연결하는 선의 중간 1/3의 깊은 곳에 들어있다. 귀밑샘관은 교근을 횡단하여 대체로 깨물근의 앞쪽 가장자리에서 끝난다. 이하선관은 대략 점 a에서 시작하여 위턱의 둘째 어금니 맞은편에 있는 점 b 부위의 점막에 열려있다. 얼굴신경이 볼가지가 점 b 가까이에 있는 이하선관과 교차한다.

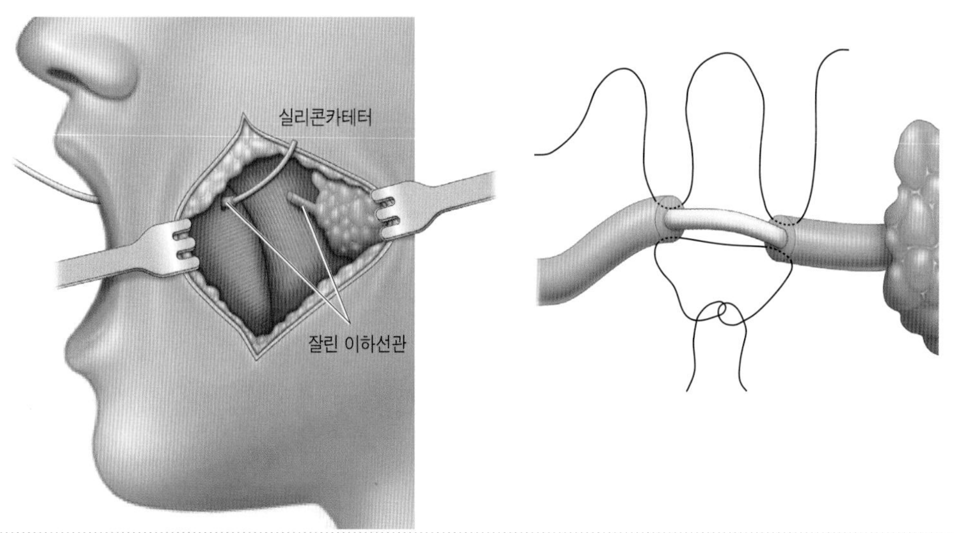

▷ 그림 2-2-15. **절단된 귀밑샘관을 연결하는 방법.** A. 가느다란 실리콘 튜브를 귀밑샘관 구멍을 통하여 밀어 넣는다. B. 절단된 귀밑샘관의 몸쪽 끝을 찾아 튜브를 밀어 넣고 흡수성 봉합사로 연결한다.

가 이하선관과 평행하거나 비스듬히 교차하므로 동시에 손상받기 쉽다.

이하선관이 손상 여부는 위턱 둘째 어금니 맞은 편 볼점막에 있는 이하선관 구멍에 폴리에틸렌 튜브를 꽂고 0.5 cc의 메틸렌 블루 용액을 서서히 주입하면서 창상이 착색되는 것을 보면 확인할 수 있다. 이하선관이 절단된 것으로 확인되면 진단에 사용했던 폴리에틸렌 튜브를 절단된 이하선관의 몸쪽 끝(proximal end)을 찾아 밀어 넣은 후 가는 흡수성 봉합사로 연결한다. 이 튜브는 2주 정도 유지하여 협착을 예방한다(그림 2-2-15).

절단된 이하선관을 연결할 수 없을 때에는 몸쪽 잘린끝을 입안으로 가져다가 새로운 구멍을 만들어 준다. 이 방법도 불가능할 경우엔 몸쪽 잘린끝을 묶어서 이하선이 스스로 압박되고 위축되어 저절로 기능이 중지되도록 하든지, 이하선에 방사선을 조사하여 기능이 없어지도록 할 수 있다.

이하선 실질에 열상이 있을 경우 피막을 흡수성 봉합사로 봉합하고 3-4일간 배출(drain)시킨다.

③ **기타 손상**

얼굴 표정근육이나 씹는 근육의 손상이 있으면 함몰변형이나 넓은 흉터가 남을 수 있으므로 일반적으로 봉합하여주는 것이 좋다. 턱밑샘과 그 관의 손상이 있을 때는 반드시 복원할 필요는 없으나, 침샘샛길(salivary fistula)이 생기거나 턱밑샘관의 협착이 발생하였을 때는 턱밑샘을 절제해 준다.

(5) 코 손상

코의 연부조직은 피부, 연골, 점막으로 구성되어 있기 때문에 코에 발생한 연부조직손상에 대해서는 이 세 가지 구조물을 고려하여 복합적으로 복원하여 준다.

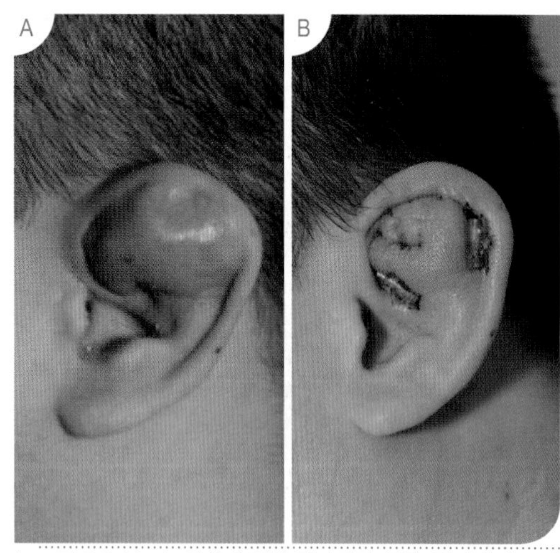

▷그림 2-2-16. A. 외상에 의한 귓바퀴의 혈종. 절개해서 고여 있는 혈액을 조기에 제거하지 않으면 섬유화 및 석회화되어 cauliflower 귀변형이 발행한다. B. 절개하여 혈종을 제거한 뒤 다시 고이지 않도록 bolster 봉합 또는 관통봉합을 시행한다.

코에 발생한 찰과상은 풍부한 혈류량과 피부 부속기의 밀도가 높은 이유로 치유과정이 상당히 빠르다. 반면 코끝 피부에는 피부기름샘(sebaceous gland)이 많기 때문에 염증이 쉽게 발생하기도 한다.

코끝이나 콧방울(nasal ala)에서 절단된 조직된 조직이 작을 경우에는 가능하면 복합조직이식편(composite graft)으로 사용하는 것이 좋고, 절단된 조직이 크고 혈관이 보존되어 있다면 재접합술을 시도해 볼 수도 있다.

코 중격에 발생한 혈종을 방치하면 코막힘 등의 증상이 나타날 수 있고, 흡수되면서 코중격 연골을 파괴하여 코중격 천공 등의 합병증이 생길 수 있기 때문에 반드시 절개를 해서 배출시켜주어야 한다. 피부결손 발생 시에 크기가 크지 않다면 국소피판을 이용하여 재건하면 결과가 좋고, 피부이식이 필요하면 귀 뒤에서 전층피부를 채취하여 이용하는 것이 색깔과 질감이 가장 적합하다. 피부 결손이 클 때는 이마피판 등을 이용하여 재건한다.

(6) 귓바퀴 손상

다쳤을 때 처음 처치가 중요하다. 이차 재건은 매우 어렵고 결과도 만족스럽지 못한 경우가 많다.

열상과 혈종 및 이에 따른 부종과 감염이 가장 문제이다. 귀의 혈종과 반복되는 연골 손상은 심한 흉으로 양배추귀(cauliflower ear)를 만들게 되므로 혈종이 생겼으면 작은 절개를 가해서 배출하고 반드시 압박드레싱을 해준다(그림 2-2-16). 연골의 손상을 동반한 열상 시 연골은 봉합하지 않고 피부봉합을 시행한다. 귓바퀴는 혈액공급이 매우 풍부한 부위이기 때문에 결출손상이 있더라도 피부가 붙어 있다면 일단 제 위치에 복원시켜 주면 결과가 좋다. 붙어 있는 피부로부터 충분한 혈액공급이 불가능하다고 판단되면 피부를 벗긴 후 연골만 귓바퀴 후방이나 복벽 피하에 묻어 두었다가 훗날 재건술 때 사용하도록 한다. 절단 손상일 경우 절단조직이 작으면 복합조직이식편으로 이용하여 복원한다. 절단조직이 미세수술이 가능할 정도로 크면 재접합술을 시행한다.

(7) 입술 및 입안 손상

입술의 열상에서는 붉은입술능선(vermilion ridge)의 경계를 맞추는 것이 중요하다. 국소마취제를 주입하기 전에 붉은입술능선에 표시를 남기는 것이 도움이 된다. 입술의 전층 열상은 점막, 근육, 피부의 순서대로 층을 맞추어 봉합하여 준다.

구강 내 점막은 일차적으로 봉합해 주며 경구개는 봉합해 줄 필요 없으나 연구개는 비점막, 근육, 구강점막을 층층이 봉합해 준다.

(8) 경부 손상

손상되기 쉬운 큰 구조들은 목동맥, 목정맥, 인두, 기관, 식도이다. 복원은 손상된 구조들을 해부학적 층별로 봉합해 주는 것이다.

4) 수술 후 처치

(1) 정신적 문제

얼굴에 광범위한 연부조직손상을 입은 환자들은 눈에 띄는 반흔에 대해 걱정을 많이 한다. 심부 진피까지 손상된 상처는 흉이 생긴다는 사실을 미리 환자에게 주지시킨다. 전문적이고 원칙에 충실한 처치로 최소한의 흉이 남도록 하는 것이 최선이며, 이차수술을 용이하게 하여 빠른 시일 내에 사회에 복귀할 수 있음을 강조한다.

(2) 감염, 항생제, 면역

얼굴에는 혈액 공급이 풍부하므로 감염이 잘 되지 않지만 동물이나 사람에게 물린 상처에는 많은 균이 침투하므로 염증이 생길 가능성이 높다. 그러므로 심하게 오염된 상처는 봉합 전 변연절제술로 도려내기도 한다.

안면부 감염 시 균들이 정맥을 따라 해면 정맥동(cavernous sinus)으로 퍼지면 위험할 수 있으므로 안정을 취하고 국소 염증부위를 따뜻하게 눌러주며 항생제를 충분히 투여해야 한다.

파상풍 감염을 예방하기 위해 파상풍 예방주사(human tetanus immune globulin: hyper-Tet)를 사용하는 것이 원칙이다.

References

1. Kim T, Yeo CH, Chung KJ, Lee JH, Kim YH. Repair of lower canalicular laceration using the Mini-Monoka stent: promary and revisional repairs. J Craniofac Surg 29:949, 2018.
2. Albom MF. Closure of excisional wounds with "H" flaps. J Dermtaol Surg 1:26, 1975.
3. Butt WE. Auricular haematoma-treatment option. Aust N Z J Surg 57: 391, 1987.
4. Elsahy NI. Acquired ear defect. Clin Plast Surg 29: 175, 2002.
5. Elashy NI. Ear replantation. Clin Plast Surg 29: 221, 2002.
7. Goldman GD. Eyebrow bransplantation. Dermatol Surg 27: 352, 2001.
8. Gornley DE. Use of Burow's wedge principle for repair of wounds in or near the eyebrow. J Am Acad Dermatol 12(pt1): 344, 1985.
9. Hammond RE. Use of the O-to-Z plasty repair in dermatologic surgery. J Dermatol Surg. Oncol 5: 205, 1979.
10. Juri J. Eyebrow reconstruction. Plast Reconstr Surg 107: 1125, 2001.
11. Kunzi-Rapp K, Krahn GM, Wortmann S. Early treatment of traumatic tattoo by erbium-YAG laser. Br J Dermatol 144: 219, 2001.
12. McConnell CM, Neale HW. Eyebrow reconstruction in the burn patient. J Trauma 17: 362, 1977.
13. Mueller RV. Facial trauma: soft tissue injuries. In SJ Mathes(Ed), Plastic Surgery. 2nd ed, Philadelphia, Saunders, 2006. P 26.
14. Ortiz MA, Kraushar MF. Lacrimal drainage following repari of inferior canaliculus. Ann Ophthalmol 7: 739, 1975.
15. Parsons RW. The management of traumatic tattoos. Clin Plast Surg2: 517, 1975.
16. Peris Z. Removal of traumatic and decorative tattoos by dermabrasion. Acta Dermatovenerol Croat 10: 15, 2002.
17. Sexton RP. Utilization of the amputated ear cartilage. Plast Reconstr Surg 15: 419, 1955.
18. Suzuki H. Treatment of the traumatic tattoos with the Q-switched neodymium:YAG laser. Arch Dermatol 132: 1226, 1996.

19. Tanzer RC. The reconstruction of acquired defects of the ear. Plast Reconstr Surg 35: 355, 1965
20. Terranova W. The use of pericranial flaps in scalp and forehead reconstruction. Ann Plast Surg 25: 450, 1990.
11. Wynn SK. Immediate composite graft to loss of nasal ala from dog bite: case report. Plast Reconstr Surg 50: 188, 1972.

3 안면골 골절
Facial Bone Fractures

김용하 영남의대

안면골절은 외모의 변형과 기능의 문제를 초래하여 경제적, 사회적, 심리적 문제를 유발시킬 수 있다. 치료에 임하는 의사는 Manson의 '두 번째 기회는 오지 않는다'라는 말을 염두에 두어야 할 것이다. 사고 초기단계에서 올바른 진단을 하고, 계획을 세워서 총체적 치료를 시행하여야 한다.

치료의 목적은 정확한 해부학적 복원(reduction), 견고한 내고정(internal fixation), 그리고 빠른 사회복귀이다.

안면골절의 가장 흔한 원인은 자동차 사고이며 이외에도 폭력사고, 공장 및 가정 내 사고, 운동사고 등에 의해 발생한다.

1. 초기 환자 평가

안면 부위의 손상환자는 신체 여러 부위에 다양한 손상이 동반되므로, 기도 확보와 실혈량의 평가, 머리, 목 부위 동반손상에 대한 파악이 반드시 요구된다. 안면 부위의 손상환자에 대한 응급처치 Protocol은 A (Airway) B (Breathing) C (Circulation) D (Disability) E (Exposure and environmental control)의 순서로 시행한다.

1) 기도(Airway)확보

기도(Airway) 확보는 가장 중요하며, 가장 먼저 시행해야 한다. 안면 급성 손상의 경우, 출혈로 인한 혈종, 치아, 의치, 구토물 등에 의해 입과 코의 폐쇄가 발생할 수 있으므로 유의한다.

특히 아래턱뼈 골절이 있을 때 턱과 혀가 인두의 뒤쪽 벽으로 밀려서 기도확보가 어려운 경우에는 환자를 뒤로 눕히거나 앉히고, 머리를 아래쪽 또는 앞쪽으로 하는 것이 필요하다. 동반손상 때문에 자세 변화가 불가능한 경우에서는 구강인두기도(oropharyngeal airway)의 삽입이 도움이 된다.

2) 호흡(Breathing)

호흡(Breathing)은 청진기를 통해 숨을 들이마시면서 확인할 수 있으며 양쪽 가슴에서 호흡을 들을 수 있는지 확인하는 것이 중요하다. 가슴 움직임을 시진, 촉진해보는 것도 도움이 될 수 있으며 늑골 골절이나 기흉이 동반되어 있는지를 확인해야 한다.

3) 순환(Circulation)

순환(circulation) 평가는 일반적으로 경동맥 맥박(carotid pulse)이 있는지, 주변 맥박(peripheral pulse)이 만져지는지 여부에 따라 결정된다. 대부분의 개방성 골절에 의한 출혈은 상처의 봉합과 일시적인 정복으로도 지혈이 가능하며, 중안면부의 폐쇄적 골절의 경우도 정복술로 지혈을 할 수 있다. 비인강의 심한 출혈은 내상악동맥의 손상에서 오는 경우가 많은데 비인강 전후충전(anteroposterior packing)에 의해 지혈을 할 수 있다. 지혈이 되면 24~48시간 후에 제거해준다. 이와 같은 방법으로 지혈이 되지 않는 경우 색전술(embolization)을 고려할 수 있다.

4) 장애(Disability)평가

장애(disability) 평가는 신경상태(neurological status) 평가를 이용하며, Glasgow Coma Scale (GCS) score를 통해 총점수 5점 미만일 경우 80% 확률로 사망 혹은 식물 상태를 예측할 수 있다. 11점 초과인 경우 90% 확률로 완전 회복을 예측할 수 있다.

5) 동반손상에 대한 진찰

안면골 골절의 동반손상은 머리, 목, 사지, 가슴 그리고 배의 순서의 빈도 순으로 보고되고 있으며, 이에 대한 정밀한 진찰이 반드시 필요하다. 환자는 안면손상만으로는 사망하지 않지만 동반손상으로 인하여는 사망할 수 있다는 사실을 명심해야 한다. 특히 머리, 목 부위 손상과 목척추 손상이 동반되는 경우가 적지 않다. 안면골 골절의 10%는 경추 손상이 있으며, 경추 손상의 18%는 안면골의 손상이 있다.

이러한 동반손상에 대한 처치가 이루어진 후 안면골 골절에 대한 수술을 고려한다. 두개 내압(intracranial pressure) 상승, 골반 골절 등에 의한 심한 출혈, 응고병증(coagulopathy), 급성 호흡곤란증후군(acute respiratory distress syndrome)이 있는 경우 수상 후 즉시 수술은 금기이다. 위와 같은 경우가 아니면 수술을 시행할 수 있다.

2. 진단 및 일반적 치료원칙

1) 문진 및 이학적 검사

환자의 과거력과 현병력을 물어보고 정확한 이학적 검사를 실시한다. 호소하는 증상 이외에 외상 당시의 상황과 원인, 방향 등을 잘 들어보면 손상부의 위치나 정도를 어느 정도 예측할 수 있다(표 2-3-1).

시진상 정상측과 비교해 관찰하면 쉽게 알 수 있다. 안면부 상부에 혈종, 부종 및 출혈(ecchymosis)이 있으면 그 부위의 골절이 의심되며 복시(diplopia), 결막하출혈, 양쪽 안구의 상하 및 전후 위치 차이가 있을 때에는 안와골절, 상악골절, 광대뼈 골절을 의심할 수 있다. 안구주위에 충격이 가해진 경우에는 시력검사, 시야검사, 동공반사 및 안구 운동장애 검사를 해야 한다. 치아의 부정교합, 개구장애가 있으면 상악 혹은 하악의 골절을 의심할 수 있다. 개구장애는 관골궁의 함몰로 하악골 근육돌기가 잘 움직이지 못하여 발생할 수 있다. 외이도에서 출혈이나 뇌척수액이 나오면 외이도열상, 악관절 어긋남 또는 중두개와 골절(middle cranial fossa fracture)

▷표 2-3-1. 안면골 각 부위 골정의 특징적인 임상양상 및 치료

골절 의심부위	특징적 임상양상	이학적 소견	방사선촬영	치료
이마굴	이마에 터진 듯한 열상 이마의 함몰 혹은 부종 뇌척수액콧물	골절부위의 함몰변형 압통, 얼룩출혈 안와위신경 지배부의 감각이상	Skul serise CT	전벽골절-정복 및 고정 이마굴 충만(골이식) 후벽골절-두개강화 (cranialization)
코뼈	코변형(함몰 혹은 휘어짐) 코출혈, 코폐쇄	골절편외 기동성 및 염발음(crepitus) 코중격하 출혈	Nasal bone view PNS view CT	도수정복(C/R*) 및 코중격 교정
광대뼈	광대뼈부위의 함몰 혹은 부종 안와아래신경 지배부의 감각이상 입벌림장애, 안와 손상에 의한 증상 (부종이나 멍, 결막하출혈, 겹보임, 안구함몰)	골절부의 압통 아래쪽안와테두리의 계단모양변형 입벌림 장애	PNS view Zygomatic arch view CT	광대뼈 본체 골절-ORIF** (3 or 4-point fixation) 광대활 골절 도수정복 (C/R: Gillies op.)
안와골	겹보임, 안구함몰 기타 안와 손상에 의한 소견	강제견인검사에서 안구운동 제한	CT	정복 및 안와벽 재건
위턱뼈	부정교합 기타 골절선에 따른 증상	위턱뼈의 가동성	PNS view CT	경미한 전위-보존적 치료 (IMF***) 대부분-ORIF with IMF
아래턱뼈	부정교합, 치아손상 구강 내 출혈	골절부 압통 치아맞물림면의 계단모양변형 골편의 가동성	Mandible serise Towne' s view Panoramic view	ORIF with or without IMF
아래턱뼈 관절돌기	부정교합(malocclusion) 개방교합(open-bite)	턱이 돌아감 귀앞의 압통 귀로 관절돌기가 만져지지 않음	TMJ view Panoramic view CT	대개 보존적 치료(IMF) 심하면 ORIF

*C/R: closed reduction, **ORIF: open reduction & internal fixation, ***IMF: intermaxillary fixation

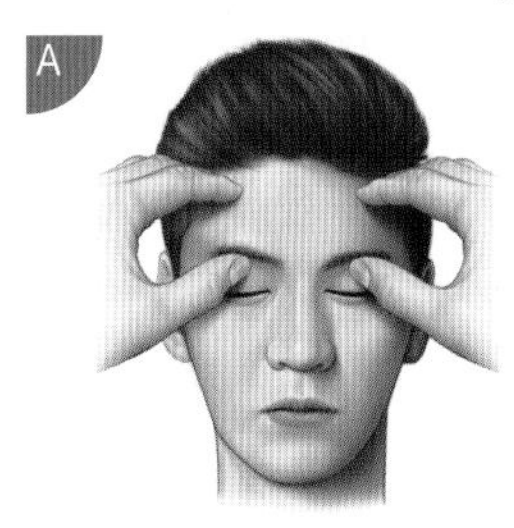

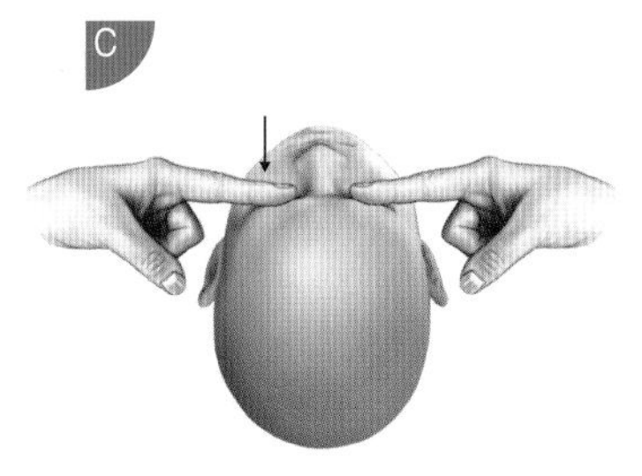

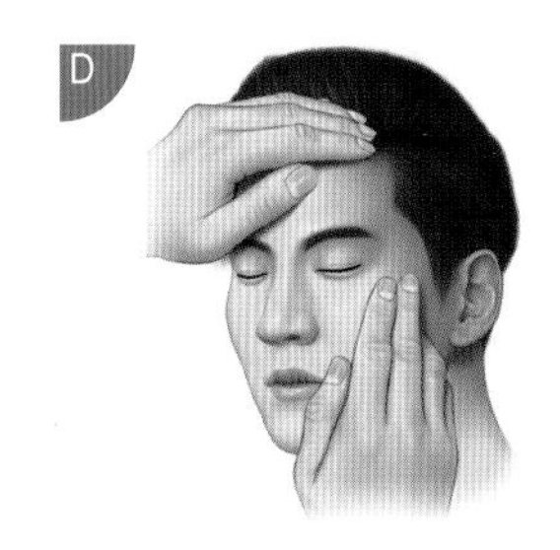

▷그림 2-3-1. **안면골 골절의 진단을 위한 촉진방법.** A. 안와상연의 불규칙성을 촉진한다. B. 안와하연과 관골의 불규칙성을 촉진한다. C. 안와하연과 관골의 불규칙성을 촉진한다. D. 관골궁의 함몰을 촉진한다. E. 교합상태를 관찰한다. F. 상악골의 가동성 여부를 확인해 본다.

이 있을 수 있다.

촉진은 손상부에서 멀리 시작하여 의심되는 부위 이외의 손상을 확인한 후, 손상부로 점차 옮겨가서 압통, 빔소리(염발음, crepitus), 골절로 인한 계단형성(stepping), 골편의 움직임 등을 세심하게 평가한다. 또한 육안적으로나 촉진에 의해 양측의 대칭성을 비교하고 변형된 부위가 없는지 확인한다. 어떻게 손상을 받았느냐에 따라 안면 이외 다른 부위의 동반손상의 여부에 대하여도 주의 깊게 검사한다(그림 2-3-1).

하악골절이 의심될 때는 양쪽 무지와 집게손가락으로 하악의 앞니와 하악의 전·후면을 잡고 움직여 보면 골절 부위의 가동성을 느낄 수 있다. 상악골절이 의심될 때는 한 손으로 이마를 눌러 고정시키고 다른 손의 무지와 집게손가락으로 상악을 잡고 위·아래로 흔들어 보면 골절 부위에서 움직임을 느낄 수 있다. 안와하연에 골절이 있는 경우에는 손가락 끝으로 안와연을 촉진해 보면 계단모양의 변형이 있음을 촉지할 수 있다.

관골궁의 함몰 골절이 있는 경우에는 손상 직후 촉진으로 알 수 있다. 비골골절이 있는 경우에는 코 양측을 촉진해 봄으로써 골절된 정도와 상악 이마돌기의 상태를 파악할 수 있다.

2) 방사선 검사

컴퓨터 단층 촬영(CT)은 안면골 골절을 확진하는 데 있어 필수적이다. 관상단면(coronal plane), 축성단면(axial plane), 시상단면(sagittal plane) 그리고 3차원 영상(three-dimensional CT)상을 이용하여 복잡한 안면골의 상관관계 및 손상의 정도에 대해 결정적인 정보를 제공하여 골절을 정확히 진단할 수 있다. 안와골절을 진단하는데 CT는 90% 이상의 정확성이 있으며 골절의 정도, 위치 등을 잘 볼 수 있다.

안면골 골절을 진단하고자 여러 가지 단순촬영을 시행할 수 있으나, 실제로 안면골의 후면으로는 두개 내의 복잡한 구조물들이 중첩되어 있어 단순 방사선 촬영만으로는 골절부의 정확한 판정이 어려운 경우가 많다. 단순촬영으로 Waters view는 중안면골 골절을 살피는 데 가장 효과적이다. 그외 Caldwell view, submento-vertical view, modified Towne's view, Mandible oblique view, Panoramic view, 그리고 Occlusal view 등이 있다. 정복술을 시행한 뒤 술 후 결과를 보기 위해서도 CT 촬영을 하는 것이 추천된다.

MRI 또는 초음파는 특수 상황에서 도움이 될 수 있지만 대부분의 경우 표준 진단작업에 포함되지 않는다.

3) 치료 원칙

(1) 수술 시기

모든 골절은 수상 후 최대한 빨리 수술하는 것이 가장 이상적이며, 영구적인 손상이 남을 가능성이 적고 빠르게 일상생활로 복귀할 수 있다. 수상 후 24시간 이내 수술할 경우 부종이 발생하기 전이므로 조직에 대한 조작이 쉽고, 골절면도 육아조직 형성에 의한 방해 없이 정확하게 정복할 수 있다. 일반적으로 안면골절은 부종이 가라앉는 후에 혹은, 동반된 손상이 안정된 후에 수술하는 것을 권장한다. 안와골절의 경우에는 안면의 다른 골절을 우선적으로 치료하고 난 뒤 마지막으로 혹은 추가적으로 수술을 할 수 있다. 그러나 근육이 골절된 뼈 사이에 끼인 경우에는 즉각적으로 수술해 주어야 한다. 안면골절의 1

차 치료의 적절한 시기는 2주 내라고 할 수 있다. 막성골(membranous bone)인 안면골은 골절되면 곧바로 섬유유합(fibrous union)으로 붙기 시작하므로 골절된 후 2주 이상 지연되면 골절부가 부정유합(malunion)되어 골절편이 움직이지 않게 되므로, 인위적으로 골절을 시킨 후 재배치시키는 복잡한 과정을 거쳐야 한다. 소아 환자는 훨씬 빨리 골절부의 유합이 일어나므로 조기에 수술을 시행하여야 한다.

(2) 절개 방법

안면골 골절은 절개 전 CT 사진을 통해 절개해야 할 위치를 결정하는 것이 도움이 되고 골절부를 적절하게 노출시켜 정확하게 정복한 후 고정을 이루어야 한다는 점은 다른 부위와 마찬가지지만, 안면의 특성상 수술에 의한 흉터가 드러나서는 안 되고, 또한 안면 전역에 분포하는 안면신경의 손상을 피하도록 절개해야 하는 어려움이 있다. 구강 내 절개로 상악, 관골의 하부 및 하악골에 접근할 수 있고, 하안검접근법 또는 결막경유접근법을 통한 절개로 안와하연에 도달할 수 있으며, 눈썹절개를 통하여 전두관골 봉합부에 접근할 수 있다. 전두부나 관골체나 관골궁의 외측 변위가 심하여 광범위한 노출을 필요로 할 때는 두피내의 관상절개를 통하여 골절부에 접근할 수 있다. 최근에는 내시경을 이용하여 보다 최소한의 반흔을 남기면서, 정확하게 골절부위를 환원하기 위한 노력이 계속되고 있다.

(3) 견고한 내고정

골절의 치료에서 가장 중요한 점은 조기에 해부학적 위치로 정확하게 환원하고, 견고하게 고정해주며, 연부 조직을 복원하여주는 것이다. 견고하게 고정을 해야 뼈가 접합되고 변위를 최소화할 수 있다. 과거에는 철선을 이용하여 고정하였으나 수술이 어렵고, 이것만으로는 견고한 고정이 이루어지지 않아 모양을 유지하기가 어려웠다. 요즘은 티타늄과 같은 인체에 해롭지 않은 금속판이나 흡수성 판 그리고 나사못을 이용한 방법을 보편적으로 사용한다. 금속판과 나사는 특별한 문제가 없는 한 제거할 필요가 없지만, 환자가 원하거나 불편함을 호소하는 경우, 혹은 치아 임플란트를 위해서 골유합 후 제거할 수 있다. 소아 골절에서는 사용한 금속고정판은 안면골의 성장을 제한할 수 있으므로 골유합 후 제거하거나 흡수성 고정판의 사용이 추천된다.

(4) 악간고정(Intermaxillary fixation, IMF)

상,하악골의 골절이 있으면 골절이 치유되는 기간 동안 치아 사이에 철사를 엮어 주고 상하악골을 고정하여 움직이지 못하도록 하는 것이 악간고정술이다. 위턱과 아래턱 치조궁(dental arch) 외측면에 각각 치열활봉(arch bar)을 24~26게이지 철사를 이용하여 치아와 묶어준다. 위쪽과 아래쪽 치열활봉을 고무밴드를 이용하여 고정한다. 치아 손상이 있거나 치아가 치열활봉을 잘 잡아주지 못하는 어린 아이들의 경우 드릴을 이용하여 뼈를 관통시킨 철사를 추가로 이용할 수 있다. 상하악의 앞니와 송곳니(canine)는 지속적으로 당겨지는 경우 뽑힐 수 있으므로 철사로 묶지 않는 것이 좋다. 필요한 경우 아크릴부목(acrylic splint)을 턱 사이에 끼운 후 고정을 시행한다. 악간고정은 20세 미만과 어린이에서 보통 4주, 20~60세에서는 6주, 60세 이상에서는 약 8주간 시행한다. 이 기간 동안 숨쉬기가 불편하고, 음식물의 섭취가 제한되어 체중이 감소하는 등 불편이 따른다. 골절고정을 위해 금속판을 이용한 견고한 내부고정을 시행한 경

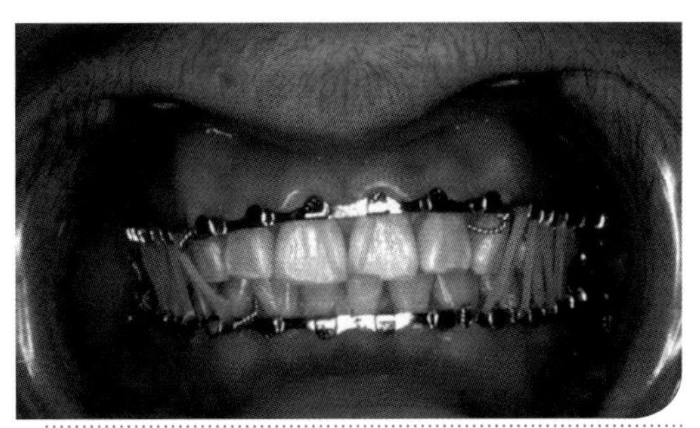

▷그림 2-3-2. **악간고정**(intermaxillary fixation, IMF). 위턱이나 아래턱뼈 골절처럼 치아를 포함한 부위의 골절에 대한 수술 후 골절부의 고정을 위하여 착용시킨다.

우, 술 후 악간고정을 시행하지 않거나 착용기간을 단축할 수 있다. 악간고정을 한 환자는 기도가 잘 유지되는지 자주 확인하여야 하며, 의식소실 환자처럼 기도유지가 어려운 경우에는 미리 기관절개술을 시행하여야 한다. 구토와 같은 급한 일이 발생하면 환자 자신이 직접 고무밴드를 자르도록 철저하게 교육시킨다(그림 2-3-2).

3. 치아의 관리

1) 정상 치아의 구조(그림 2-3-3)

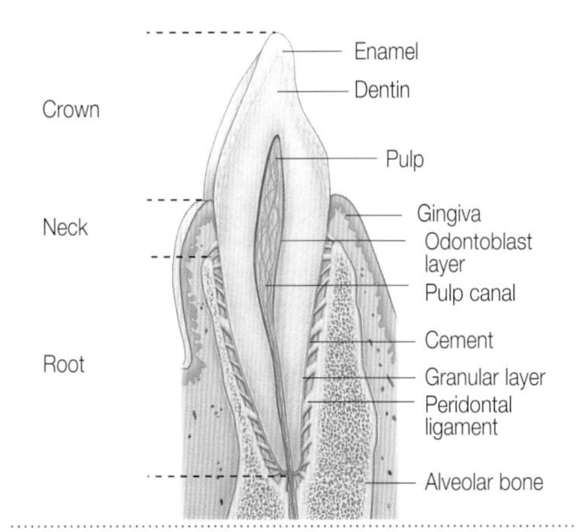

▷그림 2-3-3. **악간고정**(Intermaxillary fixation, IMF). 위턱이나 아래턱뼈 골절처럼 치아를 포함한 부위의 골절에 대한 수술 후 골절부의 고정을 위하여 착용시킨다.

2) 치아 손상 시 치료원칙

(1) 치아의 보존

① 어린이와 젊은 사람에서 영구치는 반드시 보존한다.

② 유치는 가능한 보존한다(아래에 있는 영구치에 해가 가지 않도록).

③ 잇몸에 남아있는 손상된 치아를 어떻게 할 것인가는 경과한 시간과 다친 정도에 따라 결정한다.

(2) 치아 및 지지구조(Supporting structures)

치아 경조직 및 치수 손상, 치아 주위조직 손상, 치조돌기 및 악골 손상으로 분류할 수 있다.

(3) 손상된 치아의 검사

① 치관(Crown)만 손상을 받은 경우 잘 모르는 수도 있으며, 중요하지 않다.

② 치수(Pulp)의 손상이 의심되어도 탐침(probe)으로 찔러보지 않도록 한다(얇은 상아질(dentin)이 손상 받을 염려가 있다).

③ Probing은 치관-치근(crown-root) 골절이 있는 경우에 유용한 검사이다.

i) 생명력 검사(Vitality tests)

전기 치수 검사, 레이저 도플러 또는 온도 검사 방법 등을 사용한다. 다친 후 곧바로 실시하는 검사는 의미가 없다.

ii) 촉지

손상이 의심되는 치아를 흔들어 본다.

iii) 방사선 검사

부분적 탈구와 치근 골절을 구분하기 위해

꼭 필요하다.

(4) 치료

① **치관 골절**

치수가 노출되지 않았으면 골절된 부위의 날카로운 부위를 갈아주거나 결손된 부위를 다른 물질로 채워서 형태를 유지시켜준다.

- 치수가 노출되었을 경우
  24시간이 지나지 않고, 바늘 크기의 작은 노출은 충전 물질(calcium hydroxide)로 씌워준다. 24시간이 경과하였거나 크기가 큰 경우에는 치수절단(pulpotomy)을 한다.

② **치근 골절**

- 치관-치근 골절: 손상된 치아를 제거.
- 가동성이 없는 치근 골절: 3개월 동안 부목
- 가동성이 있는 치근 골절: 9~12주 단단하게 부목으로 고정하여 치아가 살 수 있도록 하고, 치아를 살릴 수가 없으면 다른 치료(endodontically root filling)를 시행한다.

③ **치아의 부분적 탈구와 변위**

치아를 보존하기 위해서는 즉시 치료(splinting, orthdontic banding, wiring등)하고 6~8주간 고정한다. 부분적 탈구(subluxation)가 눈으로 보이지 않을 정도일 때는 젊은 사람에서는 2~3주 고정하면 충분하다. 완전히 빠진 경우에 유치는 그냥 버리지만, 영구치인 경우에는 접합(replantation)을 시도하는데 이는 적어도 48시간 이내에 시행하여야 한다.

3) 골절선상에 있는 치아

대부분 항생제와 정확한 고정으로 살릴 수 있다. 그러나 눈으로 보아서 완전히 빠진 치아(보통 다치고 48시간이 지난 경우)나, 우식치아(carious teeth) 경우에는 제거한다. 특히 하악각부의 골절 시 골절선상에 있는 사랑니는 제거하도록 한다.

4) 교합과 정상치아의 관계

- 교합(occlusion)은 윗니와 아랫니와의관계를 말한다.
- 교합은 보통 Angle의 분류에 의한다(그림 2-3-4).

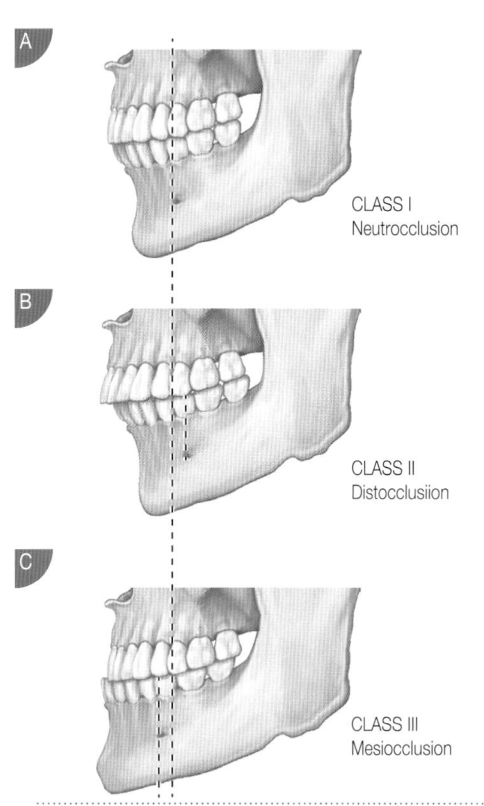

▷그림 2-3-4. **치아맞물림의 분류**(angle classification). 위턱과 아래턱뼈의 제1 큰어금니의 상관관계에 따라 분류 한다. A. Class I: 정상치아맞물림(neutrocclusion), B. Class II: Retrocclusion (distocclusion), C. Class III: Mesiocclusion.

Class I: Neutro-Occlusion-상악 제1 대구치(maxillary first molar)의 근협측융기(mesial buccal cusp)가 하악 제1 대구치(mandibular first molar)의 근협측고랑(mesial buccal groove)과 맞물리는 경우.

Class II: Disto-Occlusion (retrusive or undeveloped jaw).

Class III: Mesio-Occlusion(protruding or jetting type of jaw).

- 영구치는 32개로 상, 하악에 각각 16개씩 있다(앞니 4, 송곳니(canine) 2, 전대구치 4, 대구치 6). 정상교합은 Class I으로 아래턱 치아가 위턱 치아의 안쪽으로 들어가 있다.

I. 부위별 골절

1. 안면골 중 1/3 골절

최근 안전과 보건에 대한 예방, 보호수단의 발달 등으로 중안면골절의 양상이 변화하고 있다.

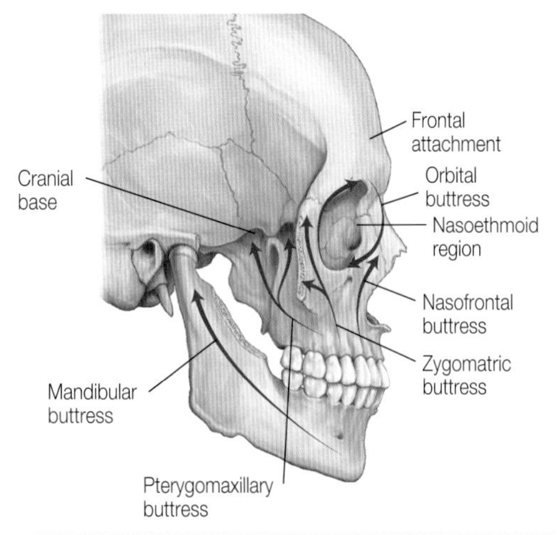

▷그림 2-3-5. 중안면부 골격의 수직버팀벽(vertical buttresses).

심한 분쇄 골절이나 중안면부 함몰과 같은 양상은 줄어들고 있다. 중안면골절을 치료할 때는 높이(height), 폭(width), 돌출(projection)을 복구하여야 한다. 안면골 지지대(buttresses)를 재건해주고, 안와를 잘 만들어주고 교합을 충분히 복원시키어, 심미적, 기능적 문제를 해결해 주어야 한다(그림 2-3-5).

1) 비골골절(코뼈골절)

비골골절은 돌출된 구조로써 두안면부에서 가장 흔한 골절이다. 코는 연골과 뼈 구조물로 지지되는 삼각형의 모양의 피부, 근육과 점막, 신경 그리고 혈관으로 구성되어 있다.

(1) 골절양상

비골은 안면 중앙에 돌출되어 있어 안면골 골절중 가장 흔하다. 비골의 두꺼운 부분과 얇은 부분 사이의 경계, 즉 하 1/3에서 골절이 호발한다. 어린이의 경우 비교적 골절편이 크며, 반대로 성인은 분쇄상 골절의 양상을 보인다. 가해진 외력의 정도에 따라 다양한 양상의 골절이 발생하지만, 힘이 가해진 방향에 따라 정면충격 혹은 측면충격으로 나눌 수 있으며 측면충격으로 인한 골절이 변형을 많이 남긴다.

- **정면충격의 경우**
  ① 제1면 골절: 비골 끝부분과 비중격이 골절된 것
  ② 제2면 골절: 비골이 분쇄 골절된 것
  ③ 제3면 골절: 비골·사골·안와골절 이 동반된 경우로 한쪽 혹은 양쪽 상악골 이마돌기까지도 분쇄 골절된 것

- **측면충격의 경우**
  ① 평면 1 골절: 코뼈 한쪽이 골절되어 비강으로 함몰된 것
  ② 평면 2 골절: 위 골절에 더해 반대편 코뼈가 불완전 혹은 greenstick 골절된 것
  ③ 평면 3 골절: 전두골과 상악골 골절이 동반되어 함몰한 것

(2) 진단

외견상 통증을 동반하는 코의 부종, 코 모양의 변형을 보이며 비중격, 비점막의 손상에 의한 코피, 코막힘도 있을 수 있다. 촉진 시 골절편의 가동성 및 염발음(crepitation)을 느낄 수 있다. 비골골절이 의심되면 비경을 통하여 비강 내를 관찰하여 비중격의 휘어짐과 점막하 출혈 여부를 반드시 확인하여야 한다. 정면 방사선 촬영에서 비중격이 휘어진 소견을 볼 수 있으며, 측면 촬영으로 골절된 비골의 전위 여부를 알 수 있다. 측면 안면부 연부조직 촬영은 얇은 비골 끝 부위의 손상을 비교적 잘 보여준다. 그러나 단순 방사선 촬영만으로는 진단이 어려운 경우도 많기 때문에 방사선 촬영뿐 아니라 임상적인 소견도 진단에 매우 중요하다는 사실을 명심해야 한다. CT촬영을 하면 비교적 골절 여부를 정확히 알 수 있고 주변부의 동반손상 여부도 파악할 수 있어 유용한 방법이다

(3) 치료

① **시기**

수술은 손상 직후 부종이 발생하기 전에 시행할 경우 가장 이상적이다. 부종으로 인해 수술 시행이 어려울 경우 5일 내지 7일 정도 기다린 후 시행하는 것이 보통이다. 부종이 완전히 가라앉은 후에 골절로 인한 코의 변형을 정확히 평가할 수 있고, 골절을 정복하는 동안 촉진을 통하여 골절편이 정확히 위치하는 것을 알 수 있기 때문이다. 하지만 최근 CT소견으로 인한 정확한 진단과 골절의 정도를 파악할 수 있어 조기수술에 도움이 된다. 특히 소아 골절의 경우 골유합이 빠르게 일어나므로 어른보다는 조기에 수술을 시행해 주어야 한다.

② **수술 방법**

i) 폐쇄성 정복술(그림 2-3-6): 수술은 개방성 골절이 아니라면 비공을 통하여 폐쇄성 정복술을 시행하는 것이 보통이다. 이러한 시술은 부분마취하에서도 가능하지만, 점막손상에 의한 출혈 및 정복 시 통증 등을 고려하여 가능한 전신마취하에서 시행하는 것이 환자나 의사에게 모두 안전하다. 수술 전 1:100,000 에피네프린 용액을 적신 거즈로 비강 내에 10분 가량 넣어 두면 점막의 혈관을 수축시켜 수술 시야를 확보하고 정복 시 출혈을 줄일 수 있다. 육안적으로 변형을 초래하는 코뼈 골절은 Walsham 겸자(forceps)를 이용하여 골절된 골편을 바로잡아 준다. 대

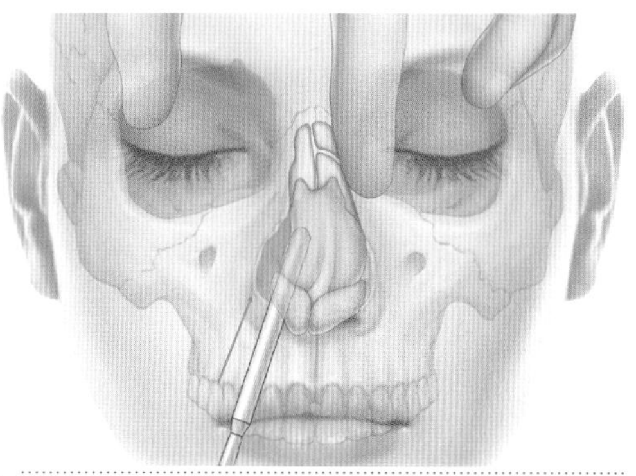

▷그림 2-3-6. 기구(Boies elevator)를 이용하여 안쪽으로 함몰된 비골을 바깥쪽 방향으로 정복한다.

개 골절편은 안쪽으로 함몰되어 있으므로 바깥쪽, 위쪽으로 힘을 가하면서 정복해 준다. 한 손으로는 겸자를 잡고 다른 손으로는 코뼈를 촉진하면서 정확한 정복이 이루어졌는지 평가하면서 시술해 준다.

ii) 개방성 정복술: 비골과 비중격의 심한 골절 및 변위가 있을 경우, 혹은 폐쇄성 정복술 후에도 지속적인 변형이 남아있을 경우에는 개방성 정복술을 시행하여 적극적으로 함몰된 골편을 환원시켜 주어야 한다.

iii) 간접개방성 정복술(그림 2-3-7): 골절편이 심하게 중첩(overlapped) 또는 전위(displaced)되어 있는 경우, 폐쇄적 정복술로는 골절편이 시야에 들어오지 않으므로 간접개방성 정복술이 도움이 된다. 기구 삽입을 위해 약 5 mm 정도 길이의 연골사이 절개(intercartilaginous incision)를 시행하여, 비골과 코점막 사이에 기구(nasal elevator)를 위치시킨다. 골절편의 위치를 섬세하게 느끼면서 기구끝(elevator tip)을 이용하여 골절편을 수상전 위치로 정복한다.

iv) 코의 외측피부압박법(external compression with transnasal wiring)(그림 2-3-8): 심한 분쇄골절의 경우 개방성 정복보다는 폐쇄형 정복술 후 철사와 실리콘 판을 이용하여 코 모양을 유지한다. 변형이 남을 경우 2차 시기에 교정을 하는 것이 효과적이다.

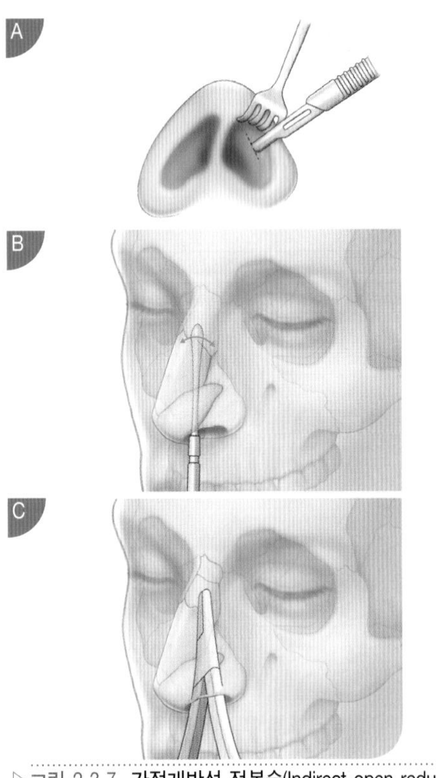

▷그림 2-3-7. **간접개방성 정복술(Indirect open reduction)을 위한 절개 및 시행**

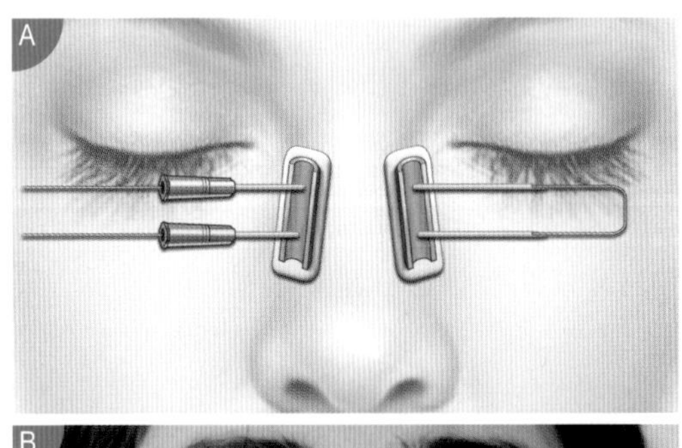

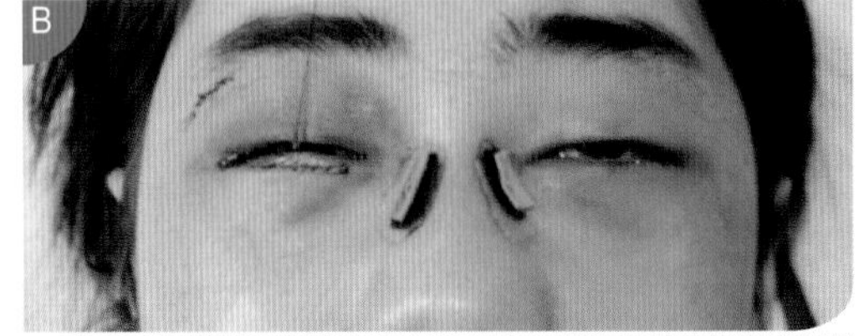

▷그림 2-3-8. **코의 외측피부압박법.** 패쇄형 정복술 후 철사(k-wire)와 실리콘 판(silastic sheet) 및 넬라톤관(nelaton tube)을 이용하여 코 모양을 유지한다. 코의 양쪽 가측벽(bilateral sides)을 관통함으로써, 비골의 대칭(symmetry)과 돌출(projection) 정도를 유지하는 것이 목적이다.

③ **비중격 처치**

비중격 골절 및 변위가 동반되어 있을 때는 역시 특수한 겸자(asch forceps)를 이용하여 바로잡아 준다(그림 2-3-8). 교정된 비중격의 전위가 재발될 우려가 있으면 비중격 교정후 비중격 양측에 실리콘판을 대고 석상봉합(mattress suture)을 시행하여 준다.

비중격을 중앙부에 위치시키기 위하여, 비중격 연골의 부분적 절제, 서골(vomer)이나 상악의 부분적 절골 혹은 봉합술 등을 할 수 있다.

A

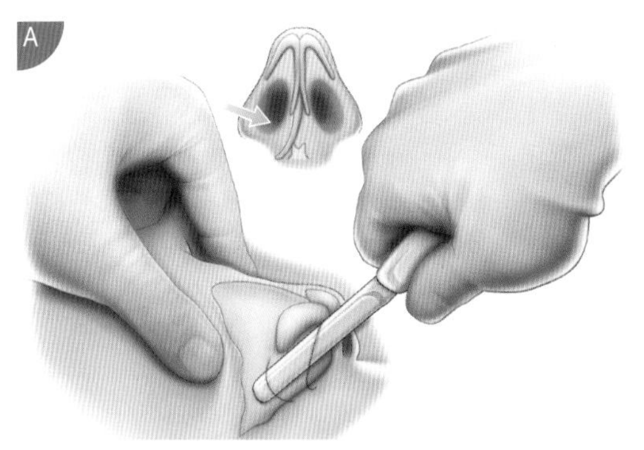

B

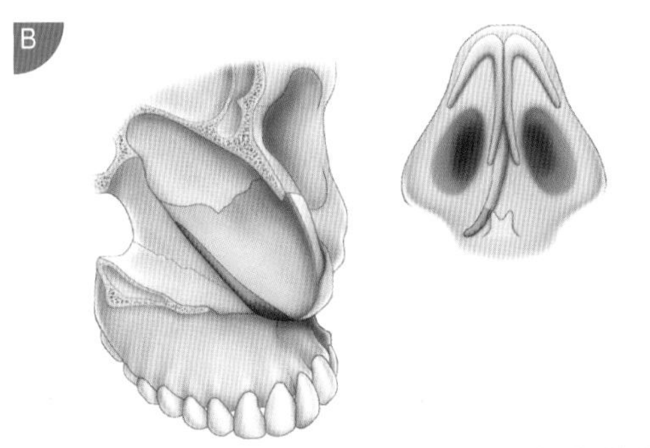

▷그림 2-3-9. **코뼈 골절에 의한 코중격 변형의 정복방법.** A. Boies 거상기를 이용한 비중격(nasal septum)의 정복. B. 노출된 비중격의 일부분(excessive septal cartilage)을 절제

④ **수술 후 처치**

수술 후에는 점막하 혈종을 예방하고 정복된 골절편이 다시 주저앉지 않도록 비공을 충전물로 채워주고(nasal packing), 외부에는 플라스틱 부목을 설치하여 외부압력 혹은 충격으로부터 보호한다. 비충전물질은 2~5일후에 제거하고 플라스틱 부목은 5~6일 유지해 준다.

(4) 비중격 혈종

비중격 손상으로 인하여 점막하 혈종이 발생하였을 때 제대로 치료하지 않으면 두 가지 중요한 문제를 초래할 수 있다. 먼저 혈종이 섬유화된 후 그대로 연골화되면 비중격이 매우 비후해지고 결국 코가 막혀 숨쉬기가 곤란해진다. 또한 혈종에 의해 과도한 압박을 받으면 비중격 연골의 괴사가 일어나고 그 결과 비중격 천공이 초래되게 된다. 따라서 코뼈 골절이 의심되는 환자는 반드시 비강을 들여다 봄으로써 비중격의 손상 여부 및 비중격 혈종의 존재 여부를 검사하고, 수술시 비중격 교정 및 수평절개를 통한 혈종의 배출을 시도하여야 한다.

(5) 후유증

완전한 정복을 이루었다 하더라도 코의 형태 및 비중격에 어느 정도의 변형은 남을 수 있으므로, 후에 코 성형술 및 비중격 교정이 필요할 수 있음을 설명해 주어야 한다. 비변형 외에도 점막유착, 기도폐쇄, 후각장해 등의 후유증이 발생할 수 있다. 코의 성장은 사춘기가 지난 후 완성되는데, 소아에서 코뼈 골절의 경우 나중에 이로 인한 코의 성장에 장애를 초래할 수도 있음도 설명해 주도록 한다.

2) 관골골절

(1) 해부학적 특징에 따른 골절의 양상

관골(광대뼈)은 코뼈와 마찬가지로 안면의 중

앙 측면에 돌출되어 있어 골절의 빈도가 높다. 관골은 안면의 윤곽을 결정하는 데 대단히 중요하다. 또한 관골은 안와의 하외측을 이루는 골로 안와의 약 1/5을 차지하므로 관골 손상 시에 안와주변이나 안구의 손상이 동반되기가 쉽다. 따라서 관골 골절이 의심되는 환자는 안와 및 안구의 손상 여부에 대하여 세밀히 진찰해 보아야 하고, 반대로 안와 주위의 손상이 있으면 관골 골절이 동반되어 있지는 않은지 확인하여야 한다.

전형적인 관골골절이 발생할 경우, 그 골절선은 하안와열(inferior orbital fissure)에서 위로는 접형관골봉합부(sphenozygomatic suture)를 따라 전두관골봉합부(frontozygomatic suture)로 진행하여 안와외연으로 간다. 안와하열 전방으로는 상악골의 안와부(orbital plate of the maxilla)를 포함하여 안와하연으로, 동시에 상악의 측두면(infratemporal surface of the maxilla)아래로 진행하여 상악하부의 관골상악기둥(zygomaticomaxillary buttress)으로 진행한다. 그리고 관골궁 부위에 골절이 존재한다.

관골은 전두돌기, 상악돌기, 측두돌기, 그리고 안와돌기의 네 돌기를 가진 사각형의 단단한 뼈로 본체 자체의 골절보다는 이러한 삼발이 형태의 여러 돌기를 따라 3차원적으로 골절이 일어난다(그림 2-3-10). 관골 골절은, 안와 골절을 제외한 세 돌기의 골절을 뜻하는 소위 삼각골절(tripod fracture)이라고도 한다.

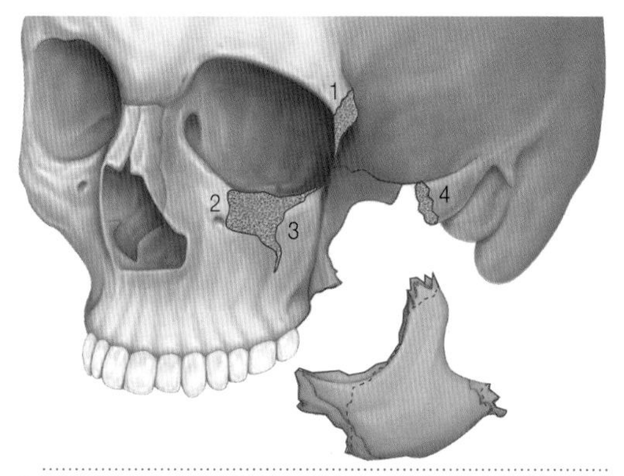

▷그림 2-3-10. **관골 골절.** 네 곳의 돌기를 따라 입체적으로 골절이 일어난다. 전두관골봉합, 안와하연, 관골상악복합, 관골궁

관골에는 교근을 비롯한 여러 근육들이 부착되어 있으며, 특히 외력의 방향 및 교근의 힘에 의하여 전위의 방향 및 정도가 결정된다. 골절된 관골은 대부분 후방, 내방, 그리고 하방으로 전위되며, 골편을 정복할 경우에는 반대로 전방, 외방, 그리고 상방으로 힘을 가하면 원위치로 되돌아오게 된다. 외력이 외측에만 강하게 작용한 경우에는 관골 본체는 손상되지 않고 측두돌기 즉, 관골궁에만 갈매기 날개모양의 골절이 일어나게 된다.

(2) 진단

환자에게 천장을 보도록 하면 양측 관골의 비대칭을 쉽게 파악할 수 있는데, 관골이 후방으로 전위된 경우 돌출부가 푹 꺼지게 된다. 때론 부종에 의하여 오히려 정상측보다 더 부어 있기도 하다. 관골은 안와의 일부를 구성하므로 골절시 안와부의 부종, 멍이 들어 있게 되며, 결막하출혈 등 안와 구조물의 손상이 동반될 수 있으므로, 이러한 증상이 있으면 관골 골절여부도 확인해 보아야 한다. 외안각인대(lateral canthal ligament)는 외측 안와결절(Whitnall's tubercle)에 부착해 있으므로 관골이 골절되어 후하방으로 변위되면 안검열(palpebral fissure)이 아래로 처지게 된다(antimongoloid slant). 그리고 Lockwood 인대가 하방으로 변위됨으로 말미암아 안구를 비롯한 안와 내용물이 하방으로 변위된다. 관골 본체가 하방으로 5 mm 이상 변위된 경우에는 흔히 복시가 나타날 수 있다. 복시는 안와파열 골절의 결과 외안근이 골절부에 끼어서 발생할 수도 있으나 대개 안구의 타박에 의한 경우가 많으며 시간이 지날수록 호전되는 것이 보통이다. 골절의 변위에 의해 안구의 용적이 커지면서 안구가 후방으로 밀리는 안구함몰이 나타나기도 하고 하방으로 밀리면서 안구의 하방변위가 발생하기도 한다. 내측으로 전위된 관골궁 및 후방 전위된 관골 본체는 하악 근육돌기(coronoid process)의 움직임을 제한하여 개구장애 혹은 교합장애를 초래할 수 있다. 또한 관골궁과 측두하와(infratemporal fossa) 주변부의 혈종이나 연부조직의 부종, 교근의 타박상도 일시적인 개구장애를 유발할 수 있다. 안와하신경이 손상이 동반될 경우에는 환측 뺨의 내측, 코의 한쪽 벽, 윗입술, 그리고 동측 위턱 치아의 감각이 현저히 떨어지거나 소실된다. 이는 대개 신경의 타박상에 의한 것이므로 시간이 경과할수록 저절로 회복되는 것이 보통이다.

촉진 시 골절된 삼발이 모양의 돌기에 압통이 야기된다. 즉, 안와외연 및 안와하연의 압통을 호소하며 안와하연에 골절에 의한 층이 만져질 수 있다. 또한 구강 내 촉진으로 상악동 외측벽 골절부의 압통이 야기된다.

안와골절이 동반되는 경우가 흔하므로 시력검사, 시야검사, 동공반사 및 안구 운동장애 검사 등 안구의 손상여부를 점검하도록 한다.

(3) 방사선 검사

단순 방사선 촬영은 Caldwell view와 Waters view, 그리고 Zygomatic arch view 등을 통하여 광대뼈 골절에 대한 정보를 얻을 수 있다. 특히 안면부 중간 1/3 부위의 골절이 있는 경우 Waters view가 단순 방사선 촬영 중 가장 많은 정보를 제공한다. X-선상 안와외연의 관골전두봉합이 벌어져 있고 안와하연의 연속성이 소실된다. 이러한 소견을 확신할 수 없다 하더라도 상악동의 음영이 뿌옇게 되었다면 이 부위와 연관된 골절, 즉 관골골절, 안와 골절, 상악골절 등을 의심할 수 있다. 이 경우에는 골절이 거의 확실하므로 다시 주의 깊게 진찰을 하고 CT촬영으로 확인한다. CT의 관상단면과 축성단면, 3차원 영상으로 골절선을 확인하고 환측과 건측의 안와하연과 관골 돌출부를 비교하여야 한다.

(4) 버팀벽 관절과 정렬
(Buttress articulation and their alignment)

관골에는 인접한 뼈로 이루어진 6군데의 정렬포인트가 있는데 이는 두개안면노출법(craniofacial exposure technique)으로 확인할 수 있다. 그것은 전두관골봉합(frontozygomatic suture), 안와하연(infraorbital rim), 관골상악기둥(zygomaticomaxillary buttress), 안와벽 외측의 접형골의 큰날개(greater wing of sphenoid), 안와바닥(orbital floor), 그리고 관골궁이다. 이 지지대 부위를 잘 재건함으로써 심미적, 기능적으로 좋은 결과를 얻을 수 있다.

(5) 치료

관골 골절의 분석에서 먼저 골절 부위를 파악하고 변위(displacement)와 분쇄(comminution)의 정도를 조사하여야 한다. 변위되지 않은 골절은 대개 보존적으로 치료하는 반면 변위된 골절은 외과적으로 치료한다. 1960년대에서 1980년대까지는 K 강선이나 철사 등을 이용한 고정술이 많이 사용되었으나, 1980년대 중반부터 현재까지 금속판과 나사를 이용한 고정술이 가장 많이 사용되고 있다. 2000년도 이후 흡수성 판과 나사를 이용한 방법이 등장하여 사용되고 있다.

① **폐쇄적 정복술**

관골궁만 함몰골절이 발생한 경우 측두부 피부절개 혹은 구강 내로 접근하는 폐쇄적 정복술로 교정이 가능하다. 관골궁의 골절편이 하악의 근육돌기에 끼인 경우나 함몰의 변형이 발생할 때 효과적이나 정복 후 안정성을 확신하기 어려운 단점이 있다.

i) 측두 접근법(Gillies 방법)

측두부 모발선 직후방에 약 2.5 cm절개한 다음, 피하지방층 아래의 표피측두막(superficial temporal facia)을 확인하고 절개를 계속 가하여 심부측두근막(deep temporal fascia)의 심층막과 측두근(temporal muscle)사이로 지렛대(elevator)를 진입시킨다. 관골궁 아래에 위치시켜 골절을 일으킨 힘의 반대방향, 즉 외측 및 전방으로 힘을 가하면서 반대측 정상 관골을 기준으로 정복을 시도한다(그림 2-3-11).

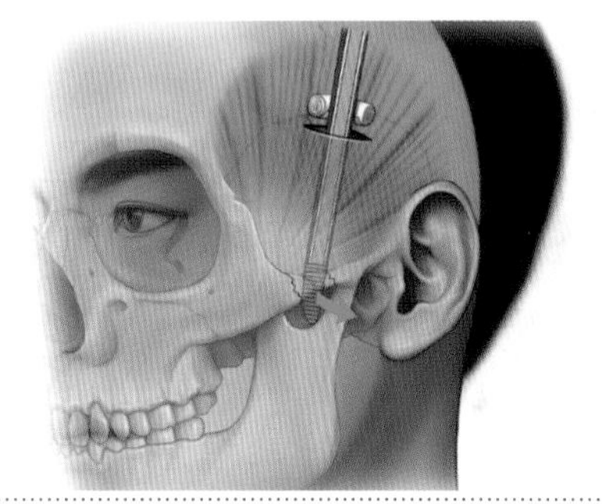

▷그림 2-3-11. Gillies 방법.

ii) 구강내 접근법(Keen 방법)

상악의 구강내로 들어가 관골상악골기둥 바로 하방에 2 cm 점막절개를 가하여 골절된 관절궁 바로 아래로 기구를 삽입할 수 있다. 반대측 손가락으로 함몰된 골편을 만지면서 정복할 수 있다.

정복된 골편은 고정하지 않은 상태로 자연유합이 되도록 한다. 따라서 골치유 기간 동안 다시 변위가 일어나지 않도록 3주가량 유동식만 먹게 하고, 보호대를 착용하여 외력이 가해지지 않도록 주의시킨다(그림 2-3-12).

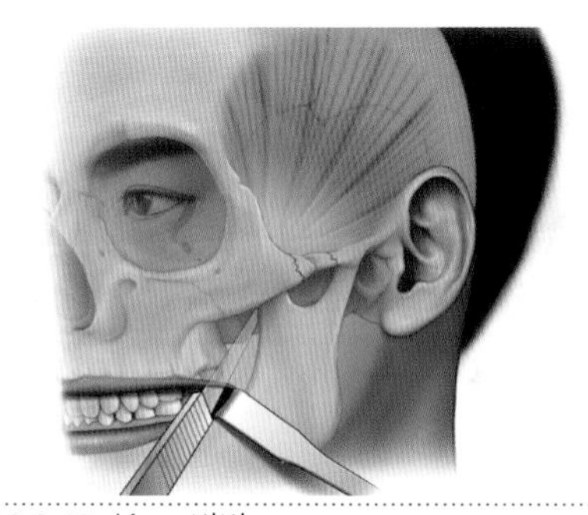

▷그림 2-3-12. Keen 방법.

② **개방적 정복술**

i) 절개 방법

ㄱ) **눈썹외측절개**: 눈썹의 아랫쪽 경계선에서 모근방향과 평행되게 2 cm 정도의 수평절개를 통해 관골전두봉합 부위의 골절을 노출시킨다. 이 접근법으로 관골체와 관골궁 하방으로 지렛대를 위치시켜 골절부를 환원하는 데 이용할 수 있다.

ㄴ) **하안검절개**: 속눈썹 2 mm 아래 피부절개 후 피하박리후 안와근을 일부 남기고 5 mm 정도 아래로 근육하 박리를 시행하여 안와하연으로 접근하다. 안와하연 2 mm 하방에 골막하 박리를 시행하여 하연과 안와저부의 골절 부위를 노출시킨다(2-3-13) .

ㄷ) **결막절개(Transconjunctival approach)**: 하안검을 뒤집어 점막부의 tarsal plate의 아래 경계선을 파악하고 그 하방으로 절개를 가

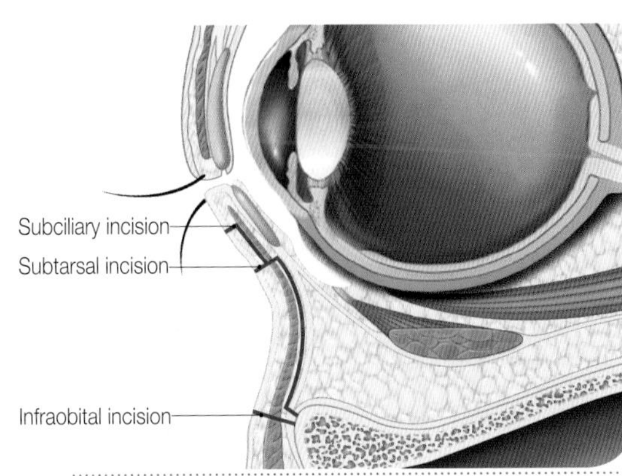

▷그림 2-3-13. **관골의 개방적 절개술을 위한 하안검절개.** 피부절개의 높이에 따라 subciliary incision, subtarsal incision, 또는 infraorbital incision으로 나뉘어 접근

하고 눈둘레근의 하방과 안와지방벽의 전방 사이로 박리를 진행하다. 안와하연이 만나면 골막하 절개를 실시하여 골절부로 접근한다. 만약 외안각을 분리(canthal detachment)시키고 상방으로 박리한다면 전두관골봉합부의 노출도 가능하다(그림 2-3-14).

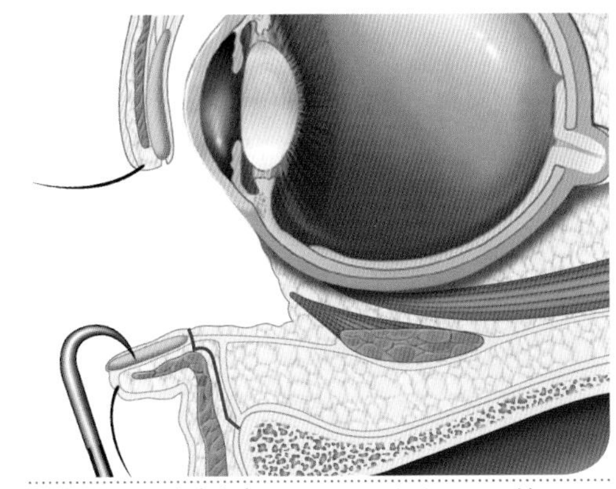

▷그림 2-3-14. **결막절개**(Transconjunctival approach)

ㄹ) **구강 내 절개**: 관골상악이행부, 즉 상악동외측벽의 골절부를 노출시킨다. 이 접근법으로 내측으로 함몰된 관골본체와 광대궁 골절의 환원을 시도할 수 있다.

ㅁ) **관상절개(Coronal incision)**: 모발선 뒤쪽 약 5 cm부터 절개와 박리를 시작해서 전두관골봉합부 및 안와외벽, 관골본체, 그리고 귀 앞까지 절개선을 연장하여 관골궁까지 노출시키는 방법이다(그림 2-3-15).

절개는 10번 칼로 피부에서 galea층 아래까지 진행하며 골막상방 혹은 골막하방으로 박리를 시행한다. 거즈와 지혈집게(hemostatic clips, raney clips)를 사용하여 연속하여 지혈한다.

측두근 부위에서는 표피측두근막과 심부측두근막 사이로 박리를 진행하여 측두지방층이 보일 때까지 진행한다. 그후 심부 측두근막의 표층을 경사지게 절개하여 바깥으로 젖히고 골막에 절개를 가하여 관골궁으로 접근한다.

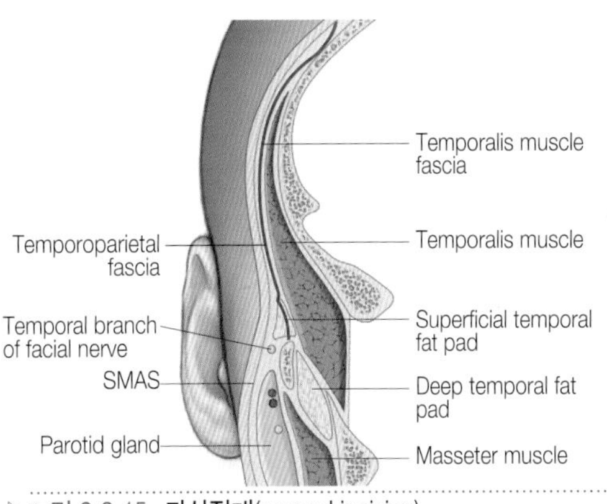

▷그림 2-3-15. **관상절개**(coronal incision)

ii) 고정방법

ㄱ) **2점 고정(Dingman 술식)**: 눈썹외측절개와 하안검절개를 통하여 관골전두봉합과 안와하연을 고정하는 방법이다. 그러나 2점 고정만 시행하게 되면 회전축이 형성되어 교근(masseter muscle)에 의하여 관골이 후하방으로 전위될 수 있고, 그 결과 안면의 비대칭, 안와용적의 증가로 인한 안구함몰 및 안구 위치의 처짐 등의 변형이 초래될 우려가

있다.

ㄴ) **3점 고정**: 먼저 관골전두봉합 부위를 환원하여 금속판으로 고정함으로써 골절된 골편이 이동하여 안와하연과 관골상악지지대가 정렬되어 관골이 수직방향으로 올바른 위치에 놓이게 된다. 그후 안와하연 골절 부위를 고정한다. 마지막으로 구강내 절개를 통해 관골상악버팀벽을 금속판(miniplate)으로 고정한다. 2점 고정 방법보다 더욱 견고한 고정을 이루도록 하는 방법이다(그림 2-3-16).

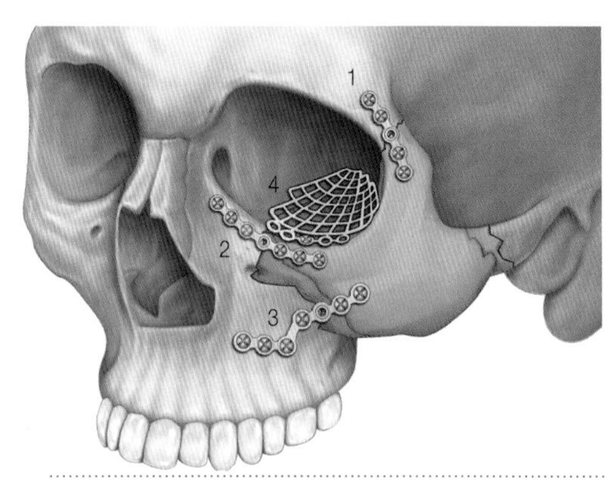

▷그림 2-3-16. **관골골절의 3점고정 위치.**
1. 전두관골봉합(frontozygomatic suture)
2. 안와하연(inferior orbital rim)
3. 관골상악봉합(zygomaticomaxillary suture)
4. 안과골절의 합병 시에 orbital matrix mesh plate를 이용해 안와하벽 재건을 함께 시행한다

ㄷ) **4점 고정**: 전술한 3점 고정뿐 아니라, 관상절개를 통하여 관골궁의 골절부도 노출시켜 정복해 주는 방법이다. 관골궁은 안면의 폭과 돌출을 결정하는 중요한 구조물이므로 정확한 해부학적 정복을 하면 다른 골절부의 정복에 중요한 지표로 작용할 수 있게 된다.

(6) 후유증

관골골절의 합병증으로는 부정유합, 불유합, 안와하신경손상 증상, 상악동염 등이 있다. 관골 및 안와의 부적절한 교정은 안면비대칭, 안구함몰, 안구하방전위 복시, 등 심각한 미용적, 기능적 장해를 유발한다.

하안검절개 후 안검외반증이 10% 정도에서 발생한다고 하나 대부분 저절로 해결된다. 기타 후유증으로는 상악동의 구강내 누공, 금속판의 돌출 혹은 노출, 나사 빠짐(screw loosening) 등이 있다.

3) 안와 골절, 안와파열 골절 (Orbital Blow-out fracture)

(1) 골절 양상

안와는 전방에서 후방으로 가면서 3등분으로 나눌 수 있다. 전방의 안와연은 두꺼우며 중앙부의 안와벽은 얇다가 후방부에 다시 두꺼운 뼈로 구성되어 있다. 안와파열 골절이라 함은 안와를 이루고 있는 벽이 허물어져서 안와 내용물이 안와 밖으로 탈출된 골절을 말한다(그림 2-3-16).

안와연의 골절이 없이 안와벽에만 골절이 발생하는 순수 안와파열 골절(pure blow-out fracture)과 안와벽의 골절과 안와연의 골절이 동반된 비순수 안와파열 골절(impure blow-out fracture) 두 종류로 분류한다. 관골골절이나 상악골절과 동반된 경우가 여기에 해당된다.

안와파열 골절이 일어나는 두 가지 기전은 압력설(hydraulic theory)과 골전도설(theory of bone conduction)로 설명된다(그림 2-3-17).

① 압력설(hydraulic theory)은 안구에 가해진 충격으로 안와 내 압력이 갑자기 증가하면서 안와하벽이나 내벽과 같은 얇은 안와벽이 파괴되어 발생한다.

② 골전도설(theory of bone conduction)은 안와연에 가해진 충격이 안와벽으로 전달되

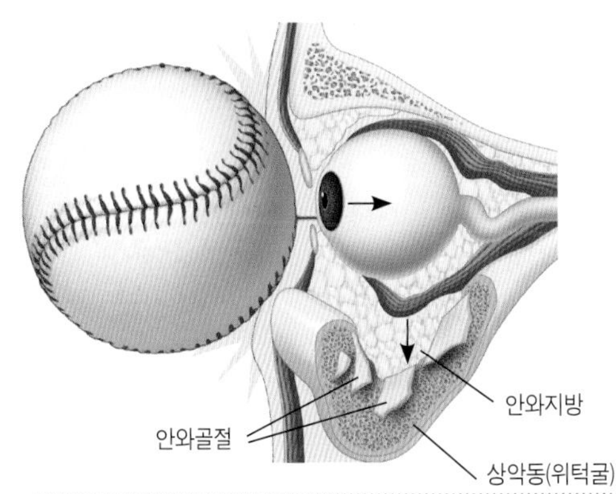

▷그림 2-3-17 **안와바깥파열 골절의 기전.** 외력에 의하여 안와내의 압력이 갑자기 증가하게 되면 안와벽중 약한 부위가 부서지고, 골절된 결손부를 따라 안와지방 및 안구바깥근육과 같은 안와 내용물이 빠져 나가게 된다.

어 파열골절이 일어난다. 다시 말하면 안와연에 가해진 충격으로 안와연과 안와벽이 뒤로 밀려 휘어지게 되면서(bulking) 안와연보다 얇은 안와벽에 골절이 발생한다. 그 후 휘어졌던 골은 곧바로 제자리로 돌아오게 되는데 안와 내의 연조직은 뼈만큼 재빨리 되돌아오지 못해 나중에 제자리로 돌아 올려다가 골절부위에 걸리게 된다.

(2) 임상양상

안와 내벽의 종이처럼 얇은 lamina papyracea 부분이 가장 약하고 다음으로 하벽이 약해 주로 이 부위에서 파열 골절이 일어난다. 전자의 경우 사골동(ethmoid sinus) 내로, 그리고 후자의 경우에는 상악동(maxillary sinus) 내로 안와 내용물이 탈출할 수 있다. 안와부의 압통이나 부종, 결막하출혈, 복시, 안구함몰, 안구 위치의 변화 등의 증상이 나타날 수 있다. 안와 하벽의 골절 시에는 안와하신경의 손상이 동반될 수 있어 관골골절에서와 같이 안와하신경의 마비증상이 발생될 수 있다.

안와의 손상 시에는 안구의 손상이 있는지 반드시 확인하여야 하며 손상이 의심되는 환자는 안과적 진찰을 받도록 한다. 그러나 안과의사가 아니더라도 시력검사, 시야검사, 동공반사 및 안구 운동장애 검사 등 몇 가지 간단한 검사로 안구의 손상을 어느 정도 진단할 수 있으므로 처음 진찰 시 반드시 점검하도록 한다.

▷표 2-3-2. 안와바깥파열 골절의 수술 적응증

① 강제견인검사(forced duction examination)와 CT에서 증명된 외안근의 감금(EOM incarceration)에 의해 복시가 나타나는 경우.
② 안구함몰을 동반하는 광범위한 골절의 방사선학적 증거가 명확한 경우.
③ 안와 용적 변화에 의해 발생된 안구함몰, 안구돌출 또는 뚜렷한 안구 위치 변화가 있는 경우.
④ 스테로이드 약물 치료에 반응하지 않는 시력 저하에 대해 시신경관감압술(optic canal decompression)이 필요한 경우.
⑤ 드물게, 내벽이나 외벽에 눌려 안와내압이 증가하며, 심한 안와 용적 감소가 있는 "blow-in" 안와 골절의 경우.

(3) 방사선 검사

단순 방사선 촬영만으로는 진단이 어렵고 CT 촬영으로 골절 부위 및 뼈 파괴 정도와 안와 연부조직이 골절 부위를 통해 탈출된 정도에 대한 많은 정보를 얻을 수 있다(그림 2-3-18).

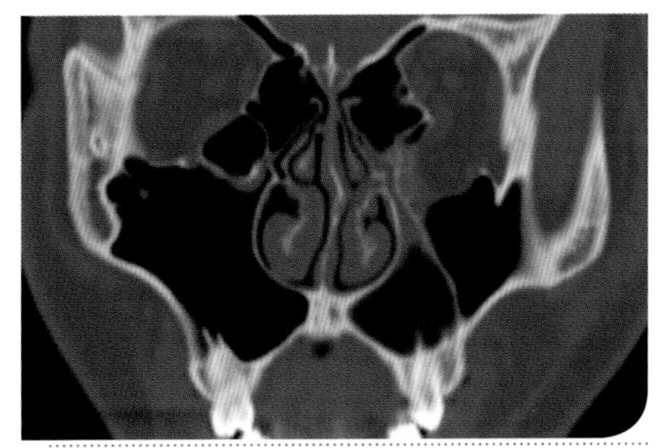

▷그림 2-3-18. **좌측 안와하벽 골절의 CT 소견**

(4) 치료

안구함몰이나 외안근(EOM)의 운동제한으로 인한 복시의 존재 여부가 수술의 필요성을 결정하는 중요한 요소이다. 우선 함몰변형의 존재여부가 중요한데, 이는 안와벽이 깨지면서 안와의 용적이 증가하는 한편 안와 내용물은 밖으로 탈출하여 나타나는 증상이다. 물체가 두 개로 보이는 복시현상은 외안근의 타박상(contusion)에 의해 가장 흔히 발생하며, 그 외 안구 내 연부조직이 골절부에 끼여서 안구의 운동을 제한하여 발생하거나 외안근의 부종이나 마비, 안구 위치 변동 및 뇌신경 손상 등의 원인으로도 발생이 가능하다(그림 2-3-19). 복시가 외안근의 타박상에 의해 발생한 경우에는 시간이 지나면 저절로 소실되는 경우가 많기 때문에 복시 자체만으로는 수술 적응증이 되지 않는다. 수술의 적응증에 따라 수술을 고려해야 한다(표 2-3-2). 안와골절의 경우에는 부종이 가라앉고 난 1주일에서 10일 정도가 수술의 적기라고 하나 근육이 골절된 뼈 사이에 끼이거나, 안구 운동의 장애가 심한 경우에는 가능한 빨리 수술해 풀어주어야 한다. 수술을 위해서는 시야확보가 중요한데 헤드라이트나 발광 겸자가 필요하다. Corneal protector를 사용하여 동공과 결막을 보호하여야 한다.

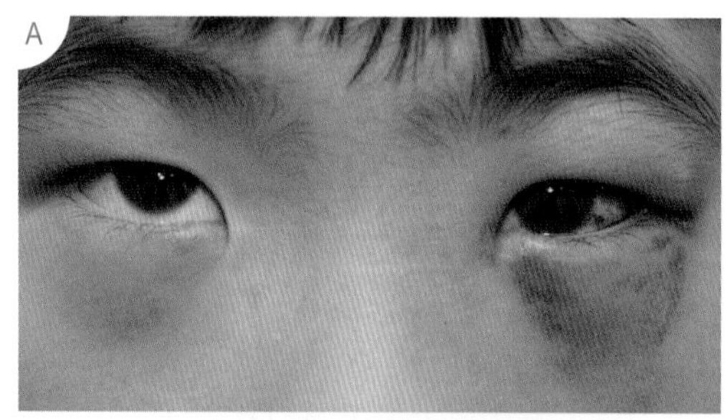

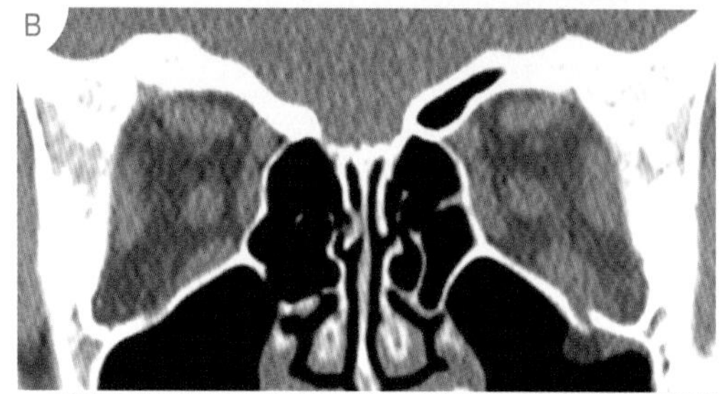

▷그림 2-3-19. A. 소아 안와하벽 골절의 수술전 사진. 상방주시에서 안구운동장애가 관찰된다. B. 동일 소아 안와하벽 골절의 수술전 CT 소견

① **안와하벽 골절의 재건**

하안검절개, 결막절개, 혹은 내시경을 이용한 비강 내 접근 등 여러 가지 형태의 접근법 중 적당한 방법을 선택하여 접근할 수 있다. 절개 후 안와하연을 노출시킨 후 골막하 박리하에서 골절부로 접근한다. 안와하신경과 연결되어 안구연부조직으로 가는 분지동맥과 섬유성 막을 전기소작하여 분리시킴으로써, 안와 하벽부와 골절에 대한 시야를 확보하고 출혈을 방지하여 수술을 용이하게 할 수 있다. 탈출된 안와 내용물들을 손상없이 다루어 안와 내로 환원시킨다. 그후 삽입물을 이용하여 원래의 해부학적 형태로 재건해 주어야 한다(그림 2-3-20). 이때 안와연으로부터 35~38 mm 위치한 후방 돌출부(ledge)를 적절히 복원시켜 주어야 이상적이다. 안와 재건과 정중 안와하연으로부터 약 40 mm 내지 45 mm 떨어진 시신경이 다치지 않도록 조심해야 한다.

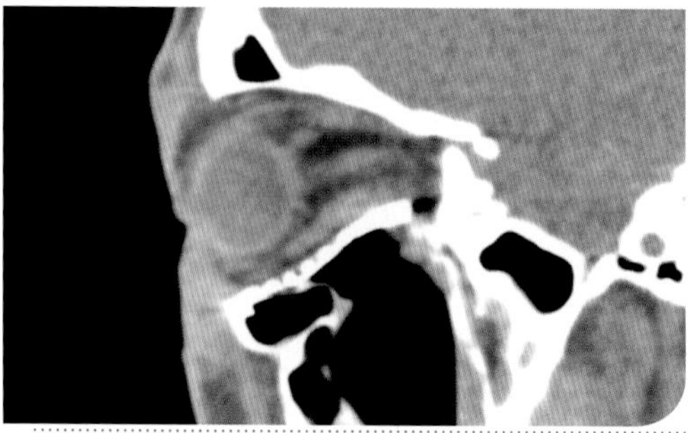

▷그림 2-3-20. **안와하벽 골절의 수술 후 CT 소견.** 정복을 위해 사용한 금속판(orbital matrix plate)이 보인다.

Forced duction test는 안구외근육의 끼인 상태(entrapment)를 판별하는 데 중요하므로, 전신 마취 직후, 골막 박리 후, 그리고 삽입물로 재건 후 실시하여야 한다.

② **안와내벽 골절의 재건**(그림 2-3-21)

내측 안와벽을 노출시키는 대표적인 방법은 결막절개(transcaruncular approach)이다. 반달주름(semilunar fold)을 따라 눈물배출조직(lacrimal drainage system) 뒤로 들어가 내벽에 도달할 수 있다. 그외 관상절개, 피부절개, 내시경을 이용한 비강 내 접근 등이 있다. 좁은 절개부를 통하여 골절부의 시야확보와 삽입물을 넣을 수 있는 공간을 확보하여야 한다.

절개 후 골막하 박리하에서 골절부로 접근한다. 이때 후사골동(posterior ethmoidal foramen)부위를 넘어서거나 시신경관(optic canal) 1 cm 내로의 접근을 금하여 시신경 손상을 피해야 한다. 골결손부를 확인하고는 사골동으로 탈출된 연부조직을 환원시키고 삽입물을 이용하여 안와벽을 재건해준다. 안와재건의 방법으로는 골 결손부를 덮는 방법(onlay graft), 사골동의 일부를 채워 안와벽의 연속면을 재건해주는 방법(inlay graft), 그리고 골절조각을 원래의 위치로 환원시키는 방법(reposition of bone segment) 등이 있다.

③ **삽입물**

안와골절에서 중요한 것은 삽입물의 종류가 아니고 삽입하는 방법이다. 이상적인 삽입물은 생체적합성이 뛰어나고, 얇고도 견고하면서 조작이 쉬워야 하며 방사선 촬영상 보이는 것이 좋다.

자가조직으로는 자가골이식, 연골, 근막이나 골막 등이 있으며 인공삽입물로써는 티타니움의 금속판, 다공성 폴레에틸렌(po-

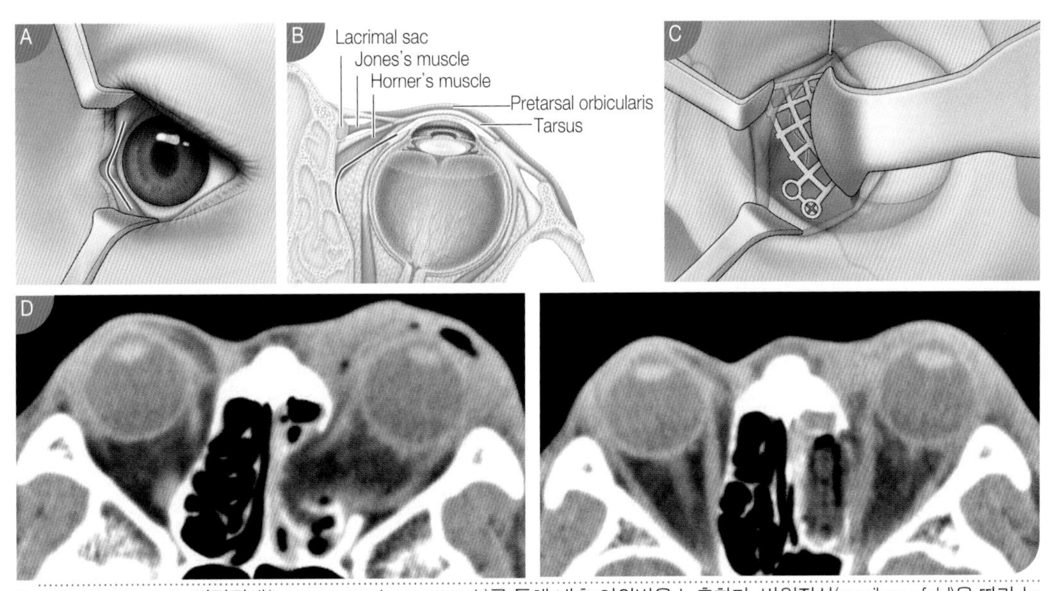

▷그림 2-3-21. A, B. 결막절개(transcaruncular approach)를 통해 내측 안와벽을 노출한다. 반월절상(semilunar fold)을 따라 눈물배출조직 (lacrimal drainage system) 뒤로 들어가 안와내벽에 도달한다. C. 금속삽입물을 이용하여 안와벽을 재건해준다. D. 안와내벽골절의 재건. 사골동의 일부를 채워 안와벽의 연속면을 재건해주는 방법(inlay method)

rous polyethylene), PLLA 흡수성 판, 실리콘 판, 혹은 기타 골대체물질을 이용하여 재건할 수 있다.

④ **술 후 관리**

수술 후 마취에서 깨어나는 즉시 복시와 외안근 운동을 평가하여야 한다. 술 중 혹은 술 후 CT를 촬영하여 삽입물 위치가 적절한지, 연부조직 환원과 안와 재건은 적절한지 확인해 보는 것이 필요하다. 술 후 semi-Fowler위치로 안정을 취하는 것이 좋으며 과격한 운동이나 코풀기, 안구 압박 등의 물리적 자극을 피하여야 한다. 안구의 위치 변동에 대해 지속적인 관찰이 필요하다.

⑤ **후유증**

안와파열 골절 재건술 후에 가장 흔히 발생하는 후유증은 복시(diplopia)와 안구함몰(enophthalmos)이다. 수술 후 복시현상은 수개월 가량 지난 후에야 호전되는 경우도 있으므로 외안근에 대한 수술은 이때까지 보류하여야 하며, 환자에게도 이러한 사실을 잘 설명해 주어야 한다. 수술 후 안와에 넣어준 삽입물과 관련하여 감염 및 삽입물의 위치변동 등이 생길 수 있고 삽입물의 위치에 따라 시신경(optic nerve)과 안와하신경(infraorbital nerve)을 압박할 수도 있다. 이외에도 하안검외반증(ectropion) 및 당김(retraction), 안구손상, 누루, 안구후방혈종(retrobulbar hematoma), 안검하수증(ptosis), 안와하신경 마비(infraorbital nerve anesthesia) 등이 발생할 수 있다. 안구변위가 상하 혹은 전후로 발생할 수가 있으므로 exophthalmometer 등을 이용하여 주의깊게 관찰하여야 한다.

⑥ **상안와열 증후근과 안와첨단 증후근**

안와 골절이 심하여 뒤로 확장되면 상안와틈과 시신경관이 포함될 경우가 있다. 상안와열 증후근(superior orbital fissure syndrome)은 상안와열의 골절로 말미암아 제 3, 4, 5, 6 뇌신경 분지가 손상되어 연관된 증상을 초래한다, 제3 뇌신경분지가 지배하는 상안거근과 외안근중 상직근, 하직근,내직근, 하경사근의 마비, 그리고 제4 뇌신경이 지배하는 상경사근의 마비 증상이 생길 수 있다. 제5 뇌신경의 안분지 손상으로 눈썹과 상안검 내측, 코의 내측, 동측 이마의 감각마비가 따르며, 제6 뇌신경손상으로 외직근의 마비를 초래한다.

상안와열 증후군에 더불어 시신경 손상이 동반되었을 때는 안와첨단 증후군(orbital apex syndrome)이라고 한다. 환자의 초기 증상으로는 시각 장애 및 안구근(extraocular muscle) 운동이상이 가장 흔하게 나타나고, 안검하수와 복시가 생길 수 있다.

4) 상악골절

(1) 분류

Rene Le Fort (1901)는 상악에서 세 곳의 취약지역이 있어 이 부위를 따라 골절이 일어남을 알게 되었고, 이에 따라 상악골절을 골절부의 위치에 따라 Le Fort I, II, III형으로 분류하였다(그림 2-3-22). 그러나 많은 상악골절은 좌우측 동일하게 골절이 발생하지 않고 한쪽에만 발생하거나, 여러 양상이 혼합된 복합 골절형태로 나타난다. 때로는 상악이 수직으로 쪼개지는 시상골절이 발생하기도 한다.

① **Le Fort I 골절(수평골절: transverse fracture)**
골절선이 상악 치조돌기(alveolar process of maxilla) 위에서 횡으로 골절되어 상악이 상부 안면골로부터 분리된 상태이다.

② **Le Fort II 골절(피라밋형 골절: pyramidal fracture)**
골절선이 상악 외측 어금니(molar)의 치근 끝(teeth apex) 위에서 시작하여 내상방으로 올라가 안와하연의 내측부를 가로질러 코뼈·사골 부위로 뻗쳐 있어 비근(nasal radix)을 꼭지점으로 하는 삼각형 형태로 골절된 것을 말한다.

③ **Le Fort III 골절(두개안면분리: craniofacial dysjunction)**
골절선이 양측 관골전두봉합(zygomaticofrontal suture), 안와바닥, 코전두봉합(nasofrontal suture)을 잇는 선을 따라서 골절된 것으로 결과적으로 안면 부위와 머리뼈 부위가 분리된 상태를 말한다.

④ **시상 혹은 수직골절(sagittal or vertical fracture)**
골절선이 치아에서 시작하여 상악과 치조골의 시상면으로 나 있으며 흔히 서골(vomer)의 측방에 있는 경구개(hard palate)의 얇은 부분을 지나간다.

(2) 임상양상

골절의 형태에 따라 여러 양상의 임상소견을 보이지만 상악은 치아를 포함하고 있는 골이므로 이 부위가 골절되면 교합장애(malocclusion)를 초래하게 된다. 진찰 시 이마를 손바닥으로 눌러 움직이지 않게 하고 다른 손으로 위턱 치아를 잡고 위아래로 흔들어 보면 통증과 움직임이 있으며, 연발음이 들린다(그림 2-3-23). 교합장애 및 상악골의 가동성은 대개의 상악골절에서 공통적으로 보이는 소견이며, 이외에도 상악이 후하방으로 변위됨으로 인한 전방 개방교합 (anterior open bite), 파괴된 부비동(paranasal sinus)로부터 새어나온 공기로 인하여 피하기종(subcutaneous emphysema) 등의 증상이 나타날 수 있다.

Le Fort II형 골절은 코뼈 골절 및 안와의 손

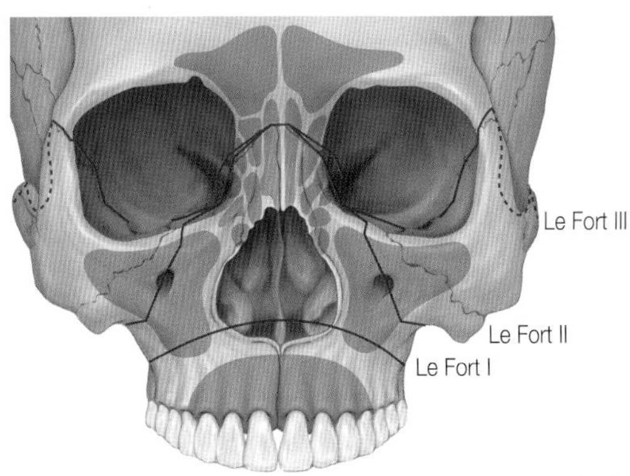

▷그림 2-3-22. **Le Fort 1,2,3형 골절**

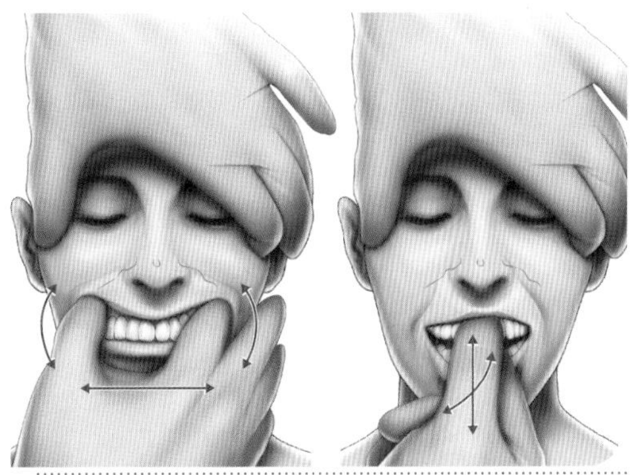
▷그림 2-3-23. **위턱 골절의 진단.** 한손으로 이마를 눌러 고정시킨 후 다른 손으로 위턱 치아를 잡고 위, 아래로 흔들어 보면 움직임이 느껴진다.

상으로 인한 증상들이 나타날 수 있고 안와하신경의 손상으로 인한 감각이상을 보이기도 한다. 골절된 양측 안와하연의 압통이나 계단모양의 변형을 촉진할 수도 있다. 골편이 Le Fort 형 골절의 경우 중안면부가 꺼져 보이고(dish face) 안면이 길어 보인다(당나귀형 안면: donkey-like face). 주로 안와를 가로질러 골절되므로 안구 및 안와 손상에 의한 증상을 주목할 필요가 있다. 상악골이 반으로 갈라지는 시상골절이 있으면 상악치아에 의하여 형성되는 교합면에 층이 지는 계단모양의 변형이 초래된다. 또한 중안면 골절 환자에서는 뇌 손상과 목뼈 손상의 가능성을 항상 염두에 두어야 한다.

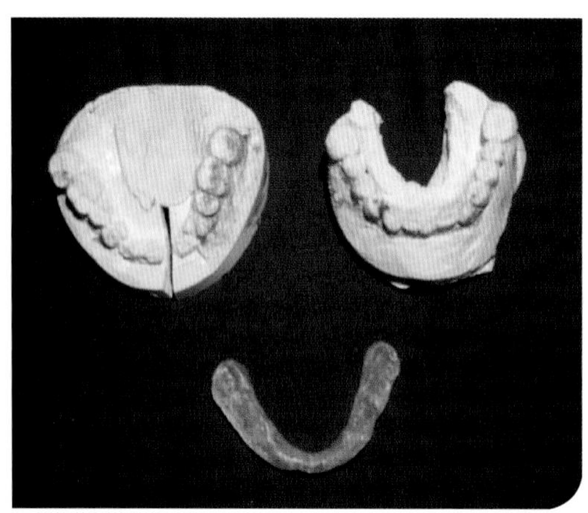

▷그림 2-3-24. **복잡 골절에서의 석고모형과 치아맞물림 모형의 이용.** 복잡한 골절 시에는 미리 석고모형을 제작하여 정상적인 치아맞물림상태가 이루어지도록 가상수술(model surgery)을 시행해 본다. 이 상태를 기준으로 아크릴 치아맞물림모형(acrylic splint)을 미리 제작해 두면 수술실에서 정복 및 고정에 좋은 지표가 된다.

(3) 방사선 촬영

Le Fort I, II형 골절은 상악동을 가로지르는 골절이므로 양측 상악동 내의 출혈로 인해 Waters view에서 음영이 뿌옇게 나타난다. Le Fort III형 골절은 Caldwell view에서 양측 전두관골봉합 부위가 골절로 떨어진 소견이 보인다. 안면부의 다른 골절과 마찬가지로 단순촬영보다는 CT촬영이 진단에 매우 유용하다.

(4) 치료

사고 이전의 교합을 잘 맞춰주는 것과 안면의 미용적 윤곽을 복원하는 것이 치료의 목표이다. Le Fort I형 골절에서 골절편의 전위가 비교적 경미하고 도수정복만으로 교합을 유지할 수 있을 경우에는 정상적인 하악골을 기준으로 상악골을 고정해주는 악간고정만으로도 치료가 가능하다. 이러한 악간고정은 4주 내지 8주간 유지시킨다. 수술을 필요로 하는 경우에는 골절형태에 따라 구강내 절개, 하안검절개, 혹은 관상절개를 단독 혹은 함께 시행하여 골절부를 모두 노출시킨다. 특수한 겸자(rowe disimpaction forceps), hook 등을 이용하여 골절된 상악골을 위아래로 흔들어 자유롭게 움직이게 한 후 하악골 치아를 기준으로 상악골 치아를 움직여 자연스러운 교합으로 맞춘 상태에서 악간고정술을 시행한다. 수술의 첫 번째 목적은 정상적인 교합이 되도록 복원해주는 것이므로 정복 도중에 수시로 교합을 확인하면서 정확히 정복되었는지 확인하여야 한다. 골절이 복잡하거나 치아의 손상으로 교합을 확인하기 어려운 경우, 수술 전 가상수술로 제작한 교합모형(occlusal splint)을 치아에 끼우면 정복의 유용한 지표가 된다(그림 2-3-24). 교합을 맞춘 상태에서 금속판과 나사를 이용하여 골절편을 고정한다. 내고정을 할 때는 가장 견고하게 고정될 수 있는 지지대(reliably reduced buttress)부터 고정한다. 보통 위로부터 아래의 방향으로 상방에 있는 안정된 골격에 단단히 고정시킨다. 상악치조골 골절의 교정이 필요할 때도 도수정복과 악간고정, 그리고 금속판을 이용한 내고정의 순서로 치료한다.

수술 후에는 악간고정을 시행하여 수술부위에 움직임이 없도록 한다. 악간고정은 골치유기간 동안 교합을 유지하며 상하악의 운동을 고정하는 부목의 역할을 한다. 그러나 악간고정을 오래 하면 입을 벌릴 수 없으므로 영양이 결핍되기 쉽고 구강 내 위생이 불량해지며, 심지어 호흡곤란이 야기될 수 있으므로 가능한 개방성 골절 정복술로써 고정을 견고히 해주고 악간고정 기간은 짧게 하여 주는 것이 좋다.

(5) 후유증

상악골절 재건술 후에 가장 흔히 발생하는 후유증은 부정유합(malunion)으로 발생하는 중안면 후퇴증(midfacial retrusion), 접시모양얼굴(dish face)과 맞물림장애(malocclusion)이다.

5) 비-안와-사골 골절(Nasoethmoidal-Orbital Fracture, Neo Fx)

(1) 정의 및 진단

비골 골절이 매우 심한 상태라고 생각하면 이해하기 쉽다. 즉 비골뿐 아니라 비골과 인접해 있는 상악골 전두돌기와 또 이에 연해 있는 내측 안와부 및 사골 부위의 분쇄 골절이 동반된 경우를 말한다(그림 2-3-25A).

(2) 임상양상

전형적으로 코가 편평하고 안쪽 눈구석 부위가 부어있으며 콧등을 촉진 시 골절편에 의한 염발음이 느껴진다. 양측 안와 주위는 부어있거나 멍들어 있다. 상악 전두돌기에는 내안각인대가 부착되어 있어, 이 부위의 골절 및 이로 인한 외측변위가 있으면 내안각의 형태를 유지하지 못하고 양측 안각 사이가 중심으로부터 멀어지는 안각격리증(telecanthus)이 발생하게 된다(그림 2-3-25B).

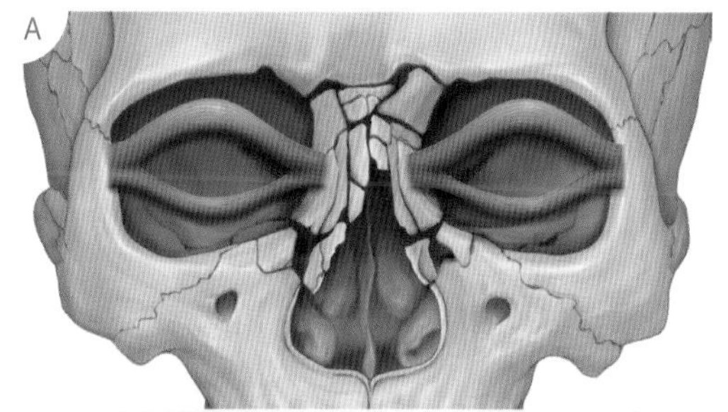

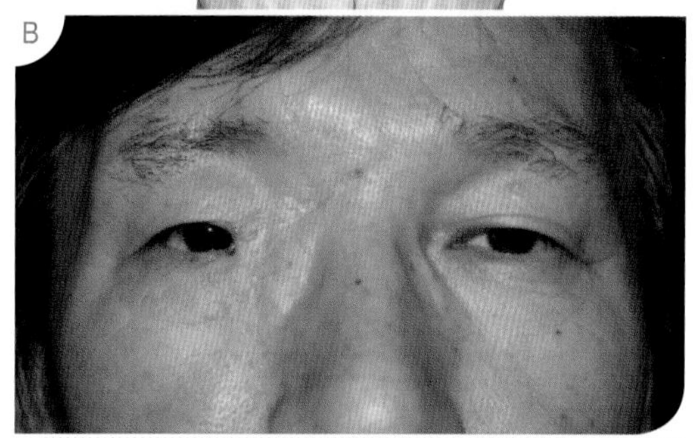

▷그림 2-3-25. A. 비-안와-사골 골절. 내안각건이 부착되어 있는 부위도 골절되어 위측으로 변위되면 안각격리증(telecanthus)이 발생하게 된다. B. 외상에 의한 우측 내안각 격리증

이 부위의 골절은 흔히 주변의 중요한 구조물의 손상을 동반할 수 있으므로 세밀하게 관찰하는 것이 중요하다. 안구 자체의 손상은 물론이고 누낭과 비루관 손상도 동반될 수 있다. 또한 전두관골 골절, 경질막 손상으로 인한 뇌척수액 콧물 및 경질막외 출혈과 같은 신경외과적인 손상도 자주 동반되므로 주의하여야 한다. 맑은 콧물이 흐르면 사상판(cribriform plate) 부위의 경질막이 찢어져서 뇌척수액이 누출되고 있음을 의심할 수 있으나 초기에는 혈성 분비물로 인해 판단하기 어려울 수 있다. 뇌척수액은 액체한 방울을 흰 옷에 떨어뜨려 보아서 'double ring sign'이 나타나는 것으로 혈액과 구분할 수 있다.

(3) 방사선 검사

단순 X-선만으로는 진단이 어려우며 반드시 CT를 촬영하여 확인한다. 비-안와-사골골절을 진단하기 위해서는 코뼈, 이마돌기, 내측과 아래측의 안와테두리(medial and inferior orbital rim) 그리고 안와 내벽과 바닥의 골절(medial orbital wall and orbital floor)이 증명되어야 한다.

(4) 치료

충분한 절개로 모든 골조각을 확실히 노출시킨 후 정확히 내고정을 하는 것이 치료의 원칙이다. 특히 내안각인대가 부착된 골조각을 양측 누선와(lacrimal fossa)의 상후방에 구멍을 내어 철사로 정확한 위치에 단단히 고정하는 것이 중요하다. 기존의 열상을 이용할 수도 있으나 내안각 절개 혹은 관상절개와 하안검절개, 구강내절개 등을 병합하여 사용한다. 내안각인대가 골분절에서 떨어져 나가 골편의 정복 및 고정 후에도 내안각의 형태가 유지되지 않는 경우에는 철사를 이용한 코경유 내안각인대고정술(transnasal canthopexy)을 해줌으로써 정상 내안각 거리 및 형태를 유지해 주어야 한다.

(5) 후유증

코-안와-사골골절 재건술 후에 가장 흔히 발생하는 후유증은 안각격리증(telecanthus)과 눈물계통의 기능장애 즉, 눈물집합관들(lacrimal collecting ducts)의 손상으로 눈물기관(lacrimal apparatus)의 기능 이상이 올 수 있다.

2. 안면골하 1/3 골절, 하악골 골절

1) 생체역학(그림 2-3-26)

하악의 상측연은 인장(tension), 하측연은 압축(compression)의 힘을 받는 영역이다. 활모양의 하악골은 중심부(symphysis)가 가장 강하고 양끝(condyle)이 가장 약하여 관절돌기부분이 골절이 가장 많이 발생한다.

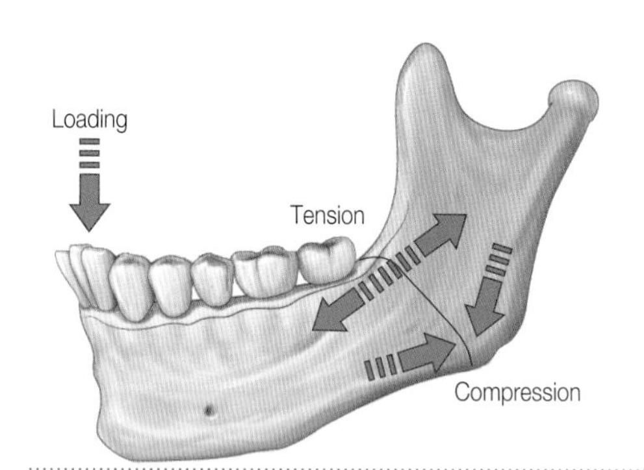

▷그림 2-3-26. **하악골의 각 부위에 따른 가해지는 힘의 종류.** 하악 중심부는 저작에 따른 부하(loading)를 많이 받으며, 하악의 상측연은 인장(tension), 하측연은 압축(compression)이 작용한다.

2) 발생빈도

하악골은 비교적 단단한 골이지만 안면 부위 아래쪽 경계를 이루고 있어 외상에 직접 노출되므로, 비골 다음으로 골절이 자주 발생하는 부위이다. 약한 곳은 관절돌기 하부(subcondylar area), 하악골 각부(angle)와 하악골 본체의 원위부(distal body) 및 턱끝구멍(mental foramen) 등 취약한 부분을 따라 발생한다. 골절의 빈도를 보면 관절돌기 골절이 가장 많고(36%), 그 다음은 하악골 본체, 하악골 각부, 하악골결합부(symphysis), 하악골 가지부(ramus), 치조골(alveolus), 근육돌기(coronoid process) 순이다(그림 2-3-27). 관절돌기 하부골절은 단독으로도 발생할 수 있으나, 주로 반대편 하악체부, 혹은 하악각 골절을 유발한 외력에 의하여 하악과두가 측두관절이 부딪히면서 비교적 가는 경부에 골절이 발생하게 된다. 하악각은 제3 대구치(사랑니)가 위치하거나 매몰되어 있어 골성 성분이 적고 두께가 얇기 때문에 골절이 잘 발생한다. 또한 하악골결합곁부 (parasymphysis)는 이공이 있는데다가 견치 뿌리가 길기 때문에 다른 부위에 비하여 약하다.

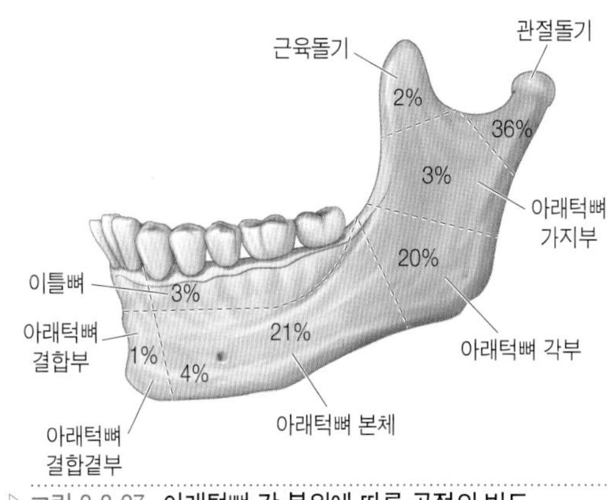

▷그림 2-3-27. 아래턱뼈 각 부위에 따른 골절의 빈도

3) 하악골의 운동에 관여하는 근육

하악골에는 많은 근육이 부착되어 있어 복잡한 운동에 관여한다. 또한 이들 근육들은 하악골 골절이 있을 때 골절편의 변위를 결정하는 역할을 한다.

(1) 올림근군(Elevator muscle group, 후방근육군, posterior muscle group)

저작에 관여하는 측두근(temporalis muscle), 교근, 내익돌근(medial pterygoid muscle), 외익돌근(lateral pterygoid muscle) 등이 여기에 속하며, 이들은 하악골을 상방, 전방, 내방으로 움직이게 한다. 골절 시 골절편은 이들 근육의 작용방향으로 변위된다.

(2) 내림근군(Depressor muscle group, 전방근육군, anterior muscle group)

이설골근(geniohyoid muscle), 이설근(genioglossus muscle), 하악설골근(mylohyoid muscle), 이복근(digastric muscle)이 여기에 속하며, 하악골을 벌리게 하는 역할을 한다.

4) 골절의 분류

(1) 골절 부위에 따른 분류

하악골 결합부 골절(mandibular symphysis fracture), 하악골 본체 골절(mandibular body fracture), 하악골 각부 골절(mandibular angle fracture), 하악골 가지부 골절(mandibular ramus fracture), 관절돌기 골절(condylar fracture), 근육돌기 골절(coronoid fracture), 치조골절(alveolar fracture)로 나눈다.

(2) 골절선 및 골절면의 방향에 따른 분류

변위가 일어나기 쉬운 방향의 골절을 불량골절, 반대로 변위가 적은 방향의 골절을 양호골절이라고 한다.

(3) 치아 유무에 따른 분류

골절선의 양쪽 편에 치아가 있으면 1급, 한쪽 편에만 치아가 있으면 2급, 골절선의 양쪽 편에 치아가 하나도 없으면 3급 골절이라 한다. 치아의 존재는 골절부를 정복하는 데 중요한 지표로 작용하므로 치아가 없을수록 수술이 힘들게 된다.

(4) 골절 양상에 따른 분류

① **단순 골절**: 구강 내로 창상이 연결되지 않은 골절.

② **복합 골절**: 구강 내로 창상이 연결된 개방성 골절을 말하며, 대부분의 하악골 골절이 여기에 해당한다. 구강 내로부터 창상 감염의 우려가 있으므로 항생제의 사용 및 청결한 구강위생의 유지가 필수적이다.

③ **분쇄 골절**: 골절선이 여러 방향으로 나있는 골절을 말한다.

5) 임상양상

통증, 부종, 점상출혈, 출혈, 개구장애(trismus), 치아부정교합, 입을 벌릴 때 하악이 한쪽으로 치우침, 침흘림, 압통, 염발음 등이 있다. 치아가 있는 하악골에 골절이 있는 경우 가장 신빙성이 있는 소견은 부정교합이다.

골절이 의심되면 다친 치아는 없는지, 골절에 의하여 치아층이 계단 모양으로 어긋난 부위는 없는지 관찰한다. 의심되는 골절선 양측의 골절편을 쥐고 흔들어 보면 움직임을 느낄 수 있다. 삼차신경의 하악신경은 하악골 가지와 하악골 본체 속으로 주행한 후 이공을 통해 나오는데, 이 주행경로 중에 골절이 있으면 아랫입술과 치아의 감각이상이 초래된다.

6) 방사선 검사

불량골절은 골절편의 변위가 심하여 단순촬영으로 골절을 쉽게 확인할 수 있지만 양호골절이나 대부분의 하악골 본체 골절은 중복되는 영상에 의해 단순 방사선 촬영만으로는 골절을 확인하기 힘들다. 하악골은 특징적으로 하악을 돌아가면서 촬영하는 파노라마 영상으로 유용한 정보를 얻을 수 있다. 하지만 하악골의 정중선 부위가 흐릿하게 보여 결합곁부 골절(parasymphyseal fracture)과 결합부 골절(symphyseal fracture)을 판단하기 어려울 수 있다. 하악골 CT촬영은 정확도가 매우 높아 단순촬영보다 우수하지만, 파노라마 촬영으로 쉽게 알 수 있는 교합관계에 대한 상세한 정보를 제공해 주지는 못한다.

7) 치료

상악 골절과 마찬가지로 하악골 골절의 수술 목적은 다치기 전 기능적인 교합의 회복과 안면 형태의 복원이다. 하악골 골절은 흔히 치아 손상이나 구강내 개방성 창상 등을 동반하므로, 손상 직후부터 수술을 전후하여 항생제의 사용이 필수적이며, 지속적으로 구강 내를 청결하게 하는 것이 중요하다. 변위가 거의 없는 양호골절인 경우에는 4주 내지 6주간의 악간고정만으로도 치료가 가능하다. 그러나 이 경우에도 수술로써 견고한 고정을 시행하면 장기간의 악간고정에 따른 불편함을 피할 수 있으므로 수술을 고려하는 것도 좋은 방법이다. 일반적인 수술방법

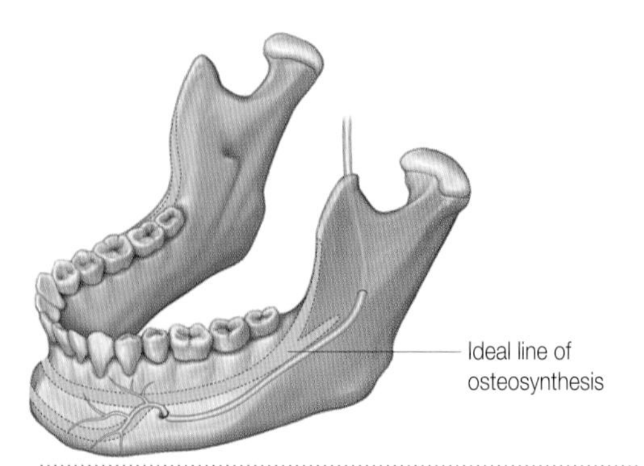

▷그림 2-3-28. **골고정 시 이상적인** Champy's line of osteosynthesis

은 골절부를 찾아 정확히 정복한 상태에서 견고하게 고정한 후 악간고정을 시행하는 것이지만 골절부위마다 특별히 고려해야 할 사항이 있다. Champy는 하악골의 이상적인 선을 따라 금속판 고정을 하는 것이 하중 공유(load-sharing)의 적절한 방법이라 추천하였다. 최근에는 골절부에 견고한 고정을 함으로써 악간고정을 하지 않거나 기간을 단축시키고 있다.

(1) 하악골 결합부(Symphysis) 및 결합곁부 (Parasymphysis) 골절(그림 2-3-29)

진정한 정중선 골절보다는 결합부곁 골절이 흔하며 대개 입안 절개를 통한 개방 골절교정을 시행한다. 그림은 정중부 골절에 대한 Champy의 이상적인 골 고정선을 보여준다(그림 2-3-28). 결합부의 골절은 비틀리는 힘(torsion)을 이겨내야 하므로 금속판이나 lag screw를 이용한 2점 고정이 안전하다. Lag screw를 사용할 때는 골절면에 수직이 되게 사용하여 압축현상이 발생되도록 한다. 내측면에 틈이 발생하면 교합이 맞지 않게 되고 하악 폭이 넓어지므로 틈이 없게 고정하여야 한다. 수술 중에는 치근과 턱끝신경(mental nerve)이 손상되지 않도록 주의해야 한다.

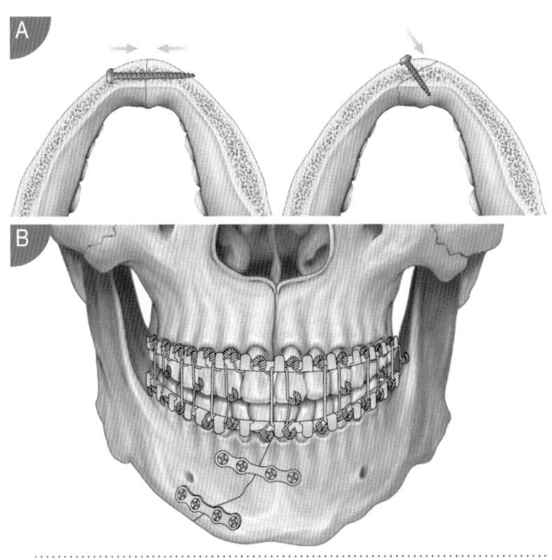

▷그림 2-3-29. A. 하악골 결합부(Symphysis)의 lag screw를 이용한 고정. B. 하악골 골절의 2점 고정. 하악골 결합부 및 결합곁부 골절은 비틀리는 힘(torsion)을 이겨내야 하므로 금속판(miniplate)을 이용한 2점 고정이 안전하다.

(2) 하악골 본체(Body) 골절

해부학적으로 견치(cuspid)에서 제1 대구치(first molar) 사이에 생긴 골절을 의미하며, 골절부에 작용하는 근육의 힘에 의해 변위되기 쉬운 골절이다. 체부의 상방인 치근부 고정을 먼저 한 후 아래쪽 가장자리 고정의 순서로 한다.

(3) 하악골 각부(Angle) 골절(그림 2-3-30)

사랑니가 골절선에 침범되어 있는 경우가 흔하며, 이 경우 발치여부에 대하여는 논란이 많으나 골절로 인해 손상된 경우, 심하게 병든 경우, 골절 환원을 방해하는 경우에는 골절 수술 시에 발치하여야 한다. 하악각의 단순골절의 경우, 구강내 절개를 통하여 하악각의 외측 사면을 따라 한 개의 금속판을 이용하여 고정하는 것이 권장된다(Champy 방법). 이 부위에 금속판을 고정할 수 없는 경우에는 하악각의 외측면을 따라 고정할 수 있고, 하악각 하부를 맞추기 위하여 추가적인 금속판을 댈 수도 있다.

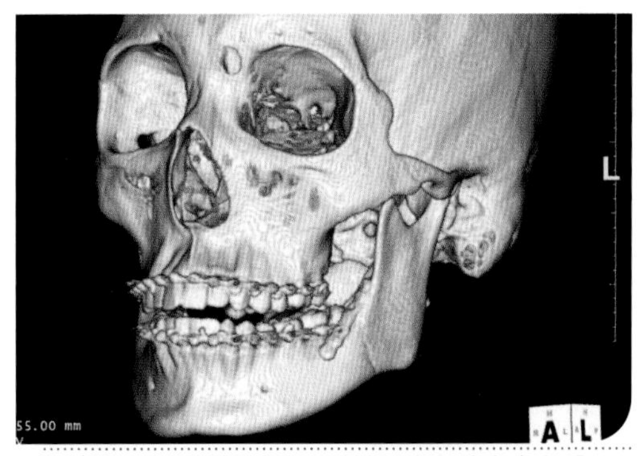

▷그림 2-3-30. **좌측 하악골 각부골절에 대한 수술 후 CT 소견.** Champy's line에 1점 고정을 위해 사용한 금속판(miniplate)이 관찰된다.

(4) 분쇄 골절(Comminuted fracture)(그림 2-3-31)

금속판 자체의 하중(load-bearing)으로 고정과 지지를 하는 reconstruction plate를 사용하는 것이 추천된다. 이는 매우 무겁고 두꺼운 금속판으로써 템플릿을 사용하여 하악골의 하연의 표면을 따라 굴곡시켜야 한다.

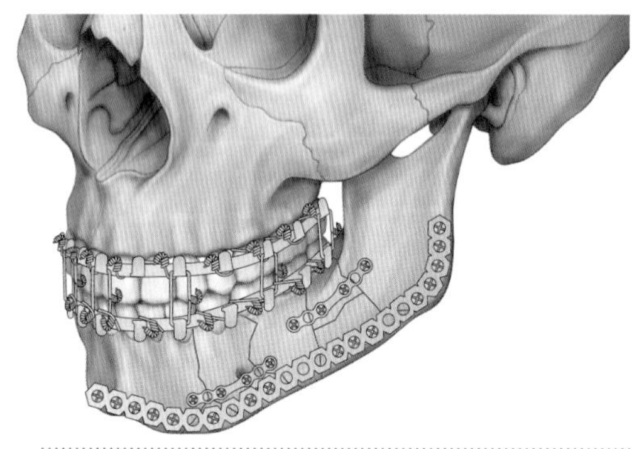

▷그림 2-3-31. **하악골 분쇄 골절(Comminuted fracture)의 수술.** 금속판 자체의 하중(Load-bearing) 으로 고정과 지지하기 위해 재건용 금속판(reconstruction plate)을 사용한다.

(5) 하악골 관절돌기(Condylar) 및 관절돌기하부 (Subcondylar) 골절

① **분류**

골절 부위에 따라 관절돌기머리 골절, 관절돌기목 골절, 관절돌기하부 골절로 나눈다(그림 2-3-32).

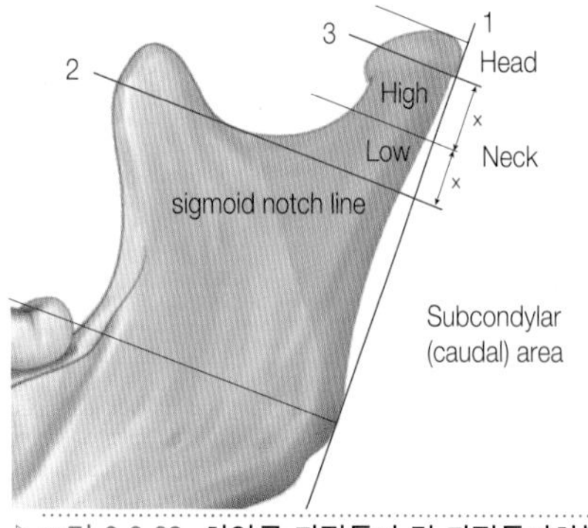

▷그림 2-3-32. **하악골 관절돌기 및 관절돌기하부 골절의 분류.** 관절돌기의 머리 골절, 목 골절, 하부 골절로 나눈다.

② **임상양상**

외이도 주위의 동통 및 부종이 발생하고, 하악골 골절의 전형적인 증상인 치아부정교합(malocclusion) 이외에 악관절 운동장애, 하악골의 비대칭 등이 발생한다. 골절이 외익돌근(lateral pterygoid muscle) 부착점보다 하방에 있는 경우 골절된 관절돌기머리는 근육에 의하여 전·내방으로 전위되므로 귓구멍을 통하여 만져보아도 촉지되지 않는 것이 특징이다.

③ **방사선 촬영**

비교적 낮은 위치의 골절은 Towne's view로, 높은 부위의 골절은 TMJ view로 알 수 있다. 파노라마 촬영으로 골절여부의 확인이 가능하며 CT촬영으로 골절편의 변위 방향이나 정도를 알 수 있다.

④ **치료**

이 부위의 골절은 하악골의 다른 부위골절을 흔히 동반한다. 수술 여부에 대해서는 아직까지 논란이 많지만 고려사항은 다음과 같다. 골절 위치(location of the fracture), 하악지 수직길이 감소 정도(amount of vertical reduction in height of the ramus), 변위각도의 정도(degree of angulation), 과두머리의 탈구 정도(degree of luxation of the condylar head), 골절양상(fragmentation pattern, simple versus complex), 하악골의 동반골절, 교합상태, 전신상태, 이물질여부 등이다

i) 보존적 치료: 변위가 거의 없거나 교합이 양호하고 환자가 협조적일 때는 보존적 치료가 가

능하다. 악간고정만을 시행하되, 다른 부위와는 달리 조기에(2~3주) 제거한 후 입벌리는 운동을 적극적으로 시킨다. 이를 통해 악관절의 강직을 피할 수 있음을 환자에게 충분히 설명하여, 스스로 동기를 가지고 열심히 운동할 수 있도록 한다. 입을 다물 때는 교합이 잘 유지되지만 한쪽 하악골가지 길이의 단축으로 인하여 입을 벌릴 때 하악골의 축이 다친 쪽으로 돌아가는 현상이 있을 수 있는데, 치열활봉(arch bar)에 고무줄을 비스듬하게 걸어 교정하거나, 한동안 본인이 거울을 보고 비뚤어짐이 없이 입을 벌리도록 주의시킨다. 보존적 치료만으로 대부분 결과가 양호하지만, 악간 고정을 풀었을 때에도 부정교합이 지속되면 수술을 고려하여야 한다.

ii) 수술적 치료: 골절의 변위로 인하여 하악지의 수직길이가 짧아지거나 골조각이 기능을 방해할 때 수술적 치료를 한다.

하악지후방접근법을 이용하면(retromandibular approach) 관절돌기의 경부나 두부, 하악지의 수술에 유용하다(그림 2-3-33). 이 방법은 피하조직아래 표재성근건막계통(SMAS)을 노출시킨 후, 안면신경의 하악분지의 방향과 수평되고 신경과 혈관(retromandibular vain)의 앞쪽에서 SMAS와 이하선(parotid grand)을 수직절개하고 하악지의 후면으로 접근한다. 혹은 이하선 뒤로 접근이 가능하다. 안면신경의 협측분지가 발견 될 경우 손상을 피하여 접근한다. 그 외 귀앞 절개와 하악각부 절개, 구강 내 접근 등을 통하여 교정을 하기도 한다.

경피접근법의 장점은 골절부위에 직접적인 접근과 시야를 확보하여 수술할 수 있다는 점이다. 과두돌기쪽 조각에 나사와 금속판을 먼저 고정하고 그 조각을 하악지쪽으로 당겨 골절선을 맞추어 고정을 완성한다. 하나 혹은 두개의 금속판을 사용한다. 최근에는 구강 내 접근으로 내시경을 이용하는 방법이 보고

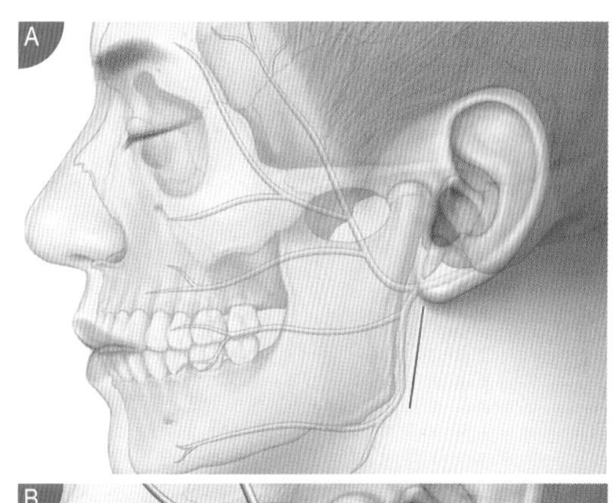

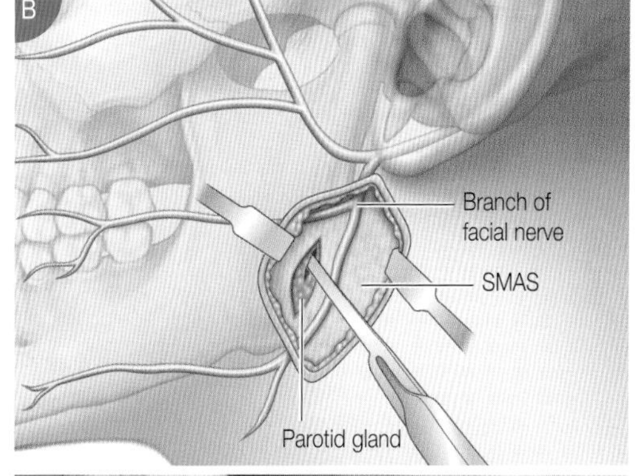

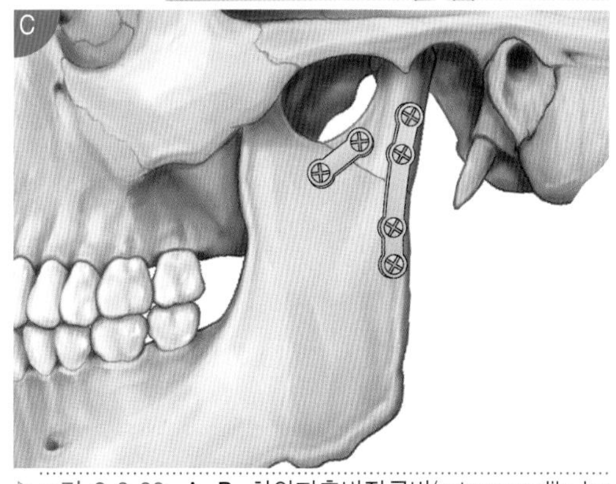

▷그림 2-3-33. A, B. 하악지후방접근법(retromandibular approach)을 위한 절개선과 박리. 안면신경의 하악분지의 방향과 수평되게 하악지의 후면으로 접근한다. C. 하악골 관절돌기 골절의 2점 고정 모습

되고 있다. 이 방법의 장점은 안면신경손상을 피할 수 있고 흉터가 적다는 점이나, 단점으로 특수 기구와 훈련이 필요하다.

8) 다중골절(Multiple fractures)

다중골절은 일측성 혹은 양측성으로 발생할 수 있다. 교합확보가 중요하므로 치아가 있는 부위를 먼저 치료하고, 그 후 치아가 없는 부위인 하악각이나 하악지, 과두골절을 고정하는 순서로 치료하는 것이 일반적이다.

9) 합병증

하악골 골절치료의 합병증으로 감염, 불유합(nonunion), 부정유합(malunion) 및 부정교합, 금속판 고정실패, 그리고 악관절 강직 등이 있을 수 있다. 하악각 골절의 경우 감염이 흔하다. 불유합은 적절한 시기에 골유합이 발생하지 않은 경우로, 감염과 골움직임, 부정유합과 함께 나타난다. 원인에 따라 금속판 제거, 죽은 골조직 제거, 골이식, 교합의 복원, 두꺼운 금속판으로 재고정 등을 시행할 수 있다.

부정유합의 경우에는 잘못된 해부학적 위치로 정복되어 교합에 이상을 초래한다. 경미한 경우에는 교정치료로 호전될 수 있으나, 심한 경우 골절부를 재절골시킨 후 바른 위치로 다시 정복해 주어야 한다. 금속판 고정이 실패하는 원인으로는 약한 판으로 고정하여 힘을 주지 못하는 경우, 나사빠짐 현상(loosening of screws), 금속판의 파괴(fracture of plate), 나사주변부 골괴사 등으로 결국 감염과 불유합, 부정유합 등이 있다. 악관절강직은 과두돌기 머리가 관절와 면과 융합하여 발생하며 이는 과두골절에서 장기간 악간고정(MMF) 후 발생한다. 영구적인 강직이 초래되지 않도록 입벌리는 운동을 강력히 권하여야 한다. 일단 발생할 경우에는 사이관절성형술(gap arthroplasty) 혹은 관절치환술(total alloplastic joint replacement)이 필요하다.

3. 안면골 상 1/3 골절, 전두동 골절

1) 개요

전두동은 출생 시 출현하지 않다가 1세경 사골동 기낭(ethmoid air cells)이 위쪽으로 이동하여 형성되기 시작하여 점차 기화되어 15세경 완성된다. 부채꼴 모양의 비대칭, 불규칙하게 형성되며 10% 인구에서는 편측성으로 존재한다. 전벽은 두껍고(2~12 mm) 후벽은 얇으며(0.1~4 mm), 전두골의 분비물은 사골동과 중비도로 배액된다.

대부분의 전두동골절은 자동차 사고, 폭행 및 스포츠 부상과 같은 고속 충돌의 결과이다. 고해상도 CT 스캔으로 축상, 관상 면상, 시상면 및 3차원 재구성을 면밀히 관찰하여 진단하여야 한다.

전두동골절 치료의 목표는 안전한 부비동을 만들고, 안면 윤곽을 복원하고, 단기 및 장기적인 합병증을 피하는 것이다. 전벽골절, 후벽골절, 비전두관 손상 여부를 각각 살피어 치료계획을 세운다. 단독 전벽골절은 1/3을 차지하며, 전벽과 후벽 동반골절이 2/3를 차지한다. 후벽골절이 동반될시 뇌손상의 위험이 크며, 비전두관(nasofrontal duct)이 손상되면 전두동 배액장애가 발생하여 점액낭(mucocele)과 부비동염 등을 초래할 수 있다.

2) 치료

전벽 단독골절로 비전두관의 손상이 없는 경우에서 변위가 발생한 경우, 이마 윤곽 유지의 미용적 목적으로 수술을 한다. 두피 내 관상절개, 열상부위, 혹은 눈썹 주변부 경피절개를 통하여 함몰된 골편을 복원시킨다(그림 2-3-34).

비전두관손상이 동반할 때는 된 경우에는 전두동 폐색술(obliteration) 수술을 한다. 이는 전벽에 추가적인 절골술로 전두동의 전체를 노출시키고, 전두동의 모든 점막을 제거한 뒤, 후벽은 그냥 둔 채, 근막이나 지방, 근육, 골막, 뼈 등을 이식하여 전두동을 채워주어 폐색하는 방법이다. 비전두관(nasofrontal duct)의 출구 부분의 점막을 뒤집어 밀어넣고 골막이나 골조각으로 막아 더욱 견고히 패쇄한다.

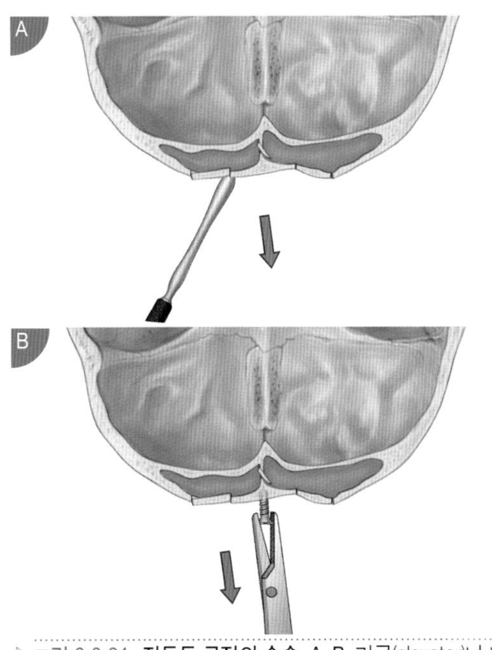

▷그림 2-3-34. **전두동 골절의 수술.** A, B. 기구(elevator)나 나사(screw)를 이용해 함몰된 골편을 복원해준다.

후벽의 골절과 변위가 클 경우, 두개강화(cranialization) 수술이 도움이 된다. 이는 후벽을 제거하고, 비전두관 출구를 막고, 전벽은 복원하여, 외형은 유지하되 전두동의 위치로 두개내용물이 전진하게 되어 두개 내 감압효과를 얻을 수 있다(그림 2-3-35).

비전두관이 손상이 명확하지 않을 경우에는, 수술을 하지 않고 수개월간 면밀하게 관찰하여, mucocele 등이 발생 된 후 비내시경 치료를 시행하여 해결할 수 있다.

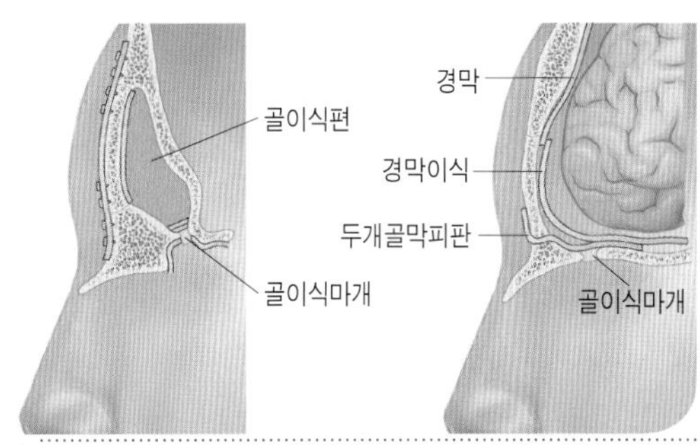

▷그림 2-3-35. **이마굴 골절의 치료.** A. 이마굴 전벽 골절의 치료. 손상된 비루관을 골편으로 깎아서 막고, 이마굴은 골이식편으로 메꾸어 준다. 골절부는 잘 정복 후 고정하여 이마의 형태가 유지되도록 한다. B. 이마굴 후벽의 치료(두개강화: cranialization). 손상된 경막을 복원한 후 이마굴 후벽을 제거한다. 이마굴이 있던 공간은 전두엽(frontal lobe)이 확장되어 전진하면서 채워진다.

3) 전안면골 골절(그림 2-3-36)

전안면골 골절에서 수술의 목표는 안면부 지지대를 고정하여 3차원적으로 해부학을 복원하는 것이다. 상향식과 하향식의 두 가지 순서가 있다.

상하악골의 재건과 교합을 우선적으로 유지하고 위로 올라가는 상향식(bottom-up)방법이 일반적이다. 상하악중 한쪽의 치아궁이 손상없다면 그쪽을 기준으로 다른 쪽을 재건할 수 있으나 상하 양측에서 골절이 발생하면 복잡한 재건

과정이 필요하다. 상대적으로 덜 심한 한쪽 치아궁을 해부학적으로 복원시키고 그를 기준으로 다른 궁을 복원시키어 고정하거나, 혹은 치과용 치아 모델을 사용하여 교합을 복원하여 재건할 수 있다. 과두골절이 발생한 경우, 개방성 수술을 시행하여 하악 높이와 턱 위치를 회복시킬 수 있다. 교합을 복원시킨 후, 중안면골을 두개골에 고정하여 나머지 골절을 치료한다. 다른 방법으로는 하향식(top-down) 방법이 있다. 견고한 두개골을 기준으로 심하게 골절된 두개골과 전두동, 안와상벽을 연결시킨 후, 아래로 내려오며 관골, 비골, 비안와사골(NEO), 상악골의 순서로 정복하고 고정해준다. 그후 악간고정과 하악골절 수술을 하며, 과두골절은 개방성 수술 혹은 보존적 치료를 할 수 있다. 가장 마지막에 안와벽 재건을 하며, 상처 봉합전 내안각 인대 고정술(medial canthopexy)을 실시한다.

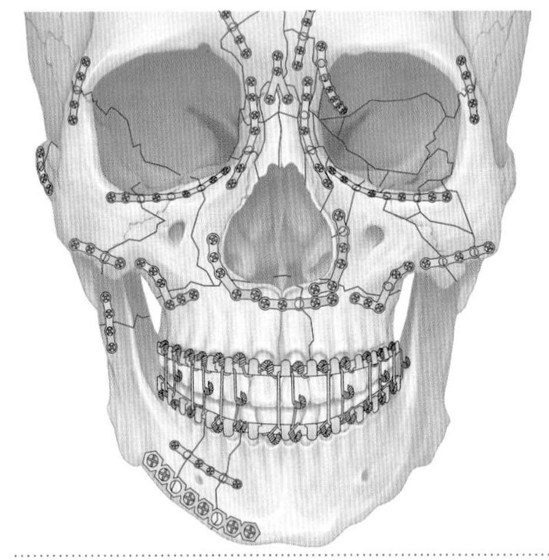

▷그림 2-3-36. **전안면골 골절의 수술.** 상하악골의 재건과 교합을 우선적으로 유지하고 위로 올라가는 상향식(bottom-up)방법과 견고한 두개골을 기준으로 심하게 골절된 두개골과 전두동, 안와상벽을 연결시킨 후, 아래로 내려오며 정복하고 고정해주는 하향식(top-down) 방법이 모두 사용 가능하다.

4) 소아 안면골 골절

(1) 골절의 특징

소아는 머리가 크고 얼굴은 상대적으로 작으며, 부모의 보호와 낙상거리가 짧다는 점 등으로 안면골 골절 발생이 드물다. 또한 두꺼운 연부조직, 풍부한 해면골의 탄력성, 하악골의 경우 치아-대-골비가 비교적 높고, 상악동의 발달이 미약하며, 턱과 머리뼈 사이의 부피가 작은 것도 안면골 골절이 드문 추가적인 요인이다. 95%가 5세 이후에 발생하며, 사춘기 이후에는 골절의 빈도와 양상이 성인과 유사해진다. 소아 안면골 골절은 어른과 동일한 원칙으로 치료하지만 다음과 같이 몇 가지 주목할 만한 차이가 있다.

① 소아는 골절부가 매우 빨리 유합되므로 조기에 수술을 시행하여야 한다.
② 경미한 부정교합은 성장하면서 스스로 적응하여 자연스런 치아교합상태로 진행한다.
③ 견고한 고정을 위하여 금속판을 이용할 경우에는 위턱, 아래턱뼈에 영구치가 될 치아의 순이 매몰되어 있으므로 다치지 않도록 주의한다.
④ 고정을 위한 금속판은 골성장에 장해를 초래하므로 골유합 후 반드시 제거하도록 한다.

(2) 특수 부위의 골절

① **비골 골절**

어린 아이들은 원래 콧등이 낮고 골절도 연골성 이므로 방사선 촬영상 진단이 쉽지 않다. 따라서 소아 비골 골절이 의심된다면 CT촬영으로 확진하는 것이 권장된다. 치료는 성인과 마찬가지로 비관혈적 정복술을 시행하는 것이지만, 후에 성장에 장애를 초래할 우려가 있음을 보호자에게 설명해 주도록 한다.

② **상악 골절**

소아는, 특히 10세 미만에서는 얼굴뼈의 탄력성과 중안면골의 불충분한 발육 때문에 매우 심한 충격을 받지 않는 한 Le Fort형 골절이 일어나는 경우가 드물다. 소아의 중안면골 골절은 중안면부의 형성저하 및 발육불량, 교합장애, 관절굳음증 등의 발생 원인이 될 수 있다.

③ **하악골 골절**

i) **하악체부 골절**: 소아는 치아가 약하고 원뿔형의 모양으로 생겨서 악간고정을 시행할 수 없는 경우가 많다. 다행히 소아의 아래턱뼈 본체 골절은 금속판이나 악간고정을 사용하지 않더라도 대개 교정이 가능하다. 즉 석고모형을 통한 가상수술로써 교합모형을 제작하고 여기에 맞도록 골절을 정복한 후, 교합틀이 포함되도록 하악골 주위로 철선을 감아 고정하는 방법이 이용된다. 또한 소아는 성인의 골절과는 달리 성장하면서 교합이 자연스럽도록 스스로 적응해 나가는 능력이 있으므로 경미한 변형은 자연히 교정되는 장점이 있다.

ii) **관절돌기 골절**: 소아의 관절돌기 골절은 대개 성장에 따라 다시 정상적인 해부학적 형태로 회복된다. 그러나 소아의 관절돌기에는 성장점이 있어 이 부위에 골절이 있으면 성장장애를 초래할 수 있다. 따라서 특별한 치료는 하지 않더라도 주기적인 진찰 및 방사선 촬영을 통하여 점검해 보아야 한다. 또한 관절 내 골절 및 관절 내 혈종이 생성된 경우 관절돌기와 측두골 사이에 유착이 생기는 악관절 강직이 발생할 수 있으므로 이 모든 가능성에 대하여 보호자와 충분히 상의하여야 한다.

References

1. Peter C. Neligan. Plastic surgery, vol 3: 47, 2017
2. Antonyshyn O, Gruss JS, Kassel EE. Blow-in fractures of the orbit. Plast Reconstr Surg. 84:10, 1989
3. Assael LA. Clinical aspects of imaging in maxillofacial trauma. Radiol Clin North Am. 31:209, 1993
4. Barclay TL. Diplopia in association with fractures involving the zygomatic bone. Br J Plast Surg 11:147, 1958
5. Beals SP, Munro IR. The use of miniplates in craniomaxillofacial surgery. Plast Reconstr Surg 79:33, 1987
6. Brisman R, Hughes JE, Mount LA. Cerebrospinal fluid rhinorrhea. Arch Neurol 22:245, 1970
7. Bron R, Boering G. Fractures of mandibular body treated by stable internal fixation. J Oral Surg 28:407, 1970
8. Calloway DM, Anton MA, Jacobs JS. Changing concepts and controversies in the management of mandibular fracture. Clin Plast Surg 19(1):59, 1992
9. Converse JM (ed). Reconstructive Plastic Surgery, 2nd ed. Philadelphia, WB Saundres Co, 1977
10. Cruse CW, Blexins PK, Luce EA. Naso-ethmoid-orbital fracture. J Trauma 20: 551, 1980
11. Davidson J, Nickerson D, Nickerson B. Zygomatic fracture: comparison of methods of internal fixation. Plast Reconstr Surg 86:25, 1990
12. Dingman RO, Natvig P. Surgery of Facial Fractures. Philadephia, WB Saundres Co, 1964
13. Ellis E III, Simon P, throckmorton GS. Occlusal results after open or closed treatment of fractures of the mandibular condylar process. J Oral Maxillofac Surg 58: 260, 2000

14. Fonseca RJ, Walker RV. Oral and maxillofacial trauma, vol. 1:323, 1991
15. Haisova L, Kramova I. Facial bone fractures associated with cervical spine injuries. Oral Surg 30: 742, 1970
16. Hybels RC. Posterior table fractures of the frontal sinus. II. Cinical Aspects. Laryngoscope 87:1740, 1977
17. Kim YH, Kim TG, Lee JH, Nam HJ, Lim JH. Inlay implanting technique for the correction of medial orbital wall fracture. Plast Reconstr Surg. 2011 Jan;127(1):321-6
18. Yong-Ha Kim, Youngsoo Park, Kyu Jin Chung. Considerations for the Management of Medial Orbital Wall Blowout Fracture Arch Plast Surg 2016;43:229-236
19. Lee C, Forrest Cr, Endoscopic facial fracture technique. Plastic Surgery. Mathes, vol. 3:463, 2006
20. Manson PN, Facial fractures Plastic Surgery. Mathes, vol. 3:77, 2006
21. Newman L. A clinical evaluation of the long-term outcome of patients treated for bilateral fracture of the mandibular condyles. Br J Oral Maxillofac Surg 36:176, 1998
22. Dufresne CR, Manson PN. Pediatric facial injuries. Plastic Surgery. Mathes, vol. 3:381, 2006
23. Shultz RC. Frontal and supraorbital fractures from vehicular accidents. Clin Plast Surg 2:173, 1975
24. Zingg M, et al. Classification and treatment of zygomatic fractures: A review of 1,025 cases. J Oral Maxillofac Surg 50:778, 1992
25. https://www2.aofoundation.org/wps/portal/surgery?showPage=diagnosis&bone=CMF&segment=Overview

4 눈꺼풀의 재건술 및 미용수술

Reconstructive and Cosmetic Surgery of Eyelids

박대환 대구가톨릭의대

1. 표면해부

1) 표면해부(그림 2-4-1)

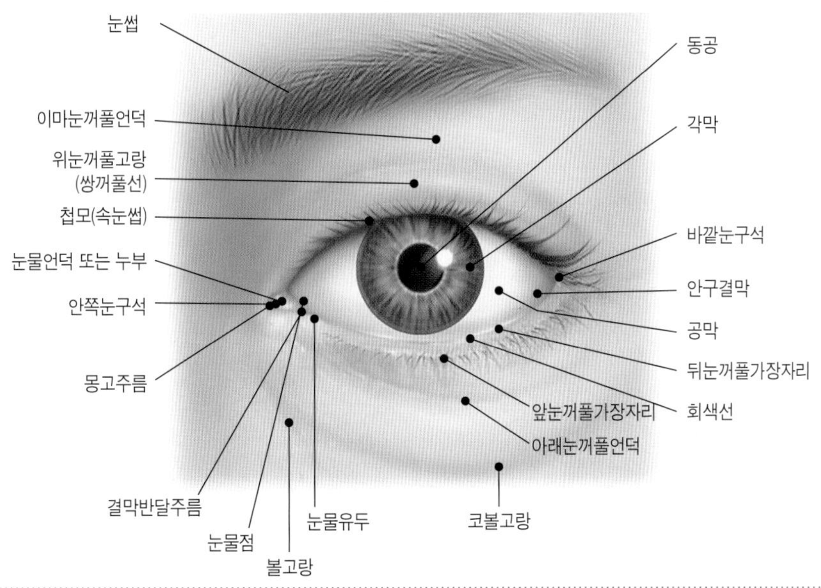

▷그림 2-4-1. **눈꺼풀 표면 해부명칭.** 눈꺼풀은 위눈꺼풀 및 아래눈꺼풀로 나누어지며, 위아래눈꺼풀 가장자리 사이를 눈꺼풀 틈새(palpebral fissure), 내측 끝을 안쪽눈구석(medial canthus), 외측 끝을 가쪽눈구석(lateral canthus)이라고 한다. 일반적으로 가쪽눈구석은 예각을 이루지만, 안쪽눈구석은 둔각을 이루고, 안쪽눈구석 부위의 눈꺼풀 틈새를 눈물못(lacrimal lake)이라고 한다. 눈물못 속에 황색의 융기된 눈물 언덕(lacrimal caruncle)이 있으며, 그 아래쪽에 결막의 반달주름(semilunar conjunctival plica)이 있다. 눈물못의 입구에 해당되는 곳의 위아래눈꺼풀에 각각 한 개의 눈물점(lacrimal punctum)이 있고, 눈물소관(lacrimal canaliculus)으로 연결되어 있다. 위눈꺼풀주름(superior palpebral fold)은 눈을 뜰 때 형성되는 주름으로 쌍꺼풀(double eyelid) 혹은 이중눈꺼풀이라고도 하며, 동양인에서는 약 40~50%가 쌍꺼풀 주름을 갖고 있다. 동양인은 쌍꺼풀 주름의 위치가 서양인에 비하여 낮아서 눈꺼풀 가장자리에서 평균 약 6 mm 위에 위치해 있다. 동양인의 눈꺼풀 틈새의 길이는 27~30 mm, 눈꺼풀 틈새의 상하폭은 8~10 mm이다. 아래눈꺼풀주름은 위눈꺼풀주름 만큼 확실하지 않지만 나이가 듦에따라 코광대고랑, 눈물발이변형, 광대뼈부위에 자루모양의 주름(malar pouch)이 나타난다.

2) 눈꺼풀의 해부(그림 2-4-2~4)

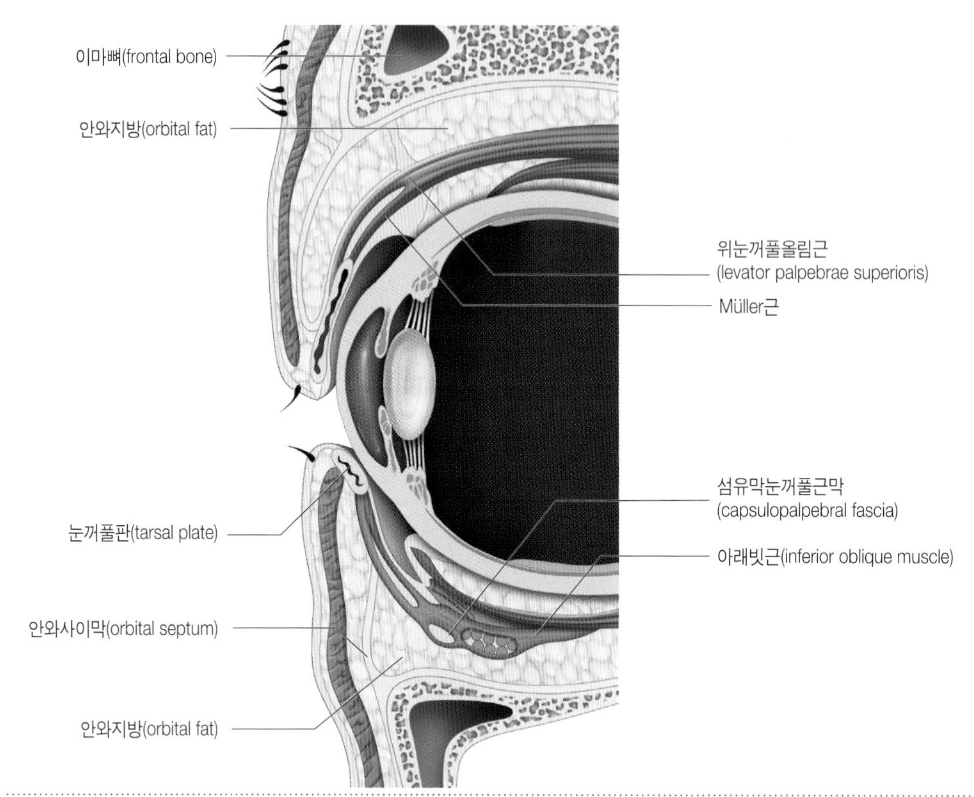

▷그림 2-4-2. **눈꺼풀의 단면**. 위눈꺼풀 및 아래눈꺼풀의 구조는 크게 앞층판(anterior lamella)과 뒤층판(posterior lamella)으로 나뉘며, 앞층판은 다시 피부, 눈둘레근, 중앙결합조직층으로, 뒤층판은 위눈꺼풀올림근, 눈꺼풀판, 결막으로 나누어진다. 위그림은 위눈꺼풀의 단면을 나타낸 것으로 앞층판은 위눈꺼풀 피부에서부터 피부 및 지방, 눈둘레근, 눈둘레근뒤지방, 안와격막이 있고 뒤층판은 눈꺼풀판, 안와지방, 위눈꺼풀올림근, Müller근, 결막층으로 구성되어 있다. 눈꺼풀의 피부는 두께가 약 1mm 정도로 신체 중 가장 얇고, 피하조직과의 결합은 느슨하여 유동성이 풍부하지만, 눈썹, 가쪽눈구석, 눈꺼풀가장자리에서는 피하조직과의 결합이 단단하다. 피하조직과의 결합이 느슨하여 피부반흔 구축이 현저하고, 눈꺼풀가장자리 변형을 초래하기 쉬운 면도 있다. 피하조직은 극히 얇고 지방조직이 거의 없다. 이 피하결합조직이 밑에 있는 눈둘레근과 느슨하게 붙어 있어서 눈꺼풀부위의 부종 · 혈종 및 현저한 반흔구축을 초래하기 쉬운 원인이 되고 있다. 눈둘레근은 눈꺼풀틈새(palpebral fissure)를 둘러 싼 가로무늬근(striated muscle)으로, 안쪽눈구석힘줄(medial canthal tendon)을 기시부로 하고 있으며 위아래눈꺼풀을 감는 역할을 한다. 눈꺼풀은 안와격막에 의해 얕은층(superficial layer)과 깊은층(deep layer)으로 나뉘어진다. 안와격막의 눈꺼풀가장자리로의 연장이 회색선(gray line)에 닿는다. 안와격막은 위는 위쪽안와테두리(periorbita)에서 시작하며, 아래는 올림근널힘줄(levator aponeurosis)과 융합하여 눈꺼풀판전면에서 끝난다. 근하층은 중앙결합조직층 및 눈꺼풀판앞지방층(central connective tissue layer and pretarsal fat layer)으로 이루어져 있고 눈둘레근과 안와격막 사이에 있는 결합조직으로 혈관 및 신경이 풍부하다.

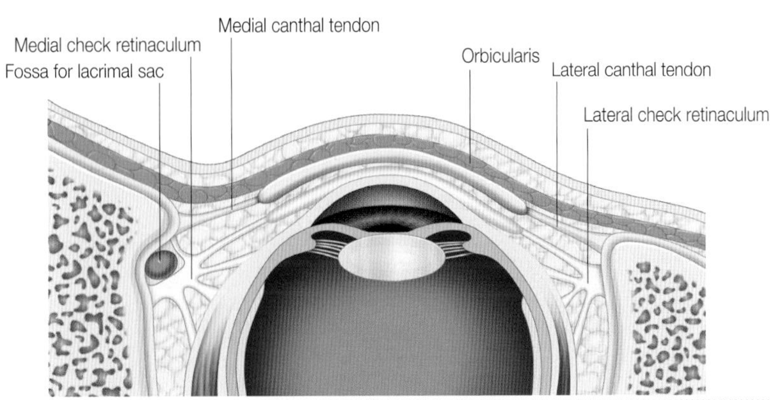

▷그림 2-4-3. **안쪽눈구석과 가쪽눈구석의 축상단면.** 눈둘레근은 눈꺼풀판전부분 (pretarsal portion)과 그 외측의 사이막전부분 (preseptal portion), 가장 바깥쪽의 눈확부 (orbital portion)으로 나뉜다. 눈꺼풀판전부분과 사이막전부분은 안쪽눈구석힘줄에서 기시하여 얕은 부위와 깊은 부위 두 갈래로 갈라지는데, 얕은 부위(superficial head)는 안쪽눈구석힘줄(medial canthal ligament)을 형성하고 상악골의 전두돌기에 부착된다. 깊은 부위(deep head)는 눈물막(lacrimal fascia)으로 연결되어져 눈물샘의 수축에 작용한다. 바깥눈구석부에서는 눈둘레근의 사이막전부분은 봉선을 형성하여 피부와 결합되고, 눈꺼풀판전부분은 바깥눈구석주름으로서 이마광대뼈 봉합부에 부착된다.

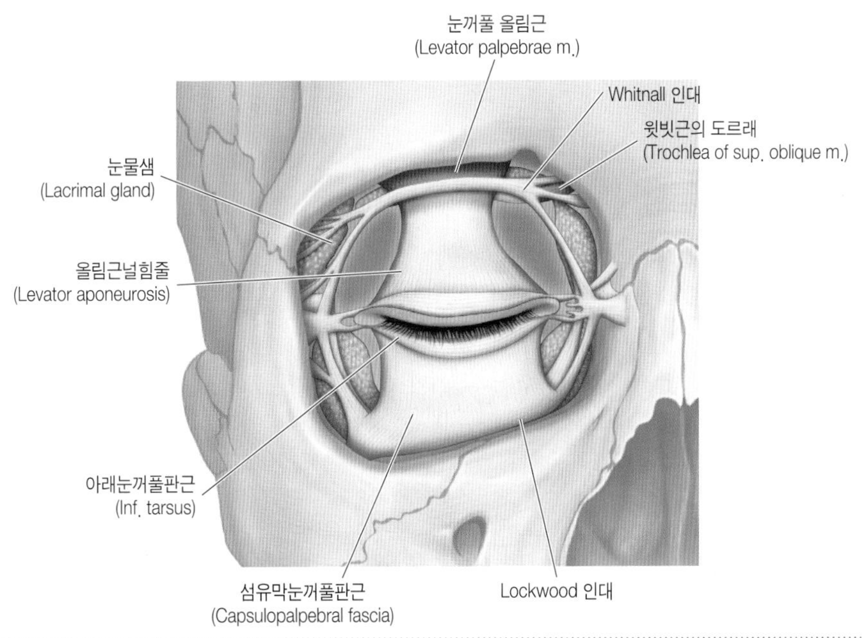

▷그림 2-4-4. **안와지방을 제거한 후 눈꺼풀의 해부.** 위눈꺼풀올림근(levator palpebrae superioris)은 눈돌림신경(oculomotor nerve)지배의 가로무늬근(striated muscle)으로 눈꺼풀을 들어올리며 눈을 뜨게 하는 역할을 한다. Whitnall 인대는 위눈꺼풀올림근이 두꺼워져 인대처럼 된 것으로 위눈꺼풀올림근의 윗면을 횡단하고 있으며 위눈꺼풀에 대해 제한인대(check ligament) 역할을 한다. Müller근은 위눈꺼풀올림근 널힘줄의 바로 아래를 달리는 가는 줄모양의 민무늬근(nonstriated muscle)으로, 교감신경지배를 받고 있으며 주요기능은 올라간 위눈꺼풀을 그 상태로 유지해 주는 것이다. 상방에서는 위눈꺼풀올림근널힘줄과 근육 연결부위에서 발단하여 하방에서는 눈꺼풀판위쪽 가장자리에 부착된다. 눈꺼풀판은 단단한 섬유성 결합조직으로 이루어지는 연골같은 경도를 갖는 탄성판으로, 내부에 눈꺼풀판샘(tarsal gland, Meibomian gland)을 포함하며, 눈꺼풀판샘은 눈꺼풀 가장자리 후방에 일렬로 개구한다. 눈꺼풀판은 눈꺼풀 가장자리 바로 위로 볼록한 반달 모양을 이루고 있으며 위눈꺼풀의 눈꺼풀판은 중심부폭은 8~10 mm이고 코쪽과 가쪽눈구석으로 갈수록 폭이 좁아진다. 결막은 눈꺼풀의 뒷면을 덮고 있는 것으로 눈꺼풀판에 단단히 붙어있다.

3) 혈관 및 신경 분포(그림 2-4-5)

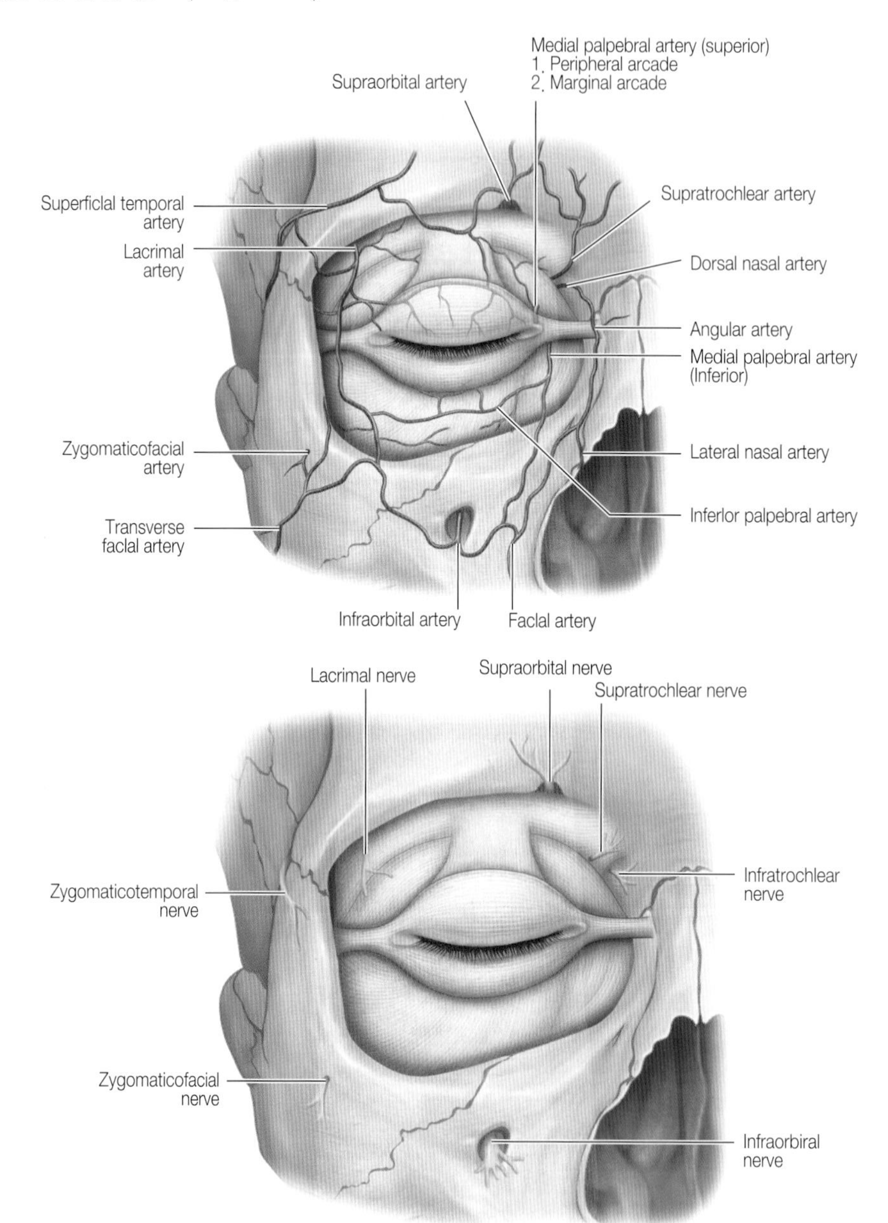

▷ 그림 2-4-5. **눈꺼풀의 혈관과 신경분포.** 안검부는 혈행이 매우 풍부하고 정맥환류 (venous return)도 좋다. 동맥은 내경동맥의 분지인 안동맥에서 나뉜 상하내측안검동맥이 내안각건의 상하에서 안와격막을 가로질러 뚫고 나와 측방으로 주행하고, 누선동맥 및 안면횡동맥으로부터 분지된 상하외측 안검동맥과 문합된다. 정맥계는 다소 복잡하고 풍부한데, 검판전부분은 안각정맥이나 천측두정맥으로 흐르며, 심부는 안정맥의 분지로 흐른다. 림프계는 상안검측방 2/3, 하안검측방 1/3은 이하선 림프절로, 상안검내방 1/3, 하안검 내방 2/3은 하악림프절로 흐른다. 안검근육의 운동신경지배는 눈둘레근은 안면신경, 안검거근은 동안신경, Muller근은 교감신경지배를 받는다. 안검의 지각신경은 삼차신경지배로, 상안검은 주로 삼차신경의 전두분지인 상안와분지, 상활차분지의 지배이지만, 상안검 측방의 일부는 누선신경의 지배이다. 하안검은 주로 상악신경의 하안와분지의 지배를 받으며, 일부는 누선신경의 지배이다.

4) 눈물 기관의 해부(그림 2-4-6)

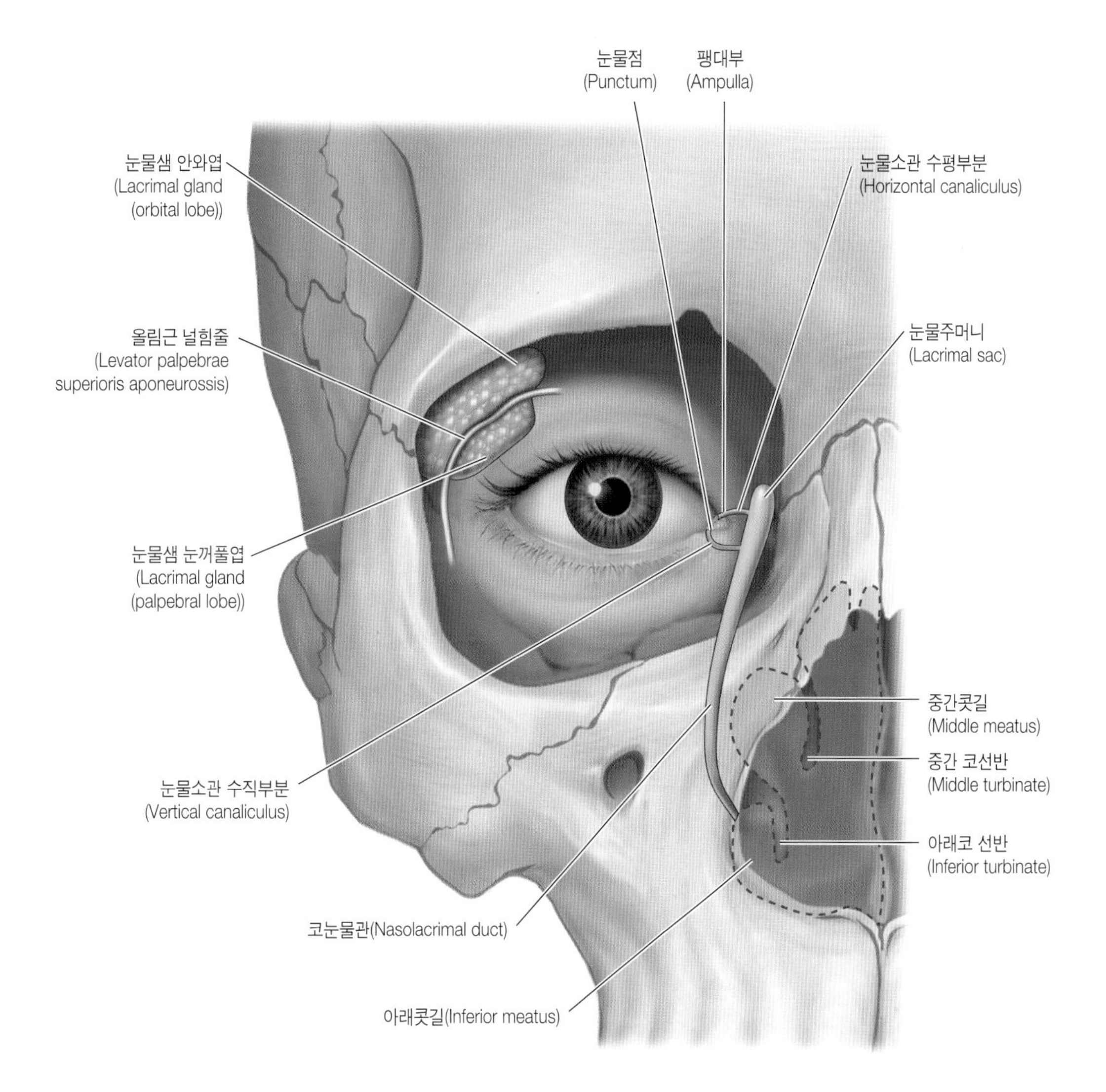

▷그림 2-4-6. **눈물기관의 해부.** 눈물배출계통는 눈물점(punctum), 위 · 아래 눈물소관(lacrimal canaliculus), 눈물주머니(lacrimal sac), 코눈물관(nasolacrimal duct)으로 이루어져 있으며, 눈의 안쪽눈구석에 눈물언덕(lacrimal caruncle)이 형성되어 있고, 가쪽눈구석 상방의 눈물샘(lacrimal gland)에서 분비된 눈물은 안구를 항상 적시면서 안쪽눈구석 및 눈물샘(lacrimal lake)에 모이게 된다. 위아래눈꺼풀의 내면에는 각각의 눈물점(lacrimal punctum)이라 불리는 작은 개구부가 있어서 눈물소관(lacrimal canaliculus)으로 통하고 있고, 아래눈물소관이 위눈물소관보다 조금 길고 두꺼워서 보통 그 내경은 0.5 mm 정도이다. 위아래의 눈물소관은 처음에는 상행 또는 하행이지만, 곧 거의 직각을 이루면서 내측방으로 구부러지고, 구부러진 부분의 내경은 1 mm이다. 상하 눈물소관이 합쳐져 길이 약 2 mm의 온눈물소관(commom canaliculus)이 되어 눈물주머니와 연결되며, 눈물주머니는 코눈물관(nasolacrimal duct)을 거쳐 아래코선반(inferior meatus)으로 통하고 있다.

2. 눈꺼풀의 미용수술

1) 위눈꺼풀의 미용수술

(1) 쌍꺼풀 수술(Double eyelid operation)

얼굴의 아름다움에 있어서 눈이 차지하는 비중이 가장 크다고 해도 과언이 아닐 정도로 눈은 안면 미용 영역에서 중요한 부분을 차지하고 있다.

일반적으로 쌍꺼풀이 있는 눈은 여분의 위눈꺼풀 피부가 쌍꺼풀 안으로 말려 들어가게 되어 쌍꺼풀이 없는 눈에 비해 상대적으로 눈이 크고 시원해보이므로 쌍꺼풀 수술을 원하는 사람이 많다.

① 쌍꺼풀 수술의 원리 및 주의점

쌍꺼풀은 위눈꺼풀올림근과 눈의 피부 조직이 연결되면 생기는 간단한 원리이다. 쌍꺼풀 수술은 한국과 일본을 중심으로 한 동양권에서만 성행하고 있다. 왜냐하면 서양인은 선천적으로 쌍꺼풀을 지니고 태어나기 때문에 쌍꺼풀 수술을 원하는 서양인은 거의 없기 때문이다. 동양인에 있어 최근의 경향처럼 매끈하고 자연스럽고 얇은 이중검을 만드는 것은 쉽지 않다(그림 2-4-7).

자연스런 쌍꺼풀 수술이 되려면 쌍꺼풀 폭이 매우 중요하다. 수술 후 자연스런 모습을 원할 때는 그 폭이 6~8 mm 정도가 적당한데 폭이 10 mm 이상 되면 수술한 것이 단번에 드러나 좋지 못하다. 쌍꺼풀 수술을 하기 전 환자의 눈에 가는 철사를 이용해 쌍꺼풀의 형태와 폭을 여러 모양으로 만들어 환자에게 가장 어울리는 것으로 디자인하고 수술하는 것이 바람직하다. 쌍꺼풀 수술이나 눈꺼풀성형술은 사소한 착오가 결과적으로 아주 두드러지게 나타나는 수술이고, 재수술로는 교정이 어렵다는 사실을 명심해야 한다.

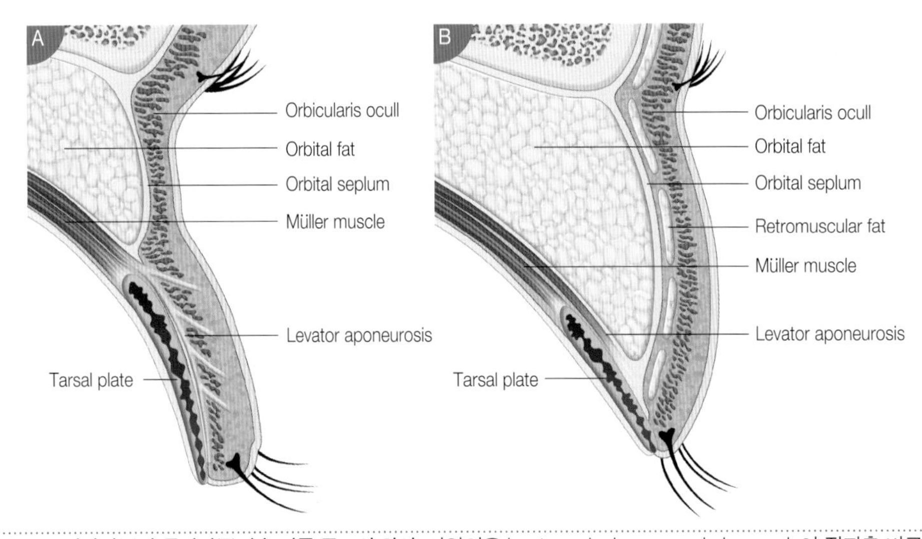

▷ 그림 2-4-7. **서양인(A)과 동양인(B)의 눈꺼풀 구조의 차이**. 서양인은 levator palpebrae superioris muscle이 진피층 바로 아래까지 확장되어 있고, 안와사이격막과 levator aponeurosis가 합쳐지는 부분이 상대적으로 높다. 동양인은 levator palpebrae superioris muscle이 피부쪽으로 확장되어 있지 않고 안와지방이 많으며 피부가 두껍다.

② **쌍꺼풀 수술의 종류와 수술방법**

쌍꺼풀 수술은 크게 절개를 가하지 않는 비절개법(매몰법), 부분적으로 약간의 절개만 하는 부분절개법, 절개법의 세 종류로 분류할 수 있다.

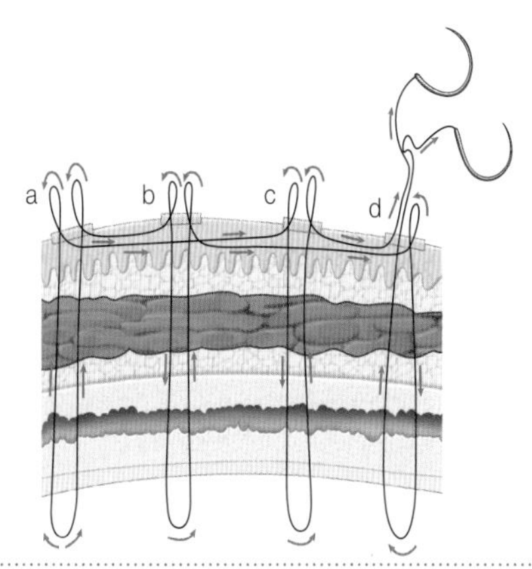

▷그림 2-4-8. 비절개법의 의한 쌍꺼풀 수술 중 매몰법(연속봉합법)으로, 양쪽바늘을 사용하여 S자 모양으로 피하와 검판을 교대로 떠서 양끝을 결찰하고 매몰시킨다.

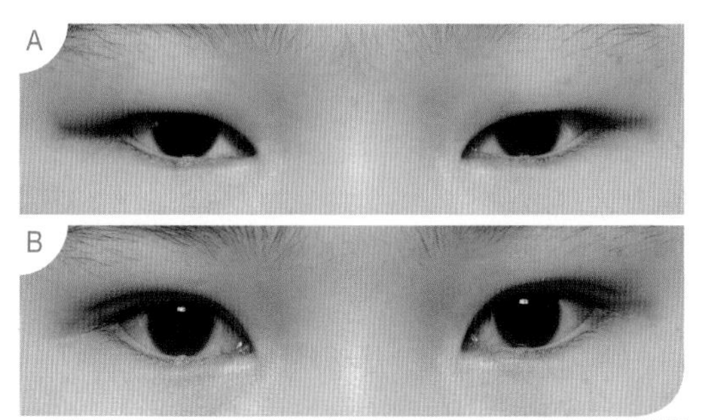

▷그림 2-4-9. **매몰법에 의한 쌍꺼풀 수술 증례** A. 술 전 B. 술 후

비절개법은 작은 바늘 구멍을 만들어 봉합사를 이용하여 쌍꺼풀을 만드는 방법으로 눈꺼풀에 절개를 가하지 않기 때문에 수술 자국이 나타나지 않고 간혹 수술이 마음에 들지 않으면 풀어 매몰 봉합사를 버리면 원래 상태로 돌아갈 수 있다(그림 2-4-8, 9). 또 수술 후에도 부기가 빨리 빠지므로 보통의 수술법보다 빨리 자연스러워지는 장점이 있으나 시간이 지나면서 쌍꺼풀이 풀어져 재수술이 필요한 경우가 있고, 여분의 피부가 있는 경우 피부절제가 불가능하고 지방 제거가 용이 하지 않다는 단점이 있다.

절개법은 절개를 가하여 쌍꺼풀을 만드는 방법으로 지방을 제거할 수 있고 여분의 위눈꺼풀 피부를 제거할 수 있으며 눈꺼풀 안의 여러 구조물들도 제거하거나 변화시킬 수 있다(그림 2-4-10, 11).

눈구석 주름이 눈을 덮어서 눈의 길이가 짧은 듯하게 보이는 경우는 눈구석 주름 교정술(epicanthoplasty)을 쌍꺼풀 수술과 동시에 실시하여 눈의 길이를 길게 해 주면 눈이 훨씬 시원하고 크게 보이게 할 수가 있다.

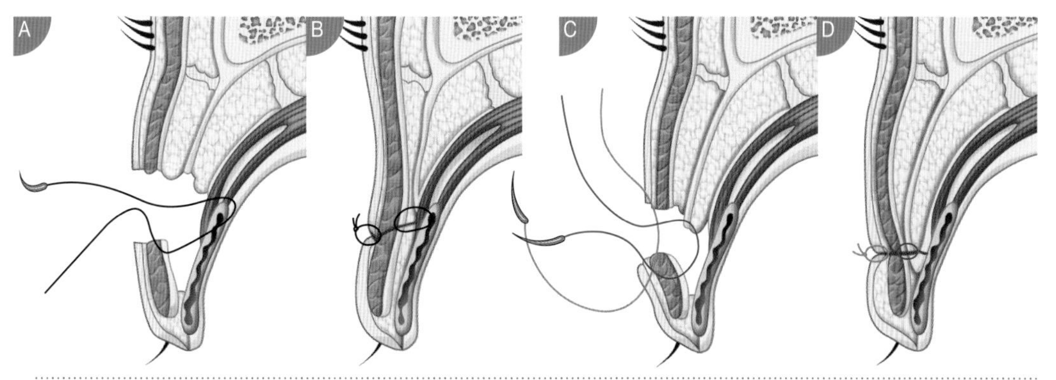

▷그림 2-4-10. **절개법에 의한 쌍꺼풀 수술** A, B. 피부와 눈둘레근 일부를 절제한 후 눈꺼풀판 위 가장자리와 올림근 널힘줄을 같이 떠서 진피에 매몰봉합을 시행한다. C, D. 나이가 많거나 옅은 쌍꺼풀을 원하는 경우 안와격막을 떠서 매몰봉합을 시행한다.

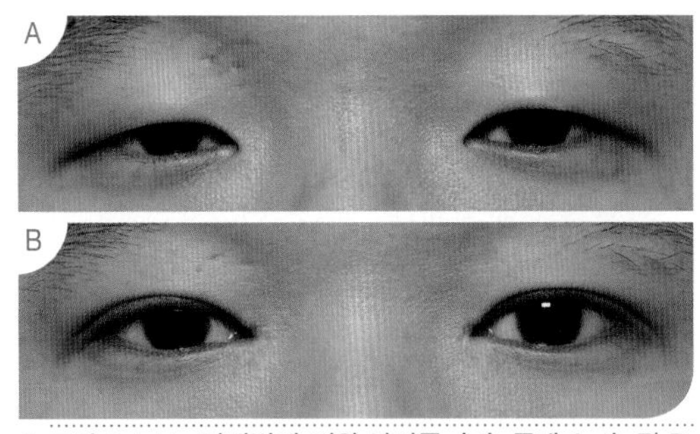

▷그림 2-4-11. **절개법에 의한 쌍꺼풀 수술 증례** A. 술 전 B. 술 후

눈꺼풀처짐이 동반되어 있는 경우는 환자 본인은 병의 원인을 잘 모르고 눈의 크기가 작아서 쌍꺼풀 수술을 하고 싶다고 이야기를 하지만 이런 경우에 쌍꺼풀 수술만 해 놓으면 눈꺼풀처짐이 있는 쪽은 눈을 들어올리는 근육 자체가 기능이 약하기 때문에 쌍꺼풀이 잘 생기지 않아 짝짝이 눈이 되던지 흉터만 있고 쌍꺼풀은 형성되지 않는 경우가 많다. 이 경우는 반드시 눈꺼풀처짐 수술도 같이 하여 힘이 약해진 눈꺼풀올림근을 교정해 준 후에 쌍꺼풀 수술을 해주는 것이 중요하고 수술 전에 눈꺼풀처짐의 유무를 정확히 진단한 후 수술을 하도록 해야 한다.

위눈꺼풀의 처짐이 심한 경우에는 위눈꺼풀 피부제거술을 쌍꺼풀 수술과 동시에 해 주어야 하며, 눈꼬리가 많이 처져 있고 눈과 눈썹사이의 거리가 짧으면 이마눈썹올림술(forehead-brow lift)을 같이 하는 것이 좋다.

③ **쌍꺼풀 수술의 합병증**

쌍꺼풀 수술이나 눈꺼풀성형술은 사소한 착오가 아주 두드러지게 나타나는 수술이고, 재수술로 교정하기는 더 어렵다는 사실을 명심해야 한다.

▷표 2-4-1. 쌍꺼풀 수술의 합병증

Complications
부종
멍
출혈 및 혈종
비대칭 또는 과교정 또는 부족교정
쌍꺼풀의 소실
세겹주름
비후성 반흔
봉입낭종
안검외반
안검하수

쌍꺼풀 수술의 합병증으로 부기, 멍, 혈종에서부터 비대칭, 쌍꺼풀의 소실, 세겹주름, 위눈꺼풀 함몰변형, 보기 흉한 절개선 흉터, 봉입낭종, 높은쌍꺼풀, 안검외반, 안검하수, 눈물 기관의 손상까지 다양하다.(표 2-4-1) 부기나 멍 등을 최소화하기 위하여 술 전 아스피린 등의 복용을 피하게 하고 술 후 1~2일 동안 수술부위의 냉찜질을 하며 무리한 일을 하지 않도록 한다.

(2) 위눈꺼풀 성형술

① **적응증**

위눈꺼풀성형술은 나이가 듦에 따라 생기는 눈꺼풀의 노화현상인 눈꺼풀피부의 처짐(자루 눈꺼풀, baggy eyelids)과 그에 따른 시야 방해를 해결하기 위하여 사용된다.

② **수술방법**

앉은 상태로 겐티안 바이올렛(Gentian Violet) 또는 수성사인펜으로 도안한다. 겸자로 제거될 폭만큼 눈꺼풀 피부를 잡고, 눈을 뜨고 감게하면서 절제폭을 결정한다. 아래쪽 예정선은 원래 갖고 있던 쌍꺼풀선

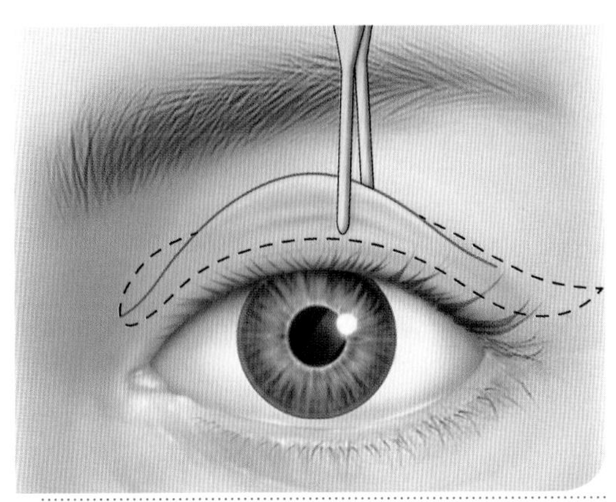

▷그림 2-4-12. 위눈꺼풀성형술 시 제거해야 될 피부량을 Green forcep을 이용하여 측정한다.

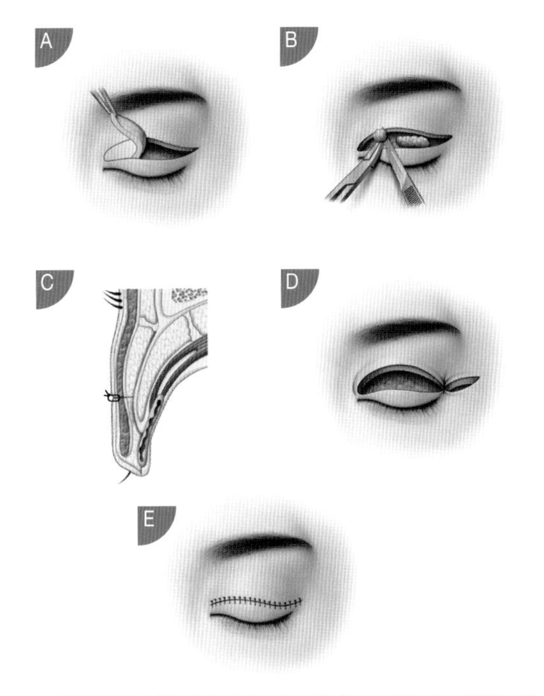

▷그림 2-4-13. **피부 절제만 하는 위눈꺼풀성형술의 도해.** A. 피부 절개, B. 안와격막을 열고 지방을 제거한다. C. 고정봉합 없이 피부를 봉합한다. D. 봉합의 참고점(가쪽눈구석)

으로 하고, 절제폭을 결정하여 표시한다(그림 2-4-12).

눈둘레근은 피부 절개폭보다 작은 듯하게 절제하거나 절제하지 않는다. 이어서 안와지방이 보이면 안와사이막을 연다.

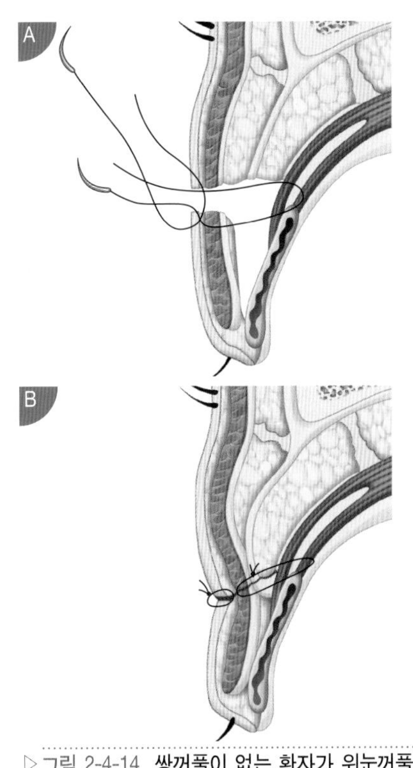

▷그림 2-4-14. **쌍꺼풀이 없는 환자가 위눈꺼풀성형술을 원할 경우 시행하는 수술 법.**

안와지방은 제거해야 할 필요가 없는 경우도 많지만 보통 적당한 절제량을 지혈겸자로 수평으로 집어서 지방을 절제한다.

봉합 시에는 동양인에 있어서는 환자가 원래 쌍꺼풀을 가지고 있었던 경우와 쌍꺼풀이 없었던 경우로 나누어 생각해 보아야 한다.

원래 쌍꺼풀을 가지고 있었던 경우는 새로 쌍꺼풀 주름을 만들 필요가 없으므로 쌍꺼풀을 만들 때와 같은 진피와 눈꺼풀판 사이의 고정봉합을 필요로 하지 않지만(그림 2-4-13) 좀 더 확실하고 대칭적인 쌍꺼풀을 위해 고정봉합을 해주는 경우도 있다.

원래 쌍꺼풀이 없던 경우는 환자의 요구나 증례에 따라 수술방법이 다른데, 환자가 쌍꺼풀을 원하지 않거나 남자환자인 경우

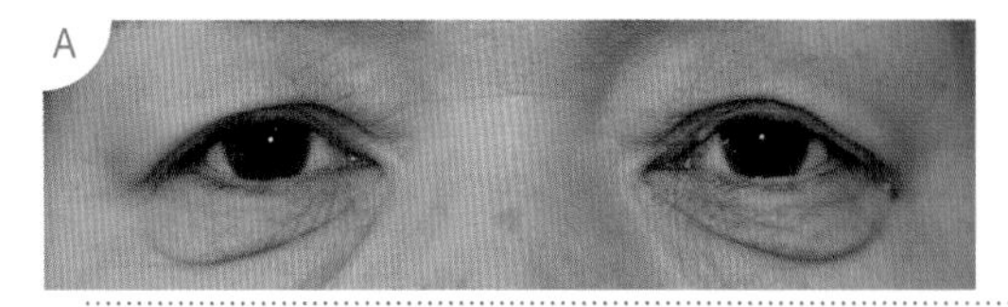

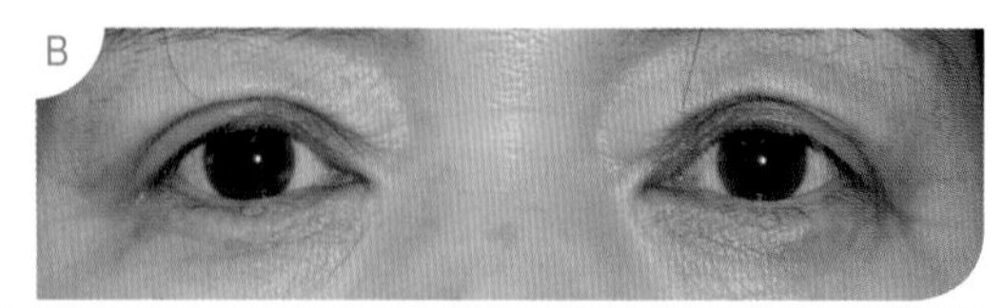

▷그림 2-4-15. **피부 절제만 하는 위눈꺼풀성형술의 증례.** A. 술 전 B. 술 후

혹은 노인 환자인 경우에는 눈썹 직상방에 절개를 가하고 피부와 피하조직을 제거한 다음 봉합해주면 매우 낮은 수준의 쌍꺼풀이 있다가 사라져서 빨리 자연스러워지고 수술받은 흔적이 많이 남지 않는다.

쌍꺼풀이 없는 환자가 눈꺼풀성형술을 하면서 쌍꺼풀을 만들어주기를 원하면 전술한 쌍꺼풀 수술처럼 진피와 눈꺼풀올림근 혹은 눈꺼풀판 사이를 3군데에서 5군데 고정봉합 해주어야 한다(그림 2-4-14). 그림 2-4-15는 위눈꺼풀 성형술을 시행한 증례이다.

③ **합병증**

위눈꺼풀성형술의 합병증은 일시적인 합병증과 지속적인 합병증으로 나눌 수 있다. 일시적인 합병증은 수술직후에 생기는 합병증으로 대개 별 문제없이 나아지는 경우가 대부분이지만 혈종이 특이 문제가 되므로 지혈을 잘 해주는 것이 중요하다. 지속적인 합병증은 눈꺼풀겉말림, 비대칭, 안구함몰, 눈꺼풀처짐, 토안, 반흔 등으로 이차 눈꺼풀 성형수술을 요하는 경우도 있다.

(3) 눈썹하절제술

① **적응증**

눈꺼풀이 두껍거나 눈썹과 눈사이가 멀면서 위눈꺼풀이 처진 경우 및 자연스러운 모습을 원하는 경우에 시행할 수 있다. 특히 40대 이상의 환자가 위눈꺼풀이 수북하면서 처지고, 속 쌍꺼풀이 있으며 이전에 눈썹 문신을 한 경우에는 효과가 좋다.

② **수술방법**

그림 2-4-16은 수술 전 작도의 모습이다. 방추형 절제선의 상방 절개 시는 모낭의 방향과 수평이 되도록 비스듬히 절제하여 모낭이 상하지 않도록 하며, 방추형 절제선의 하방 절개 시는 수직으로 절개하여 눈둘레근과 눈둘레근뒤근막(posterior fascia of orbicularis oculi muscle)까지 일직선으로 들어가도록 한다. 방추형 절제선의 외측

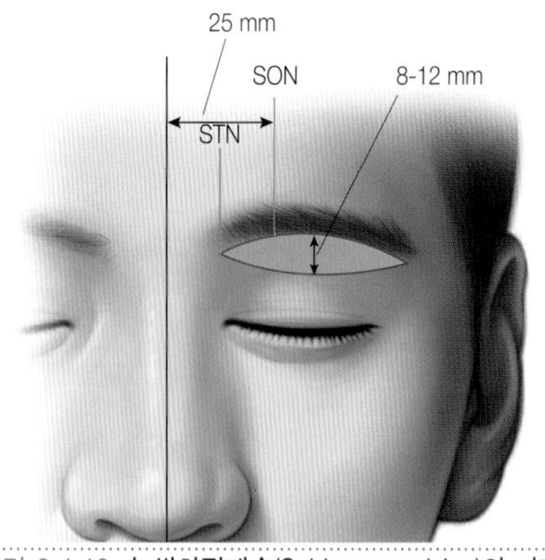

▷그림 2-4-16. **눈썹하절제술(Subbrow excision)의 디자인.** 우선 미간의 중앙에 선을 긋고 중앙에서 2.5 cm 외측에 눈확위신경(supraorbital n.)의 위치를 표시하고, 그 내측 1 cm에 도르래위신경(supraorbital n.)의 위치를 표시하고, 그 내측 1 cm에 도르래위신경(supratrochlea n.)의 위치를 표시한다. 내측 절개의 시작부는 도르래위신경 기시부와 같이 하며 외측 끝나는 부위는 눈썹이 끝나는 부분으로 하며 직선 길이는 대체로 약 5 cm 정도로 한다.

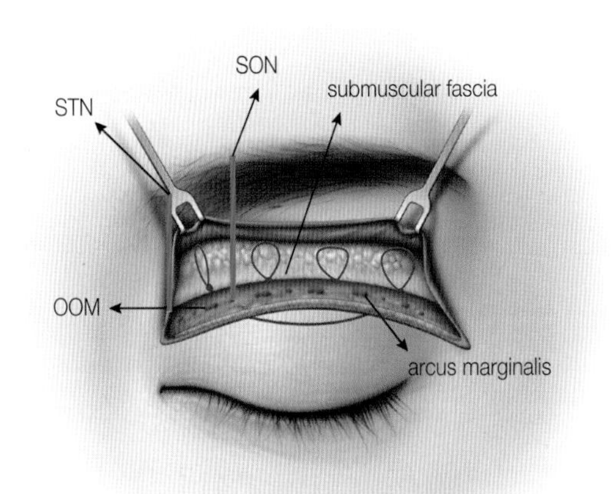

▷그림 2-4-17. **눈썹하절제술 시 주의사항.** 고정은 5-0 나일론 봉합사를 이용하며, 눈확위신경 외측에서는 3개의 횡적 봉합, 눈확위신경과 도르래위신경 사이는 1개의 수직봉합을 이용하여 고정한다.

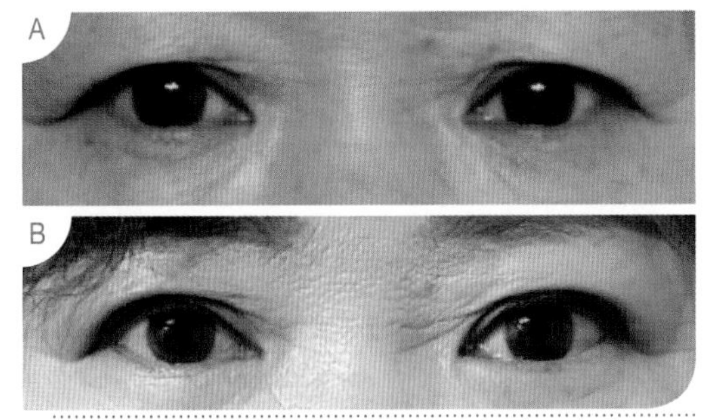

▷그림 2-4-18. **눈썹하절제술의 증례.** A. 술 전 B. 술 후

으로부터 피부, 눈둘레근, 눈둘레근뒤근막을 en bloc으로 절제하며, 눈확위신경 기시부부터는 피부만 절제하여 눈확위신경과 도르래위신경에는 손상이 가해지지 않도록 한다. 고정은 그림 2-4-17과 같이 한다. 피하봉합의 경우 위피판은 두꺼우므로 일부를 물고 아래피판은 얇으므로 전층을 물도록 한다. 그림 2-4-18는 눈썹하절제술을 시행한 증례이다.

③ **합병증**

봉합된 측두근이나 눈확위신경과 도르래위신경이 당겨지며 구역, 구토, 두통 등이 발생할 수 있다. 또한 눈확위신경과 도르래위신경의 손상에 의한 감각이상 또는 감각마비가 나타날 수 있다. 수술 후 반흔 역시 나타날 수 있으나, 대부분 수술 후 3개월 정도 지나면 눈에 띄지 않을 정도로 옅어진다.

(4) 눈꺼풀처짐(blepharoptosis) 교정술

① **눈꺼풀처짐의 정의 및 분류**

눈꺼풀처짐이란 눈높이로 정면을 바라볼 때 위눈꺼풀 가장자리(upper eyelid margin)가 정상위치보다 내려가 있는 상태를 말한다. 위눈꺼풀 가장자리의 정상 위치는 12시 방향에서 각막가장자리의 상연(superior corneal limbus)으로부터 밑으로 2 mm 이내에 자리잡고 있으며 2 mm 이상 내려가면 눈꺼풀처짐이 된다.

눈꺼풀처짐의 분류는 저자들에 따라 다르고 때론 혼합하여 사용하고 있어 혼돈되는 경우가 많다.

1980년 Freuh는 눈꺼풀처짐을 선천성이나 후천성이란 용어를 사용하지 않고 신경성(neurogenic), 근육성(myogenic), 널힘줄성(aponeurotic), 기계적(mechanical) 눈꺼풀처짐으로 분류하였고 나중에 거짓눈꺼풀처짐(pseudoptosis)를 추가하여 눈꺼풀처짐의 종류를 모두 5개로 분류하였다(표 2-4-2).

② **눈꺼풀처짐 환자의 수술 전 평가**

눈꺼풀처짐 환자의 수술 전 평가가 치료의 첫 단계로 매우 중요하며, 첫 검사에서 일반 질병에 대한 병력뿐 아니라 안과적 병력

▷ 표 2-4-2. Frueh에 의한 눈꺼풀처짐의 분류(1980년에 발표된 분류에 1988년에 추가된 것임)

1. 근육성 눈꺼풀처짐(myogenic ptosis) 1) 이상근육탓 눈꺼풀처짐(dysmyogenic ptosis) 2) 근육병증눈꺼풀처짐(myopathic ptosis)
2. 널힘줄성 눈꺼풀처짐(aponeurotic ptosis) 1) 노화탓 혹은 퇴행탓 눈꺼풀처짐 (senile or involutional ptosis) 2) 올림근널힘줄의 외상이나 스트레스 (trauma or stress to levator aponeurosis) 3) 눈꺼풀피부늘어짐증(blepharochalasis)
3. 신경성 눈꺼풀처짐(neurogenic ptosis) 1) 제3 뇌신경마비(third nerve palsy) 2) Horner 증후군 3) 연합운동눈꺼풀처짐: Marcus Gunn 턱윙크눈꺼풀처짐
4. 기계적 눈꺼풀처짐(mechanical ptosis) 1) 과도한 눈꺼풀덩이(excessive lid mass): 종양, 눈꺼풀부기(lid swelling), 이물질 2) 불충분한 눈꺼풀지지(inadwquate lid support): 무안구증(anophthalmia), 안구위축(pathisis bulbi), 작은 안구증(microphthalmia) 3) 눈꺼풀이나 결막의 흉터(cicatrix)
*5. 거짓눈꺼풀처짐(pseudoptpsis) 1) 피부늘어짐증(dermatochalasis) 2) 하사시(hypotropia) 3) 반대편 위눈꺼풀 뒤당김(retraction)

*: 1980년에 발표된 분류에 1988년에 추가된 것임.

도 청취한다. 환자의 눈을 주의 깊게 관찰하면서 몇 가지 특수 검사를 실시하는 데 이들 결과가 눈꺼풀처짐의 원인을 파악하는 관건이 될 뿐만 아니라 치료방법의 결정에 지침이 된다.

i) 병력

적절한 병력의 청취는 눈꺼풀처짐의 원인을 파악하는데 유익한 단서를 제공해 준다. 눈꺼풀처짐의 발생시기, 분만외상(birth trauma)의 유무, 가족 중 눈꺼풀처짐의 유무를 문의하고 다른 선천성 기형이 있는지 확인한다. 자세한 병력청취는 눈꺼풀처짐의 원인별 진단을 대부분 가능하게 한다.

ii) 눈꺼풀 처진 양(amount of ptosis 혹은 degree of ptosis) 측정

ㄱ) 눈꺼풀틈새의 수직길이(Vertical dimension of palpebral fissure) 측정에 의한 방법

이 방법은 눈높이의 정면을 주시하는 제1 안위(primary position)에서 동공 중심부의 위·아래 눈꺼풀 가장자리(eyelid margin) 사이 수직 길이를 mm 단위로 측정한다. 정상인 평균치는 서양인에 있어서는 아이들이 9~10 mm, 성인이 10~11 mm이며, 한국인에서는 7~8 mm이다. 성인에 있어서 12시와 6시 방향 사이 각막테두리(corneal limbus)의 평균 수직 길이는 약 11 mm이고 정상 위눈꺼풀 가장자리는 위쪽 각막가장자리를 약 2 mm 덮으므로 눈꺼풀틈새의 평균 수직길이는 9 mm가 되며 이 수치를 정상안의 정상치로 계산하는 저자도 있다.

한쪽 눈꺼풀처짐에서는 정상측의 눈꺼풀틈새의 수직길이에서 환측의 수직길이를 뺀 수치가 처진양이며, 양쪽 눈꺼풀처짐에서는 9 mm(혹은 각 인종의 연령에 따른 정

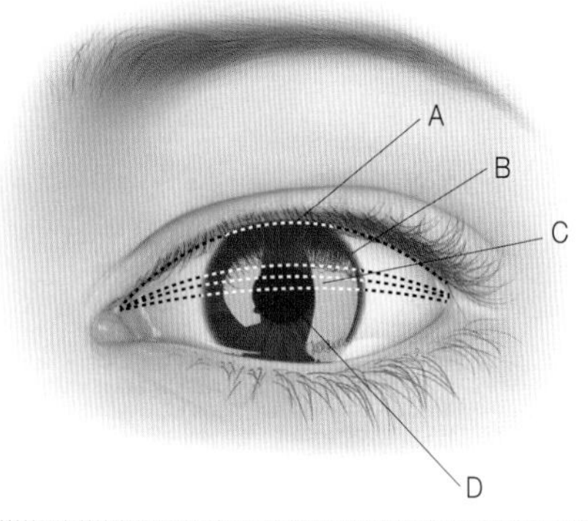

▷ 그림 2-4-19. 정면을 주시하는 제1 안위에서 위눈꺼풀 가장자리는 위각막테두리 밑으로 평균 1.5 mm를 덮고 있고 A. 각막의 반경은 5.5 mm, 동공의 반경은 2 mm이기 때문에 눈꺼풀 가장자리가 동공상연에 위치하면 B. 처진 양이 2 mm이고, 동공의 중심에 위치하면 D. 처진 양이 4 mm 이며, 그 중간에 위치하면 C. 처진 양이 3 mm이다.

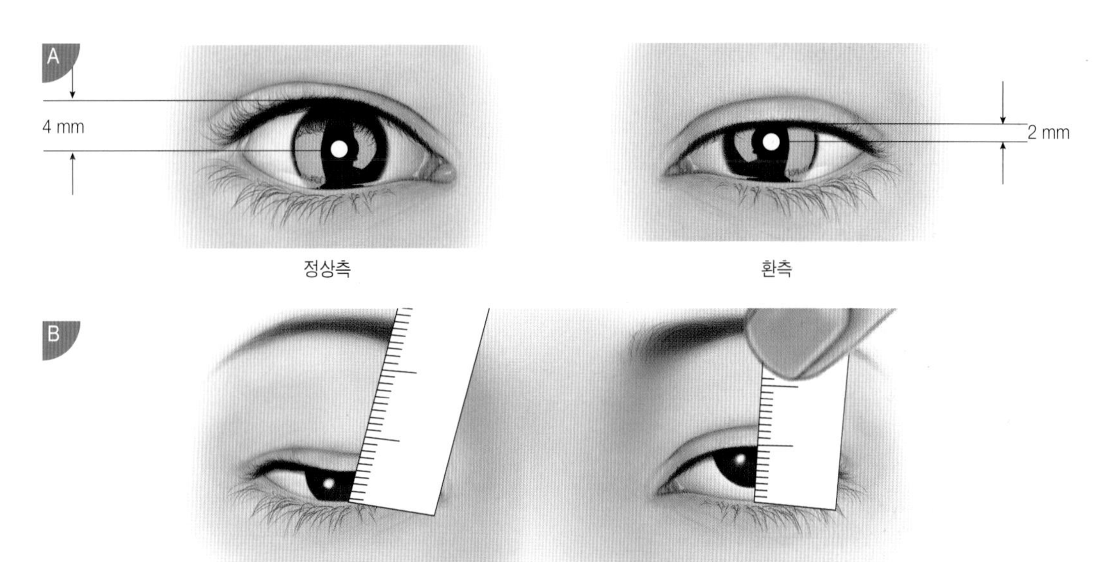

▷그림 2-4-20. **MRD1과 LF의 측정법.** A. 환자 각막의 빛 반사점(corneal light reflex)에서 위눈꺼풀 가장자리의 중앙까지의 거리를 측정하여 눈꺼풀 처짐의 정도를 나타낸다. 정상 MRD1은 약 4~5 mm이다. 한쪽 눈꺼풀처짐에서 정상측이 4 mm이고 환측이 2 mm이면 처진양은 2 mm가 된다. B. 최대한 아래를 바라본 상태를 눈금자에 정해 둔 후, 이마근의 기능을 없게 한 상태에서 최대한 위를 바라보았을 때의 눈꺼풀의 이동 거리의 평균치를 mm 단위로 측정한다. 이 그림의 경우 올림근의 기능이 6 mm이다.

상치)에서 각 눈의 눈꺼풀틈새의 수직길이를 뺀 수치가 처진 양이다(그림 2-4-19).

ㄴ) MRD (margin reflex distance) 측정에 의한 방법

이 방법의 기본 개념은 눈꺼풀틈새의 수직길이 측정은 아래눈꺼풀에 수축(retraction)이 있는 경우 그 수치의 신빙성이 없기 때문에 동공의 중앙점에서 위눈꺼풀 가장자리까지의 수직길이를 측정하는 것이다.

측정 방법은 그림 2-4-20A 그림이다. 일측성 눈꺼풀처짐에서는 정상측 수치에서 환측 수치를 뺀 수치가 처진양이며, 양측성 안검하수에서는 정상인의 MRD1 평균치인 4~4.5 mm에서 환자의 각 눈의 MRD1 수치를 빼면 처진양이 나온다.

동공의 반사점으로부터 아래눈꺼풀 가장자리까지의 수직 길이를 MRD2라 표현한다.

ㄷ) 위눈꺼풀 올림근의 기능 측정 (levator muscle function)

위눈꺼풀올림근의 기능 측정은 눈꺼풀처짐 환자의 검사 중 가장 중요한 검사로 Berke 측정방법이 주로 이용되고 있다. 이마근을 강하게 수축하면 위눈꺼풀을 3~4 mm까지 올릴 수 있기 때문에 눈꺼풀올림근의 기능을 측정하기 위해서는 검사자나 보조자가 손가락으로 환자의 눈썹 직상부를 수평으로 눌러 이마근의 영향력을 차단한 상태에서 검사를 실시한다.

측정 방법은 그림 2-4-20B 그림이다. 서양인에서는 위눈꺼풀올림근의 기능이 13~17 mm이면 정상, 8~12 mm이면 양호(good), 5~7 mm이면 미흡(fair), 4 mm 혹은 그 이하이면 불량(poor)한 왕복운동(excursion)이라 정의하지만 동양인에서는 서양인보다 작다.

③ **수술**

눈꺼풀처짐 수술의 목표는 눈을 뜨고 전방을 바라볼 때는 양 눈이 대칭을 이루면서 위눈꺼풀 가장자리가 위쪽각막 가장자리(superior corneal limbus)를 1~2 mm 정도 덮도록 하고 눈을 감을 때에는 각막이 완전히 덮이도록 하는 것이다.

눈꺼풀처짐의 수술 시기는 가능한 빨리 수술하는 것을 원칙으로 하며, 영아(infant)는 안검하수 정도가 심하면 약시를 예방하기 위하여 생후 1세 전후로 수술할 수 있으나 약시의 큰 위험이 없으면 3~5세가 적당하며 가능하면 취학 전에 수술해 주어야 한다.

i) 수술 방법의 선택

수술방법의 선택은 눈꺼풀처짐의 원인, 눈꺼풀의 처진 양(degree of ptosis), 눈꺼풀올림근 기능(levator function)에 따라 정해지며 수술방법으로는 FasanellaServat법, 올림근널힘줄 수술(aponeurosis surgery), 올림근절제술(levator resection), 이마근에 걸어올림술(frontalie suspension), 이마근옮김술(frontalis muscle transfer)이 주로 많이 사용되는 방법이다. 특별한 원인에 의한 눈꺼풀처짐 즉 신경성, 기계적, 거짓눈꺼풀처짐(pseudoptosis)에서는 원인을 제거하거나 교정한 후, 남은 눈꺼풀처짐은 처진양과 올림근 기능에 따라 수술방법을 선택한다.

ii) 올림근널힘줄 수술(aponeurosis surgery)

올림근널힘줄에 의한 눈꺼풀처짐은 노화(aging), 과거 눈꺼풀수술, 눈주위 외상, 눈꺼풀부종, 눈꺼풀틈새축소(blepharospasm) 등으로 생길 수 있으며 이러한 눈꺼풀처짐의 특징은 올림근 기능이 양호하면서 쌍꺼풀이 높거나 없으며 눈꺼풀판 직상방의 안검이 얇다. 올림근 널힘줄에 의한 눈꺼풀처짐의 주된 기전은 올림근널힘줄이 눈꺼풀판으로부터 끊어지거나(dehiscence or disinsertion) 올림근널힘줄이 과도하게 늘어져 있기 때문이다.

수술방법은 끊어져 있는 올림근널힘줄은 찾아 눈꺼풀판 위에 다시 고정시켜 주고 과도하게 늘어진 널힘줄은 눈꺼풀판 위로 전진시켜 고

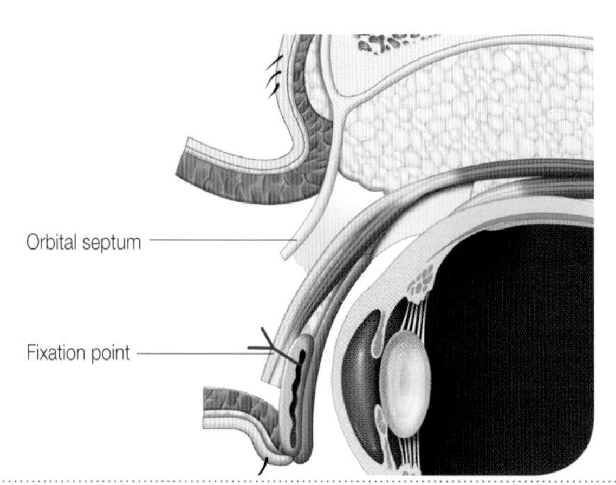

▷그림 2-4-21. **올림근-널힘줄 전진술.** 측면 그림은 올림근 널힘줄이 검판에 봉합된 상태이다.

정해준다(그림 2-4-21).

이 수술은 올림근널힘줄에 의한 눈꺼풀처짐뿐 아니라 위눈꺼풀올림근의 기능이 보통이거나 양호한 다른 원인의 눈꺼풀처짐에도 시행될 수 있으며 이 때는 널힘줄을 눈꺼풀판위로 필요한 만큼 전진시켜 고정한다.

이 수술의 가장 큰 장점은 올림근, Müller근, 결막, 눈꺼풀판 등 다른 조직의 회생없이 눈꺼풀처짐을 교정할 수 있고 올림근널힘줄에 의한 눈꺼풀처짐에서는 끊어진 널힘줄을 제자리에 붙여주기 때문에 가장 생리학적이다.

iii) Müller근-올림근 널힘줄 복합피판술

일반적으로 눈꺼풀의 처진양이 중등도(3 mm)이고 올림근 기능이 4 mm 이상일 때 효과가 있으며 아이들에게는 저자는 처진양이 4 mm, 올림근 기능이 3 mm까지 Müller근-올림근 널힘줄 복합피판술을 시행한다.

수술방법은 피부를 통하는 피부경유(그림 2-4-22)와 결막을 통하는 결막경유가 있으며, 전자가 후자보다 장점이 많다. 첫째, 해부학적 구조물을 많이 노출시킬 수 있어 원하는 정확한 수술을 실시할 수 있고, 둘째, 결막경유방법보다는 올림근널힘줄을 길게 절제할 수 있으며, 셋째, Müller근-올림근 널힘줄 피판을 눈꺼풀판으로 전진시켜 눈꺼풀판위에 고정시키기가 용이하고 마지막으로 안검하수 교정 후 여분의 피부를 제거하기가 용이하다. 피부경유 수술방법은 그림 2-4-22에서 자세히 설명되어 있으며 그림 2-4-23는 수술을 시행한 증례이다.

iv) 올림근절제술

과거에는 중등도나 심한 안검하수에 올림근절제술을 많이 시행하였으나 조직의 절제나 희생이 심하여 최근에는 많이 사용하지 않는다.

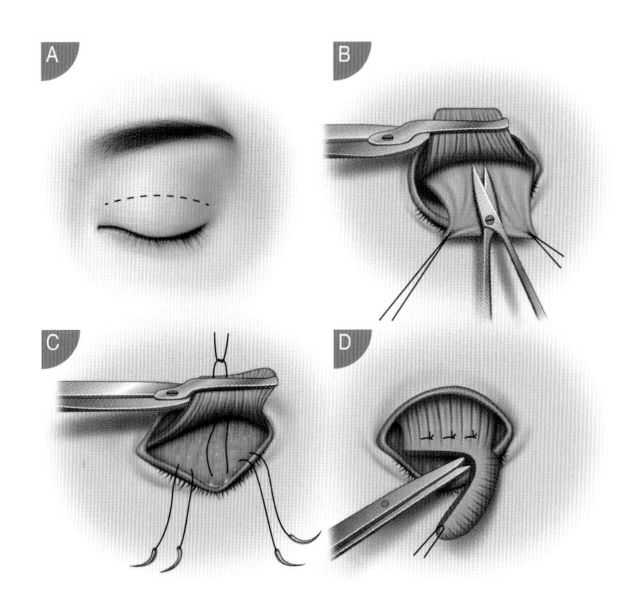

▷그림 2-4-22. **Muller-널힘줄 복합피판 전진술.** A.쌍꺼풀 피부절개로 눈꺼풀판의 상부와 올림근널힘줄을 노출시킨다. B. Muller근과 결막 사이를 박리한다. C. Muller-널힘줄 복합피판을 눈꺼풀판 상부 전면 3곳에 매트리스 봉합한다. 그림 2-4-21이 Muller-널힘줄 복합피판이 눈꺼풀판 상부 전면에 매트리스 봉합된 상태이다.

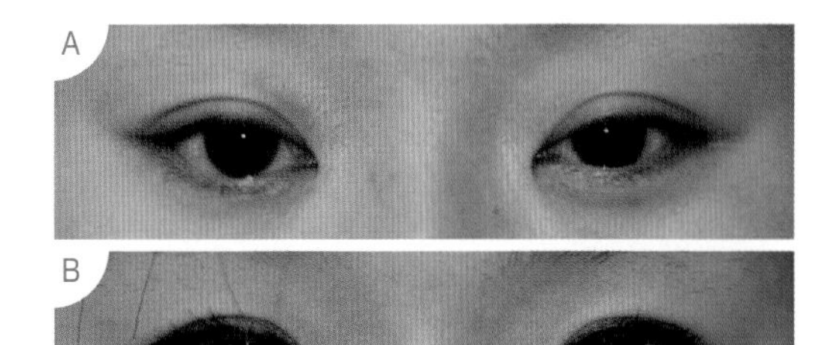

▷그림 2-4-23. **Muller-널힘줄 피판술 증례.** A. 술 전 B. 술 후

v) 이마근의 작용을 이용한 술식

올림근의 기능이 거의 없는(2 mm 이하) 눈꺼풀처짐은 올림근 수술로 근력을 증가시킬 수 없어, 이마근을 이용하여 눈꺼풀을 들어올리는 방법이 시행되어 왔다.

이마근을 이용할 수 있는 전제 조건은 이마근의 작용이 정상이어야 한다. 외상이나 신경성으로 이마근의 기능이 많이 약하거나 없으면 이마근을 이용할 수 없음은 당연하다.

이마근의 작용을 이용하여 눈꺼풀처짐을 교정하는 방법으로는 자가근막이나 다른 재료를 사용하여 눈꺼풀을 들어 올리는 이마근 걸어올림술, 눈꺼풀판에 이마근을 직접 부착시키는 이마근 옮김술, 눈둘레근과 안와사이막을 단축시켜 이마근의 작용효과를 상승시키는 방법 등이 있다.

이마근 옮김술은 이마근을 광범위하게 박리하여 위눈꺼풀판으로 당겨 내려 눈꺼풀판 위에 부착시켜 줌으로써 이마근의 근력이 직접 눈꺼풀판에 작용하여 위눈꺼풀이 올라가도록

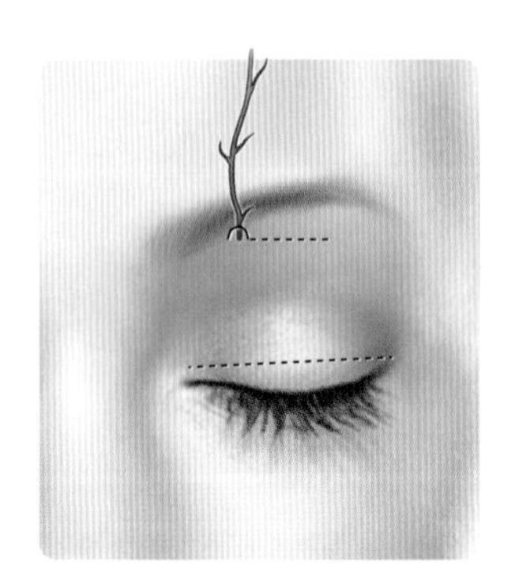

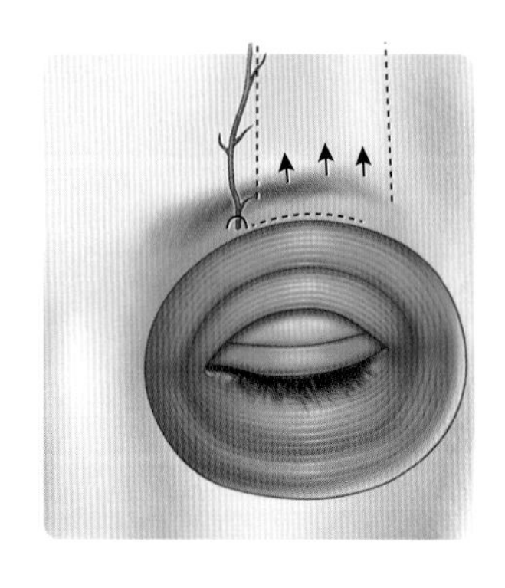

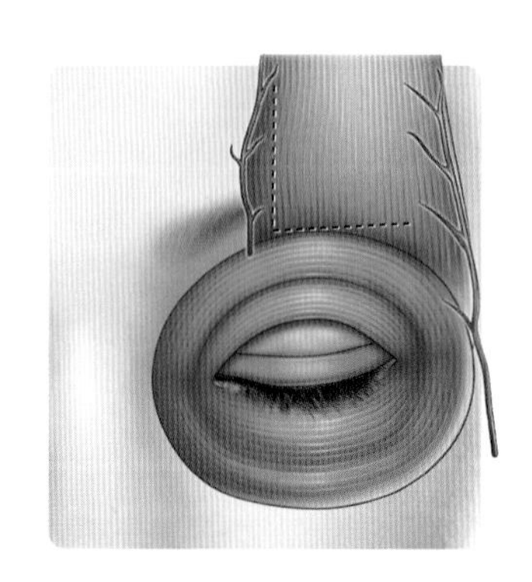

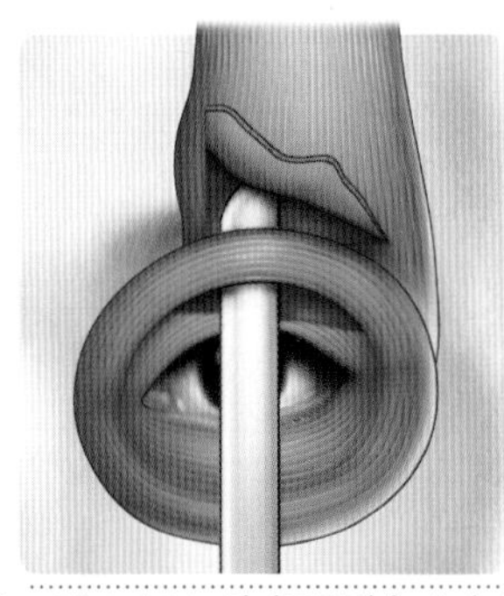

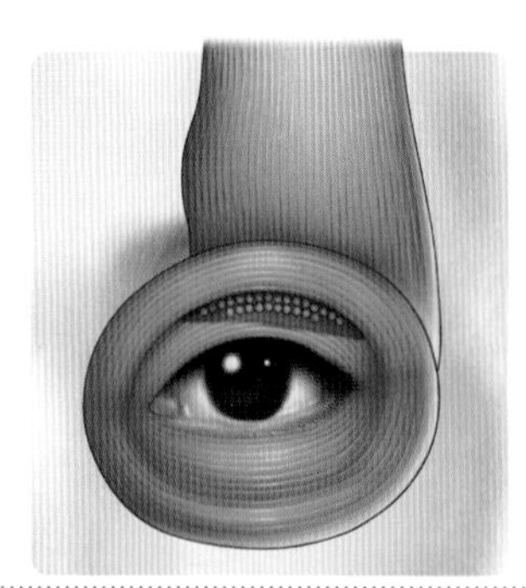

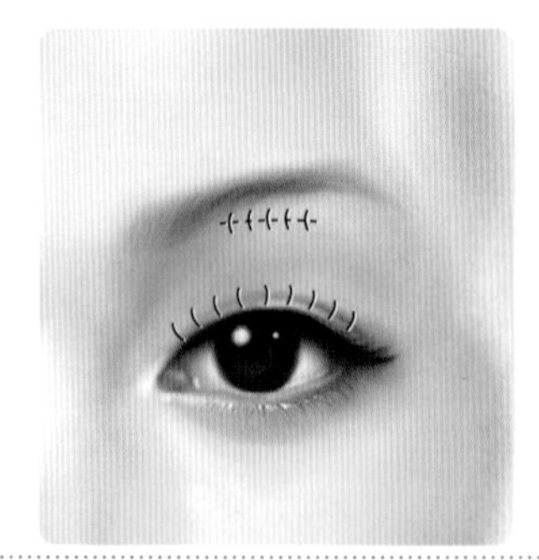

▷그림 2-4-24. **이마근옮김술.** A. 눈썹 직하방과 쌍꺼풀 주름이 만들어질 부위에 피부절개를 하며 눈썹 직하방 절개는 눈둘레근을 전층 절개한다. B. 눈둘레근 후면으로 접근하여 이마근과 피부를 광범위하게 박리한다. C. 이마근의 하연에 3 cm 수평 절개와 눈확위신경의 외측에서 이마근 섬유를 따라 3~3.5 cm 수직 절개를 가한다. D. 이마근을 골막으로부터 분리시킨다. E. 눈둘레근 후면으로 터널을 만들어 이마근을 터널을 통해 하방으로 당겨 눈꺼풀판 위 세 곳에 석상봉합한다. F. 피부 절개선을 봉합하고 수일간 Frost 봉합한다.

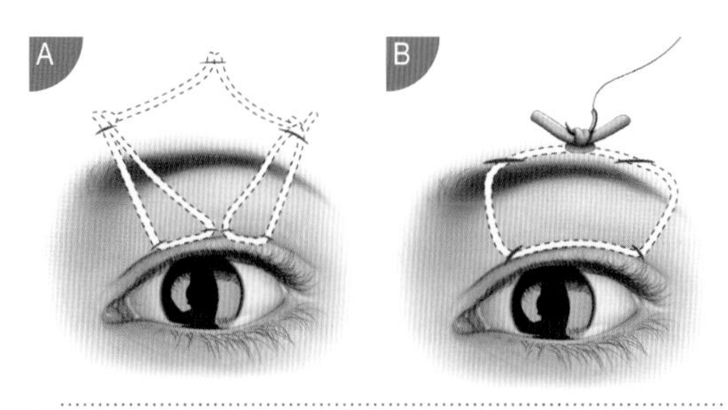

▷그림 2-4-25. **이마근걸이법.** A. Crawford의 double triangular loop 방법. B. Fox의 pentagonal pattern 방법

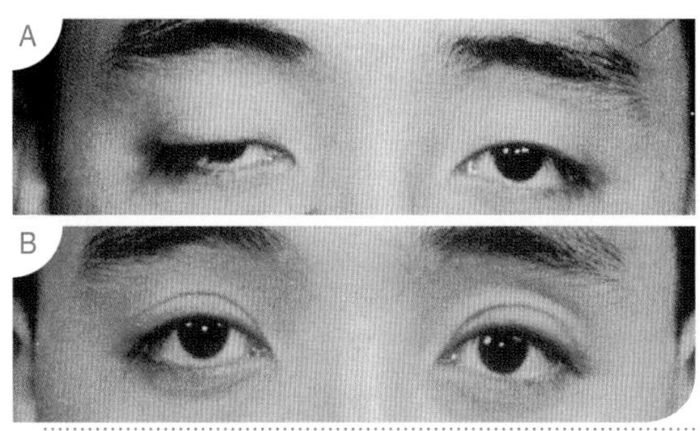

▷그림 2-4-26. **이마근전진술을 이용한 눈꺼풀 처짐 교정례.** A. 술 전 B. 술 후

하는 수술이다(그림 2-4-24). 과거에는 이마근에 걸어올림술(그림 2-4-25)을 많이 사용하였으나 걸어올림술 대신 이마근 옮김술로 좋은 효과를 거두는 경우가 많다(그림 2-4-26).

vi) 합병증

ㄱ) **올림근널힘줄 혹은 올림근절제술**

- 결막의 탈출: 결막을 통해 올림근널힘줄을 접근할 경우 절개 범위가 늘어나거나, 수술 중 결막을 잡아당기는 수기 때문에 결막이 탈출 할 수 있다. 이를 방지하기 위해 결막을 필요이상 박리하지 않는 것이 좋고, 원개(fornix)까지 박리하였다면 원개 근처에서 올림근과 결막을 봉합해 두는 것이 좋다.
- 과교정: 올림근의 과도한 절제로 일어날 수 있으며, 1 mm 정도의 과교정은 경과관찰 하거나 마사지 등의 처치에도 수개월 이내에 정상 상태로 호전되는 경우가 대부분이다. 1.5~2 mm의 과교정은 수술 후 7~10일에 외과적 처치를 시행하여준다.
- 저교정: 올림근의 불충분한 절제, 수술 후 혈종, 흡수성 봉합사의 조기 흡수 등이 원인이 될 수 있다.
- 눈꺼풀내림지체, 토안: 눈꺼풀내림지체란 눈꺼풀처짐수술 후 올림근이 짧아 하방 주시 때 위눈꺼풀이 안구를 따라 하방으로 이동하지 못하고 공막의 윗부분을 보이면서 눈을 뜨고 있는 상태이다. 토안은 잘 때 눈이 완전히 감기지 않아 눈을 뜨고 자는 상태이다. 대부분 시간이 경과함에 따라 호전을 보이는데, 수술 후 수일간 노출각막염을 예방하기 위해 눈연고를 수시로 넣거나 잘 때 눈을 감겨주는 드레싱을 해주는 것이 좋다.

ㄴ) **이마근의 작용을 이용한 술식**

절개선으로 인한 눈썹 밑의 반흔, 수술 중 출혈과 눈확위신경이 손상될 수 있으며 일측성 눈꺼풀처짐에서는 이마의 주름이 소실되어 좌우 비대칭이 될 수 있다.

2) 아래눈꺼풀의 미용수술

(1) 아래눈꺼풀 성형술

① **적응증**

노화의 과정에서 아래눈꺼풀의 지방을 둘러싸고 있던 안와격막이 약해지면, 지방이 돌출되는데, 그 결과로 코 옆의 그림자가 지거나, 아래눈꺼풀과 광대뼈사이에 고랑이 생긴다. 또한 피부가 늘어지고 주름이 생기기 때문에 아래눈꺼풀 성형술은 미용적 목적으로 이를 교정하기 위해 많이 시행된다.

② **수술방법**

아래눈꺼풀의 상태에 따라 수술 방법을 선택하게 되는데, 피부가 매우 늘어나 있는 경우에는 아래눈꺼풀 피부만으로 피판을 만들어 여분의 피부를 제거해주는 피판법을 사용하는 것이 좋고 피부는 별로 늘어나 있지 않은데 안와지방이 불거져 불룩한 경우나 눈둘레근의 비후나 늘어짐이 있는 경우에는 아래눈꺼풀 피부에 눈둘레근을 붙여서 근피판을 일으켜 안와지방을 제거해주는 근피판법을 사용한다. 환자에 따라서 아래눈꺼풀 피부에 반흔이 생기는 것을 아주 싫어하거나 비대흉터가 있는 경우, 과거 아래눈꺼풀 성형술을 받은 적이 있는 경우, 또는 아래눈꺼풀 피부의 주름은 별로 없는데 지방만 많이 튀어 나와 볼록하게 되어 있는 경우에는 결막을 통해 아래눈꺼풀 성형술을 시행하는 것이 도움 된다(그림 2-4-27).

그림 2-4-28은 술전 도안과 피부절제량의 측정 방법이다. 절개 및 박리는 가쪽눈구석 부위로부터 외방으로 그어 놓은 절개 예정선을 15번 칼날로 절개한 다음 끝이 뾰족한 가위를 이용하여 피하로 내안각부 눈물구멍 부근까지 박리한다. 피하박리는 절개 예정선에서 약 4~5 mm까지만 눈둘레근을 남겨두고 시행한다.

눈둘레근을 노출한 뒤 bovie나 칼을 이용하여 근육을 벌린 후 안와격막이 보이면 절개를 중단하고 끝이 무딘 가위로 눈둘레근과 안와격막사이로 출혈 없이 박리한다. 하방으로는 안와아래모서리까지 박리하여준다. 안와지방은 아래눈꺼풀에서 세 개의 구획을 가지고 있다. 지방이 제거되는 양은 안와지방이 튀어나온 정도에 따라 결정되지만, 주로 중앙지방구획과 내측지방구획의 지방을 제거해준다. 최근에는 지방을 절제하기 보다는 전위시켜서 재배치시키는 수술방법을 선호하고 있다(그림 2-4-29).

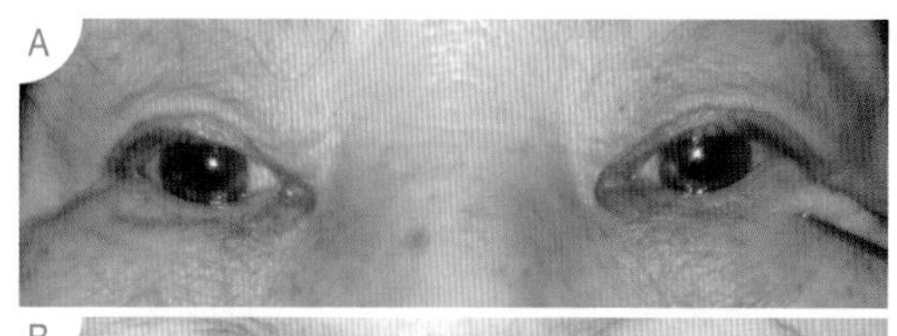

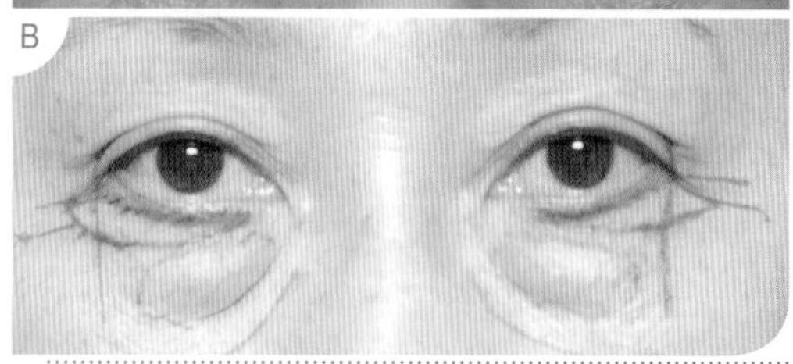

▷ 그림 2-4-27. **피부절제량 측정방법.** A. 포셉을 이용하여 피부절제량을 측정하고 표시한다. B. 피부절제량, 지방절제량 및 피판박리 범위, 피판 당길 방향 등을 미리 도안해 둔다.

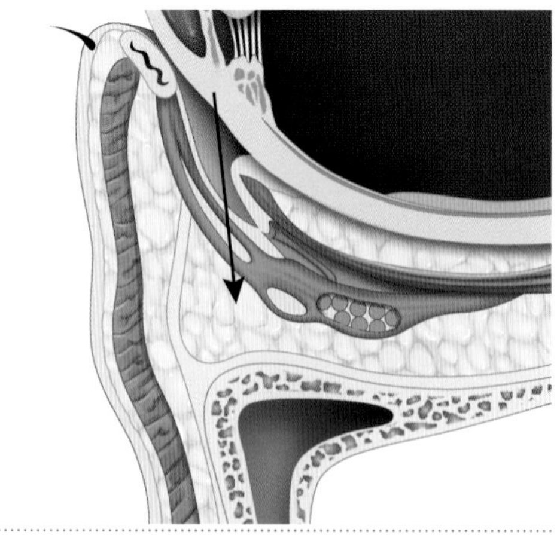

▷ 그림 2-4-28. **결막을 통한 지방제거술의 경로.** 화살표 방향으로 들어가서 지방을 제거해준다.

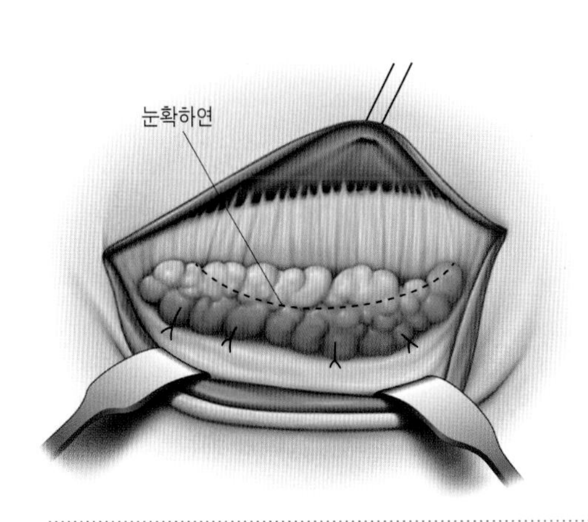

▷그림 2-4-29. **지방전이술.** 눈확지방을 눈확하연을 지나 1~1.5 cm 하방의 골막에 봉합한 모습

노화에 따른 안와지방의 돌출은 주로 이를 지지하는 안와격막이 약화되어 나타나는데, 이를 보강하기 위해서, 피막눈꺼풀근막(capsulopalpebral fascia)의 하단을 안와아래모서리를 따라 골막에 봉합하여 새로운 강한 안와격막을 만드는 피막눈꺼풀강화술(capsulopalpebral repair)과 안와격막의 아래부분을 하안연골막에 봉합하거나 안와격막끼리 봉합하여 안와격막을 강화하는 사이막성형술(septoperiosteoplasty)가 있다(그림 2-4-30). 이 술식은 지방을 제거하지 않고 지방을 안구 내로 집어넣거나 재배치시키는 효과도 있다.

눈둘레근이 늘어진 정도에 따라 근피판을 외상방으로 당겨보고 근피판을 골막에 고정하거나 매달아서 눈꺼풀겉말림을 예방한다. 하안검의 이완이 있거나 나이가 많은 환자는 가쪽눈구석성형술을 실시해준다.

봉합은 가쪽눈구석부위에서 key suture를 실시하고, 남는 피부를 절제한다. 절제할 때는 환자로 하여금 상방으로 주시하며 입을 크게 벌린 상태에서 피판을 상외방으로 당겨서 절제하는 것이 좋다. 전신마취하에서 수술할 경우에는 안구를 경하게 하방으로 압박하여 눈꺼풀을 중립 위치에 두고 아래눈꺼풀모서리가 정상위치로 올라오게 한 후 절제량을 결정한다. 그림 2-4-31은 아래눈꺼풀 성형술을 시행한 증례이다.

③ **합병증**

아래눈꺼풀 성형술의 합병증 역시 위눈꺼풀 성형술의 합병증처럼 수술 직후와 지속

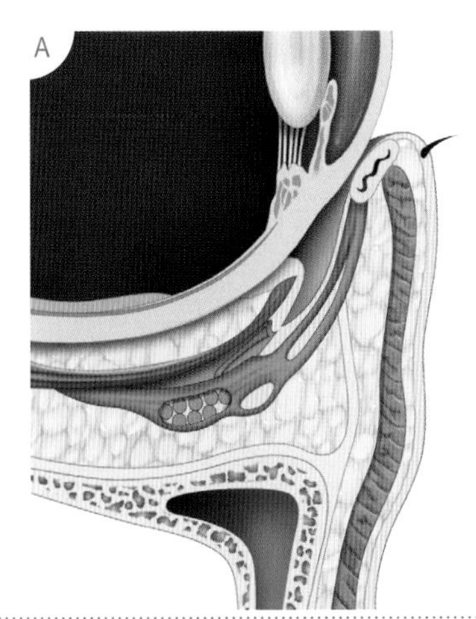

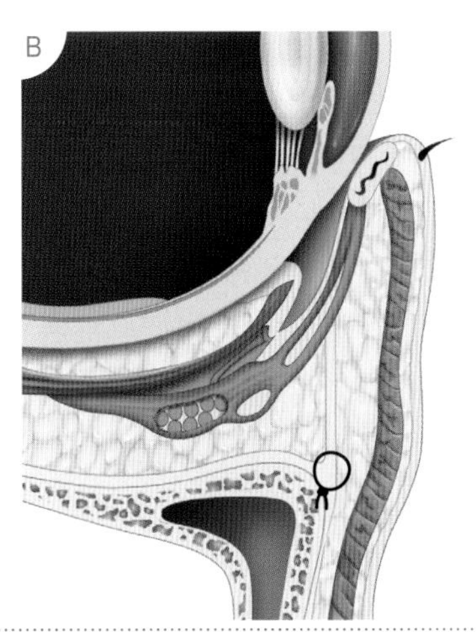

▷그림 2-4-30. **사이막성형술.** 사이막을 당겨서 아래 부분을 눈확하연의 골막에 봉합한다.

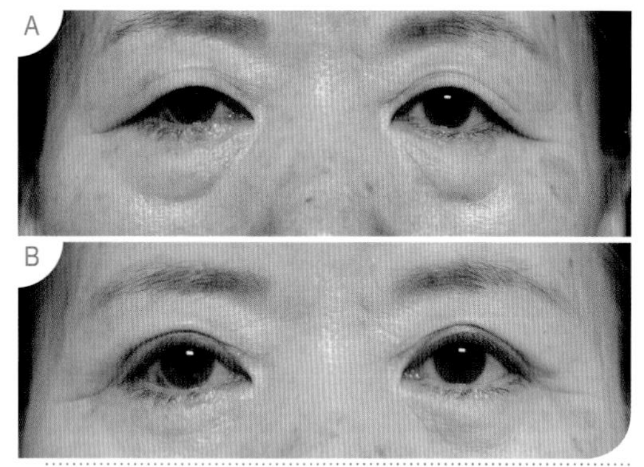

▷그림 2-4-31. 하안검 성형술 증례. A. 술 전 B. 술 후

▷그림 2-4-32. 일부의 젊은 여자들은 바깥쪽 흰 공막이 많아 보이는 것이 아름답다고 생각한다.

적인 합병증으로 나눌 수 있는데, 수술 직후에는 출혈 및 혈종, 눈물흘림 및 눈마름 증후군, 노출각막염 등이 있다. 지속적인 합병증으로는 아래눈꺼풀 불룩함의 재발, 반흔에 의한 아래눈꺼풀 퇴축, 눈꺼풀겉말림, 비대칭 및 부족교정 등이 있다. 아래눈꺼풀의 경우 피부의 여유가 별로 없기 때문에 반드시 필요한 경우가 아니라면 이차 수술은 하지 심사숙고하여 그 시기와 방법을 결정해야 한다.

(2) 밑트임 수술

① 적응증

일부 젊은 사람들은 내안각쪽 공막보다 바깥쪽 흰 공막이 많이 보이는 것을 아름답다고 생각한다(그림 2-4-32). 아래눈꺼풀의 경계가 거의 일직선이거나 동공의 아랫부분이 많이 가리는 경우 인상이 사납고 날카로워 보일 수 있기 때문에 밑트임으로 가리는 동공의 아랫부분을 노출해주면 눈이 크게 보이고 인상이 좋아지는 경우가 많다.

밑트임이란 눈 전체 길이 중에 아래눈꺼풀의 바깥쪽 1/3 또는 1/2 정도를 아래로 잡아 끌어내리는 수술으로, 아래 눈꺼풀의 위치가 동공의 하연보다 2 mm 이상 올라와 있는 경우나 밑트임 수술로 인상의 교정에 도움이 될 수 있다고 생각되면 시행한다.

② 수술방법

수술로 내릴 아래눈꺼풀의 위치를 겐티안 바이올렛(gentian violet)을 이용하여 미리 디자인 한다. 아래눈꺼풀을 외반시켜 결막을 노출한 후 결막을 절개한 후 안와지방을 싸고 있는 안와격막을 박리하여 피막안검근막(capsulopalpebral fascia)을 찾는다. 아래눈꺼풀판 아래의 연부조직을 필요에 따라 일부 제거한 다음 nylon이나 PDS 6-0를 이용하여 피막안검근막과 아래눈꺼풀판을 두 군데 정도 봉합하여 준다. 수술 후에는 양측의 대칭성을 확인한 후 이상이 없으면 결막을 봉합한다(그림 2-4-33, 34).

③ 합병증

아래눈꺼풀판과 피막안검근막의 유착이 잘 이루어지지 않아 재발이 가장 흔하게 나타난다. 피막안검근막과 아래눈꺼풀판의 연결이 과도할 경우 공막노출(sclera show)이

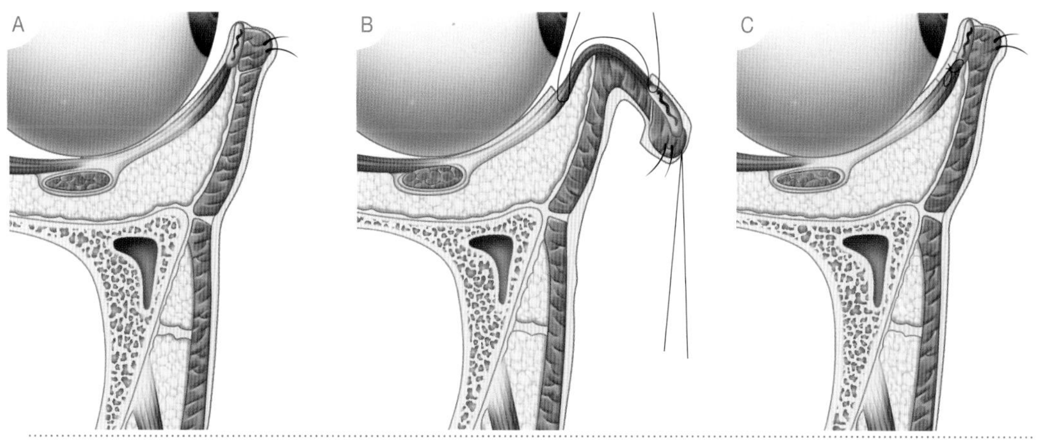

▷그림 2-4-33. **밑트임수술의 가로단면으로 결막으로 접근하는 방법을 나타내고 있다.** A. 수술 전 아래눈꺼풀 B. 결막절개 후 피막안검근막을 검판에 건다. C. 봉합 후

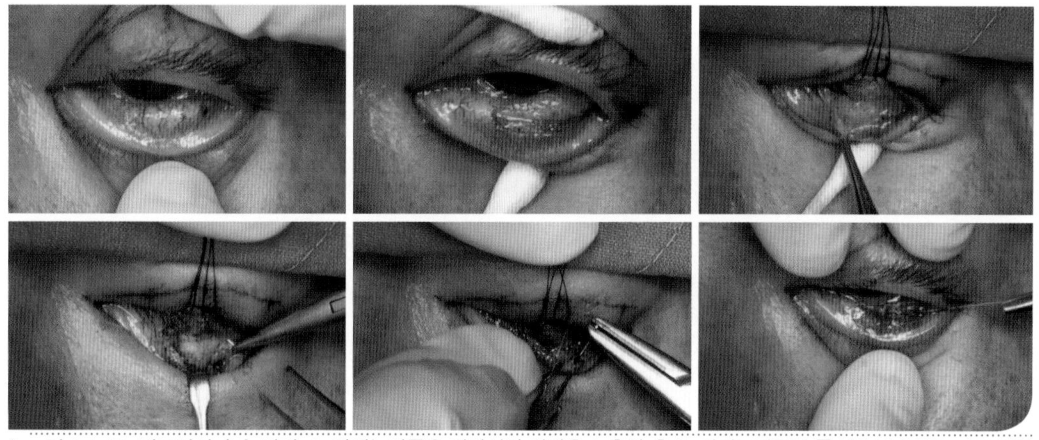

▷그림 2-4-34. **밑트임의 수술 방법.** A. 아래눈꺼풀을 외반시켜 결막을 노출한 후 B. 아래눈꺼풀에 표시된 절개선을 따라 결막을 절개한다. C. 안와격막을 박리한 뒤, 아래눈꺼풀판 아래의 연부조직을 일부 제거한 다음 피막안검근막(Capsulopalpebral fascia)을 찾는다. D. 피막안검근막과 아래눈꺼풀판을 두 군데 봉합한다. E. 보통 두 군데 봉합하여 준다. F. 결막도 하나 또는 두 군데 봉합해주는 것이 좋다.

나타날 수 있다. 또한 아래눈꺼풀의 뒤층판(posterial lamella)은 줄어드나 피부의 절제가 없기 때문에 눈꺼풀속말림이 악화될 수 있다.

(3) 애교살 수술

정식의 해부학 용어는 아니지만 아래 눈꺼풀의 볼록한 부분을 애교살이라고 한다. 이는 평범해 보이는 눈에 포인트를 주고 눈매를 또렷하게 보이게 해 준다. 또 웃을 때 밝고 환한 미소를 만들어 인상을 변화시켜 주는 장점이 있어서 미인의 기준으로 여겨지기도 한다.

애교살은 아래눈꺼풀의 경계에서 약 4~6 mm 아래의 위치하는 눈둘레근이 둥글게 튀어나온 부분이다(그림 2-4-35). 애교살은 일반적으로 안와격막 앞 눈둘레근이 눈꺼풀판앞 눈둘레근을 교차(overriding)하거나 습관적으로 눈을 가늘게 뜨거나 눈을 세게 감아 눈둘레근이 비대되었을 때 나타나는 것으로 알려져 있다. 주로 40대 이전의 아시아인에게서 관찰되며, 나이가 들면 눈

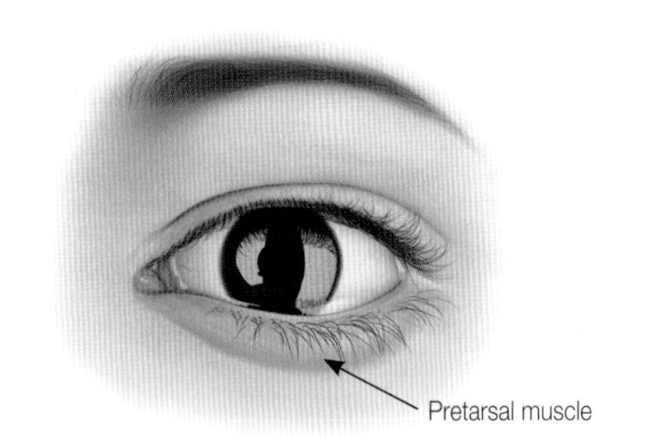

▷그림 2-4-35. 애교살은 아래눈꺼풀의 경계에서 약 4~6 mm 아래의 위치하는 눈둘레근이 둥글게 튀어나온 부분이다(Pretarsal roll of orbicularis oculi muscle).

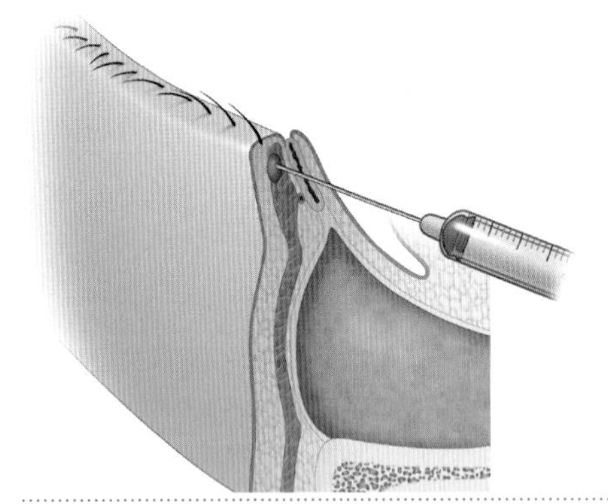

▷그림 2-4-36. **Filler를 이용하여 애교살을 만드는 방법.** Filler는 피하조직과 눈둘레근의 pretarsal part 사이에 꼼꼼하게 주입되어야 한다.

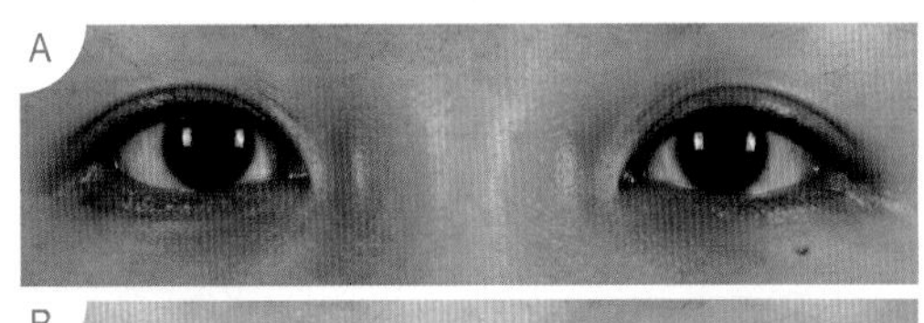

▷그림 2-4-37. **Dermofat graft를 이용한 애교살 수술 증례.** A. 술 전 B. 술 후

둘레근의 근육긴장(muscle tone)이 감소하여 상대적으로 편평해지는 특징이 있다. 과도한 안와지방이나 안와격막이 약해져서 발생하는 아래눈꺼풀의 돌출(bulging)과 혼돈될 수 있다.

애교살을 만드는 방법으로는 필러(그림 2-4-36), 지방이식, 알로덤, 자가진피지방 이식술(그림 2-4-37) 등이 있다. 속눈썹에 아주 가깝게 박리하여 이식된 지방이나 진피가 아래눈꺼풀쪽으로 내려오지 않게 하는 것이 수술의 포인트이다. 수술의 합병증으로는 과교정, 점상 출혈, 언덕 형성(groove formation), 좌우비대칭, 불규칙적인 표면, 착색 등이 있다.

3) 안쪽눈구석의 미용수술

(1) 안쪽눈구석주름의 정의

눈구석주름(epicanthus)은 안쪽 눈구석에서 코쪽으로 세로로 활모양으로 뻗어 있는 주름으로, 유아의 대부분에서 정상적으로 눈구석주름이 존재한다. 그림 2-4-38은 눈구석 주름의 4가지 형태를 설명한 것이다. 눈구석주름은 내방 시에 시야가 협소해지는 원인이 될 수 있지만, 외견상 안각격리증(telecanthus)을 초래하여 눈구석주름 치료를 위한 성형술은 미용적인 목적인 경우가 많다.

수술방법으로는 단순절제법, Z-성형술을 이용한 방법, V-Y전진술을 이용한 방법, W-성형술을 이용한 방법 등이 있다.

(2) 수술방법

단순 절제법은 가장 단순한 방법으로 고전적인 방법이긴 하나 잘 이용하면 효과적으로 눈구석주름을 교정할 수 있다. 최근에는 여러 수술방법에서 생길 수 있는 내측 아래눈구석의 수직반흔을 피하기위해 아래속눈썹을 따라 가면서 절개하는 눈구석주름교정술(periciliary epicanthoplasty)을 많이하고 있다(그림 2-4-39).

Z성형술을 이용한 방법에는 하나의 Z성형술

을 이용하는 방법과 2개 혹은 그 이상의 Z성형술을 이용하는 방법으로 대별할 수 있다.

그림 2-4-40는 half Z-plasty를 이용하는 방법으로 a점은 눈물못(lacrimal lake) 내측(medial)의 즉 눈구석주름의 가장 아랫부분으로 잡는다. c점은 a점에서 수평으로 선을 그어 ab와 같은 거리에 c점을 잡는다. d점은 눈물못의 가장 내측점으로 잡는다. 그러므로 d점은 a점과 동일한 평면에 놓여 있다. e점은 c점에서 쌍꺼풀선에 잘 맞게 유연하게 선을 그어 만나는 점으로 잡는다.

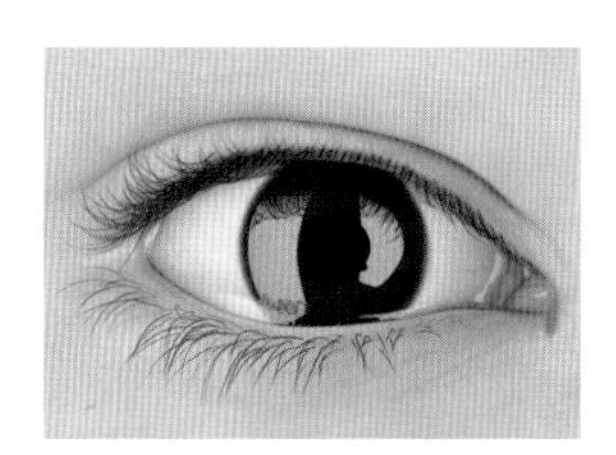
Type I

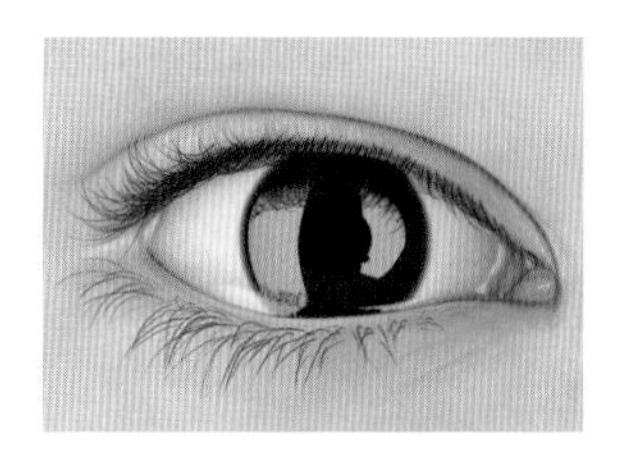
Type II

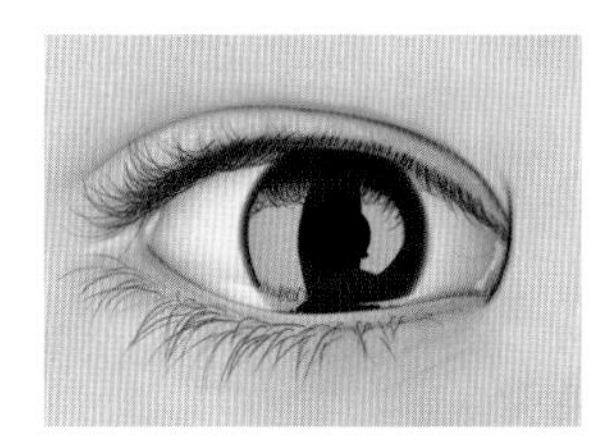
Type III

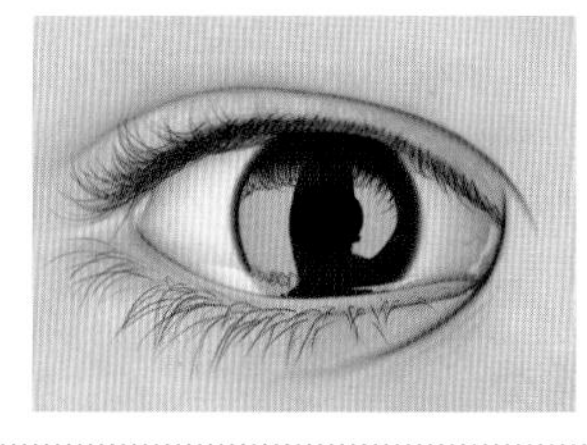
Type IV

▷그림 2-4-38. **주름이 시작되는 부위에 따라 안쪽눈구석을 4가지 형태로 나눌 수 있다.**
Type 1. 안쪽눈구석주름눈꺼풀증(Epicanthus palpberalis)
Type 2. 안쪽눈구석주름눈꺼풀판증(Epicanthus tarsalis)
Type 3. 안쪽눈구석주름미모증(Epicanthus superciliaris)
Type 4. 안쪽눈구석주름역위증(Epicanthus inversus)

이 방법은 분명한 참고지점이 있으며 술기가 쉽고 반흔이 적으며 코측 피부와 연결되지 않고 피부절개선이 눈물못(lacrimal lake) 하방에 하나뿐인 장점이 있으나 눈구석부위의 피부는 폭이 상당히 제한되어 있고 두꺼운 코측 피부와 바로 연결되어 있어 조금만 도안을 잘못해도 흉터가 생기기 쉽다.

Y-V전진술을 이용하여 눈구석주름을 교정하는 방법으로는 Hughes의 단순 Y-V성형술과 약간의 Z성형술을 가미한 Campo법이 있다.

W 성형술을 이용하는 방법으로는 Uchida방법이 가장 흔히 쓰인다. Uchida(内田) 방법은 눈구석 부위에서 코쪽에 작은 삼각피판을 만들고 거기에 눈구석 피부를 전진시켜 W성형술이 되도록 해주는 것이다.

보통 안쪽눈구석 성형술은 쌍꺼풀과 같이 시행되는 경우가 많다(그림 2-4-41). 안쪽눈구석주름 제거를 쌍꺼풀과 동시에 시행할 경우에는 안쪽눈구석주름성형술을 먼저하는 것이 바람직하다.

(3) 합병증

내안각부는 쌍꺼풀 속으로 감추어지지 않고 드러나며, 해부학적으로 비대흉터가 생기기 쉬운 부위이다. 주름의 정도에 맞는 술식을 선택해야 하며, 수술 후 흉터의 방향이 안쪽눈구석과 평행하게 가도록 하고 안쪽눈구석에 수직 반흔을 만들지 않는 방법을 선택하는 것이 좋다. 또한 피하에 존재해 있는 눈둘레근과 인대모양의 근막도 제거해서 긴장이 없어지게 하는 것이 좋다.

술 후 경한 경화(induration)을 보이면서 비대흉터가 생길 조짐이 보이면 실리콘 제제를 이용하여 마사지를 해 주거나, 소량의 스테로이드를 국소 주사하여 반흔 형성을 억제한다.

대개 반흔은 6개월 정도 지나면 대부분 옅어

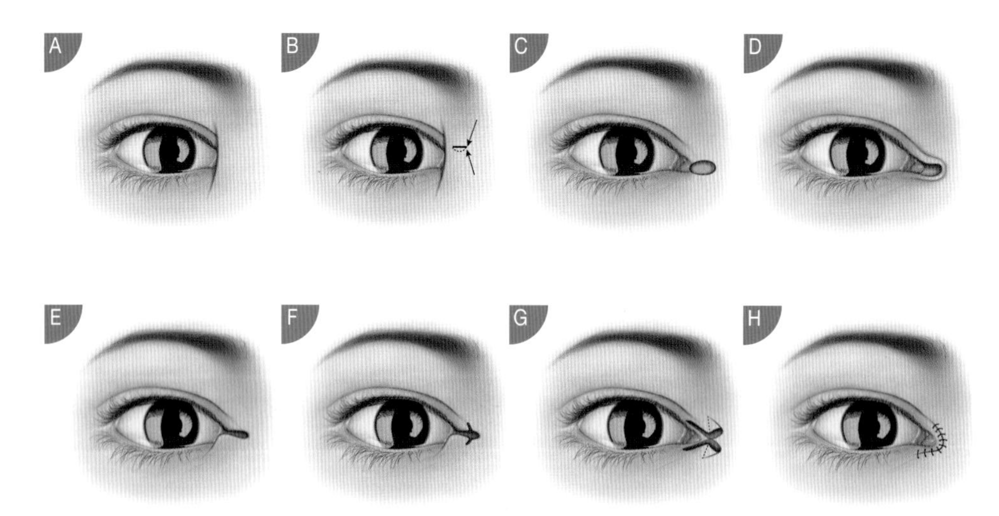

▷그림 2-4-39. 속눈썹 주위 절개를 이용한 눈구석주름교정술(Periciliary epicanthoplasty) 눈꺼풀 가장자리를 따라 절개함으로써 기존의 수직 반흔을 숨길 수 있다.

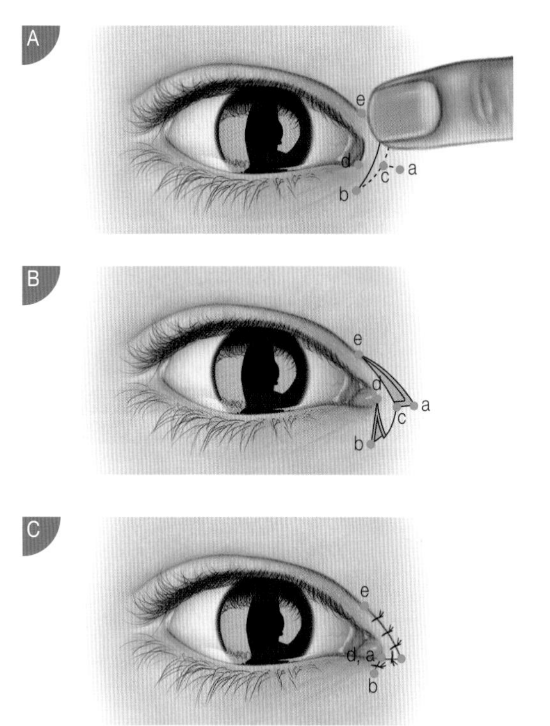

▷그림 2-4-40. Half Z-epicanthoplasty A. 도안 B. eac 삼각형 피부의 제거 및 eabd 피판의 거상(elevation) C. 봉합 후 ab선과 db선이 합쳐지고 dba피판이 ace쪽으로 올라감, 술 후 결과

지나, 수술 전에 충분히 환자에게 비대흉터에 대해 설명하는 것이 안전하다.

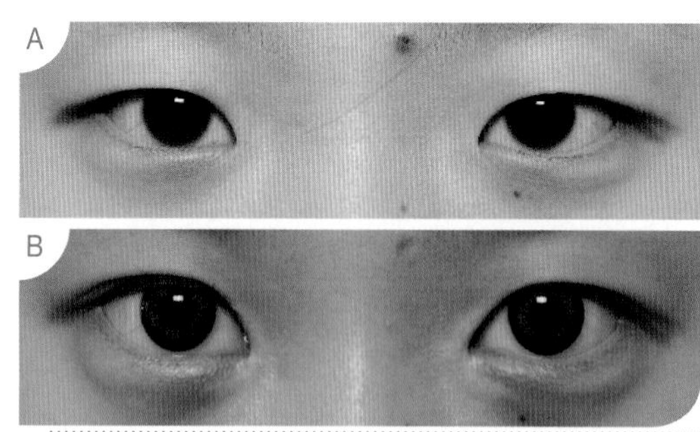

▷그림 2-4-41. 눈구석주름이 있는 경우의 쌍꺼풀 수술을 같이 시행한 증례. A. 술 전 B. 술 후

4) 가쪽눈구석의 미용수술

바깥눈구석성형술(canthoplasty)과 바깥눈구석절개술(canthotomy)은 다르다. 바깥눈구석성형술은 바깥눈구석부위의 여러 가지 성형술을 의미한다. 바깥눈구석절개술(canthotomy)은 바깥눈구석부위의 검열 연장술을 의미하고, 눈을 크게 보이기 위해 바깥쪽눈구석을 절개하는 수술이다.

가쪽눈구석미용수술은 주로 눈꺼풀틈새(palpebral fissure)의 가로 길이를 연장시키거나 눈꺼풀틈새의 경사도를 낮춰서 부드럽고 긴 눈매

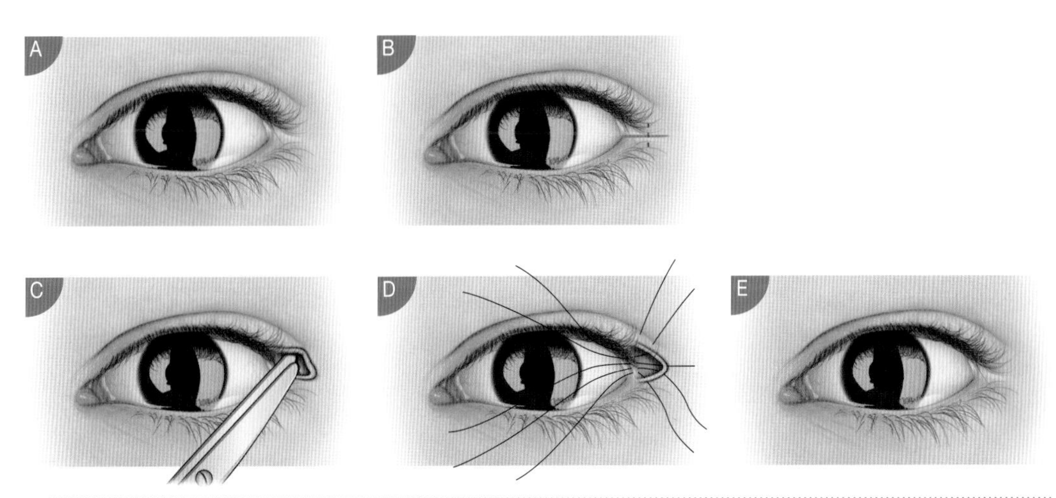

▷그림 2-4-42. Von ammon method. A. 술 전 B. 외안각에 수평절개로 안각절개를 한다. C. 결막을 박리하여 외방으로 잡아당긴 후 D. 결막을 피부에 봉합한다. E. 술 후 모습

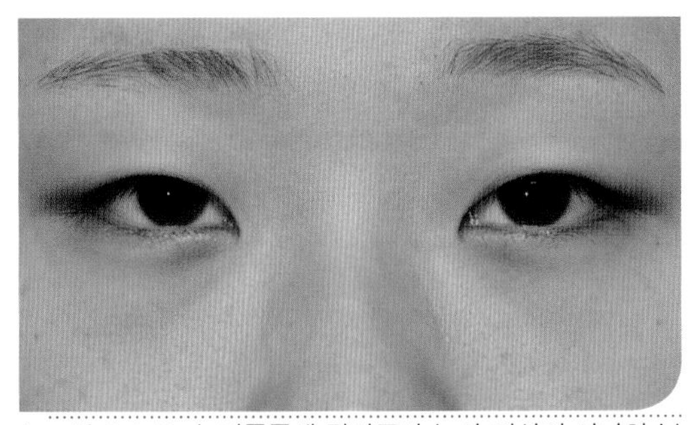

▷그림 2-4-43. 눈꺼풀틈새 경사도가 높아 인상이 사나워 보이는 환자로 눈꺼풀틈새 경사도를 낮추면서 가쪽눈구석 확대술을 해주기를 원하는 환자.

를 만들기 위한 목적으로 하는 수술이다. 단순한 눈꺼풀 틈새의 가로 연장은 바깥눈구석절개술로 해결할 수 있다. 가장 간단한 방법인 Von ammon 방법을 살펴보면, 연장하고자 하는 길이만큼 외안각부에 전층 수평절개로 안각절개를 한다. 결막을 전진하여 피부에 수평방향으로 단순 봉합 후 매듭의 끝을 길게 잘라서 가쪽 피부에 종이테이프 등을 이용하여 고정해 둔다(그림 2-4-42).

일부 환자들은 가쪽눈구석미용수술을 시행하면서 눈꺼풀틈새 경사도를 낮추어주기를 원하는 경우가 많다(그림 2-4-43). 이런 경우 눈꺼풀틈새의 경사도를 낮추면서 가쪽눈구석을 넓히는 수술은 바깥눈구석절개술뿐 아니라 바깥눈구석성형술을 같이 해주어야 한다(그림 2-4-44). 가쪽눈구석미용수술은 뒷트임이나 눈매교정술, 쌍꺼풀수술 또는 앞트임수술과 함께 시행되기도 한다.

수술의 합병증으로는 부족교정, 재발이 가장 흔하며 비대흉터, 피부의 울퉁불퉁함, 외안각부의 둥그스름한 변형, 결막 노출 등도 나타날 수 있다.

3. 눈꺼풀의 재건술

1) 위눈꺼풀 결손의 재건

위눈꺼풀결손은 외상이나 종양 적출 후, 선천성 등의 원인으로 생기며, 종종 성형수술의 대상이 된다.

위눈꺼풀재건의 수술법은 작은 결손에 사용되

는 일차봉합술, 중등도 이상의 결손에는 눈꺼풀판결막피판법(tarsoconjunctival flap technique)과 Mustardé의 스위치피판(switch flap)이 주류를 차지하였다.

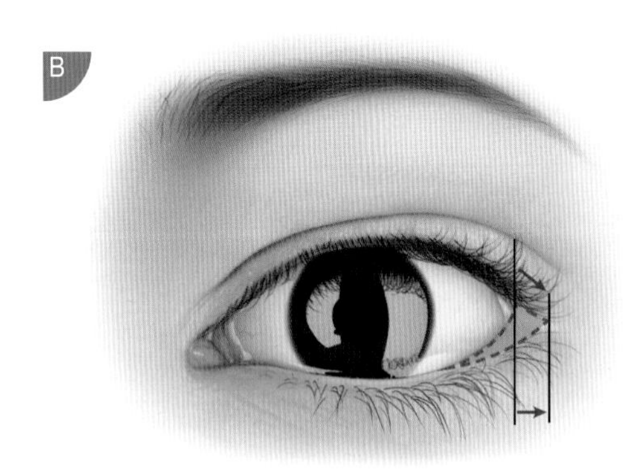

▷그림 2-4-44. **눈의 경사도를 낮추면서 뒷트임을 동시에 하는 수술의 모식도.** A. 절개선 B. 수술: 바깥 눈구석의 삼각형의 면적이 더 커지고, 바깥 눈구석의 각도가 아래로 내려가면서 거리의 증가 뿐만 아니라 면적의 변화를 크게 느낄 수 있다. C. 술 후

(1) 직접봉합(Direct closure)

위눈꺼풀 수평길이의 1/4까지의 결손은 그대로 일차봉합이 가능하다(그림 2-4-45). 노인에게는 상당히 여유가 있어서 1/3 결손이라도 가쪽눈구석절개술(lateral canthotomy), 가쪽눈구석힘줄절단술(lateral cantholysis) 등을 하면 일차봉합이 가능하다. 수술 직후에는 상당히 긴장(tension)이 있는 듯이 보여도 2~3주일 후에는 자리가 잡힌다. 1/2 이상의 결손에서는 피판술 및 이식술에 의한 재건수술을 하는 것이 좋다.

아래눈꺼풀에서는 가쪽눈구석절개술, 가쪽눈구석힘줄(lateral canthal tendon)의 박리에 의해 1/3결손에서도, 경우에 따라서 1/2결손에서도 일차봉합이 가능하지만, 위눈꺼풀에서는 너무 무리하지 않는 편이 좋다.

(2) 눈꺼풀판·결막피판(Tarsoconjunctival flap)

위눈꺼풀에 1/2 이상의 전층 결손이 있을 때 눈꺼풀판·결막피판을 사용하며 눈꺼풀판·결막피판 중에서도 CutlerBeard의 교량피판법(cutlerBeard bridge flap)이 많이 사용된다. Cutler-Beard의 교량피판법은 아래눈꺼풀 가장자리가 손상되지 않게 하면서 아래눈꺼풀을 이용하여 위눈꺼풀 결손을 수복하는 수술이다(그림 2-4-46).

(3) 아래눈꺼풀을 이용하는 방법(Mustardé's lid switch flap)

Mustardé법은 위눈꺼풀재건에 기능적으로 위눈꺼풀보다 중요성이 낮은 아래눈꺼풀의 복합조직을 이용해서 위눈꺼풀을 재건하는 방법이다. 위눈꺼풀의 1/4 이상의 전층결손이 Mustardé의

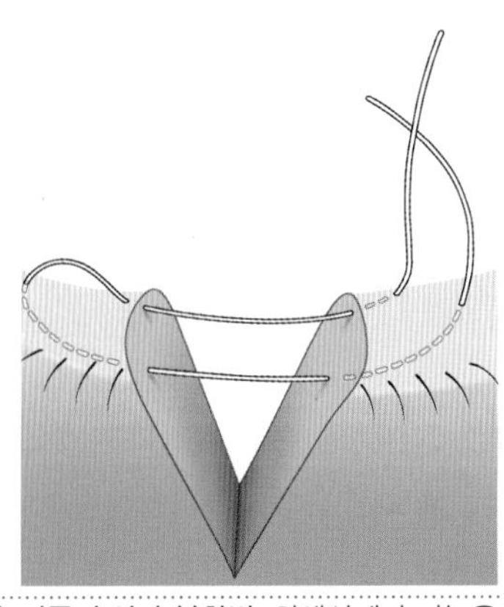

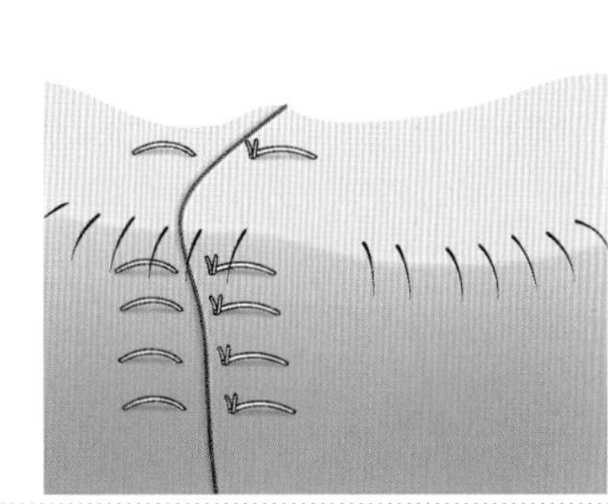

▷그림 2-4-45. **눈꺼풀의 일차 봉합법.** 회색선에서 바늘을 통하여 우선 양끝의 정확한 위치를 확인한 후, 그 실을 잡아 당겨서 봉합하도록 하며 그 봉합선의 앞뒤로 각각 하나씩 단순봉합을 한다.

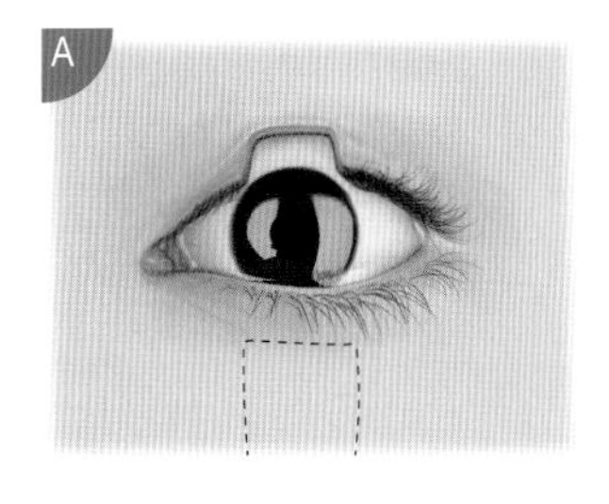

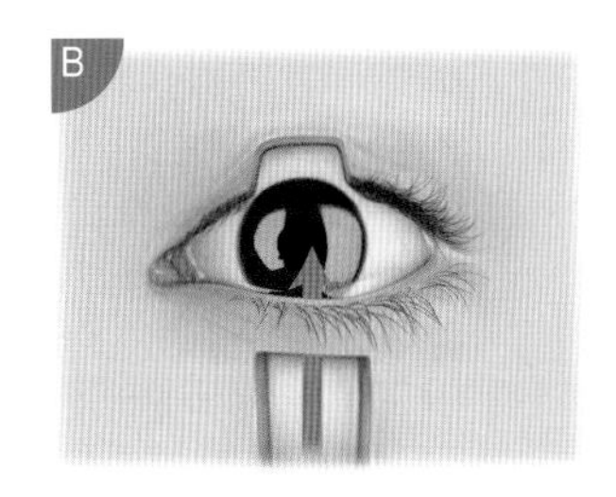

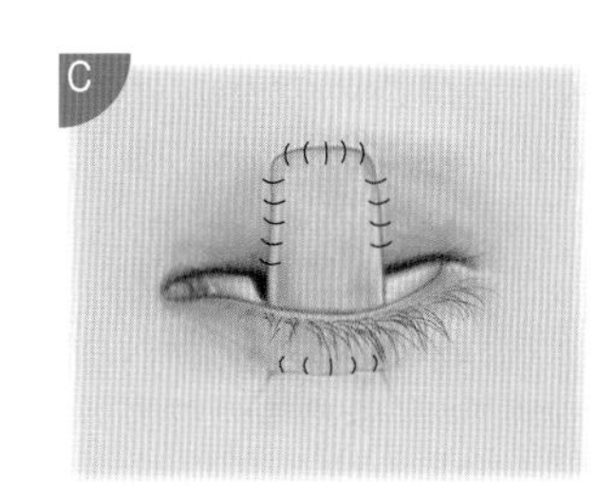

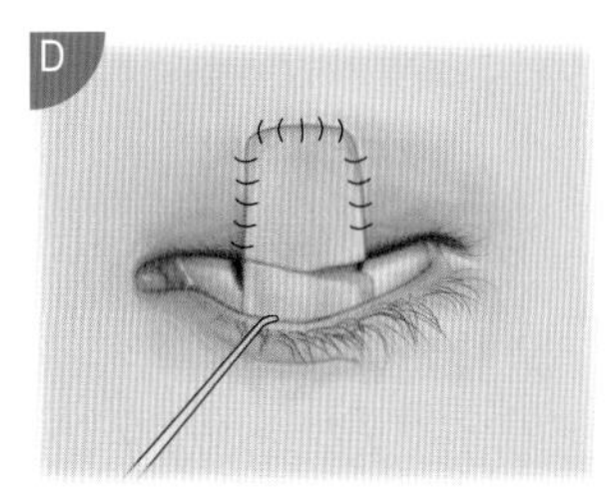

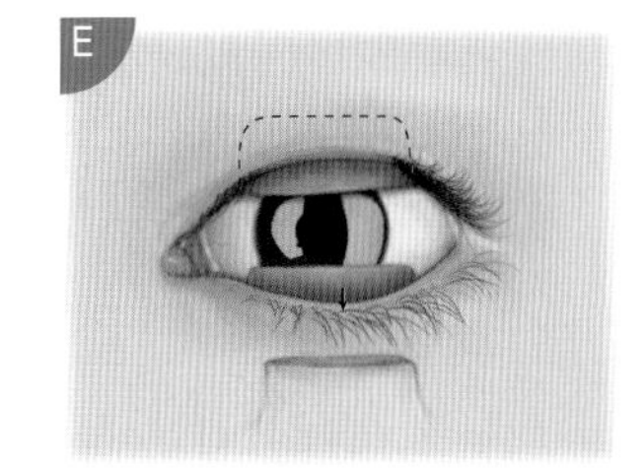

▷그림 2-4-46. **Cutler-Beard의 교량 피판법.** A. 절개선. 수평절개는 아래눈꺼풀가장자리에서 4~5 mm 떨어져서 평형으로 한다. 점으로 나타낸 부위는 피하박리범위를 나타낸다. B. 아래눈꺼풀 조직판을 피부-근육층과 결막층으로 분리한다. C. 아래눈꺼풀에 작성된 피판의 결막층을 위눈꺼풀결손 부위의 결막층과 봉합한다. D. 아래눈꺼풀피판의 피부층을 아래눈꺼풀 절개속으로 관통시켜 위눈꺼풀결손부의 피부층과 봉합한다. E. 술 후 10주에 피판을 절단한다. 위눈꺼풀에 다소 여분으로 조직을 남기고 조직판을 칼로 절단한다. 위눈꺼풀에 남는 조직에서는 결막이 피부보다 더 많이 남아있도록 해야 한다. F. 사용 후 남은 피판을 본래대로 되돌려 봉합한다.

눈꺼풀 스위치 피판의 적응이다. 일반적으로 결손보다 작은 복합피판을 도안한다. 보통, 결손의 3/4크기가 좋으며, 결손이 위눈꺼풀의 1/2, 3/4인 경우, 각각 아래눈꺼풀의 1/4, 1/2, 폭의 피판을 도안한다. 피판이 너무 작아도 수술이 곤란해지므로 피판의 최소폭이 6 mm는 돼야 한다. 피판의 크기에 따라서 수술법도 각각 다르다(그림 2-4-47).

2) 아래눈꺼풀 결손의 재건

아래눈꺼풀결손은 피부근육층만의 결손, 눈꺼

풀판결막층의 결손, 전층결손으로 나누어진다.

(1) 수직방향의 결손

눈꺼풀틈새(palpebral fissure)에 대해 결손폭이 차지하는 비율에 따라서 ① 1/4 이하의 결손 ② 1/4~1/2의 결손 ③ 1/2 이상의 결손으로 나누어 재건방법을 달리 해야 한다.

1/4이하의 결손 즉, 약 7 mm 이하의 결손인 경우에는 보조절개를 가하지 않고 직접 일차봉합으로 치료할 수가 있다.

결손폭이 1/4을 넘어서 직접봉합이 곤란한 경우에는 가쪽눈구석절개(lateral canthotomy)를 하고 다시 가쪽눈구석힘줄절단술(lateral cantholysis)을 한다(그림 2-4-48).

아래눈꺼풀의 1/2에 가까운 결손 또는 그 이상의 넓은 결손에서 가쪽눈구석 힘줄 절단으로는 재건하기 어려운 증례에는 연골점막복합이식의 적응이 된다.

피부근육층을 빰회전피판(그림 2-4-49), 이마피판, 코입술주름피부피판(nasolabial flap) 등의 방법으로 재건하고, 눈꺼풀판 결막에 유리점막이식(free mucosal graft)을 하는 방법이다.

입속 볼 점막에서 원하는 크기의 점막을 채취하고, 점막하조직을 제거한 후, 피부근육층이 되는 빰회전피판, 이마피판, 또는 코입술주름피부피판의 뒤쪽에 60 dexon, vicryl 등의 합성 흡수사로 봉합한다.

1/2 이상의 폭넓은 결손에는 특히 눈꺼풀판결막층의 재건이 어려워진다. 눈꺼풀판결막층의 공여부에 사용되는 것은 위눈꺼풀의 눈꺼풀판결막층, 반대측 아래눈꺼풀의 눈꺼풀판결막층, 코중격연골점막, 입속점막 등이다.

이런 경우에는 Mustardé법이나 Hughes법에 의한 눈꺼풀판결막피판법(tarsoconjunctival flap method) 등을 사용하여 1/2 이상의 결손을 재건할 수 있다.

(2) 수평방향의 결손

수평방향의 결손 재건법에는 V-Y법과 연골피부이식법이 있다.

V-Y법은 안쪽눈구석 및 가쪽눈구석 부위에서 하방으로 피부절개를 하고 그 2개의 피부절개가 입술 구각(oral commissure)의 다소 상외방에서 교차하도록 V형 절개를 하여 이 V형에

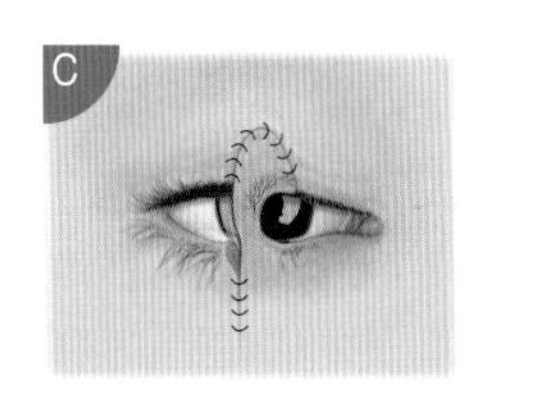

▷그림 2-4-47. **Mustardé법**. A. 절개. B. 피판을 뒤집어 결막측에서 절개하고 기저부 폭이 3~5 mm가되게 한다. C. 아래눈꺼풀절개선 봉합하고 결손부에서 피판을 봉합. D. 결손부에서 피판을 봉합, 이때 회색선을 잘 맞추는 것이 중요하다.

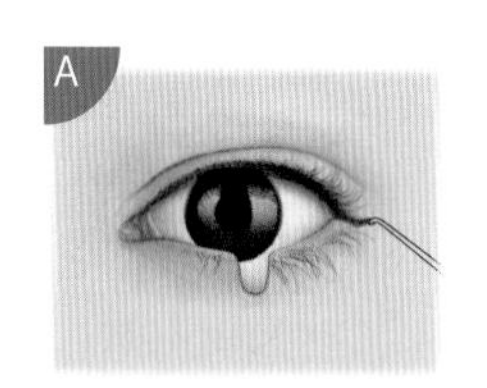

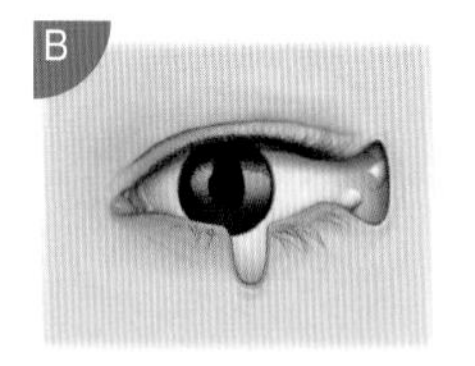

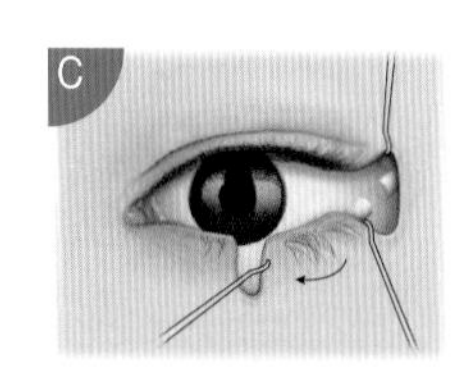

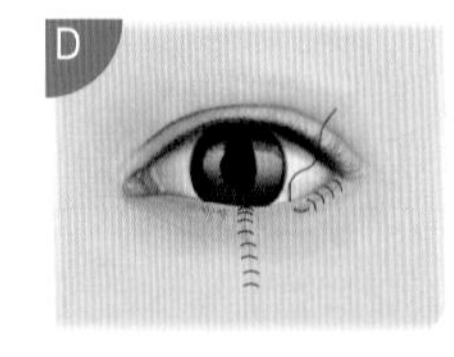

▷그림 2-4-48. **바깥눈구석이완술**. A. Lateral canthotomy. 바깥눈구석에서 약간 외상방을 향해 절개를 하며, 눈꺼풀을 이등분하여 박리한다. B. Lateral cantholysis. 바깥눈구석힘줄의 하각(inferior crus)을 절단한다. C, D. 아래눈꺼풀외측 피부를 내측으로 이동하여 결손을 폐쇄한다.

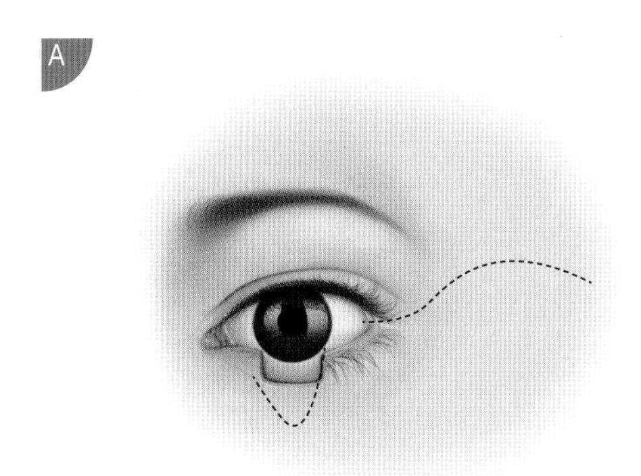

▷그림 2-4-49. **협부피판에 의한 재건(Mustard 법).** A. 바깥눈구석에서 외상방으로 피부를 절개한다. B. 피판을 내방으로 전진시켜서 결손부를 폐쇄한다.

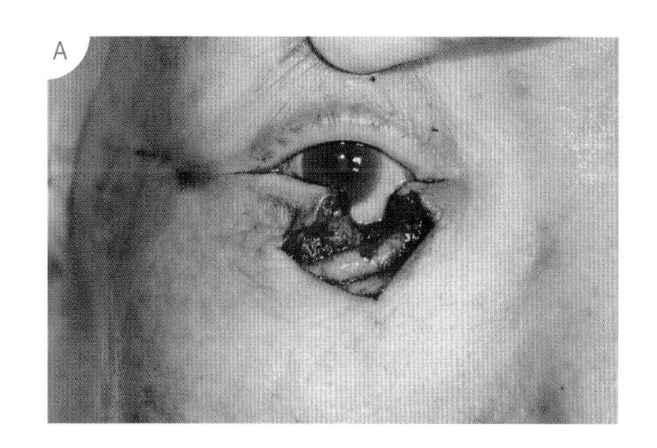

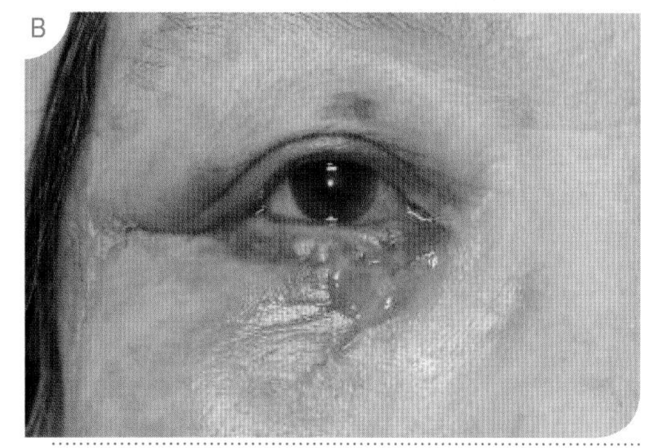

▷그림 2-4-50. **아래눈꺼풀 기저세포암을 협부피판과 V-Y 방법으로 재건한 증례.** A. 술 전 B. 술 후

포함되는 피부를 피부밑조직 줄기피판으로 하여 상방으로 이동시켜 아래눈꺼풀의 피부근막층을 재건하는 방법이다. 그림 2-4-50은 협부피판과 V-Y 방법을 사용한 증례이다. 연골피부이식(chondrodermal graft)은 결막의 결손은 적고 피부근육층결손이 있는 아래눈꺼풀재건에 이용된다. 결론적으로 아래눈꺼풀결손은 결손의 방향이나 크기, 결손부위, 연령, 정상안구의 유무 등의 여러 요소를 고려하여 적절한 방법을 선택해야 한다.

3) 안쪽눈구석과 바깥쪽눈구석의 재건

안쪽눈구석의 재건은 종양, 외상, 선천성 기형 등의 경우에 안쪽눈구석결손재건을 위해 필요하다. 종양에서는 기저세포암이 안쪽눈구석부위에서 호발한다. 눈구석부위의 재건의 목표는 미용적인 면과 기능적인 면 2가지로 나눌 수 있다. 미용적으로는 재건된 눈구석이 전체 얼굴과 조화를 잘 이루고, 안쪽 또는 바깥쪽 눈구석의 위치나 크기가 정상측과 같고, 색깔이나 질감의 조화가 좋아야 한다는 것이다. 기능적으로는 전층결손인지, 눈물길에 이상이 있는지를 확인해야 한다. 여러 가지 수술 방법 중 가운데이마피판은 상활차동맥(superior trochlear artery)에 영양을 받는 축성형(axial pattern) 피판으로 극히 가늘고 길어서 피부밑피판으로 자주 이용된다(그림 2-4-51).

바깥눈구석부위는 눈물기관을 포함하지 않

고 있어서 안쪽눈구석부위에 비해 재건이 용이하다. 바깥눈구석부위의 위아래눈꺼풀에 걸쳐서 종양이 침윤되어 있는 경우에는 아래눈꺼풀으로의 침윤이 커서, 위눈꺼풀은 단순히 봉합할 수 있는 경우가 많다. 피부근육층재건에는 유리피판, 전진피판, 피하경피판, 전두부피판 그리고 측두부피판(그림 2-4-52) 등 여러 가지 방법이 있다.

4) 눈물길 재건

눈물 유출 경로의 장애는 눈물샘의 선천성 기형으로 인한 분비장애, 눈물관 및 눈물점의 위치 이상을 비롯하여 눈물 유출 경로에 문제를 일으키는 모든 기형과 같은 선천성 장애와 외상에 의한 손상 및 감염, 종물 등에 의한 경우와 같은 후천성장애가 있으며 대부분이 후자에 의한 경우이다.

눈물길재건에 관해서는 많은 보고가 있지만, 눈물소관복원술(canalicular reconstruction), 눈물소관눈물주머니연결술(canalicuodacryocys-

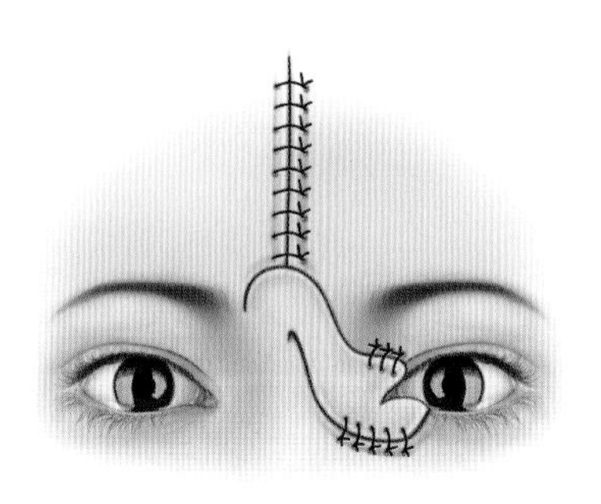

▷그림 2-4-51. **가운데이마피판을 이용한 안쪽눈구석 재건.** 상활차동맥 (superior trochlear artery)에 영양을 받는 축형피판으로 가늘고 긴 장점이 있다.

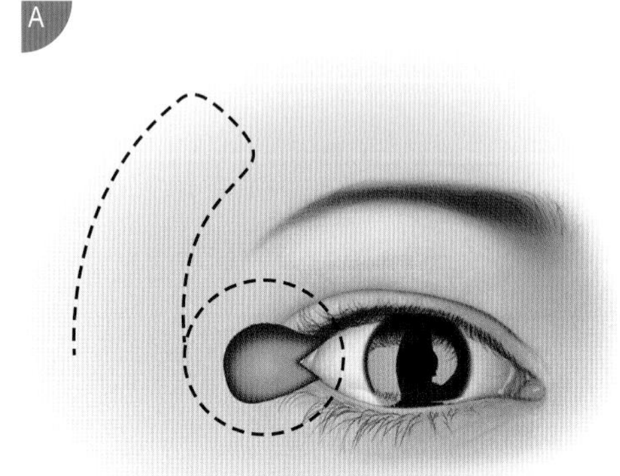

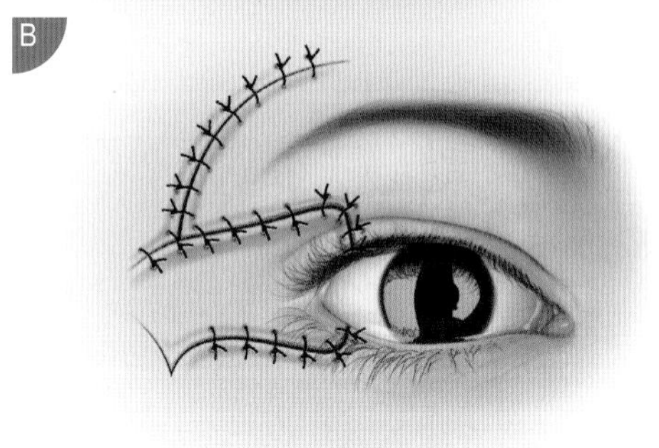

▷그림 2-4-52. **측두부피판을 이용한 바깥쪽 눈구석 재건**

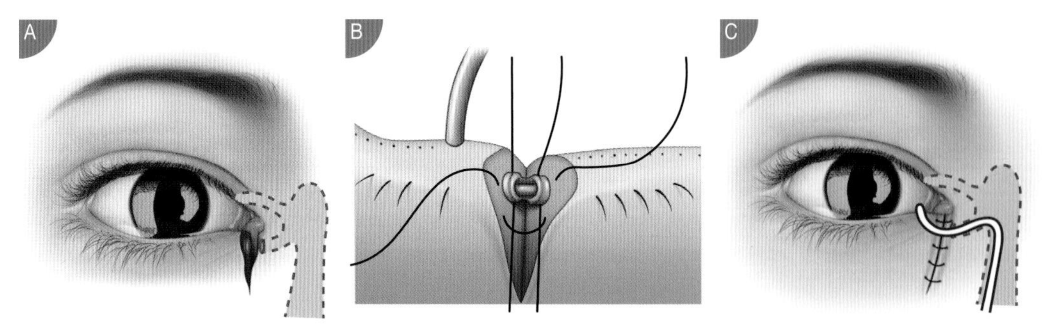

▷그림 2-4-53. **절단된 눈물소관 봉합술.** A. 절단된 눈물소관. B. Tube 삽입 후 주위조직과 눈물소관 봉합. C. 봉합 후

tostomy), 결막눈물주머니연결술(conjunctivodacryocystostomy), 코안연결술(conjunctivorhinostomy), 결막눈물주머니코안연결술(CDCR, conjunctivodacryocystorhinostomy), 눈물주머니·코안연결술(DCR, dacryocystorhinostomy) 등이 이용되고 있다.

눈꺼풀이나 안쪽눈구석 부위의 외상 혹은 종양의 적출술후에 눈물소관의 절단손상을 동반하는 경우 창상이 치유된 후 환자는 눈물흘림으로 시달리게 되는 결과가 되므로 절단된 눈물소관 복원수술이 필요하다(그림 2-4-53).

References

1. Beard, C. Ptosis(3rd ed.). St. Louis. C.V. Mosby CO. 1981. p.41.
2. Collin, J.R.O. A manual of systemic eyelid surgery, in McCarthy JG(ed) : Plastic Surgery, Philadelphia WB Saunders Co. 1990. p.1759.
3. Cutler N.L. and Beard C. : A method for partial and total upper lid reconstruction. Amer. J. Ophthalmol. 39:1, 1955.
4. Fox, S.A. Lid surgery-current concepts. Grune and Stratton, New York, New York. 1972. p.58.
5. Fox, S.A. Ophthalmic Plastic Surgery(5th ed.). Grune and Stratton. New York, New York. 1976. p.359.
6. Frueh B. The mechanistic classification of ptosis.Ophthalmol. 87 : 1019, 1980.
7. Hughes W.L. : A new method for rebuilding a lower lid-Report of a case-. Arch. Ophthalmol. 17 : 1008,1937.
8. Hughes W.L. : Total lower lid reconstruction : Technical details. Trans. Am. Ophthal. Soc. 124 : 321, 1976.
9. Isaksson, I. Studies on congenital genuine bleharoptosis. Acta. Ophthalmol 72(supp) 1962.
10. Mustarde J.C. : The use of flaps in the orbital region. Plast. Reconstr. Surg. 45 : 146, 1970.
11. Mustarde J.C. : Major reconstruction of the eyelids : functional and aesthetic considerations. Clin. Plast. Surg. 8:227, 1981.
12. Mustarde J.C. : Reconstruction of eyelids. Ann. Plast Surg. 11:149, 1983.
13. Mustarde J.C. : Reconstruction of the upper lid, and the use of nasal mucosal grafts. Brit. J. Plast. Surg. 21:36, 1968.
14. Peled I., Kaplan H. and Wexler M.R.: Lower eyelid reconstruction by V-Y advancement cheek flap. Ann. Plast. Surg. 5 : 321, 1980.
15. Song R. and Song Y. Treatment of blepharoptosis. Direct transplantation of the frontalis muscle to the upper eyelid. Clin Plast Surg 9 : 45, 1982.
16. Fragien S: Treatment of hyperkinetic facial lines with botulinum toxin. In Putterman AM (ed): Cosmetic Oculoplastic Surgery: Eyelid. Forehead and facial techniques, ed 3. Philadelphia, Saunders, p 377-388, 1998
17. Fragien S: Lower eyelid rejuvenation via transconjunctival blepharoplasty and lateral retinacular suspension: A simplified suture canthopexy and algorithm for treatment of the anterior lower eyelid lamella. Oper Tech Plast Reconstr Surg 5:121, 1998
18. Rees TD, Aston SJ, Thorne CHM: Blepharoplasty and facialplasty including forehead-brow lift, In: McCarthy JG (ed): Plastic Surgery, vol 3: The Face, Part 2. Philadelphis, WB Saunders, p 2400, 1990 Regnault P, Daniel RK(ed): Aesthetic Surgery. Boston, Little Brown, 1984
19. Hirohi T, Yoshimura: Vertical Enlargement of the Palpebral Aperture by Static Shortening of the Anterior and Posterior Lamellae of the Lower Eyelid: A Cosmetic Option for Asian Eyelids. Plast Reconstr Surg 127:396-406, 2011.
20. Choi MS, Kim TH: Transconjunctival Lowering of the Lateral Lower Eyelid by Shortening of the Posterior Lamellae. Arch Aesthetic Plast Surg 18:26-30, 2012.
21. Mei-Chun Chen, Hsu Ma: Anthropometry of Pretarsal Fullness and Eyelids in Oriental Women. Aesth Plast Surg 37:617, 2013.
22. Jeon YR, Rah DK: Pretarsal Augmented Lower Blepharoplasty. Plast Reconstr Surg 138:74-82, 2016.

23. Mizuno T: Subciliary augmentation of the lower eyelid in Asians using a deep temporal fascia graft: a preliminary report. Aesthetic Plast Surg 38:303-8, 2014.
24. Kim JB, Kim JC: Cosmetic Lateral Canthal Lengthening with 2 Tarsal Bites Made in the Periosteum. Arch Aesthetic Plast Surg 23:79-83, 2017.
25. Chae SW, Yun BM: Cosmetic Lateral Canthoplasty: Lateral Canthoplasty to Lengthen the Lateral Canthal Angle and Correct the Outer Tail of the Eye. Arch Plast Surg 43:321-327, 2016.
26. Shin YH, Hwang K: Cosmetic Lateral Canthoplasty. Aesth Plast Surg 28:317-320, 2004.
27. Kim MS: Effective Lateral Canthal Lengthening with Triangular Rotation Flap. Arch Plast Surg 43:311-315, 2016.

집필에 도움을 주신 분　　박기수　대구가톨릭대병원 임상강사

5 비성형술
Rhinoplasty

한기환 계명의대

비성형술은 지속적으로 발전하는 성형술 가운데 하나이다. 비성형술의 결과를 좋게 하기 위해서는 술 전에 환자가 가지고 있는 해부학적 변형을 잘 분석해야 한다. 이런 변형을 정확하게 분석하기 위해서는 코의 해부학을 잘 이해해야 하며, 코와 얼굴과의 비율을 과학적으로 분석할 수 있는 표준화된 계측법이 필요하다. 여기에다가 술자가 예리한 미적 감각을 겸비해야 얼굴 전체와 어울리는 코를 만들 수 있다.

I. 해부학

피부와 골-연골뼈대 사이의 연조직은 네 층으로 구성된다. 표재지방층(superficial fatty layer), 섬유-근육층(fibromuscular layer), 심부지방층(deep fatty layer), 그리고 연골막 또는 골막이다. 표재지방층에는 정맥과 림프관이 위치하며, 섬유-근육층은 피하근 건막계(subcutaneous musculoaponeurotic system, SMAS)이다. 심부지방층에는 혈관과 운동신경이 존재한다. 그러므로 코에서 박리술(dissection)을 할 때에는 심부지방층 바로 아래, 연골막 바로 위층으로 해야(supraperichondrial dissection) 이런 구조물들이 다치지 않게 된다.

1. 피부

코 피부의 두께, 유동성, 그리고 피지선 분포는 부위에 따라 다르다. 코의 상부 2/3는 얇은데 비해 하부 1/3는 두꺼우며, 상부 2/3의 피부는 하부에 비하여 유동성이 더 좋고, 피지선의 분포가 더 적다.

술 전 계획 단계에서 피부의 두께를 고려해야 한다. 이유는, 우리나라 사람처럼 피부가 두꺼운 경우 만족할 만한 결과를 얻기 위해서는 조금 더 과도한 조작(overcorrection)을 해야 하는데 비해, 피부가 얇은 사람에서는 골이나 연골을 조금만 변형시키더라도 피부를 통해 바로 드러나는 경향이 있으므로 세밀한 조작이 필요하기 때문이다.

2. 근육

코 근육에는 여러 가지가 있지만, 비성형술에서는 내재근(intrinsic muscle)인 횡비근(transverse nasalis)과 외재근(extrinsic muscle)인 구순-비익거근(labii superioris alaeque nasi)과 비중격하체근(depressor septi nasi)이 중요하다.

횡비근은 상외연골(upper lateral cartilage)의 테두리에 부착되므로 이 연골을 외측으로 이동시킴으로써 내비밸브(internal nasal valve)를 개방시켜 기류를 증가시킨다(그림 2-5-1). 구순-비익거근은 비익거근(levator alae)과 구순거근(levator labii)으로써 구성된다. 비익거근은 비익을 거상시킬 뿐만 아니라 외비밸브(external nasal valve) 부위를 증가시키며, 구순거근은 미소 지을 때 상순을 거상한다. 비중격하체근은 미측비중격(caudal septum)에서 기시(origin)하여 상부 입둘레근(orbicularis oris)에 부착하며, 만일 이 근육이 존재한다면 상순에 주름이 생긴다. 과도하게 수축하면 상순을 단축시키고, 비첨돌출(nasal tip projection)을 감소시켜서 '웃는 비첨(smiling tip)'이 생긴다. 교정은 근육을 박리하여 절제하거나, 다른 곳으로 전위(transposition)시키는 것이다.

▷그림 2-5-1. **코의 근육.** A. 횡비근. 이 근육(화살표)은 상외연골(점선)의 테두리에 부착되므로 이 연골을 외측이동 시킴으로써 내비밸브를 개방시켜 기류를 증가시킨다. B. 구순-비익거근은 비익거근과 구순거근으로써 구성된다. 비익거근은 비익을 거상시킬 뿐만 아니라 외비밸브 부위를 증가시키며, 구순거근은 미소 지을 때 상순을 거상한다.

3. 혈액공급

코에서는 곁혈액공급(collateral blood supply)이 잘 발달되어 있기 때문에 연골막(perichondrium) 바로 위로 정확하게 박리해서 진피하정맥총(subdermal plexus)을 통한 혈액공급을 보존한다면 광범위한 박리술과 어려운 이차비성형술을 비롯한 모든 비성형술이 가능하다. 상활차동맥(supratrochlear artery)과 안면동맥(facial

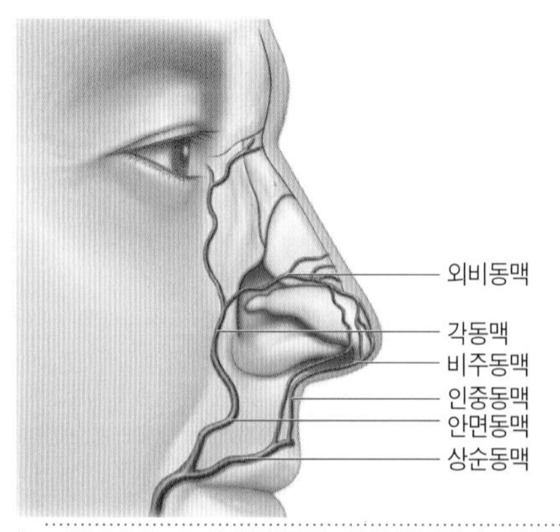

▷그림 2-5-2. **코의 혈액공급.** 상활차동맥과 안면동맥의 분지에 의한다.

artery)의 분지가 반대쪽으로 넘어가 반대쪽과 함께 망을 이룬다(그림 2-5-2).

안면동맥은 외비동맥(lateral nasal artery), 외측비동맥(external nasal artery), 각동맥(angular artery)을 낸다. 안면동맥은 위로는 각동맥과 연결되며, 아래로는 상순동맥(superior labial artery)을 내며, 상순동맥으로부터 sill artery와 인중동맥(philtral artery)이 분지된다. 인중동맥에서 비주동맥(columellar artery)이 나온다. 비주동맥이 개방비성형술 때 절단되지만, 곁혈액공급이 광범위하기 때문에 별 문제없다.

구상비첨(bulbous tip)을 교정하기 위해 비첨에서 탈지방술(debulking procedure)을 할 때 진피하정맥총을 다치면 피부괴사가 생길 수 있기 때문에 너덜너덜한 피하조직만 보존적으로 절제해야 하며, 상악 쪽으로 광범위한 박리를 할 때에는 주동맥인 외측비동맥을 다치지 않도록 조심해야 한다.

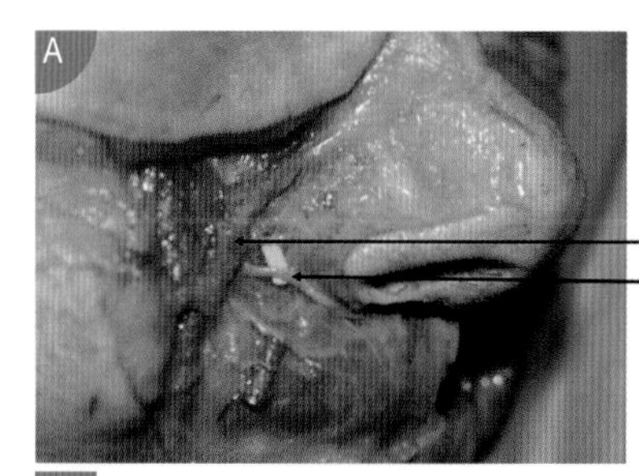

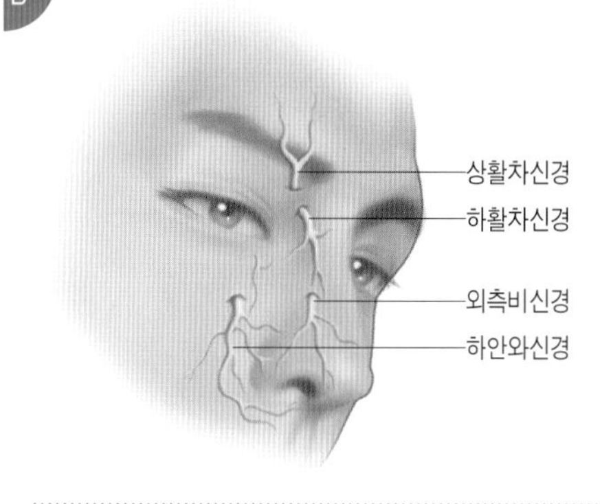

▷그림 2-5-3. **코의 신경지배.** 코의 주된 감각신경은 하안와신경과 외측비신경이다. A. 하안와신경의 분지들이 비익저에서 밀집되어 있다(화살표). B. 외측비신경은 전두신경의 전사골분지로부터 나와서 한 쪽 비골 하단의 중간에 있는 작은 구멍을 통해 나온다. 이 두 곳을 국소마취하면 코 전체가 거의 완전히 마취된다.

4. 신경지배

코의 주된 감각신경은 삼차신경(trigeminal nerve)의 최종분지인 하안와신경(infraorbital nerve)과 외측비신경(external nasal nerve)이다(그림 2-5-3). 하안와신경은 하안와공(infraorbital foramen)으로 나와 비익저(alar base), 상순, 그리고 외비벽(lateral nasal wall)을 지배하며, 분지들이 비익저에서 밀집되어 있으므로 이곳에서의 침윤마취(infiltration anesthesia)는 비첨 마취에 이상적이다.

외측비신경은 전두신경의 전사골분지(anterior ethmoidal branch of frontal nerve)로부터 나와서 한 쪽 비골 하단의 중간에 있는 작은 구멍을 통해 코로 나온다. 이곳과 비익저를 함께 국소마취하면 코 전체가 거의 완전히 마취된다.

5. 골-연골뼈대 (Osseocartilaginous framework)

코의 골-연골뼈대는 세 개의 원개-골원개(bony vault), 상연골원개(upper cartilaginous vault), 그리고 하연골원개(lower cartilaginous vault)로 구성된다.

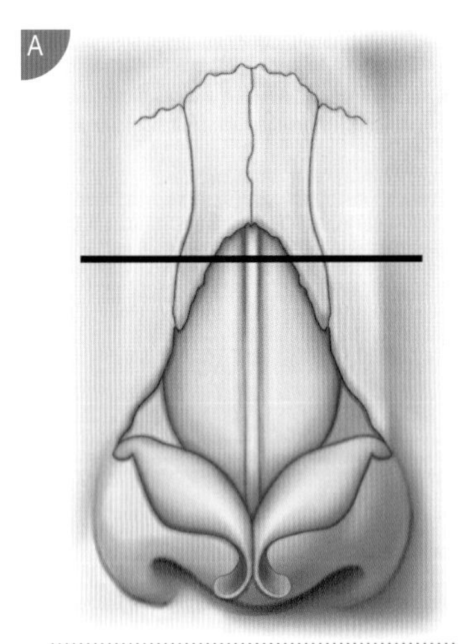
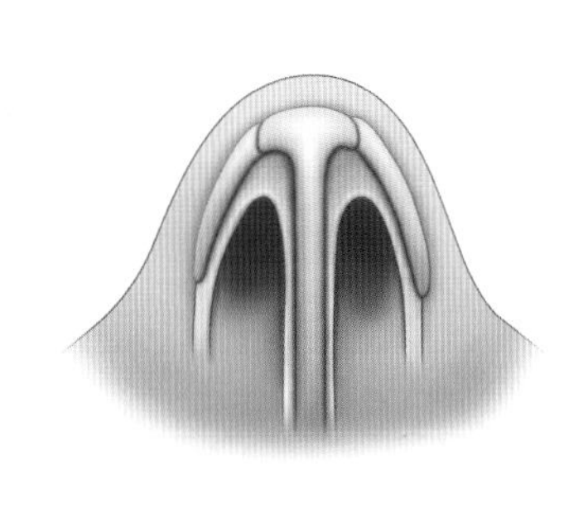
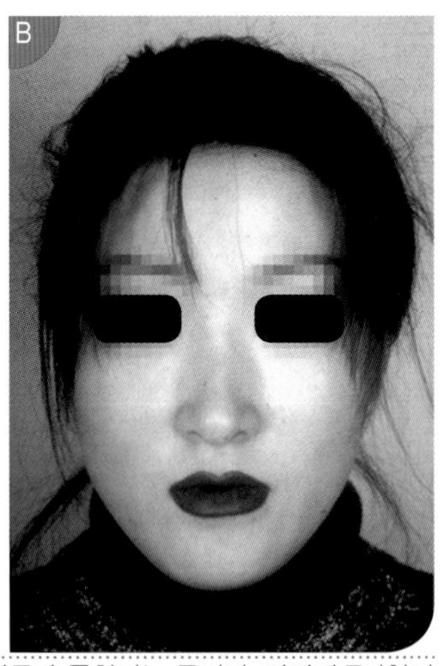

▷그림 2-5-4. **상연골원개.** A. 한 쌍의 상외연골로 구성되며, 비종석부는 비골이 상외연골과 중첩되는 곳이며, 단면이 T자형이다. B. 역V자형 변형. 비배봉축소술에서 중간원개를 과다 절제했을 때 생길 수 있다.

1) 골원개(Bony vault) 또는 상비원개 (Upper nasal vault)

골원개는 한 쌍의 비골과 상악골의 전두돌기(frontal process of maxilla)로 구성되며, 코의 상부 1/3을 이룬다.

2) 상연골원개(Upper cartilaginous vault) 또는 중간비원개(Middle nasal vault)

상연골원개는 한 쌍의 상외연골(upper lateral cartilage)로 구성된다. 상외연골의 두측은 비골 아래로 4~5 mm 정도 중첩되어 있으며, 이곳을 비종석부(keystone area)라고 하며, 비배에서 가장 넓은 곳이다. 중앙에서 비중격과 'I-beam'구조로써 연결되며, 단면은 T자형이다(그림 2-5-4). 비배봉축소술(dorsal hump reduction)을 할 때 중간원개를 과다 절제하면 역V자형변형(inverted V deformity)이나 비배미용선(dorsal aesthetic lines)의 분열이 생길 수 있다.

3) 하연골원개(Lower cartilaginous vault) 또는 하비원개(Lower nasal vault)

하연골원개는 한쌍의 하외연골(lower lateral cartilage) 또는 비익연골(alar cartilage)로써 구성되며, 하외연골은 내각(medial crura), 중간각(middle crura), 그리고 외각(lateral crura)으로 구성된다. 하외연골의 상부는 상외연골과 두루마리부(scroll area)로써 연결된다(그림 2-5-5). 하외연골의 상연은 가장 전방돌출 된 비첨윤곽점(tip-defining point)이며, 하외연골은 피하지방조직이 거의 없으면 피부를 통해 드러나 보인다. 하외연골의 외각은 동공이나 외안각(lateral canthus)을 향해 상외방으로 달린다. 하외연골은 외비밸브를 지지한다.

하외연골과 주위 구조물들과의 연결이 중요하다. 양쪽 하외연골 사이는 표재근막에 있는 표재인대(superficial ligament)와 Pitanguy인대인 비익간인대 자체(inter-alar ligament proper)에 의해 연결되며, 하외연골과 상외연골 사이에는 이상구인대(pyriform ligament)가 두 연골을 둘러

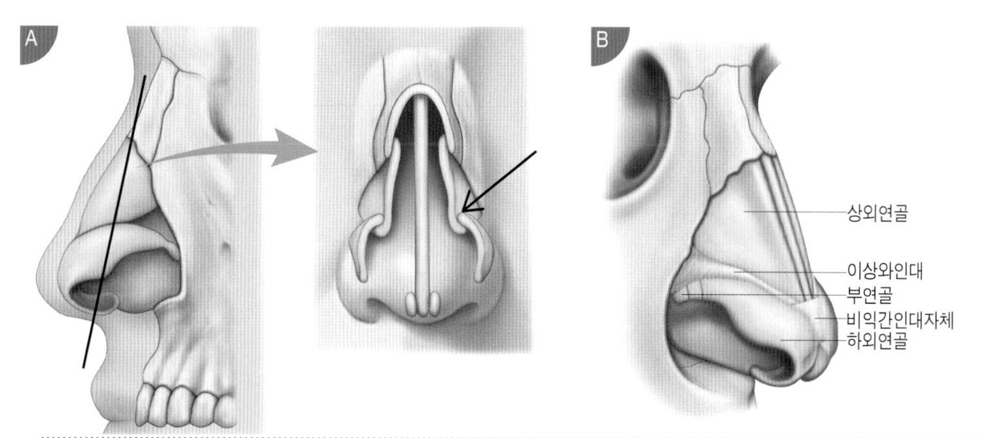

▷그림 2-5-5. **하연골원개.** 하외연골 또는 비익연골로써 구성된다. A. 두루마리부(화살표)는 하외연골이 상외연골과 중첩되는 곳이다. B. 연골뼈대의 지지

싸서 한 개의 단위로써 기능하게 함과 동시에 서로에게 안정성을 제공하며, 전비중격각(anterior septal angle)과는 부유인대(suspensory ligament)로써 연결되고, 이상구(pyriform aperture)와는 부연골(accessory cartilage)로써 연결된다. 비성형술을 할 때 이런 구조물이 분열되면 비첨돌출이 감소되므로 비첨지지를 재건하거나 증가시켜야 한다.

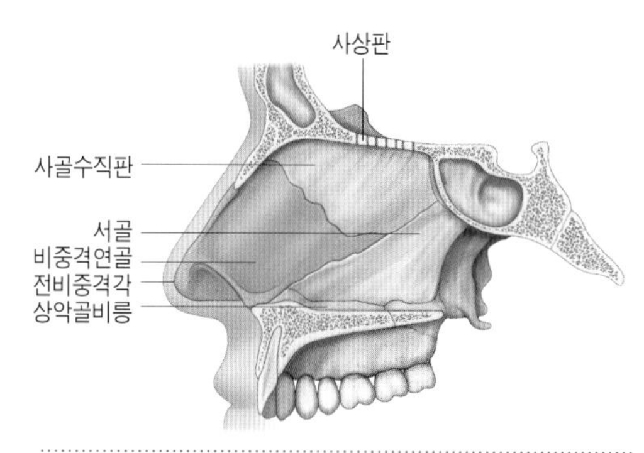

▷그림 2-5-6. **비중격의 구성.** 비중격연골, 사골의 수직판, 상악골의 비릉, 그리고 서골로 이루어진다.

6. 코의 기능

코의 기능은 호흡, 가습, 여과, 온도 조절, 그리고 보호이며, 비중격(septum), 비갑개(turbinate), 그리고 비밸브(내비밸브와 외비밸브)에 의해 조절된다.

1) 비중격(Septum)

비중격은 비중격연골, 사골의 수직판(perpendicular plate of ethmoid bone), 상악골의 비릉(nasal crest of maxilla), 그리고 서골(vomer)로 이루어져 있다(그림 2-5-6). 비중격변형이 있으면 기층류(laminar airflow)가 변할 수 있으며, 이차 비갑개비대(secondary turbinate hypertrophy)를 유발할 수 있다. 비중격변형을 교정하고자 할 때에는 비중격의 모든 부분을 분석하는 것이 중요하다. 더욱이 사상판(cribriform plate)과 사골수직판의 연결부를 조사해야 한다. 왜냐하면 사골수직판을 절제할 때 사상판이 손상되어 무후각증(anosmia), 뇌척수액비루(cerebral spinal fluid rhinorrhea), 상행감염, 또는 뇌막염(meningitis)과 같은 심각한 결과를 초래할 수 있기 때문이다.

2) 비갑개(Turbinate)

비갑개는 두꺼운 점막으로 배열된 골구조물로서 외측 비강의 연장이다. 비갑개에서는 자율신경에 의해 점막의 주기적 확장과 수축이 정상적으로 일어난다. 이것에 의해 미립자 물질을 제거하고, 기류를 따듯하고 축축하게 하며, 기류를 조절한다. 하비갑개(inferior turbinate) 특히 최전방부는 기도 저항에 가장 큰 영향(전체 기도저항의 2/3까지)을 준다. 비갑개도 혈행이 풍부하며, 특히 후부에서 혈관 직경이 커서 이곳을 절제하면 과다출혈의 위험이 있다. 따라서 하비갑개비후가 있으면 점막하절제술(submucosal resection)로서 골절제술만 하는 것이 과다출혈을 피하는 실질적 방법이다.

3) 내비밸브(Internal nasal valve)

내비밸브는 비중격과 상외연골의 미연이 이루는 밸브로서 내비밸브각은 대개 10~15도이다(그림 2-5-7). 이 밸브는 전체 기도저항의 50%까지 감당하며, 비기도에서 가장 좁은 분절이다. 하비갑개의 최전방부인 두부가 비후되면 내비밸브의 단면적을 조금 더 감소시킬 수 있다. 내비밸브가 붕괴되었을 때에는 뺨을 외측으로 당겨서 기도를 증가시키는 'Cottle검사'가 양성으로 나타나며, 이때에는 밸브각도를 증가시키고 기도를 넓게 유지하도록 부목을 대어주는 연전이식술(spreader graft)이 필요하다(그림 2-5-36 참조).

4) 외비밸브(External nasal valve)

외비밸브는 내비밸브보다 미측에 있는 코의 입구의 역할을 하는 비전정(vestibule)이다(그림

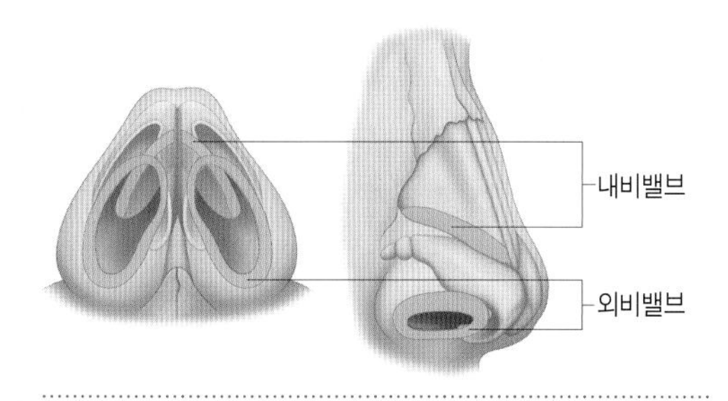

▷그림 2-5-7. **내비밸브와 외비밸브**

2-5-7). 이 밸브는 이물질과 같은 외재요소나, 약하거나 붕괴된 하외연골, 비전정피부의 소실, 또는 반흔에 의한 협착과 같은 내재요소에 의해 폐쇄될 수 있다. 이런 심각한 문제점들을 교정하기 위해 연골이식술(cartilage graft), 유착용해술(lysis of adhesion), 또는 반흔제거술(scar revision)을 사용한다.

II. 술 전 평가

1. 초기 상담

비성형술을 하기 전에 환자의 기대 수준을 평가해서 비성형술의 가부를 조사해본다.

Gorney는 환자가 가진 코변형의 정도에 대한 환자 자신의 관심을 비교했다. 환자의 관심 정도가 비변형의 정도와 비례하면 적절한 수술 대상이지만, 관심의 정도가 변형의 정도와 일치하지 않으면 환자는 수술의 한계를 초과하는 지나친 기대 수준을 흔히 가지고 있으므로 수술을 피해야 한다.

컴퓨터영상은 예측되는 수술 결과를 영상으로써 환자에게 이해시키는 데 유용하다. 그러나 술후 실제 모습이 컴퓨터영상으로 보여주었던 모

의수술 후 모습과 꼭 같지 않을 수 있음을 환자에게 미리 일러줘야 한다. 컴퓨터영상은 표준임상사진술(전면, 사면, 측면, 그리고 기저면)과 함께 수술 계획을 세우는 데 도움을 주는 수단이다.

2. 비-안면분석 (Nasofacial analysis)

수술을 계획할 때 정확하고 체계적이고 철저한 비-안면분석이 중요하다. 코를 얼굴 전체와 균형과 조화를 이루도록 수술하기 위해서는 코를 따로 봐야 할 뿐만 아니라, 얼굴의 다른 부위와 연관시켜서 전체적으로도 보아야 한다. 또 술전에 안면변형이 동반되어있는지 평가해야 한다. 왜냐하면 이를 모르고 수술하면 수술 결과가 미흡하기 마련이다.

피부의 유형, 두께, 그리고 결(texture)을 평가한다. 피부가 두껍고 피지선이 풍부하면 골-연골뼈대를 변형시키더라도 피부를 통해 잘 드러나지 않으므로 조금 더 과감하게 변형시켜야 한다. 반면에 피부가 얇으면 조금만 변형시키더라도 그대로 드러나는 경향이 있다.

비성형술에서 이용되는 구조물들의 통상적인 관계와 비율을 소개한다. 이는 서양인을 대상으로 했으므로 한국인과의 차이도 설명한다. 이런 비율은 일반적인 지침이므로 최선의 비-안면 균형과 조화를 얻기 위해서는 환자를 면밀히 면담해서 환자가 무엇을 원하는지를 확실히 파악하는 것이 더 중요하다.

1) 이상적 얼굴높이

이상적인 얼굴은 네 점, a. 전두모발선(trichion), b. 눈썹, 상안와절흔(supraorbital notch) 또는 미간점(glabella), c. 비저(nasal base 또는 비하점(subnasale), d. 턱끝점(menton)을 지나는 수평선에 의해 3등분된다(그림 2-5-8). 얼굴의 상 1/3 높이(전두모발선과 눈썹 사이)는 모발선과 머리 스타일에 따라 흔히 변화되므로 가장 중요하지 않다. 얼굴의 중간 1/3 높이(눈썹과 비저 사이)는 동양인에서 조금 더 길다. 얼굴의 하 1/3 높이(비저와 턱끝점 사이)는 양쪽 구각(oral commissure) 또는 구각점(stomion)을 연결하는 수평선에 의해 다시 3등분된다. 상 1/3 높이는 비저와 구각선 사이이며, 하 2/3 높이는 구각선과 턱끝점 사이로서 비율이 1:2이다. 이런 비율로부터 벗어나면 상악골수직과잉(vertical maxillary excess)이나 상악골발육저하(maxillary hypoplasia)와 같은 두개안면기형이 있음을 의미하며, 비성형술을 하기 전에 이것부터 미리 교정할 필요가 있다.

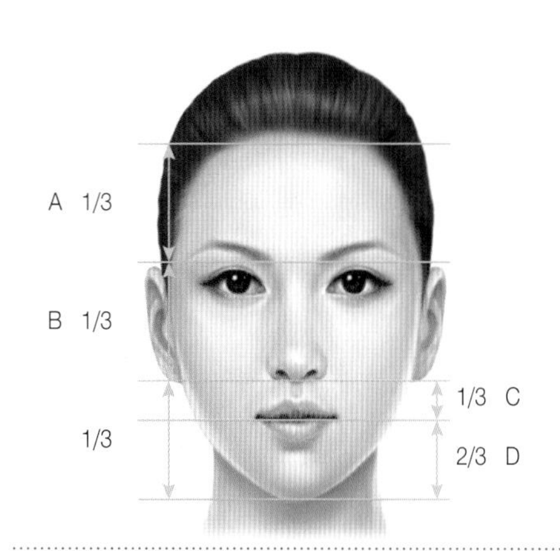

▷그림 2-5-8. 얼굴은 전두모발선, 눈썹, 비저, 그리고 턱끝점을 지나는 수평선에 의해 3등분되며, 하 1/3 높이는 구각연결 수평선에 의해 다시 3등분된다.

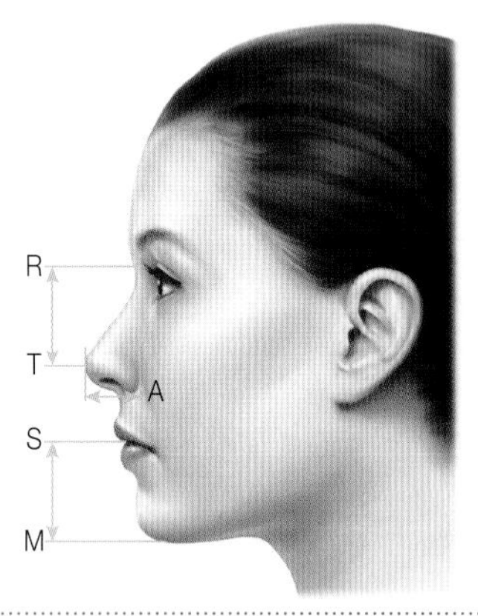

▷그림 2-5-9. 이상적 코길이(R-T)는 S-M(구각점과 턱끝점의 사이의 거리)과 같다. R=radix(비근), T=tip(비첨), A=ala(비익), S=stomion(구각점), M=menton(턱끝점)

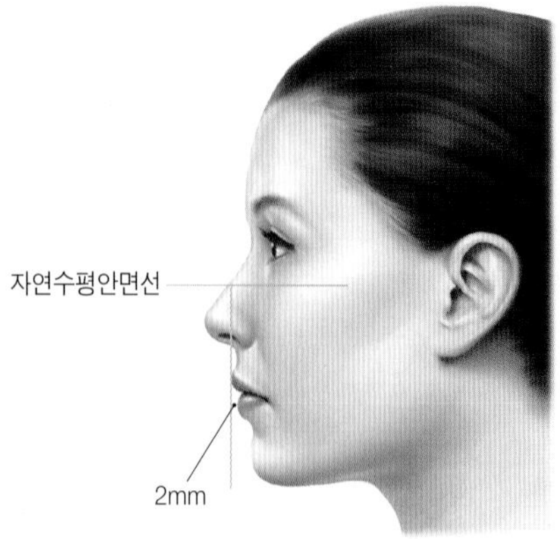

▷그림 2-5-10. 이상적 하순위치는 이상적 코길이의 중간점을 지나는 자연수평안면선의 수직선보다 2 mm 뒤에 위치한다.

2) 이상적 코길이

코길이(R-T)는 비근(root 또는 radix, R)과 비첨(tip, T) 사이이며, 이상적 코길이는 구각점(stomion)과 턱끝점의 사이의 거리(S-M)와 같다(그림 2-5-9). R-T=S-M

3) 하순과 턱끝의 이상적 위치

이상적 하순 위치는 이상적 코길이의 중간점을 지나는 자연수평안면선(natural horizontal facial plane)의 수직선보다 2 mm 뒤에 위치한다(그림 2-5-10). 이상적인 턱끝 위치는 성별에 따라 다르다. 즉, 여성에서는 턱끝이 하순보다 조금 뒤에 놓이지만, 남성에서는 턱끝과 하순이 일치한다. 입술과 턱끝의 위치 이상이 있으면 전체적인 얼굴의 균형을 개선시키기 위해 치과교정치료(orthodontics), 정악수술(orthognathic surgery) 또는 턱끝삽입술(chin implantation)이 필요하다.

4) 얼굴의 이상적 수직분할

얼굴의 전면에서 미간점(glabella)과 턱끝점(menton)의 수직연결선은 비배, 상순, Cupid활(Cupid's bow), 중절치(central incisor)를 양분한다(그림 2-5-11). 변위비변형(deviated nasal deformity)이 있으면 이 수직선으로부터 코 부위가 변위되어 나타난다.

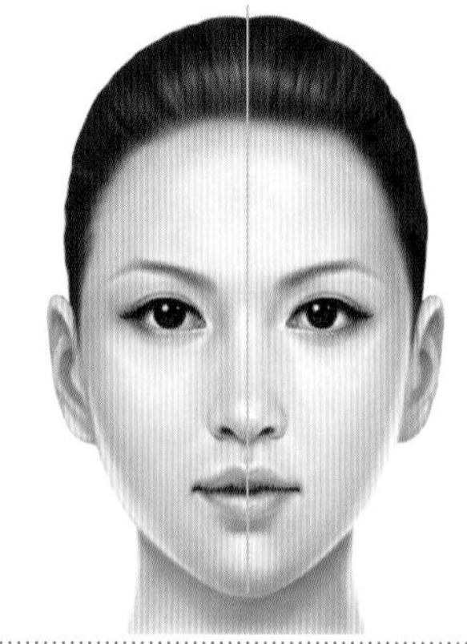

▷그림 2-5-11. 얼굴의 대칭은 미간점과 턱끝점의 수직연결선에 의해 결정된다.

5) 비배미용선(Dorsal aesthetic lines)

비배미용선은 곡선으로서 양쪽 상안와릉(supraorbital ridge)으로부터 시작되어 내안각(medial canthus)의 수준으로 갈수록 수렴되다가 비종석부(keystone area)에서 조금 벌어진 다음, 비배에서 조금 더 벌어진 뒤 비첨윤곽점(tip defining point)까지 내려간다. 서양인에서는 비배미용선의 이상적인 폭은 비첨윤곽점 간격이나 인중 폭과 같지만, 동양인에서는 전자가 후자보다 조금 더 넓다(그림 2-5-12).

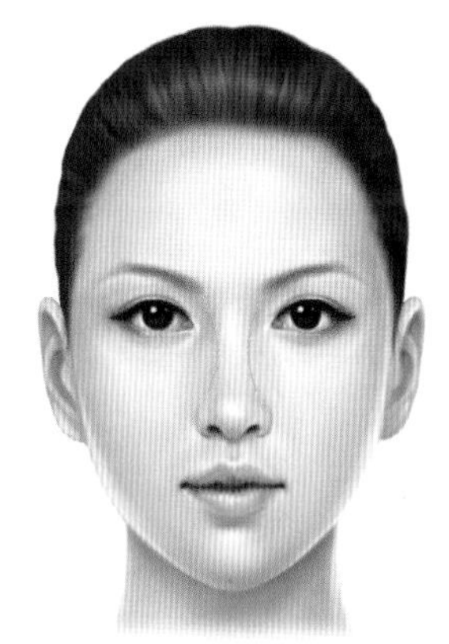

▷그림 2-5-12. 비배미용선은 상안와릉으로부터 비첨윤곽점까지 곡선으로 이어진다.

6) 이상적 비익폭(Alar width) 또는 비익간격(Interalar width과 비골저폭(Bony base width)

이상적인 비익폭은 내안각간격(intercanthal distance)이나 눈 하나의 폭과 같다. 만일 비익폭이 내안각간격보다 증가되었으면 비공저절제술(nostril floor resection)을 한다(그림 2-5-13A, B). 만일 비익폭의 증가가 비익퍼짐(alar flaring)에 의한 것이라면(비익저보다 2~3 mm 더 외측에 위치하는 비익최외점 사이의 거리가 증가), 비익저절제술(alar base resection)을 고려해 봐야 한다(그림 2-5-13C).

비골저폭(bony base width)은 상악골 수준에서 코의 가장 넓은 점 사이로서 비익폭의 80% 정도여야 한다(그림 2-5-13D). 만일 비골저폭이 비익폭의 80%보다 더 크면 비절골술(nasal osteotomy)이 필요할 수 있다(그림 2-5-32 참조).

7) 비첨(Nasal tip)

비첨은 두 개의 등변삼각형의 기저끼리 서로

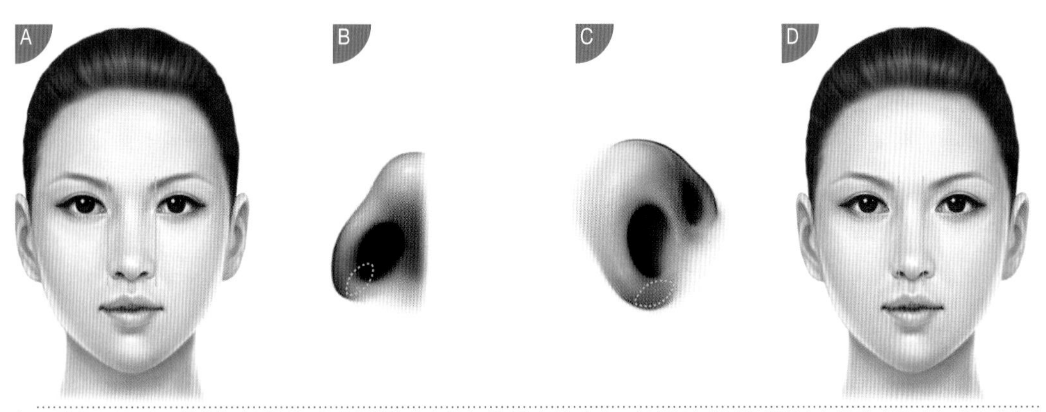

▷그림 2-5-13. A. 이상적 비익폭은 내안각간격이나 한 눈의 폭과 같다. B. 비익폭이 내안각간격보다 증가되었으면 비공저절제술을 한다. C. 만일 비익폭의 증가가 비익퍼짐에 의한 것이라면 비익저절제술을 고려해 봐야 한다. D. 비골저폭은 비익폭의 80% 정도이다.

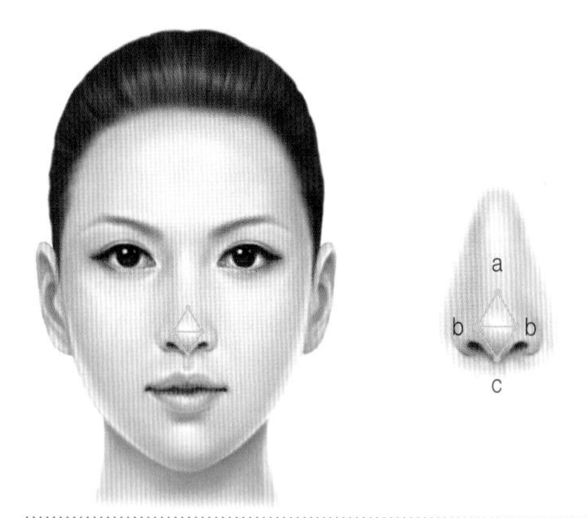

▷그림 2-5-14. 비첨은, 기저가 서로 마주 보는 두 개의 등변 삼각형에 의해 평가한다.

접하게 그림으로써 평가한다(그림 2-5-14). 이때, 등변삼각형의 꼭짓점들은 a. 상비첨파단점(supratip break point), b. 양쪽의 비첨윤곽점, 그리고 c. 비주-소엽각(columellar-lobular angle)이다. 만일 이 삼각형이 비대칭이면 비첨교정술이 필요하다.

8) 이상적 비익연(Alar Rim)과 비주(Nasal columella)의 윤곽

얼굴의 전면에서 마지막으로 평가해야 할 항목은 비익연과 비주의 윤곽이다. 정상적으로 이 윤곽은 '부드럽게 나는 갈매기(seagull in gentle flight)'이어야 한다(그림 2-5-15). 만일 갈매기 날개 사이의 각도가 너무 예각이면 하비첨-소엽(infratip lobule)의 높이가 증가된다. 반대로, 이 각도가 너무 편평하면 비주보임(columellar show)이 감소된 비주퇴축(columellar retraction)이므로 비주전진술(columellar advancement)이 필요할 수 있다.

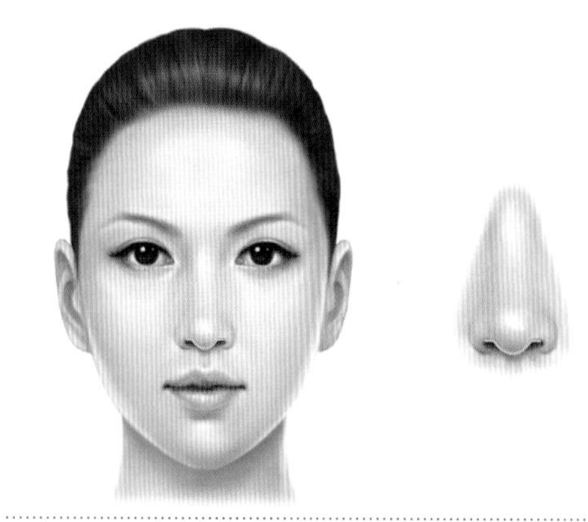

▷그림 2-5-15. 비익연과 비주의 윤곽은 '부드럽게 나는 갈매기'를 닮는다.

9) 이상적 비저(Nasal base)

비저면(nasal base view)에서는 비저의 윤곽과 외비공(nostril) 자체를 분석하며, 비저의 윤곽은 등변삼각형이어야 한다(그림 2-5-16). 비소엽높이 대 비주높이의 비율은 서양인에서는 1:2인데 비하여, 동양에서는 비주높이가 조금 더 짧아서 1:2 미만이다. 외비공 자체는 장축이 조금 내측 방향(외비공의 기저로부터 외비공의 꼭대기로의 방향)인 눈물방울 모양을 가져야 한다.

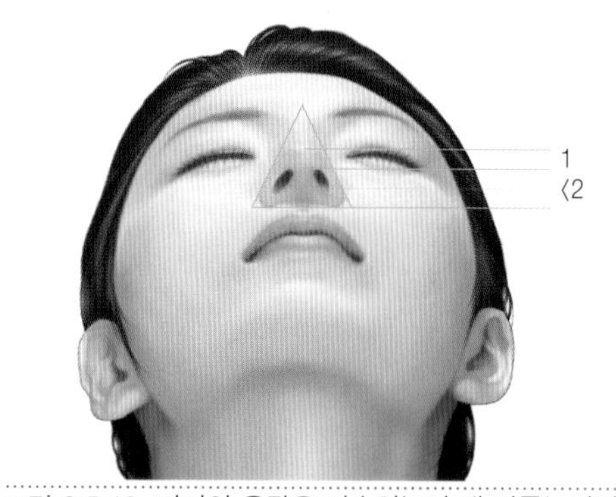

▷그림 2-5-16. 비저의 윤곽은 비소엽높이 대 비주높이의 비율이 1:2 미만인 등변삼각형이다.

10) 이상적 측면: 비-전두각(Nasofrontal angle)과 비-안면각(Nasofacial angle)

얼굴의 측면에서는 비-전두각부터 분석한다.

비-전두각은 미간(glabella)과 비배를 부드러운 오목한 곡선으로써 연결하는 곳이다. 서양인에서는 여성 134도, 남성 130도 정도가 이상적이지만, 한국인에서는 여성 150도, 남성 148도이다. 이 각도의 꼭대기인 비근(radix)은 코의 시작점으로서 환자로 하여금 자연스럽게 앞을 수평으로 보게 했을 때(일차주시, primary gaze) 상안검주름(supratarsal fold, 쌍꺼풀)과 상안검 눈썹 사이에 위치한다. 따라서 비배증대술(dorsal augmentation)을 할 때 실리콘고무(silicone rubber)와 같은 이물성형물(alloplastic material)이나 늑연골이나 비중격연골과 같은 연골이식물의 최두연을 이곳 또는 보다 두측에 둔다.

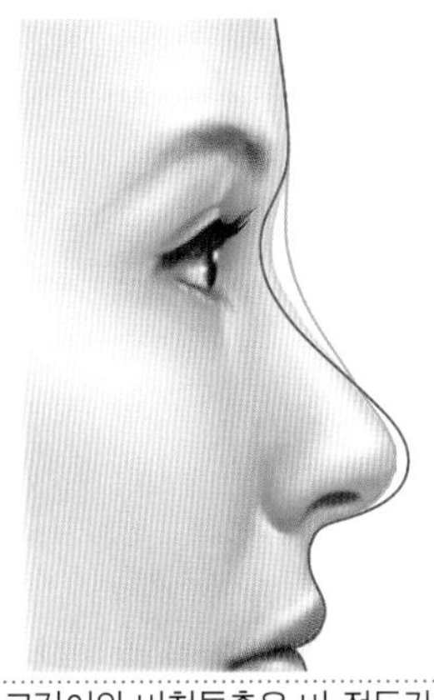

▷그림 2-5-17. 코길이와 비첨돌출은 비-전두각의 위치에 의해 변화시킬 수 있다. 비근증대술로써 비-전두각을 전상방으로 위치시키면 비첨돌출이 감소되면서 코가 길어 보이며, 비근절제술로써 비-전두각을 후하방으로 위치시키면 비첨이 돌출되면서 코가 짧아 보인다.

코길이와 비첨돌출은 비-전두각에 의해 변할 수 있음을 알아야 한다(그림 2-5-17). 예를 들어, 만일 비-전두각을 비근증대술(radix augmentation)로써 조금 더 전상방에 위치시키면 코는 조금 더 길어 보일 수 있다. 이런 경우 비-안면각(nasofacial angle, 수직안면선에 대한 비배의 각도)이 감소하며, 비첨돌출은 감소되어 나타난다. 반대로, 만일 비근절제술로써 비-전두각을 후하방으로 위치시키면 코는 짧아 보일 수 있으며, 비첨은 조금 더 돌출 될 수 있다. 서양인의 이상적 비-안면각은 32~37도이며, 한국인 여성의 평균은 30도, 남성은 32도이다.

11) 이상적 비첨돌출(Tip projection)

이상적 비첨돌출은 두 가지 방법으로써 분석한다. 첫째 방법은 측면에서 비익-협부접점(alar-cheek junction)으로부터 비첨으로 수평선을 그었을 때 그 길이는 비익폭(alar width)과 같으며, 코길이(R-T)의 0.67배와 같다(그림 2-5-18). 둘

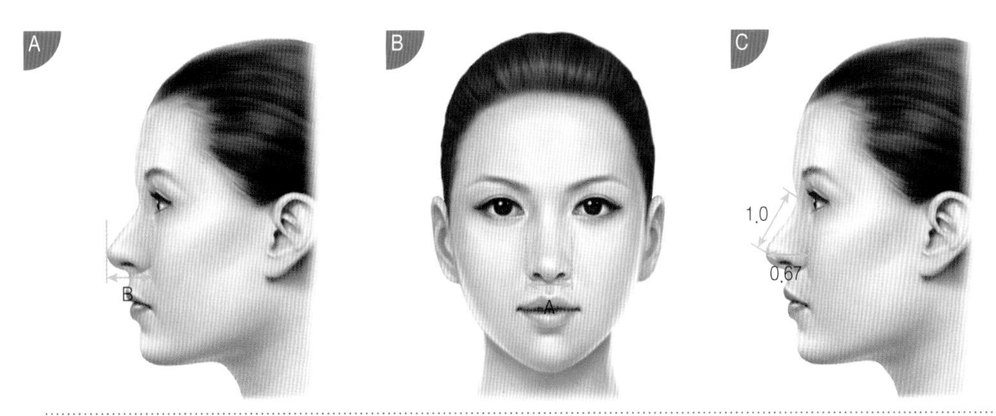

▷그림 2-5-18. A, B. 이상적 비첨돌출(B)는 비익폭(A)과 같다. C. 이상적 비첨돌출은 코길이의 0.67배이다(0.67 × R-T).

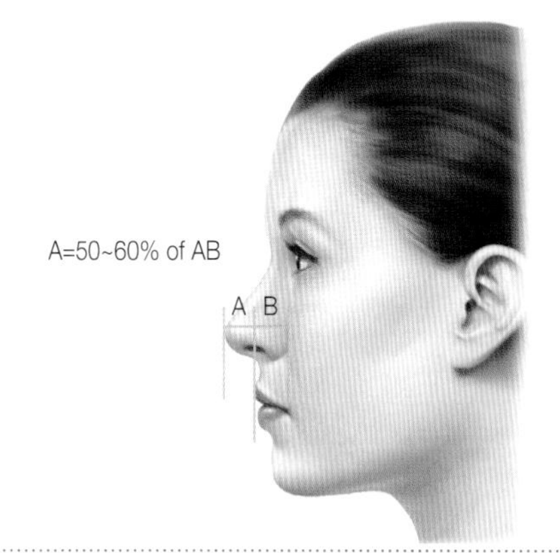

▷그림 2-5-19. 비첨의 50~60%가 상홍순의 최전방점에 접한 수직선보다 앞에 놓일 때 이상적이다(서양인).

째 방법은, 비첨이 상홍순(upper lip vermilion)의 최전방점에 접한 수직선보다 얼마나 앞에 위치하는가이다. 만일 비첨의 50~60%가 이 선보다 앞에 놓이면 서양인에서는 비첨돌출을 정상이라고 생각한다(그림 2-5-19). 만일 비첨돌출이 이 범위를 벗어나면 비첨교정술이 필요할 것이다. 동양인에서는 이보다 조금 덜 하더라도 이상적이라고 생각한다.

12) 이상적 비배(Nasal dorsum)

비배는 비근(radix)과 비첨윤곽점(tip defining point)의 연결선으로써 분석한다. 여성에서 이상적인 미용적 비배(aesthetic dorsum)는 이 선에 평행하되, 이 선보다 2 mm 정도 뒤에 놓이는 것이다(그림 2-5-20). 그러나 남성에서는 코의 여성화를 피하기 위해 이 두 선이 근접해야 한다. 상비첨파단점(supratip break point)은 측면에서 평가하며, 비배로부터 비첨을 분리시켜서 코를 정의하는데 도움을 준다. 여성에서 이상적인 미용적 비배는 한국의 기와지붕선이나 버선코에 견주며, 상비첨파단점은 남성보다는 여성에서 존재할 때 이상적이다.

13) 비첨회전(Tip rotation)

비첨회전은 비-순각(nasolabial angle)으로써 평가한다. 비-순각은 외비공의 최전연과 최후연의 연결선과 자연수평안면선(natural horizontal facial plane)에 대한 수직선 사이의 각도이다(그림 2-5-21). 이상적 비-순각은 대개 동서양에 관

A

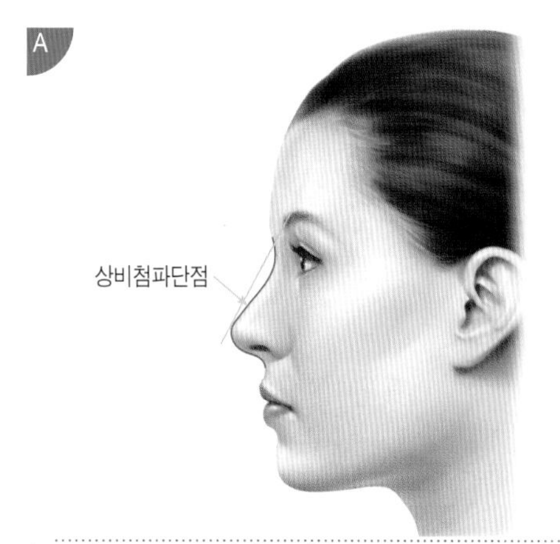

B

▷그림 2-5-20. A. 비배는 비근과 비첨윤곽점의 연결선에 의해 평가한다. 상비첨파단점(화살표)은 비배로부터 비첨을 분리시켜서 코를 정의하는 데 도움을 준다. B. 여성에서 이상적인 미용적 비배는 한국의 기와지붕선에 견주며, 상비첨파단점은 남성보다는 여성에서 존재할 때 이상적이다.

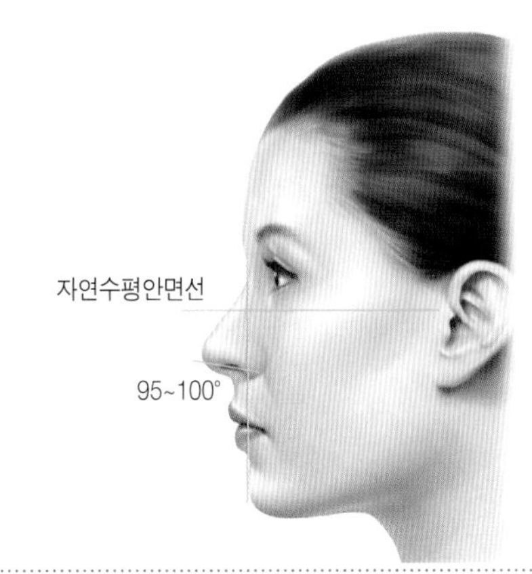

▷그림 2-5-21. 이상적 비-순각은 동서양 공히 여성에서 95~100도이며, 남성에서 90~95이다.

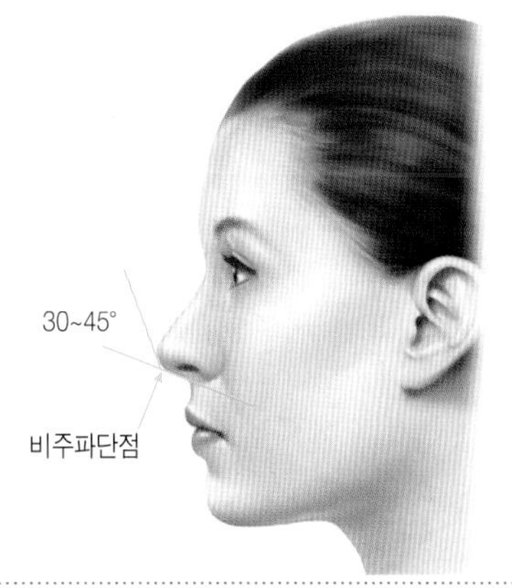

▷그림 2-5-22. 정상적 비주-소엽각은 동서양, 성별에 무관하게 30~45도이다.

계없이 여성 95~100도, 남성 90~95도이다. 비-순각은 비주-소엽각(columellar lobular angle)과 자주 혼동되는데, 비주-소엽각은 비주와 하비첨소엽(infratip lobule)의 접점인 비주파단점(columellar breakpoint)에서 생긴 각도이다(그림 2-5-22). 비주-소엽각은 동서양, 성별에 관계없이 정상적으로 30~45도이다. 만일 미측비중격(caudal septum)이 돌출되면 비주-소엽각의 충만(fullness)이 증가하기 때문에 비-순각이 정상임에도 불구하고 비첨회전이 증가한 것으로 착각하게 된다.

14) 이상적 비익-비주관계(Alar-columellar relationship)

비익-비주관계는 외비공의 장축을 지나는 선과, 이 장축을 양분하도록 비익연으로부터 비주연으로 내린 수직선에 의해 평가한다(그림 2-5-23). 만일 비익-비주관계가 정상이면 비익연(A점)으로부터 장축(B선)까지의 거리는 장축(B선)과 비주연(C점) 사이의 거리와 같으며 2 mm가 정상이다. 즉, AB=BC≈2 mm. 만일 비정상이라면 6개의 등급으로 분류된다. 제1~3급은 비

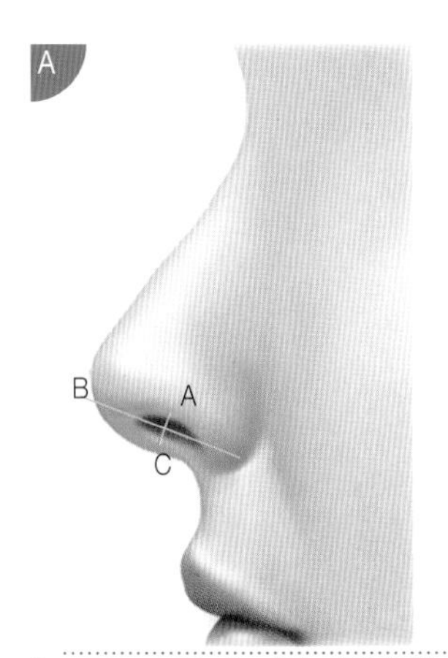

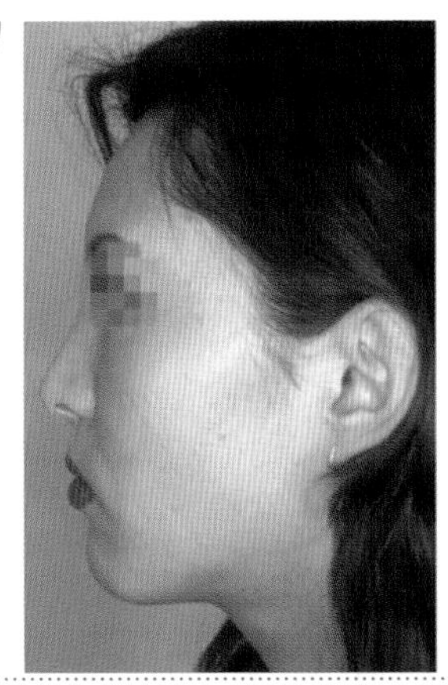

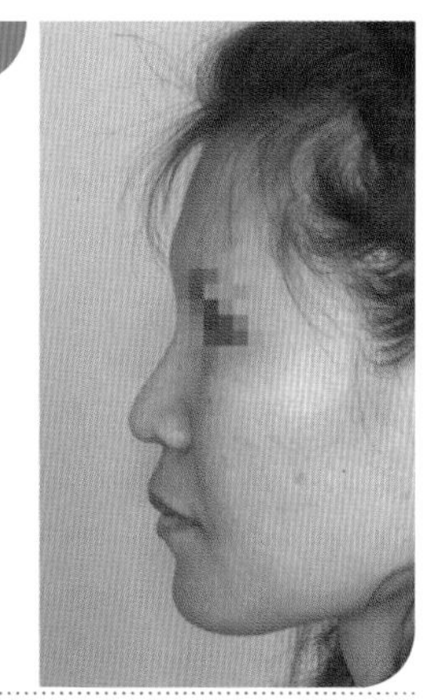

▷그림 2-5-23. A. 비익-비주관계는 외비공의 장축선(B선)과, 비익연(A점)과 비주연(C점)의 연결선으로써 평가한다. B. 비주보임이 증가된 증례. C. 비주보임이 감소된 비주퇴축으로서 동양인 코의 특징 중 하나이다.

주보임(columellar show)이 증가된 경우이며, 제 4~6급은 비주보임이 감소된 비주퇴축(columellar retraction)을 나타낸다. 후자는 동양인 코의 특징 중 하나이다.

마지막으로, 중요한 술 전 분석은 내비검사(intranasal examination)로서 비경(nasal speculum), 헤드라이트, 그리고 혈관수축제를 사용하여 비중격, 비갑개, 그리고 내비밸브의 이상과 변형을 평가한다.

III. 수술 기법

비성형술이 필요한 한국인의 전형적인 모습은 낮은 비근과 비배, 비첨돌출 결여, 비주퇴축(columellar retraction)이다(그림 2-5-43 참조). 따라서 비성형술은 비배와 비근의 증대술, 비첨돌출술, 비주전진술(columellar advancement)을 흔히 하게 된다. 비배와 비근 증대술을 위해 실리콘고무를 흔히 사용하고 있으며, 삽입물의 심각한 합병증인 돌출(extrusion)을 방지하기 위해 비중격통합이식술(septal integration graft)로써 하외연골을 전상방으로 부유(suspension)시켜 비첨돌출과 비주전진을 한 다음, 비첨에 미치지 않는 짧은 삽입물을 사용하고 있다.

1. 접근술의 종류

현대 비성형술의 접근술은 개방접근술(open approach)과 폐쇄접근술(closed approach 또는 내비접근술, endonasal approach)의 두 가지이다. 두 접근술 모두 장단점이 있으므로 모두 익숙해야 한다.

개방접근술의 장점은 비변형을 눈으로 바로 볼 수 있기 때문에 정확한 진단을 해서 교정할 수 있으며, 비중격이식물을 채취하기가 쉽고, 출혈점을 바로 지혈할 수 있고, 이식물을 쉽게 고정할 수 있다. 단점은 외부비절개선의 반흔 특히, 경비주반흔(transcolumellar scar)이 표가 날 수 있고, 수술 시간이 연장되며, 비첨 부종이 오래 지속되고, 창상치유가 지연된다. 폐쇄접근술의 장점은 외부 반흔이 없으며, 변형이 필요한 부위에 박리술을 국한할 수 있고, 공간(pocket)을 정확하게 만들 수 있으므로 이식물을 고정하지 않더라도 고정시킬 수 있으며, 제한적으로 박리하므로 피판의 혈관이 유지되어 창상치유가 증진되며, 술 후 부종이 경미하고, 수술 시간이 짧고, 환자의 회복이 빠르다. 단점은 술 전 진단을 정확하게 하려면 술자의 경험이 필요하며, 가르치는 술자와 학생이 수술 시야를 동시에 볼 수 없고, 비변형을 바로 볼 수 없으며, 하외연골의 위치이상이 있으면 박리술이 어려운 것이다.

2. 마취-술 전 준비

정맥내진정(intravenous sedation)을 이용한 국소마취나 전신마취를 사용할 수 있다. 마취유도를 한 다음, 코털을 깍고 Betadine액을 묻힌 면봉으로 닦음으로써 비전정(vestibule)을 준비(preparation)한다. 인두충전(throat pack)을 조심스럽게 위치시킴으로써 수술 중에 피가 식도로 들어가는 것을 막아야 술 후 오심과 구토를 방지할 수 있다. 얼굴 전체를 Betadine액으로 소독하고 수술포로 싼다.

어떤 마취를 하든지 지혈 효과를 위해 혈관수

축제가 섞인 국소마취제를 주사한다. 예상 절개선을 표시한 다음, 십만 배액의 epinephrine이 섞인 1% lidocaine 10 ml 정도를 비내점막, 비중격, 연조직외피 안으로 주사한다. 하비갑개성형술이 필요하면, 하비갑개에도 추가로 주사한다.

3. 절개술

1) 폐쇄접근술(Closed approach)

폐쇄접근술에는 비면신접근술(nondelivery technique)과 면신접근술(delivery technique)의 두 가지 기법이 있다.

(1) 비면신접근술(Nondelivery technique)

비면신접근술에는 하외연골을 시상절개(split)하는 경연골절개술(transcartilaginous incision)과 외번절개술(eversion incision)이 있다.

① **경연골절개술(Transcartilaginous Incision)**
경연골절개술은 하외연골의 외각과 중간각의 미연보다 수 mm 두측을 따라 절개하여 하외연골을 남겨둠으로써 비익을 지탱하고 있는 비익연(alar rim)을 보존하는 방법이다. 양구겸자(double hook)로써 비익을 당기면서 손가락으로써 비익을 외번(eversion)시킴으로써 노출을 도모한다. 하외연골을 노출시킨 다음, 하외연골절제술(두측다듬기, cephalic trim)을 한다(그림 2-5-35).

② **외번절개술(Eversion Incision) 또는 역절개술(Retrograde incision)**
외번접근술에서는 비전정절개술을 하외연골의 최두연에서 하는 것이 경연골절제술과 다를 뿐이다. 이 절개술의 이론적 장점은 비익연을 넓게 보존함으로써 이 부위의 반흔구축변형(scar contracture deformity)을 방지할 수 있는 것이다.

(2) 면신접근술(Delivery technique)

면신접근술은 심한 비첨이열(bifid tip)과 같이 중등도의 비첨교정술이 필요한 증례에서 사용된다. 두 가지 절개술이 있다.

① **연골간절개술(Intercartilaginous incision)의 이용**
비익을 외번 시킨 다음, 하외연골 외각의 두연 바로 위로 연골간절개술(intercartilaginous incision)을 한다.

② **하연골절개술(Infracartilaginous incision) 또는 비익연절개술(Marginal incision)의 이용**
하외연골의 외각부터 내각까지 미연을 따라 절개하여 비주-소엽접점(columellar lobular junction)에서 끝난다(그림 2-5-24). 다음, 하외연골과 배측연골비중격(dorsal cartilaginous septum)에서 연골막 바로 위층으로 연조직을 박리한다. 반대쪽에서도 같은 조작을 하면 두 개의 절개선이 비중격각(septal angle)에서 연결되며, 반관통절개선(hemitransfixion incision)으로 이어진다. 이렇게 하면, 하외연골은 주위 조직으로부터 분리되어 바깥으로 빼낼 수 있다(면신). 하외연골이 면신되면 두측다듬기를 한다(그림 2-5-35 참조).

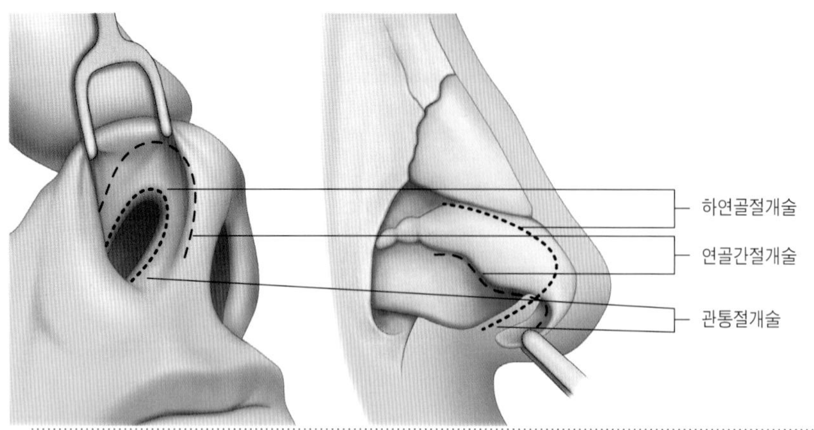

▷그림 2-5-24. **면신접근술.** 폐쇄접근술에서 연골간절개술(점선)과 하연골절개술(실선)의 이용.

2) 개방접근술(Open approach)

개방접근술을 위한 외비절개술에는 여러 가지가 있지만, 흔히 두 가지 방법을 사용한다.

(1) 경비주절개술(Transcolumellar incision)

경비주절개술은 절개선의 모양에 따라 경비주계단상절개술(transcolumellar stairstep incision)과 Goodman의 날개가 있는 역V자형절개술(inverted V incision with wing)로 나눈다(그림 2-5-25). 비주의 가장 좁은 곳을 지나도록 절개해야 술 후 절흔(notch)이 생기더라도 표시가 덜 나기 때문에 계단 모양인 전자는 옳은 방법이 아니다. 이 절개술의 장점은 계단 모양이나 V자 모양이 지표를 제공하므로 정확하게 봉합할 수 있으며, 선상 반흔구축을 방지하고, 반흔을 위장할 수 있는 것이다. 그러나 절흔 외에도 반흔이 지주의 중간을 가로 지르는 단점이 있다.

(2) 비주-상순V자형절개술(Columellar labial inverted V incision)

저자는 경비주절개술보다는 비주와 상순의 접선에 있는 피부주름을 따라 비주-상순V자형 절개술을 선호한다(그림 2-5-26A). 왜냐하면, 경비주절개술은 ⓐ 하외연골의 내각에 손상을 줄 수 있다. ⓑ 한국인의 하외연골 내각의 족판분절

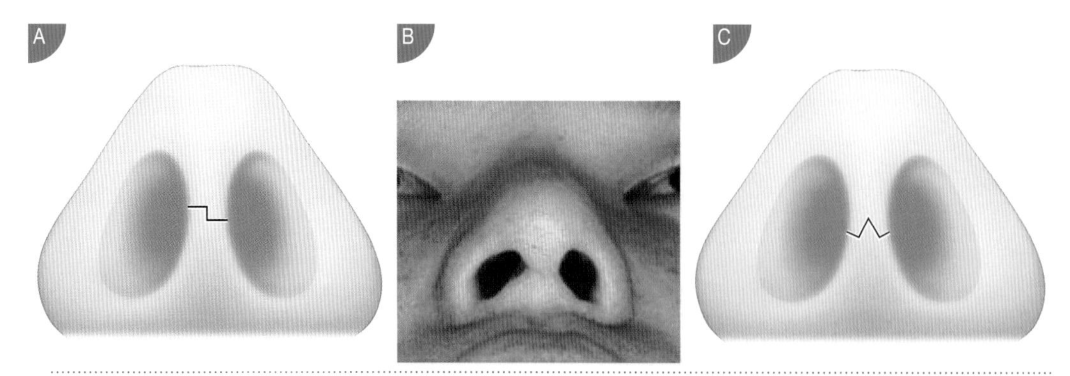

▷그림 2-5-25. **개방접근술의 절개술.** A, B. 경비주계단상절개술. 비주의 가장 좁은 곳을 지나도록 절개해야 술 후 절흔이 생기더라도 표시가 덜 나게 되는데, 이 절개술은 계단 모양이므로 오른 쪽 절개는 비주의 가장 좁은 곳보다 앞에서 했기 때문에 술 후 절흔(화살표)이 생겼다. C. 날개가 있는 역V자형 절개술.

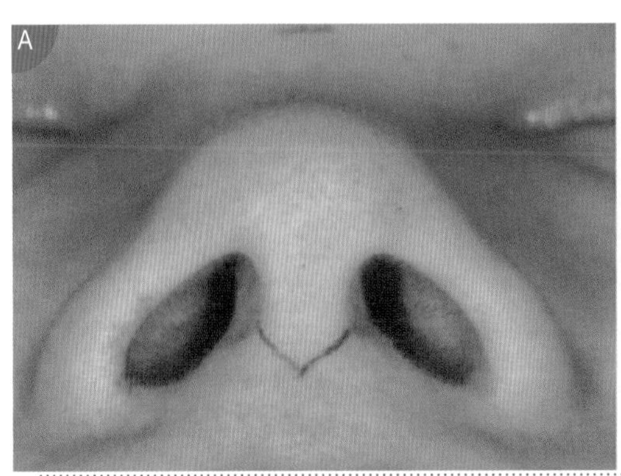

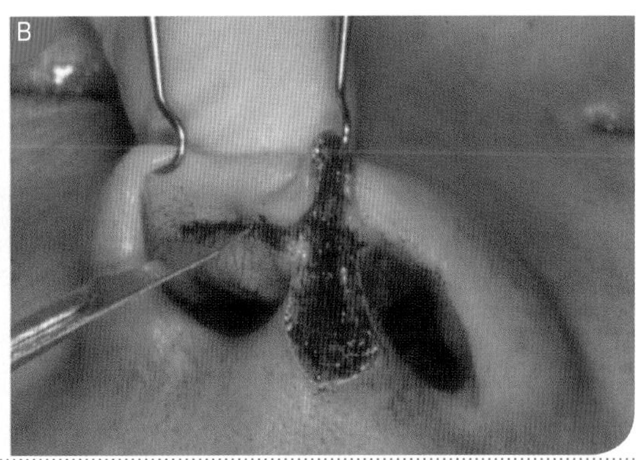

▷그림 2-5-26. **비주-상순V자형 절개술.** A. 비주와 상순의 접선에 있는 피부주름을 따라 90도 각도로 절개한다. B. 하연골절개술. 하외연골의 내각과 중간각의 미연을 따라 앞으로 진행하여 원개분절까지 절개한 다음, 비주피판을 단구겸자로 들고, 외각도 미연을 따라 절개한다.

(footplate)은 6.9 mm로서 서양인의 5.8 mm보다 더 길기 때문에 한국인에서 흔한 비주퇴축을 교정하기 위해서는 경비주절개선보다 더 뒤로 절개하는 비주-상순V자형 절개술을 해야 더 교정하기 쉽다. ⓒ 비주에 절흔이 생길 수 있기 때문이다(그림 2-5-25B 참조).

하외연골의 내각과 중간각의 미연을 따라 앞으로 진행하여 원개분절(domal segment)까지 절개한 다음, 비주피판(columellar flap)을 단구겸자로 들고, 외각도 미연을 따라 절개한다(그림 2-5-26B). 반대쪽에서도 같은 조작을 한다.

3) 외피박리(Skin envelope dissection)

코뼈대를 노출시킬 때 코를 공급하는 동맥, 정맥, 그리고 임파선을 손상시키지 않도록 연골막 바로 위층으로 박리한다. 이런 박리는 두측으로 연골비중격(cartilaginous septum)과 상외연골을 노출시킬 때까지 계속한다. 다음, 비골에 도달하면 비배골봉(bony dorsal hump)이 있는 곳에서만 골막하박리술(subperiosteal dissection)을 한다. 이때, 비골에 붙어 있는 골막이 찢어지지 않도록 조심해야 한다. 만일 골막이 찢어지면 창상치유가 지연되며, 특히 비절골술(nasal osteotomy)을 함께 한 경우에는 골막의 지지가 없어지게 되므로 비골의 위치이상이 유발될 수 있다. 또, 상외연골은 정상적으로 비골의 아래에서 중첩되어 있기 때문에 상외연골을 비골 아래로 잘못 박리함으로써 상외연골이 비골로부터 분리되지 않도록 조심해야 한다(그림 2-5-4 참조).

4) 비중격연골채취 (Septal cartilage harvest)

저자의 경우, 한국인의 비성형술에서는 많은 양의 연골이식물이 필요하기 때문에 비중격연골의 채취는 거의 필수가 되었다. 비중격변형이 있을 때에는 이를 교정함과 동시에 비중격연골을 채취할 수 있다. 비중격연골은 채취하더라도 공여부 문제점이 경미하며, 수술 시야가 같기 때문에 비성형술에서 이상적인 이식물이다. 비중격연골은 길이가 충분하기 때문에 비배이식물로써 적합하며, 연전이식술(spreader graft)에 흔히 사용된다.

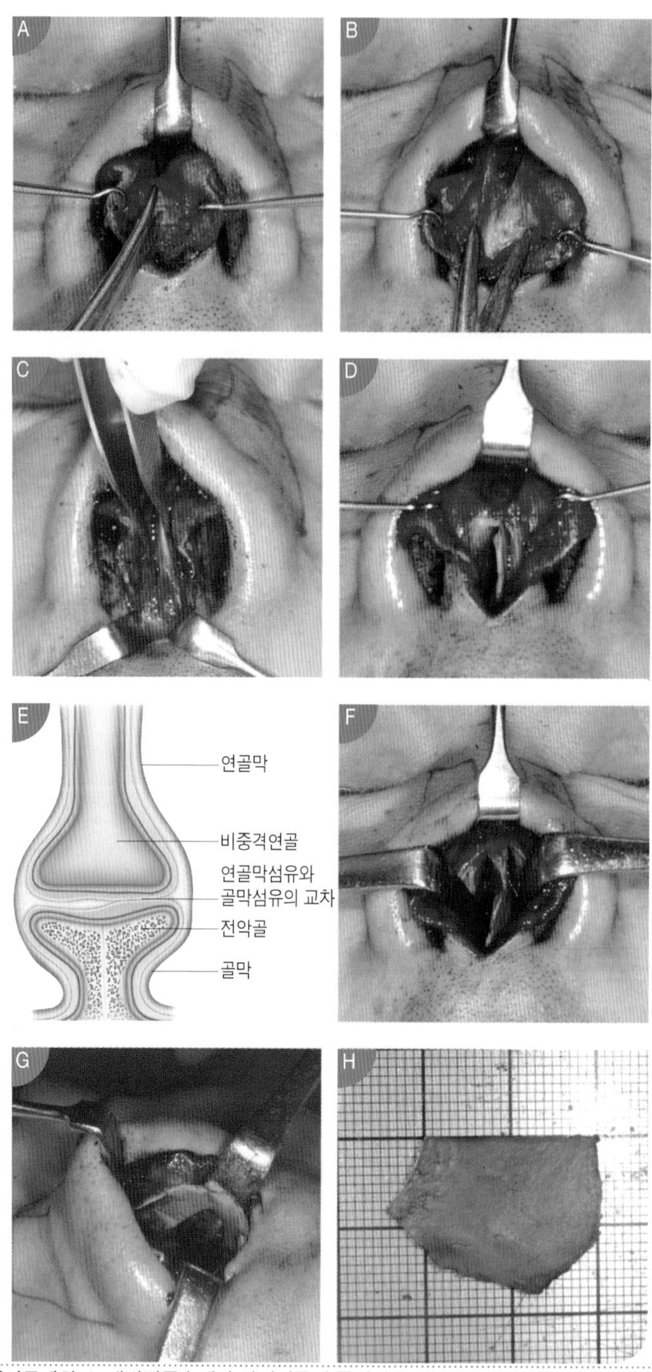

▷그림 2-5-27. **비중격연골채취.** A. 개방접근술에서 하외연골의 중간각을 서로 분리하고 표재인대와 비익간인대 자체를 절개하고 나면, B. 전비중격각(화살표)이 노출된다. C. 미측비중격의 하후방에 있는 연골막을 절개하면 D. 연한 청회색의 비중격연골이 노출된다. E. 비중격연골, 아래에 있는 전악골과 서골 사이의 관계는 사개맞춤으로서 이곳에는 연골막섬유들이 내려갈 뿐만 아니라, 반대쪽으로도 지나가며, 반대로 올라가는 골막섬유들도 연골막섬유와 비슷한 주행을 하고 있기 때문에 연골막하층을 찾기가 쉽지 않다. F. 많은 양의 비중격연골과 사골수직판을 채취하기 위해서는 상외연골을 배측비중격으로부터 분리시킬 수도 있다. G. 배측비중격과 미측비중격에 각각 10 mm 폭의 L자형지주를 보존해야 연골비중격의 안정성을 유지할 수 있다. H. 채취한 비중격연골. 하부 1/3에 굽은 변형이 보인다.

(1) 폐쇄접근술

폐쇄접근술에서 완전관통절개술(complete transfixion incision)을 전비극(anterior nasal spine)까지 하면 비첨돌출이 감소되기 때문에 대개 Killian절개술이나 반관통절개술(hemitransfixion incision)을 사용한다. 비중격연골의 채취 방법은 개방접근술에서와 같다.

(2) 개방접근술

개방접근술에서는 하외연골의 중간각을 서로 분리하고 표재인대(superficial ligament)와 비익간인대 자체(inter-alar ligament proper)를 절개하고 나면(그림 2-5-27A), 전비중격각(anterior septal angle)이 노출된다(그림 2-5-27B). 미측비중격(caudal septum)의 하후방에 있는 연골막을 15번 수술도로써 절개하면(그림 2-5-27C), 연한 청회색의 유리연골(hyaline cartilage)인 비중격연골이 노출된다(그림 2-5-27D). 이때, 연골막하층을 정확하게 찾아야 박리를 안전하게 할 수 있다. 왜냐하면, 비중격연골과, 아래에 있는 전악골(premaxilla)과 서골(vomer) 사이의 관계는 사개맞춤(tongue in groove)으로서 이곳에는 비중격연골로부터 연골막섬유들이 내려갈 뿐만 아니라, 반대쪽으로도 지나가며, 반대로 전악골과 서골로부터 올라오는 골막섬유들도 연골막섬유와 비슷한 주행을 하고 있기 때문에 연골막하층을 찾기가 쉽지 않으므로 자칫 구멍이 생기기 쉽다(그림 2-5-27E). 다음, Cottle거상기를 이용하여 연골막 아래로 사골수직판(perpendicular plate of ethmoid bone)까지 뒤로, 아래로 전악골과 서골까지 박리한다. 비중격을 보면서 많은 양의 비중격연골과 사골수직판을 채취하기 위해서는 점막하터널(submucosal tunnel)을 만든 다음, 상외연골을 배측비중격(dorsal septum)으로부터 분리시킬 수도 있다(그림 2-5-27F, 31A 참조). 반대쪽에서도 박리한 다음, Vienna비경으로써 비중격변형의 유무를 조사한다. 비중격연골을 채취할 때에는 연골비중격의 안정성을 유지하기 위해 배측비중격(dorsal septum)과 미측비중격에 각각 10 mm 폭의 L자형지주(L-strut)를 보존하는 것이 중요하다(그림 2-5-27G). 채취한 연골(그림 2-5-27H)은 생리식염수에 보관함으로써 마르는 것을 방지해야 한다. 만일 변위된 사골이나 서골이 있으면 절제하며, 점막에 구멍이 생겼으면 수복한다.

5) 비중격통합이식술 (Septal integration graft)

채취한 비중격연골을 미측비중격에 고정한다. 고정 방법은 여러 가지가 소개되어 있지만, 중첩이식술(overlapping junction)보다는 단단고정술(end to end fixation)을 해야 이식물을 절약할 수 있으며, 하외연골 부유술(lower lateral cartilage suspension)에 의한 과도한 긴장 때문에 술후 이식물이 굽는 변형(buckling deformity)을 방지할 수 있다. 5~6개의 5-0 PDS (polydioxanone suture)II로써 단단고정술의 일종인 수직형 '8자형고정봉합술(figure of eight locking suture)'을 하기도 한다(그림 2-5-28A, B). 다음, 비첨돌출과 비주전진이 적합하도록 하외연골을 상전방으로 부유시킨 다음, 바늘로써 잠정고정 한 뒤(그림 2-5-28C), 하외연골을 비중격연골이식물에 3개의 5-0 PDS로써 고정한다. 다음, 이식물이 하외연골보다 더 하방으로 더 돌출되지 않도록 다듬는다.

비중격통합이식술에 의한 효과는 비첨돌출과 비주전진이다. 이 수기에 의해 비첨돌출이 되기

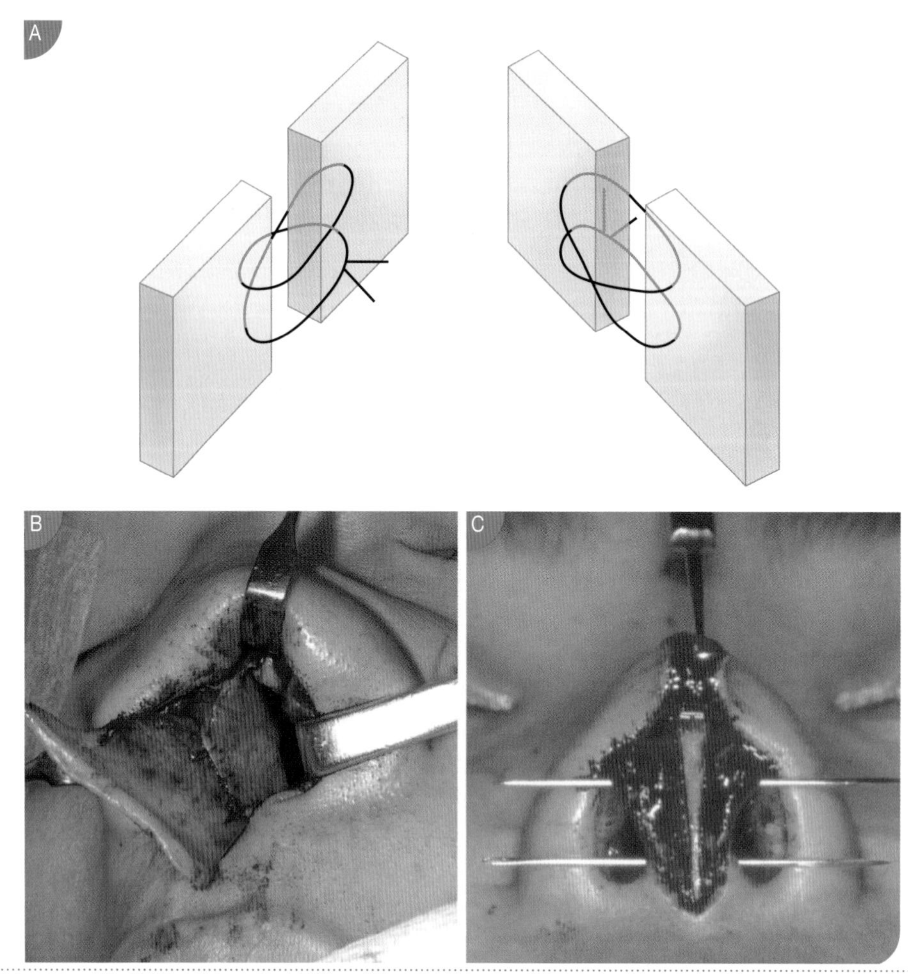

▷그림 2-5-28. **비중격통합이식술**. A, B. 수직형 8자형고정봉합술. C. 비첨돌출과 비주전진이 적합하도록 하외연골을 전상방으로 부유시킨 다음 바늘로써 잠정고정했다.

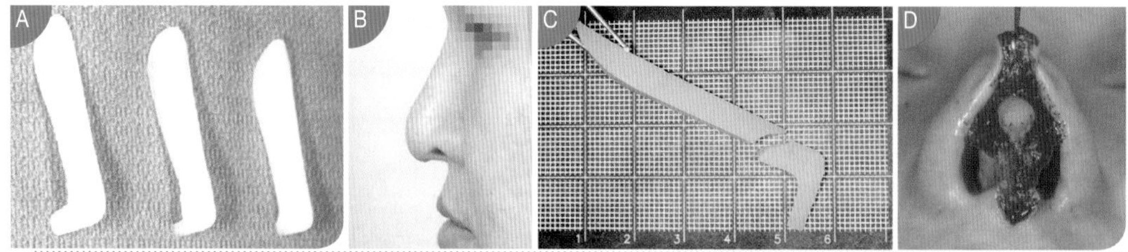

▷그림 2-5-29. A. 실리콘고무. 여러 가지 크기, 모양(L자형, I자형 등), 그리고 강도(연성, 중간성, 그리고 경성)로 상품화되어 있다. B. 실리콘고무로써 비배증대술을 받은 지 18년에 실리콘고무가 하비첨-소엽을 통하여 노출되어 돌출 직전이다. C. 실리콘고무의 앞쪽 끝을 잘라낸 다음, D. 실리콘고무의 앞쪽 끝부분을 하외연골보다 두측에 있는 전비중격각에 고정한다.

때문에 실리콘고무로써 비배증대를 할 때 비첨 부분을 없애도 되는 장점이 있으며, 따라 술 후 이물성형물의 돌출과 같은 심각한 합병증을 방지할 수 있다(그림 2-5-29C 참조).

6) 비배(Nasal dorsum)

비배에서는 비배증대술(dorsal augmentation)이나 비배축소술(dorsal reduction)이 필요하다. 한국인에서는 비배증대술을 더 흔히 하며, 비배봉(dorsal hump)이 있더라도 대개 경미하므로 비배축소술을 제한적으로 한다.

(1) 비배증대술(Dorsal augmentation)

비배증대술을 위해 사용하는 재료에는 실리콘고무(silicone rubber)(그림 2-5-29A), polytetrafluoroethylene (PTFE, Goretex®)과 같은 이물성형물(alloplastic material)과, 비중격연골(septal cartilage), 이갑개연골(conchal cartilage), 늑연골과 같은 자가조직을 사용한다. 동양인의 진피는 두껍기 때문에 실리콘고무를 사용하더라도 돌출(extrusion)될 위험이 비교적 적다고 알려져서 동양인에서 지금까지 흔히 사용하고 있다. 그러나 어떤 재료든지 이물성형물은 노출, 변위(deviation), 감염과 같은 심각한 합병증이 언제나 발생할 수 있음을 알고 매우 조심스럽게 사용해야 하며(그림 2-5-29B), 자가조직을 사용하는 것이 더 안전하다. 이물성형물이나 자가이식물의 앞쪽 끝부분을 하외연골보다 두측에 있는 전비중격각(anterior septal angle)에 고정한다(그림 2-5-29C)

비배증대술만 필요할 때에는 폐쇄접근술만로도 충분하다. 연골하절개술(infracartilaginous incision)을 한 다음, 연골막 상층과 골막 하층에서 적절한 크기의 공간을 만든 뒤 위치시키며, 대개는 고정하지 않는다.

(2) 비배축소술(Dorsal reduction)

비배축소술은 상외연골을 비중격으로부터 분리한 다음, 연골비중격과 골비배변형에 점증축소술(incremental reduction)을 하는 것이다.

① 상외연골을 비중격으로부터 분리

우선, 점막하터널(submucosal tunnel)을 만들어서 비점막 손상을 최소화해야 술 후에 내비밸브의 협착(stenosis), 비전정물갈퀴변

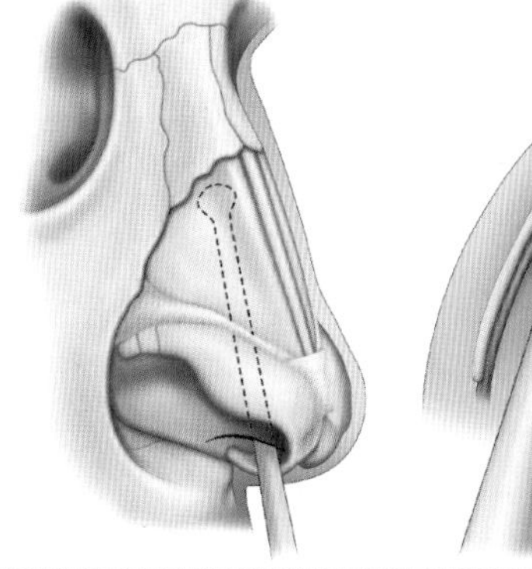
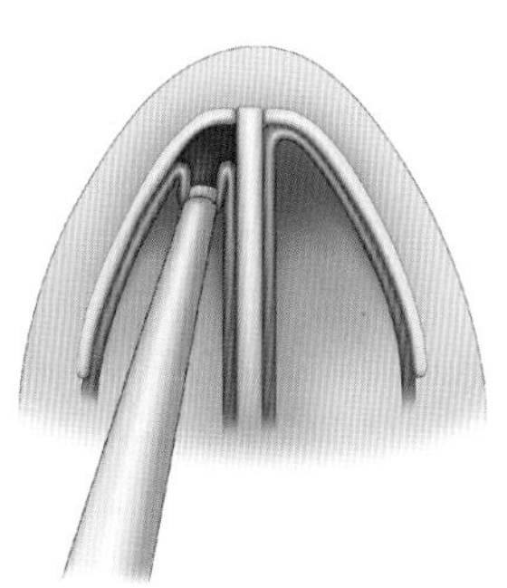

▷그림 2-5-30. **점막하터널 만들기.** Cottle거상기로써 비골에 도달할 때까지 미측에서 두측 방향으로 배측비중격의 점-연골막을 일으킨다.

형(vestibular webbing)을 방지할 수 있다. 방법은, Cottle거상기로써 비골에 도달할 때까지 미측에서 두측 방향으로 배측비중격(dorsal septum)의 점-연골막(mucoperichondrium)을 일으킨다(그림 2-5-30). 다음, 15번 수술도로써 점-연골막에 손상을 주지 않으면서 상외연골을 비중격으로부터 분리시킨다(그림 2-5-27F, 31 참조).

② **점증적배측연골비중격축소술(Incremental component cartilaginous dorsal septal reduction)**

이렇게 하면, 배측연골비중격(dorsal cartilaginous septum)이 3요소-중앙의 비중격과 양쪽의 상외연골의 수평부-로 분리된다(그림 2-5-31A, B inset). 다음, 연골비배(cartilaginous dorsum)인 비배봉(dorsal hump)을 끝을 자라버린 11번 수술도나 수술가위로써 조금씩 잘라서 점증적으로 축소시키는데, 이 조작은 바로 보면서 할 수 있다. 이때, 양쪽에 있는 상외연골에 손상이 가지 않도록 조심해야 한다. 양쪽에 있는 상외연골의 수평부는 거의 절제할 필요는 없지만, 만일 해야 한다면 조심스럽게 절제해야 한다. 왜냐하면, 과대절제하면 내비밸브의 붕괴와 비배의 불규칙이 생길 수 있기 때문이다. 또, 상외연골의 수평부가 유지되어야 비배미용선이 보존된다. 만일 조각도를 이용하여 비중격과 양쪽의 상외연골을 한 덩어리로 절제하는 일괄절제술(en bloc resection)을 하면 상연골원개보다 골원개를더 많이 절제할 위험이 있으며, 또 비중격보다 상외연골을 더 많이 절제되면 역V자형변형(inverted V deformity)이 생길 수 있다(그림 2-5-4B 참조).

③ **골비배축소술(Bony dorsum reduction)**

큰 비봉(대개 5 mm 이상)은 동력이 달린 burr나 보호 장치가 있는 8 mm의 절골도(guarded osteotome)로써 축소시킨다. 작은 비봉은 예리한 다이아몬드형 줄(rasp)로써 처리할 수 있다. 줄질(rasping)은 다음과 같이 체계적으로 한다. 우선, 양쪽의 비배미용선을 따라 줄질을 한 다음, 정중선에서는 오른손잡이인 경우, 왼손의 무지와 인지로써 줄을 제어하면서 줄질을 한다. 이때, 중요한 것은 비골로부터 상외연골이 기계적으로 분열되는 것을 방지하기 위해 조금 경사

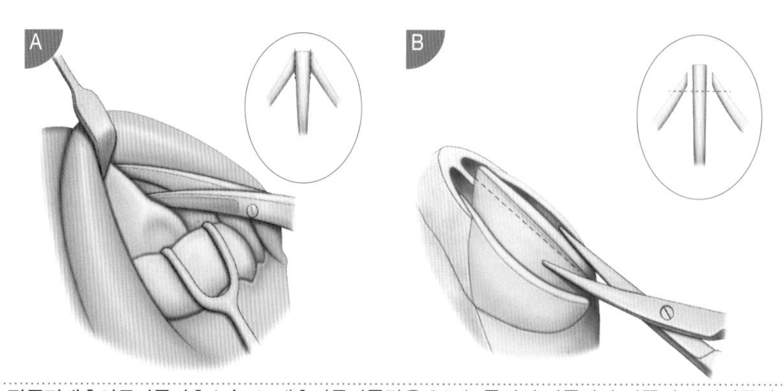

▷그림 2-5-31. **점증적배측연골비중격축소술.** A. 배측연골비중격을 3요소-중앙의 비중격과 양쪽의 상외연골의 수평부-로 분리시킨 다음, B. 연골비배인 비배봉을 수술가위로써 조금씩 잘라서 점증적으로 축소시킨다.

지게 줄질을 유지하는 것이다(그림 2-5-4A 참조).

수술을 마치면, 비배에 불규칙이나 함몰이 남아있는지 확인하기 위해 인지에 생리식염수를 묻힌 다음, 양쪽 비배미용선과 정중선을 부드럽게 촉진한다. 이런 조작은 외피를 재배치시킨 뒤에도 해본다.

7) 비절골술(Nasal osteotomy)

내절골술(medial osteotomy), 외절골술(lateral osteotomy), 그리고 내절골술과 외절골술의 동시 시행의 세 가지 기법이 있다. 접근술은 술자의 기호에 따라 폐쇄접근술이나 개방접근술로써 할 수 있다. 절골술을 하는 이유는 다음과 같다. a. 외비벽(lateral nasal wall)을 좁히기 위해. b. 비봉절제술 후 생긴 열린지붕변형(open roof deformity)을 닫기 위해. c. 코의 골뼈대바루기(straightening of nasal bony framework)에서 대칭을 만들기 위해.

절골술의 금기는 a. 비골이 짧거나, b. 얇고 부서지기 쉬운 비골을 가진 노인, c. 무거운 안경을 사용하는 환자이다.

(1) 외비절골술(Lateral osteotomy)

외비절골술에는 저고위외비절골술(low-to-high lateral osteotomy), 저저위외비절골술(low-to-low lateral osteotomy), 그리고 이중수준외비절골술(double level lateral osteotomy)이 있다(그림 2-5-32). 이런 절골술은 내비절골술(medial osteotomy), 수평절골술(transverse osteotomy) 또는 약목골절술(green stick fracture)과 함께 할 수 있다. 어떤 절골술을 하더라도, Webster 삼각(triangle)을 보존하는 것이 중요하다(그림 2-5-33). 이 골삼각부는 내비밸브 가까이에 있는 상악골의 전두돌기의 미면으로서 내비밸브의 지지에 필요하기 때문이다. 이 삼각부를 보존해야 내비밸브의 붕괴에 의한 기능적 비기도폐쇄를 막을 수 있다.

외비절골술을 할 때에는 절골선의 시작을 골원개(bony vault)에서 낮게 유지시킴으로써 계단상 변형을 막는 것도 중요하다. 외비절골선의 두

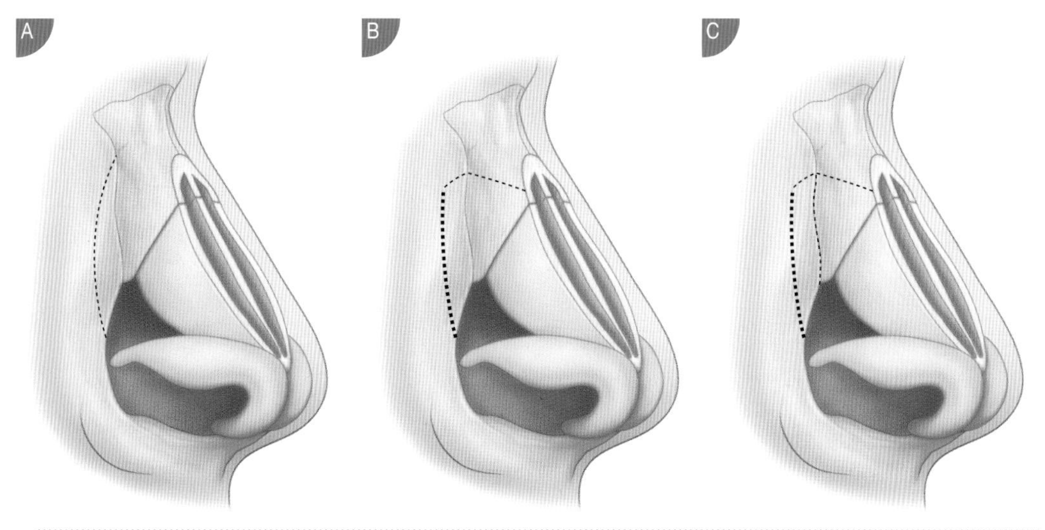

▷그림 2-5-32. 외비절골술의 유형

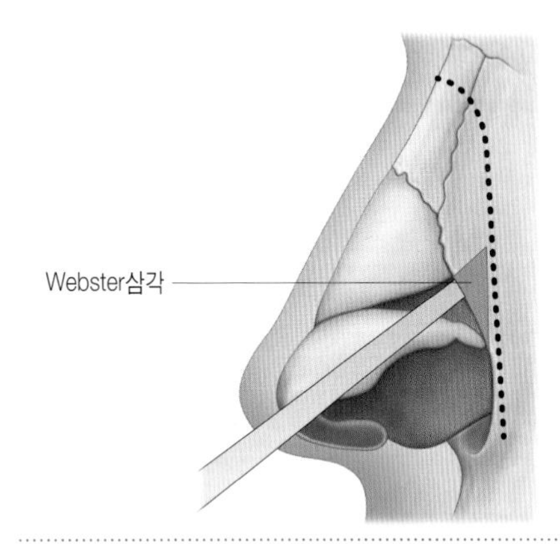

▷그림 2-5-33. Webster삼각. 외비절골술을 할 때에는 이 골삼각부를 보존해야 내비밸브의 붕괴를 막을 수 있으므로 중요하다.

연이 내안각건(medial canthal ligament)보다 더 높으면 비골이 두꺼워서 기술적으로 어려우며, 누계(lacrimal system)에 손상을 주어서 유루(epiphora)가 생길 수 있기 때문에 내안각건보다 더 두측으로 절골하지 않도록 주의해야 한다.

① **저고위외비절골술(Low-to-high osteotomy)**

이 절골술은 이상구(pyriform aperture)에서 낮게 시작하여 비배에서 내측으로 돌아서 높게 끝난 다음, 비골을 약목골절로써 내측화(medialization)한다(그림 2-5-32A). 만일 비골이 두꺼우면 따로 상사선비절골술(superior oblique osteotomy)이 필요할 수 있다(그림 2-5-34B). 이 절골술은 대개 작은 열린지붕변형이나, 중등도로 넓은 비저(nasal base)를 교정하기 위해 사용한다.

② **저저위외비절골술(Low-to-low osteotomy)**

이 절골술은 이상구에서 낮게 시작하여 골원개를 따라 계속해서 낮게 올라가서 내안각연결선 가까이 수준에서 비배의 외측에서 끝난다(그림 2-5-32B). 비골의 내측화를 조금 더 많이 시키므로 큰 열린지붕변형이나 넓은 비골저(bony base)를 교정할 때 전통적으로 사용하는 조금 더 강력한 기법이다. 이 절골술은 비골을 조금 더 잘 이동시키기 위해 내비절골술(medial osteotomy)을 흔히 함께 한다.

③ **이중수준절골술**
(Double-level lateral osteotomy)

이 절골술의 적응증은 일반적인 외비절골술로써 교정하기에는 외비벽(lateral nasal wall)의 볼록함이 지나치게 심하거나, 외비벽의 비대칭이 심한 경우이다. 방법은, 내측의 외비절골술을 비-상악골봉합선(nasomaxillary suture line)에 먼저 한 다음, 외측의 외비절골술을 저저위로 한다(그림 2-5-32C).

(2) 내비절골술(Medial osteotomy)

내비절골술은 비골의 내측화를 도모하기 위해 사용하며, 일반적인 적응증은 두꺼운 비골이나, 넓은 비골저를 가진 환자에서 예측할 수 있는 절골 양상을 얻고자 할 때이다. 내비절골술은 흔히 외비절골술과 함께 사용하지만, 모든 증례에서 둘 다 사용할 필요는 없다. 만일 둘 다 사용한다면 내비절골술을 먼저 한 다음 외비절골술을 하는 것이 기술적으로 더 쉽다. 내비절골술에는 상사선비절골술(superior oblique osteotomy), 방정중비절골술(paramedian osteotomy), 그리고 수평절골술(transverse osteotomy)이 있다. 어떤 내비절골술을 하더라도 내안각연결선보다 더 위로 가서는 안 된다. 또, 내비절골술을 너무 내측에서 하면 외비절골선과 연결되어서 흔들변형(rocker deformity)을 야기할 수 있다. 이 변형이

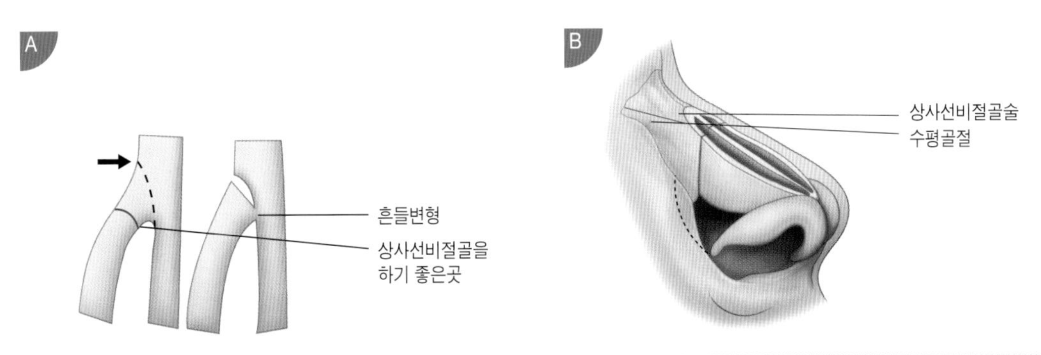

▷ 그림 2-5-34. A. 흔들변형. 내비절골술을 너무 내측에서 하면(화살표), 외비절골선과 연결되어서 흔들변형을 만들 수 있다. 이 변형이 생기면 상부 비배가 더 넓어진다. B. 상사선비절골술로써 흔들변형을 방지할 수 있다.

▷ 표 2-5-1. 외비절골술의 합병증

감염	외과적 외상	미용적 문제점
국소적 농양 연조직염(cellulitis) 육아종(granuloma)	출혈(혈종, 반상 출혈) 부종 비낭종형성(nasal cyst formation) 무후각증(anosmia)	지나치게 좁거나 볼록함 외비벽의 불충분한 이동 불안정한 비골 흔들변형
전신적	동정맥루(arteriovenous fistula)	과잉의 연조직
두개내	유루(epiphora) 누소관출혈(canalicular bleeding) 신경-근육손상 두개내손상	계단상 변형 비골 비대칭

생기면 상부 비배가 더 넓어진다. 상사선비절골술을 하면 이 변형을 방지할 수 있다(그림 2-5-34).

절골술을 할 때 생길 수 있는 합병증을 표 2-5-1에 열거했다.

8) 두측다듬기(Cephalic trim)

하외연골의 두측다듬기의 적응증은 a. 비첨회전술(tip rotation)이 필요할 때, b. 비첨윤곽점의 내측화(medialization of TDP)가 필요할 때, c. 상자형비첨(boxy tip)이나 구상형비첨(bulbous tip)에서 조금 더 나은 윤곽(definition)과 정교함이 필요할 때이다. 캘리퍼를 이용하여 하외연골의 중간각과 외각의 미측에서 보존해야 할 6 mm 정도의 띠를 남기고 두측을 잘라낸다(그림 2-5-35). 잘라낸 연골은 얇지만 이식물로서 사용할 수 있다.

9) 연전이식술(Spreader graft)

연전이식술은 a. 내배밸브를 열어두는 부목(splint)으로서 도움을 주며, b. 비중격을 안정시키며, c. 비배미용선을 향상시키는 데 사용할 수 있는 유용한 방법이다(그림 2-5-36). 대개, 비중격연골을 사용하여 25~30 × 3 mm 정도의 크기로 다듬으며, 거의 성냥 모양이다. 조금 더 길게 만들어서 전비중격각(anterior septal angle)을 지나도록 조금 더 미측으로 위치시키면 코를 효과적으로 더 길게 할 수 있다. 또, 비중격을 따라

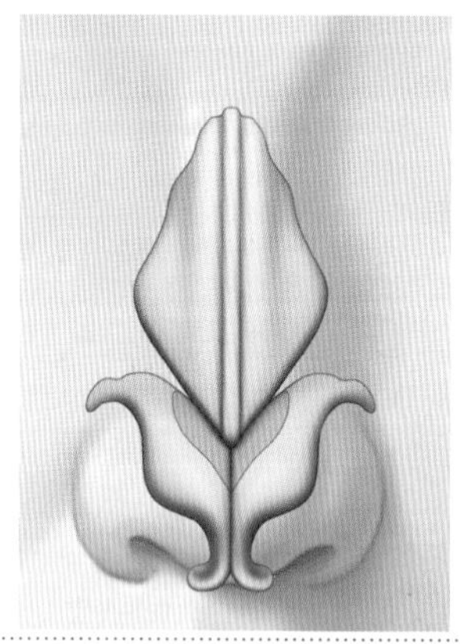

▷그림 2-5-35. **두측다듬기.** 캘리퍼를 이용하여 하외연골의 중간각과 외각의 미측에서 보존해야 할 6 mm 정도의 띠를 남기고 두측을 잘라낸다.

조금 더 전방으로 위치시키면 '가시이식술(visible graft)'이 됨으로써 조금 더 강한 비배미용선을 만들 수 있으며, 조금 더 미측으로 위치시키되, '비가시이식술(invisible graft)'이 되도록 조금 후방으로 위치시키면 비중격을 지탱하거나 내비밸브에 부목을 대어줄 수 있다. 연전이식물은 5-0 PDS로써 수평석상봉합술(horizontal mattress suture)하여 고정시킨다.

10) 비첨교정술(Tip modification)

(1) 비첨돌출

비첨돌출은 다음의 요소들에 의해 영향을 받는다. a. 하외연골을 피부에 연결하는 비익간인대 자체(inter-alar ligament proper), b. 하외연골의 길이와 강도, c. 전비중격각(anterior septal angle)을 지나는 부유인대(suspensory ligament), d. 상외연골과 하외연골 사이의 이상구인대(pyriform ligament), e. 하외연골의 지대(abutment)인 이상구(pyriform aperture), f. 전비중격각. 이런 해부학적 구조물들 중 어느 것이라도 교정하면 비첨돌출을 증가시킬 수 있다.

우선, 비파괴적 기법으로 비첨봉합술(tip suture)을 이용하여 비첨을 돌출시킨다.

① **비첨봉합술(Tip suture)**

비첨을 1~2 mm 정도를 확실히 돌출시킬 수 있다. 봉합사는 창상치유 과정에서 자연적으로 일어나는 섬유화를 허용하기에 충분하도록 오랫동안 하외연골을 변경시킨 위

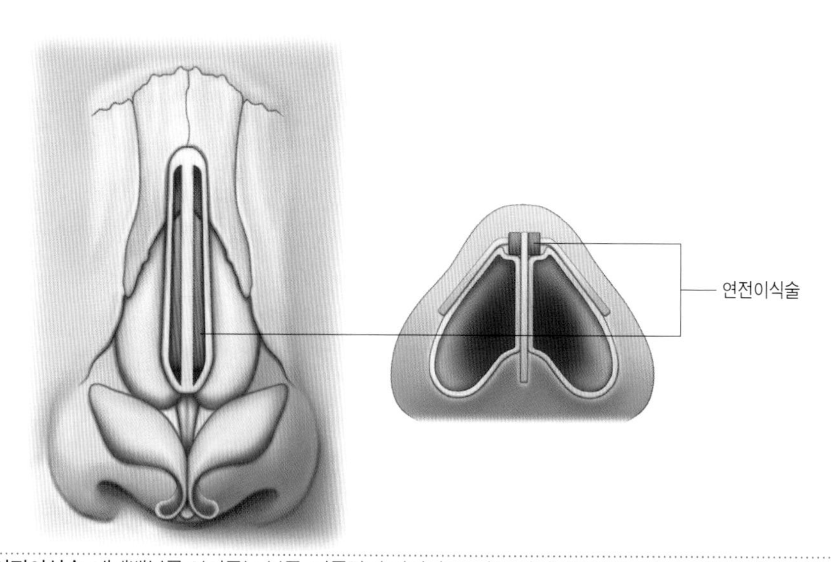

▷그림 2-5-36. **연전이식술.** 내배밸브를 열어두는 부목, 비중격의 안정화, 그리고 비배미용선의 향상에 사용할 수 있다.

치에서 붙잡아둘 수 있어야 한다. 나일론봉합사는 점-연골막을 뚫고 나와 문제를 일으킬 수 있으므로 오래 동안 흡수되지 않는 4-0 PDS II가 적합하다.

비첨봉합술의 일반적인 유형 네 가지는 a. 내각봉합술(medial crural suture), b. 내각-비중격봉합술(medial crural-septal suture), c. 원개간봉합술(interdomal suture), d. 경원개봉합술(transdomal suture)이다.

i) 내각봉합술(Medial crural suture)

내각봉합술은 a. 하외연골의 내각을 단일화 시키며, b. 내각과 중간각의 펼침(flaring)을 교정함으로써 비첨돌출을 제한적으로 증가시키는 데 유효하며, c. 비주지주(columellar strut)를 안정화시키는 데 도움을 주므로 흔히 사용한다(그림 2-5-37, 41B 참조).

ii) 내각-비중격봉합술(Medial crural-septal suture)

내각-비중격봉합술은 내각을 미측비중격(caudal septum)에 고정시킴으로써 비첨돌출과 비첨회전(tip rotation)을 둘 다 변경시킬 수 있다. 비주지주와 자주 함께 사용한다(그림 2-5-38).

iii) 원개간봉합술(Interdomal suture)

원개간봉합술은 내각과 중간각을 접근시킴으로써 원개간격을 좁힌다. 이 봉합술은 비첨의 정교함과 비첨돌출을 둘 다 증가시킨다. 석상봉합술(mattress suture)을 이용하며, 원하는 결과를 이룰 때까지 조인다(그림 2-5-39).

iv) 경원개봉합술(Transdomal suture)

경원개봉합술도 비첨의 정교함과 비첨돌출에 영향을 줄 수 있다. 중간각의 원개(dome)를 가로 질러서 석상봉합술을 하기 전에 봉합사가 점-연골막을 통과하지 않도록 하기 위해 점-연골막에 국소마취제를 주사하는 수력박리술(hydrodissection)을 먼저 해둔다(그림 2-5-40). 이 때, 과도하게 조이면 비첨윤곽점이 부자연스럽게 예리해지므로 피해야 한다. 양쪽 비첨윤곽점의 해부학적 차이를 교정하기 위해 경원개봉합술을 비대칭으로 위치시킬 수도 있다.

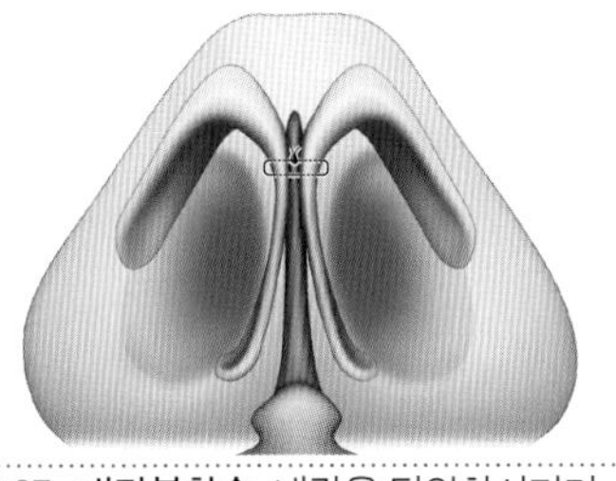

▷ 그림 2-5-37. **내각봉합술.** 내각을 단일화시키며, 내각과 중간각의 펼침을 교정하고, 비주지주를 안정화하는 데 도움을 준다.

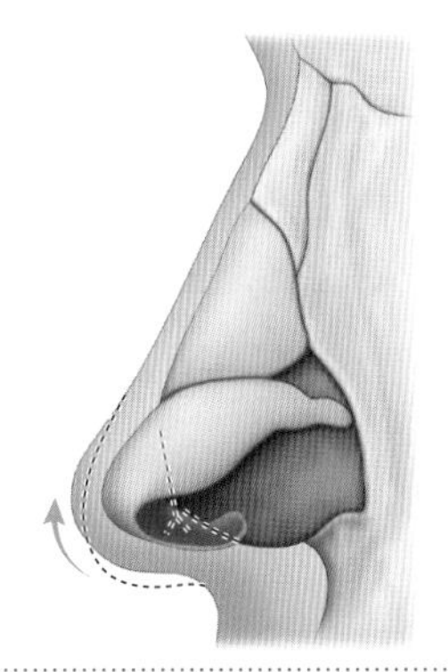

▷ 그림 2-5-38. **내각-비중격봉합술.** 내각을 미측비중격에 고정시킴으로써 비첨돌출과 비첨회전을 둘 다 변경시킬 수 있다.

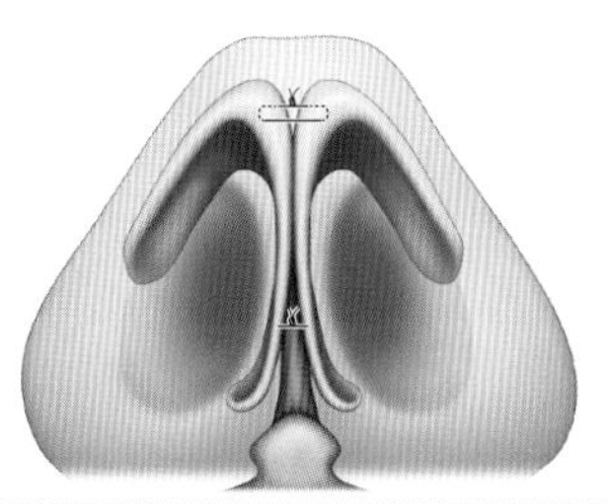

▷ 그림 2-5-39. **원개간봉합술.** 내각과 중간각을 접근시켜서 비첨의 정교함과 비첨돌출을 둘 다 증가시킨다.

② **비주지주(Columellar strut)**

비첨돌출의 둘째 기법은 비주지주(columellar strut)이다(그림 2-5-41). 비주지주는 통상 비중격연골로 만들며, 미측비중격(caudal septum)이나 전비극(anterior nasal spine)에의 고정 유무에 따라 '부유식(floating)' 또는 '고정식(fixed)'으로 나눈다. 이 지주는 비첨돌출뿐만 아니라, 비주의 옆모습도 조절한다. 수술 방법은, 내각 사이에 공간을 만든 다음, 지주를 이식한다. 비첨돌출의 조절은 양구겸자로써 내각을 앞으로 당겨봄으로써 결정한다. 다음, 25 G의 주사침을 수평으로 찔러서 내각과 비주지주를 함께 잠정적으로 고정한 다음, 내각봉합술(medial crural suture)로써 고정시킨다.

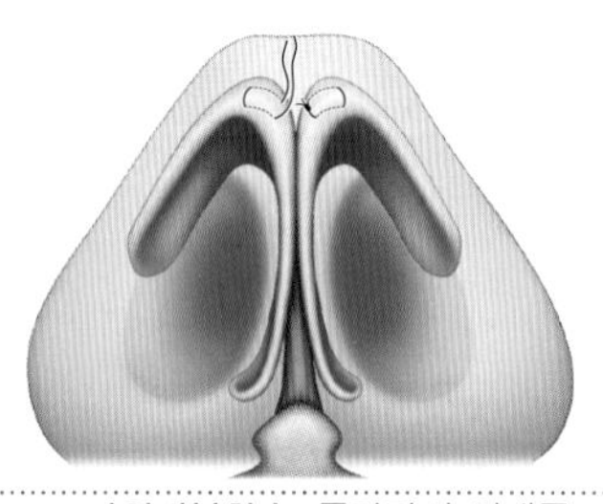

▷그림 2-5-40. **경원개봉합술**. 중간각의 원개를 가로 지르는 석상봉합술로서 비첨의 정교함과 비첨돌출에 영향을 줄 수 있다.

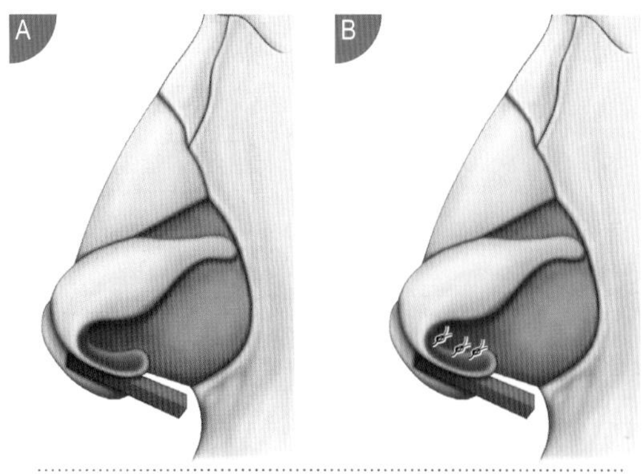

▷그림 2-5-41. **비주지주**. A. 부유식. B. 미측비중격에 고정시킨 고정식.

③ **비첨이식술(Tip graft)**

이상의 방법을 사용했는데도 비첨돌출과 비첨윤곽의 증가가 더 필요할 때 시행하는 셋째 기법이다. 비첨이식술은 여러 형태로 할 수 있으며, 어떤 유형이든 가시적인 경향이 있기 때문에 마지막에 고려한다. 비첨이식술에는 세 가지 유형이 있다. a. 중첩비첨이식술(onlay tip graft), b. 하비첨소엽이식술(infratip lobular graft), c. 비주-비첨이식술(columellar-tip graft).

i) 중첩비첨이식술(Onlay tip graft)

중첩비첨이식술은 대개 중간각의 원개에 위치시킨다. 어떤 연골이식물도 사용할 수 있으며, 두측다듬기(cephalic trim)를 해서 얻은 연골을 사용할 수도 있다(그림 2-5-42).

ii) 하비첨이식술(Infratip lobular graft)

하비첨이식술은 하비첨소엽의 윤곽(definition)과 돌출을 증가시키기 위해 사용하는 방패형 이식술(shield graft)이다(그림 2-5-43). 이식물의 상연을 원개(비첨윤곽점)의 수준에 위치시키거나(통합형, integrated type), 두꺼운 피부에서는 이보다 더 앞으로 돌출시킨다(돌출형,

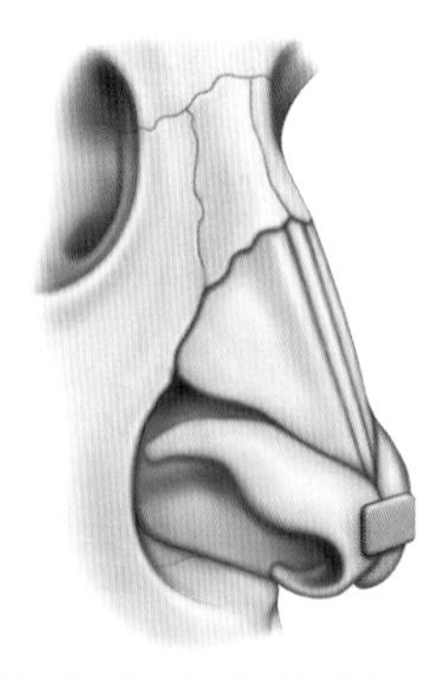

▷그림 2-5-42. **중첩비첨이식술**. 대개 중간각의 원개에 위치시킨다.

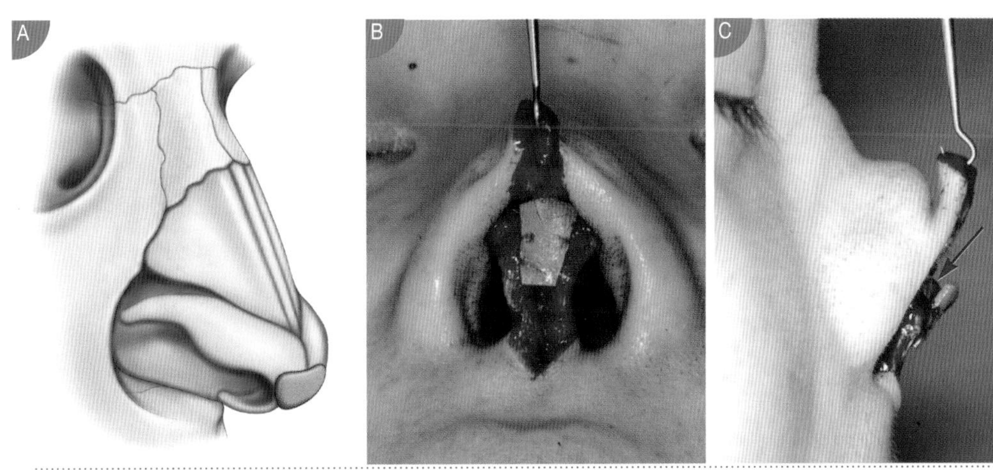

▷그림 2-5-43. **하비첨이식술**. 이식물의 높이는 대개 10~12 mm이다. A. 통합형 하비첨이식술. 이식물의 상연을 원개의 수준에 위치시킨다. B, C. 돌출형 하비첨이식술이 상후방으로 젖혀져서 비첨돌출이 감소되는 것을 방지하기 위해 덧이식물(화살표)을 방패형이식물 뒤에 덧대어준다.

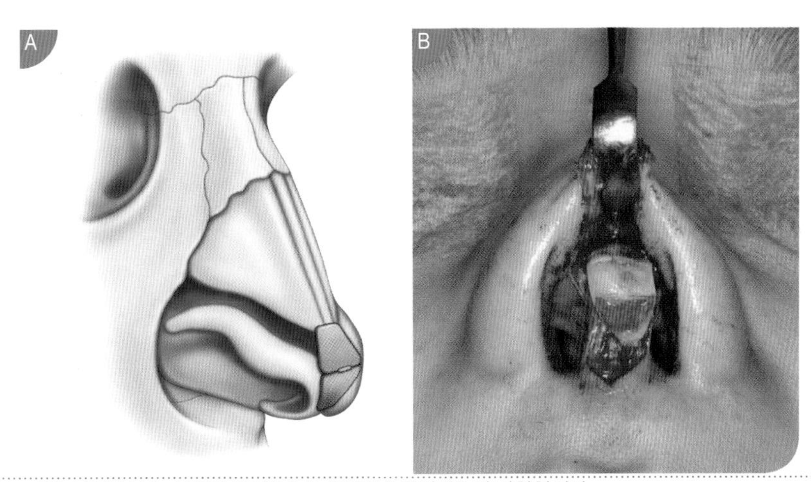

▷그림 2-5-44. **비주-비첨이식술**. 중첩비첨이식술과 하비첨소엽이식술의 결합형이다.

projected type). 이식물의 높이는 대개 10~12 mm이다. 가장자리가 피부를 통해 드러나거나, 만져지는 것을 피하기 위해 동그랗게 만든다. 돌출형 하비첨이식물이 상후방으로 젖혀져서 비첨돌출이 감소되는 것을 방지하기 위해 여러 층의 덧이식물(cap graft)을 방패형이식물 뒤에 덧대어준다.

iii) 비주-비첨이식술(columellar-tip graft)

비주-비첨이식술은 일반적으로 1) 어려운 일차 비성형술, 2) 두꺼운 피부, 3) 비첨돌출이 부족한 이차비성형술(secondary rhinoplasty)에서 사용한다. 이 이식술은 근본적으로 중첩비첨이식술과 하비첨소엽이식술의 결합형이다(그림 2-5-44). 위로는 상외연골에, 아래로는 내각의 미연에 고정시킨다.

11) 비첨회전술(Tip rotation)

비첨회전을 변경시키기 위해서는 비첨을 잡고 있는 외력을 유리시켜야 한다. 우선, 두측다듬기(cephalic trim)를 해서 상외연골과 하외연골 사이의 연결을 분리시킨다. 다음, 미측비중격(caudal septum)절제술을 해서 미측비중격으로부터 내각의 섬유성 부착을 절단함으로써 비첨에 가는 긴장을 유리시켜서 비첨이 조금 더 두측으로 회전되도록 해준다. 이런 조작은 비첨돌출에도 영향을 미칠 수 있다. 비첨이 적절히 회전되었으면, 내각-비중격봉합술(medial crural-septal suture)과, 비주지주나 비중격연장이식술(septal extension graft)을 함께 함으로써 위치를 유지시킨다. 비첨회전의 양에 따라 코의 균형과 조화를 유지하기 위해 비점막과 막비중격(membranous septum)을 제한적으로 절제할 필요가 있다.

12) 하비갑개성형술(Inferior turbinoplasty)

하비갑개성형술은 비기도폐쇄를 일으키는 하비갑개비후가 있을 때 한다. a. 비갑개골외골절술(turbinate outfracturing), b. 비갑개골의 점막하세분술(submucous morselization of turbinate bone), c. 하비갑개골의 전방 1/2~1/3 점막하절제술(submucous resection of inferior turbinate) 등 여러 가지 방법이 있다. 점막하비갑개골절제술의 방법은, 하비갑개의 외면에서 수평절개 한 다음, 내측 점-연골막판을 들어서 비갑개골을 노출시킨 뒤 비갑개골의 전방부를 절제한다. 후방에서 절제하면 출혈의 합병증이 일어날 수 있다. 점-연골막판을 제자리로 돌려주되, 봉합을 하지 않아도 된다.

13) 봉합술

세심하게 지혈한 다음, 외피를 재배치(redrape)한다. 특별히 피부가 두껍거나 여성인 경우, 술 후 상비첨변형(supratip bulge or deformity)이 생기는 것을 막기 위해 5-0 Vicryl 봉합사로써 외피의 하면을 연골뼈대에 고정하여 상비첨파단점(supratip break point)을 만들어준다.

비주-상순절개선은 6-0 Nylon 봉합사를 이용하여 피하봉합술과 피부봉합술을 둘 다 한다. 연골하절개선은 5-0chromic catgut 봉합사로써 봉합한다. 특별히, 술 후에 연삼각부(soft triangle area)에서 불규칙과 절흔(notch)이 생기는 것을 막기 위해 조심스럽게 봉합해야 한다.

인두충전(throat pack)을 제거하고, 구인두를 조심스럽게 흡인함으로써 술 후 오심과 구토를 일으키는 피를 빼낸다. 비중격에서 조작을 했으면 3-0chromic catgut 봉합사를 이용한 경비중격누비봉합술(transseptal quilting suture)을 한 다음, Merocel®로써 내비부목(intranasal splint)을 댄다. 다음, 비배에 조심스럽게 종이테이프를 바르고, 유연성이 있는 금속이나 플라스틱부목을 덧댄다. 마지막으로, 비배액을 받아내기 위해 거어즈로써 점적패드를 댄다.

14) 술 후 관리

경구용 항생제, 술 후 부종을 최소화하기 위해 methylprednisolone, 그리고 진통제를 투약한다.

술 후 48~72시간 동안 머리를 45도 거상시키며, 술 후 부종을 최소화하기 위해 얼음찜질을 한다. 점적패드는 배액이 그칠 때까지 자주 갈아주며, 술 후 3주 동안에는 코 문지르기, 코로 빨아들이기, 코로 불기 등을 하지 않도록 하며, 재채기를 입으로 하도록 교육한다. 내비부목이 축축해지면 불쾌하므로 건조하도록 해준다. 머리 감기는 머리를 뒤로 젖혀서 하도록 한다.

수술 날에는 유동식을 먹이고, 다음날부터 부드러운 정식을 먹인다. 입술을 많이 움직이게 하는 음식은 2주 동안 피해야 한다.

술 후 2주 동안 비충혈(nasal congestion)은 생리식염수나 oxymetazoline (Afrin®) 분무기로써 치료한다.

봉합사와 부목은 술후 5~7일에 제거한다. 코 특히 비첨이 심하게 부으며 감각저하를 나타낼 수 있지만, 부종과 감각저하는 시간이 지남에 따라 해결되므로 안심시킨다. 정상적인 감각은 3~6개월 안에 돌아온다.

술 후 4주 동안에는 안경을 쓰지 않도록 교육시킨다. 대개 7일 정도 지나면 부종이 빠져서 콘택트렌즈를 쉽게 착용할 수 있다. 또, 절개선의 색소침착을 막기 위해 직사광선을 피하고 SPF(sun protection factor) 15번 이상의 자외선 차단제를 바르도록 교육시킨다.

술 후 3주 동안 활동을 제한시킨다. 코를 건드릴 수 있는 활동이나 운동은 4~6주 동안 금지시킨다. 어떤 증례는 술후 6~8주 안에 빠르게 코 모양이 회복되지만, 어떤 증례는 1년까지 부종이 남을 수 있다.

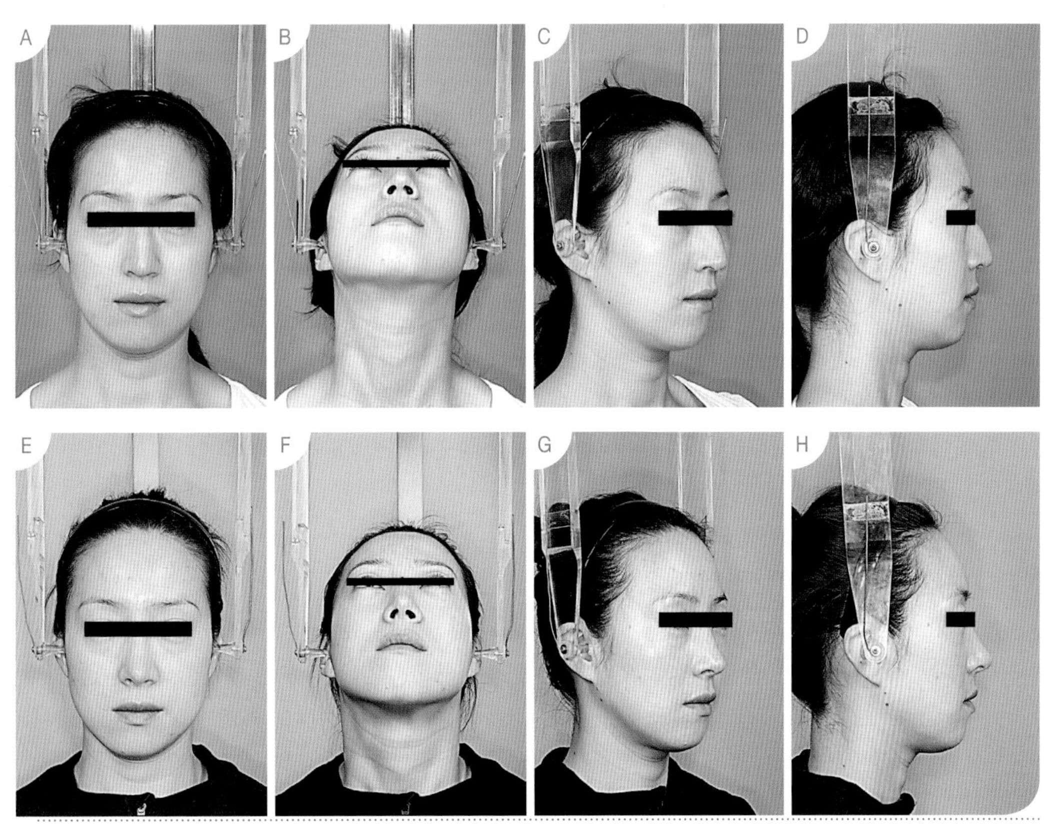

▷그림 2-5-45. **비성형술 증례.** A,C,E,G. 술 전 정면, 기저면, 사면, 측면 임상사진. 비봉과 역C형변위비변형을 보인다. B,D,F,H. 비중격연골을 이용한 비중격통합이식술, 돌출형하비첨이식술, 비봉절제술, 외비절골술 후 모습. 비봉이 제거되고 코가 전체적으로 바루어졌으며, 비익연과 비주의 윤곽이 '부드럽게 나는 갈매기'를 나타내었다. 비배가 기와선을 닮았고, 상비첨파단점과 하비첨파단점도 형성되었다. 비첨 돌출과 윤곽이 개선되었다.

술 후 첫 1주일에 방문한 다음, 술 후 2주, 4주, 2개월, 3개월, 6개월, 12개월, 그리고 매년 계속해서 추적한다(그림 2-5-45).

IV. 합병증

인공성형물을 사용했을 때 감염, 변위(deviation), 이동, 돌출(extrusion)과 같은 심각한 합병증이 생길 수 있음에 유의해야 한다. 감염되었으면 돌출되기 전에 제거하는 것이 원칙이다. 변위는 인공성형물의 밑면을 오목하게 조각함으로써 방지하는 것이 최선이지만, 변위되었으면 재수술이 필요하다. 이동은 서서히 일어나는 것으로서 코 모양이 나빠지고 더욱이 돌출될 위험도 있으므로 발견하는 대로 재수술한다. 인공성형물이 돌출되면 피부결손이 유발될 수 있으므로 가장 심각한 합병증이다. 대개 비첨, 절개선, 또는 내안각 사이에서도 생길 수 있으며, 치료는 피부결손을 이차유합(secondary healing)으로써 치유시킨 다음, 결손이 작으면 잘라내고 봉합할 수 있지만, 만일 크다면 이개복합조직이식술(ear composite graft), 전두피판술(forehead flap), 또는 비순피판술(nasolabial flap)로써 재건한다.

개방접근술에 관련된 합병증은 피부괴사, 반흔, 그리고 상비첨변형(supratip deformity)이 대표적이다. 피부괴사의 원인은 술 전 10일 이상 흡연했을 때, 비첨에서 과도하게 탈지방술(debulking procedure)을 했을 때, 비익저절제술을 광범위하게 함으로써 비첨에 혈액을 공급하는 외측비동맥(lateral nasal artery)이 손상되었을 때 생길 수 있다. 상비첨변형(앵무새코변형, polly beak deformity)은 연골절제술을 과도하게 했을 때, 작아진 연골뼈대에 대해 외피가 적절히 수축되지 못하고 반흔조직 덩어리가 생겼기 때문에 상비첨에 충만이 나타나는 것이다. 술 중에 이를 방지하기 위해 연골뼈대와 외피 사이에 매몰봉합하고, 술 후에 지속적인 압박이 필요하다. 술 후 초기에는 스테로이드의 국소주사로써 효과를 볼 수 있다.

V. 이차비성형술 (Secondary Rhinoplasty)

이차비성형술은 술자와 환자 모두에게 난제이다. 문제가 되는 요소는 a. 반흔 조직, b. 변경되고 손상된 혈행, c. 변형된 해부이다. 또, 비중격 연골을 채취해버렸기 때문에 같은 수술 시야가 아닌 이갑개연골(conchal cartilage)이나 늑연골(rib cartilage)로부터 연골이식물을 채취해야 한다. 일차비성형술의 4% 정도에서 이차비성형술이 필요하다.

재수술을 필요하게 하는 원인은 a. 해부학적 구조물의 변위(displacement), b. 보존적인 일차비성형술에 의한 과소교정, c. 과도한 일차비성형술에 의한 과대절제와 과다교정 등이다.

이차비성형술을 할 때는 원인에 관계없이 개방접근술이 더 좋다. 왜냐하면 개방접근술이 코뼈대를 잘 노출시키며, 해부학적 진단을 정확하게 해주고, 교정을 완전하게 해주기 때문이다.

References

1. 한기환, 김성조, 강진성. 한국인 코의 생체계측치. 대한성형외과학회지 1982;9:1-9.
2. 한기환. 비성형술. In: 이윤호 (편). 미용성형외과학. 군자출판사; 1998:159-258.
3. 한기환. Osteotomy techniques. In: 유희진, 한승규, 이장현 외. 미용성형외과학. 군자출판사; 2014:177-94.
4. Dhong ES, Ha SK, Lee CH, et al. Anthropometric study of alar cartilage in Asians. Annals of Plastic Surgery 2002;48:386-91.
5. Goldfarb M, Gallups JM, Gerwin JM. Perforating osteotomies in rhinoplasty. Archives Otolaryngology Head & Neck Surgery 1993;119:624-7.
6. Gorney M. Patient selection in rhinoplasty: Practical guidelines. In: Daniel RK, eds. Aesthetic Plastic Surgery: Rhinoplasty. Boston: Little, Brown & Company; 1993:71-8.
7. Gunter JP, Hackney FL. Clinical assessment and facial analysis. In: Gunter JP, Rohrich RJ, Adams WP Jr, eds. Dallas Rhinoplasty: Nasal Surgery by the Masters. St Louis: Quality Medical Publishing; 2002:53.
8. Gunter JP, Rohrich RJ, Friedman RM, et al. Importance of the alar-columellar relationship. In: Gunter JP, Rohrich RJ, Adams WP Jr, eds. Dallas Rhinoplasty: Nasal Surgery by the Masters. St Louis: Quality Medical Publishing; 2002:105.
9. Han KH, Kang JS. A custom-made nasal implant: Prefabrication from curing of silicone adhesive. Plastic and Reconstructive Surgery 1996;97:436-44.
10. Han SE , Han KH, Choi JH, et al. Modified direct-type septal extension grafts: Their stability and usefulness in Asian rhinoplasty. Annals of Plastic Surgery 2017;78:243-8.
11. Harshbarger RJ, Sullivan PK. Lateral nasal osteotomies: Implications of bony thickness on fracture patterns. Annals of Plastic Surgery 1999;42:365.
12. Janis JE, Rohrich RJ. Rhinoplasty. In: Thorne CH eds. Grabb and Smith's Plastic Surgery. Philadelphia: Lippincott Williams and Wilkins; 2007:517.
13. Kim JS, Han KH, Choi TH, et al. Correction of nasal tip and columella in Koreans by a complete septal extension graft using an extensive harvesting technique. Journal of Plastic, Reconstructive & Aesthetic Surgery 2007;60:163-70.
14. Letourneau A, Daniel RK. Superficial musculoaponeurotic system of the nose. Plastic and Reconstructive Surgery 1988;82:48-55.
15. Pitanguy I. Surgical importance of a dermatocartilaginous ligament in bulbous noses. Plastic and Reconstructive Surgery 1965;36:247–53.
16. Rohrich RJ, Hollier LH. Use of spreader grafts in the external approach to rhinoplasty. Clinics in Plastic Surgery 1996;23: 23:255-62.
17. Rohrich RJ, Krueger JK, Adams WP Jr, et al. Rationale for submucous resection of hypertrophied inferior turbinates in rhinoplasty: An evolution. Plastic and Reconstructive Surgery 2001;108:536.
18. Rohrich RJ, Adams WP Jr, Deuber MA. Graduated approach to tip refinement and projection. In: Gunter JP, Rohrich RJ, Adams WP Jr, eds. Dallas Rhinoplasty: Nasal Surgery by the Masters. St Louis: Quality Medical Publishing; 2002:333.
19. Rohrich RJ. Nasal analysis and anatomy. In: Warren RJ, Neligan PC eds. Plastic Surgery 3rd ed. Saunders Elsevier; 2013:373-86.
20. Sullivan PK, Harshbarger RJ, Oneal RM. Nasal Osteotomies. In: Gunter JP, Rohrich RJ, Adams WP Jr, eds. Dallas Rhinoplasty: Nasal Surgery by the Masters. St Louis: Quality Medical Publishing; 2002:595.

6

코 재건 수술
Nasal Reconstruction

최종우 울산의대

1. 코 재건술의 정의

코 재건 수술이란 선천적 또는 후천적인 다양한 원인에 의해 코의 형태나 기능에 문제가 발생한 것을 원래의 모양에 가깝게 복원시키는 것을 통칭한다.

일반적으로는 여러 원인으로 코의 조직에 결손이 생긴 경우 국소 피판 또는 유리 피판 등의 재건 술기를 이용하여 조직결손을 수복하는 수술을 주로 코 재건 수술이라고 부르나, 최근에는 미용적인 목적으로 시행된 코 성형 수술의 심한 합병증을 교정하는 수술도 코 재건 수술이라고 부르는 경향이 있다.

2. 코 재건술의 유형

기본적으로 코를 재건함에 있어, 크게 3가지 측면에서 접근이 필요하다. 코는 특징적인 3차원적인 해부학적 구조를 가지고 있으며, inner lining, skeleton 그리고 nasal skin의 3가지 측면으로 대별할 수 있다. 안쪽에 코 점막(nasal mucosa)이 호흡의 통로가 되며, 코의 형태를 유지하고 이루는 코뼈 및 각종 코 연골로 이루어진 nasal skeleton이 있으며, 환자가 가진 코의 변형이나 결손부가 어떤 부분에 주로 해당되는 것인지 우선 판단해야 한다. 따라서, 코 재건술 시에는 이와 같은 환자의 결손이나 변형 부위를 각각 그리고 함께 고려하며 수술이 계획되어야 한다.

1) Skin coverage

성형외과 영역에서 가장 흔히 볼 수 있는 결손 부위로, 코 주변에 발생하는 외상이나 피부암 등으로 인해 코 조직에 결손이 발생한 경우이다. 최근에는 이외에도 각종 필러 시술 등의 합병증으로 조직 괴사가 발생할 경우 피부조직의 결손이 발생하는 것도 드물지 않게 볼 수 있다. 코의 적절한 재건을 위해서는 우선 두 가지 개념을 이해할 필요가 있다.

첫째로는 3차원적인 해부학적 모양을 가진 코를 이해하기 위해서는 aesthetic facial subunit principle을 알고 있어야 한다. 이는 어떤 물체가 보일 때 일정 subunit에 기반하여 전체의 형태를 사람이 인식한다는 가설하에 적용되는 원칙으로 일반적으로 코 재건 수술의 golden standard로 여겨져 왔다. 이는 각각의 subunit의 면적 50% 이상의 결손이 발생할 경우는 결손 자

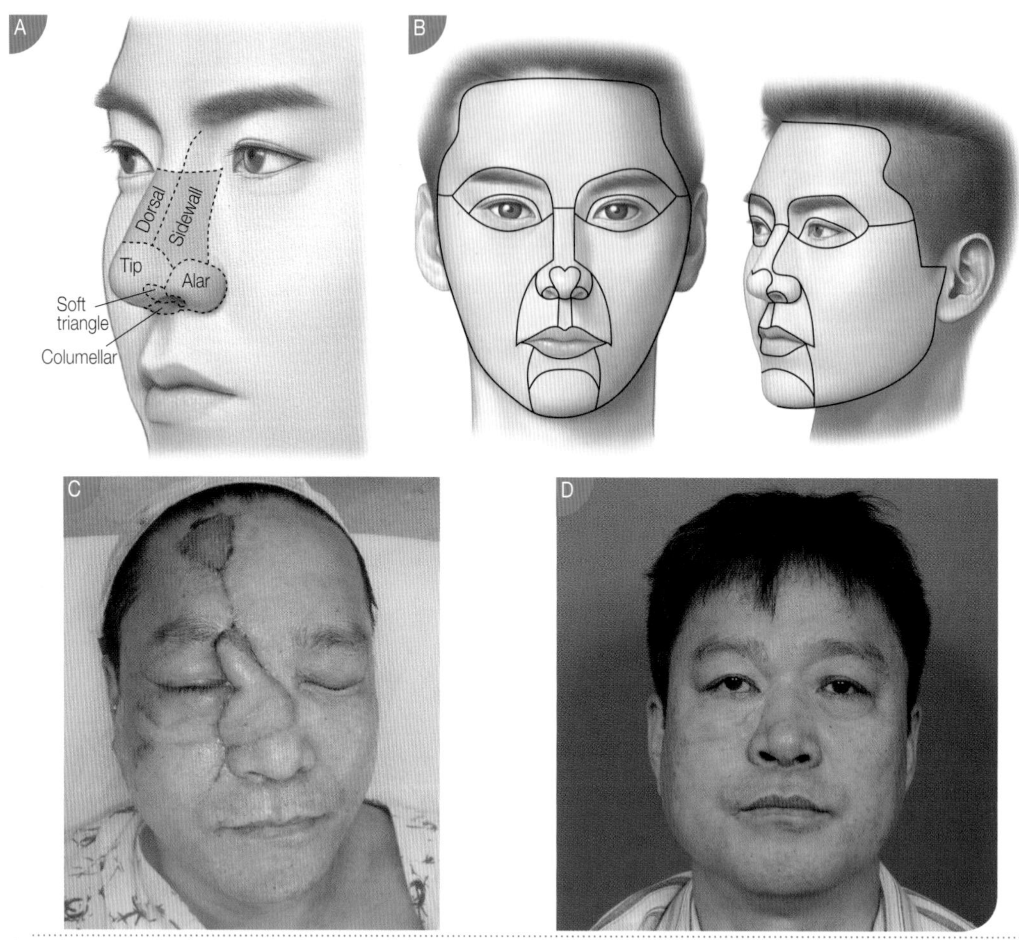

▷그림 2-6-1. A. Aesthetic nasal subunits. 중앙에 Tip, dorsum subunit과 쌍으로된 sidewall, alar, soft triangle로 총 8개로 구성된다. B. Facial aesthetic subunits. C, D. nasal aesthetic subunit을 침범한 흉터 라인을 인위적으로 facial aesthetic subunit에 맞추어 교정한 후 좀 더 자연스러운 모습을 갖게 된 것을 확인할 수 있다.

체만 재건할 경우 오히려 반흔이나 변형이 현저해지므로 subunit 전체를 재건하는 것이 유리하다는 주장에 기초한 것이다. 이는 일반적으로 코 재건 수술에 있어 중요한 원칙으로 많은 재건 수술이 이를 바탕으로 이루어지고 있지만, 최근에는 작은 결손의 경우 지나치게 결손부를 확대해서 subunit 전체를 재건하는 것이 좋지 않다는 반론도 만만치 않다. 저자의 경우 일반적으로 이러한 원칙을 따르나, 동양의 피부의 특성을 고려하여 경우에 따라 조금씩 변형하여 적용을 하고 있다.

둘째로는 코에 존재하는 skin thickness에 따른 Zone 개념이다. 물론 작은 결손의 경우 일차봉합을 할 수 있으나, 문제는 부위에 따라 코의 형태에 변형이 생긴다는 점이다. 따라서, 코 재건에 있어 skin coverage를 위해서는 nasal skin thickness 와 texture에 따라 3가지 영역으로 크게 나눌 수 있음을 우선 이해해야 한다. 가장 두꺼운 피부를 가진 하부 1/3 영역, 중간 피부를 가진 중앙부 1/3, 그리고 가장 얇은 피부로 이루어진 상부 1/3 영역으로 나눌 수 있는데, 작은 코의 결손 시 주로 사용되는 Bilobed flap의 경우 피부가 두꺼운 Zone 2나 Zone 3에 발생한 결손부위의 일차 봉합 부위를 피부가 얇은 Zone 1으로 옮기는 개념을 가진 술식임을 이해하고 있어야, 다양한 증례에 이상적인 국소피판 수술도안을 할 수 있다. 이와 마찬가지로, 작은 코 결손 부위 시 사용되는 Limberg flap의 경우에도 이러한 피부 두께와 관련된 Zone에 대한 개념을 이해해야 코의 변형과 반흔을 최소화시키면서 재건을 시행할 수 있다. 주변 조직을 이용한 이러한 국소피판은 주로 작은 코 피부조직 결손에 사용되는 것인 반면, 코 재건수술에 있어 가장 이상적인 것으로는 이마 피판 전이술을 들 수 있다. 수술을 시행해 본 성형외과 의사들은 경험하겠지만, 코 재건에 있어 이마피판만큼 피부 색깔이나 피부톤, 피부특징이 비슷한 조직은 없다고 생각된다. 이마 피판 거상의 공여부에 발생하는 수직적인 이마 반흔이 항상 걸림돌이기는 하나, 코의 변형이 심하거나 결손이 일정 수준 이상일 경우, 저자는 항상 이마피부피판을 이용한 코 재건 수술을 주요한 술식의 하나로 고려하는 편이

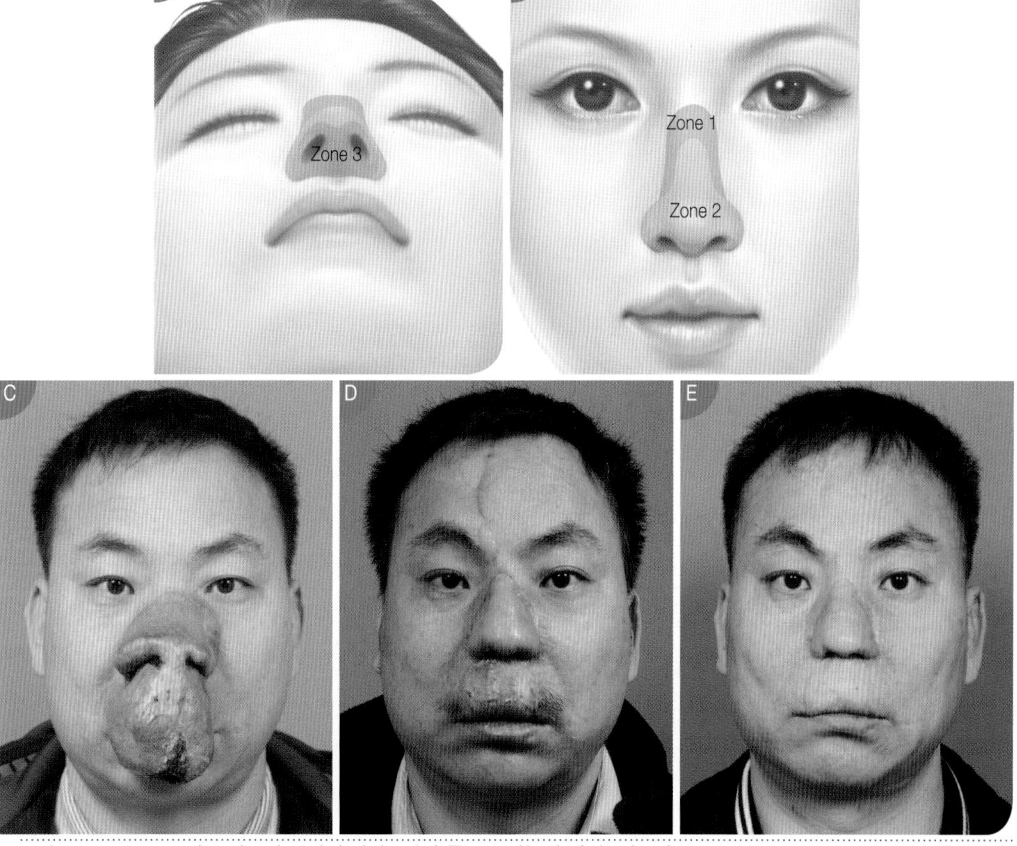

▷그림 2-6-2. A, B. 코에는 피부의 두께에 따라 3가지 존으로 나누어 질 수 있으며, local flap transposition 시 피부가 두꺼운 Zone 2나 Zone 3의 결손이 피부가 얇은 Zone 1으로 이동시켜 일차 봉합하는 것이 유리함을 이해할 수 있다. C, D, E. 코에 발생한 동정맥 기형환자에서 전완부 유리피판술을 윗 입술에 시행한 후 이후 전층 피부이식술과 타투를 이용하여 윗입술을 재건한 증례. 코의 동정맥 기형은 super selective embolization 후 이마 피판을 이용하여 코 전체를 재건하였다. 피부의 색과 질 면에서 얼굴과 유사함을 확인할 수 있다.

다. 유리피판 수술이 대세를 이루는 최근 미세수술의 경향에도 불구하고, 남용되지 않고, 적절히만 잘 사용되면 이마피판은 코 재건수술에 있어 primary choice로 지속할 가능성이 매우 높다고 믿고 있다.

2) Nasal skeleton reconstruction

코의 주요 골격 구조는 코뼈 및 1쌍의 upper lateral cartilage, 1쌍의 lower lateral cartilage와 비중격 연골(septal cartilage)이라고 할 수 있다. 만약 이러한 주요 코 골격 구조에 일정 수준 이상의 변형이나 결손이 생긴 경우 이를 재건하는 것은 skin coverage와 inner lining reconstruction 만큼이나 중요한 것이다. 왜냐하면 아무리 피복이 잘 되어 있다고 하더라도 원래의 모양과 기능을 유지하지 못하는 코는 코라고 불리기 어렵기 때문이다.

각종 암이나 외상으로 인해 코의 골격 구조가 손상을 받은 경우 코의 골격을 재건함에 있어 1차적으로 고려되어야 할 부분은 비중격 구조물이다. 적절한 비중격 구조물이 없을 경우는 이를 대신하여 L Strut 형태의 연골격을 만드는 것이 우선이다. 이를 위해서 일반적으로 주요 코 재건

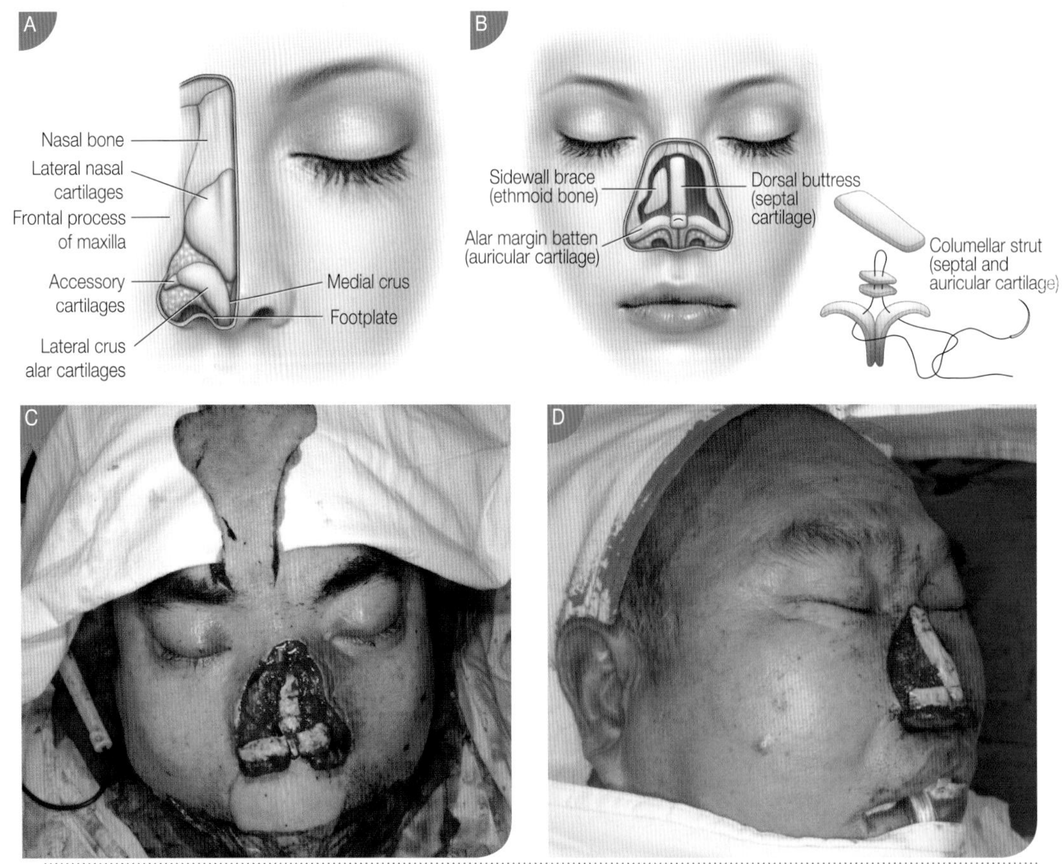

▷그림 2-6-3. A, B. 코의 골격 재건의 경우 기존의 upper lateral cartilage는 필요에 따라 rib cartilage 등으로 재건되며, lower lateral는 rib이나 conchal cartilage를 이용하여 재건한다. C, D. 특히 코의 profile을 재건하기 위해서는 L-strut을 재건하는 것이 가장 중요하다.

수술의 경우에는 rib cartilage가 사용된다. 일부의 septum이 남아 있는 경우 septal flap이 사용되기도 하나, 비교적 드물게 시행되는 술식이다. 일차적으로 코의 length, height 그리고 projection을 유지시켜줄 L Strut가 재건된 이후에는 upper lateral cartilage는 주로 septal cartilage로, lower lateral cartilage는 conchal cartilage로 재건하는 것을 저자는 주로 추천한다. 이는 원래 코 연골의 탄성이나 형상이 각각의 연골에 비교적 부합하여, 경험적으로 비교적 유사한 골격구조가 재건된다고 여겨지기 때문이다.

이러한 코 골격 재건에 있어 중요한 점은 코의 inner lining reconstruction이 이미 확보가 되어 있어야 한다는 점이다. Inner lining 재건이 불충분한 상태에서의 연골을 이용한 골격 재건은 필시 염증이나 연골 노출로 인한 골격 구조의 무너짐으로 이어지므로, 이 점을 유념하고 재건에 임하는 것이 추천된다.

3) Inner lining reconstruction

성형외과 영역에서 일반적으로 가장 신경을 덜 쓰는 부분이나, 피판을 이용한 코 재건 수술에 있어서는 매우 중요한 부분이다. 코 점막 부위의 재건 없이는 윗층의 코 골격 재건과 코 피부 재건 모양은 거의 불가능하며, 불충분한 경우 시간이 지나면서 원래의 모양과 기능을 잃게 되는 것이 흔한 스토리다. 따라서, 코의 3가지 부분이 모두 결손되어 있는 major nasal reconstruction의 경우에는 일반적으로 inner lining reconstruction을 먼저 시행하게 된다. 결손 부위가 작을 경우는 septal mucosal flap transfer 등이 사용되기도 하나, 저자의 경우에는 주변의 skin hinge over flap을 중간 이하의 코 안쪽 점막 재건에 사용하고, 그 이상일 경우에는 유리 요측 전완부 피판(radial forearm free flap)을 사용한다. ALT free flap의 경우는 thinning procedure에도 불구하고, 코 점막 재건에 적절한 피판으로 판단되지 않는다.

3. 코 재건술의 단계

1) One stage reconstruction

비교적 작은 결손 부위를 재건할 때 사용되는 방법이며 주변의 조직을 이용하는 국소피판 수술이나 전층 피부이식술, 1차 봉합술이 이에 해당된다. 이에 주로 사용되는 피판은 수많은 국소 피판 중에서 주로 bilobed flap, limberg flap, nasal dorsal flap 등을 들 수 있으며, 기저피부암 제거 후 발생한 깊지 않은 작은 피부결손에는 피부 전층 이식술(full thickness skin graft)도 좋은 결과를 가지기도 하나, 피부 결손의 깊이가 일정 수준 이상일 경우는 국소피판이 좀 더 추천된다고 생각된다.

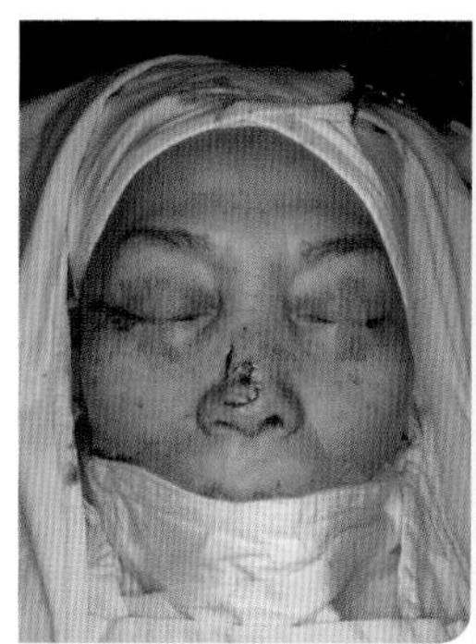
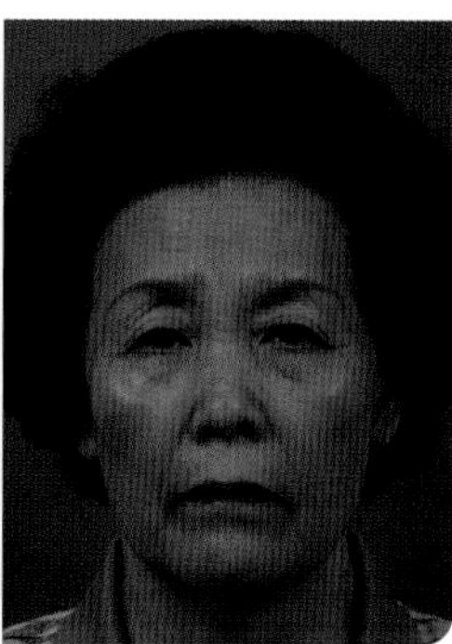

▷그림 2-6-4. **Bilobed flap을 이용한 기저세포암 제거후 발생한 코 끝 결손의 재건.** 피부가 두꺼운 Zone 2의 결손을 Zone 1으로 옮겨 1차 봉합하여 코의 변형을 최소화하였다.

2단계 이상의 수술이 필요한 경우는 크게 원위부 피판을 사용하는 경우다. Nasal labial flap을 거상하거나, reverse facial vessel flap, forehead flap 등이 이에 해당된다.

우선 각각의 특징을 소개하면, 위에 열거된 3가지 option 중에 nasolabial flap과 reverse facial flap 등은 nasolabial fold를 따라 선상의 반흔을 남긴다. 이마 반흔에 비해 한쪽에만 생긴 nasolabial fold scar는 고령의 환자의 경우는 받아들일 만 하나, 젊은 환자의 경우는 사전에 충분히 논의가 이루어진 후에 고려되는 것이 바람직하다고 생각된다. 또한 피판의 폭에 한계가 있어 일부 Zone 3 영역의 columella나 alar defect가 있을 경우 간혹 사용되나, 실제 모양이 아주 만족스럽지 않은 경우가 적지 않다.

이에 반해 forehead flap은 코 전체를 커버할 수 있는 크기의 피판을 거상할 수 있으며, 이마의 수직 반흔이 남는 단점이 있으나, 코의 결손이나 변형이 심한 경우에는 최선의 대안으로 생각된다. 이마 피판 거상 시 남는 결손부위를 피부이식으로 따로 재건하는 경우보다, 1, 2달에 걸쳐 Secondary healing시키는 편이 시간은 걸리지만 비교적 반흔의 크기를 줄일 수 있다고 생각된다. 문제는 이마가 좁은 환자들의 경우인데, 이마가 좁은 경우 충분한 길이의 이마 피판을 거상하지 못하게 된다. 두 가지 대안을 생각해 볼 수 있는데, 첫째는 조직 확장기를 사용하여 이마의 피부를 피판 거상 전에 크게 하는 방법과, 둘째는 두피의 모발 부위를 포함하여 이마피판을 거상하는 방법이 있다. 조직 확장기를 사용하는 방법의 경우에는 시간이 걸리는 단점이 있으며, 모발부위를 포함하여 거상하는 경우에는 추후 제모 레이져 등의 추가 시술이 필요하다는 단점이 있을 수 있으니 유념해야 한다.

이마 피판을 이용하여 코를 재건하는 접근방법에는 크게 2가지가 있다.

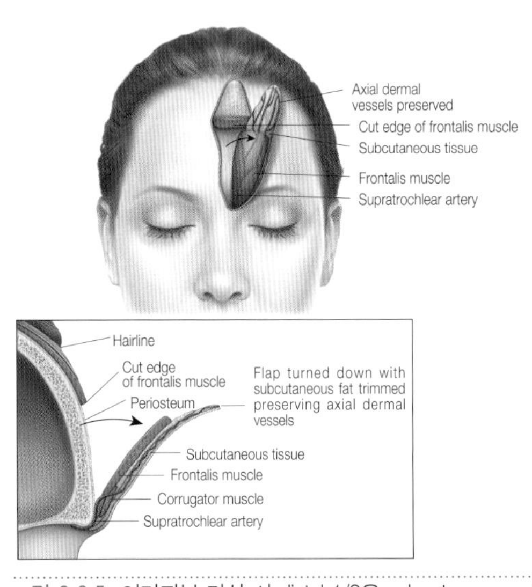

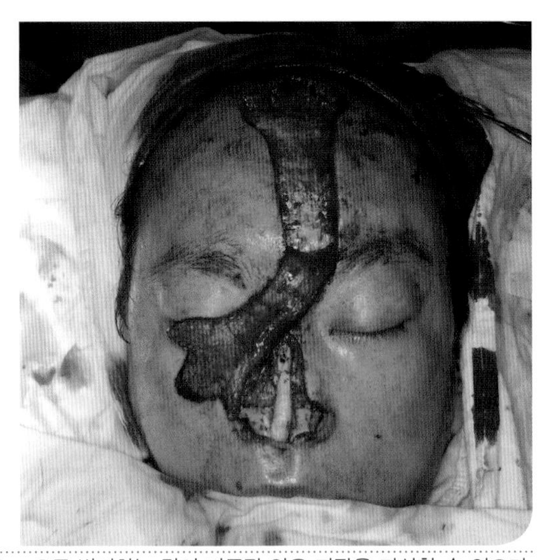

▷그림 2-6-5. 이미피부 거상 시 distal 1/3은 subcutaneous plane으로 박리하는 것이 비교적 얇은 피판을 거상할 수 있으며, hair follicle이 포함되는 것을 줄일 수 있어 유리하다. Middle 1/3은 주로 subgaleal plane으로 거상하며, 가장 쉽게 박리되는 plane이다. Proximal 1/3에 해당하는 상안와연 1-2cm 에서는 subperiosteal plane으로 박리하는 것이 혈관경을 안전하게 거상하는데 도움이 된다.

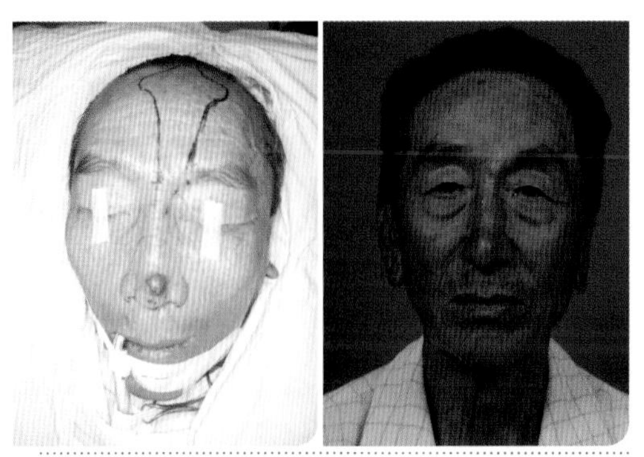

▷그림 2-6-6. **악성 흑색종으로 이해 코 전체를 제거하고 코를 이마 피판을 이용해 재건한 증례.** 코 이마 피판의 경계가 코의 경계와 일치하여 흉터를 최소화할 수 있음을 확인할 수 있다.

2) Two stage reconstruction

고전적으로는 2단계로 supratrochlear vessel을 피판경으로 하여 이마피판을 거상하여 코를 재건한 후 약 3주 후에 피판경을 자르는 방식이다. 이러한 술식의 단점은 이마 피판 거상 시 코의 모양을 위해 피판의 두께를 얇게 하더라도 한계가 있기 마련이라는 점이다. 일반적으로 지금까지 많은 코 재건 수술이 이와 같은 방법으로 시행되어 왔다.

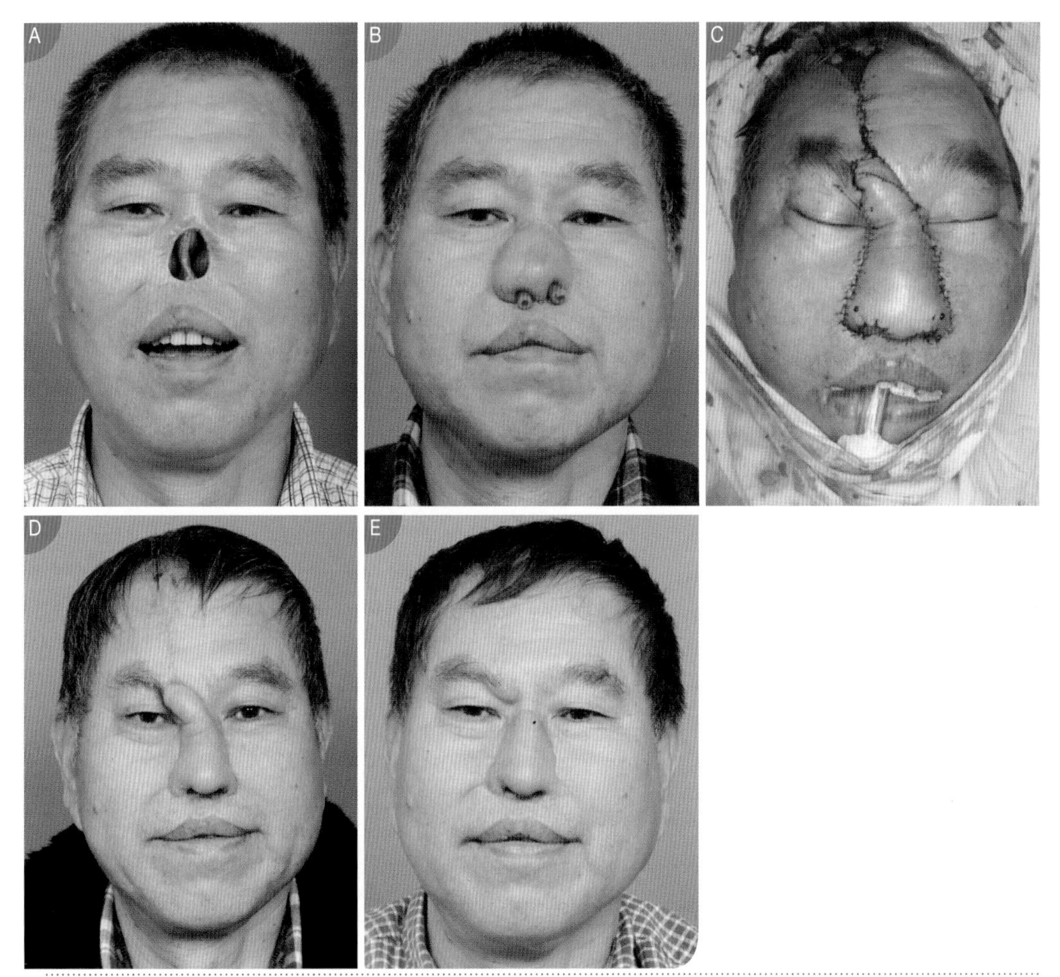

▷그림 2-6-7. A. 코로 전이로 인해 코를 제거한 상태 B. 전완부 유리피판을 이용하여 코의 안쪽면을 재건한 모습. C. 이후 이마 피판을 이용하여 surface reconstruction 시행한 모습. D. 3 stage method에서 2번째 수술 단계로 debulking 및 nasal skeleton 재건 후의 모습. E. pedicle division까지 마친 모습

3) Three stage reconstruction

이러한 코의 모양상의 한계를 극복하기 위해 Fredrick Menick이 제안한 방법으로 이마피판을 1차로 거상하여 코를 재건한 후 약 3주 뒤에 비첨부 부착부와 피판경을 자르지 않고 유지한 채 이마 피판의 피부 두께를 줄이고, 이와 함께 코 골격 구조를 좀 더 정교하게 다듬은 후, 다시 3주 뒤에 최종적으로 피판경을 자르는 방법이다. 저자의 경우에는 2차 수술 시 피판경을 유지한 채 원래 도포했던 이마 피판 전체를 다시 거상하여 이마 피판 전체의 두께를 조절한 후 3주 뒤에 피판경을 자르는 형태의 수술방식을 채택하고 있다. 다만 이러한 이마피판 두께 조절 시 지나친 thinning procedure는 피판의 괴사를 가져올 수 있으므로 원위부를 중심으로 조심스럽게 행해질 필요가 있다.

References

1. Choi JW, Hong JP, Lee My, Suh DC. Total nose reconstruction using superselective embolisation and a forehead flap: overlooked in recurrent massive vascular malformations of the nose. J Plast Reconstr Aesthet Surg. 2010 Mar;63(3):423-30.
2. Correa BJ, Weathers WM, Wolfswinkel EM, Thornton JF. The forehead flap: the gold standard of nasal soft tissue reconstruction. Semin Plast Surg. 2013 May;27(2):96-103
3. Menick FJ, Salibian A. Microvascular repair of heminasal, subtotal, and total nasal defects with a folded radial forearm flap and a full-thickness forehead flap. Plast Reconstr Surg. 2011 Feb;127(2):637-51.
4. Burget GC, Walton RL. Optimal use of microvascular free flaps, cartilage grafts, and a paramedian forehead flap for aesthetic reconstruction of the nose and adjacent facial units. Plast Reconstr Surg. 2007 Oct;120(5):1171-207; discussion 1208-16.

7 외이의 재건
Auricular Reconstruction

오갑성 성균관의대

외이(external ear)는 매우 섬세하고 굴곡이 많은 정교한 구조물로서 보다 자연스러운 모양으로 재건하려는 노력은 계속되고 있다. 다른 사람이 재건한 귀를 보았을 때 쉽게 알아채지 못하도록 만드는 것이 성공적인 외이 재건이라 할 수 있다. 기능적인 면에서도 안경이나 마스크를 착용하는 데 불편함이 없고 이어폰을 낄 수 있는 정도면 소이증 환자들에게 만족감을 줄 수 있을 것이고, 아울러 소이증을 가진 환자와 보호자들의 마음까지 살펴줄 수 있다면 더 많은 보람을 느낄 수 있으리라 생각된다. 본 장에서는 많은 외이의 기형중에서도 외이 재건의 근간이 되는 소이증을 중심으로 살펴보고자 한다.

1. 외이의 해부

1) 부위별 명칭

외이의 연골은 하나의 덩어리로 구성되어 있으며, 귓불(earlobe)에는 연골 조직이 없고 섬유조직으로 구성되어 있다. 외이의 연골은 섬세한 탄력 연골이며, 두께가 얇고 복잡한 형태를 하고 있다. 외이의 외측면은 앞을 향하며, 각기 이

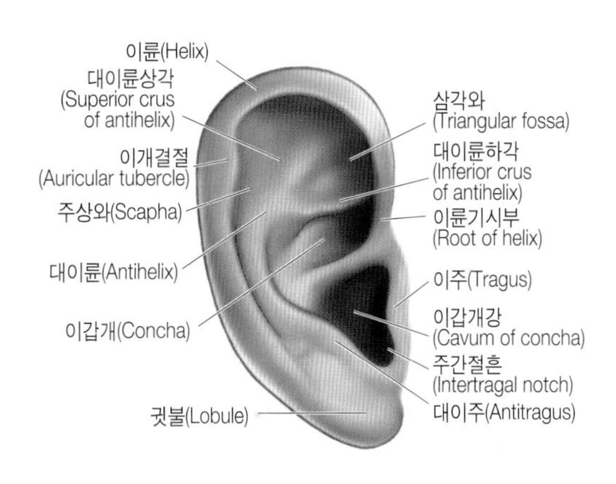

▷그림 2-7-1. 외이의 각 부위의 명칭

름을 가진 오목 볼록한 구조물로 구성되어 있어 불규칙적인 표면을 가진다. 각 구조물의 이름은 그림 2-7-1과 같다.

2) 발생학

배아기 5~6주에 첫 번째와 두 번째 인두굽이의 등쪽에 각각 3개씩 총 6개의 작은 둔덕(hillock)들이 만들어진다. 7주에 둔덕들의 융합으로 외이의 모양이 형성되기 시작하며, 8주가 되면 외이는 기본적인 구조를 띄게 된다. 둔덕들의 융합으로 외이가 형성되는 과정이 꽤나 복잡하기 때문에 사람마다 외이 모양이 조금씩 다르며,

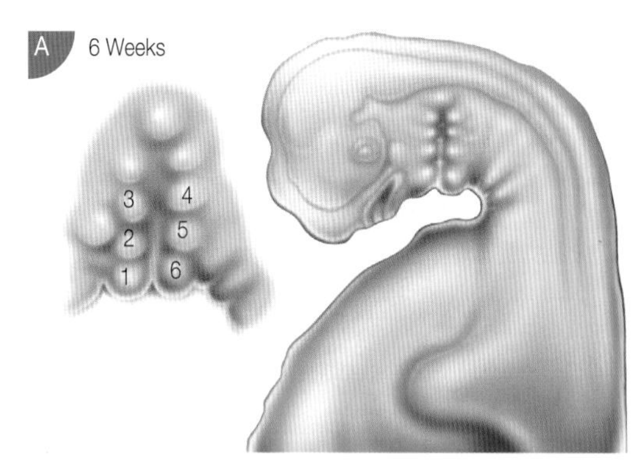

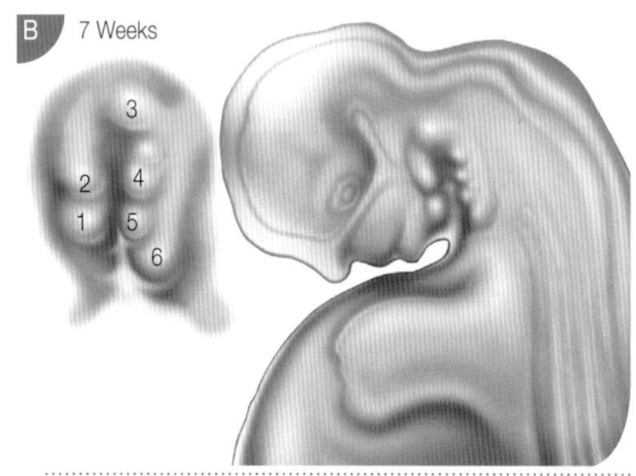

▷그림 2-7-2. **외이의 발생학적 기원.** A. 6주경에 첫 번째와 두 번째 인두굽이에 총 6개의 작은 둔덕이 형성된다. B. 7주경에 둔덕들이 융합되어 외이의 모양이 형성된다.

정상과 비정상의 명확한 기준이 만들어지기 어렵다. 발생 18주가 되면 성인의 외이 형태가 완성되고, 3~6개월 사이에 이륜각과 대이륜 주름과 같은 이완구조(relief structure)가 형성되며, 외이는 두부로부터 분리된다. 무이증(anotia)이나 심한 형태의 소이증(microtia)은 배아기 7주 내, 경한 형태 이상은 7주 이후에 발생한다(그림 2-7-2).

3) 외이의 위치

귀는 크기와 모양이 잘 만들어져도 위치가 정상 범위에서 벗어나 있으면 매우 이상하게 보이므로 올바른 위치에 귀를 두는 것이 중요하다. 외이는 안와(orbit)의 상연에서 비극(nasal spine) 사이에 위치하며, 약 30도의 각도로 두개골에서 떨어져 있고, 이개 상단은 관자측 피부와 대략 2 cm 정도 떨어져 있다. 정상인의 외이의 위치는 이개두부각(auriculocephalic angle)은 30°, 이갑개두부각(conchocephalic angle, conchomastoid angle)은 90°, 콧등의 경사도와 외이 장축의 경사도가 일치하며 이륜 기시부(helical root)는 외안각(lateral canthus) 수준이다. 귀의 재건 시 반대측 귀가 있다면, 위치와 높이를 반대측을 기준으로 삼는다. 하지만 양측 소이증과 같이 기준으로 삼을 반대측의 정상 귀가 없는 경우, 이개 상단은 눈썹바깥끝과 같은 높이에 있는 것이 좋으며 이개 하단은 비익 하연과 같은 높이에 있는 것이 좋다. 특히 이개 하단의 위치 비대칭은 눈에 잘 띄므로 특별히 유의해야 한다.

4) 외이의 성장

외이의 폭은 생후 1년이 되면 성인 크기의 90% 이상에 도달하며, 외이의 수직 길이는 생후 1년에 성인 크기의 약 75%에 도달한다. 외이의 폭은 남자의 경우 7세경에, 여자의 경우 6세경에 성인 크기에 도달하며, 외이 수직 길이는 남자의 경우 13세경, 여자의 경우 12세경에 성인의 귀 크기에 도달하여 그 이후 오직 1.1~1.4 mm 정도의 성장을 보인다.

5) 혈관 분포

외이는 외경동맥(external carotid artery)의 직접 분지들인 후이개동맥(posterior auricular artery)과 천측두동맥(superficial temporal artery)의 이개가지(auricular branch)에 의해 혈액공급

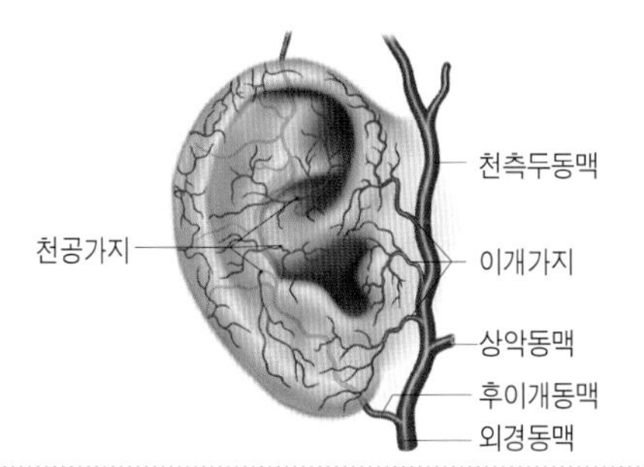

▷그림 2-7-3. **이개의 동맥 혈관 분포**

을 받으며 후이개동맥이 주혈관인 것으로 알려져 있다. 두 동맥그물 간에 상호 연결이 있기 때문에 외이는 어느 하나의 동맥계통만으로도 동맥혈을 충분히 받을 수 있다(그림 2-7-3).

2. 외이의 선천성 기형

선천성 이개 기형의 분류에 대하여 Roger는 이개 기형을 변형의 정도에 따라 (1) 소이증, (2) 늘어진 귀(lop ear), (3) 컵귀 또는 수축귀("cup" or constricted ear), (4) 돌출귀로 나누었고 Tanzer는 귀 재건의 수술적 방법에 따라 이개 기형을 표 2-7-1과 같이 분류하였다.

1) 소이증(Microtia)

(1) 발생빈도

소이증은 귀 조직의 완전 결손(anotia)에서 정상과 가깝지만 이폐색을 동반하며 크기가 작은 경우까지 다양한 형태로 나타난다. 가장 흔한 형태는 귓불만이 소시지 모양으로 작게 돌출되어 있는 귓불형(lobule type)이다. 소이증은 4,000~6,000명 출생 중 1명 꼴로 발생하는 것으로 알려져 있고, Brent에 의한 연구에서는 남녀의 발생 비율은 2:1, 좌/우/양측의 발생 비율은 3:6:1 정도로 보고하였으며, 이 비율은 한국인을 대상으로 한 저자의 연구에서도 같은 것으로 나타났다(표 2-7-2).

▷표 2-7-1 Tanzer에 의한 선천성 이개 기형의 분류

I. 무이 Anotia
II. 소이 Complete hypoplasia (microtia)
  A. 외이도 폐쇄를 동반하는 것 With atresia of external auditory canal
  B. 외이도 폐쇄를 동반하지 않는 것 Without atresia of external auditory canal
III. 이개 중간부 1/3의 저형성 Hypoplasia of middle third of auricle
IV. 이개 상부 1/3의 저형성 Hypoplasia of superior third of auricle
  A. 수축귀 Constricted (cup and lop) ear
  B. 매몰귀 Cryptotia
  C. 이개 상부 1/3 전체의 저형성 Hypoplasia of entire superior third
V. 돌출귀 Prominent ear

▷표 2-7-2 소이증의 발생 비율

	남	여	총계	우측	좌측	양측	총계
Brent	631 (63.1%)	369 (36.9%)	1,000 (2:1)	582 (58.2%)	324 (32.4%)	94 (9.4%)	1,000 (6:3:1)
Author (Oh KS)	448 (64.0%)	252 (36.0%)	700 (2:1)	389 (55.6%)	256 (36.6%)	55 (7.9%)	700 (6:3:1)

(2) 발생요인

귀의 기형은 악안면골형성부전을 보이는 가족에서 흔하게 재발되는 양상을 보이는데 특히 수축귀가 많으며 이는 유전되는 것으로 알려져 있다. 한 가족에 두 명의 소이증 자녀가 있는 경우, 다음에 형제에서 소이증이 재발될 확률은 15% 정도로 높아지는 것으로 알려져 있다.

등자뼈(stapes)로 가는 혈류 폐쇄나 주위 조직으로의 출혈에 의한 태반 조직의 허혈의 결과로 발생할 수 있으며 이것은 귀의 기형이 태아 발생 시 일어나는 것을 시사한다. 병력상 임신 1기의 풍진 감염이 청력 소실과 소이증을 발생시키는 것으로 알려져 있으며, 임신 중 발생의 중요한 시기에 특정 약물(clomiphene citrate, retinoic acid)을 복용하는 것도 원인이 될 수 있는 것으로 보고되고 있다.

(3) 수술 시기

신체 이미지에 대한 개념이 4~5세경 만들어지므로 환아가 학교에 입학하기 전이나 주위 또래들의 놀림에 대해 상처를 입기 전에 시행해 주는 것이 좋을 것으로 생각할 수 있으나 수술은 늑연골이 기틀(framework)을 만들기에 적합한 정도로 성장할 때까지는 연기해야 한다. 일반적으로 8세 정도는 되어야 늑연골이 연골기틀을 조각하기에 적합하다. 하지만 8세가 되어도 키가 작거나 치료에 협조가 잘 안 되는 경우, 환아 자신이 원하지 않는 경우 등에 있어서 8세경을 고집하기보다는 10~12세로 연기하는 것이 좋은 수술결과에 도움을 줄 수 있다. 연기하는 경우에 18세가 지나게 되면 늑연골이 석회화(calcification)되어 연골기틀을 조각할 때 어려움이 있으므로 석회화되기 전에 수술을 시행하는 것이 좋다.

(4) 수술 방법

소이증의 수술 방법은 대부분 여러 단계로 이루어지는데 기형의 정도와 술자가 선호하는 경향에 따라 그 방법과 순서가 다양하다. Tanzer가 최초로 4단계의 재건술을 시행하였고 Fukuda는 3단계의 재건술을 주장하였다. Brent는 4단계의 술식을 선호하였는데, 귓불의 전이를 1단계로 한 Tanzer와 달리 1단계가 귀기틀(framework)의 삽입, 2단계가 귓불의 전이(lobule rotation), 3단계가 이주형성(tragus formation) 및 이갑개강의 함몰 형성(conchal excavation), 4단계가 이개두부구(auriculocephalic sulcus)를 만들기 위한 이개의 거상(elevation)이었다. 또한 Nagata의 2단계 재건술을 비롯하여 박 등은 이개 재건에 있어서 Song and Song의 단단계 이개 재건술을 변형시킨 1단계 재건술을 발표하기도 하였다. 저자는 첫 번째 단계로 귓불 전이술과 자가늑연골 이식을 함께 시행하고, 두 번째 단계에서 이개거상을 시행하고 있다.

① 늑연골 채취 및 연골기틀 제작

남은 귀의 형태 및 늑연골의 성장 정도에 따른 약간의 차이는 있겠지만 대부분의 경우 6,7,8번, 필요에 따라 9번 늑연골을 사용한다. 6번 및 7번 연골은 연골기틀의 바탕(framework base)를 구성하므로 연골결합(synchondrosis)이 분리되지 않도록 주의를 기울인다. 8번 늑연골은 끝으로 갈수록 굵기가 가늘어지기 때문에 이륜(helix)을 만들기에 적합하다(그림 2-7-4). 연골기틀을 제작할 때에는 외이가장자리와 대이륜의 세부적인 구조를 강조하는 것이 최종 수술 후 좋은 결과를 얻을 수 있다. 늑연골 외곽 구조의 오목볼록과 깊이를 얻기 위해서는

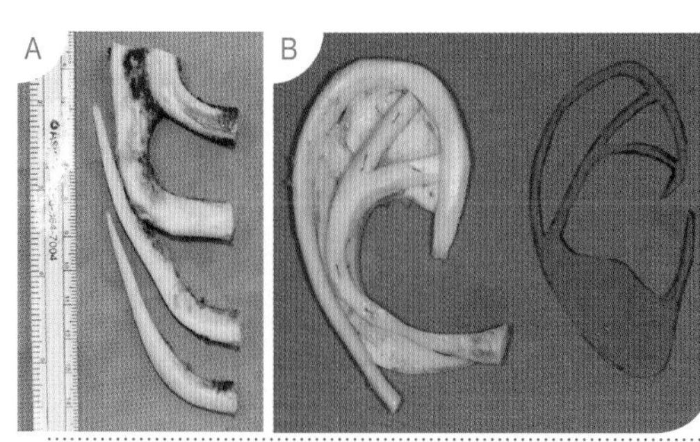

▷그림 2-7-4. A. 제 6,7,8,9번 늑연골을 채취하였다. B. 귓본을 따라 연골기틀을 조각하였다.

남아 있는 연골 또는 9번 늑연골을 이용하여 기본적인 이개 모양에 Y자 모양의 연골을 더 추가한다.

② 귓불의 전이 및 연골기틀 삽입

귓불의 전이를 위해 Z-성형술을 디자인하여 피부를 절개하고 연골기틀을 넣어 줄 피부 밑 포켓을 만든다. 피부 밑 포켓을 만들 때에는 연골기틀을 넣기 충분하도록 두피쪽으로 가능한 넓게 박리를 시행하게 되는데 피하주머니를 덮고 있는 피부는 가능한 얇아야 하나 진피하혈관총(subdermal plexus)을 유지하기 충분할 만큼은 두꺼워야 한다. 연골기틀 삽입이 끝나면 피부를 봉합하기 전에 두 개의 음압배액도관(suction drain catheter)를 삽입하여 피부와 외곽구조가 잘 유착되도록 한다.

③ 이개거상술

이개거상술은 심어 놓은 연골기틀을 일으켜서 평면적인 구조에서 실제 귀와 유사한 모습의 입체적인 구조로 만들기 위한 과정으로 피부이식을 이용한 외이 분리는 고랑을 만들어 주어 매몰된 모습을 없애주게 된다. 외이의 부종이 없어지고 윤곽이 모두 잘 드러난 후 이 과정을 시행하게 되는데 대략 조각된 늑연골을 삽입한 지 약 6개월 정도 지난 시점이다. 이 술식을 시행할 때는 외이 가장자리로부터 수 mm 떨어진 지점으로 절개선을 넣어 시작되며 외이를 일으킴으로써 노출되는 관자 부위 부분은 과도한 긴장이 가지 않는 정도에서 두피피판(scalp flap)을 전진시켜 덮어준다. 첫 단계 수술에서 늑연골을 이용하여 연골기틀을 제작하면서 남은 연골 조각을 가슴 아래 부위에 심어두었다가 이개거상술 시 꺼내어 귀 뒷부분에 삽입하여 귀의 거상 정도를 유지하게 된다. 노출된 외이 후면은 주로 귀 윗부분의 천측두근막을 거상하여 연골 조각을 덮어주고 서혜부 주름을 공여부로 한 전층피부이식을 한 후 tie-over dressing을 시행하게 된다(그림 2-7-5, 6). 이개거상술에서 가장 중요한 것은 이개두부구(auriculocephalic sulcus)가 적절한 깊이로 형성되고 거상된 이개가 오랜 시간이 지나더라도 그 높이가 유지되는 것으로, 이개의 재건에서 문제가 되는 부분 중의 하나이다. 이러한 문제를 극복하기 위한 노력으로 저자는 거상에 사용되는 연골을 피부, 연골기틀과 바닥에 연속적으로 고정하는 새로운 방법을 제안하였고, 나쁜 예후인자로 동반된 두개안면왜소증, 두개골성형술의 기왕력 등이 있음을 보고하기도 하였다.

(5) 성인에서 소이증의 재건

외이 재건은 정교하고 입체적인 구조를 만드는 것이 기술적으로 쉽지 않은데, 20세 이상의 성인 환자에서는 늑연골에 석회화가 진행되어 있어서 연골을 조작하는 것이 어렵고, 연골이

흡수(absorption)되기 쉬운 특성이 있어 이를 더욱 어렵게 한다. 따라서 성인 환자의 외이 재건에서 보형물 삽입을 고려하기도 하나, 이 또한 노출(extrusion)과 감염의 위험성이 존재하고 장기

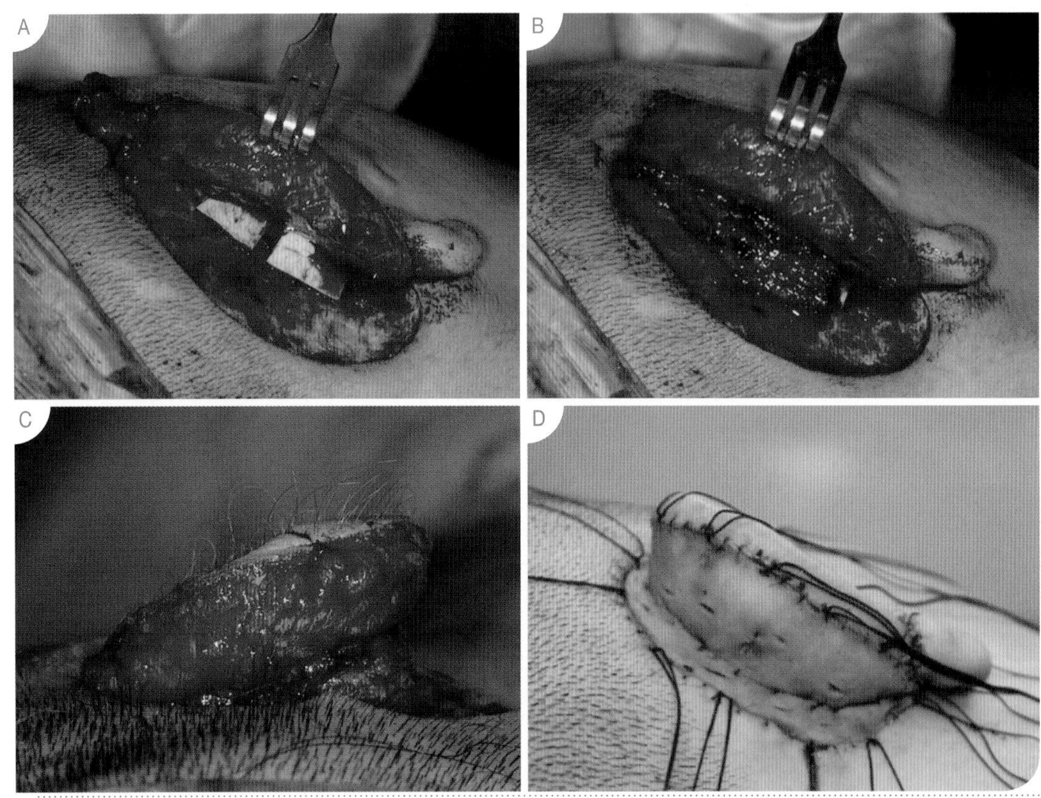

▷그림 2-7-5. **이개거상술의 과정.** A. 연골 조각을 삽입하여 거상된 이개를 안정화한다. B. 천측두근막을 거상하여 연골 조각을 덮어주었다. C. 거상된 이개의 외이머리각이 잘 유지된 모습. D. 천측두근막에 전층피부이식을 시행하여 이개거상을 완성한 모습

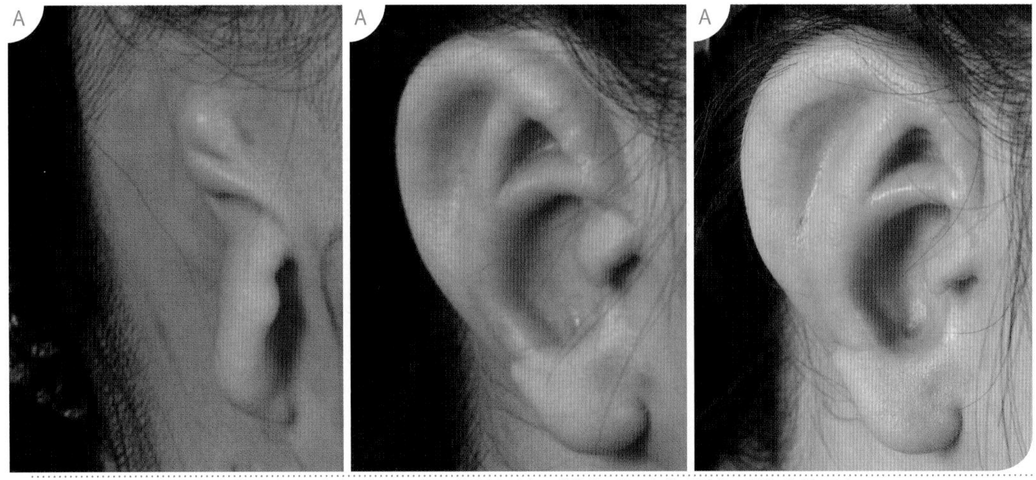

▷그림 2-7-6. **소이증 재건의 결과.** A. 수술 전, B. 연골기틀 삽입술 시행 후, C. 이개거상술 시행 후의 모습

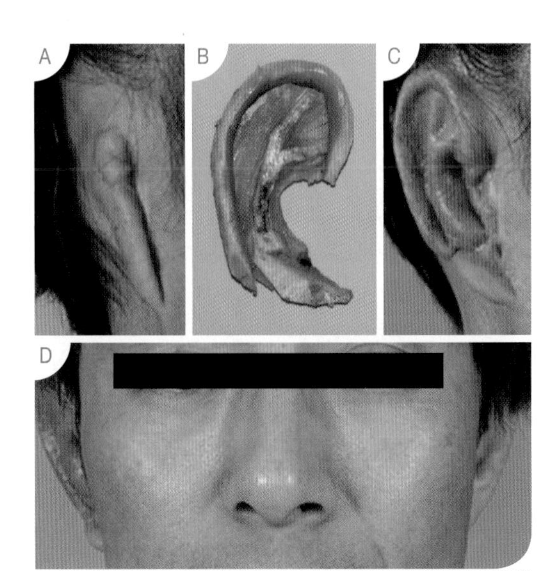

▷그림 2-7-7. **성인 환자에서 소이증 재건의 결과.** A. 수술 전의 모습. B. 일반적으로 사용되는 조각도 대신 burr를 이용하여 연골기틀을 조각하였다. C. 연골기틀 삽입술 시행 후의 모습. D. 이개거상술 시행 후의 모습

적인 결과를 보장할 수 없다는 한계점이 있다. 저자는 일반적으로 사용되는 조각도 대신 전동기구인 burr를 이용하고, 피판과 연골의 생리에 대한 이해를 바탕으로 성인 환자에서도 자가조직을 이용해 만족할 만한 재건 결과를 얻을 수 있음을 보고하였다(그림 2-7-7).

(6) 합병증의 예방 및 불만족스러운 결과에서의 재건

소이증 재건 후 합병증을 최소화하기 위해서는 우선 연골기틀을 만들 때 조각된 연골들을 견고하게 고정하는 것이 중요하며, 연골기틀을 덮게 되는 피부가 괴사되지 않도록 연부조직 박리를 주의 깊게 시행하는 것이 필요하다. 소이증 재건 후에 불만족스러운 결과가 있을 경우에 이를 다시 재건하는 것은 상당히 어려운 일인데, 수술 후 주변 조직의 반흔화로 충분한 연부조직을 얻기가 어려워지기 때문이다. 한정된 경우에서 조직확장기나 측두 근막을 이용하여 불만족스럽게 재건된 귀를 다시 재건해볼 수 있다(그림 2-7-8).

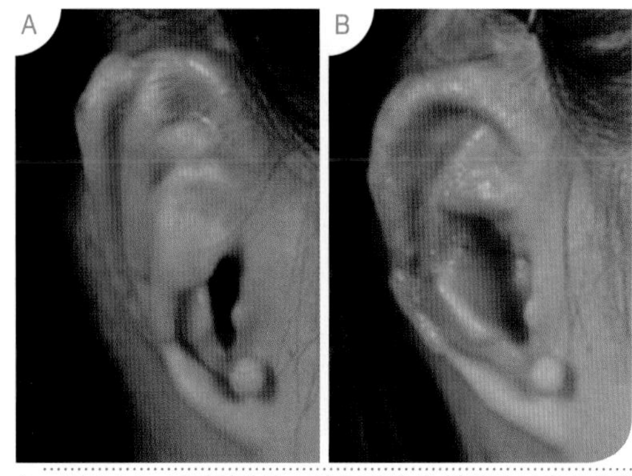

▷그림 2-7-8. **타병원에서 소이증 재건 후 불만족스러운 결과에 대해 다시 재건을 시행하였다.** A. 수술 전의 모습. 남아있는 연부 조직을 Z-성형술을 이용하여 재배치하고 8번 늑연골과 기존의 연골기틀을 재조합하여 재건에 사용하였다. B. 수술 후의 모습

2) 무이증(Anotia)

소이증 재건과 유사하나, 주변의 연부 조직이 재건에 이용하기에 불충분한 경우가 많아 충분한 연부 조직을 얻기 위하여 조직확장술을 사용하는 경우가 많다. 우선 조직확장기를 삽입하여 3~4개월 가량 연부조직을 늘린 후, 조직확장기를 제거하고 연골기틀을 삽입한다. 그 후에 이개거상을 하게 되면 3차례의 수술을 통하여 이개재건이 가능하다(그림 2-7-9).

3) 수축귀(Constricted ear)

수축귀는 흔히 컵귀(cup ear, lop ear)라고도 불리우며 귀의 위쪽부분인 이륜(helix)과 주상와(scapha)가 전방으로 접혀 있어 원래 보여야 할 구조물들의 모양이 잘 나타나지 않는 기형이다. 외이 처짐(helical lidding)이 주요 증상이

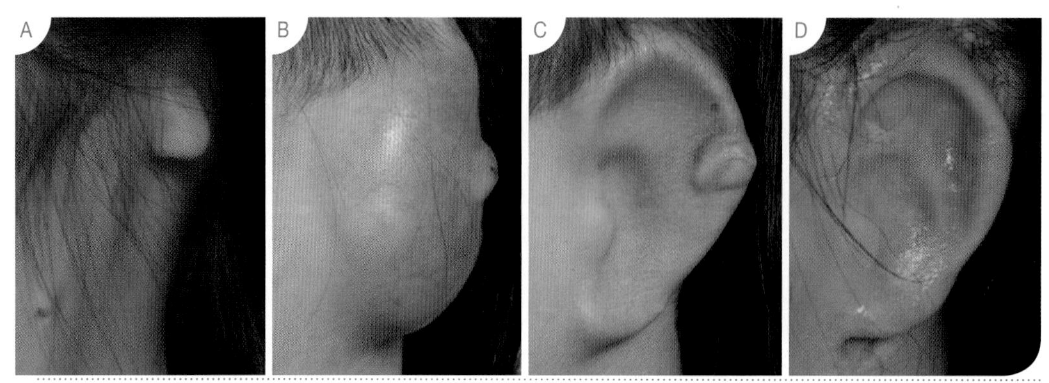

▷그림 2-7-9. **무이증 재건의 결과.** A. 수술 전, B. 조직확장기 삽입술 시행 후, C. 조직확장기 제거술 및 연골기틀 삽입술 시행 후, D. 이개거상술 시행 후의 모습

며 일반적으로 정상측에 비하여 귀의 크기가 작고 보다 낮게 위치하거나 돌출되어 있다. 경증의 수축귀 변형은 자연적으로 없어지거나 비수술적 요법으로 교정 가능하다. 생후 1주 늦어도 생후 6개월 이내의 귀의 연골은 유연하여 적응성(plasticity)을 갖고 있으므로 몰드(mold)를 이용한 교정기를 4~6주 이상 사용하여 교정해 볼 수 있다. 중등도, 중증의 수축귀 변형은 수술적 교정을 필요로 하는 경우가 대부분이다. 외이 상부의 접힘이나 정상측 귀 크기가 약간 작을 경우 여러 가지 술식이 가능하나 외이 상부의 결손이 큰 중증 변형의 경우에는 소이증의 치료 과정과 비슷하다. 수술 시기는 다른 귀변형과 비슷하게 귀의 성장, 환아의 정신사회적 상태, 연골의 탄력성 등을 함께 고려해야 하며 생후 1년이 지나도록 변형이 남아 있다면 정도에 따라 매년 경과를 관찰하며 수술시기를 결정하는 것이 좋다. 차이가 어느 정도 있다면 동측 또는 건측의 귀연골을 이식하여 귀의 높이를 높여 교정하기도 한다. 이 경우 귀 피판을 거상하여 변형된 연골을 노출시킨 후 재조합하거나 이식연골로 더욱 증대시키는 등의 술식이 필요하다. 외이 처짐이 주 문제이고 대부분의 연골이 유지되었으나 수직 길이가 정상측과 비교적 차이가 별로 없는 경우 과도한 외이 조직을 제거한 후 연골을 노출시키고 연조직을 재배치하여 보다 좋은 미용적인 결과를 가져올 수 있다. Banner flap을 이용하여 교정할 수도 있는데 외이 상연으로부터 하방 1cm 되는 외이 후면에 절개선을 만들어 앞쪽으로 연조직을 박리하면서 구부러져 있는 상부 1/3의 연골을 노출시켜 새로운 위치로 재배치한 후 그 위로 피부 피판은 다시 덮어준다. 귀의 크기가 어느 정도 차이가 날 경우 환측 귀의 피부의 보충, 연골의 재배치, 외이 주저앉음의 방지를 고려하여야 한다. 피부를 늘려주기 위해 V-Y 전진피판술, Z-성형술 등을 시도할 수 있으며 구부러진 연골을 노출하여 방사상 혹은 종절개한 다음 필요시 이갑개에서 연골을 채취하여 고정한다(그림 2-7-10).

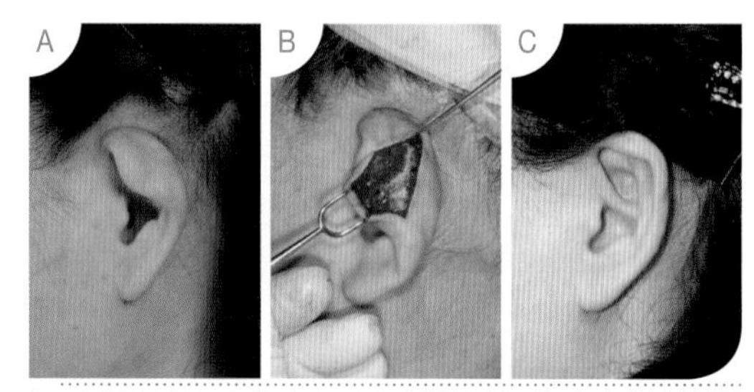

▷그림 2-7-10. **수축귀.** A. 수술 전의 모습, B. 수술 중 구부러진 연골을 노출하였다. C. 수술 후의 모습

4) 돌출귀(Prominent ear)

돌출귀란 발생학적으로 귀의 요철이 생겨야 할 시기에 반이륜(antihelix)의 요철 형성이 안 되고 이갑개가 과도하게 커져 반이륜이 제대로 구부러져 있지 않아 생긴 것이다. 보통 이갑개두부각이 90도 이상 커져 있게 된다. 양측성인 경우가 많으며 이런 귀 교정 시 대칭이 되도록 하는 것이 중요하다. 대게 이갑개가 보통보다 크며 반이륜이 발달하지 않은 외이를 가지고 있다. 다른 연골변형과 마찬가지로 신생아기시기에 교정기를 사용하면 수술하지 않고도 교정이 가능하다. 그러나 생후 6주 이후 연골의 유연성이 없어진 후에는 수술이 불가피하다. 돌출귀의 수술요법은 단순한 피부절제부터 연골피판까지 다양한 방법이 있으며 정상측 귀와 대칭을 맞추는 것이 중요하다. 외이의 크기가 거의 성인의 크기가 되는 만 6-8세경에 수술하는 것이 좋다(그림 2-7-11).

5) 매몰귀(Cryptotia)

귀의 윗부분이 두피 속에 묻혀 있는 기형을 말하며 위쪽의 이개두부구가 형성되어 있지 않으나 물리적으로 잡아당기면 이개두부구의 모양을 만들 수 있다. 생후 6개월 이전에 비수술적 요법으로 교정한다는 보고가 있으며 수술적요법으로는 피부이식, Z-성형술, V-Y 전진피판술 등으로 여러 가지 수술방법을 고려해 볼 수 있다(그림 2-7-12).

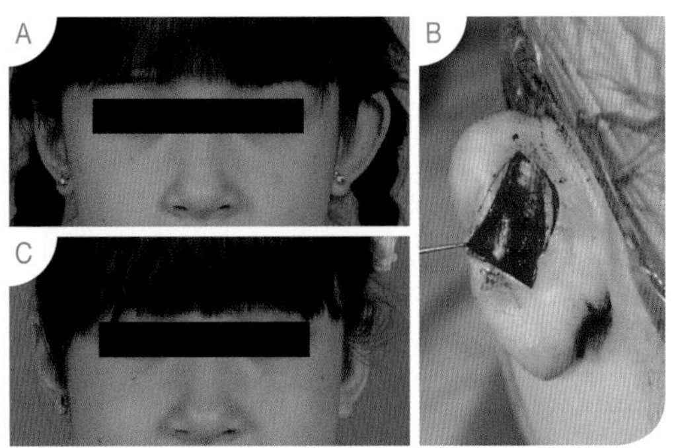

▷그림 2-7-11. **돌출귀**. A. 수술 전, B. 수술 중, C. 수술 후의 모습.

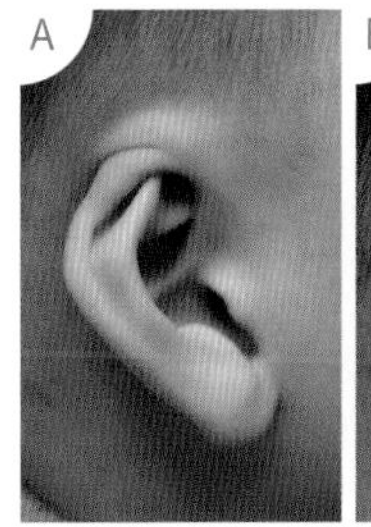

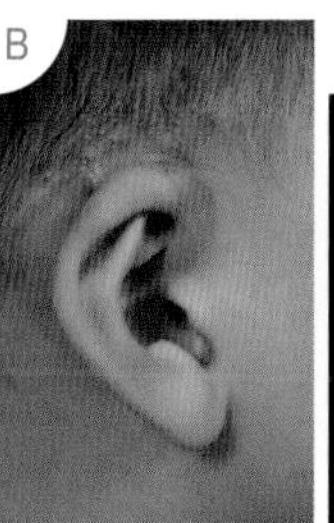

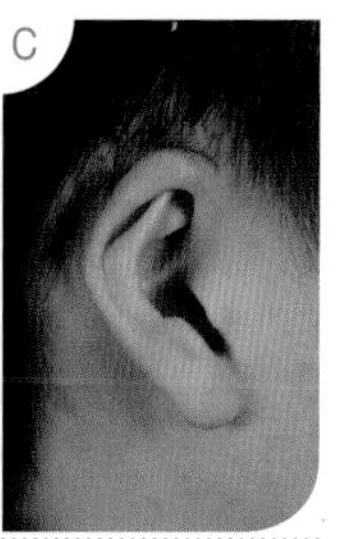

▷그림 2-7-12. **매몰귀**. A. 수술 전, B. 수술 후 20일, C. 수술 후 13년째의 모습

3. 외이의 후천성 변형

1) 절단된 귀(Amputated auricle)

절단된 귀의 접합술(replantation)을 하고자 할 때에는 절단된 부위의 크기, 절단된 조각의 상태, 두피부 절단면과 그 주변 조직의 상태 등을 고려해야 한다. Clean-cut 상태가 접합술에 유리하며 절단 조각 크기가 작다면 복합이식술(composite graft)의 개념으로 치유될 수 있다. 귀는 혈행이 풍부하며 주변부에 큰 혈관들이 많기 때문에 아주 가느다란 혈관이라도 남아 있는 상태로 박리(avulsion)되었다면 봉합 시 생존 가능성이 크다. 절단된 부위의 조직 손상이 심해서 접합술을 고려하기 어려운 경우라면 귀연골만이라도 복부 등의 연부조직 안에 삽입하여 이차 재건 시 사용하거나, 소이증과 마찬가지로 늑연골

을 이용하여 재건할 수 있다.

2) 귀혈종(Otohematoma)

격투기 선수에게 흔하며 귀에 직접적인 충격이 가해지거나 잡아 당겨진 후 귀연골과 귀연골막사이에 혈액이 고이는 현상이다. 수상 직후에는 작은 절개창을 내어 고인 액을 모두 배액시킨 후 압박 bolster로 드레싱하여 7~10일간 유지해 놓는다. 이미 혈종이 굳어 섬유화가 진행되어 귀 모양이 양배추형(cauliflower ear)으로 변형된 이후라면 비후화된 연골 조직을 깎아내고 절제하여 귀 모양을 만들어 준다.

References

1. Farkas LG, Posnick JC, Hreczko TM. Anthropometric growth study of the ear. The Cleft palate-craniofacial journal: official publication of the American Cleft Palate-Craniofacial Association. 1992 Jul;29(4):324-9.
2. Tanzer RC. Total reconstruction of the external ear. Plast Reconstr Surg. 1959;23:1.
3. Rogers B. Microtia, lop, cup and protruding ears: four directly inherited deformities? Plast Reconstr Surg. 1968;41:208.
4. Brent B. Auricular repair with autogenous rib cartilage grafts: Two decades of experience with 600 cases. Plast Reconstr Surg. 1992;90:355.
5. Nagata S. Modification of the stages in total reconstruction of the auricle. PlastReconstr Surg. 1994;93:221.
6. Brent B. Total auricular construction with sculpted costal cartilage. In: Brent B, ed. The artistry of reconstructive surgery. St. Louis: C.V. Mosby; 1987:113–127.
7. Brent B. Ear reconstruction with an expansile framework of autogenous rib cartilage. Plast Reconstr Surg. 1974;53:619.
8. Gibson T, Davis W. The distortion of autogenous cartilage grafts: its cause and prevention. Br J Plast Surg. 1958;10:257.
9. Tanzer RC. An analysis of ear reconstruction. Plast Reconstr Surg. 1963;31:16.
10. Kim SY, Park SJ, Oh KS. A new technique for transcutaneous fixation of the costal cartilage block utilized in reconstructed ear elevation for microtia. J Craniomaxillofac Surg. 2018;46:709-714.
11. Lee KT, Oh KS. Predictors for Unfavorable Projection of the Constructed Auricle following Ear Elevation Surgery in Microtia Reconstruction. Plast Reconstr Surg. 2018;141:993–1001.
12. Han SE, Lim SY, Pyon JK, Bang SI, Mun GH, Oh KS. Aesthetic auricular reconstruction with autologous rib cartilage grafts in adult microtia patients. J Plast Reconstr Aesthet Surg. 2015;68:1085-94.
13. Lee TS, Lim SY, Pyon JK, Mun GH, Bang SI, Oh KS. Secondary revisions due to unfavourable results after microtia reconstruction. J Plast Reconstr Aesthet Surg. 2010;63:940-6.
14. Brian A. Janz, Patrick Cole, Larry H, Hollier, Tr., Samuel Stal. Treatment of prominent and constricted ear anomalies. Plast Reconstr Surg. 2009;124:27–37.
15. Kelley P, Hollier L, Stal S. Otoplasty: Evaluation, technique, and review. J Craniofac Surg. 2003;14:643–653.
16. Paredes AA Jr, Williams JK, Elsahy NI. The constricted ear. Clin Plast Surg. 2002;29:289–299.
17. Mustarde´ JC. The treatment of prominent ears by buried mattress sutures: A ten-year survey. Plast Reconstr Surg. 1967;39:382–386.
18. Furnas DW. Correction of prominent ears by conchomastoid sutures. Plast Reconstr Surg. 1968;42:189–193.
19. Johnson PE. Otoplasty: Shaping the antihelix. Aesthetic Plast Surg. 1994;18:71–74.
20. Beernik JH, Blocksma R, Moore WD. The role of the helical tail in cosmetic otoplasty. Plast Reconstr Surg. 1979;64:115–117.

집필에 도움을 주신 분 박진우 삼성서울병원 임상강사

8 안면 거상술

Facial Rhytidectomy

동은상 고려의대

1. 서론

나이가 듦에 따라 발생하는 안면부의 노화는 얼굴의 피부, 피하 지방, 표재근건막계통(superficial musculo-aponeurotic system, SMAS), 심부 지방 및 뼈에 걸쳐 일어나는 현상이다. 최근 평균 수명의 연장에 따라 항-노화에 관련된 수술에 대한 요구가 늘어나는 추세이다. 늘어나는 요구와 함께 의학적으로는 안면의 해부학적 구조가 세분화되어 밝혀지고 이를 근거로 수술 술기가 발전하여 과거 십여 년간 안면 거상술의 방법은 놀라울 정도로 진화해 왔다.

얼굴에 대한 항-노화 수술은 안와 주변(periorbital), 전두부, 협부를 포함한 코 주위 부와 입 주변부 및 목 주름의 수술로 나누어 구분될 수 있다. 안면 거상술은 코입술주름(nasolbial fold)과 옆턱늘어짐(jowl)의 개선에 초점이 맞추어지다가 최근에는 전체 얼굴의 연부조직의 볼륨을 바꾸는 방향으로 거듭나고 있다. 즉 단순히 늘어진 연부조직을 상방으로 당기는 방법뿐만 아니라 노화에 따라 꺼진(deflated) 지방의 구획을 보충하기 위해 안면 거상술과 동시에 지방을 이식하거나 SMAS 피판을 잘라내지 않고 주위의 볼륨 증대를 위해 접어서 봉합하거나 이식하는 등의 노력을 하는 방향으로 업그레이드 되었다.

이 단원에서는 주로 하안검 하부에서 목에 이르는 중 하안면부의 주름의 개선을 위한 해부학적 고찰 및 수술방법에 대해 다룰 것이다. 안면 거상술은 단순히 늘어진 연부조직을 중력의 반대 방향으로 당기는 수술이 아니다. 전체의 얼굴의 조화를 고려하여 시행되는 침습적인 수술이므로 레이져, 필러, 실을 이용한 시술보다 장기간 효과를 유지할 수 있어야 한다. 피판의 생리를 이해할 수 있어야 하며 연부조직의 깊이에 따라 적절한 두께의 피판을 거상할 수 있어야 한다. 해부학적 지식이 가장 중요한 이유는 피판 거상과 동시에 상하부의 안면신경을 보존해야 하기 때문이다. 이와 같이 안면 거상술은 해부학적 지식뿐만 아니라 피판의 생리학적 원리도 알아야 하는 것으로 성형외과 고유의 영역이며 타과의 추종을 불허하는 성형 수술의 꽃이라 할 수 있다.

안면거상술은 개발 시기와 개발자에 따라 변천해 왔으며 그 이름과 방법 또한 매우 복잡하여 아래의 여섯 개의 방법이 주로 이용되어 왔으며 변천에 따라 선호되는 방법이 변해 왔다.

대표적인 수술방법으로는 1)피하안면거상

술(subcutaneous facelift), 2)표재근건막중첩법 등(SMAS plication, MACS lift), 3)외측 표재근건막절제법(lateral SMASectomy), 4)광범위 SMAS안면거상술(extended SMAS facelift), 5)피부SMAS부착안면거상술(SMAS with the skin attached-the high SMAS technique), 6)골막하안면거상술(subperiosteal facelift) 등이 있다. 이 외에 복합조직안면거상술(composite rhytidectomy)의 방법이 있다. 이렇게 다수의 복잡한 방법이 개발된 데는 이유가 있다. 적은 침습도로 극대화된 수술효과를 얻기 위해 여러 방법이 개발되었으나 시행과 평가의 단계를 거치면서 성형외과의사들 간의 호평을 받는 수술방법이 있고 더 이상 인기를 끌지 못하는 방법들이 나타나서 현재에 이르고 있다. 침습도가 높아 시간이 오래 걸리고 회복이 늦은 데 반해 효과가 상대적으로 적다면 선호되지 않는 것은 당연하다. 반면 침습도가 적어 회복이 빠른 장점이 있다고 소개되어 선풍적인 인기를 끌었다 하여도 효과가 오래 가지 않는다면 결국 의사들 사이에서 선호되지 않는 방법으로 남게 된다.

2. 안면부 노화를 이해하기 위한 해부학

안면부 연부조직은 노화에 따라 두 개의 특징적인 변화를 보인다. 하나는 꺼짐(deflation)이고

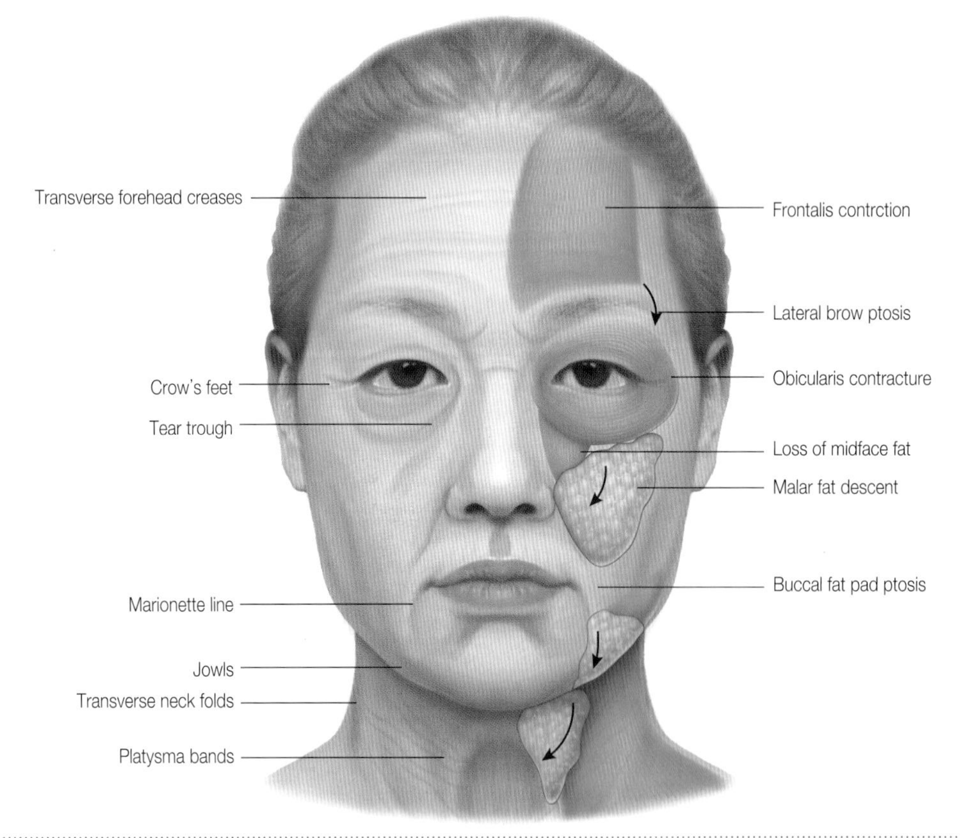

▷그림 2-8-1. **안면부 노화의 명칭.** 피부, 주름, 연부조직 하수및 볼륨의 감소에 따른 변화

다른 하나는 처짐(descent)이다. 수술로 개선해야 할 목표인 하안면부의 주름 또는 고랑을 위부터 나열하면 하안검부의 눈물고랑주름(nasojugal fold = tear trough deformity), 코입술 주름(nasolabial folds), marionette line, jowl 및 턱하부 주름(submental crease)이 있다(그림 2-8-1). 이 다섯 개의 주름이 안면거상술의 개선 목표이다.

안면 거상술 시 중요한 해부학적 지식은 크게 네 가지이다. 1)안면부 지방층, 2)안면부 근육의 심부-천부 관계, 3)안면부 피부에 부착하는 안면부 지지 인대(retaining ligament) 4)표재근건막계통(SMAS)의 구조와 얼굴의 층(layer)이다.

1) 안면부 지방층

저자에 따라 안면부의 지방을 천층부 지방(superficial fat)과 심층부 지방(deep fat)으로 구분하기도 한다. 심지어 구획별로 심층부 지방과 천층부 지방의 구획을 나누어 이름을 달리한 논문도 있으나 실제 수술시야에서 확실한 구분이 가는 것은 아니다. 즉 천층부 지방과 심층부 지방이 격막에 의해 확실히 나뉘는 것이 아니다. 복부의 scarpa's fascia처럼 또한 심층부 지방과 천층부 지방의 깊이를 나누는 해부학적 구조물도 없다. 뒤에서 언급할 안면부의 유지인대가 심부의 뼈에서 피부로 부착될 때 종방향의 중격(septa)의 형태를 보이는데 이것이 지방층을 뚫고 가르는 형태를 보이므로 당연히 지방층이 지도를 그리듯이 나누어 보이는 것이다. 특히 마른 환자의 경우 피하지방층이 상대적으로 매우 얇아서 구분이 전혀 가지 않는 경우가 많다.

그러나 정확한 수술을 위해서는 광대지방덩이(malar fat pad)와 심층부의 심층내측지방(deep medial fat)및 볼지방덩이(buccal fat pad)에 대한 중안면부 내에서의 상호 간의 깊이에 대한 이해는 필요하다. 이 세 가지가 순서대로 천부에서 심부로 이행하는 깊이에 위치한다.

광대지방덩이(malar fat pad)는 내측으로는 코입술주름, 상부로는 하안검을 덮는 orbicularis oculi의 하연, 외측으로는 malar eminence를 정점으로하는 삼각형의 지방으로 안면거상술에서 이동의 대상이 되는 지방이다. 즉 안면거상술은 광대지방덩이를 효과적으로 상외측으로 이동시킬 때 이 지방덩이를 SMAS피판에 태워(riding) 이용할 것인지 피부판에 태워 이동할 것인지에 대해 따라 방법의 차이가 있다고 할 정도로 중요하다.

이 지방덩이와 혼동되는 명칭으로 아래 안면부의 prezygomatic space의 천장이 되는 SOOF (suborbicularis oculi fat)가 있다. 이 지방은 위치는 비슷하나 orbicularis oculi보다 심층에 있으므로 안면거상술로 위치를 바꾸기는 힘들고 얼굴의 안전한 층(안면신경이 비교적 다치지 않는 층)에 접근하기 위한 기준 구조물로 인식된다. SOOF를 안면거상술을 통해 움직이려는 시도도 있었으나 orbicularis oculi로 가는 안면신경분지의 손상을 초래하기 때문에 SOOF의 상방 이동은 통상 하안검성형술을 위한 절개선을 이용하여 이루어진다. 즉 대부분의 안면거상술의 목표는 SOOF의 이동이 아니고 위에서 언급한 세 가지 지방층이라는 것이다.

광대지방덩이는 나이가 들수록 내 하측으로 처져 광대하 내부로 내려오게 된다. 이 지방덩이의 하강과 함께 보이는 주름 또는 고랑은 광대부위 malar mound와 그 하부 teartrough의 연장선인 indian band (midcheek groove)가 있다(그림 2-8-2).

광대지방덩이의 심부에 존재하는 심부내측

지방덩이(deep medial fat)는 상부의 orbicularis retaining ligament와 외측으로는 zygomaticus major의 부착부에 의해 구획이 나뉘어진다. 광대지방덩이를 상 외측으로 이동시키면 이 주름들이 개선되며 피하 박리를 더 한 경우에는 nasolabial fold의 개선도 일어나게 되는 것이다.

즉 쉽게 생각하면 노화와 함께 저명해지는 위의 주름들은 노화와 함께 피부에 부착하는 안면유지인대가 조금씩 늘어지며 피하에 위치한 지방층에 격막 형태로 부착된 부위가 중력 및 처짐으로 더 명확해져서 발생하는 볼록함(convexity)과 오목함(concavity)의 복합 작용이라 봐야 한다(그림 2-8-3).

볼지방덩이(buccal fat pad)는 안면부의 가장 깊은 층에 위치한 지방으로 상악골절 정복시 수술시야에서 흔히 튀어나오는 지방덩이이다. 유일하게 명확한 capsule로 둘러싸인 지방덩이로 그 크기가 방대하여 4가지 구획을 가진다. Temporalis muscle 하부의 temporal extension, pterygoid extension, 그리고 body와 buccal extension의 4가지 구획을 갖는다(그림 2-8-4). 이는 광대지방덩이와는 위치적 깊이적 차이가 있어 쉽게 구분이 되나 심하게 쳐진 경우 종종 jowl과 혼동이 되기도 하나 그 깊이의 관계를 고려해 보아 구분해야 한다. 안면 거상술에서 수술

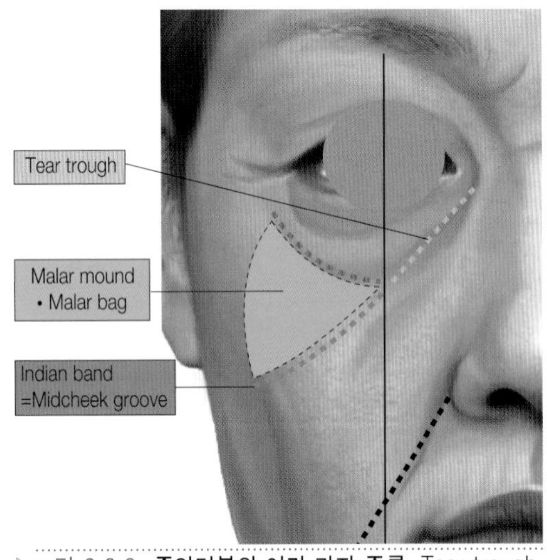

▷그림 2-8-2. **중안면부의 여러 가지 주름.** Tear-trough, malar mound측부의 Indian band, nasolabial fold

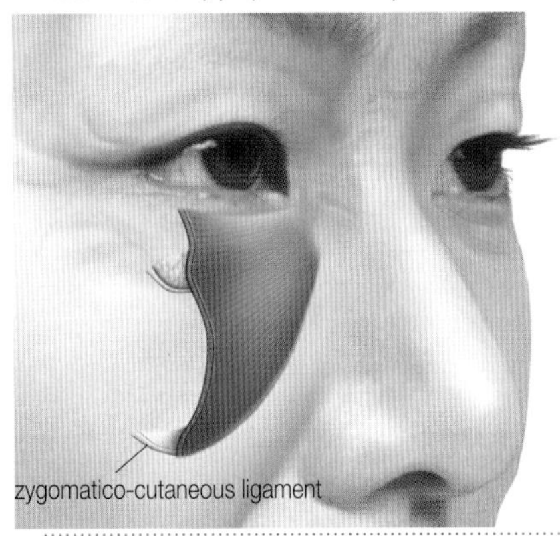

▷그림 2-8-3. **눈 하부의 처짐과 볼록함의 공존.** orbital retaining ligament과 zygomatic ligament

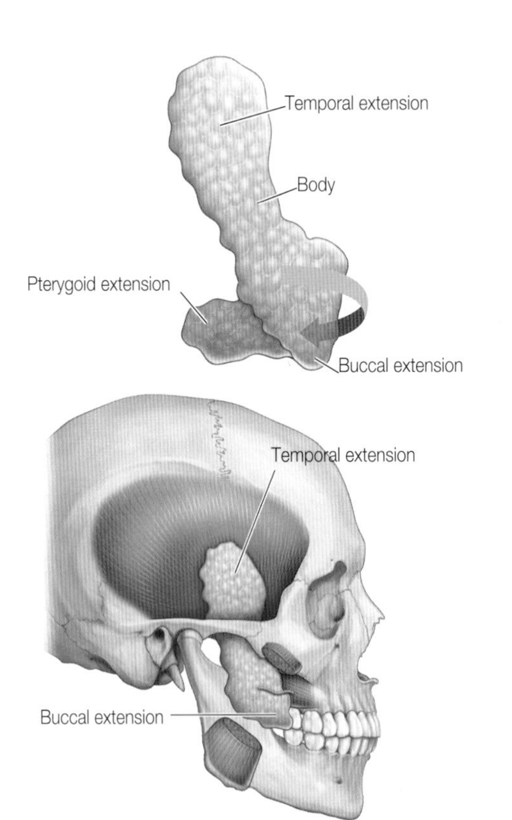

▷그림 2-8-4. **협부 지방의 여러 구획**

도중 볼지방덩이를 만나게 된다면 안면신경의 협부분지(buccal branch)와 근접함을 인지해야 한다. 통상 masseteric muscle의 앞쪽에서 parotid duct와 같이 주행하는 안면신경의 협부분지는 볼지방덩이를 수직으로 타고 안면 근육으로 분지하기 때문에 볼지방덩이의 capsule을 건드리지 않아 지방이 노출되지 않아야 안면신경분지가 안전하다고 판단할 수 있는 것이다. 이 지방덩이도 안면 거상술 시 상외측으로 이동시켜 이용한다면 얼굴의 아름다운라인(ogee curve)를 만드는 데 도움이 된다. 그러나 볼지방덩이를 움직일 수 있는 수술적 방법은 SMAS 층의 심부로 접근하여야 하므로 극히 제한되어 있다.

나이가 들어 볼지방덩이가 하내측으로 처진 경우 볼의 꺼짐현상이 발생하고 코입술주름이 더 부각되어 보이게 되므로 젊은 환자가 볼 부위가 통통해 보인다고 하여 많은 양의 지방을 제거한다면 그 환자의 노년에 추형이 남을 가능성이 있음을 알아야 한다.

2) 안면부 근육의 깊이관계

안면의 표정근(mimetic muscle)은 발생학적 또는 기능적 수직관계가 존재하므로 그 깊이의 차이에 대해 알아야 한다. 가장 표층에 있는 근육은 orbicularis oculi과 orbicularis oris이다. 눈과 입의 즉시 움직임을 도와야 하므로 피부하부에 직접적인 부착을 하여 발생하였다고 볼 수 있다. 같은 층에 risorius muscle이 존재하며 이 또한 orbicularis oris와 밀접한 관계가 있다. 그 바로 아래층에는 lip의 elevator와 depressor에 해당하는 zygomaticus major와 minor, levator anguli oris, levator labii superior alaque nasi, deprsssor anguli oris가 위치하고 보다 심층부

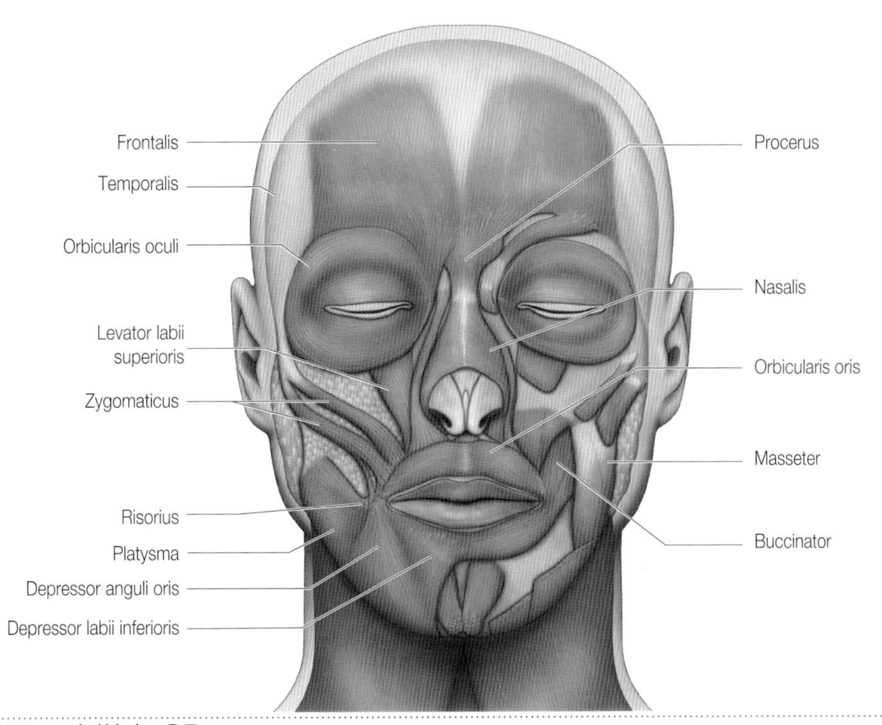

▷그림 2-8-5. 안면부의 근육들

에 Levator labii superioris와 Depressor labii inferioris가 존재한다. 가장 심부에 존재 하는 근육은 mentalis muscle과 buciinator가 있다(그림 2-8-5).

그러나 안면거상술에서 가장 중요한 근육은 platysma muscle이라 하겠다. Platysma는 가장 표층에 존재하는 근육인데 사람마다 발달의 정도가 다르고 안면부의 중하연부에서는 일부 보이나 중안면부에서는 퇴화되어 거의 안 보이는 경우가 많다. Platysma는 orbicularis oculi나 orbivularis oris와 같은 층에 존재하여 가장 표층의 근육이며 아래 입구석에 부착된다. Platysma와 중안면부의 SMAS 층은 같은 층이라 봐야 하며 측두부의 temporoparietal fascia와 연결되는 하나의 층으로 간주하여 수술을 해야 한다. 따라서 안면거상술을 위한 SMAS피판을 거상하는 경우 plastysma를 하안면부에서 찾아 이 근육의 하면(undersurface)를 박리하는 것이 안전한 SMAS 피판을 거상하는 방법이다.

3) 안면부 피부에 부착하는 안면부 지지 인대(Retaining ligament)

안면부 피부 및 피하부가 골에 고정되어 지지되는 구조물을 안면부유지인대(facial retaining ligament)라고 한다. 이 인대가 피부에 부착할 때 retinacular cutis의 형태를 보이는데 얼굴의 부위별 그 밀도와 형태가 다르게 되어 있다. 안검이나 입술의 경우 retinacular cutis가 매우 밀도가 높아 피하지방이 거의 존재하지 않으며 코입술주름부도 마찬가지의 지역이다. 뼈에 단단하게 부착되어 있는 굵은 인대를 상부에서 하

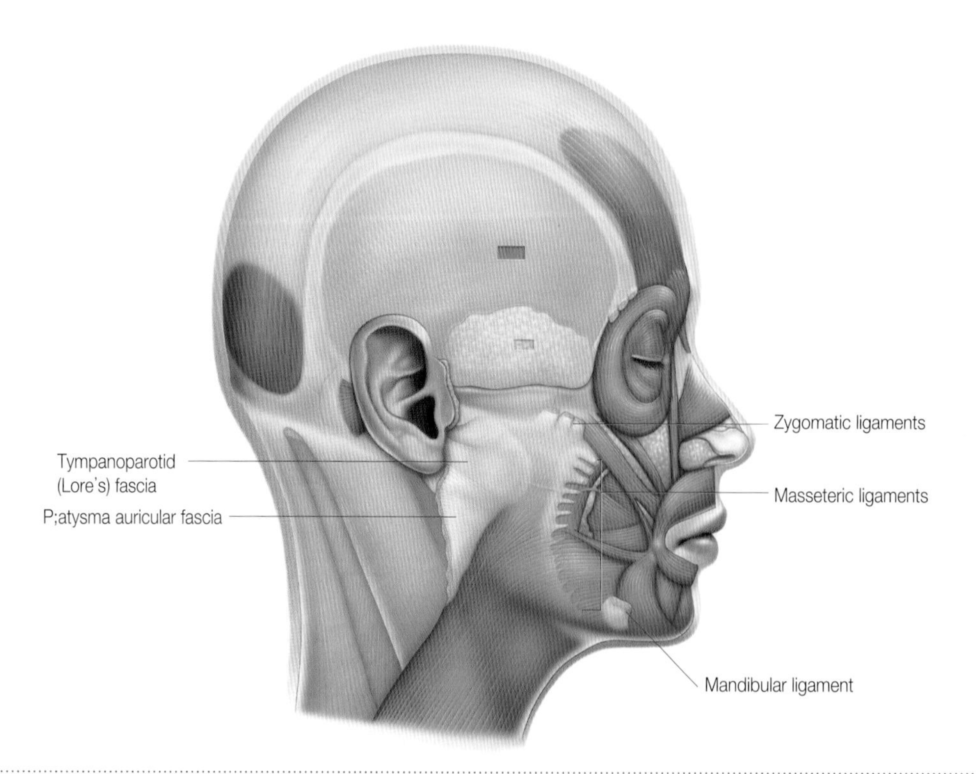

▷그림 2-8-6. 측면의 얼굴에 부착한 안면부 유지인대

부의 하악까지 일정의 형태로 붙어 있는데 위에서부터 1)orbital retaining ligament 2)lateral orbital thickening, 3) zygomatic ligament, 4)masseteric ligament와 5)mandibular ligament 로 크게 볼 수 있다. 유지인대가 잘 발달하여 있는 부위는 피부에 부착이 강하기 때문에 노화에 따라 주름이 잘 발달한다. 주름의 경계부에는 반드시 이런 유지인대가 있다고 보면 된다. 광대부위나 볼의 부위에도 이 인대들이 한 개 존재하는 것이 아니라 개인별 차이가 있어 여러 개의 다발로 존재하며 특히 하안검부 orbital litainig ligament와 mandibular ligament는 격막(septum)의 형태를 보이며 발달해 있어 순서대로 tear trough 변형과 jowl의 원인이 된다(그림 2-8-6,7).

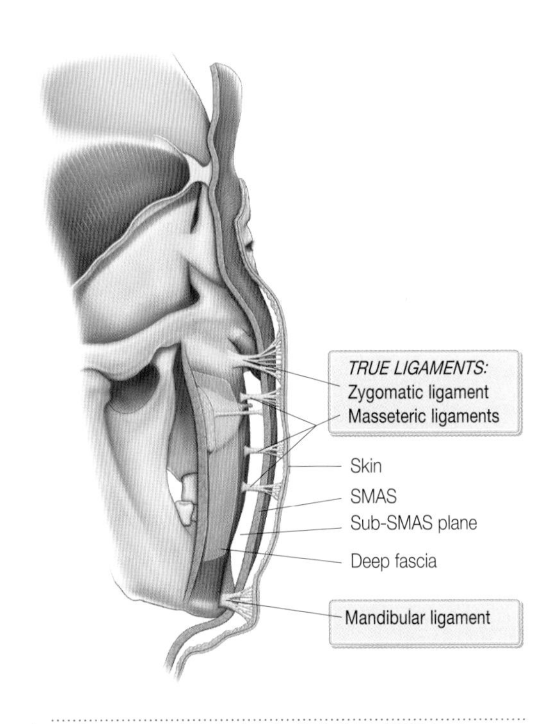

▷그림 2-8-7. **안면부 유지인대.** 후방에서 관찰한 모습

4) 표재근건막계통(SMAS)의 구조와 얼굴의 층(Layer)

안면부의 표정근은 움직임이 매우 자유롭다. 즉 근육의 상층부와 하층부에 움직임을 자유롭게 하는 활주층(gliding layer)이 존재하는데 근육의 상층을 SMAS와 피하지방이 끼어 있어 자유스럽게 근육을 움직이게 도와주고 있다. 이 보다 심층부에는 SMAS 하연공간(subSMAS space)이 존재하여 근육의 움직임을 돕는데 표층부터 1)피부(layer1) 2)피하층(subcutaneous fat:layer 2) 3)근건막계통(SMAS:layer 3) 4)SMAS 하연공간(subSMAS: layer 4) 5)심부근막 및 골막(layer 5)의 다섯 층으로 나누어 SMAS 하연공간의 의미를 두는 견해도 있다. 이 얼굴의 layer는 자연발생적으로 보이는 공간이 아니고 해부학적 박리로 만들어낼 수 있는 공간이라는 지적도 있으나 이런 개념은 안전한 SMAS층 박리와 안면신경 보존을 위해 필요한 지식이라고 볼 수 있다.

외측 안면부 parotid 샘 표층에는 어떠한 안면근육도 존재하지 않고 진피층으로부터 피하층과 SMAS층, 그리고 parotid 건막(layer5)이 하나의 단단한 층으로 이루어져서 움직임이 없는 platysma parotid fascia (PAF)층이 존재한다. 여기서부터 안면거상의 피판이 거상되기 때문에 이 지역의 SMAS하연공간(layer4)이 특별히 없음을 주지하여야 SMAS 피판을 거상할 때 낭패를 피할 수 있다. 이보다 앞쪽으로 수술 시 발견할 수 있는 공간으로는 prezygomatic space와 premasseteric space가 있다(그림 2-8-8).

Prezygomatic space는 광대뼈의 표층에 zygomaticus major와 minor의 기시부에 존재하며 천장은 SOOF로 구성되어 있다. 다수의 zy-

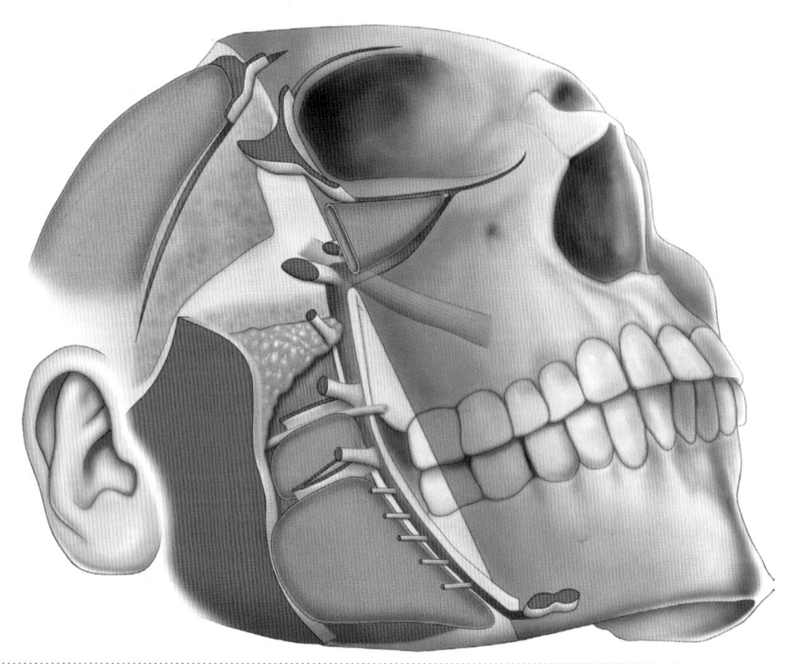

▷그림 2-8-8. 안면부의 layer와 공간들

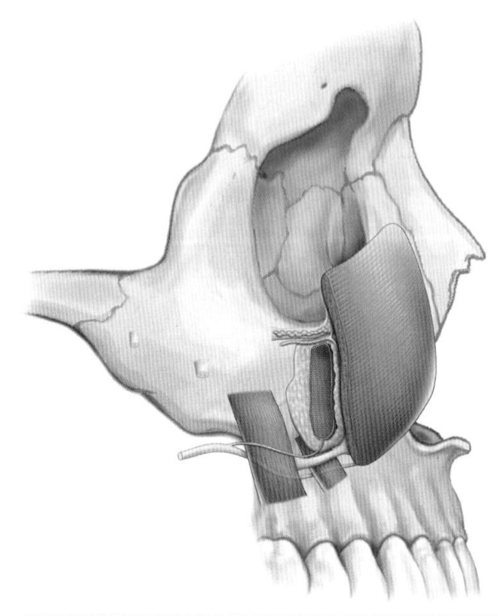

▷그림 2-8-9. prezygomatic space

gomatic retaining ligament로 둘러싸여 있으며 이 하연에 안면신경분지가 지나가므로 이 공간을 만들어 상층의 SMAS판을 거상하면 상대적으로 안전한 수술을 할 수 있다(그림 2-8-9). Premasseteric space는 마름모꼴의 모양으로 뒤는 PAF가 있고 앞으로는 볼지방덩이가 들어있는 buccal space가 있다. 그림에서와 같이 premasseteric space는 upper와 lower로 나뉘고 이 사이를 masseteric ligament가 지나게 되어 있다. 볼지방덩이 시작부위에서 안면신경이 항상 존재하므로 수술 시 주의를 기울여야 한다(그림 2-8-10).

3. 안면 거상술의 기본 개념과 원칙

앞서 언급한 해부학적 지식은 안면거상술의 역사를 통틀어서 필요한 지식을 기술한 것으로 매우 복잡하다. 귀중한 고찰이 나중에 발견된 것도 있고 SMAS하연공간에 대한 인지 없이 좋

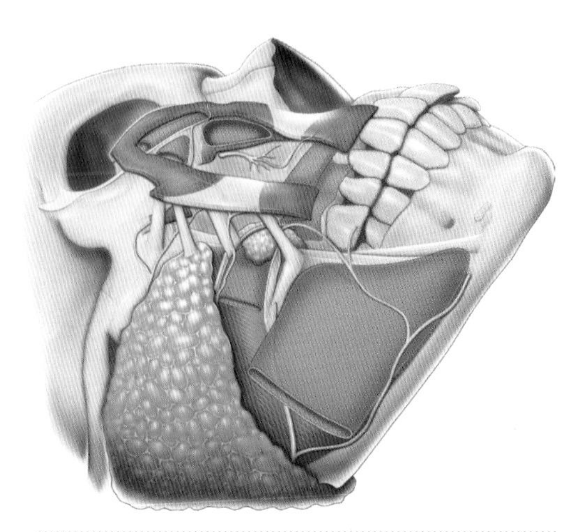

▷그림 2-8-10. premasseteric space

은 결과를 내온 경우도 있다. 현대에 이르러 안면거상술의 개념은 단순히 처진 피부를 상부나 측부로 당겨 고정하는 것이 아니라 얼굴의 형태를 고려하여 아름답게 보이게 하는 것으로 꺼진(deflation) 볼륨을 보충하고 처진 연부조직을 원위치 시키는 데에 초점이 맞추어져 있다. 이를 위해 위에서 언급한 지방층을 상외측으로 이동시키는 것이 중요한데 이 지방층의 이동을 어떻게 시킬 것인가에 대한 많은 방법이 개발되었다. 지방층의 이동에 대한 고민없이 피하층을 거상하여 이개 측부의 남는 피부를 절제하는 피하층 안면거상술(subcutaneous facelift)로부터 피부피판을 거상하고 하층부의 SMAS 피판을 거상하지는 않고 조작을 가하는 방법 또는 조금만 거상하는 간단한 방법이 소개되어 인기를 끌기도 했다. 그러나 정통적으로는 SMAS 피판을 거상과 피부피판을 하는 정도에 따라 extended SMAS facelift와 high SMAS facelift법으로 나뉜다. 다른 방법으로는 SMAS 피판을 거상하지 않고 전체 안면부의 연부조직을 골막하로 거상하는 골막하안면거상술(subperiosteal facelift)이 도입되었다. 각 방법별로 장단점이 존재하므로 환자의 나이와 얼굴의 형태에 따라, 마취의 종류에 따라, 환자의 요구사항에 따라 적당한 수술방법을 선택하여야 한다.

4. 여러 가지 수술법

1) 피하층 안면거상술 (Subcutaneous facelift)

가장 먼저 시행되었던 안면거상술은 random pattern의 피부판을 거상하는 피하층 안면거상술이다. 이 방법을 “skin only technique”이라고 부르기도 한다. 현재에도 많은 의사에게 이용되는 이 방법은 안면신경 손상에 대한 특별한 위험이 없고 귀 앞 뒤의 절개선에서 거상한 피부판을 당겨서 봉합하므로 중력에 반하는 주름의 제거를 전적으로 피부판의 절제량과 피부판에 가해지는 장력으로 제거하는 방법이다. 수술방법이 쉬운 장점이 있으나 피부판에만 장력이 가해지고 과대한 장력은 수술 후 부자연스러운 ‘operated look’을 초래할 수 있는 여지가 있다.

또한 최근의 안면거상술의 개념인 안면부 피하 지방층의 이동은 이 수술방법으로는 불가능하다는 단점이 있다(그림 2-8-11).

2) 절개선의 위치

절개선은 남는 피부를 절제하여 봉합하여야 하고 충분한 장력을 견디어 봉합할 수 있는 단단한 조직이 있어야 한다. 주로 귀 앞과 뒤와 측두부에 절개가 가해진다. 귀 앞에서는 pre-tragal incision과 tragus의 후연을 따라 절개를 하여 반흔을 적게 하는 방법이 있으며 측두부에서는 모

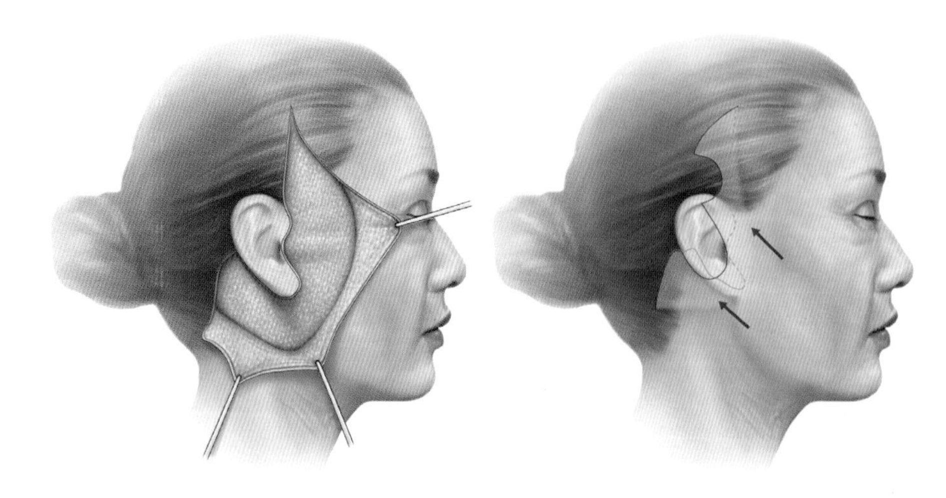

▷그림 2-8-11. 피판 안면 거상술

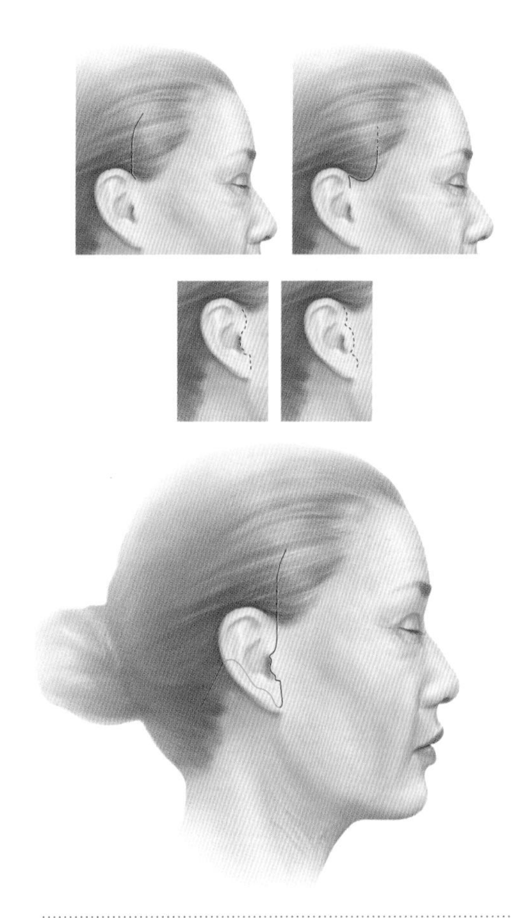

▷그림 2-8-12. 안면거상술의 절개선의 위치

발선의 뒤에서 절개하거나 모발선의 바로 인접선에서 절개하는 방법이 있다(그림 2-8-12).

3) 박리 및 전두부거상 피판과의 관계

안면거상술과 함께 전두부거상술(forehead lift)을 동시에 시행하는 경우도 많다. 이를 위해 전두부의 피판과 안면의 피판을 동시에 거상하여 상부측으로 고정하는데 위에서 언급하였듯이 안면부의 SMAS 층과 측두부의 temporoparietal fascia (superficial temporal fascia)는 같은 층이므로 하나의 층으로 거상하는 것이 가능하다. 그러나 안면신경의 frontal branch는 이하선을 뚫고 전두근으로 올라가는 주행에서 점점 표층으로 주행하게 되는데 관골궁(aygomatic arch)위를 덮는 안면부의 연부조직은 매우 조밀하여 세밀한 주의를 요한다. 관골궁의 상부인 측두부에서는 frontal branch는 innominated fascia 층에 머물다가 전두근으로 분지하기 때문에 측두부의 복잡한 fascia 층에서 전두분지의 손상을 예방하기 위한 특별한 계획이 필요하다.

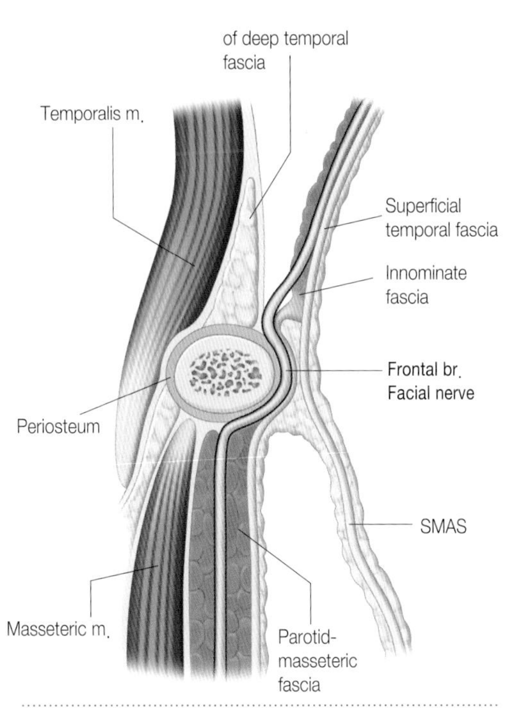

▷그림 2-8-13. **측두부 박리의 심부 관계**

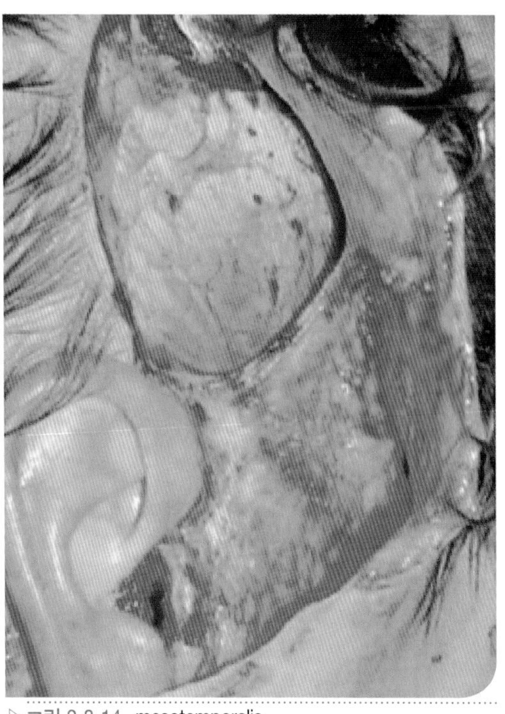

▷그림 2-8-14. mesotemporalis

Deep temporal fascia의 superficial layer를 박리의 층으로 하여 그 상부의 innominated fascia를 superficial temporal fascia와 함께 거상한다면 fronatal branch를 보존할 수 있다(그림 2-8-13). 즉 안면부에서는 SMAS의 상층 및 하층부를 박리하더라도 안면신경을 박리층의 심층부에 두어 보존하고 측두부에서는 frontal branch보다 심층부를 박리하여 전두피판에 fronatal branch가 포함되게 하는 방법을 숙지하면 신경 손상을 막을 수 있는 것이다. 이렇게 안면부와 측두부의 박리층을 다르게 하여 만든 인공의 이행부를 mesotemporalis라고 부른다(그림 2-8-14).

4) Subcutaneous facelift + SMAS modification

피하층 안면거상술에서 피부판을 거상하면 바닥에 보이는 심층부의 면이 곧 SMAS의 상층부이다. 바닥의 SMAS 층에 plication을 가하거나 일부의 SMAS의 외측을 잘라서 봉합하거나 loop을 만들어 봉합하는 변법들이 소개되어 있다. 봉합이나 loop이 가능한 만큼의 피부판을 거상하면 되기 때문에 박리의 범위가 적어 MACS (minimal access cranial suspension) lift라고 불리기도 한다. 그러나 봉합실의 효과가 오래 지속되지 못한다는 논란이 있기도 하다(그림 2-8-15).

5) Deep plane facelift (High SMAS facelift)

피부판은 귀 앞에서 2~3 cm만 거상하고 그보다 얼굴의 앞쪽의 박리는 SMAS보다 심층부로 진행하여 SMAS 심부를 박리하는 방법이다. 피부와 SMAS 사이의 광대지방층과 피하지방덩

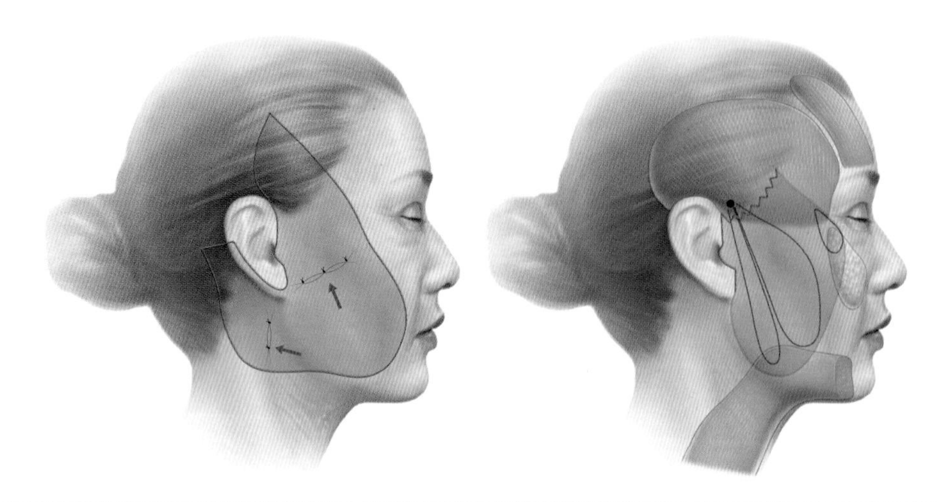

▷그림 2-8-15. MACS lift 외 SMAS modification

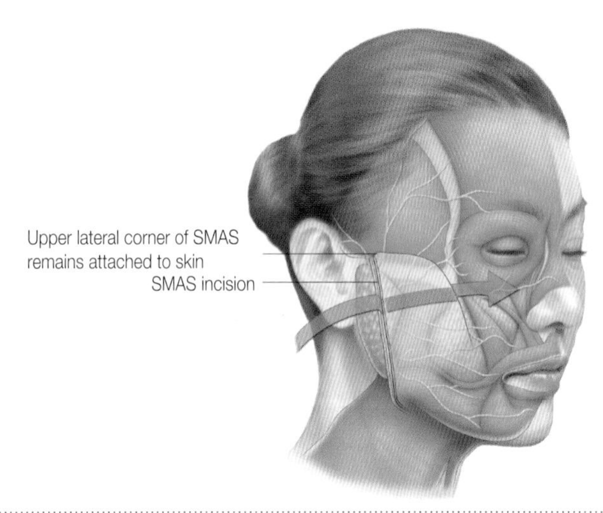

▷그림 2-8-16. Deep plane facelift

이와 안면부의 지방층을 분리하지 않고 대부분이 SMAS와 함께 움직일 수 있도록 SMAS 하부를 박리한다. 즉 다른 수술법에 비해 SMAS와 피부판의 부착부위가 넓고 박리의 층이 귀의 앞에서 전면부로 향하면서 subcutaneous- sub-SMAS-subcutaneous로 이루는 하나의 거상층이기 때문에 아래 소개된 extended SMAS 법보다 비교적 간단한 방법이다. 그러나 역시 SMAS의 심부박리가 진행되므로 안면신경 손상의 위험은 존재한다. 피부판에 강력한 tension이 걸려도 견디는 장점이 있으나 모든 거상은 피부판의 하나의 방향에 의존해야 하는 단점이 있다.

수술의 특성상 sub SMAS plane으로 접근 시 광대 지방덩이의 거상을 용이하게 하기 위해 SMAS의 횡절개를 관골궁보다 위쪽에서 가하여 수술하는 high SMAS facelift가 개발되었는

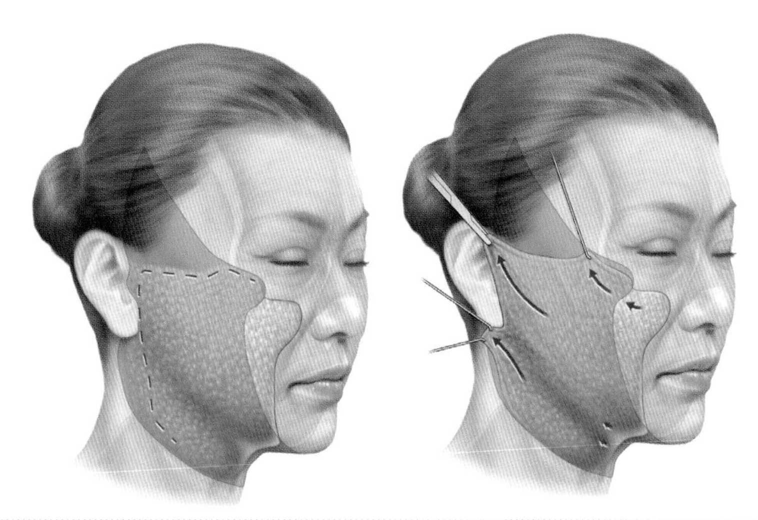

▷그림 2-8-17. extended smas facelift

데 이 방법이 대표적인 deep plane facelift라 할 수 있다. 수술의 장단점이 있어 강력한 측방의 거상이 가능하고 extended SMAS facelift에 비해 간단하나 frontal branch의 신경손상에 대한 비판이 여전히 존재한다. 또한 환자 중 얼굴이 넓적한 경우 광대 부위의 처리에 신중해야 얼굴이 더 넓적해 보이는 단점을 피할 수 있다(그림 2-8-16).

6) Extended SMAS facelift

광범위 SMAS 안면거상술은 안면거상술의 여러 방법 중에서 가장 시간이 오래 걸리며 역학적으로 복잡한 방법이다. 피하층안면거상술에서와 같이 피부판을 거상하고 그 심부에 다시 SMAS 피판층을 거상하기 위해 sub-SMAS판을 거상하는 방법이다. 이렇게 하는 장점은 피부판과 SMA판을 독립적으로 거상하면 두 판을 다른 방향으로 고정하여 거상 시 판의 벡터 다양성(vector versality)을 가질 수 있다는 큰 장점이 있다. 또 광대 지방덩이 등을 포함한 연부조직에 걸리는 장력의 대부분을 SMAS판에 걸리게 하고 피부판은 장력이 없이 봉합할 수 있게 하여 피부판에 최소한의 장력을 걸리게 할 수 있다는 장점도 있다. 장력이 적을수록 반흔이 적게 남게 되기 때문에 우수한 반흔을 남기게 된다. 피부판과 SMAS 판을 독립적으로 들기 때문에 dual plane facelift라고 불리기도 한다. 그러나 Zygomaticus major 전방부로 갈수록 SMAS판의 경계가 모호해지어 광범위한 SMAS판을 거상할 경우 피부판과의 그 깊이관계가 모호해져서 온전한 두 개의 판을 거상할 수 없게 되는 단점이 있다. 즉 얼마나 광범위하게 SMAS판을 거상할지는 사람에 따라 그 해부학적 차이가 있어 주의해야 된다. 통상 SMAS의 횡방향 절제는 관골궁의 하부에서 가해지며 턱 쪽의 박리 시 marginal mandibular nerve와 그 하부의 cervical branch를 다치기 않게 조심하여 박리하여야 한다(그림 2-8-17).

7) 골막하안면거상술 (Subperiosteal facelift)

통상 전두부 거상술이 골막하로 시행되므로 이와 같은 개념으로 안면부의 거상을 골막하의 하나의 층으로 거상하는 수술방법을 일컫는다. 이 수술을 위해서는 하안검부의 절개가 반드시 필요하며 이를 통해서 안면부 피판의 골막하 거상을 하게 된다. 필요에 따라서는 입안 절개를 병행하여 골막하 거상을 돕는다.

해부학적 박리층이 안면신경과는 거리가 멀어 신경손상의 위험이 전혀없다는 장점이 있으나 상대적으로 붓기가 오래가고 원하는 광대지방덩이를 거상하는 것이 어려워 수술 효과가 적다는 비판도 있다. 안면골막 하부 박리를 통해 거상한 하나의 피판은 안면유지인대에 대한 조작을 할 수 없고 피부의 잔 주름의 개선을 목표로 하는 것이 아니라 전체 안면부의 연부조직을 상방으로 거상하는 개념의 조금 동떨어진 개념의 수술이다(그림 2-8-18).

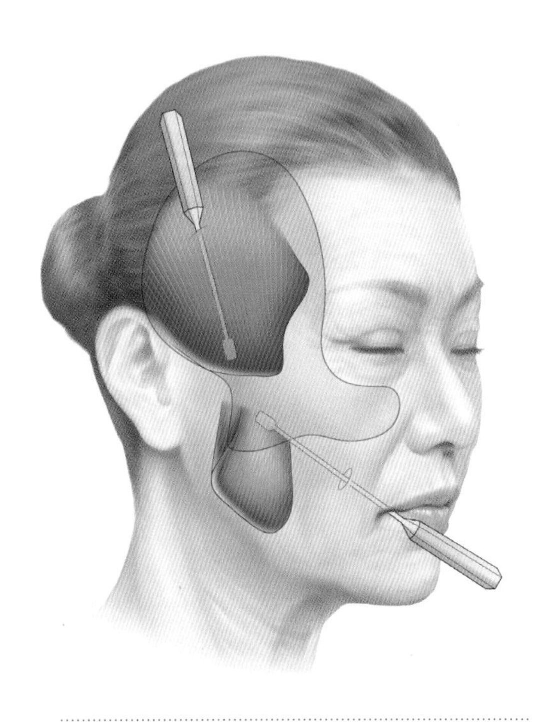

▷그림 2-8-18. Subperiosteal facelift

5. 목 거상술(Neck Lift): Platysma plasty

목의 하부 clavicle에서 시작되는 platysma는 안면부의 SMAS 층에 연결되므로 안면부의 수술과 같이 목거상술의 목표도 적절한 platysma에 대한 조작이다. Platysam의 해부에 관해서 아래의 그림과 같이 세 가지 형태의 부착을 보인다(그림 2-8-19).

일반적인 platysma에 대한 조작은 목 부위 피하박리(subcutaneous dissection)를 통해서 이루어지는데 안면거상술과 같이 시행하는 경우와 독립적으로 목거상술을 시행하는 경우로 나누어 볼 수 있다. 턱 하부의 절개를 통하여 지방 흡입을 시행하거나 platysma 하부의 지방층을 절제하고 나서 목 앞쪽의 platysma를 봉합하는 방법이 일반적인 방법이다(그림 2-8-20).

목거상술에서 귀앞이나 귀뒤 절개를 통해 박리한 피부판을 이용해 일부의 목피부를 절제해 내기도 하고 늘어진 platsma를 측부로 당기기도 하지만 통상 playsma의 하부를 박리하지는 않는다. 바로 만나게 되는 cervical branch의 손상을 조심하여야 하기 때문이다.

턱 끝 하부의 절개를 이용하여 목부위의 표재 지방층을 흡입하고 늘어진 platysma의 앞 쪽의 band를 전방부위에서 봉합하여 모아주고 피부는 re-drape하는 것이 일반적인 방법이다. 필요에 따라서는 턱끝 하부의 심부 지방층이나 측면의 심부 턱 근육의 일부를 잘라주거나 침샘의 일부

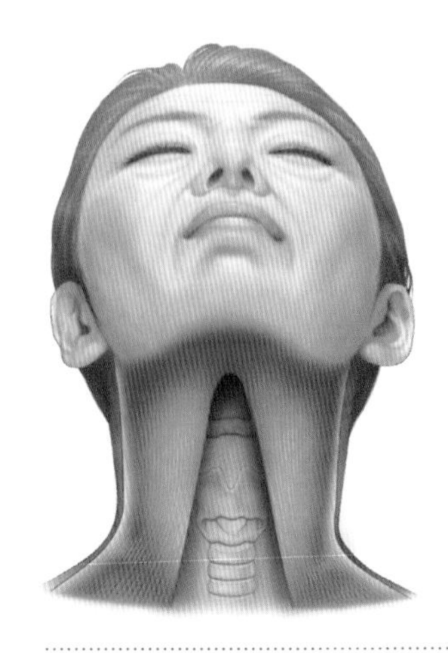
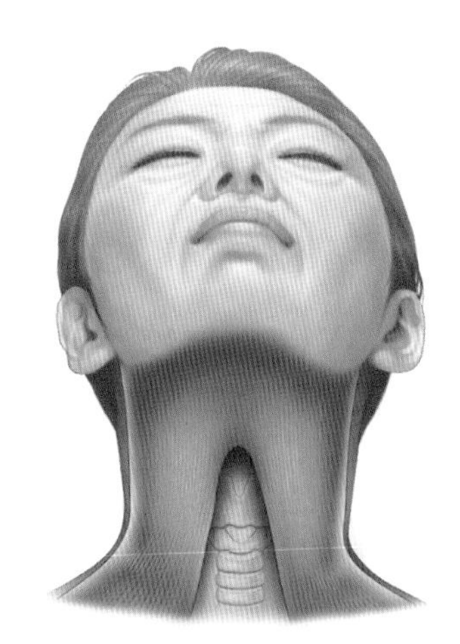
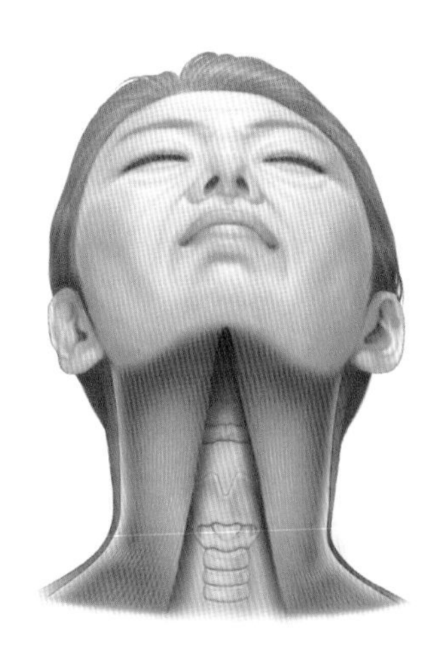

▷그림 2-8-19. platysam 부착의 세 형태

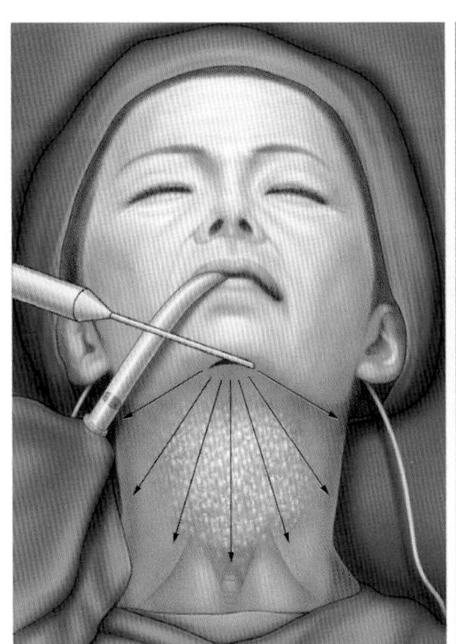
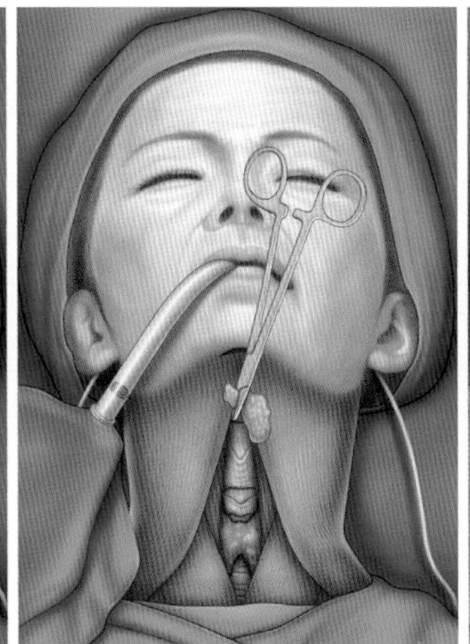
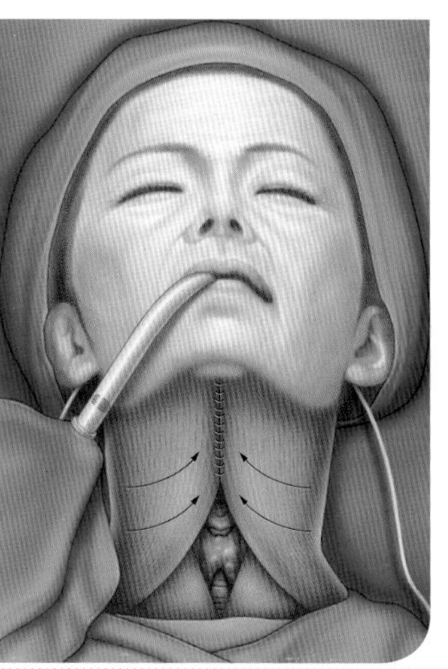

▷그림 2-8-20. **목 거상술의 일반적 방법.** 지방 흡입, 지방 제거 및 platysma 봉합

인 submandibular gland의 하수를 고정하여 거상하는 방법도 있으나 과도한 절제는 추형을 초래하기 쉬우므로 조심하여야 한다.

References

1. Mitz V, Peyronie M. The superficial musculo-aponeurotic system (SMAS) in the parotid and cheek area. Plastic and reconstructive surgery. 1976;58(1):80-88.
2. Kaufman MR, Miller TA, Huang C, et al. Autologous fat transfer for facial recontouring: is there science behind the art? Plastic and reconstructive surgery. 2007;119(7):2287-2296.
3. Tipton JB. Should the subcutaneous tissue be plicated in a face lift? Plast Reconstr Surg. 1974;54(1):1-5.
4. Tonnard PL, Verpaele A, Gaia S. Optimising results from minimal access cranial suspension lifting (MACS-lift). Aesthetic Plast Surg. 2005;29(4):213-220; discussion 221.
5. Baker DC. Lateral SMASectomy. Plast Reconstr Surg. 1997;100(2):509-513.
6. Stuzin JM, Baker TJ, Gordon HL, Baker TM. Extended SMAS dissection as an approach to midface rejuvenation. Clin Plast Surg. 1995;22(2):295-311.
7. Barton FE, Jr. The "high SMAS" face lift technique. Aesthet Surg J. 2002;22(5):481-486.
8. Ramirez OM. Endoscopic subperiosteal browlift and facelift. Clin Plast Surg. 1995;22(4):639-660.
9. Hamra ST. Composite rhytidectomy. Plastic and reconstructive surgery. 1992;90(1):1-13.
10. Furnas DW. The retaining ligaments of the cheek. Plastic and reconstructive surgery. 1989;83(1):11-16.
11. Mendelson BC, Jacobson SR. Surgical anatomy of the midcheek: facial layers, spaces, and the midcheek segments. Clinics in plastic surgery. 2008;35(3):395-404.
12. Tonnard PL, Verpaele A, Gaia S. Optimising results from minimal access cranial suspension lifting (MACS-lift). Aesthetic plastic surgery. 2005;29(4):213-220.
13. Barton Jr FE. The "high SMAS" face lift technique. Aesthetic surgery journal. 2002;22(5):481-487.
14. Marten TJ. High SMAS facelift: combined single flap lifting of the jawline, cheek, and midface. Clinics in plastic surgery. 2008;35(4):569-603.
15. Stuzin JM, Baker TJ, Gordon HL, Baker TM. Extended SMAS dissection as an approach to midface rejuvenation. Clinics in plastic surgery. 1995;22(2):295-311.

9 안면마비
Facial Paralysis

문구현 성균관의대

1. 서론

안면신경은 여러 가지 기능을 수행한다. 안면신경의 운동신경은 얼굴과 목에 있는 표정근육들을 움직여서 표정을 짓게 하여 다양한 비언어적 의사 전달 및 감정 표현을 가능하게 한다. 이러한 사회적인 기능뿐 아니라, 안면신경은 안륜근(orbicularis oculi muscle)을 움직여서 안구를 보호하며, 입둘레근(orbicularis oris muscle)을 움직여서 입을 여닫고 발음을 정확하게 할 수 있게 한다. 그 외 혀의 전방 2/3에서의 미각을 담당하며, 눈물샘과 침샘의 분비 기능을 조절하는 역할도 담당한다. 안면 신경이 마비될 경우, 이 신경이 지배하는 안면 표정근육들이 수행하던 기능이 소실되어, 각막노출 등 안검의 안구 보호 기능 저하, 비폐쇄(nasal obstruction), 구강 섭취물의 흘림(drooling)이나 협구(buccal sulcus)에 갇힘(pocketing), 구순음 발성 부전 등이 발생할 수 있다. 또한 다양하고 섬세한 얼굴 표정을 짓는 것이 불가능하게 되며 좌우 안면 연부조직의 비대칭 등 다양한 변형이 초래될 수 있다. 따라서 안면마비 환자는 매우 심한 기능적, 미용적, 정신적인 절망상태에 빠지게 되어 사회생활에 큰 제약이 생긴다.

치료계획의 수립은 안면마비의 발생 원인과 임상증상은 다양하므로 환자마다 개별적으로 이루어져야 한다. 일반적인 치료의 목적은 안정시 안면의 대칭을 이루며, 운동기능을 제공함으로써 궁극적으로 독립적이고 불수의적이며 자연스러운 안면표정을 복구하는 것뿐만 아니라, 눈꺼풀 및 입술을 닫지 못함으로써 발생할 수 있는 각막 손상이나 식사 및 언어 등의 기능 장애도 개선하는 것이다. 그러나 실제로 이러한 목적을 충분히 달성하기란 어렵고 최선의 결과를 위해서는 마비의 시기, 위치, 정도에 따라 다양한 전문과와의 협동적 접근이 요구된다. 그럼에도 결과가 완전하지 못하므로 치료 또는 수술 전에 환자와 충분히 상의하고 기대효과와 기능장애에 대한 적절한 설명이 필요하다.

2. 해부학

1) 안면신경

안면신경의 측두골외 경로는 두개저(skull base)로부터 경유돌공(stylomastoid foramen)을 통해서 나오면서 시작된다. 그 후 이복근(di-

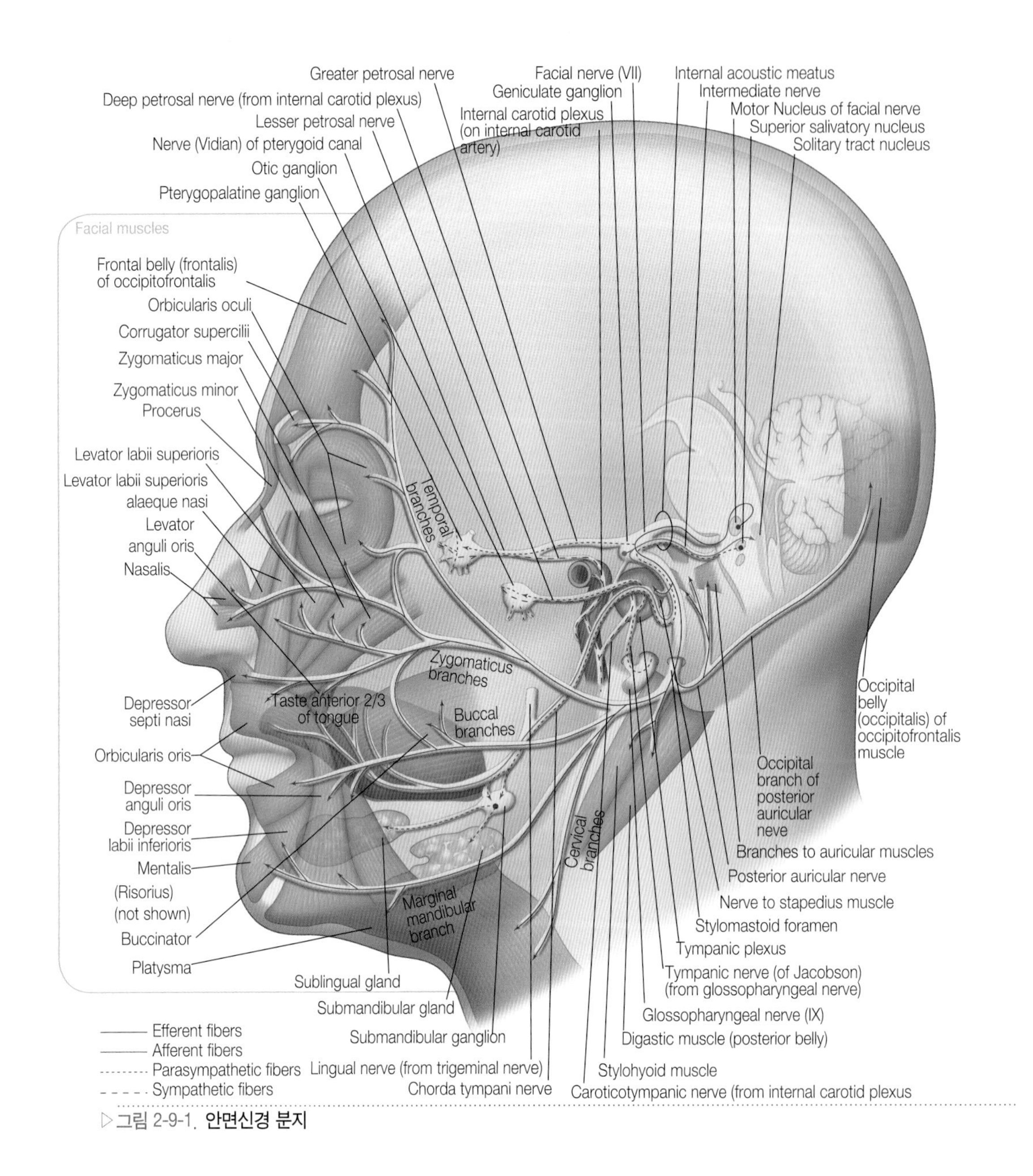

▷그림 2-9-1. **안면신경 분지**

gastric muscle)의 후방힘살(posterior belly) 앞쪽과 경상돌기(styloid process), 외경동맥(external carotid artery) 및 후방안면정맥(posterior facial vein)의 외측을 지나 이하선을 뚫고 들어간다. 후두근(occipitalis muscle)과 이개근(auricularis muscle)을 지배하는 후이개신경(posterior auricular nerve), 그리고 이복근의 후방힘살, 경상설골근(stylohyoid muscle)을 지배하는 운동신경은 안면신경이 이하선에 들어가기 전에 분지한다. 안면신경은 이하선의 표층부와 심부 사이로 들어가면서 보통 두 개의 주요한 줄기인 측두안면줄기(temporofacial trunk)와 경부안면줄기(cervicofacial trunk)로 나누어지고 이하선 안에서 더욱 나뉘어 수 개의 분지 형태를 이룬다. 전통적으로 다섯 개의 분지, 즉 전측두분지(frontotemporal branch), 관골분지(zygomatic branch), 협부분지(buccal branch), 하악연분지(marginal mandibular branch)와 경부분지(cervical branch)로 나뉘어진다고 했으나 실제로는 관골분지와 협부분지간 명확한 구분이 어렵다. 분지가 이하선 앞쪽으로 나올때는 그 갯수가 8개에서 15개에 달하며 원위부로 주행할수록 나뭇가지 모양처럼 갈라지면서도 분지끼리는 다양한 교통 채널을 통해 연결된다. 특히 관골분지와 협부분지 간에는 많은 신경 교통이 있는 것으로 알려져 있다. 하지만 하악연분지의 경우 약 10~15%에서만 다른 분지와 교통이 있어, 이 분지의 근위부에서 손상을 받을 경우, 영구적인 마비가 초래되는 경우가 많다.

전측두분지는 3~4개의 분지로 구성되고, 안와외측 약 3 cm에서 5 cm되는 위치에서 관골궁을 지나 측두두정근막(temporoparietal fascia) 밑으로 비스듬이 주행한다. 상부의 두 개 분지는 안와상연(supraorbital ridge) 수준에서 전두근(frontalis muscle)으로 들어가는데 그 위치가 보통 외안각 상방 3 cm까지 위치할 수 있다. 전두근 외연부는 비교적 지방조직이 거의 없기 때문에 신경 분지들이 실제로 피하층에 있게 되어 손상 받기가 쉽다. 관골-협부 분지는 5개에서 8개의 분지로 구성되는데 상당수가 중복하여 근육을 지배하므로 원위부에서 한두 분지가 절단되어도 근육의 약화나 기능 장애를 초래하는 경우가 드물다. 하지만 안면횡단 신경이식술(cross-facial nerve grafting)에서는 분지 지도화(mapping)를 통해 미소를 담당하는 정확한 분지를 구분해내야 한다. 하악연분지는 1개에서 3개의 분지로 구성되며, 그 시작이 하악지(ramus of mandible) 하방으로 2 cm까지 위치할 수 있고 곡선을 이루며 상방으로 주행하며 하악각(angle)과 하악융기(mental protuberance) 사이의 중간 지점에서 하악연과 교차된다. 이 분지는 넓은목근(platysma) 심부면에 놓이며 이하선 변연으로부터 3.5 cm 거리에서 안면혈관(facial vessels)의 표층으로 교차하여 주행하며 각각의 분지들이 개별적으로 입꼬리 내림근(depressor anguli oris muscle), 아랫입술 내림근(depressor labii inferioris muscle), 이근(mentalis muscle)을 지배한다. 경부분지는 한 개 분지로 넓은목근(plastysma) 심부로 주행하여 근육의 상부 1/3과 중간 1/3의 경계지점으로 들어간다.

2) 안면 표정근육

안면 표정근육은 안면 신경의 지배를 받으며, 대칭으로 17쌍의 근육과 쌍을 이루지 않은 1개의 괄약근인 입둘레근으로 구성된다(그림 2-9-2).

표정근육은 안면에 4개 층으로 배열되는데, 가장 얕은 층에는 입꼬리 내림근, 소관골근(zygomaticus minor muscle)의 천부(superficial part), 눈둘레근이 있으며 가장 깊은 층에는 협근(buccinator muscle), 이근, 입꼬리 올림근(levator anguli oris muscle)이 있다. 바깥에서부터 3개 층에 들어있는 얕은 표정근육들은 신경이 이들 근육의 깊은 면(deep surface)을 뚫고 들어가고, 가장 깊은 층의 3개의 근육들에는 근육의 측면(lateral surface) 또는 얕은 면(superficial surface)을 뚫고 들어간다. 임상적으로 중요하고 안면마비 환자에서 수술의 대상이 되는 근육은 전두근, 안륜근, 큰광대근(zygomaticus major

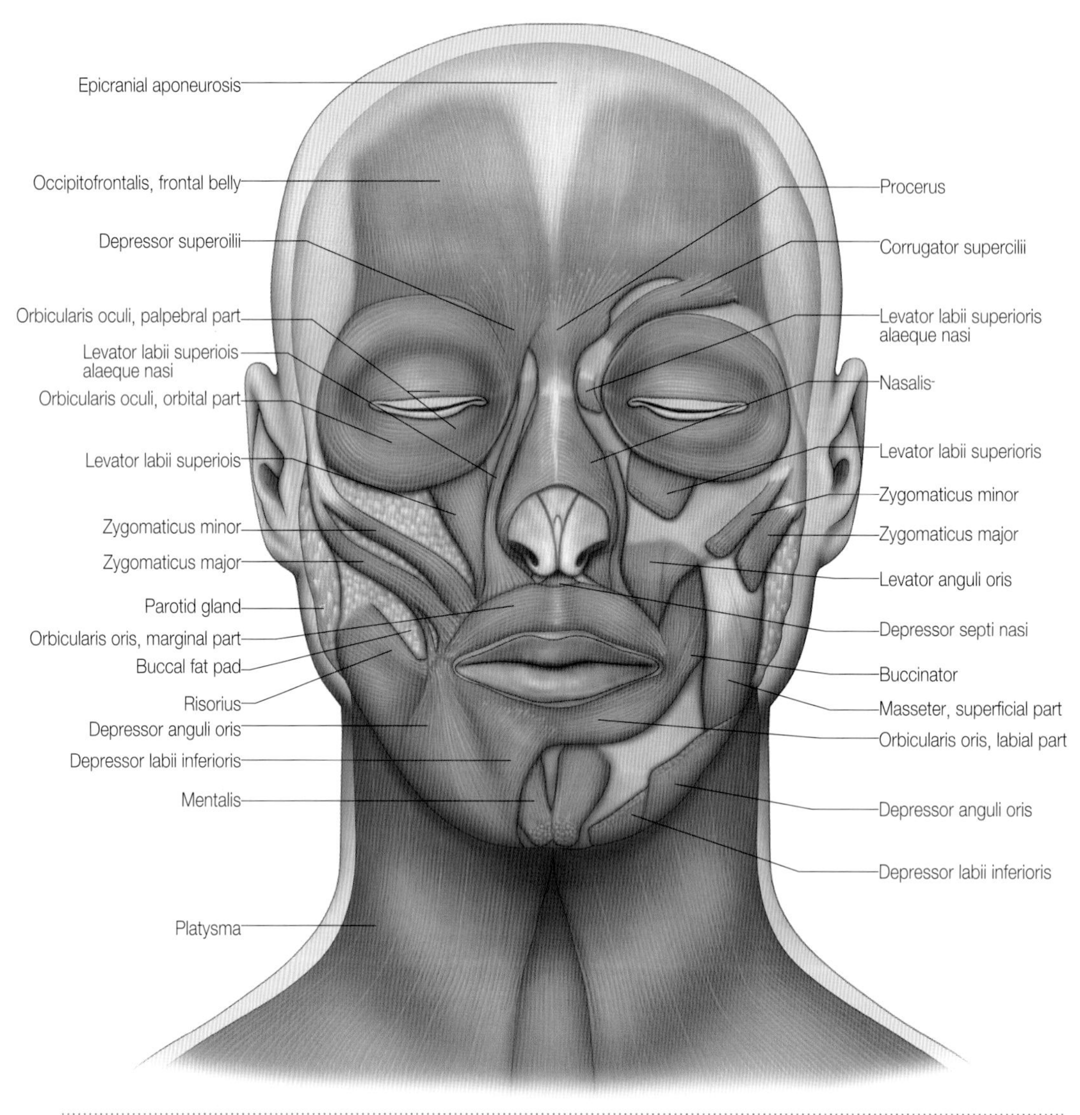

▷그림 2-9-2. **안면표정근육**

muscle), 상순거근(levator labii superioris muscle), 입둘레근과 아랫입술 내림근이다.

3. 원인 및 분류

안면마비는 질환이 아니라 징후로 해부학적으로, 선천성인지 후천성인지, 일측성인지 양측성인지, 근육마비가 완전한지 불완전한지 등에 따라 다양한 방식으로 분류할 수 있다. 안면마비를 초래하는 가장 흔한 원인은 벨마비(Bell's palsy)인데 전체 환자의 반 이상을 차지하며 그 외에도 외상, 귀대상포진(herpes zoster oticus), 종양, 감염, 선천성 질환을 포함하여 출생과 연관된 경우, 반안면연축(hemifacial spasm), 중추신경계 병소 등이 원인으로 알려져 있다. 또한, 대사성

(metabolic) 및 의인성(iatrogenic) 원인도 일부를 차지한다.

1) 선천성 안면마비

선천성 안면마비는 드물게 발생하며, 신생아에게, 젖을 물리기 어렵거나, 눈을 잘 못감는 등의 다양한 문제를 유발할 수 있다. 선천성 안면마비는 외인성 혹은 발달성, 일측성 혹은 양측성, 완전 혹은 불완전 마비 등으로 나눌 수 있다. 원인에 따라 치료 방법과 예후가 많이 달라질 수 있어 원인을 감별하는 것이 무엇보다 중요하다. 대부분의 선천성 안면마비는 외인성으로 발생하는데, 태아의 발육 중에 천골융기(sacral prominence)에 의한 자궁 내 압박이나 출산 시 손상에 기인하는 것으로 알려져 있다. 신생아의 경우 안면신경이 어른에 비해 얕은 층에 위치하고 있어 외부 압박이나 수술 시 쉽게 손상될 수 있다. 대표적인 발달성 선천성 안면마비로는 뫼비우스 증후군(Mobius syndrome)이 있는데, 이때는 양측 안면신경뿐 아니라 제 6, 9, 10, 12번 등 다양한 뇌신경 침범이 동반된다. 그 외 발달성 선천성 안면마비의 원인으로 반안면왜소증(hemifacial microsomia)이나 입꼬리 내림근의 저형성증 등이 있다.

2) 후천성 안면마비

후천성 안면마비는, 두개강 내, 측두골부, 두개강외 등의 다양한 위치에서 안면신경의 국소적 단절로 생기는데 일측성이거나 양측성일 수 있다. 성인에서 가장 흔한 원인은 두개강 내외 종양, Bell 마비, 외상이다. Bell 마비는 20대에 가장 많이 발생하고, 성별 차이는 없다. 연간 10만 명당 20명 정도의 발생률을 보이고, 약 10%에서 재발할 수 있다. 대개 6개월 이내에 자연히 회복되지만, 약 10%에서는 어느 정도의 후유증이 남을 수 있으며, 그 정도도 다양하다. 양측성 후천성 안면마비는 두개저골절(skull base fracture)나 뇌간(brain stem)의 병변이나 뇌수술의 원인으로 흔히 발생한다.

4. 임상소견

안면신경이 마비되면 표정을 지을 수 없고, 조임근 작용(sphincteric action)도 없어져 눈을 보호하고 코호흡을 유지하며 입의 조절과 명료한 언어구사가 힘들어지는 등 여러 문제가 초래된다(그림 2-9-3). 임상적 증상은 안면신경이 손상된 위치와 정도에 상응한다. 가장 흔히 볼 수 있는 안면신경 마비는 한쪽 얼굴의 불완전마비

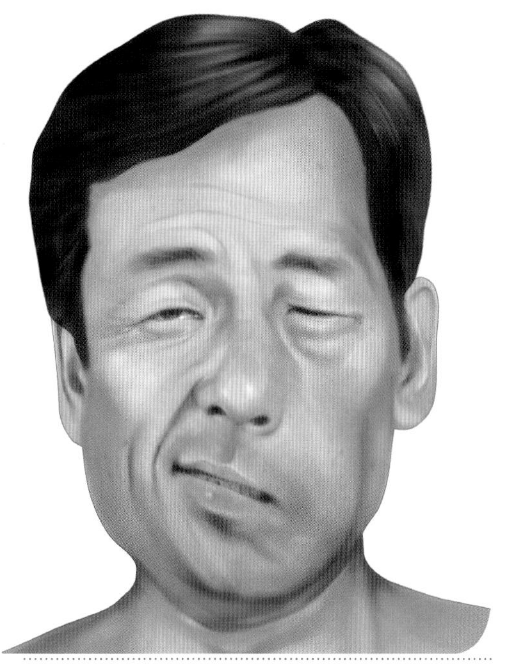

▷그림 2-9-3. 전형적인 안면마비환자의 임상양상

(paresis)이다. 이 때 마비된 쪽뿐 아니라 건강한 쪽에도 비정상적인 근육력이 생겨 안면의 비대칭이 더욱 심화될 수 있다.

1) 이마

마비된 쪽 이마에 주름이 없는 것이 대표적인 증상이다. 또한 마비된 쪽의 이마하수(brow ptosis)가 발생할 수 있는데 특히 나이가 많은 환자에서 더욱 두드러진다. 이마조직을 올릴 수 있는 근육 기능의 상실로, 눈썹이 안와상연(superior orbital margin) 아래로 처지게 되어 비대칭의 모습과 상방응시(upper gaze)를 방해하는 결과를 초래한다. 또한 반대쪽 전두근의 과도한 작용으로 정상측의 주름살이 두드러지게 나타나고, 눈썹이 올라가게 되어 양눈썹의 높이 차이가 두드러지게 된다. 안정 시 처진 눈썹은 불행해 보이거나 매우 심각한 인상을 주게 되며, 표정을 지으면 눈썹과 이마 주름의 비대칭이 더욱 두드러진다.

2) 안검

눈둘레근은 눈의 보호에 절대적이며, 눈을 감게 해 주고 바람이나 이물질에 대해 물리적 장벽을 제공한다. 또한 반복적인 눈의 깜빡임은 각막건조를 방지하기 위해 눈물층이 외측에서 내측으로 고르게 펴지는 것을 조절하고 눈둘레근은 누액낭(lacrimal sac)에 펌프와 같은 작동을 하여 누액의 월활한 배출을 촉진한다. 아래눈둘레근의 주요기능은 안검 가장자리와 안구 접촉을 유지시켜서 눈물배출에 보조적 역할을 한다. 안면마비 시 이런 기능들을 담당하는 눈둘레근의 근력 상실로 여러 가지 문제가 발생한다. 우선, 상안검에는, 마비된 쪽에 상안검거근(levator palpebrae superioris muscle)에 대한 눈둘레근의 길항작용의 상실로 상안검거근이 과도하게 작용하여 토안(lagophthalmos)이 발생한다. 하안검에도 눈둘레근의 근력의 상실로 하안검의 유루증(epiphora)이 있다. 또한 안검열(palpebral fissure)이 넓어지고, 눈을 잘 감을 수 없어 각막 노출과 건조 때문에 노출성 각막염이 발생할 수 있으며, 반사작용으로 눈물이 과다하게 생성되어 유루증이 더 심해질 수 있다.

3) 구순 및 협부

대관골근 등 입술 구각(oral commissure)을 올리는 근육들의 기능 상실로 마비된 쪽의 볼이 아래로 처지고 코입술주름(nasolabial fold)가 밋밋하다. 표정을 지을 때는 마비된 쪽 볼에 있는 표정근육은 작용하지 못하는 데 반해 정상측 표정근육들은 강하게 작용하므로 표정을 짓지 않을 때도 안면비대칭이 나타나며, 이러한 비대칭은 웃으려고 할 때 더욱 심해진다. 그 결과 환자는 웃음이 필요할 수 있는 사회적 상황들을 회피하게 되고, 이로 인해 심한 정신적 스트레스와 일상생활 및 사회생활에 심각한 장애를 가질 수 있다. 이러한 사회적, 감정 표현적 장애뿐 아니라 실제 기능상의 문제도 유발되는데, 입둘레근의 마비는 입이나 입술의 조절을 어렵게 하여 적절히 말하고 먹고 마시는 능력에 영향을 준다. 협근의 마비로 파열음이 잘 되지 않으며, 음식물이 마비측 협구에 저장되는 경향이 있기 때문에 대부분의 환자는 마비되지 않은 정상측으로만 씹게 된다.

5. 평가 및 진단

치료 방법을 결정하기 위해서는 먼저 안면신경 마비의 원인을 정확히 파악하는 것이 무엇보다 중요하다. 자세한 병력청취, 이학적 검사 및 전기진단검사(electrodiagnostic test)를 통하여 원인과 병변의 위치, 마비 정도와 범위 등을 파악한다.

병력은 마비의 시작과 유병기간 및 감염노출, 약물사용 여부와 손상 그리고 기능의 회복 정도 및 환자의 주소를 청취한다. 또한 안구건조, 눈물과다, 불완전한 눈의 감김과 코 호흡, 입의 자제(continence) 및 언어와 같은 임상증상과 정신적이고 사회적인 상호작용에 관해 문진해야 한다. 그리고 안정 시와 운동 시의 안면표정 근육의 긴장도와 대칭성, 각 근육의 작용에 대한 이학적 검사를 시행하여야 한다. 눈에 대한 검사도 필수적인데, 먼저, 양안의 시력을 측정하고 안검구(palpebral aperture) 높이를 측정하여 정상측과 비교한다. 각막노출의 위험도를 확인하기 위해 토안의 정도, Bell 반사현상이 있는지 확인한다. 하안검 위치를 측정하고 스냅검사(snap test)로 하안검의 긴장도를 평가한다. 또한 아래눈물점(inferior canalicular punctum)의 위치가 안구에 접해 있는지 또는 떨어져서 노출되어 있는지를 확인하고, 각막 궤양 여부도 검사해야 한다. 입과 주변조직의 검사로 인중(philtrum)의 변위, 코입술주름의 유무, 구강교련의 변위, 상구순의 처짐 등을 평가하며 웃을 때 양측 구강교련의 움직임의 거리를 측정한다. 비정상적으로 두개 이상의 근육이 동시에 수축되는 연합운동(synkinesis) 여부를 기록하고 수술계획에 도움이 되는 제5 뇌신경 기능(측두근과 교근의 수축)도 확인해 둔다.

전기진단검사의 목적은 신경손상의 위치와 범위를 판단하고 중추신경계와 말초신경계의 병변을 감별하며 회복에 대한 예후를 판단하는 데 있다. 또한 재건수술법을 결정함에 있어서 전기생리학적 검사를 통해 안면표정근육이 남아 있어 이의 이용이 가능한지를 판단하고 국소근육전이술에 필요한 다른 운동신경도 확인한다. 신경전도검사(electroneuronography, ENoG)은 신경의 기능장애 정도를 양적으로 측정하는 데 유용한 검사로, 말초신경의 전도성을 측정하고 해당 근육의 복합활동전위(compound action potential)를 기록한다. 근전도검사(electromyography: EMG)는 외부로부터의 자극 없이 근육의 전위(electrical potential)을 측정하는 것으로, 신경근육경로(nerve muscle pathway)와 근육의 병리를 알 수 있으며, 신경재지배(reinnervation) 정도를 평가하는 데 가장 예민한 검사이다.

6. 치료

안면마비의 시기, 정도, 원인이 다양하기 때문에 한 가지 치료 방법이 있는 것이 아니라 여러 치료 방법이 있으며, 환자에 맞춰서 가장 적절한 치료 방법들을 선택해서 시행해야 한다. 독립적이고 불수의적이며 자연적인 안면표정을 복구하는 일반적인 치료목적 외에 각 부위별 치료 목표는 다음과 같다. 눈은 시력, 안구보호, 안검 기능의 유지 및 외양의 호전과 눈을 통한 감정표현을 가능하게 한다. 입은 비대칭의 교정, 입의 자제능력 제공, 언어구사 향상과 균형 잡힌 대칭적 미소를 가능하게 하는 것을 중요 목표로 한다. 그러나 많은 노력과 현저한 기술적 향상에도 불구하고, 이러한 목표를 완전히 달성하기는 어렵다.

따라서 수술하기 전에 환자와 충분히 상담하여 수술로써 안면표정근육의 복잡한 동작을 원래대로 회복시키는 것이 불가능하다는 것을 설명하고 이해시켜야 한다.

1) 보존적 또는 비수술적 치료

안면마비 중 특히 안검 관련 증상에 대해서 보존적 치료가 많이 시행되어져 왔다. 눈을 보호하고 눈의 윤활성을 유지하는 보존적 치료 방법으로는 안검테이프법(lid taping), 소프트 콘택트렌즈 착용, 측면보호용 안경, 약한 눈의 강제 깜박임운동(forced blinking exercise), 안대 착용 및 일시적 안검판봉합술(tarsorrhaphy) 등이 있다. 각막건조 및 이차적인 각막궤양은 안과의사의 협조로 즉시 치료되어야 하며, 예방을 위하여 인공눈물을 자주 점안하고 밤에는 윤활 안연고를 점안하여 취침 시 눈을 밀폐하여 보호한다. 불완전 안면마비나 신경손상 후 근육활동이 회복 중인 경우에는 생체되먹임(biofeedback), 전기적 자극, 거울을 이용한 자가 표정근 운동과 같은 신경근육 재훈련(neuromuscular retraining)이 증상의 호전을 가져올 수도 있다.

2) 부위별 수술적 치료

선택가능한 안면마비에 대한 재건수술 방법은 다양하므로 가장 적절한 방법을 정하는 것은 혼란스럽고 어려운 문제이다. 따라서 충분한 상담을 통하여 환자가 가장 고통받는 부분과 요구사항을 파악해야 하고 각각의 마비부분을 개별적으로 치료하는 것이 중요하다. 수술방법의 결정에 영향을 주는 요소는 환자의 나이, 안면마비의 기간, 안면표정근과 연부조직의 상태 및 이용가능한 공여부 신경 및 근육의 상태 등이다.

(1) 이마

눈썹하수(eyebrow ptosis) 교정을 위한 이마거상술(brow lift)의 세 종류로 눈썹 상부조직의 직접절제술(direct brow lift), 두피 관상절개에 의한 관혈적 이마거상술(open brow lift), 내시경적 이마거상술(endoscopic brow lift)이 있다.

눈썹상부 직접이마거상술(direct brow lift)은 양측 눈썹높이의 균형을 이루는 데 간편하고 유용한 방법으로 눈썹 바로 윗부분에 평행하게 피부와 전두근의 일부를 절제한다. 전두근이 절제와 봉합으로 단축되어 하수의 재발이 최소화되긴 하지만 과교정이 필요하다. 특히 정상측 전두근의 작용이 강한 경우에 약간의 과교정이 도움이 된다. 안와상신경(supraorbital nerve)의 분지는 전두근 심부에 위치하므로 수술 시 확인하여 보존하도록 한다. 피부절개는 첫 번째 모낭열을 따라 함으로써 반흔을 최소화한다.

관상이마거상술(coronal brow lift)은 반흔이 감춰지지만 직접이마거상술보다는 수술이 크고 거상의 정도도 충분하지 않을 수 있다. 내시경적 이마거상술은 시간이 경과하며 진행되는 하수에 대한 장기적인 효과가 확실히 밝혀지지 않았지만 경미한 눈썹하수가 있는 젊은 환자에게 적용해 볼 수 있다.

(2) 상안검

토안을 교정하는 방법은 상안검거근의 저항 없는 움직임을 극복하는 데 초점을 두며 외측 안검판봉합술, 금판안검하중법(lid loading with gold prosthesis), 안검용수철법(palpebral spring), 측두근전이술(temporalis muscle transposition), 미세신경혈관 근판이식술(microneu-

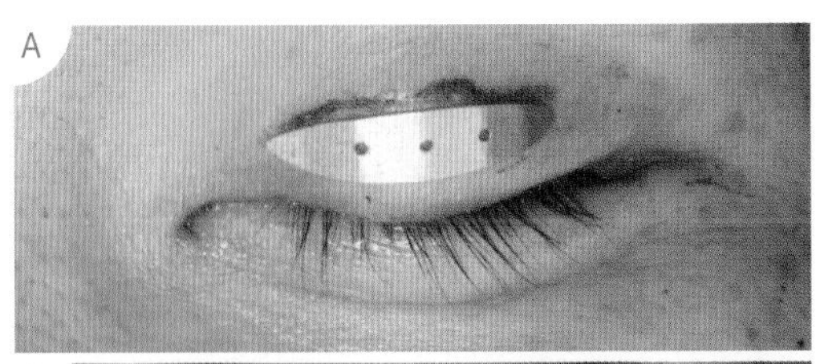

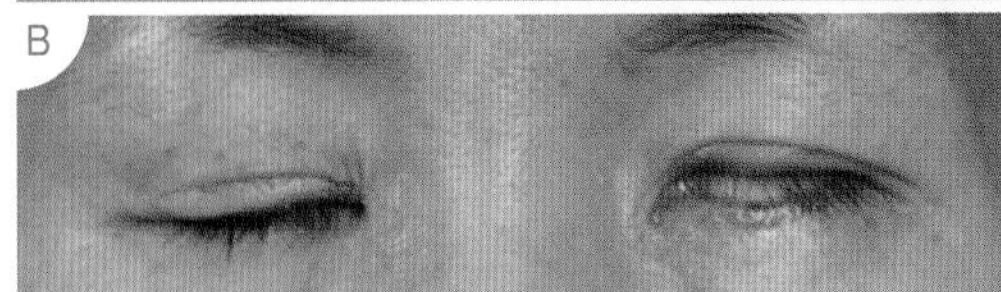

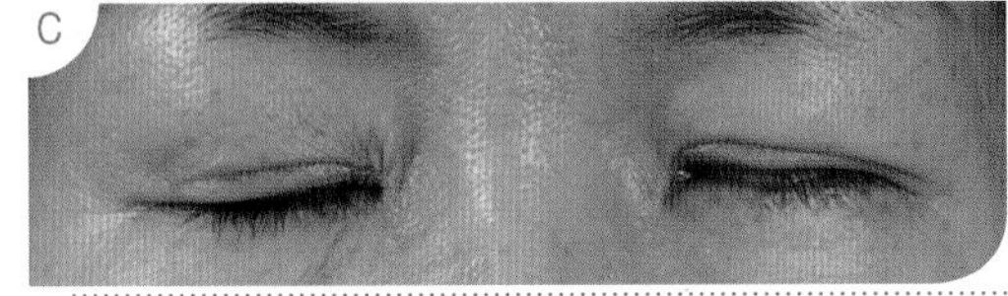

▷그림 2-9-4. A. 금판안검하중법 증례 B. 수술 전, C. 수술 후

rovascular muscle transplantation) 등이 있다.

외측 검판봉합술은 역사적으로 안검마비의 주된 치료 방법 중 하나이지만, 수평안검 길이가 단축되어 미적 외양이 떨어지고 외측 시야를 방해한다. 따라서 현재는 무감각한 각막, 심한 각막노출 또는 미용적으로 우수한 다른 수술에 실패한 경우가 주요 적응증이다.

금판안검하중법은 가장 많이 쓰이는 수술법으로 환자가 눈을 감을 때 적절한 호전을 얻을 수 있으며 동시에 무게로 인한 부작용이 없는 금속판의 무게는 0.8 g에서 1.2 g이다(그림 2-9-4). 환자에게 적합한 무게는 상안검판 부위에 테이프로 금판을 붙이는 시도를 통해 결정하는데 하안검에서 2 mm에서 4 mm 거리 정도로 상안검이 감겨지며 각막을 덮어줄 수 있는 무게 중 가장 가벼운 금판을 선택해야 한다. 안검판 상부 1/2 되는 부위에 금판이 위치하도록 해야 하며, 비흡수성 봉합사로 안검판에 고정한다. 금판하중에 의한 눈감김은 느리기 때문에 환자에게 1초에서 2초간 의식적으로 상안검거근을 이완시켜서 상안검이 내려올 수 있도록 가르쳐야 한다.

합병증은 노출(extrusion), 과도한 피막형성으로 인한 덩어리(lump), 삽입물 무게로 인한 눈 자극 등이 있고 이런 경우에는 삽입물의 제거, 교체, 재위치를 통하여 문제를 해결한다.

안검용수철은 중간 고리와 두팔(arm)로 이루어져 있는데 한쪽 팔은 상안검연에 또 다른 팔은 외측안와연 안쪽에 고정한다. 이 방법은 중력에 의존하지 않는다는 장점이 있지만 용수철의 위치이상, 약화 등의 합병증 가능성, 금판안검하중법보다 큰 수술이란 점 때문에 널리 사용되지 않고 있다.

측두근전이술은 인공삽입물을 쓰지 않고 자가 조직만을 이용해서 교정할 수 있다는 장점이 있다. 하부에 기저를 둔 1.5 cm 폭의 측두근 피판을 측두근막과 함께 거상시키는데 혈관과 운동신경이 측두근하부의 심부로 들어가므로 피판 근육의 기능이 유지된다. 근막을 피판상부를 끝에 봉합하여 근막과 근육이 분리되지 않도록 보강한뒤 피판은 피하 층을 지나서 외안각에서 근막조각(fascial strip)이 각각 상하안검연을 뚫고 통과하게 하여 내안각인대(medial canthal ligament)에서 교차 봉합한다(그림 2-9-5). 이렇게하면 근육이 수축하면 근막조각이 강하게 당겨지고 눈이 감기게 된다. 이 방법은 상안검 토안과 하안검 외반을 동시에 교정할 수 있다는 장

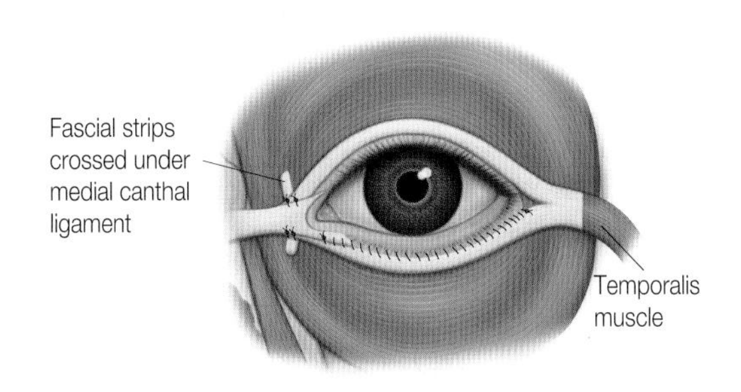

▷그림 2-9-5. 상하안검 측두근전이술

점이 있으나, 근육수축 시 안검열이 타원형에서 틈새모양(slit shape)으로 변하고 외안각부의 주름 및 외측안와연의 근육에 의한 불룩함(bulge)이 생기며 저작 시 안검이 움직인다는 단점이 있다. 하지만 이 술법은 안검의 정적 보강이 우수하고 눈을 감을 수 있게 하며 안구의 윤활작용을 좋게 하여 각막을 보호해 준다.

(3) 하안검

눈둘레근이 마비되면 하안검은 처져 공막이 노출되며 결국 안검외반이 발생한다. 따라서 치료는 하안검을 당겨올리고 눈물점을 안구에 닿도록 재배치하는 데 주안을 둔다.

정적현수법(static sling)은 심한 외반으로 안검이 외번(eversion)되어 있고 2 mm에서 3 mm이상의 공막노출 징후(scleral show)가 있어서 각막건조와 미적인 문제가 있는 경우에 좋은 적응증이 된다(그림 2-9-6). 이용되는 재료로 건은 근막(fascia)보다 덜 늘어나므로 지속적인 유지효과가 있으며, 이의 공여부로는 장수장근건(palmaris longus tendon)과 장딴지빗근건(plantaris tendon)이 있다. 1.5 mm 폭의 건 조각을 외측은 관골전두봉합(zygomaticofrontal suture)보다 상부의 외측안와연 골막에 내측은 내안각인대 전방지(anterior limb of medial canthal ligament)에 봉합한다. 건은 안검회색선(gray line of eyelid)에서 1.5 mm에서 2 mm 아래로 검판 전면으로 관통시켜 위치시키는데 이를 너무 낮게 위치시키면 외반이 심해지고, 너무 높거나 얕게 위치하게되면 오히려 내반(entropion)이 초래된다.

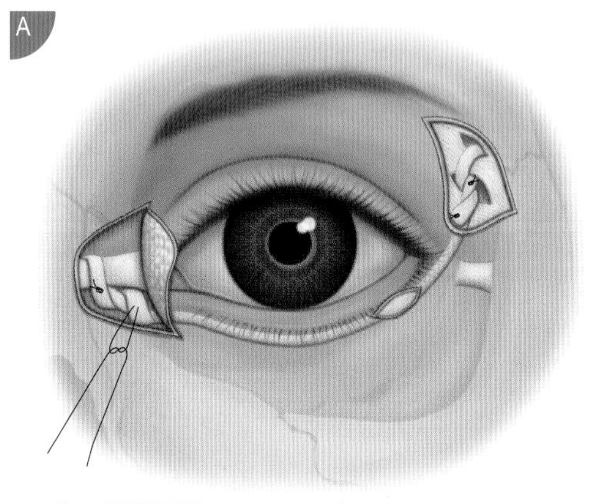

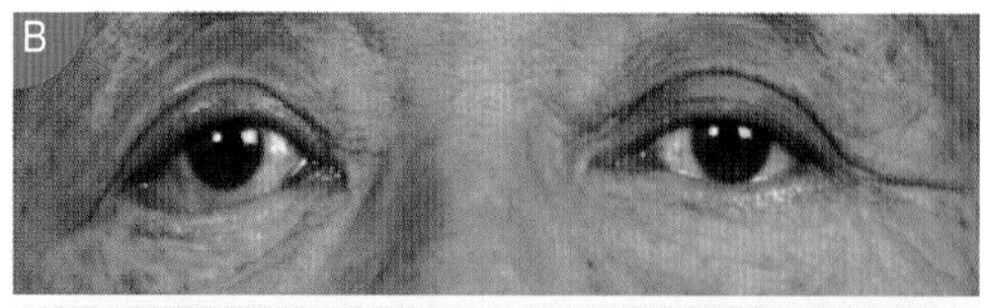

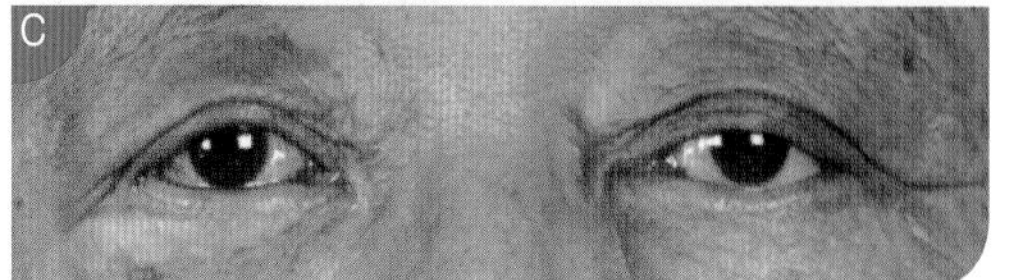

▷그림 2-9-6. A.하안검 정적현수법 B.수술 전, C.수술 후

외안각성형술(lateral canthoplasty)은 하안검 이완이나 경미한 공막노출이 있는 경우에 이용될 수 있다. 수술 시 외안각 인대를 재부착시켜야하는 곳인 Whitnall 융기(tubercle)는 동공중심 수평선보다 상부, 외측 안와연보다 2~3 mm 후방에 위치함을 유의하여야 한다.

수평안검단축술(horizontal lid shortening)은 하안검이 늘어난 경우에 이용될 수 있지만 눈물언덕(caruncle)을 변형 또는 노출시킬 수 있으며 교정이 지속되지 않는 단점이 있다.

연골이식술은 검판과 안와하연 사이에 연골지주를 받침으로써 하안검의 아래쪽 처짐을 막는 방법이나 연골이식편이 변위되기 쉬워 그 기능적 미용적 결과가 나쁠 수 있다.

(4) 상구순 및 협부

입주변 근육의 마비는 중대한 기능적 문제를 유발하나 수술의 주안점은 흔히 미소의 재건에 있다. 의사와 환자는 명확한 수술적 목표를 가져야만 하는데 단지 안정 시의 대칭을 원하는 환자에게는 현수법이나 연부조직 재위치술(repositioning)이 적합할 수 있으나 대부분의 환자들은 동적인 재건을 선호한다.

① **신경전이술(Nerve transfer)**

안면마비의 기간이 12개월 이내이면 기존 표정근육의 신경재지배가 가능하다. 안면신경의 주행경로 중 두개강 내나 측두골 내와 같이 안면신경의 근위부에 손상이 발생한 경우, 안면신경의 원위부 분지들과 안면표정근육은 상태가 양호하지만, 안면마비가 발생한다. 이런 기전으로 발생한 안면마비의 경우 조기에 신경전이술을 시행해 줄 수 있다. 마비된 안면신경 근처에 있는 다른 신경 즉 설하신경(hypoglossal nerve), 척수부신경(spinal accessory nerve), 삼차신경(trigeminal nerve) 분지인 교근신경(nerve to masseter) 등을 안면신경에 연결시킨다. 그러면 마비된 쪽 안면표정근육의 긴장을 확인할 수 있으며, 안정 시에 비교적 대칭적인 안면을 관찰할 수 있다. 하지만 안면신경이 아닌 기타 신경을 이용한 신경전이술에서는 안면표정근들이 뭉쳐서 한번에 움직여지고(mass movement) 정상측의 불수의적인 움직임과 동시에 조화되어 움직여지지 않는다는 단점이 있어 이를 최소화하기 위한 술 후 재훈련이 요구된다. 이를 보완하기 위한 방법으로 비복신경(sural nerve)을 이용한 안면횡단 신경이식(cross-facial nerve graft)을 신경전이술과 동시에 시행하는 babysitter 개념의 술식이 제안되었다. 현재는 다양한 신경 연결 부위와 방식, 수술 횟수를 통해 이 개념이 이용되는데 기본적으로는 신경전이술로 우선 기존의 안면표정근의 퇴화를 막으면서도 움직임을 얻고 그 뒤에 궁극적으로는 안면횡단 신경이식을 통해 작동되는 반대측 안면신경의 활동으로 인한 자연스러운 움직임까지를 추가로 얻는 식이다(그림 2-9-7).

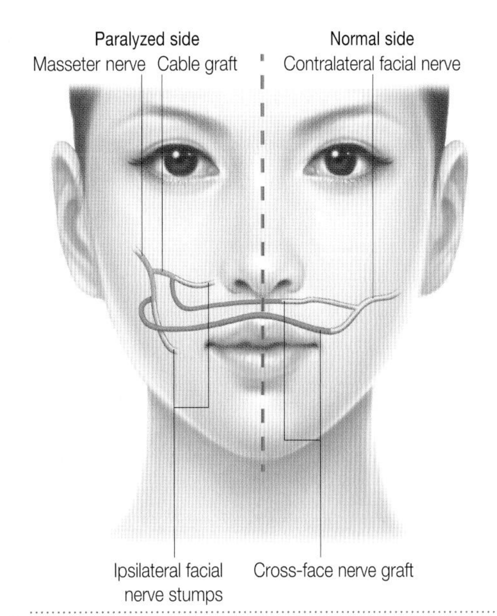

▷그림 2-9-7. 'Babysitter' 술식

② **유리근이식술(Microneurovascular muscle transplantation)**

안면신경이 마비된 지 오랜 기간이 지나 안면표정근육이 심하게 위축되어 있을 경우, 유리근이식술을 통해, 자발적인 자연스러운 미소를 재건할 수 있다. 먼 곳에 있는 근육을 채취하여 마비된 안면부에 옮기고 그 근육이 반대측의 정상 안면신경의 분지의 지배를 받게 되면, 비교적 대칭적이고 수의적인 웃음을 지을 수 있으며, 마비된 측의 위축된 뺨에 부피를 보충해 줌으로써 대칭적인 안면 모습을 얻을 수 있다. 미소 재건술은 수술 횟수에 따라 일단계 재건술(single-stage reconstruction)과 이단계 재건술

(two-stage reconstruction)로 나누어 진다. 유리근이식술에서 박근(gracilis muscle), 소흉근(pectoralis minor muscle), 광배근(latissimus dorsi muscle), 복직근(rectus abdominis muscle) 등과 같이 다양한 근육의 이용이 소개되었으나 그 중에서 박근이 가장 흔히 이용된다. 수술 전 대칭적인 웃음을 재건하기 위해, 정상측 구강교련과 상구순의 운동방향을 평가하는 것이 중요하며, 평소 웃음의 강도, 정상측의 비구순구 위치 등도 고려해야 하며, 또한, 이식될 근육의 크기, 부착 기시점, 긴장도, 운동방향과 배치에 대한 구체적인 수술 계획이 필요하다.

이단계 재건술은, 일차 수술인 안면횡단 신경이식술과, 이차 수술인 유리근이식술로 이루어진다. 안면횡단 신경이식술을 시행할 때는, 먼저 전방 이개 절개선을 통해 안면신경을 박리하여 신경이식술을 시행할 미소분지(smile branch)를 찾는 안면신경 지도화(mapping)가 중요하다. 전기 자극기를 이용하여 대관골근과 윗입술 올림근이 자극되면서도 눈둘레근은 자극되지 않는 분지들을 확인하여 그 중 하나나 두 분지를 안면횡단 신경이식에 이용한다. 신경이식의 공여부로는 통상적으로 비복신경이 많이 이용되며 종아리 근위부의 2/3에서 18~20 cm까지 채취가 가능하다. 채취한 비복신경의 원위단(distal end)은 준비해 둔 안면신경의 미소분지에 봉합하고 근위단은 상구순을 지나는 피하 통로를 통하여 마비된 쪽에 위치시킨다(그림 2-9-8). 최근에는 신경이식편의 원위부끝이 상협부구(upper buccal sulcus)에 위치시키도록 10 cm 길이의 짧은 이식편을 이용하여 일차-이차 수술 간격이 기존의 12개월에서 6개월로 줄었다. 신경 재생의 진행 여부는 통상 임상적인 Tinel 징후로 추적하나 명확하지 않을 수 있다.

재생된 축삭이 신경이식편을 통해 마비된 측에 도달하는 약 6~12개월 후 이차단계인 유리근판이식술을 시행한다. 여러 근육 중에 박근이 가장 많이 이용되는데 이는

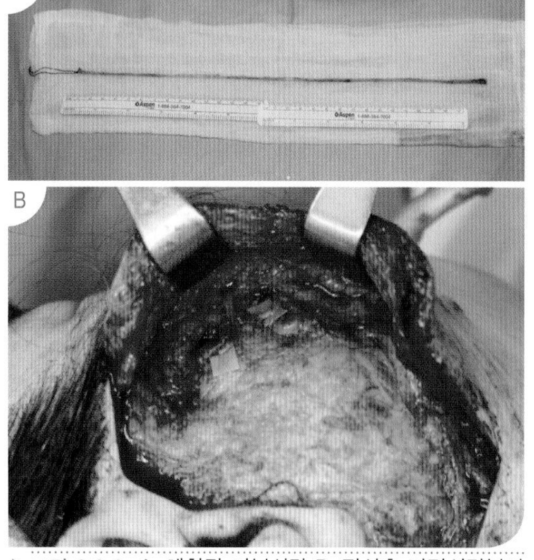

▷그림 2-9-8. A. 채취된 비복신경 B. 정상측 안면신경분지 지도화후 신경이식편 연결

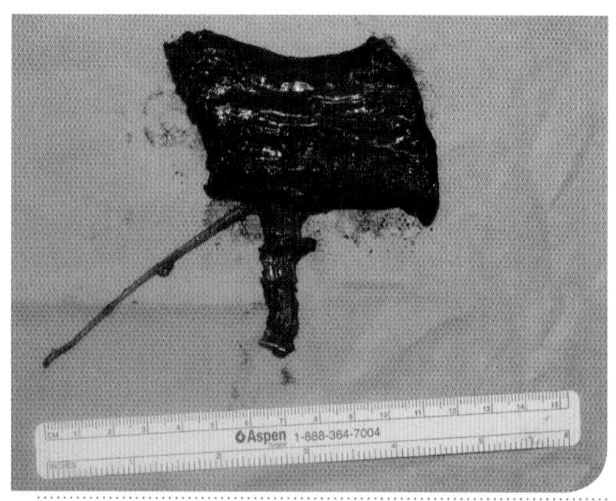

▷그림 2-9-9. 채취된 박근

신경혈관경이 항상 신뢰할 만하고 술기가 쉽고, 채취할 근육의 크기 조절이 용이하며, 공여부 기능적 소실이 없으면서도 반흔이 감춰진다는 장점들 때문이다. 박근의 전방부의 일부만을 길이방향으로 갈라서 채취하는데 이때 근육양은 안면의 필요한 움직임을 고려하여 환자 개인별로 조정한다(그림 2-9-9). 근육의 안면부 삽입에서 부착점인 입가쪽 고정이 매우 중요한데 구강교련 상·하부의 마비된 입둘레근에 견고히 고정하며 근육기시점은 술 전 미소분석에 의해 파악된 방향에 맞도록 관골체, 관골궁, 측두근막 및 전이개부위 중에 적절히 위치시켜야 한다. 수혜부 혈관은 대부분 안면동정맥(facial vessels)을 이용하여 박근의 혈관경인 내측회선대퇴혈관(medial circumflex femoral vessels)과 연결하며 폐쇄신경의 전방분지(anterior branch of obturator nerve)는 삽입해 둔 비복신경에 연결한다(그림 2-9-10). 수술 후 근육의 움직임은 처음 6개월 이상은 관찰되지 않았다가 술 후 18개월까지는 최대치에 도달하나 그 움직임의 양은 정상측의 50% 정도이다.

일단계 재건술은 광배근과 같이 긴 운동신경을 가진 근육피판을 안면횡단 신경이식

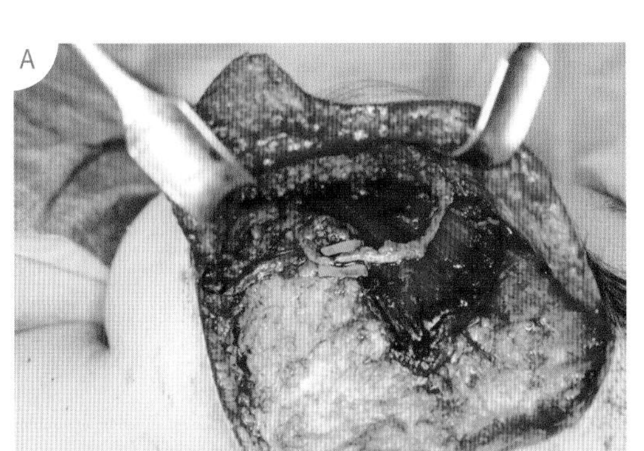
A

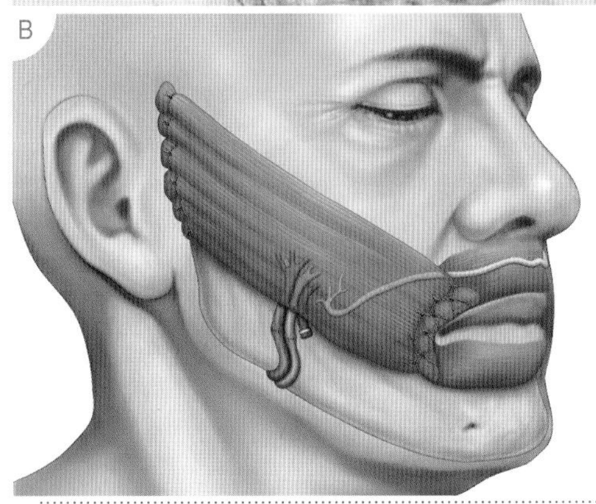
B

▷그림 2-9-10. A. 안면횡단신경이식편과 신경연결한 박근유리 피판 B. 부착점과 기시부 고정부위

A

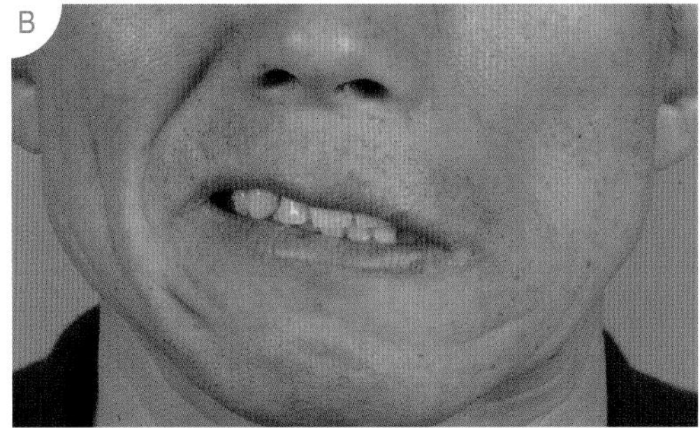
B

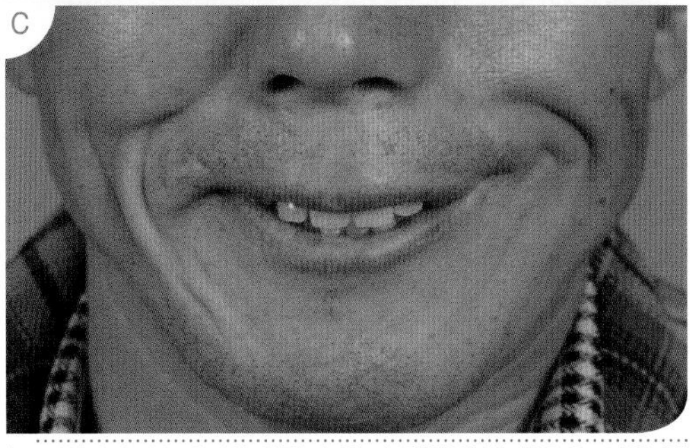
C

▷그림 2-9-11. A. 긴 신경과 같이 채취된 광배근 B. 사용 증례 수술 전 C. 수술 후

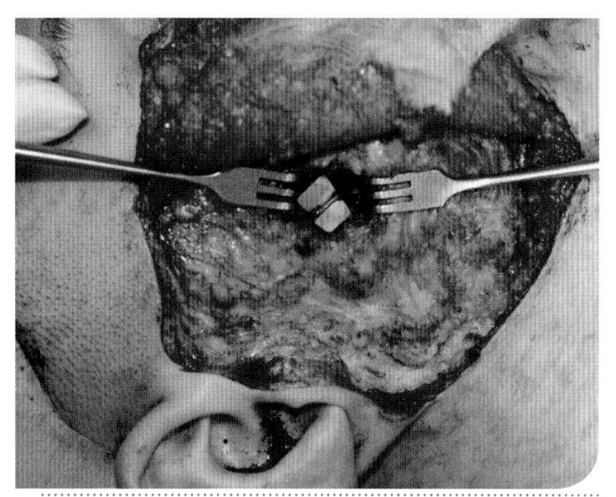
▷그림 2-9-12. 일단계술식을 위해 준비된 교근신경

없이 반대측 미소분지에 연결시키는 방법과 마비된 쪽의 교근신경을 이용하여 이를 박근피판의 신경과 바로 연결시켜주는 방법이 해당된다. 전자는 정상측 미소분지까지 다다를 수 있을 정도로 긴, 보통 약 15 cm 길이의 흉배 신경을 광배근에 붙여 같이 채취하여 안면횡단 신경이식 단계를 거치지 않고도 안면신경의 활동에 기반한 결과를 얻을 수 방법이다(그림 2-9-11). 후자의 방법은 뫼비우스증후근과 같이 양측안면에서 이용할 안면신경이 없는 경우에 좋은 적응증이 되며 이때는 2달 이상의 간격을 두고 한쪽씩 수술해준다. 그리고 나이가 많거나 강한 근력이 요구되는 무거운 안면 연부조직을 가진 편측성 마비환자의 경우에서도 정상측 안면신경 미소분지보다 축삭수가 훨씬 많은 교근신경을 이용한 일단계 유리근이식술이 이용된다(그림 2-9-12). 그러나 미소를 지을 때 교근신경을 이용해야 하므로 의도적인 노력과 생체되먹임 단계가 필요하다. 최근에는 박근이나 광배근판 이식술에서 교근신경과 정상측 안면신경의 장점을 결합하기 위해 이중신경지배(dual innervation) 방법이 시도되고 있다. 이는 공여부 신경으로 반대측의 정상 안면신경 미소분지뿐 아니라 마비된 측의 교근신경도 동시에 이용하는 것으로, 교근신경으로부터의 신속한 신경 재생으로 술 후 회복이 빠르고 강력할 뿐 아니라 시간이 지난 후에는 반대측 안면신경으로부터의 신경 재생의 결과로 불수의적이고 대칭적인 자연스러운 웃음도 가능할 수 있다는 장점이 있다.

③ **국부근육전이술(Regional muscle transfer)**

국부근육전이술은 유리근이식술을 시행할 수 없는 경우나 고령의 마비환자에서 대안으로 사용되는 방법으로 마비된 쪽의 측두근 또는 교근이 이용된다. 앞서 서술한 유리근이식술에 비해 수술이 간단하고 짧게 걸린다는 장점이 있으며, 근육을 전이하는 것이므로, 정적인 재건인 현수법(static suspension)과 달리 수의적인 움직임이 가능하다. 측두근전이술에는 측두근 상부 기시부

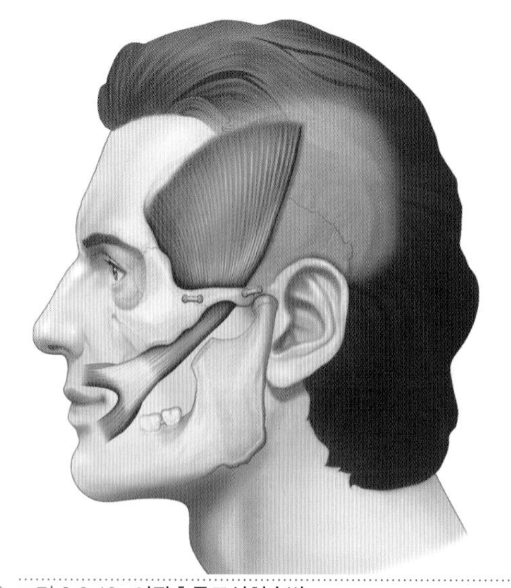
▷그림 2-9-13. 연장측두근성형술법

일부를 측두와로부터 거상하여 뒤집고 근막으로 연장해 입가쪽으로 내리는 전통적인 방법(retrograde or turnover temporalis transfer)과 측두근을 측두와로부터 이동시키면서 부착점인 근육돌기(coronoid process)부위를 상구순, 구각 부위로 바로 끌어내리는 연장측두근성형술(lengthening myoplasty)이 있다(그림 2-9-13). 드물게 사용되는 교근전이술은 주로 전방 1/2 근육만을 분리하여 상·하구순 부위로 전이시키는 방법으로 근육분리 거상 시 교근신경이 손상되지 않도록 주의해야 한다. 측두근과 교근은 삼차신경의 지배를 받으므로 구강교련을 움직이기 위해서는 이를 악물어야 하지만 일부 환자에서는 그러한 전구동작 없이도 가능할 수 있다.

④ **정적현수법(Static sling)**

마비되어 처진 뺨과 입술을 대퇴근막, 건 등을 이용해서 관골궁 또는 측두근막에 매달아 끌어올리는 수술이다. 안정 시에 마비된 쪽을 현수하여 대칭적인 모습을 이루는데 이용된다. 구강교련뿐 아니라 상순, 하순 등을 당겨서 입술 대칭을 맞출 수 있다. 정적현수법은 단독적으로 안정 시 대칭을 위해 시행하거나, 혹은 동적인 재건(dynamic reconstruction)에 부가적으로 이용될 수 있다.

(5) 하구순

하구순마비는 안면신경 하악연분지의 마비로 발생하는데 이는 전체 안면신경마비의 일부이거나 혹은 단독적인 선천성 혹은 외상성 원인으로 발생한다. 하악연분지는 1~3개의 분지로 구성되며 아랫입술 내림근, 입꼬리 내림근, 이근과 하구순의 구륜근 일부를 지배하는데 구륜근은 또한 협지와 반대측 하악연분지로부터 지배를 받는다. 주로 상실되는 근육의 기능은 아랫입술 내림근으로 하구순을 내리고 측면으로 움직이며 뒤집는 기능이 없어진다. 이 변형은 안정 시에는 눈에 띄지 않으나 크게 웃을 때 강조되며 말하거나 식사할 때에 비대칭의 문제가 발생한다. 이의 교정을 위해 이복근 전이술, 넓은목근(platysma) 이식술, 정상 측 하순하제근의 선택적 근절제술(selective myectomy)이나 보튤리눔 주사 등 다양한 방법들이 소개되어 있다(그림 2-9-14).

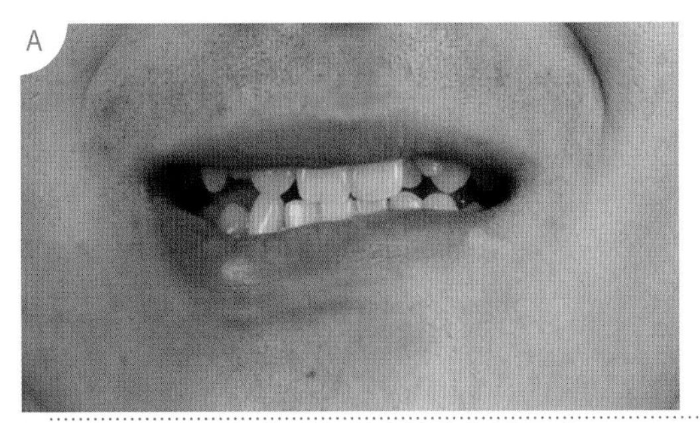

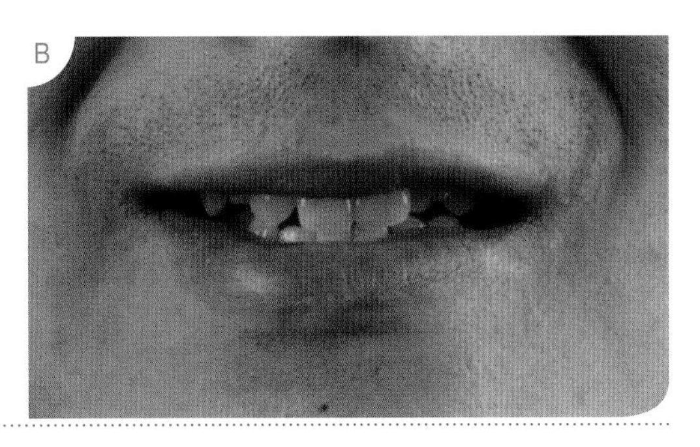

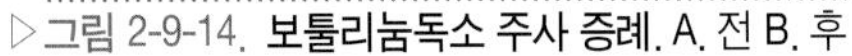
▷그림 2-9-14. 보툴리눔독소 주사 증례. A. 전 B. 후

References

1. Freilinger G, Gruber H, Happak W, et al. Surgical anatomy of the mimic muscle system and the facial nerve: importance for reconstructive and aesthetic surgery. Plast Reconstr Surg. 1987;80:686-90.
2. Manktelow RT. Use of the gold weight for lagophthalmos. Operative Techniques Plast Reconstr Surg. 1999;6:157-8.
3. Salimbeni G. Eyelid reanimation in facial paralysis by temporalis muscle transfer. Operative Techniques Plast Reconstr Surg. 1999;6:159-62.
4. Carraway JH, Manktelow RT. Static sling reconstruction of the lower eyelid. Operative Techniques Plast Reconstr Surg. 1999;6:163-6.
5. Terzis JK, Tzafetta K. The "babysitter" procedure: minihypoglossal to facial nerve transfer and cross-facial nerve grafting. Plast Reconstr Surg. 2009;123:865–76.
6. Yoleri L, Songur E, Mavioglu H, et al. Cross-facial nerve grafting as an adjunct to hypoglossal-facial nerve crossover in reanimation of early facial paralysis: clinical and electrophysiological evaluation. Ann Plast Surg. 2001;46:301–7.
7. Klebuc M. The evolving role of the masseter-to-facial (V-VII) nerve transfer for rehabilitation of the paralyzed face. Ann Chir Plast Esthet. 2015;60:436-41.
8. Terzis JK, Noah ME. Analysis of 100 cases of free-muscle transplantation for facial paralysis. Plast Reconstr Surg. 1997;99:1905–21.
9. Chuang DC. Free tissue transfer for the treatment of facial paralysis Facial Plast Surg. 2008;24:194-203.
10. Zuker RM, Goldberg CS, Manktelow RT. Facial animation in children with Möbius syndrome after segmental gracilis muscle transplant. Plast Reconstr Surg. 2000;106:1-8.
11. Garcia RM, Hadlock TA, Klebuc MJ, et al. Contemporary solutions for the treatment of facial nerve paralysis. Plast Reconstr Surg. 2015;135:1025e-46e.
12. Watanabe Y, Akizuki T, Ozawa T, et al. Dual innervation method using one-stage reconstruction with free latissimus dorsi muscle transfer for re-animation of established facial paralysis: simultaneous reinnervation of the ipsilateral masseter motor nerve and the contralateral facial nerve to improve the quality of smile and emotional facial expressions. J Plast Reconstr Aesthet Surg. 2009;62:1589-97.
13. Takushima A, Harii K, Asato H, et al. Fifteen-year survey of one-stage latissimus dorsi muscle transfer for treatment of longstanding facial paralysis. J Plast Reconstr Aesthet Surg. 2013;66:29-36.
14. Lee KT, Lee YJ, Kim A, Mun GH. Evaluation of Donor Morbidity following Single-Stage Latissimus Dorsi Neuromuscular Transfer for Facial Reanimation. Plast Reconstr Surg. 2019;143:152e-64e.
15. Guerreschi P, Labbe D. Lengthening temporalis myoplasty: a surgical tool for dynamic labial commissure reanimation. Facial Plast Surg. 2015;31:123-7.
16. Conley J, Baker DC, Selfe RW. Paralysis of the mandibular branch of the facial nerve. Plast Reconstr Surg. 1982;70:569-77.

집필에 도움을 주신 분　이경태　삼성서울병원 임상강사

10 구순열
Cleft Lip

오태석 · 고경석 울산의대

1. 서론

두개안면부에 생기는 기형중 구순구개열이 가장 흔하고 두 번째가 구개열이 독립접으로 있는 경우이다. 구순열은 수술 이후에도 환자에게 일생동안 신체적으로 영향을 끼치며, 환자와 가족 모두에 사회정신적 기능을 방해하며 삶의 질 저하를 포함한 중대한 영향을 끼칠 수 있다. 이러한 이유로 환자 개인적으로 단순한 의료비용의 발생뿐만 아니라 사회적으로도 관심과 올바른 인식이 필요한 질환이다. 구순열은 한쪽 또는 양쪽에 생길 수 있으며, 치조골 결손이나 구개열을 수반할 수 있다. 또한 이들은 다른 선천성 기형 역시 동반할 수 있고, 유전자 증후군의 일부로 나타날 수도 있다.

구순구개열 환자는 질환의 심한 정도와 범위가 광범위하므로 다양한 분야의 전문가와의 협동치료를 필요로 하는 대표적인 질환이다. 구순열을 교정하기 위한 수술, 치과적 교정과 악교정 수술, 언어치료 및 청각치료, 언어교육을 수반한 특수교육, 정신과적 치료 그리고 사회 전반적인 관심과 올바른 이해가 필요한 질병이다. 이를 위해서 성형외과, 소아과, 이비인후과, 구강악안면외과, 치과, 언어치료, 소아간호, 유전질환상담, 정신과, 사회 사업 부서 등의 여러 전문가들의 협력을 필요로 한다. 이들의 목표는 출생이후 초기의 적절한 영양공급, 수술을 통한 올바른 안면 성장의 유도, 언어 및 말하기 발달을 정상적으로 이루어 내도록 하는 것이다. 성형외과 의사가 중심이 되어 이러한 역할을 잘 조율하여야 하며 나아가 향후 자녀를 갖기 전에 이에 대한 도움이 되는 유전적 상담 및 조언까지 할 수 있도록 노력을 기울이는 것이 중요하다.

2. 발생학

임신 이후 첫 3개월간은 기관이 발생하는 시기로 이 중 정상적인 입술 발생은 임신 4주에서 7주 사이에 일어난다.

임신 3주경 신경판(neural plate)에서 발생한 전두돌기(frontal process)는 곧 전두비부의 표면이 융기하면서 비원기(nasal placode)가 형성되고 제1 인두굽이(first pharyngeal arch)의 상부로부터 상악돌기(maxillary arch)가 분리되어 점차 증대된다. 비원기의 중심부는 점차 들어가면서 그 가장자리는 융기된 내측비돌기(medial nasal process)와 외측비돌기(lateral nasal process)로

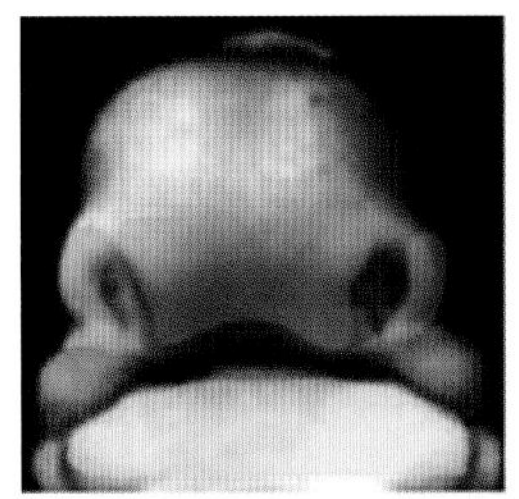
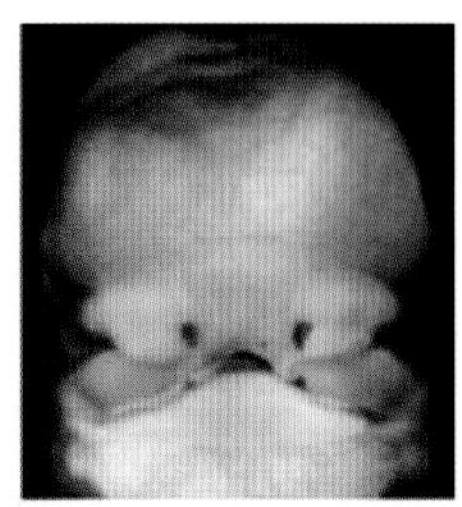
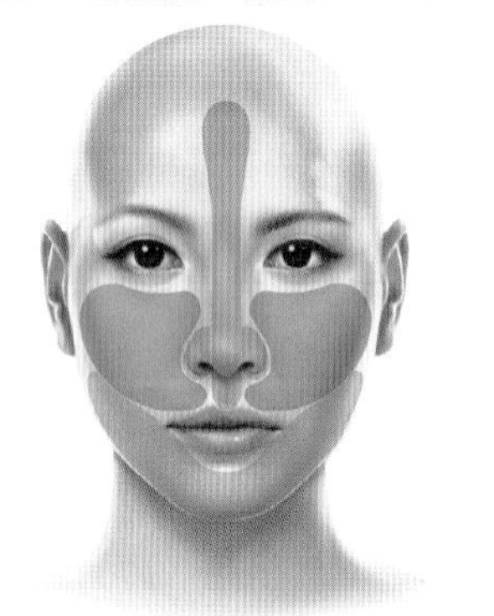

▷그림 2-10-1. 안면부에서 구순을 형성하는 prominence의 발생
• 파란색: Frontonasal prominence
• 빨간색: Maxillary prominence
• 녹색: Lateral nasal prominence
• 노란색: Mandibular prominence

둘러싸이게 된다. 내측비돌기와 외측비돌기는 임신 6~7주경에 상악돌기와 융합되고 여기에 중간엽 대치(mesenchymal replacement)와 상피화가 일어나서 상구순이 형성된다. 이 과정에서 간엽대치의 장애가 있으면 구순열이 발생하게 되며 그 기전에 관해서는 여러 학설이 있지만 중간엽 세포의 형성부족, 증식부전, 돌기들의 성장장애 등으로 구순열이 발생한다고 한다(그림 2-10-1).

구순 및 구개의 정상적인 발생과정은 순차적이므로, 구순열은 구개열과 연관되지 않을 수 있다. 마찬가지로, 구개열만 있는 경우도 구순열과 무관하게 발생할 수 있다. 입술, 입천장, 코의 변형은 정상 발생과정이 방해받아서 생긴다. 변형의 심한 정도는 방해받은 시기, 심각도 및 방해받은 양에 따라 결정된다. 중요한 기간은 일차성 구개 및 중앙 윗입술이 형성되기 전이며, 이때 외측 nasal process는 폭발적인 성장을 한다. 이 기간 동안 발생은 기형유발효과 및 유전적인 효과에 매우 취약하다.

3. 구순열의 분류 및 해부학적 특징

구순열은 크게 일측성과 양측성으로 나뉘며 각각의 구순열은 침범 정도에 따라서 완전형(입술의 최대 수직높이까지 갈라져 있는 경우) 또는 불완전형으로 나뉘며 불완전형 중에서 입술의 갈라짐이 홍순 근처에만 있는 경우 미세형이라고 한다. 완전형의 구순열은 종종 치조골 결손과 연관이 되어 있다. 구순열중에서 치조골이나 입술 피부에 걸쳐진 연조직의 띠는 Simonart's band라고 불리며, 이는 주로 피부와 함께 다양한 양의 섬유조직을 포함하지만 입둘레근(orbicularis oris muscle)은 거의 포함하지 않기 때문에 수술적 재건 시 완전형 구순열에 준해서 치료해야 한다.

일측성 구순열은 안면이 성장하는 동안 구순 및 비부에 발생하는 비대칭적인 힘에 의해 발생하는 전형적인 모습의 변형을 동반한다. 보통 결손쪽의 cupid bow와 인중 landmark의 손상을 동반한 입술의 휘어짐과 왜곡이 있다. 입둘레근의 근섬유는 결손부위 경계를 따라 비대칭적으로 배열되며, 불완전 구순열의 경우 갈라진 입술의 양측을 가로질러 연속적으로 분포할 수 있다. 조직학적 연구를 통한 한 보고에서는 결손 근처의 근육 섬유의 왜곡의 정도가 결손 심각도와 연관되어 있다고 보여주고 있다. 전형적인 코의 기형은 콧방울 연골(alar cartilage)의 가쪽다리의 위치가 외측, 그리고 후하방으로 위치한다. 코 끝은 평평해지고, 처지게 된다. 동측의 콧구

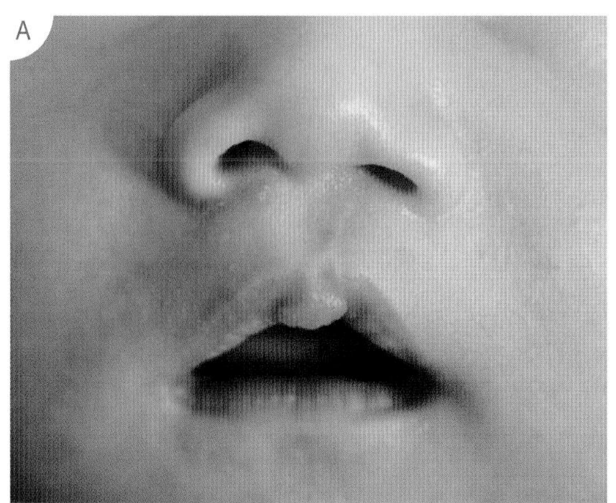

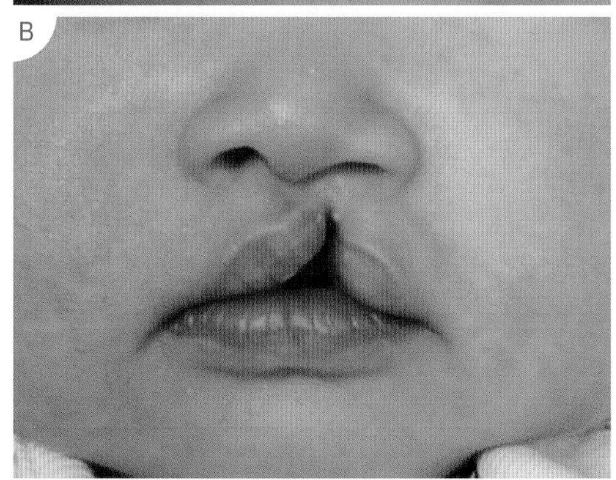

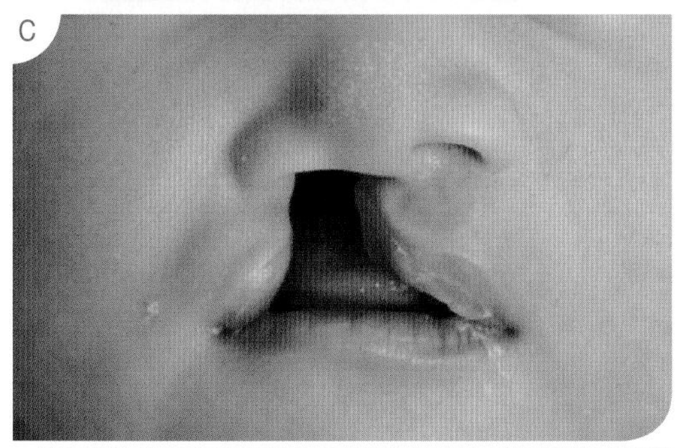

▷그림 2-10-2. **일측성 구순열**
A. 미세형(Microform type)
B. 불완전형(Incomplete type)
C. 완전형(Complete type)

멍은 수직이 아닌 수평 방향으로 벌어진다. 코기둥은 caudal septum을 따라 정상조직쪽에서 크게 짧아지고 휘어진다. 비강 연골은 형태적 결함이 있거나 부족할 수 있다(그림 2-10-2).

양측성 구순열에서, 상악전구골(premaxilla)

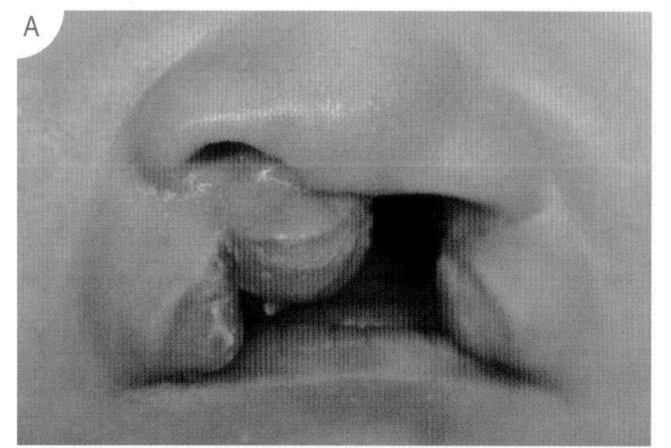

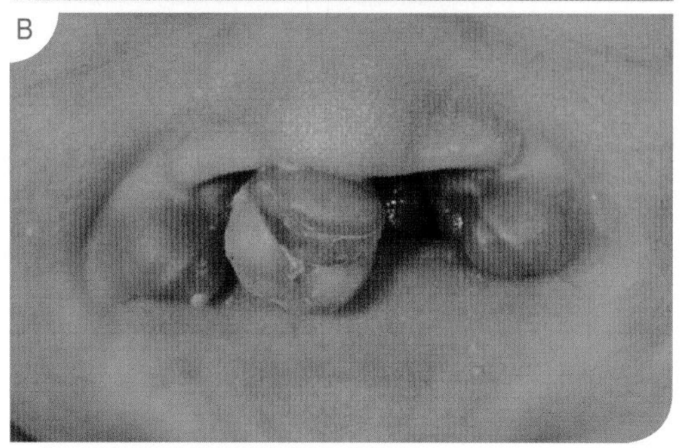

▷그림 2-10-3. **양측성 구순열**
A. 비대칭형(Asymmetrical type)
B. 완전형(Complete type)

은 양쪽 측면에 있는 전구골과 독립적으로 자라며, 특히 완전형 구순열에서 두드러지게 나타날 수 있다. 근육 섬유가 없는 전구골의 연조직으로 구성된 상구순중심은 cupid bow와 인중조직으로 구성되어 있다. 코기둥은 기둥의 측면다리가 수평으로 이동하는 동안에 크게 짧아지거나, 없어지며, 넓고 평평한 코끝을 형성한다(그림 2-10-3)(표 2-10-1).

미세형구순열의 경우는 정상측 cupid peak에 대한 상대적인 변형의 정도에 따라 다시 세분류할 수 있다. 그러나 코 변형의 정도는 입술의 갈라진 변형의 정도와 완전히 일치하지는 않기 때문에 수술계획을 세울 때에 이를 잘 고려하여 세워야지만 보다 좋은 결과를 얻을 수 있다.

Subclinical 표현형은 비증후군성 구순구개열의 넓은 스펙트럼 내에 있다고 할 수 있다. 예를

▷표 2-10-1. Anatomy of the cleft lip

	Normal	Unilateral CL	Bilateral CL
Skin	Intact across lip	Deficient across full (complete) or partial (incomplete) vertical height of upper lip	Deficient across full (complete) or partial (incomplete) vertical height of upper lip
Muscle (orbicularis oris)	Intact across lip	Usually deficient and/or disoriented across cleft	Usually deficient and/or disoriented across cleft
	Circumferentially oriented	Inserts along cleft of nasal base	Absent in prolabium
Lip	Cupid's bow and philtrum present and symmetrical	Cupid's bow is less conspicuous and upwardly rotated toward the cleft side. Philtral column is shorter on the cleft side	Bilateral loss of Cupid's bow and philtral structures
Bone (premaxilla)	Intact	Depending on the involvement of alveolus, it may range from intact to a wide alveolar cleft	May be significantly protruded
Nose	Normal/symmetric nasal tip	Nasal tip flat and deflected to non-cleft side	Nasal tip flat and broad in bilateral complete cases only otherwise it
	Normal/symmetric columella	Short columella on cleft side	Short columella
	Normal/symmetric nasal base	Lateral crus of alar cartilage is displaced laterally, posteriorly, and inferiorly on cleft side	Bilateral lateral crura of alar cartilages are displaced laterally, posteriorly, and inferiorly cases only otherwise it
	Nostril oriented vertically	Nostril oriented horizontally on cleft side	
	Normal caudal septum	Caudal septum is displaced to non-cleft side	

들면 입술 기형, 치아 이상 징후, 안면 기형 특징이 있다. 아마도 가장 잘 연구된 것은 외관상 결손이 없음에도, 입둘레근이 없는 형태이다. 이들은 고해상도 초음파로 발견되며, 입술갈림증이 있는 사람들의 친척에서 우선적으로 나타나는 것으로 보인다. Subclinical 표현형을 알아내는 것은 그와 연관된 유전자의 탐색을 통해 알아낼 수 있다.

4. 역학

구순열은 유전, 지리적 위치, 임산부 연령, 출산 전 노출 및 사회 경제적 지위에 따라 500에서 2,500명당 1명에서 발생한다. 최신의 미국질병통제예방센터(CDC)보고에 따르면 미국에서의 구순열 발병률은 940명당 1명이며 매년 4,437명이 태어난다. 이중 구개열을 동반하지 않고 구순열만 있는 경우는 약 10~30%를 차지한다고 보고되었다. 구개열과 연관된 경우는 35~55%에 이른다. 아시아계통과 미국 원주민(500명 중 1명)이 높은 비율을 보였고, 아프리카인(2,500명 중 1명)의 비율이 가장 낮아, 인종별 차이를 보였다. 우리나라의 경우 보고자에 따라 편차가 큰데 대략 600에서 700명당 1명꼴로 발생하며 구순열은 남성에서 2:1 비율로 더 많이 나타나며, 이와 대조적으로 구개열에서는 남성이 여성과 비슷한 비율을 보였다. 일측성 구순열의 경우 좌측이 우측

보다 2배 더 많이 발생한다. 이에 대한 기전은 명확하지는 않지만, 안면 동맥의 발생이 왼쪽에서 느리게 진행된다는 관측이 중요한 요인으로 볼 수 있다.

5. 발생원인

구순구개열의 역학 및 병인적인 특징은 유전 증후군 및 비증후군의 형태가 다르다. 비증후군 형태가 제일 많은 연구가 되었고, 70%에서 발생한다. 그 원인은 다요인 적이며 유전적, 환경적 요인 및 기형유발요인과 관련이 있다(표 2-10-2).

유전적 감수성(susceptibility)은 오랫동안 구순구개열의 주요 요소로 확인되었다. 일란성 쌍생아 연구는 유전학적 요인이 안면개열의 40~60%를 차지한다고 제안한다. 그러나, 후보 유전자의 증명은 이질성(heterogeneity), 비멘델 유전(non-mendelian) 패턴 및 제한된 표본 크기로 인해 어려움이 있다. 인터페론 조절 인자 6 (IRF6) 유전자는 여러 연구에서 비증후군성 구순구개열과 여러 연구결과 연관되어 있으며 Van der Woude 증후군의 원인 유전자이기도 하며 가장 흔한 구순열의 유전자적 원인물질이다. 게놈 차원의 연관 연구(GWAS)에서 최근 제기된 가능성은 염색체 8q24에 있는 'gene desert' 영역을 포함하여 몇 가지 새로운 유전자 위치를 확인했다. GENEVA Cleft Consortium 연구는 유럽과 아시아에서 IRF6과 ch8q24 유전자의 분포가 다르다는 것을 확인하여 이러한 차이가 인종 특이적일 수 있다고 제안했다. 후보 유전자 목록은 많고 이중에는 VAX1, FGFR2 및 BMP4가 포함된다.

그 동안의 역학 연구에서는 다양한 환경적 요인이 제시되었다. 모성 흡연은 구순구개열의 위험을 최대 30%까지 증가시키고 용량에 따른 구순열의 발현 정도가 지속적으로 보고되었다. 그러나 간접 흡연 노출은 위험을 증가시키지 않는 것으로 보인다. 폭음은 위험을 증가시킬 수 있지만 모성 음주는 논란의 여지가 있다. 담배와 알코올 사용 사이에 영향은 논쟁이 있으며 그 영향은 독립적으로 분석해야한다. 임신성 당뇨병은 원발성 당뇨병과는 좀 더 적은 정도지만, 안면개열을 포함하여 심장외 결손과 연관되어 있다. 최근의 메타 분석에 따르면 산모의 나이가 40세 이상인 경우 산모 연령이 20세에서 29세 사이인 것에 비해 구순구개열 위험이 56% 증가했다. 임신 초기의 엽산 보충제는 모든 연구가 통계적으로 유의한 것은 아니지만 1/3에서 3/4 까

▷표 2-10-2. Reported etiologies of non-syndromic cleft lip with or without cleft palate

Genetics
IRF6
ch8q24
VAX1
FGFR2
BMP4
Maternal risk factors
Smoking
Alcoholism
Pregestational diabetes
Gestational diabetes
Age > 40years
Folate deficiency
Zinc deficiency
Teratogens
Valproic acid
Phenytoin
Retinoic acid
Chemical solvents
Pesticides
Occupation-related (leather, shoemaking, health-care)

지 구순구개열 위험을 감소시키는 것으로 나타났다. 엽산의 보호 효과는 인종마다 다르며 엽산 대사 경로의 강력한 유전적 요소를 반영한다고 할 수 있다. 신경 세포 이동의 중요한 요소인 아연의 결핍은 동물실험에서 결손을 유발했으며, 이는 사람에게서 결손의 위험을 증가시킬 수 있다. 일반적으로 멀티비타민제를 매일 적절히 섭취하는 것이 잠재적 위험을 줄일 수 있으므로, 모든 임산부에게 권장된다.

이미 알려진 잠재적인 기형 유발 인자에는 retinoic acid, phenytoin, valproic acid가 포함된다. 다른 위험 요인으로는 직업적 및 화학적 노출, 고열, 스트레스, 모성 비만, 경구 호르몬 섭취, 방사선 및 모성 감염이 포함된다. 유전적 요인과 환경적 요인 사이의 복잡한 상호 작용은 명백히 구순구개열의 발병 기전에 중요한 역할을 한다. 이러한 상호 작용에 대한 조사는 구순구개열의 예방 및 관리를 위한 새로운 연구 방법을 열어 줄 수 있다.

구순구개열 신생아의 30%는 유전증후군의 일부로 발생하는 다른 선천적 기형을 동반한다. 500개 이상의 멘델유전(mendelian)증후군은 the Online Mendelian Inheritance in Man (OMIM) database에 있다. 구순열과 관련된 가장 흔하고 잘 알려진 증후군은 van der Woude 증후군이다. 염색체 1번의 IRF6 유전자의 결손으로 야기되고 상염색체 우성 형태로 유전된다.

전형적인 임상 특징은 구순열 및 구개열, 아랫입술 pit, 누공 및 치아 이상이다. Popliteal pterygium 증후군은 안면개열, 아랫입술 pit, popliteal web, 비뇨생식기계기형을 포함하는 유전증후군이다. 구순구개열과 연관된 다른 증후군에는 Stickler syndrome, Hardikar syndrome, Treacher-Collins syndrome, siderius X-linked mental retardation, Loeys-Dietz syndrome, and Malpuech facial clefting syndrome이 있다.

구순구개열 환자의 진료에 있어서 중요한 부분은 구순구개열을 가진 부모나 자녀를 가지고 있는 부모에게 유전적 카운셀링을 정확하게 하는 것이다. 일반적으로 구순구개열을 가진 자녀를 가지고 있을 때 다음 자녀가 구순열이나 구순구개열을 동반할 확률은 4%이며 부모 중에 구순구개열을 가지고 있을 때 구순열이나 구순구개열을 가진 자녀를 출생할 확률은 이와 동일하게 4%이다. 그러나 구순구개열을 가진 부모가 첫 아이를 구순구개열이 있는 채로 낳은 경우 다음 아이가 구순열이나 구개열을 동반할 확률은 17%로 매우 높다. 이러한 점을 임신을 계획하고 있는 부모들에게 정확하게 설명할 필요가 있다(표 2-10-3).

6. 수술적 치료

1) 치료목적

구순열의 임상상은 환자마다 다른 다양한 해부학적 구조의 변형으로 인해 복잡하며 이에 대한 수술은 개별적으로 접근해야 한다. 수술은 일측성 대 양측성, 결손의 크기, 유전증후군 환자 대 비증후군 환자와 같이 결손환자의 각각의 표

▷표 2-10-3 Risk of cleft lip and/or cleft palate

Family members	CL and CL/P	CP only
One child with a deformity	4%	2%
One parent with a deformity	4%	6%
One parent and one child with deformities	17%	15%
Two children with deformities	9%	

현형에 따라 다른 접근법을 따라야 한다. 그렇지만 공통된 단 하나의 목적은 기능적으로나 미적으로 보기 좋은 입술과 코를 만드는 것이다. 이러한 목표를 달성하기 위해서 수술은 정상측과 동일하게 구순열의 윗입술의 높이를 맞춰야 한다. 더 나아가서는 수술 이후 성장에 따라 생기는 변화를 예측하여 이를 수술 시에 고려하여 맞추고자 하는 노력이 필요하다.

2) 치료시기

구순열수술의 최적시기를 결정하는 것은 의사의 선호도, 환자의 상태에 따른 마취과적 위험도 평가, 동반된 선천적 기형의 정도에 따라 달라질 수 있다.

일반적인 구순열의 수술 최적기는 출생 11~12주이다. Rule of 10은 수술시기와 관련하여 수술과 관련한 합병증을 줄이기 위해 여전히 참고할 만하다. Wilhelmsen과 Musgrave는 환자가 체중 10 lbs, 헤모글로빈 10 g/dL 및 백혈구 수 <10,000 mm^3일 때 구순열의 재건수술이 이루어져야 한다고 권고했다. Millard는 10 lbs 이상의 체중, 10 g/dL 이상의 헤모글로빈, 10주 이상의 나이로 수정하여 제안하였다.

양측성 구순열의 경우 일측성에 비해서 2내지 3주 더 늦게 시행하는 것이 일반적이며 술 전 교정을 하고 있는 환아의 경우 교정의 진행 정도에 맞춰서 수술 시기를 조절할 수 있다.

미숙아로 태어난 경우 수술시기가 늦어질 수 있으나 환아의 발달 정도를 고려하여 정하여 한다. 그러나 너무 일찍 수술할 경우 수술과 관련한 호흡기계를 포함한 합병증이 증가할 수 있음을 고려하여야 한다.

3) 수술 전 교정

구순열 수술 전에 시행할 수 있는 몇 가지 시술은 구순열 수술에서 만족스러운 결과를 얻는데 도움이 될 수 있다.

이러한 것들은 특히 수술 시 치조궁이 어긋난 wide cleft가 있는 환자에게 유용할 수 있다. Lip adhesion은 재건 수술 전 완전형 구순열에서 불완전형 구순열로 바꿔 재건 수술 시 수술 부위에 걸리는 장력을 감소시켜 좀 더 성공적인 수술결과를 얻을 수 있게 한다. 생후 30일 이내에 일반적으로 시행되며, 측면 기반 플랩이나 입술 아래에 기반한 플랩을 얻을 수 있다. Lip adhesion은 환자가 추가 수술을 받아야 하거나, 흉터가 증가하거나, 상악 구획을 올바르게 정렬하지 않을 수도 있고, 수술 부위가 벌어질 가능성이 있기 때문에 그 시행과 관련하여서는 신중하게 적용하여야 한다. Lip adhesion은 전형적으로 상악 분절이 무너지지 않고 팽창된 환자에게만 국한되어야 한다. 분절이 내측으로 무너진 경우에는 alveolar expansion이 일반적으로 더욱 선호된다.

수술 전 입술 테이핑도 보조적으로 사용할 수 있다. 연고지가 멀어서 병원을 자주 방문할 수 없는 경우 술 전에 시행하기에 유용한 방법으로 덜 침습적이지만 lip adhesion과 비슷한 효과를 나타내는 것으로 알려졌다. 또한 입술 테이핑은 다른 교정장치와 함께 사용할 수 있다

교정장치의 개발은 지난 50년 동안 큰 변화를 가져 왔으며, cleft 치료에 대한 다학제 팀 접근의 중요성을 의미한다. 교정장치가 부족하였던 19세기의 외과의사는 불행히도 양측성 구순열을 치료할 때 상악전구골(premaxilla) 부분을 절제하였는데 이로 인해 하악가전돌증(mandibular pseudoprognathism), 부정 교합, 상악 성장 제

한 및 중안면부결손 등의 합병증을 피할 수 없었다. 이후 상악전구골을 절제하기보다는 보존하고 끌어내는 것이 중요해져서 구순열 재건에서 보다 좋은 미적 결과를 얻을 수 있었다. 수술 전 장치는 구순열수술 이전의 모든 기술을 말한다. 이러한 기술로는 입술테이핑, 구강 내 장치 고정 또는 NAM (nasoalveolar molding)이 포함될 수 있다.

Latham기구는 능동적인 힘을 상악에 사용하는 기구로 alveolar maxillary segment를 제어된 힘으로 모아주는데 non-cleft maxillary segment를 구내에 고정시킴으로써 lateral alveolar cleft를 능동적으로 위치시키고 튀어 나온 상악을 감소시킨다.

그러나 장치를 위치시키기 위해서는 입천장에 핀으로 고정된 2부분의 상악 부목, 입천장 부분을 조절하기 위한 확장 나사 및 상악을 후퇴시키는 chain으로 구성된 것을 수술을 통해 고정해야 한다. 치료의 다양성, 시기의 차이, 표준 자료의 부족으로 인해 능동적 교정장치 사용에 관한 논란이 아직 남아 있으며 임상 연구를 통한 검증된 지침의 계발이 필요하다. 그럼에도 불구하고, 능동적교정장치는 널리 사용되고 있으며, 많은 센터에서는 수술적, 심미적 결과를 개선시키기 위해 지속적으로 사용하도록 권장하고 있다.

NAM이라고 불리는 수동적기구는 아무런 힘도 주지 않고 점차적으로 alveolar segment를 성형하고 acrylic alveolar molding plates를 통해 성장 방향을 정한다. 신생아 연골은 부드럽고 탄력이 풍부여 수동 성형에 적합하다. 초기 개발된 장치는 alveolar cleft만을 교정하기 위해 고안되었으며, 구순열과 관련된 코의 변형을 충분히 교정하지 못했다. 일측성 구순열에서는 하부 외측 코의 연골이 전형적으로 옆으로 및 아래쪽으로 위치하여 코의 정상부위가 꺼지고, 콧구멍의 가장자리가 넓어지며, 비주가 옆으로 기울고, 코끝이 돌아들어가 보인다. 양측성 구순열에서 특징적인 코의 변형은 넓어진 alar base와 매우 작은 columella를 가진 평평한 nasal tip이다. NAM 장치는 alveolar gap을 줄이며 lip segment를 내측으로 이동시키는 동시에 columella를 늘리는 테이핑과 코의 변형을 교정하는 데 도움을 주는 nasal stent를 포함한다. 또한 NAM은 최종 재건 수술적 결과를 개선시키는 데 기여하고 안면 변형을 교정하기 위한 수술 절차의 전체 수를 줄이는 데 도움이 된다(그림 2-10-4).

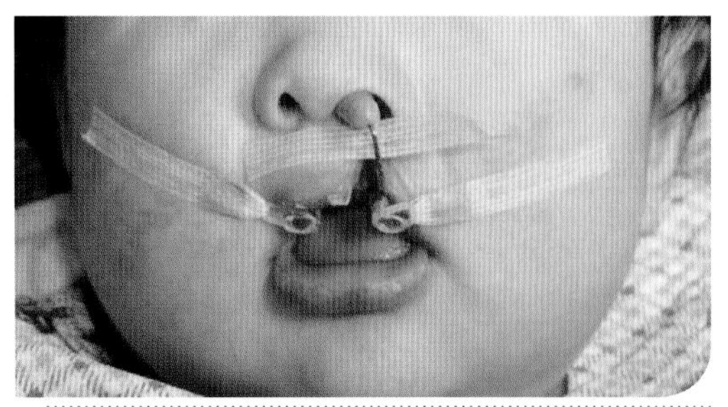
▷그림 2-10-4. Presurgical nasoalveolar molding (NAM)

수술 전 입둘레근에 보툴리눔 독소를 주사하는 것은 최근에 긴장을 완화시켜서 구순열 재건 결과를 향상시키는 수단으로 제안되었다.

4) 수술

(1) 일측구순열의 치료

구순열 수술법은 매우 많으며 지금도 기존의 방법을 약간씩 변형시킨 술기들이 계속해서 만들어지고 있다. Straightline closure 또는 Rose-Thompson closure는 20세기 초에 도입된 초기 기술이나 그 중요한 개념은 현재에도 미세구순열(microform cleft)수술에서부터 complete type에 이르기까지 두루 이용되고 있다. Straight-

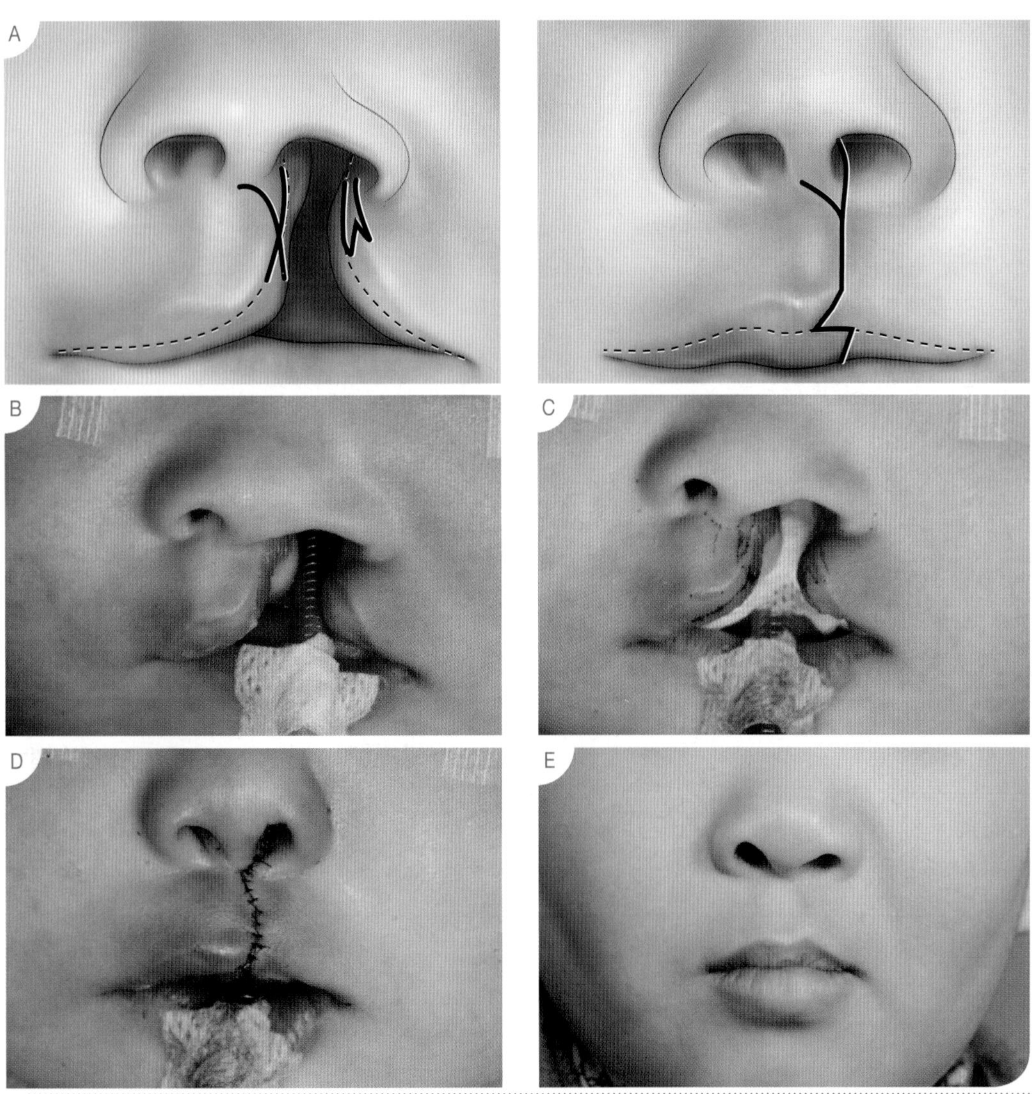

▷그림 2-10-5. 저자의 변형된 straight line closure방법을 이용하여 재건한 complete type 일측성 구순열
A. 수술을 위한 도안과 복원된 이후의 모식도 B. 수술전 C. 수술을 위한 디자인
D. 수술직후의 모습 E. 수술 4년 후의 모습

line closure는 인중을 대칭적으로 만들 수 있다는 커다란 장점을 가지고 있으나 처음에 개발된 방법은 입술의 notching과 수직 흉터 구축을 초래하는 문제점이 있기 때문에 이를 개선하고자 여러 가지 변형된 방법들이 개발되었다. 저자는 complete type에서는 advancement flap의 사용을 줄이기 위해서 인중의 윗부분을 c 플랩을 이용하여 재건하며 incomplete type에서는 삼각형 플랩을 이용하여 재건하는 변형된 straight line closure를 이용한 술식을 사용하고 있다(그림 2-10-5).

rotation-advancement 방법은 구순열에서 cupid bow의 대칭을 맞추기 위해 아래로 rotation된 피판으로 인해 발생한 내측 결함을 채우기 위해 측방 입술 flap을 사용한다. Mirault에 의해 처음 개발된 이 개념은 현대적인 rotation-advancement flap의 기초를 형성하였고, 세밀한 구순열을 미세하게 교정하기 위해 삼각형 또는 사각형 플랩을 맞물리도록 디자인하였다.

Millard의 rotation-advancement flap은 현재 구순열 교정에서 가장 널리 사용되는 기술이다. 최근 설문 조사에 따르면, 일측성 완전형 구순열 수술에서 성형외과 의사 중 84%는 rotation-advancement flap을 사용하며, 삼각 플랩을 사용하는 의사는 9%였다. 이 기술은 코 아래의 결함을 교정하기 위해 측면 lip flap의 advancement와 함께 상부에 왜곡된 내측 lip segment의 하향 회전을 이용한다. 이 기술의 이점은 조직 손실을 최소화하고, cleft side의 인중과 일치하는 봉합선을 만들고, cupid's bow를 보존하고, nasal ala base를 재위치시키고, nasal flare를 줄이기 위한 장력을 제공하는 점이 있다. 또한 nostril sil을 만드는 데 도움을 주며, wide cleft에도 매우 유용하다. 이 기법의 다양성은 의사의 전문 지식과 경험에 크게 의존한다. 다른 말로 하면 훌륭한 미학적 결과를 얻기 위해 많은 외과적 판단의 여지를 가능하게 한다. Rotation-advancement flap은 wide cleft에서 상악의 연조직의 박리에 의해서만 봉합이 가능하다. 이런한 이유로 이전의 lip adhesion을 시행하지 않은 경우에는 wide cleft에 이상적이지 않을 수 있다. 또한, 이 기술은 측방 lip segment 수직높이가 더 짧은 경우 때때로 점막 및 입술 조직을 희생할 수 있다. 이러한 단점을 극복하고자 Noordhoff는 alar base 절개를 동반하지 않는 vermilion flap을, Mohler는 modification을 통해 절개선을 비주로 연장시키는 방법을, Onizuka는 back cut량을 줄이고자 작은 triangular advancement flap을 vermilion바로 위에 만들어서 사용하였다.

① **Extended Mohler repair**

Mohler의 구순열 수술법은 이론적으로 수술로 인해서 생기는 흉터를 정상측의 인중선의 거울상과 같이 만드는 것이다. 이러한 방법은 Millard의 rotation advancement방법에서 절개선이 입술의 위쪽으로 갈수록 중심선을 넘어서 반대쪽 인중까지 뻗어나가는 것과 대조적이다. 즉 인중의 대칭성을 최대화하기 위해 절개선이 반대쪽 인중으로 넘어가지 않고 비주로 뻗어가도록 디자인을 하는 것이 핵심인데 이는 특히 비주하부의 대칭성을 맞추기에 좋은 방법으로 인정되고 있다(그림 2-10-6).

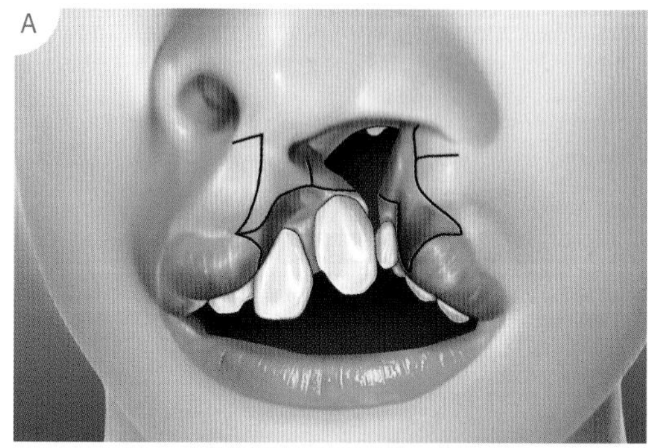

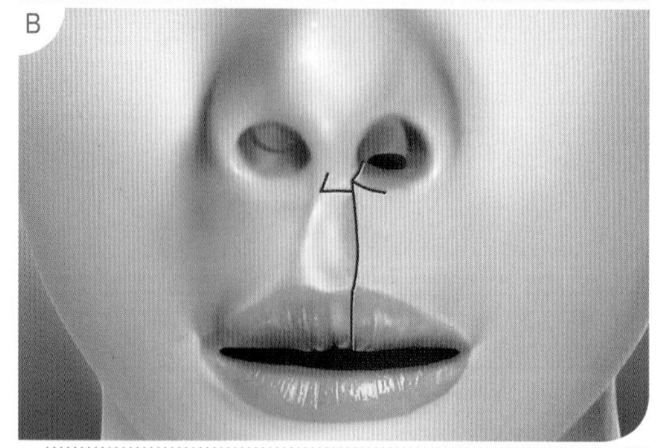

▷그림 2-10-6. Extended Mohler repair 수술방법
A. 수술 전 design을 시행한 모습 B. 수술 후

② **Fisher anatomic subunit repair**

인중의 대칭성을 확보하는 것을 중요시 한다는 점에서 Mohler의 방법과 유사하다. Fisher는 Burget가 코 재건 시 주창한 개념인 하부단위재건(subunit principle)방식을 구순열 수술에 이용한 것으로 Cupid peak의 대칭성을 맞추기 위해 Rose Thompson 효과를 최대한 활용하며 필요시 작은 삼각피판을 입술하부에 이용한다(그림 2-10-7).

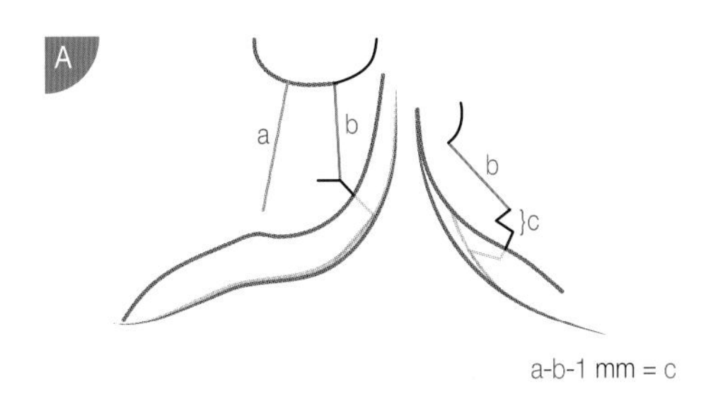

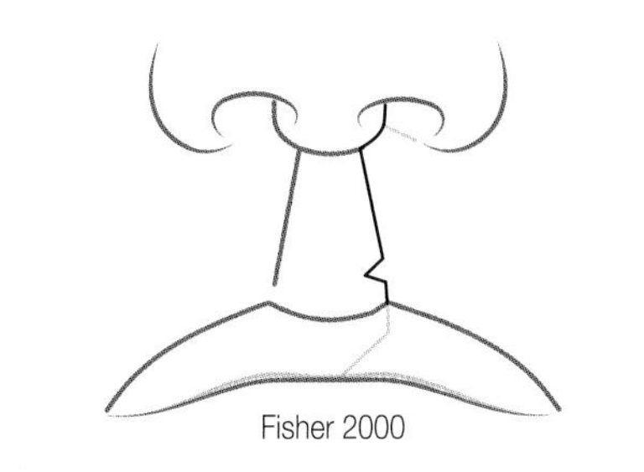

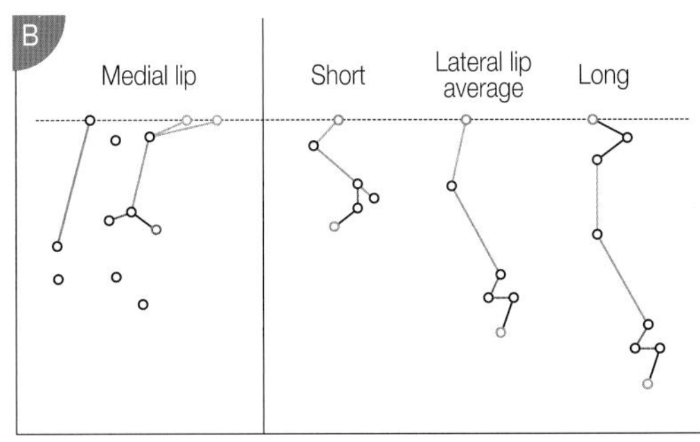

▷그림 2-10-7. Fisher anatomic subunit repair 수술방법
A. 수술 전 design
B. Lateral lip의 길이에 따른 design의 변경을 보여주는 모식도

(2) 양측구순열의 치료

양측성 구순열의 임상상은 일측성과 마찬가지로 다양하게 나타날 수 있는데 이의 수술적 재건은 상악전구골(premaxilla)과 윗입술중심(prolabium)으로 인해 일측성 입술갈림증 재건보다 훨씬 어려울 수 있다. 일반적은 수술시기는 심한 쪽을 먼저 수술한 이후 2~3개월 이후에 나머지 쪽을 수술하는 단계적인 방법과 동시에 시행하는 방법이 있다. 윗입술중심(prolabium)은 종종 근육과 vermilion이 부족하고 작으며 코기둥이 거의 없기 때문에 코끝에 붙어 있다. 상악전구골(premaxilla)는 또한 위치와 크기면에서 매우 가변적이어서 이를 수술 전에 nasoalveolar molding을 통하여 교정하거나 많이 튀어나와서 근육봉합이 어려운 경우 수술적으로 잘라서 뒤로 밀어 넣어야 하는 경우가 있다. 근육을 재위치 시키지 않고 외측 입술분절과 윗입술중심피부를 일부로 봉합하려고 하면 좋지 않은 결과가 나오게 된다. Mulliken과 Millard는 입둘레괄약근재건의 중요성을 주장하였고 초기에 코 변형을 교정할 것을 주장한다. 이러한 방법은 alar base의 폭을 줄이는 효과가 있다.

양측성 구순열의 교정에 있어서의 일반적인 원칙은 다음과 같다. 전순은 상구순의 길이를 만드는 데 쓰여져야 하며 전순의 빨간 점막부위는 치은구(labial sulcus)를 깊게 하기 위하여 내면으로 사용되어야 하며 가능하면 돌출된 전순과 전악골을 뒤로 밀어넣어야 하며 중앙부 홍순은 양측으로부터 입둘레근을 포함한 근피판으로 만들어야 한다(그림 2-10-8).

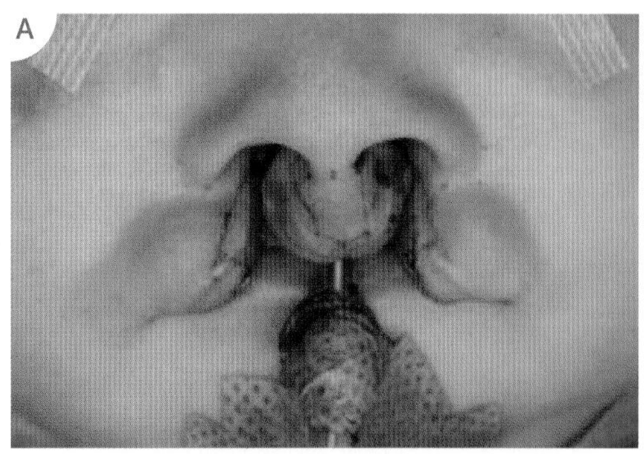

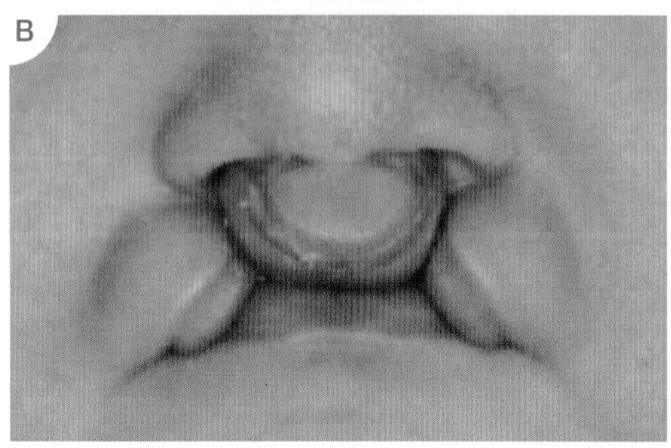

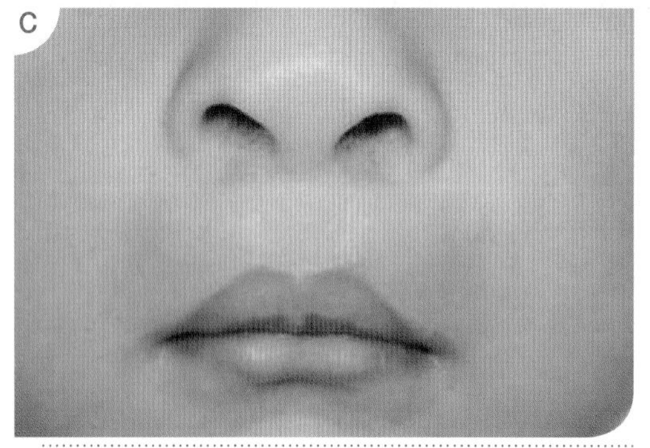

▷그림 2-10-8. **양측성 구순열의 치료 및 수술결과**
A. 수술 전 design B. 수술 후

(3) 일차성 코교정술

일측성 구순열과 관련된 코 변형에 관한 특징적인 내용들은 1950년대부터 잘 정의되어 있다. 코의 정상적인 성장을 방해할 우려가 있기 때문에 의사들은 1970년대까지는, 코의 기형을 교정하기 위한 수술을 거의 하지 않았다. 이전에 설명했듯이, 일측성 구순열에서는 하부 외측 코의 연골이 전형적으로 옆으로 및 아래쪽으로 위치하여 코의 정상부위가 꺼지고, 콧구멍의 가장자리가 넓어지며, 비주가 옆으로 기울고, 코끝이 돌아들어가 보인다. 일차성 코수술의 목표는 비강 바닥 폐쇄, 하부 외측 연골의 위치 변경 및 alar base의 위치 변경이다. 성형외과적 재건은 구순열 교정에 사용되는 것과 동일한 절개를 통해 이루어질 수 있으므로 비강 변형을 동시에 해결할 수 있다.

지난 30년 동안, 구순열수술과 코의 변형을 일차 수술로 교정하는 것이 보편화되었다. 보고에 따르면 코의 갈라진 측 비강 성장이 구순열수술과 동시에 진행한 코수술에 의해 영향을 받지 않는다고 하였고, 이 사실은 일차성 코수술을 시행한 군과 정상 및 교정하지 않은 입술갈림증 어린이를 비교한 18년간의 추적 조사에서 뒷

▷표 2-10-4. Surgical techniques in cleft lip repair

Type of repair	Advantates	Disadvantages
Straight-line closure	Appropriate for microform clefts Rarely used for incomplete and complete clefts	Vertical scar contracture Sacrifice of normal tissue Notching of the lip Blunting of cupid's bow
Geometric flaps	Appropriate for inexperienced surgeons Preserves Cupid's bow Amenable to wide clefts	Lack of flexibility Scar violates the philtral subunit
Rotation-advancement flap	Versatility Minimal tissue loss Scar is hidden as a new philtral column Creates tension to reduce nasal flare	Mastered by experienced surgeons Possible small nostril on cleft side Extensive undermining necessary Vertical scar contracture

받침되었다. 코의 기형은 양측 alar 기형, 넓어진 alar base, 평평한 코끝을 포함하는 양측성 구순열에서 더 크다. 수술 전에 치과적 교정장치를 이용하여 코의 변형을 교정하고 수술 시에는 추가적인 림절개(rim incision)을 통해서 하부 외측 연골 사이의 interdomal stitch를 통하여 interalar distance를 줄인다. 또한 일측성 구순열의 경우 비중격이 정상쪽으로 휘어져 있으며 이로 인한 이차성 변형이 심하게 오기 때문에 적극적인 비중격 성형술을 통하여 추후 변형을 막아야 한다. 일차성 코 수술의 목적은 수술 후 장기적인 추적관찰 동안 nasal length, tip protrusion, columellar width를 정상에 가깝게 유지하는 것이다.

(4) 합병증

구순열 수술은 앞에서 언급했듯이 생후 10~12주 사이에 이루어지는데 전신마취하에 진행되므로 환아의 나이가 너무 어리거나 미숙아로 태어난 경우 이와 관련된 합병증이 생길 가능성이 높아진다. Rule of 10의 규칙은 이러한 것을 염두에 두고 만들어진 것으로 지금도 어린 나이로 인해 수술과 관련한 위험성이 높은 경우에는 환자가 좀더 교정장치 처치를 받도록 하여 환자가 나이가 들 때까지 수술을 지연시키는 경우가 있다.

선천성 기형 수술은 다른 수술과 마찬가지로 합병증이 수반될 수 있다. 초기 연구 결과에 따르면 수술 후 출혈, 봉합한 부분의 벌어짐, 폐렴(4.3%)과 같은 주요 합병증 및 설사, 중이염, 봉합사의 분리, 상부호흡기감염 등 가벼운 합병증으로 나뉠 수 있다. 후기 연구들은 출혈, 수유장애, 창상 벌어짐, 상처 감염, 폐렴, 호흡기 손상 및 호흡 정지와 관련된 합병증을 보고하고 있다.

과거에는 구순열수술을 받은 환자들은 수술 후 집중관찰을 위한 입원 치료를 받았다. 그러나 경제력, 건강 관리 체계의 변화, 수술 이후 친숙한 가정 환경으로 복귀하려는 환자들의 욕구로 인해 최근 경향은 당일 퇴원으로 이어졌으며 이로 인해 수술 후 합병증에 대한 재평가가 필요했다. 한 연구는 응급 합병증은 48시간 이내에 발생하며 대개 호흡 곤란(respiratory difficulties)으로 인한 것이라고 설명했다. 특히, 응급 합병증이 발생한 7명의 환자 중 4명은 호흡기쪽의 과거력이 있었기 때문에 합병증에 더 취약했던 것으로 알려졌다.

구순열 수술 후 당일 퇴원한 환자에서 수술 후 재입원 및 합병증 발생률을 검사한 연구는 수술 이후 집안에서 적절한 도움이 가능하며 동반된 다른 합병증이 없는 환자에서는 수술 후 병원에서 관찰하는 것은 별다른 이득이 없다고 보고하고 있다. 또한 재입원의 경우 그 사유가 수술과 관련이 없고 다른 합병증 상태와 관련되거나 하루 내지 이틀의 관찰 기간을 훨씬 넘어서 발생했다.

이 그룹에서 발견된 중대한 의학적 합병증에는 경련, 호흡 부전, 무호흡 등이 포함되어 있다. 따라서 신중한 환자 선택, 적절한 재택 간호 및 철저한 병력 및 신체 검사가 구순열수술 관리에 중요하다고 할 수 있다.

(5) 일측성 구순열의 이차적 변형

구순열 환아는 수술이후에 안면부가 성장함에 따라 정상측과 환측의 성장의 차이에 의해서 구순부, 비부에 여러가지 형태의 이차변형이 나타날 수 있는데 이러한 변형을 이차성 구순비변형(secondary cleft lip nose deformity)이라 한다.

구순부의 이차변형은 주로 처음 수술 방법에 따라 변형의 정도가 대개 결정되며 구순을 지지하여 주고 있는 상악골이나 치조골의 발달 상태에 따라 그 정도가 변하게 된다. 대개 z자형 봉합선이 남는 Tennison Randall법으로 일차교정한 경우 구순부의 길이가 길어져 환측의 구순이 밑으로 쳐질 수 있으며 Millard법이나 Rose Thompson법과 같이 직선 또는 곡선으로 봉합선이 남는 술식을 이용한 경우 환측의 구순이 짧아 질 수 있다. 상구순부의 홍순부(vermillion)와 피부의 경계선인 cupid bow는 이차적으로 편평해지거나 모양이 뒤틀리고 절흔(notching) 등의 변형을 나타낼 수 있으며 홍순부의 조직이 부족하여 생기는 휘파람부는 모양의 변형(whistling deformity)도 대표적인 이차적변형 중의 하나이다. 이외에도 인중이 편평하거나 없는 경우, 상구순조직의 부족으로 상구순부가 지나치게 긴장되어 하구순보다 후방으로 함몰되어 있는 경우, 구륜근의 근육부족, 이상위치, 해부학적인 접합부족으로 안면표정이나 발음 시 입술의 모양이 비정상적으로 되는 경우 등이 생길 수 있다.

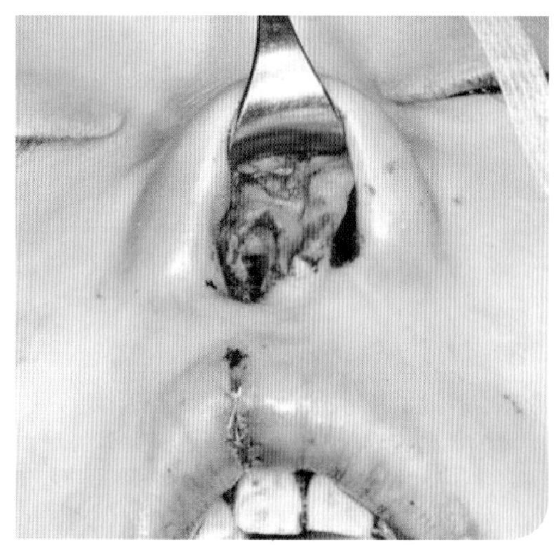

▷그림 2-10-9. **일측성 구순열의 이차적 변형.** 구순열인 우측 lower lateral cartilage와 좌측이 많은 차이가 난다.

구순열 환자들은 거의 대부분 비변형을 동반하게 되며 성장에 따른 이차적 변형도 다른 부위에 비하여 가장 심하게 된다. 일측성 구순열의 비변형이 발생하는 원인은 아직 논란의 여지는 있으나 태생기 중배엽이 구순열부위로 이동하지 못하여 비연골 형성능력이 감소되어 환측이 정상측에 비하여 성장능력 떨어짐으로 발생한다는 내적요인설과 환측의 근육이나 골격등의 외적요인으로 이하여 정상적인 성장에 장애를 일으킴으로 변형이 일어난다는 외적요인설이 있다.

일측성 구순열 비변형의 특징으로는 1) 환측 비익연골의 변형으로 내측각이 내하방으로 휘어져서 비축주가 짧아지며, 내측각과 외측각 사이가 둔화되고, 비익연골이 내측으로 비틀려지는 등의 변형으로 환측 비익부가 함몰되어 보이며 이에 따라 양측 비공이 비대칭적으로 보이며 2) 비중격과 전비극(anterior nasal spine)이 정상측으로 변위 또는 탈골되어 비축주가 정상측으로 삐뚤어지며 3) 이상구(piriform aperture)및 비익기저부 발육부전으로 비공저(nostril sil)의 함몰변형이 생기게 된다(그림 2-10-9).

7. 결론(Conclusion)

선천성 구순열은 임신 첫 3개월 안에 구순형성 과정에서 유전적 또는 환경적 요인으로 인해서 발생하는 기형이다. 비증후군성 형태의 병인은 다요인적이며 담배와 같은 기형유발 요인에 노출 되어 발생할 수 있다. 구순열은 입술과 코의 비정상적인 모습을 유발할 뿐만 아니라 발음상의 문제도 동반할 수 있다.

구순열수술의 주요 목적은 문제가 발생하기 전의 영아기에 정상적인 수유, 언어 발달 및 얼굴 외형을 회복하는 것이다. 구순열 환자에서의 입술 및 코 성형술에 대하여는 다양한 수술 기법이 정립되어 있으며 수술 시기는 대개 10에서 12주 사이에 실시한다.

양측 구순열은 입술조직의 부족함으로 인해서 정상적인 해부학적 외형을 복원하기가 일측성에 비해서 어려우며 일측성과는 다른 수술 방법을 요구한다. 이차성 코 성형술은 얼굴 골격이 성장한 후에 시행하는 것이 좋다. 치과장치는 수술 결과를 최적화하기 위해 수술 전에 적극적으로 사용하여야 한다. 구순열 환자의 장기 추적 관찰은 재건술의 결과 및 환자의 삶의 질 향상에 미치는 영향을 평가하는 데 필수적이다.

References

1. Mulliken JB. Repair of bilateral cleft lip and its variants. Indian J Plast Surg. 2009;42(suppl):S79–S90.
2. Landazuri H. History of plastic surgery in Peru. In: Hinderer U, ed. X Congress of the International Confederation for Plastic and Reconstructive Surgery. Madrid, Spain: Elsevier Science Publications;1992:35–36.
3. Khoo B-C. An ancient Chinese text on a cleft lip. Plast Reconstr Surg. 1966;38:89–91.
4. Rogers BO. History of cleft palate treatment. In: Grabb WC, Rosenstein SW, Bzoch KR, eds. Cleft Lip and Palate. Boston: Little Brown and Company; 1971:142–169.
5. Millard DR Jr. Cleft Craft I. Boston: Little Brown and Co.; 1976.
6. Raymond GV. Craniofacial genetics and dysmorphology. In:Achauer BM, Erikson E, Guyuron B, et al., eds. Plastic Surgery:Indications, Operations, and Outcomes. St. Louis: Mosby; 2000 2:613–618.
7. Eppley BL, van Aalst JA, Robey A, Havlik RJ, Sadove AM. The spectrum of orofacial clefting. Plast Reconstr Surg. 2005;115(7):101e–114e.
8. Grosen D, Chevrier C, Skytthe A, et al. A cohort study of recurrence patterns among more than 54 000 relatives of oral cleft cases in Denmark: support for the multifactorial threshold model of inheritance. J Med Genet. 2010;47(3):162–168.
9. Burget GC, Menick FJ. The subunit principle in nasal reconstruction. Plast Reconstr Surg. 1985;76:239.
10. Hamilton R, Graham WP 3rd, Randall P. The fole of the lip adhesion procedure in cleft lip repair. Cleft Palate J. 1971;Jan(8):1–9.
11. Koh KS, Hong JP.Unilateral complete cleft lip repair: orthotopic positioning of skin flaps. Br J Plast Surg. 2005 Mar;58(2):147-52.
12. Koh KS, Oh TS, Song JW.Upper triangular flap method for primary repairs of incomplete unilateral cleft lip patients: minor to two-thirds way defects. Ann Plast Surg. 2015 Mar;74(3):318-23.
13. Tennison CW. The repair of the unilateral cleft lip by the stencil method. Plast Reconstr Surg. 1952;9:115–120.
14. Randall P. A triangular flap operation for the primary repair of unilateral clefts of the lip. Plast Reconstr Surg. 1959;23:249–259.
15. Mohler LR. Unilateral cleft lip repair. Plast Reconstr Surg. 1987;80(4):511–517.
16. Fisher DM. Unilateral cleft lip repair: an anatomical subunit approximation technique. Plast Reconstr Surg. 2005;116(1):61–71.
17. Michelotti B, Long RE, Leber D, Samson T, Mackay D. Should surgeons use arm restraints after cleft surgery? Ann Plast Surg. 2012;69(4):387–388.
18. Alef M, Irwin C, Smith D, et al. Nasal tip complications of primary cleft lip nasoplasty. J Craniofac Surg. 2009;20(5):1327–1333.
19. Zhang Z, Fang S, Zhang Q, et al. Analysis of complications in primary cleft lips and palates surgery. J Craniofac Surg. 2014;25(3):968–971.

20. Schönmeyr B, Wendby L, Campbell A. Early Surgical Complications after Primary Cleft Lip Repair: A Report of 3108 Consecutive Cases. Cleft Palate Craniofac J. 2015;52(6):706–710.

11

구개열

Cleft Palate

김석화 서울의대

구개열은 입천장이 갈라져 수유의 장애를 유발하고 구개성형술을 하더라도 언어 장애를 남기거나 턱뼈 성장의 방해로 얼굴의 변형을 남기기도 한다. 구개열에 동반하는 중이염은 적절한 치료로 청력을 유지하도록 해야 한다.

1. 정상 구개와 구개열의 해부학

구개는 구개인두기능이나 삼킴 그리고 호흡하는 데 있어서 중요한 역할을 한다. 연구개와 경구개로 구성되어 있는데 구개열 수술에서 그 해부학을 이해하며 구개열 수술의 목표 또한 해부에 대한 이해를 바탕으로 해서 해부학적 구조물의 정상적인 회복 또는 약간의 변형된 회복을 통한 기능적인 최적화를 이루는 것이다.

1) 경구개

경구개는 입천장 앞부분의 골부를 형성한다. 중심선에서 만나는 두개의 편측 구개판으로 이루어져 있으며 이들은 상악전구골에 합쳐진다. 상악전구골의 뒤쪽 경계는 절치공으로 구분된다. 구개의 뒤쪽 가장자리는 후방 구개 신경과 혈관이 지나가는 구개돌기와 상악골 사이의 홈으로 파여 있다. 경구개의 구강점막은 세 부분으로 나뉜다. 가장 얇고, 가장 바깥쪽에 위치한 치은 지역, 가장 거친 중간 구개 지역, 가장 부드럽고 얇은 안쪽 지역이다. 후자의 두 지역은 구개열 수술에 중요하다. 비록 더 두꺼운 중간 지역이 혈류가 좋지만, 점막골막을 들어내는 것이 상악골의 성장에 해롭다고 여겨진다. 또 다른 측면으로는, 안쪽 지역이 더 얇고 치유가 더 천천히 이루어진다. 그 부위도 마찬가지로 혈류가 잘 되어 있지만, 이 지역의 수술적 박리 과정은 성장에 해롭다고 여겨지지 않는다.

2) 연구개

연구개는 움직일 수 있는 섬유근성 구조로 두 가지 부분으로 이루어진다. 앞쪽은 구개의 입천장 널힘줄로 구성되어 있는데, 이는 익상돌기에서 구강의 뒤쪽을 향해 뻗어서 늘어난다. 이 건막은 두개 기저부부터 구개범장근에 걸려 있다. 연구개의 뒤쪽 부분은 근육이고 네 쌍의 근육으로 구성되어 있다. 구개거근, 구개인두근, 구개설근, 구개수근이 그것이다. 연구개의 길이는 경구개의 뒤쪽 경계부터 목젖을 제외한 연구개의 유리 경계의 기저부까지를 재는데, 30 mm에서 50 mm까지 다양하고, 평균 40 mm이다. 연구개 근육의 삼차원적 구조는 중간선에서 만나는 세 개의 근육고리와 같다. 위쪽 고리는 구개거근으로 이루어져 있고 두개골 기저부에 걸려 있다. 두개의 아래쪽 고리는 혀와 인두의 기저부를 향해 아래로 열려 있는데 앞뒤 편도기둥을 형성한다. 이것들은 각각 구개설근, 구개인두근으로 이루어져 있다. 마지막 짝근육인 구개수근은 피막의 안쪽에 위치해 있다. 추가적으로 상부 괄약근은 구개 근육들과 맞춰서 작용하는데 구개인두 괄약근의 판막 운동에서 중요한 역할을 한다.

입천장 널힘줄은 구개근육이 직접적 혹은 간접적으로 삽입되어 있는 연구개의 섬유골격이다. 경구개의 45도 각도의 골 아치에 위치하며, 사각형의 구주로 세 측면에 고정되어 있다. 앞쪽으로는 경구개에, 옆쪽으로는 구개범장근에 이어져 있으며 힘줄은 이 구조에서 끝난다. 입천장 널힘줄은 구개근육의 앞쪽 1/4에서 1/3을 차지하며 후비극에서 목젖의 끝까지 길이로 측정된다. 건막의 뒤쪽 경계는 위아래 움직임의 정도를 나타낸다. 뒤쪽 1/3이 얇은 것에 비해 앞쪽 2/3의 건막은 두껍다. 중간선 부근에서, 그것은 구개수근에 에워싸이거나 합쳐지고, 구개거근, 구개인두근, 구개설근이 이것의 뒤쪽 경계에 붙어 있다. 기능적으로, 건막은 옆으로 구개범장근과 연결되어 충격 흡수기의 역할을 하며, 건막과 그것의 근육 섬유의 장력을 조절한다.

3) 구개의 신경 분포

연구개의 근육은 인두신경총과 소구개신경에 의해 신경 공급을 받는다. 구개 신경분포에 대한 지식은 근육 기능을 유지하는 데 중요하다. 왜냐하면 이 신경 분포는 구개성형술 중에 특히 근치적 근육 절제술을 시행할 때 위험에 처하기 때문이다. 9번, 10번 신경의 인두 가지와 안쪽, 바깥쪽 경동맥의 교통이 교감신경간을 가진 인두

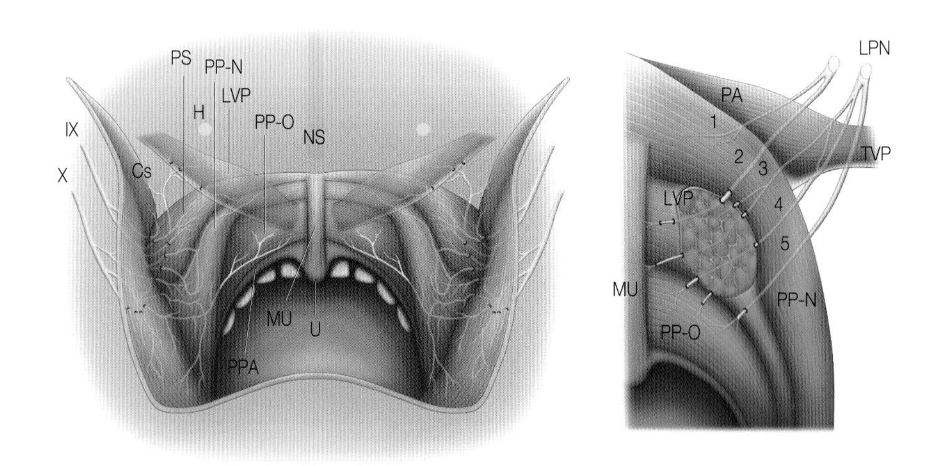

▷그림 2-11-1. **구개거근의 신경지배**. 연구개의 근육은 인두신경총과 소구개신경에 의해 신경 공급을 받는다. LVP levator veli palatini muscle, PP-N palatopharyngeus muscle nasal strand, PP-O palatopharyngeus muscle oral strand, PS palatopharyngeal sphincter, MU uvulae muscle, PPA palatopharyngeal arch, Cs constrictor superior muscle, H hamulus, NS nasal septum, U uvula, IX glossopharyngeal nerve, X vagus nerve, LPN lesser palatine nerve, LVP levator veli palatini muscle, PA palatine aponeurosis, TVP tensor veli palatini muscle. Logjes RJ, Bleys RL, Breugem CC. The innervation of the soft palate muscles involved in cleft palate: a review of the literature. Clin Oral Investig. 2016 Jun;20(5):895-901.

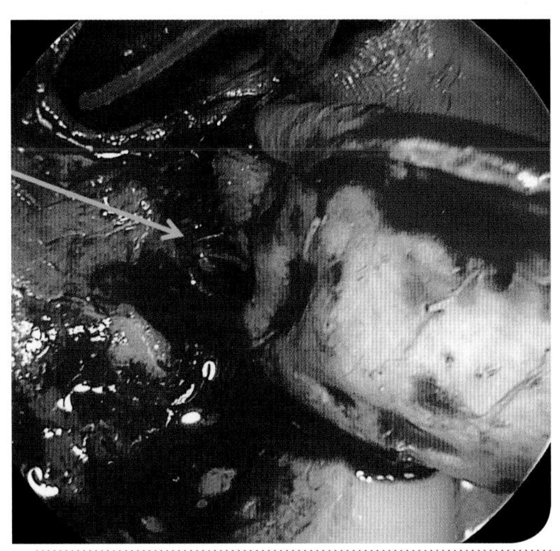

▷그림 2-11-2. **수술 중 노출된 소구개 신경.** 녹색화살표가 가리키는 것이 소구개 신경이다.

신경총을 형성한다. 이 신경총은 위쪽 수축근의 옆쪽면으로 주행한다. 이 신경총에서 유래한 가지들은 위쪽 수축근을 통해 연구개 근육 안쪽을 통과한다. 가장 앞쪽에는, 구개거근의 가지가 위쪽 수축근을 관통하고 거근의 뒤쪽 면에 붙어 근육의 위쪽 면에 분포한다. 이 뒤쪽에는, 인두신경총에서 유래한 가지들이 위쪽, 중간 수축근을 통과한다. 그들은 작은 가지로 연결되어 구개인두근의 가쪽 부분에 분포한다.

소구개신경은 소구개공에서 나타나 입천장널힘줄과 구개인두근의 아래를 지나 후내측으로 주행해 다섯 가지로 나누어진다. 이 가지들은 대부분 구개거근의 삽입부 부근을 지난다. 이들 가지중에 일부는 구개수근과 구개인두근의 내측을 지난다. 소구개신경의 가장 앞쪽 가지는 입천장 널힘줄의 아래를 지나며 구개선 조직과 구개점막에 신경 분포를 한다. 섬유점막은 앞쪽 중간 대구개신경의 공급을 받는다.

4) 구개의 혈액 공급

경구개와 연구개의 점막과 구개근육 사이에서, 선조직 면을 지나는 혈관은 점막과 골막 사이에 위치한다. 이 조직면들 안에서, 그들은 광범위한 문합계를 형성한다. 구강 쪽의 선조직은 코 쪽보다 높은 혈관 밀도를 가지고 있다.

(1) 상행구개동맥

상행구개동맥은 안면동맥 가지의 하악 각 부근에서 시작되어 입천장으로 들어간다. 이 영역부터, 혈관은 구개를 향해 올라가고 구상돌기 수준에서 피막을 통과하는데, 그 구조로부터 약 1~2 mm 정도 옆쪽에 붙어있다. 이 혈관은 구개거근, 구개인두근, 구개설근, 구개수근의 피막내 부분에 혈류를 공급한다.

(2) 상행인두동맥

상행인두동맥은 목젖정도 높이에 있는 인두외측벽의 바깥에 있는 유륜조직안의 외경동맥에서 유래한다. 이 혈관은 언스트 공간을 지나 두개기저부를 향해 수직으로 상행하고, 수많은 천공지들이 인두의 가측, 뒤쪽벽에 있는 상부수축근을 공급한다.

(3) 회귀인두동맥

회귀인두동맥은 외경동맥의 흉쇄유돌근의 상부 1/3지점 높이에서 유래한다. 이 혈관은 수직으로 두개 기저부를 향해 상승하였다가, 회귀하여 사선으로 내려와 구개거근의 피막외측 부분의 후외측을 지난다. 이 혈관은 여러 개의 천공지를 통해 근육에 혈류를 공급한다. 그것은 구개인두근, 상부 수축근 및 구개범장근에 부가적인 혈류를 제공한다.

(4) 상악동맥

상악동맥은 유돌 돌기의 바로 아래에 있는 외경동맥으로부터 떨어져 나와 상악을 향해 수평으로 그리고 앞쪽으로 흐른다. 이는 구개범장근 및 구개인두근뿐만 아니라, 그것의 가지인 대구개동맥과 소구개동맥을 통해 혈류를 제공한다. 대구개동맥은 경구개의 대구개공에서 나와 경구개의 옆쪽 경계에 평행하게 주행한다. 그것이 만나는 꽈리로부터 5 mm 이내에 있다. 그것은 소구개동맥의 가지와 문합을 이룬 내측 아치회랑을 통해 경구개에 혈류를 공급한다. 후자의 동맥은 경구개의 대구개공 바로 뒤에 있는 소구개공에서 나오고, 널힘줄에 혈류를 공급한다. 경구개 혈관의 일부 문합은 중간선을 넘어가기도 한다.

(5) 임상적 의미

구개설근, 구개거근, 구개범장근, 상부 수축근은 두개의 혈류에서 공급을 받고, 구개인두근은 여러 군데에서 혈류 공급을 받는다. 구개수근은 양쪽에서 상행구개동맥에 의해 혈류 공급을 받는다. 구개근육들이 여러 군데에서 혈류공급을 받기 때문에 그들이 이상하게 삽입되거나 횡단면 분리가 되어도 혈관의 관점에서는 일반적으로 안전하다.

연구개의 충분한 혈류공급은 구개성형술 및 Furlow 이중 대립 Z성형술(double opposing Z-plasty)을 시행할 동안 구개 근육에서 구강 및 코 점막 피판술을 안전하게 시행할 수 있다는 의미가 있다. 그럼에도, 갈고리 부위 옆을 지날 때는 언스트공간 부근에서 상행구개, 상행인두, 회귀인두혈관이 각각이 다치지 않도록 내측익돌판을 따라서 신중한 박리가 요구된다. 구개인두의 혈관 공급에 근거하여, 연구개인두폐쇄부전의 교정을 위한 두 번째 수술을 위한 임상적인 의미로는, 수직인두피판은 무작위적으로 짜여있으며 괄약근구개인두성형술의 뒤쪽 편도 기둥 피판이 자연스럽게 축을 이룬다. 이는 상행구개동맥의 구형 가지를 통해 공급받는다.

경구개에서, 대구개동맥은 점막골막 피판(mucoperiosteal flap)의 거상에 반드시 보존되어야 한다. 이 혈관은 이 피판의 주요 혈류공급을 이루기 때문이다.

5) 구개열의 병리적 해부학

(1) 경구개

완전 구개열은 구개판에서 절치공 사이의 틈을 포함한다. 구개판이 저형성되고 각이 날카롭다. 골구개열의 경계는 날카롭게 각져 있거나 둥근모양인데 이는 혀를 통과하는 각도에 따라 달라진다. 상악융기 사이의 거리도 증가되어 있다.

(2) 근육과 점막

입천장 널힘줄은 정중선에 없다. 대신 그것은 작은 섬유조직으로 측면에 존재한다. 구개근육은 구개열 부분의 가장자리를 따라 발견된다. 섬유의 틈 가장자리를 따라 뻗어있는 구개범장근 건막은 일반적인 경우보다 더 경사지게 삽입되어 있다. 구개거근과 구개인두근은 구개열의 경계에 평행하게 주행하고 중간선을 침범하지 않는다. 구개점막은 더 창백하고 코점막은 더 붉다. 분열선이 구개열 틈새에서 보인다. 구개열은 기능적으로 언어, 호흡, 청력 및 삼킴 기능에 장애를 유발한다. 구강 및 비강이 연결되어 있기 때문에 빠는 기능도 장애가 있다.

점막하 구개열(submucous cleft palate)은 입천장이 갈라져 보이지는 않으나 구개수열(cleft uvula)와 같이 목젖이 갈라졌고 구개 근육의 주

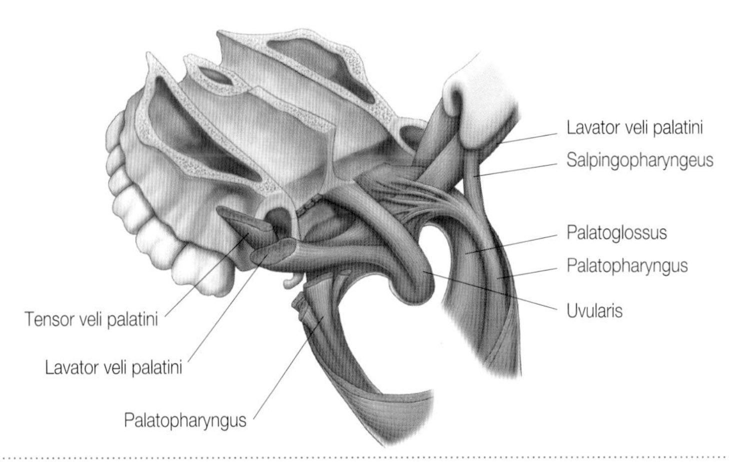

▷그림 2-11-3. **구개근육의 해부학**

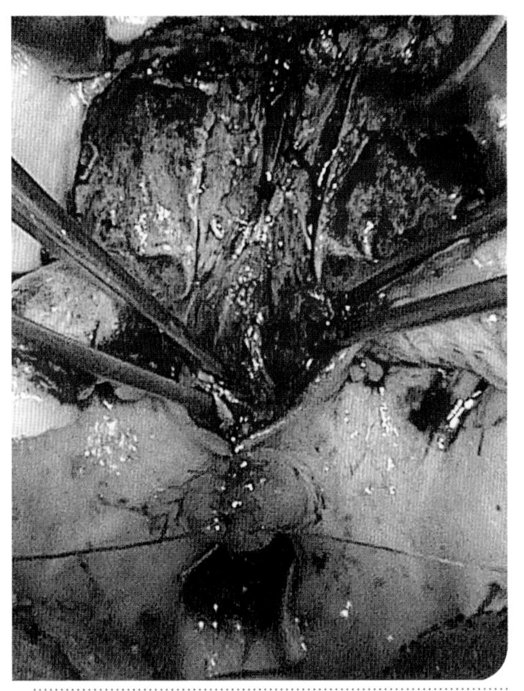

▷그림 2-11-4. **구개열 수술중 박리된 구개거근**

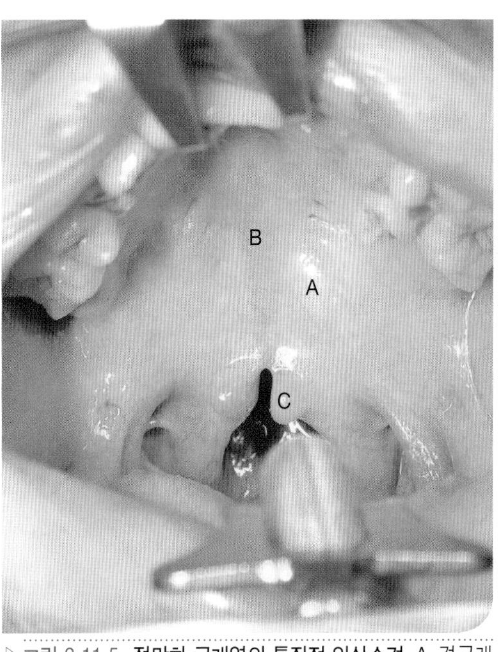

▷그림 2-11-5. **점막하 구개열의 특징적 임상소견.** A. 경구개 후면의 절흔(notching) B. 투명대(zona pellucida) C. 구개수열(bifid uvula)

행이 구개열처럼 잘못 부착되어 구개의 가운데에 빛이 비춰 보이는 얇은 점막의 투명대(zona pellucida)가 있다. 경구개 후연의 절흔(bony notch)가 만져진다.

2. 청각과 중이염

구개열 환자의 96~100%에서 유스타키오관(Eustachian tube) 기능의 이상으로 삼출장액성 중이염이 있다. 관의 능동적 개방의 장애가 있다. 구개범장근이 효과적으로 튜브를 개방시키지 못한다. 관의 구인두강쪽 구멍이 항상 분비물에 잠겨 있어 염증을 유발하고 배수를 방해하고 아데노이드가 개방을 물리적으로 방해하기도 한다. Pierre Robin 증후군에서 소이골의 변형으로 청력손실의 위험이 더욱 크다. 중이의 만성적 배수 장애와 유출은 청력손실을 유발하며 특히 언어 장애가 생길 수 있는 구개열에서는 더욱 심각하다. 구개성형술이 만성적 삼출장액성 중이염과 청력손실을 줄일 수 있지만 많은 구개열 환자에서 구개성형술 후에도 여러 해 동안 삼출장액성 중이염이 지속된다. 중이에 유출(effusion)이 없으면 필요하지 않지만 구개열 수술하면서 고막절개술을 하고 환기도관(ventilationg tube)을 삽입한다.

3. 수유

구개열은 정상적 구개인두 폐쇄를 하지 못하게 해서 빠는 힘(sucking power)이 떨어져 모유 수유와 젖병 수유가 힘들다. 구개열이 있더라도 삼키기(swallowing)이 대부분 힘들지 않게 가능하다. 모유 수유가 불가능한 경우에 젖병의 젖꼭지 구멍을 조금 더 크게 내거나 길고 부드러운 젖꼭지를 입천장 깊게 삽입하여 수유를 도울 수 있다. 특수 젖병(gravity flow bottle), 짤 수 있는 젖병을 사용할 수도 있다. 아기가 힘들게 빨지 않아도 입안으로 분유가 잘 흘러 들어가고 사레들지 않도록 한다. 수유 중에는 머리를 들어 올리고 수유 후에는 트림을 잘 시켜준다. 특별한 식이가 필요하지는 않다.

4. 언어

구개성형술의 제일 중요한 목표는 정상 언어능력(speech)이다. 구개열 수술을 받지 않더라도 수유의 장애가 있지만 잘 성장할 수 있으나 정상 언어능력을 갖출 수는 없다. 정상 언어능력은 매우 복잡한 요인이 관여한다. 구개가 구인두와 비인두를 나누고 구인두에 양압을 만들어야 소리를 낼 수 있으며 구개거근이 가장 중요한 역할을 한다. 언어 발달은 운동(motor)이나 신경학적 발달 지연, 청각, 환경 자극에 영향을 받는다. 말(speech production)하는 데 정상 해부학적 기능이 필요하며 언어 발달(speech development)도 중요하다.

구개 기능이 수정되지 않으면 구개인두 부전(velopharyngeal insufficiency)가 나타나서 과다비성(hypernasality)을 보인다. 소리를 내는 데 보상 기전이 생겨 알아듣기 힘들고 성문 폐쇄음(glottal stop)과 인두 마찰음(pharyngeal fricative)을 낸다. 보상 조음(compensatory articulation)은 언어치료로 고치기 힘들며 수술로 구개의 기능을 정상으로 만들어도 지속할 수 있다.

5. 교합과 교정치과 치료

상악의 정상 성장이 구개성형술의 두 번째로 중요한 목표다. 경구개에 점막으로 덮지 못한 부위를 크게 남기지 않고 흉터 조직을 최소화하면 상악의 성장이 좋지만 누공이 남아 재수술을 하면 흉터 조직이 커져 상악의 성장이 감소한다. 비증후군성(nonsyndromic) 구개열은 상악 전진술이 10~40%에서 필요하다. 구개열이 넓고 양측성이면 구개성형술을 하면서 조직을 더 박리해야 하므로 상악의 저형성이 심하다.

구개성형술을 하고 나면 상악의 폭이 좁아져 제1 대구치(영구치)가 나온 후 교정치과 치료로 넓혀야 한다. 상악의 폭이 좁아서 치아의 과밀(crowding), 측면 교차교합(lateral crossbite), 개방교합(open bite)을 보여 교정치과 치료가 필요하다.

6. 수술

정상 언어발달을 위해 구개성형술을 시행하는데 수술 시기와 수술 방법이 중요하게 작용한다. 정상 아이가 언어 습득을 시작하는 12개월 전에 수술하는 게 가장 좋다는 의견이 대부분이지만 꼭 12라는 숫자보다 음운 발달(phonological development)에 관련이 있다. 9~10개월보다 더 먼저 수술하길 권하기도 하지만 빨리 수술하는 게 언어발달에 좋은지는 아직 규명이 덜 되었다.

구개성형술의 방법으로 von Langenbeck 구

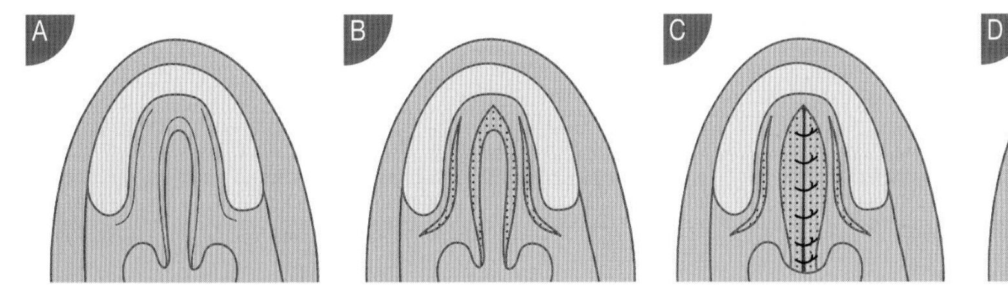

Von Langenbeck procedure
선을 따라 절개하여 경구개 점막을 구개골과 골막사이에서 박리하여 거상후(B) 비측 점막을 서로 봉합하고(C) 구개점막판으로 덮어준다(D).

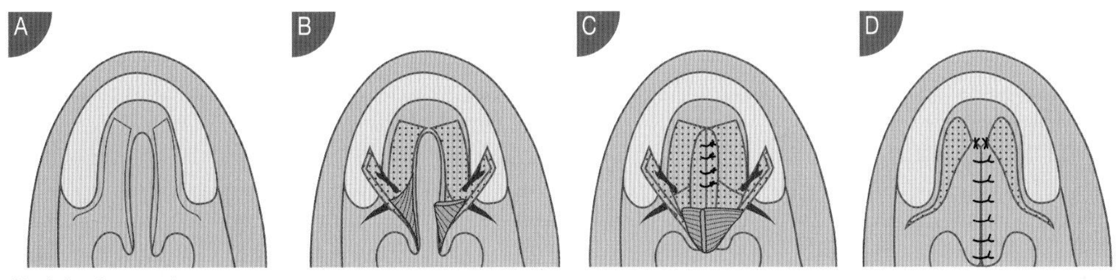

Push-back procedure
대구개 동맥을 혈관경으로 하는 피판을 거상후(B) 구개거근을 정상위치로 돌리고 비측 점막을 당겨준 후(C) V-Y 연장술법으로 구개 점막피판을 봉합한다(D).

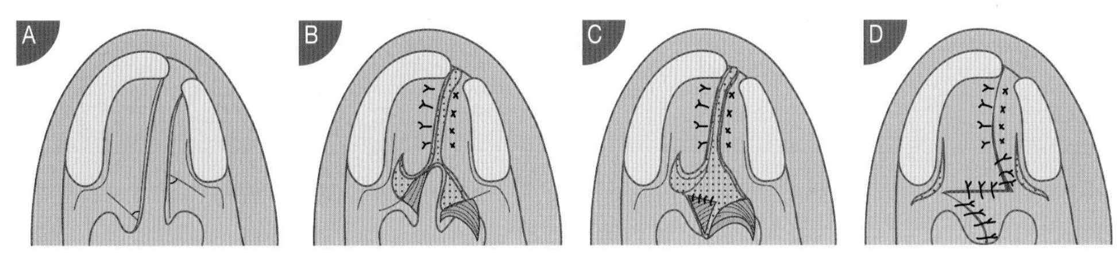

Furlow double opposing Z-plasties
구개거근을 구강내점막 Z-성형술의 후면부 피판에 포함시키고 반대쪽은 비측 점막피판의 후면부 피판에 포함시켜 이중으로 Z-성형술을 시행한다. 연구개의 길이가 연장될 뿐아니라 구개거근도 정상위치로 재배치된다.

▷그림 2-11-6. 여러 가지 구개열 수술방법

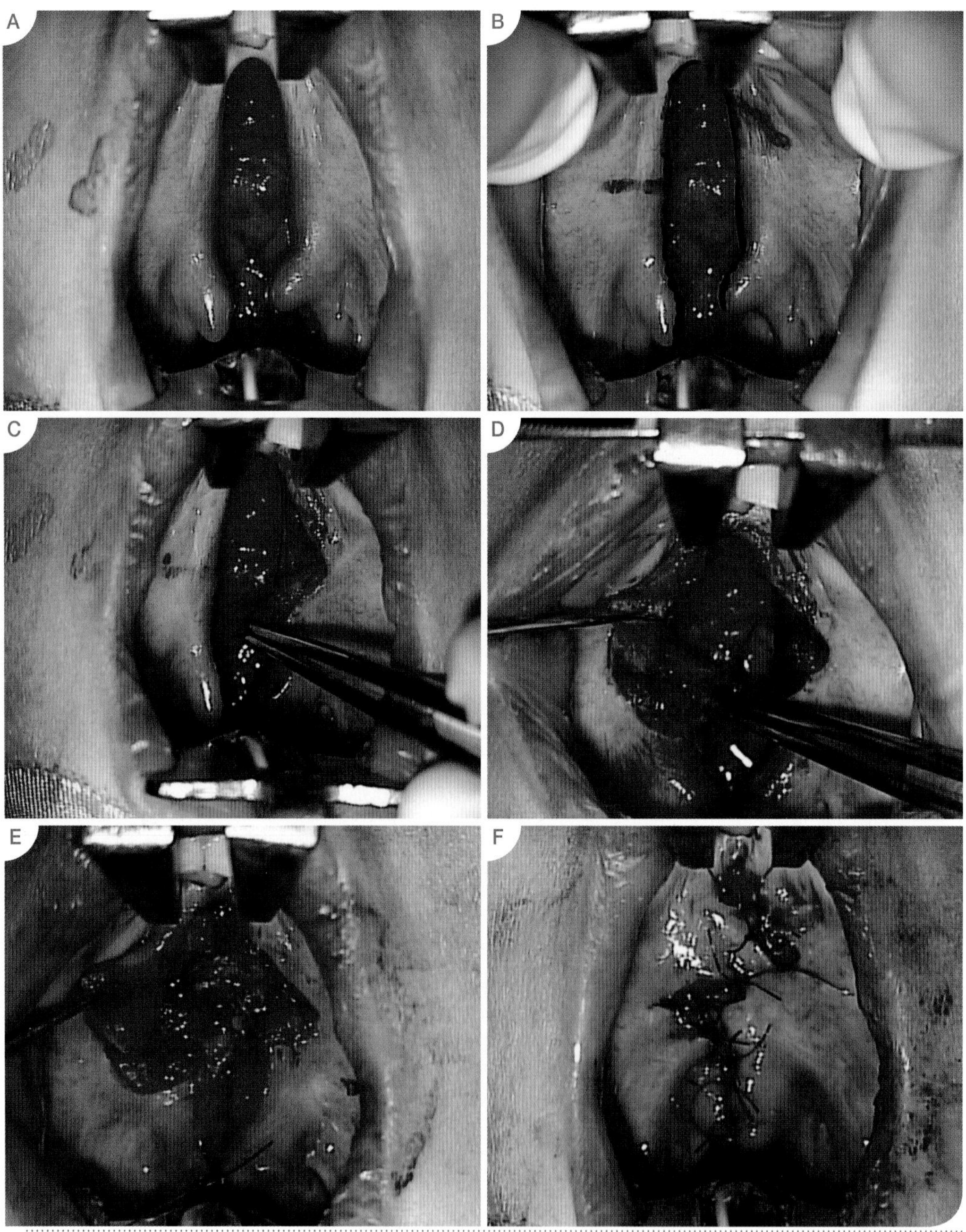

▷그림 2-11-7. Furlow **이중 대립 Z 성형술**(double opposing Z-plasty). A. 불완전 구개열 환자의 수술 전 입천장. B. 이중 대립 Z 성형술 디자인. 구개열 틈새 우측은 앞쪽에 기저를 두면서 80도 각도를 이루도록, 좌측은 뒷쪽에 기저를 두면서 60도 각도를 이루도록 디자인한다. C. 구강 쪽 Z 성형술을 위해 좌측에서는 구개거근을 포함한 구강점막 근육 피판을 거상한다. D. 비강 쪽 Z 성형술을 위해 우측에서는 비강점막 근육 피판을 거상한다. E. 좌측의 비강점막 피판과 우측의 비강점막 근육 피판을 이용해 비강 쪽 Z 성형 절개를 봉합한다. F. 이중 대립 Z 성형술 후 입천장

개성형술, pushback (Veau-Wardill-Kilner) 구개성형술, 이중 대립 Z 성형술(Furlow double opposing Z-plasty)를 흔히 사용한다. 경구개는 점막골막 피판(mucoperiosteal flap)으로 복원하고 연구개는 구개거근의 위치를 복원하는 데 중점을 둔다.

Von Langenbeck 구개성형술에서는 상악돌기(maxillary tuberosity) 뒤에서 시작하여 치조골(alveolus)을 따라 이완절개(relaxing incision)를 해 점막골막 피판으로 구개열을 닫아주며 구개거근을 박리해서 구개내근육성형술(intravelar veloplasty)로 정상 근육 슬링(sling)을 추가로 복원한다.

Pushback 구개성형술에서는 경구개의 점막골막 피판을 V 절개하고 Y 봉합하여(V-Y 연장술) 구개의 길이를 늘리고 구개거근을 정상 방향으로 복원한다. V-Y 연장술을 봉합하여 앞의 점막골막 피판을 거상한 부위의 경구개가 노출되어 상악의 앞쪽 폭이 좁아지는 경우에는 교정치과 치료가 어렵다.

이중 대립 Z 성형술은 Furlow가 고안한 방법으로 구강과 비강 쪽에 서로 방향이 다른 Z 성형술을 시행하고 구개거근은 뒤쪽에 기저를 둔 점막에 붙여 점막 근육 피판을 만든다. 구개수근(uvular muscle)은 전혀 고려하지 않고 양쪽의 구개거근을 겹쳐 봉합하여 근육 슬링을 복원하며 연구개 중앙에 직선 반흔이 생기지 않는 수술법으로 다른 수술법에 비해 언어능력이 떨어지지 않고 오히려 좋은 결과를 내기도 한다. 구개열의 폭이 넓으면 이완절개가 필요하며 Z 성형술의 길이를 짧게 해야 봉합이 쉬워진다. 비강쪽 점막 피판에 아주 얇은 근육 편을 남겨 거상하면 봉합으로 점막 피판이 찢어지는걸 막을 수도 있다. 폭이 넓은 구개열에서 이중대립 Z 성형술을 적용하는 데는 학습곡선(learning curve)이 필요하다.

수술 후에 기도나 전신 상태의 문제가 없으면 중환자실로 갈 필요는 없으며 한두 시간 정도 회복실에서 관찰하고 병실로 옮긴다. 수술 후 24~48시간에 과민하여 부모가 아기를 돌보도록 한다. 진정제를 투여하면 호흡 중추를 심하게 억제할 수 있어 사용을 조심해야한다. 수액을 정맥 주사로 충분히 공급하고 수술 당일 오후에는 완전 유동식(full liquid diet)를 시작할 수 있다. 젖꼭지를 물리면 구강 내 음압으로 봉합한 상처가 터질 수 있으므로 컵을 사용하거나 주사기(syringe)를 이용하게 한다. 팔에 부목(elbow splint)을 3주 착용한다. 수술하고 3일이 지나면 연질 식사(soft diet)를 숟가락, 주사기, 컵으로 하게 한다. 식사 후에는 물로 음식 찌꺼기가 남지 않게 한다. 수술하고 3주 지나면 정상식이(normal diet)를 시작하고 부목도 제거한다. 3개월이 지나면 호루라기를 불거나 빨대로 빨거나 불도록 하는 게임을 하여 구개인두를 닫도록 자극을 준다. 아기와 대화를 통해 소리를 내도록 유도한다. 성형외과, 언어병리과, 교정치과, 이비인후과, 소아과가 참여하는 협진을 통해 발달을 정기적으로 점검한다.

7. 합병증

구개열 수술의 중요한 합병증은 출혈(bleeding)이다. 에피네프린(epinephrine 1:200,000)과 리도카인(0.5% lidocaine) 혼합액을 주사하고 적어도 7분을 기다린 후 절개를 시작한다. 수술 중에 출혈이 있으면 수술 부위를 거즈로 누르고 3~4분 있으면 출혈을 멈출 수 있다. 출혈이 계속 되면 전기소작(electrocautery)이 필요하다. 수술이 끝날 때 있는 출혈이 반드시 멈추도록 한다. 마취에서 깨면서 에피네프린 효과가 없어지면서 출혈이 심해질 수 있다. 출혈 부위를 패킹(packing)으로 봉합하고 3~4 일 후에 제거할 수도 있다.

기도 확보(airway maintenance)를 위해 tongue stitch를 뺨에 고정하고 18번이나 20번 French의 비인두기도관(nasopharyngeal airway tube)을 12~48시간 비익기저부(alar base)에 테이프로 고정하기도 한다.

봉합이 터지거나(dehiscence) 풀리는 게 흔하지는 않다. 염증이나 감염으로 봉합이 풀리면 감염이 가라앉고 상처가 부드러워지길 기다리는 데 4~6개월이 걸린다. 간혹 목젖이 갈라지기는 하지만 전혀 문제를 일으키지 않는다.

구비강누공(oronasal fistula)이 크게 남으면 공기나 액체가 코로 흘러서 조음에 문제를 일으키고 음식물이 껴서 냄새가 나기도 한다. 작은 누공은 점차 크기가 줄어서 저절로 막히기도 한다. 연구개의 누공은 잘라내고 쉽게 봉합할 수 있으나 경구개는 조직이 탄력성이 없어 충분한 크기의 피판으로 메꿔야 한다. 치조의 누공은 자가골 이식을 동시에 시행하면 성공의 확률을 올릴 수 있다.

구개인두부전(velopharyngeal insufficiency)으로 구개성형술 후에 약 30%에서 이차 수술을 받기도 한다. 수술한 연구개가 너무 짧거나 흉터 조직으로 움직이는 데 제한이 있을 수 있으며 구개거근이 정상 위치로 재건되지 않아 생길 수도 있다. 점막하구개열, 연구개의 형성 장애, 깊은 인두, 불규칙한게 생긴 아데노이드, 아데노이드 비대, 아데노이드절제술, 편도선 비대, 편도선절제술과 상악전진술이 원인이다. 구개인두괄약근(velopharyngeal sphincter)은 연구개, 인두측벽, 인두후벽으로 구성되어 말을 할 때 구강과 비강을 나눈다. 구개인두부전으로 과다비성, 비강배기(nasal air emission)가 나타나며 구강압자음(oral pressure consonant)을 내는 데 구강내압이 내려가고 큰소리를 내지 못하고 콧구멍이나 얼굴을 찡그리며 발성기능의 항진성 변화(hyperfunctional phonatory change)를 보인다. 구개성형술 후에 말을 정상으로 하지 못하면(abnormal speech) 구개인두괄약 기능장애(velopharyngeal sphincter dysfunction)가 구조적 이상(structural anomaly)으로 수술 교정이 가능한지 아니면 행동적 언어치료(behavioral speech therapy)가 가능한지를 감별해야 한다.

구개인두괄약 기능장애의 진단은 언어평가(perceptual speech analysis), 비인두내시경(video nasopharyngeal endoscopy), multiview speech fluoroscopy, nasometry, MRI (magnetic resonance imaging)를 이용한다. 비수술적 치료로 장구(prosthesis)를 이용하여 연구개를 들어주거나(palatal lift) 닫개(obturator)로 구비강누공을 막아준다. 보상성 조음장애(compensatory misarticulation)은 언어치료가 도움이 된다. 수술적 교정으로 가장 흔하게 인두판 수술(pharyngeal flap), 괄약 인두성형술(sphincter pharyngoplasty), 구개재수술(palatal re-repair; Furlow 이중대립 Z 성형술)을 사용한다.

References

1. Logjes RJ, Bleys RL, Breugem CC. The innervation of the soft palate muscles involved in cleft palate: a review of the literature. Clin Oral Investig. 2016 Jun;20(5):895-901.
2. Boorman JG, Sommerlad BC. Musculus uvulae and levator palati: their anatomical and functional relationship in velopharyngeal closure. Br J Plast Surg. 1985 Jul;38(3):333-8.
3. Kishimoto H, Matsuura Y, Kawai K, Yamada S, Suzuki S. The lesser palatine nerve innervates the levator veli palatini muscle. Plast Reconstr Surg Glob Open. 2016 Sep 29;4(9):e1044. eCollection 2016 Sep.
4. Shimokawa T1, Yi S, Tanaka S. Nerve supply to the soft palate muscles with special reference to the distribution of the lesser palatine nerve. Cleft Palate Craniofac J. 2005 Sep;42(5):495-500.
5. Huang MH, Lee ST, Rajendran K. Anatomic basis of cleft palate and velopharyngeal surgery: implications from a fresh cadaveric study. Plast Reconstr Surg. 1998 Mar;101(3):613-27
6. Randall P, LaRossa D. Cleft palate. In: McCarthy JG. Plastic Surgery. Philadelphia: WB Saunders; 1990. Vol. 4: p2723–2752.
7. Hoffman WY, Mount D. Cleft palate repair. In: Mathes SJ editors. Plastic surgery. 2nd ed. Philadelphia: Sanders Elsevier; 2006. Vol. 4: p.249–269.
8. Pomerantz JH, Hoffman WY. Cleft palate. In: Neligan PC editors. Plastic surgery. 4th ed. Philadelphia: Elsevier; 2018. Vol. 3: p.565-580.
9. 구순열 및 구개열. 표준성형외과학. 2판. 군자출판사; 2009. P219-240.
10. Naran S, Ford M, Losee JE. What's new in cleft palate and velopharyngeal dysfunction management. Plast Reconstr Surg. 2017 June:139:1343e-1355e

집필에 도움을 주신 분 오태석 서울아산병원 부교수

12 두개안면부 선천성 기형

Craniofacial Congenital Anomaly

백롱민 서울의대

두개안면부 선천성 기형 질환에는 머리뼈봉합조기유합증(craniosynostosis), 양안과다격리증 (orbital hypertelorism), 두개안면열(craniofacial cleft), 두개안면왜소증(craniofacial microsomia), 반안면 위축(hemifacial atrophy) 뿐 만 아니라, 복잡한 증후군(Pierre Robin sequence, Treacher Collins syndrome 등)이 있다. 이러한 다양한 기형들은 머리·얼굴 발달과정에서의 이상으로 생기며 얼굴 모양의 미세한 기형부터 얼굴전체와 머리뼈를 포함하는 중한 기형까지 다양하게 나타날 수 있다. 분자생물학이 발달하면서, 두개안면부 기형이 생기는 분자생물학적 원인들이 많이 밝혀지고 있다.

1. 두개안면의 성장 (Craniofacial development)

1) 뇌머리뼈(Neurocranium) 성장

막뇌머리뼈 형성에는 많은 유전자가 관여하는데, 그 중 중요한 역할을 하는 것이 전사인자(transcription factor)인 Runx2/Cbfa1이다(Ducy, 2000). Runx2는 골모세포(osteoblast)의 "master switch"로서 골모세포의 세포외 기질인 제 I형 콜라겐, osteopontin 그리고 osteocalcin의 침착(deposition)과 무기질화(mineralization)에 필요한 많은 유전자들을 활성화시킨다. Wnt1 유전자가 신경능선세포(neural crest cell)에서 발현된다는 사실을 이용하여 쥐실험을 통해 이마뼈(frontal bone)와 측두골의 인골(squamosal bone)이 신경능선세포 기원이고 두정골(parietal bone)는 축옆 중배엽(paraxial mesoderm) 기원이며 뒤통수뼈(occipital bone)는 양쪽 모두에서 기원한다는 것을 밝혔다(Jiang 등, 2002). 또한 이 신경능선세포가 머리,얼굴의 다른 조직들과 치아의 형성에도 관여한다는 사실을 알 수 있었다. 이러한 머리뼈 봉합은 출산 시 머리뼈의 압박을 방지해주고, 빠르게 확장되는 뇌머리뼈(neurocranium)의 성장 중심점(growth center)으로 작용한다.

이마봉합(metopic suture)은 2~3세 때 뼈유합이 이루어지며, 다른 머리뼈봉합은 보통 30~40대까지 유합되지 않고 남아 있다(Cohen, 1997). Virchow는 처음으로 머리뼈봉합의 조기유합과 관련된 머리뼈의 비정상적인 발달과정을 설명하였지만 이를 통해 머리뼈바닥과 안와, 머리뼈의 다른 영역들에 대한 복합적인 발달이상에 대해서는 충분히 설명하지 못하였다. Delashaw

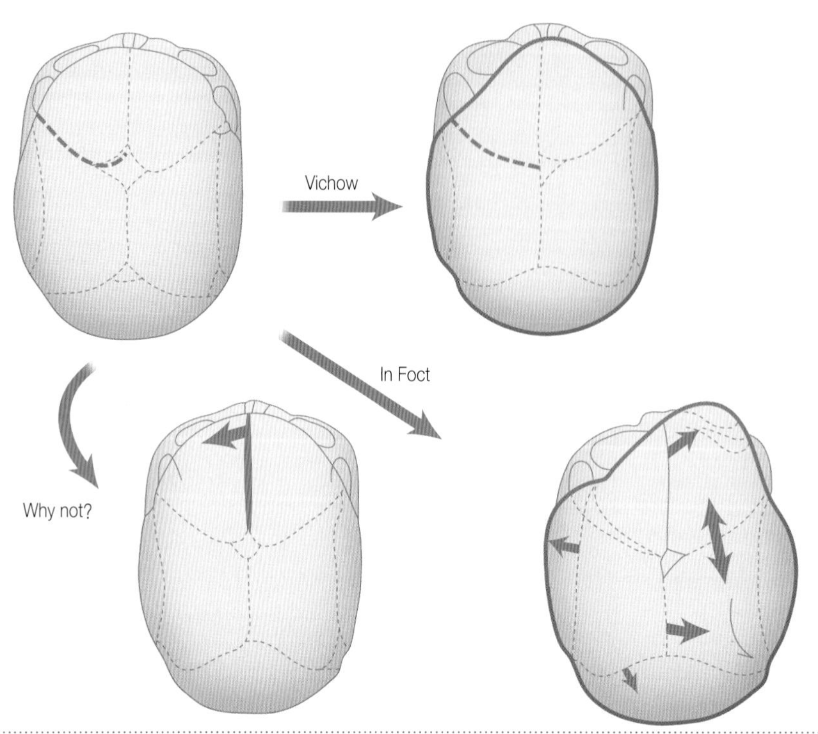

▷그림 2-12-1. Virchow는 융합된 머리뼈봉합에 대해 수직으로 성장이 제한된다고 하였다. 그러나 이마봉합(metopic suture)에서는 보상이 일어나지 않는다. 머리뼈는 융합된 봉합을 따라 하나의 뼈분절로 작용하며 전체 뼈분절에서 성장의 제한을 받는다. 융합된 머리뼈 봉합과 연결된 봉합선의 양쪽 가장자리를 따라 대칭적인 뼈의 성장이 나타난다. 한쪽 관상봉합조기유합증(unicoronal synostosis)에서 반대쪽 이마뼈의 돌출(frontal bossing)이 나타난다. (Delashaw JB, Persing JA, Jane JA: Cranial deformation in craniosynostosis. A new explanation. Neurosurg Clin North Am 1991;2:611-620)

(1991)는 이에 대해 4 가지 규칙을 주장하였다(그림 2-12-1).

가. 머리뼈는 유합된 머리뼈봉합을 통해서 한 개의 뼈 분절로 작용하여 전체적인 뼈분절이 성장하는데 제한이 생긴다.

나. 주변에 있는 머리뼈봉합에서 비정상적이고 비대칭적인 성장이 일어나는데, 융합된 뼈분절에 대해 바깥방향으로 뼈의 성장이 증가한다. 이는 한쪽 관상봉합조기유합증(unicoronal synostosis)에서 반대쪽 이마뼈(frontal bone)와 두정골(parietal bone), 그리고 같은 쪽의 비늘봉합부위(squamosal region)가 확장되는 것으로 알 수 있다.

다. 융합된 머리뼈봉합과 연결된 봉합선의 양쪽 가장자리를 따라 대칭적인 뼈의 성장이 증가하는데 이는 한쪽 관상봉합조기유합증(unicoronal synostosis)에서 반대편의 정상적인 관상봉합에서 이마뼈의 돌출(frontal bossing)이 나타나는 것으로 알 수 있다.

라. 주변 구조물들의 보상적인 성장이 주변 머리뼈 봉합에서의 보상적인 성장보다 더 많이 나타난다.

2) 얼굴머리뼈(Viscerocranium) 성장

제1 및 제2 인두굽이(first and second branchial arches)의 비정상적인 발달과 형성의 장애

로 여러 가지 이상이 생긴다(Posnick, 2000). 두개안면왜소증(Craniofacial microsomia)은 제1 및 제2 인두굽이에서 유래하는 머리, 얼굴 구조물들의 선천적 형성저하이며, 인두굽이가 형성되는 재태 30~45일 사이에 자궁 내에서의 외상에 의해 발생한다고 알려져 있다. 다른 원인으로는 인두굽이로 이동하는 신경능선세포의 손상과 염색체 탈선(chromosmal aberration)으로 알려져 있다.

2. 두개안면 수술의 기본원칙 (Principle of craniofacial surgery)

소아마취와 중환자실 관리가 발달되면서 광범위한 두개안면 수술을 조기에 시행할 수 있게 되었다. 증후군 환자는 수술여부와 상관없이 얼굴의 성장저하가 나타난다는 것이 알려지면서, 조기 수술이 뼈의 성장에 미치는 영향에 대한 우려는 감소하게 되었다(Coccaro 등, 1980; Kreiborg와 Aduss, 1986). McCarthy와 Cutting (1990)은 이마·안와 전진뼈자름술(fronto-orbital advancement osteotomy)과 머리덮개 개조술(cranial vault remodelling)을 생후 6~9개월 사이에 시행할 것을 제안하였다. 이 나이때에는 뼈가 좀더 부드럽다. 조기에 수술하는 것이 중요한 이유는 생후 1년간 뇌의 부피의 2배 커질 만큼 뇌의 성장이 빠르기 때문이다(DiRocco와 Velardi, 1984). 3~4세에 가운데 얼굴 형성저하가 두드러지게 나타나게 되는데 이 시기에 르포트 III 전진뼈자름술(Le Fort III advancement)이나 가운데 얼굴의 단일블록전진술(monobloc advancement)을 시행하게 된다. 이 시기에는 부정교합(malocclusion)는 중요한 문제가 아니다. 왜냐하면 지속적인 가운데 얼굴의 성장저하가 3급 맞물림 장애를 일으키게 되고 뼈의 성장이 끝난 후에 추가적인 턱교정 수술(orthognathic surgery)이 필요하기 때문이다. Crouzon병이나 Apert 증후군에서 나타나는 눈구석사이 거리(intercanthal distance)의 증가와 짧고 넓은 코에 대한 수술시기는 수술자에 따라 다르지만 보통 2세 이전에는 시행하지 않는다(Salyer와 Hubli, 2000). 그리고 얼굴과 치아의 성장이 끝난 후에 르포르 I 전진뼈자름술(Le Fort I advancement)이나 코성형술(rhinoplasty), 턱성형술(genioplasty)을 시행할 수 있다.

수술이 정신 사회적인 적응에 도움을 주는 면을 고려할 때에도 조기에 수술을 시행하는 것이 좋다. Pertschuk (1987)의 보고에 의하면 머리, 얼굴뼈기형 환자에서 4세 이후에 수술을 받은 경우 정상적인 아동에 비해 더 내향적인 성격을 가지게 되고 나쁜 자아상을 가지게 된다고 한다. 미용적인 문제뿐만이 아니라 수술을 통한 기능적 부분의 향상도 매우 중요하다. 안구돌출(exorbitism)이 그 중 하나인데, 안구뼈의 저형성과 후퇴된 가운데 얼굴로 인해 안구가 돌출되어 노출됨으로써 각막손상과 노출 각막염(exposure keratitis)이 발생하게 된다. 이러한 안구의 문제는 대부분 안구가 성장하는 시기인 5세 이전에 나타난다(Vander Kolk 등, 2000). 이 외에, 두개내압의 증가가 문제가 되는데, 수술 전 한 개의 머리뼈봉합이 조기융합된 경우에는 8.9%, 여러 개의 머리뼈봉합이 조기융합된 경우 45%, Crouzon병에서는 66%, Apert 증후군에서는 44%에서 두개내압의 증가가 나타난다(Renier, 1989). 대개 증후군이 아닌 단순한 머리뼈봉합 조기유합증(craniosynostosis)에서는 90%이상에서 거의 정상의 지능을 보이나 여러 개의 머리뼈 봉합을 침범한 환자에서는 78%에서만 정상적인 지능을 보인다(Renier, 1993). 하지만, 증후군 중에서도 Crouzon병에서는 지능이 정상이나 Apert 증후군에서는 평균지능지수가 74로 나타났다(Lefebvre 등, 1986). 이렇듯 두개내압 증가와 지능과의 관계에 대해서 정확하게 밝혀지지는 않았지만, 수술을 통한 두개내압의 감압이 지능의 저하를 막을 수 있다고 받아들여지고 있다.

3. 머리뼈봉합조기유합증 (Craniosynostosis)

머리뼈봉합조기유합증은 봉합선이 병태적으로 붙어서, 머리 모양이 비정상으로 생기는 질환

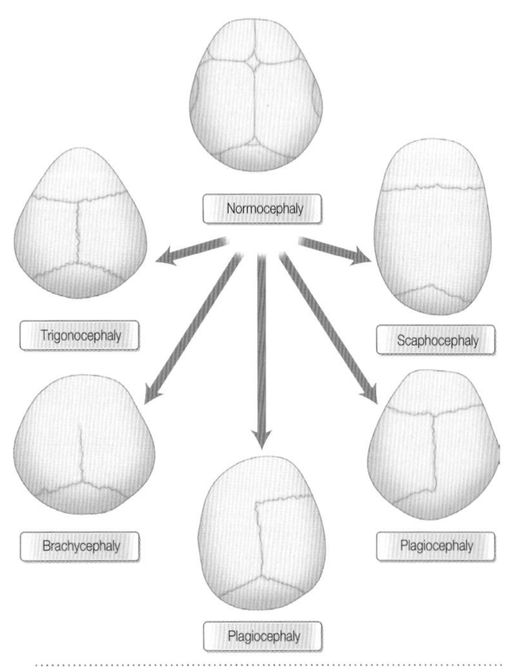

▷그림 2-12-2. **머리뼈봉합조기유합증의 분류**(Neligan, Plastic Surgery, Volume 3, Chapter 34 Nonsyndromic craniosynostosis, p728)

이다(그림 2-12-2). 비증후군성 머리뼈봉합조기유합증은 산발적으로 가족력, 유전증후군과 관련없이 생긴다. 붙어버린 봉합선에 따라 얼굴 변형 증상이 나타나게 되는데, 문제있는 부분에서 성장이 제한되고, 이를 보상하기 위해 다른부분이 튀어나오게 된다. 이 결과 기능적인 문제와 뇌손상을 야기할 수 있는데, 두개내압 상승이 가장 대표적인 문제이다.

임상 관찰과 컴퓨터 단층촬영(CT)을 통해 진단할 수 있으며, 치료의 가장 적절한 시기는 6~9개월 경이다. 수술 방법은 유합된 봉합선과, 변형의 정도에 따라 결정한다. 수술의 일반적인 목표는 유합된 봉합선을 풀고, 이차적으로 생긴 변형을 없애고, 뼈절골술을 시행했던 부위를 채우고, 연부조직을 당겨짐없이 봉합하는데 있다. 기능적으로는 상승된 두개내압을 낮추고, 발달지연, 시신경유두 위축(optic disc atrophy), 사시(strabismus) 등 을 예방하는 것이다. 수술 후 다양한 초기, 후기 합병증이 생길 수 있으며, 추후 연부조직, 뼈에 문제가 있을 경우 추가 수술을 시행해야 한다. 드물게 아주 적극적인 수술이 필요할 수 있지만, 이럴 경우 합병증이 발생할 확률 또한 높아질 수 있다.

대표적인 수술방법으로는 띠머리뼈절제술(strip craniectomy), 이마안와전진뼈자름술(fronto-orbital advancement osteotomy), 머리덮개 개조술(cranial vault remodeling) 이 있다(그림 2-12-3). 일반적인 원칙은 비침습적인 수술방법을 우선으로 고려한다. 띠머리뼈절제술은 유합된 봉합선을 띠모양으로 잘라내는 수술방법이다. 봉합선을 열어줘서 뇌 성장에 의해 저절로 기능과 모양의 개선을 기대하는 방법이다. 이 수술 방법으로 충분히 교정되지 않으면 이마안와전진뼈자름술을 시행할 수 있다. 이는 안와위뼈

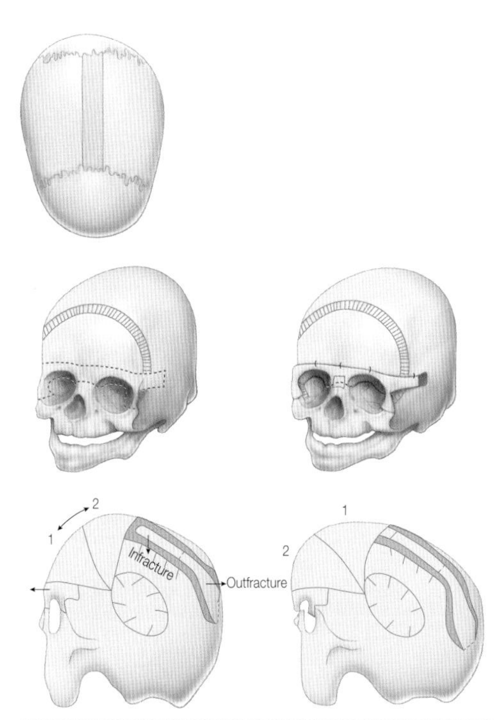

▷그림 2-12-3. 대표적인 머리뼈봉합조기유합증 수술방법. A. 띠머리뼈절제술(strip craniectomy) B. 이마안와전진뼈자름술(fronto-orbital advancement osteotomy) C. 머리덮개 개조술(cranial vault remodeling)

막대(supraorgital bar)와 이마부위를 절제하여, 앞으로 이동시키는 수술 방법이다. 머리덮개 개조술은 앞의 두 수술과 달리 머리 일부가 아닌, 전체 머리뼈의 모양을 바꿔주는 수술방법이다. 성장장애가 있는 부위뿐 아니라 보상으로 생긴 변형까지 같이 교정을 해 줄 수 있다.

이 외 헬멧(helmet) 치료가 있는데, 외부에서 모양을 잡아줘서 원하는 형태로 두개골이 성장하도록 유도하는 방법이다. 미세한 머리뼈봉합조기유합증에 적용할 수 있고, 수술 후 관리로도 사용할 수 있다. 현재 머리뼈나 가운데 얼굴뼈대의 신연골형성술(distraction osteogenesis)이 시도되고 있다. 전통적인 수술방법에서 한번에 많은 양의 뼈이동을 시킨 뒤 고정하는 방법을 하루에 조금씩 뼈 간격을 늘여서 원하는 이동을 시키는 방법이다. 수술방법이 덜 침습적이고, 뼈의 성장에 미치는 영향이 적다는 장점이 있다.

1) 병태

머리뼈봉합조기유합증에 대한 서술은 Hippocrates에 의해 처음으로 기록되었다(Hippocrates, 1938). 그 후, Sommering와 Virchow는 봉합선 유합과 관련된 두개골 모양의 병리학 변화를 더 기술하였다(Sommering, 1839; Virchow, 1851). 정상적인 두개골 발달은 재태 23~26일부터 시작된다. 그 후 1주일이 지나서는 뇌경막(dura)이 형성된다. 두개골 둥근 천장(cranial vault)에서 막내 골화(intramembranous ossification)가 되고, 두개골 기저부는 내연골 골화(enchondral ossification)가 진행되여, 사골(ethmoid bone), 안와골 후부(posterior orbit), 이부(otic) 및 후두골 기저부(occiput base)에 이른다. 두개골 봉합선는 뼈 형성이 활발하게 진행되어 뼈가 침착되며, 두개골이 성장한다. 두개골 성장의 1차적인 힘은 두뇌와 CSF 부분의 확장과 관련되는데, 특히 생후 30개월 경까지 두뇌 용적의 80~85%가 만들어진다. 점점 나이가 들면서 두개골 봉합선은 뒷쪽에서 앞쪽으로, 외측에서 내측으로 유합되어 간다. 이마봉합선(metopic suture)이 9개월경 가장 먼저 닫히고, 시상 봉합선이 남자는 약 16~18세, 여자는 14~16세에 가장 늦게 유합된다.

봉합선의 조기유합의 원인은 완벽히 밝혀지지는 않았지만, 봉합선의 유합과 관련된 분자생물적 해석이 더해지고 있다. 유합된 봉합선을 절제한 경우, 다시 유합이 일어나는 것을 보아, 뇌경막이 두개골의 성장 조절에 관여할 것으로 생각된다(Drake 등, 1993). 동물 실험에서도 재현할 수 있어, 두개골의 성장 유도에 뇌경막의 조절이 중요한 역할을 한다고 확인되었다(Opperman 등, 1992; Greenwald 등, 2000). 두개골 병인에 대한 연구를 통해 두개골 둥천장, 두개골 기저부 및 안면골이 서로 영향을 주면서 성장하는 것으로 밝혀지고 있다. 어느 한 부분에 이상이 생기면, 다른 부분에도 영향을 주게 된다(Balber와 Persing, 1982; Moss와 Salentijin, 1969; Delashaw 등, 1989).

머리뼈봉합조기유합증(craniosynostosis)의 뼈 발달에 연관된 세포의 이상에 대한 많은 보고가 있다. 섬유모세포 성장 인자(FGF), TGF beta (TGF-b), 전사 인자(transcription factor), TWIST 및 Msx2가 골침착에 중요한 역할을 하고, 성장하는 두개골에서 봉합선 유지에 관여한다(Opperman 등, 1999; Nacamuli 등, 2005). Msx2의 과발현은 조기유합증을 유발하고, 21번 염색체의 TWIST 유전자 변이는 Saethre-Chotezen 증후군과 관련되어 나타난다(Gripp 등, 1998). FGF변이, 특히 FGF3 Pro 250 Arg는, 수술 후에도 잘 재발하는 편측 관상봉합 조기유합증과 관련이 있다. FGF2 수용체 이상은 Apert 증후군, Crouzon 증후군 등 여러 두개안면기형에서 볼 수 있고, 동일한 유전 이상임에도 임상 양상은 다양하다(Thomas 등, 2005; Renier 등 2000).

2) 임상 양상과 외과적 치료.

가. 삼각머리증(Trigonocephaly)

이마봉합(metopic suture)이 조기에 유합되어 양쪽 이마가 발육하지 못해 이마가 좁고 이마 정중선이 뱃머리처럼 돌출해 있어서 머리덮개뼈(calvarium)가 쐐기 모양이다. 이마뼈의 골화중심(ossification center)이 정상보다 더 전, 내방에 위치해 있다. 안와가 안쪽으로 변위되어 있어서 양쪽눈확가까움증(hypotelorism)이 있으나 시야 장애는 동반하지 않으며, 특징적으로 눈구석주름

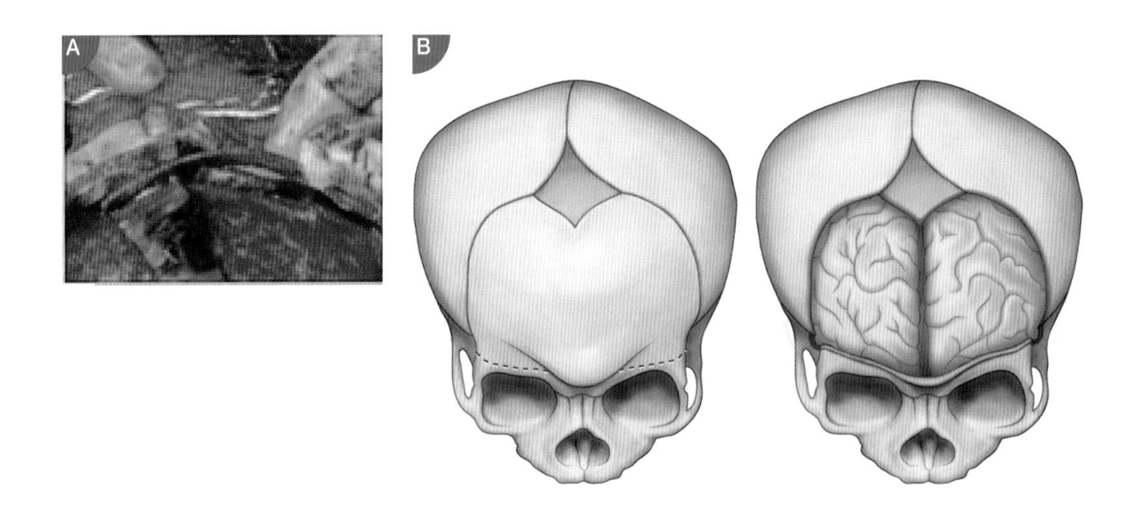

▷그림 2-12-4. 삼각두 환자의 수술전 사진. A. 양측 temporal bone squama와 안와 측연 전진된 사이에 parietak bow sring graft를 interpositon하여 bow string advancement osteotomy를 시행한 사진. B. 삼각두; 양측 전두-두정골 절골술과 두정골에 후측으로 barrel stave절골을 한 사진

(epicanthus)이 있을 수 있는데, 이는 오히려 양쪽 안와를 멀게 보이는 효과가 있어, 대부분의 환자에서 양쪽눈확가까움증에 대한 증상을 호소하지 않는다. 대개 6세경 코가 성장함에 따라서 저절로 호전되므로, 수술적 교정은 필요치 않다. 이러한 환자에는 앞뇌(forebrain)가 제대로 발달하지 못한 탓으로 인지 장애 또는 행동 장애가 동반된 경우가 많다. 따라서 신경학적 평가가 반드시 필요하다. 수술적 교정은 전두부와 안와부가 잘 접근될 수 있도록 앙와위(supine position) 체위에서 하는 것이 좋다. 우선 전두골을 절골해서 나눠야 하고, 양측을 교정한다(그림 2-12-4). 양측 관상절개를 통해서 두개골을 노출시키면, 유합된 이마봉합과 앞쪽으로 능선이 형성된 전두골을 볼 수 있다. 앞숫구멍(anterior fontanel)은 작거나 없을 수 있는데, 1세 이하의 경우 연한 섬유조직이 남아있는 경우가 많다. 이경우 숫구멍과 전두골의 경계부위에서 골막을 열고, 경막위를 박리하여 전두골 피판을 분리하고, 두개골 절골을 시행한다. 두개골 절골은 골막이 붙어있는 상태에서 시행하는 것이 출혈을 줄이고, 재형성되는 동안 골격의 안정성을 줄 수 있다. 절골선은 양측 관상봉합을 따라 디자인한다. 1세 이하의 환아에서는 절골된 전두골 피판을 가위를 이용하여, 방사형 절골을 할 수 있다. 하지만, 나이가 든 환아에서는 뼈가 더 단단하여 전두골 내측에 톱질을 부분적으로 하여 모양을 잡을 수 있다. 이 때 뼈 외측에 붙어있는 골막이 지지해주는 역할을 한다. 전두골 변형의 모양을 잡아 주는 다른 방법으로는 두정골(parietal bone)의 전방부나 측방부로부터 골피판을 얻어 전두골을 대체하여 이마모양을 개선하여 주고, 삼각형 모양으로 절골된 전두골을 결손된 측두골부위에 대체하여 줄 수 있는데, 이는 1세 이상의 환아에서 주로 사용하는 방법이다. 내시경을 이용하여 교정하는 방법도 있다. 이는 전두부 후방을 조금 절개하고 내시경을 이용하여 변형된 전두골 부위를 노출한 뒤 가위등을 이용하여 절골하거나, 변형된 뼈를 제거한다. 술기가 비교적 간단하다는 장점이 있지만, 전두골 변형이 완전히 교정되지 않고, 장기간 두개골 모양을 잡아주는 보정 투구를 시용해야 한다. 따라서 3개월 미만에서 아주 경미한 변형이 있을 때 이 방법이 시도되고 있다.

나. 쏠린머리증(Plagiocephaly)

비증후군성 머리뼈봉합조기유합증 중 두 번째로 많은 형태이다. 한쪽 관상봉합(coronal suture)이 조기에 유합되어 병변부위 이마가 자라지 못해 그쪽 이마는 평평하고 반대쪽 이마에는 보상성 돌출(compensatory bossing)이 있어서 이마가 한쪽으로 기울어져 있는 것이다(anterior plagiocephaly). 관상봉합이 있어야 할 자리에 뼈로 된 능선(bony ridge)이 있다. 한쪽 관상봉합이 조기에 유합된 경우에는 접형골전두골 봉합(sphenofrontal suture)도 침범된다(Kreiborg와 Bjork, 1981; Seeger, 1971). 머리뼈바닥의 연골결합이나, 안와나 위턱뼈봉합은 조기에 유합되지 않는다(Tulasne와 Tessier, 1981; Kreiborg와 Pruzansky, 1981).

비정상인 쪽은 이마가 평평하고, 눈썹이 상·후방으로 올라가 있다. 안와의 상·외측 부위가 함몰되어 있으며, 위쪽 안와벽(superior orbital wall)은 짧고 가쪽 안와벽(lateral orbital wall)은 외방으로 빗나가 있으며, 양안과다격리증(orbital hypertelorism)이 있다. 정상 쪽의 머리덮개뼈(calvarium)는 지속적으로 성장하였기 때문에 이마가 돌출해 있고, 위쪽 안와뼈(superior orbital rim)가 전·하방으로 치우쳐 있어서 수직안와이소증(vertical orbital dystopia)이 있다. 비정상쪽 뒤통수가 정상쪽 뒤통수보다 더 튀어나와 있다. 코끝이 대개 비정상쪽으로 삐뚤어져 있고, 비정상쪽 귓바퀴가 정상쪽 귓바퀴보다 상, 전방에 위치해 있다. 비정상 쪽 접형골 작은날개(sphenoid lesser wing)가 정상보다 더 올라가 있고 접형골 큰날개(sphenoid greater wing)가 내방으로 오므라져 있어서 가쪽 안와벽(lateral orbital wall)의 각도에 변화가 있다. 시상봉합(sagittal suture)의 길이는 짧고 머리지수(cranial index)는 증가하며, 머리둘레는 정상치의 최저치이다(Bertelsen, 1958). 비정상 쪽 앞머리우묵(anterior cranial fossa)과 중간머리우묵(middle cranial fossa)은 평평하지만 정상쪽은 확장되어 있다.

위턱뼈 크기가 대체로 정상이나, 비정상쪽이 짧아 비대칭이 존재하는 것이 대부분이다. 따라서 비정상 쪽 광대뼈부위는 평평하고, 얼굴 수직 길이는 짧고, 치아맞물림평면(occlusal plane)은 기울어져 있고, 양쪽 편 입술 구각(oral commissure)가 비대칭이고, 이주(tragus)와 입술구석간 거리가 짧다. 아래턱뼈에는 이로 인한 2차적인 비대칭이 있지만 이틀부위의 보상적 과도성장과 비정상 쪽 아래턱오목(glenoid fossa)이 좀 더 전,하방에 있기 때문에 기능적으로는 대칭이다(Kreiborg, 1981; Kreiborg와 Bjork, 1981; Fitz, 1981). 하지만 치료받지 못한 경우나 잘 못 교정된 경우, 아래턱뼈의 이상이 심하게 남을 수 있다.

쏠린머리증은 관상봉합이 조기에 유합하지 않은 경우에도, 예를 들면 두개안면왜소증(craniofacial microsomia), 근육에 의한 기운목(muscular torticollis), 재태시 태위 혹은 출생후 눕는 자세에 따른 가변성 쏠림머리증(deformational plagiocephaly), 있을 수 있어 감별이 필요하다.

수술방법은 이마봉합조기유합증 환자의 술기와 비슷하나, 편측에만 변형이 있다는 것을 고려하여야 한다. 환자의 체위는 대부분 앙와위(supine position)에서 시행되어, 안와주변, 전두골, 측두부의 변형을 교정할 수 있다. 하지만, 보상적으로 반대편 후두부의 돌출이 심하거나, 동측 후두부가 편평한 후두부의 심한 변형이 동반되었을 때는, 앞쪽과 뒤쪽이 모두 접근 하도록 변형된 복와위(prone position)를 취하기도 한다(Park 등, 1985). 두개골의 변형정도가 심한 경우에 따라서 수술 후 보정 헬멧을 일시적으로 착용할 수 있다(Persing 등, 1986).

양측 관상 절개를 통하여, 변형된 두개골을 노출시키고, 전두-두정골 절골술을 조기유합된 봉합선쪽에서 시작하는데, 반대측 정상측 봉합선 보다 약 1~2 cm뒤에서 시작한다. 이는 편평한 전두골을 볼록한 형태로 바꾸면서 길이가 짧아지기 때문이다. 골이식편은 반대측 두정골이 보상적으로 커진 부분에서 약 1~1.5 cm폭으로 채취하여, 병변측 전두부가 전진할 때 발생하는 골결손부위에 골이식을 시행한다. 1세이하의 환아에서 전두골편을 방사형으로 절골함으로서 골격의 형태를 조절할 수 있다. 이때 골막은 유지되어야 골격 치유와 골편의 유지에 도움이 된다.

안와연의 변형은 양측으로 저명하게 나타난다. 조기유합된 봉합선측의 상안와연은 후방으로 많이 후퇴되어 있다. 내측과 외측 안와연 사이 폭도 정상측에 비해서 약 2~4 mm정도 감소해 있는 것이 일반적이다. 안와의 상하연사이폭은 정상측에 비해 증가되어 있다. 안와부 골격을 다시 만들어 주기위해서 병변측 뿐만 아니라 양측 안와에 대한 접근이 필요하다. 병변측 안와연 골편을 필요한 만큼 더 전진하여 주는데, 약간 과교정을 해야 추후 보상적 성장에 유리하다. 양측 안와연을 모두 절골하여 움직여 주는 것이 병변측, 단측만 절골하여 전진하는 것 보다 추후 전두동과 안와연 성장하는 것을 고려할 때 더 대칭적일 수 있다(Whitaker와 Barlett, 1987).

전두부 재건시 변형이 있는 전두골편 대신에 모양이 더 양호한 두정골편을 이용하여 대치하여 재건해주고, 전두골편은 두정골 골결손부에 다시 채우는 방법이 좋다(Marchac과 Renier, 1982).

생후 3~6개월경의 조기 교정은 두개내 기저부(endocranial base)를 정상화시킬 수 있어 성장에 따른 중안면부 및 하안면부 이상증이 상당 부분 호전된다. 하지만 이마·안와 전진뼈자름술(fronto-orbital advancement osteotomy)만으로는 머리·얼굴뼈대의 기형을 완전히 교정할 수 없다. 추가로 위턱뼈·아래턱뼈 뼈자름술(osteotomy)과 코성형수술(rhinoplasty)이 필요할 수 있다.

다. 납작머리증(Brachycephaly)

머리덮개뼈(calvarium)의 폭은 넓고 전후 길이는 짧다. 머리뼈봉합조기유합증후군(syndromic craniosynostosis)에서 보다 많은 편이고, 여자에서 많다. 양쪽 관상봉합(coronal suture)이 조기에 유합되어 앞머리뼈우묵(anterior cranial fossa)이 전방으로 성장하지 못해 그 보상으로 중간머리뼈우묵(middle cranial fossa)이 확대되어 있다. 머리둘레는 작고, 머리지수(cephalic index)는 감소되어 있다. 시상봉합(sagittal suture)이나 시옷봉합(lambdoid suture)을 같이 침범할 수도 있다. 관상봉합의 조기 유합이 있는 경우 머리뼈바닥에 있는 접형골전두골 봉합(sphenofrontal suture)까지 유합될 수 있다(Seeger와 Gabrielsen, 1971).

이마가 좌우로 길며 급경사를 이루며 코이마각(nasofrontal angle)이 거의 180°에 가깝다. 양쪽 위쪽 안와연(superior orbital rim)의 상·외측부위가 상·후방에 있다. 위쪽 안와연이 후퇴해 있으면 경한 안구돌출(exophthalmos)이 있다. 납작머리증인 경우에는 머리·얼굴뼈기형이 대칭인 것이 보통이다. 그러나 양쪽 관상봉합이 유합된 시기가 다르면 비대칭일 수 있다.

납작머리증을 교정하지 않으면 뾰쪽머리증(acrocephaly)이 초래될 가능성이 있다. 그러므로 납작머리를 교정하기 위하여 양

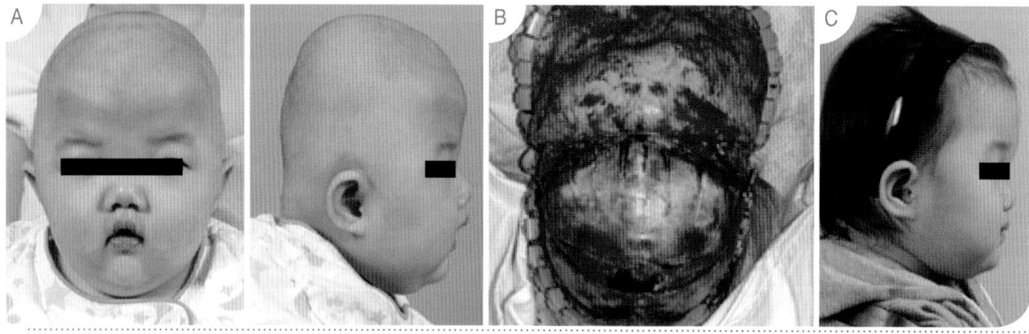

▷그림 2-12-5. A. 수술 전 정면 및 측면 사진. B. 수술 중 fronto orbital cranioplasty, 전두골편을 Barrel stave osteotomy로 recontouring을 시행한 사진. C. 수술 후 측면 사진

쪽 이마·안와 전진뼈자름술(fronto-orbital advancement osteotomy)을 시행한다. 다른 조기 유합증처럼 약 3~6개월 때 조기 교정을 통해 두개기저부 정상화가 유도되면, 가운데 얼굴의 이상 형성이 완화되어 이를 교정하기 위한 후속 가운데얼굴 전진뼈자름술(midface advancement osteotomy)이 필요하지 않게 되지만, 머리뼈봉합조기유합증후군(syndromic craniosynostosis)과 관련된 경우는 약 69%에서 후속 교정이 필요하다.

환자의 변형정도에 따라서 체위를 정할 수 있다. 후두부의 평편함이 심해서 같이 교정이 필요하다면, 변형된 복와위를 이용할 수 있다. 관상 절개를 통해서 골막을 붙인 채 양측 전두골 절골술(bifrontal osteotomy)을 시행한다. 두정골은 시상정맥굴(sagittal sinus)가 지나는 부위를 보존하며, 두정골 절개술(parietal bone osteotomy)을 시행한다(Knoll 등, 2005).

전두골과 후두부 절편은 방사형 절골(radial osteotomy)을 시행하여 전체적으로 모양을 다시 잡아준 뒤 전진된 양에 맞추어 고정한다(그림 2-12-5). 후두부 변형이 심하지 않은 경우에는 안와부를 전진하고, 전두부만을 교정하는 것으로 충분하다. 전두부 돌출이 심한 경우에는 두정골 절편와 바꾸어 고정해서 모양을 개선해 줄 수 있다(Persing와 Luce, 1990). 아주 경미하고, 3개월 이전의 환자에서는 삼각두처럼 내시경을 이용하여 제한된 절개만으로 교정할 수 있다. 이마안와전진을 통해서 측면에서 적절한 눈썹의 위치를 얻는 것이 중요하다. 수술 전 계획시 종축 방향의 컴퓨터 단층촬영(CT scan)을 통해서 안구의 각막면과 같은 면상에 눈썹이 위치하도록 하여 수술 중 전진량을 계산할 수 있다(Lo 등, 1996).

라. 배머리증(Scaphocephaly)

비증후군성 머리뼈봉합조기유합증 중 가장 흔한 형태로, 시상봉합(sagittal suture)이 조기에 유합되어 머리덮개뼈의 폭은 좁고, 그 보상으로 전후 길이는 길다. 시상봉합만 조기에 유합되고 머리뼈바닥의 봉합들이나 머리뼈바닥의 연골결합(synchondrosis)들은 정상이다. 머리지수(cranial index)는 정상보다 매우 감소되어 있고 머리

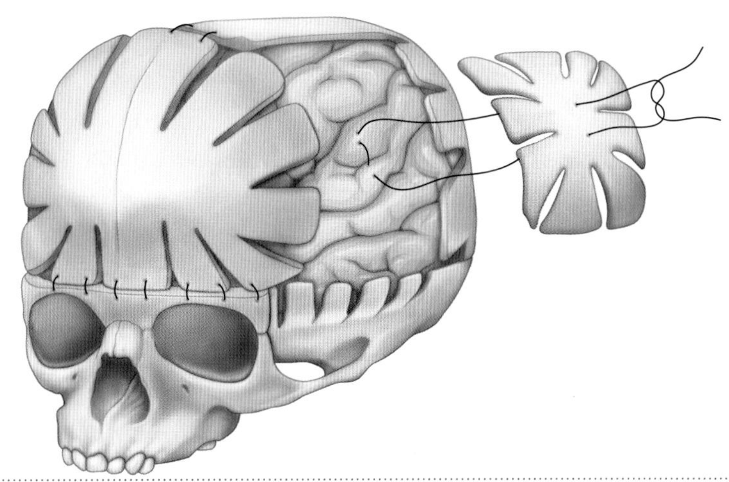

▷그림 2-12-6. **배머리증 환자의 수술중 사진.** 양측 전두골 절골 과 두정골 절골을 따로 시행한 사진. 정중부 두정골을 온전하게 유지하여 후두골에 붙여 유지한다. 후두골은 그 자리에서 따로 모양을 잡아준다.

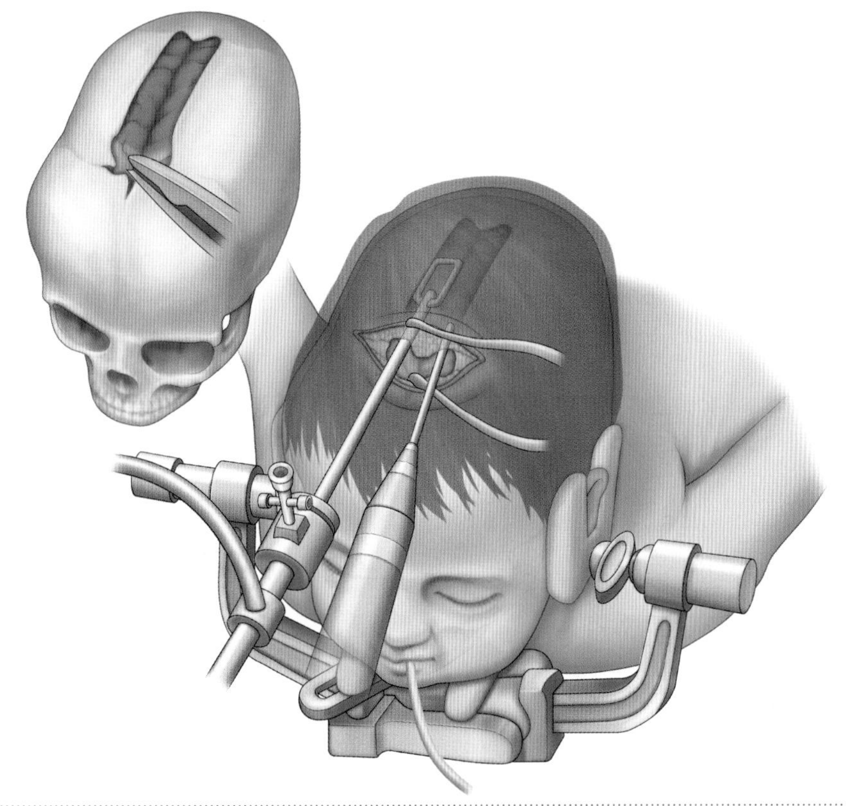

▷그림 2-12-7. 배머리증(Scaphocephaly) 최신 수술. 작은 절개창을 통해 내시경을 이용한 수술을 시행하고 있다. (Iyer RR Single incision endoscope-assisted surgery for sagittal craniosynostosis. Childs Nerv Syst 2017;33(1):1-5)

둘레는 증가되어 있다. N-S-Ba각 (nasion-sella-basion angle)은 정상 범위의 상한치이다. 위턱과 아래턱은 정상적으로 성장하지만 위턱은 넓어진 앞머리뼈우묵(anterior cranial fossa)에 비해 조금 후퇴해 있을 수 있다. 치아맞물림은 정상이다. 남자에 많이 발생하여, 약 73% 정도를 차지 한다.

수술은 관상절개를 하여, 두개골 기형을 충분히 노출한다. 두정골 절골술(parietal bone osteotomy)을 양측으로 시행한다. 이때 중앙부는 남겨 두고 대개 관상봉합선을 따라 절골을 한다. 이후 양측 전두골 절골술(bifrontal osteotomy)를 상안와연의 약 1.5 cm 부위에서 시행한다(그림 2-12-6). 후두부 변형이 심한경우는 두정골 절골을 시옷자 봉합선까지 연장하여 절골을 하거나, 방사형 절골을 하여 모양을 교정해 줄 수 있다. 이때 후두골의 중앙부는 보존해야 한다.

측두골 편측(temporal squama)은 전형적으로 내측으로 변형되어 있으므로, 외측으로 골절 시켜주어야 한다. 두정골편의 뇌경막에 다시 붙여 주는데, 이는 느슨하게 움직여야 뇌가 성장하면서 적절하게 절골편들이 모양을 잡아 간다. 다른 교정법으로는 내시경을 사용하여 절골술을 시행할 수 있다(그림 2-12-7). 이 때 절골되어 제거되는 양은 5 cm정도로 제거한다. 이정도의 골 결손은 나이가 든 큰 소아에서는 허용되지 않으므로, 이방법을 적용하기 어렵다. 내시경으로 교정후에는 보정투구를 이용하여야 머리덮개뼈(carvaria)의 모양이 더욱 개선된다.

마. 후방쏠린머리증(Lambdoid synostosis, posterior plagiocephaly)

가장 드물게 일어나는 형태로, 시옷봉합(lambdoid suture)의 어느 한쪽이 조기에 유합하여 그 부위 뒤통수가 자라지 못해 생긴다. 대개 한쪽만 침범하는 경우가 흔하고, 남자에서 월등히 많다. 병변측 반대편 이마가 평평하거나 다소 튀어 나와 있는데, 전방쏠린머리증에 비해서 심하지 않으며, 동반한 얼굴변형이 적다. 쏠린머리증은 머리봉합조기유합증 외에도 근육에 의한 기운목(muscular torticollis), 재태시 태위 혹은 출생후 눕는 자세에 따른 가변형 쏠림머리증(deformational plagiocephaly) 등과 감별이 필요하다(Huang 등, 1996). 자세에 따른 가변형 쏠린머리증도 대개 후방에 잘 생기며, 병변 측 귀가 전방으로 쏠리고 반대측 귀는 후방에 위치해 있다. 후방쏠린머리증(posterior plagiocephaly)은 병변측 유양돌기부가 아래방향으로 돌출해 있고, 반대측은 작은 것이 특징이다. 근육에 의한 기운목에서는 흉쇄유돌근(sternocleidomastoid muscle)의 단축 혹은 반흔 구축에 의해서 머리의 위치가 한쪽으로 틀어져 있어 이차적으로 쏠림머리증이 유발될 수 있다. 이러한 이차성 변형 혹은 가변성 쏠림머리증은 수술의 대상이 되지 않는다.

바. 탑머리증(Acrocephaly)

양쪽 관상봉합을 비롯하여 여러 뼈봉합이 조기에 유합되어 머리덮개뼈가 상방으로 과도하게 성장하여 머리가 탑 모양으로 생기게 된 것이다(그림 2-12-8).

사. 뾰족머리증(Oxycephaly)

양쪽 관상봉합을 비롯하여 여러 개의 머리뼈봉합이 조기에 유합된 것이다. 대개는 시상봉합과 관상봉합이 유합되어 생긴다. 머리덮개뼈(calvarium)가 좌우방향과 전후방향으로는 짧고 상방으로는 과도하게 성장

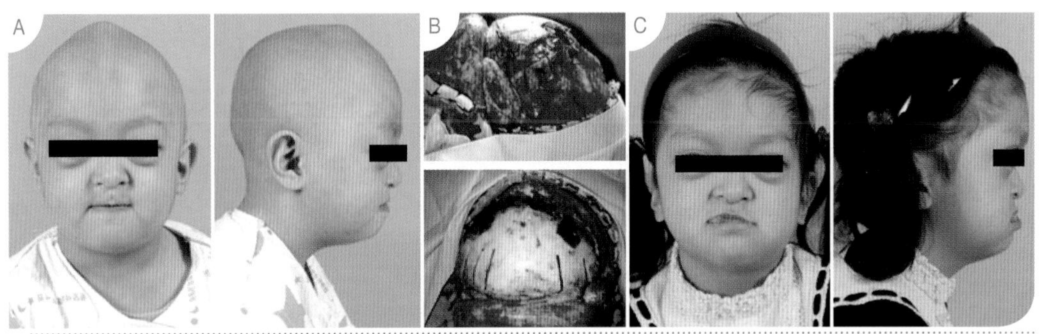

▷그림 2-12-8. 탑머리증. A. 수술 전 정면 및 측면 사진. B. 수술 중 절골술을 시행한 사진. C. 수술 후 정면 및 측면 사진.

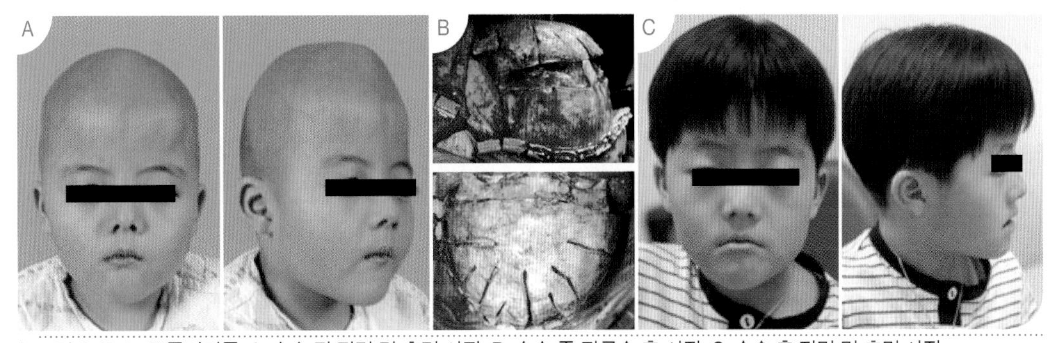

▷그림 2-12-9. 뾰족머리증. A. 수술 전 정면 및 측면 사진. B. 수술 중 절골술 후 사진. C. 수술 후 정면 및 측면 사진

한다. 대개 이마의 수평 길이가 짧고, 코·이마각(nasofrontal angle)이 매우 넓거나 평평하고, 머리덮개뼈는 앞숫구멍(anterior fontanel) 부위가 높아 머리덮개뼈가 앞쪽에서 뒤쪽으로 가면서 경사져 있고, 뾰족하다(그림 2-12-9).

(2) 머리뼈 봉합조기유합 증후군 (Syndromic craniosynostosis)

머리뼈 봉합조기유합 증후군은 봉합유합 이외의 다른 기형이 동반되어 있다. 환자의 유전자형(genotype)에 따른 치료가 아니라, 환자의 표현형(phenotypy)에 따라 치료 계획을 세우는 것이 적절하다. 신경인지 발달의 지연을 막기 위해서는 특히 수면무호흡증과 만성 뇌압상승을 예방하는데 중점을 두어야 한다. 즉 다양한 진료과 팀에 의하여 다방면적인 관리가 필요한 질환이다. 대표적인 증후군으로 Crouzon 질환과 Apert 증후군이 있다.

가. Crouzon 질환

머리뼈 봉합조기유합증, 안구돌출증(exorbitism), 가운데 얼굴 함몰 등 세 가지 특징적인 소견을 가지고 있다(그림 2-12-9). 머리뼈 봉합조기 유합증은 배너리증, 삼각머리증, 뾰족머리증, 납작머리증 등 다양한 형태로 나타날 수 있다. 위턱뼈 성장에 관여하는 얼굴뼈의 봉합도 조기 유합되어 가운데 얼굴 함몰이 일어나고 3급 맞물림 장애가 생긴다. 코인두(nasopharynx)의 크기가 커지지 못하고 입천정이 높아서 폐쇄성 수면무호흡증과 발음에 장애가 있을 수 있다.

나. Apert 증후군

Crouzon 질환과 비슷한 기형을 가지고 있고, 이에 더불어 양측 손과 발의 대칭성 합지증을 특징적으로 가지고 있다. 제 2, 3, 4 수지에 골성 합지증이 있어서 손이 벙어리 장갑모양을 한다.

4. 양안과다격리증 (Orbital hypertelorism)

양안과다격리증은 그 자체로 질병이 아니라, 다양한 상황에서 나타나는 증상이다. 주로 안면열(facial clefts)과 동반된 경우가 많지만, 두개골 유합증과도 동반될 수 있다. 두개골 유합증과 동반될 때에는 두개골 유합증을 1세 이전에 따로 치료해주는 경우가 많다.

수술적 치료는 일반적으로 4세 이후에 하고, 뇌성장이 끝나고, 전두동(frontal sinus)이 성정하기 전인 8세를 넘기지 않는 것이 좋다. 수술적 기법은 눈사이 거리의 정도에 따라 시행한다. 눈사이 거리의 정도에 따라 2개의 안와벽을 움직여야할 수 있고, 3개 혹은 4개 모두 움직여야 할 수 있다. 이때 머리뼈밑 접근(subcranial approach) 또는 머리뼈를 통한 접근(transcranial approach)를 선택할 수 있다. 만약 치아교합이 정상이면 상자모양의 뼈절골술(box osteotomy)을 시행하고, 치아교합이 비정상이면, 얼굴을 반쪽씩 나누는 절골술(facial bipartition osteotomy)을 시행하고 양쪽 얼굴뼈를 가운데로 모아주는 방법을 시행한다(그림 2-12-10). 코성형수술(rhinoplasty)은 성장을 마친 뒤에 시행해주는 것이 좋은데, 코성형수술은 양안과다격리증 역할을 한다. 그 외에 눈 내안각성형술(epicanthus correction), 안쪽, 바깥쪽 눈매성형(medial, lateral canthopexy), 관자부위 지방이식술(fat graft) 등 다양한 성형수술을 추가하면, 더 좋은 수술 후 결과를 기대할 수 있다. 특히, 안면열이 같이 있는 환자에서도 최종적인 지능정도는 거의 정상이다.

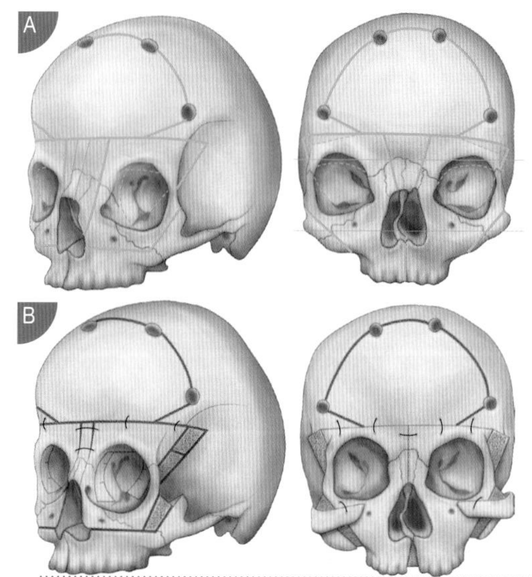

▷그림 2-12-10. 양안과다격리증 수술방법. A, B, 상자모양의 뼈절골술(box osteotomy). c,d,얼굴을 반 쪽씩 나누는 절골술 (facial bipartition osteotomy)을 시행하고 양쪽 얼굴뼈를 가운데로 모아주는 방법을 시행한다. (Neligan, Plastic Surgery, Volume 3, Chapter 32 Orbital hypertelorism, p688-689)

5. 두개안면열 (Craniofacial cleft)

두개안면열은 다양한 형태와 정도로 나타나는 얼굴과 두개골의 변형이다. 대부분은 산발적으로 발생하지만, 6, 7, 8번의 안면열은 트리처콜린스 증후군(Treacher Collins Syndrome)이나 두개안면왜소증(Craniofacial microsomia)과 같은 증후군으로도 나타난다. 발생학적으로 신경외배엽(neuroectoderm)의 이동(migration)과 관통

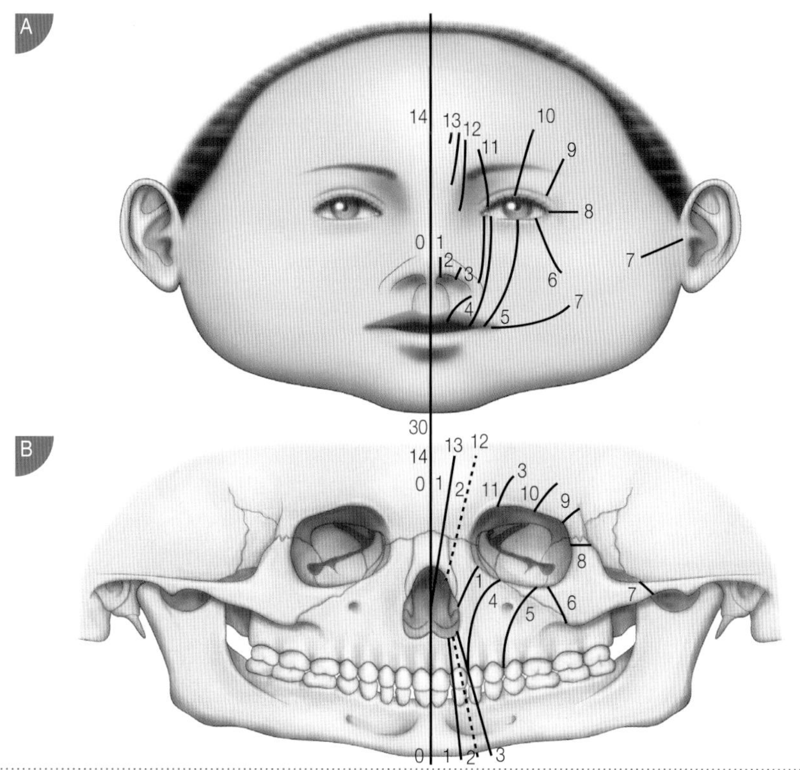

▷그림 2-12-11. 두개안면열의 Tessier 분류법. 오른쪽도 동일하게 적용할 수 있다. (Neligan, Plastic Surgery, Volume 3, Chapter 33 Craniofacial cleft, p707)

(penetration) 이 이뤄지지 않으면, 외배엽의 틈이 생기면서 안면열이 발생한다. 심각한 정도는 외배엽의 관통 실패의 정도와 비례하여 나타난다.

Tessier 분류법이 이해하기 쉽고, 잘 분류되어 있어, 가장 널리 사용되고 있다(그림 2-12-11). 0번에서 8번까지는 얼굴에 생기는 안면열이며, 9번에서 14번은 머리뼈 부위에 생기는 열이다.

내측 두개안면 형성이상(medial craniofacial dysplasia)은 저형성(hypoplastic, 조직부족), 봉합선폐쇄장애(dysgraphia), 과형성(hyperplastic) 기형으로 크게 나눠진다.

생후 3~12개월 경 기능적인 문제 해결, 연부조직 수술 및 내측 두개결손(예, 뇌류)에 대한 수술을 시행한다. 이후 6~9세 경 뼈이식을 통하여 가운데 얼굴과 안와 재건수술을 시행한다. 그 이후에 치아교합에 대한 치료 및 성장 후 연부조직에 대한 성형수술을 시행한다.

6. 두개안면왜소증 (Craniofacial microsomia)

두개안면 왜소증 환자는 임상 양상이 다양하기 때문에, 다학제적 접근이 필요하다. 귀, 아래턱, 위턱의 3군데를 가장 많이 침범하고, 첫번째, 두번째 인두굽이(branchial arches)에서 발생하는 모든 부위에서 증상이 나타날 수 있다. 환자를 평가할 때에는 혀 뒤공간이 좁아져 있지 않은지, 폐쇄성 수면 무호흡증은 없는지 내시경을 이용한 평가가 필요하며, 이는 특히 양측성인 환자에서 더 중요하다.

심한 호흡문제가 있는 신생아와 유아는 신연골형성술(distraction osteogenesis)이 필요하다. 특히 심한 경우 기관절개술(tracheostomy)이 필요할 수도 있다. 신연골형성술의 방향은 환자의 개별 목표에 맞춘다. 아래턱의 심한 저형성이 있을 경우 뼈이식, 뼈유리피판수술 등의 단계적 치료가 필요한다. 양악수술이 필요할 경우에는 뼈성장이 끝난 뒤에 시행하는 것이 좋다. 성장하면서 치과교정과의 지속적인 관찰이 필요하며, 신연골형성술, 양악수술을 시행하기 전, 후에도 각별한 경과관찰이 필요하다.

반얼굴작음증(hemifacial microsomia)는 위턱이나 아래턱의 뼈 및 연부조직의 저형성을 동반한 두개안면 왜소증을 일컫는다(그림 2-12-12). 발생빈도는 선천성 얼굴기형 중에서 구순구개열 다음으로 많다. 일차적인 병변은 아래턱뼈 관절돌기에 있고, 이 부위의 저형성은 맞물려 있는 위턱뼈에 영향을 미친다. 심할 경우 눈, 관자뼈에도 영향을 주게 된다. Pruzansky 분류법이 통용되며, 임상 양상에 따라 다양한 치료법을 적용할 수 있다.

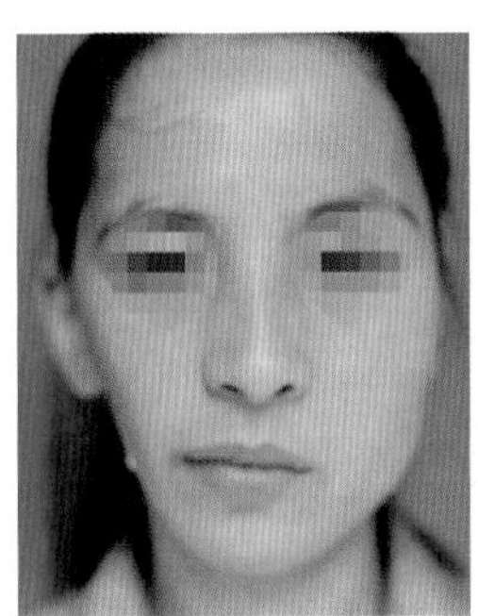
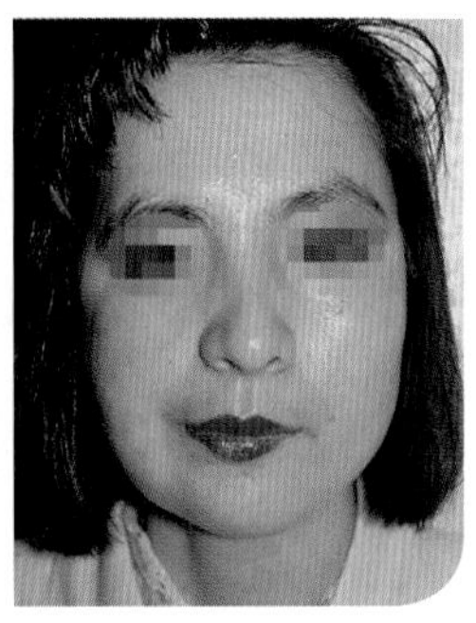

▷그림 2-12-12. **반얼굴작음증**(hemifacial microsomia). 위턱이나 아래턱의 뼈 및 연부조직의 저형성을 동반한 두개안면 왜소증을 일컫는다.

7. 트리처콜린스증후군 (Treacher Collins syndrome)

트리처콜린스증후군은 가운데 및 아래 얼굴의 뼈와 연부조직을 침범하는 선천성 기형이다. 신경능선세포(neural crest cell)의 증식이 불충분하여 나타난다고 알려져 있고, 항상 양측성이며, 상염색체 우성유전을 한다. 특히, 안와, 광대, 윗턱, 아래턱 부위를 침범한다. 아래눈꺼풀의 결손(coloboma), 눈꺼풀틈새의 아래쳐짐, 바깥쪽 눈가 결함(lateral canthal dystopia), 눈썹, 눈꺼풀의 패임(notching)이 특징적이다(그림 2-12-13). 양측성 반얼굴작음증이나 Goldenhar 증후군과 감별해야 한다. 반얼굴작음증 환자에서는 아래턱뼈의 관절돌기가 없는 경우가 많은데, 트리처콜린스 증후군환자에서는 관골궁이 없는 경우는 있어도 아래턱뼈 관절돌기가 없는 경우는 없다. 재건수술은 뼈와 연부조직 모두에서 이루어져야 한다. 광대부위에는 뼈이식을 주로 시행하고, 아래턱의 저형성을 교정하기 위해 양측 신연골형성술(distraction osteogenesis) 을 시행한다. 이를 통해 호흡 곤란 및 식이 문제를

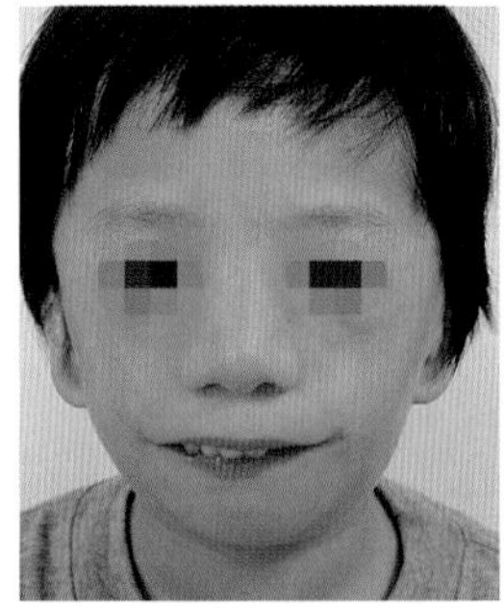
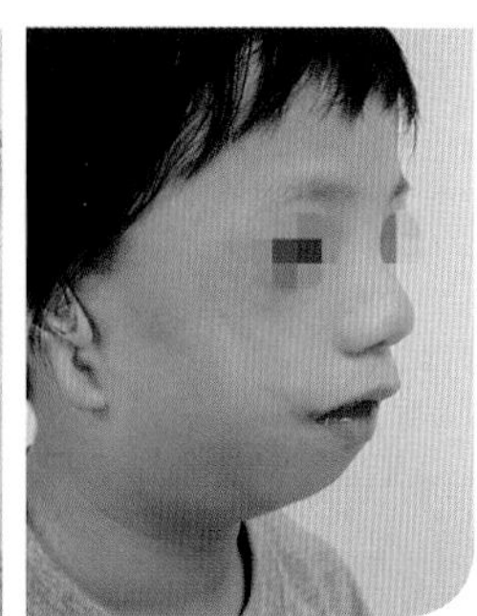

▷그림 2-12-13. **트리처콜린스증후군** (Treacher Collins syndrome). 안와, 광대, 윗턱, 아래턱 부위를 침범한다. 아래눈꺼풀의 결손(coloboma), 눈꺼풀틈새의 아래쳐짐, 바깥쪽 눈가 결함(lateral canthal dystopia), 눈썹, 눈꺼풀의 패임(notching)이 특징적이다.

모두 향상시킬 수 있다. 눈꺼풀과 큰 혀 돌출에 대한 수술 이후에 뼈 재건수술을 시행하고, 만9세~10세경 소이증(microtia) 교정수술을 시행한다.

8. Pierre Robin sequence

이 전에는 Pierre Robin syndrome 으로 불렸으며, 증후군과는 다른 경향을 보여, 현재는 명명이 바뀌었다. 설하수(glossoptosis), 아래턱후퇴(retrognathia), 호흡 문제 등 3가지 문제로 이루어져 있다(그림 2-12-14). 임상 양상이 아주 다양하여, 이에 맞는 다양한 진료과의 치료가 필요하다. 가장 먼저 호흡에 대한 평가가 이루어져야 한다. 호흡 곤란이 심하지 않은 경우, 아기를 엎드린 자세로 눕히고, 산소요법을 시행 한다. 하지만, 이로써 호흡 곤란이 잘 해결되지 않으면, 호흡관을 삽입하는 것이 좋다. 수술에 대한 다양한 방법이 발표되고 있지만, 아직 정립된 방법은 없다. 호흡문제가 해결되면, 영양공급에 대한 관리가 필요하다. 특별 수유통, 자세, 튜브 등이 필요할 수 있다.

9. 반안면 위축 (Hemifacial atrophy)

병리적으로는 림프구성 신경혈관염(lymphocytic neurovasculitis) 또는 국소 피부경화증(scleroderma)의 한 형태로 알려져 있다. 환자의 치료를 위해서는 환자의 나이, 특성, 변형의 복잡성등을 고려해야 한다. 대부분의 환자에서 처음에는 병이 진행하지만, 이후에는 점차 진행속도가 느려진다. 면역억제제와 Methotrexate 병합요법이 병의 진행을 늦추고, 손상을 회복시키는 것으로 알려져 있다. 수술적 치료는 다양한 피판술(flap) 과 필러 주입 등을 병합할 수 있다.

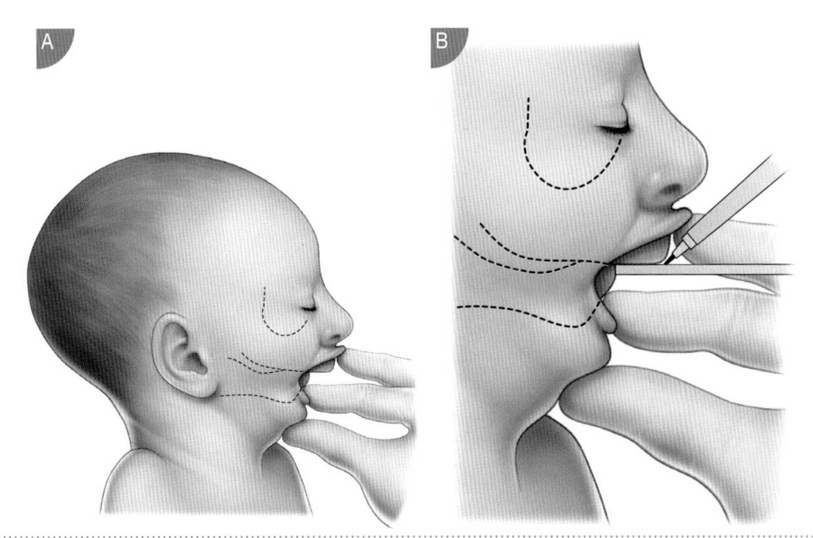

▷그림 2-12-14. Pierre Robin sequence. 설하수(glossoptosis), 아래턱후퇴(retrognathia), 호흡 문제 등을 가지고 있다. 객관적인 평가를 위해, 위턱과 아래턱의 가장 앞쪽의 치조(alveolus) 사이의 거리를 측정한다. (Neligan, Plastic Surgery, Volume 3, Chapter 38 Pierre Robin Sequence, p809)

References

1. Delashaw JB, Persing JA, Jane JA: Cranial deformation in craniosynostosis. A new explanation. Neurosurg Clin North Am 1991;2:611-620.
2. Neligan, Plastic Surgery, Volume 3, Chapter 32-39. P686-836)
3. Barone CM, Jimenez DF: Endoscopic craniectomy for early correction of craniosynostosis. Plast Reconstr Surg 1999; 104(7):1965-1973.
4. Bartlett SP, Losee JE, Baker SB: Reconstruction: Craniofaical syndromes, In: Mathes SJ (ed): Plastic Surgery. ed 2, Vol 4, Philadelphia, Saunders Elsiver Inc, p495, 2006
5. Bergstrom L, Baker BB: Syndromes associated with congenital facial paralysis. Otolaryngol Head Neck Surg 1981;89:336-342.
6. Cohen MM Jr: Transforming growth factor betas and fibroblast growth factors and their receptors: role in sutural biology and craniosynostosis. J Bone Miner Res 12: 322, 1997
7. Connolly JP, Gruss J, Seto ML, et al: Progressive postnatal craniosynostosis and increased intracranial pressure. Plast Reconstr Surg 2004; 113(5):1313-1323.
8. David DJ, Mahatumarat C, Cooter RD: Hemifacial microsomia: A multisystem classification. Plast Reconstr Surg 80: 525, 1987
9. Gorlin RJ, Cohen MM, Levin LS: Syndromes of the Head and Neck, 3rd ed. New York, Oxford University Press, 1990.
10. Helms JA, Nacamuli RP, Salim A, et al: Embryology of the craniofacial complex, In: Mathes SJ (ed): Plastic Surgery. ed 2, Vol 4, Philadelphia, Saunders Elsiver Inc, p 11, 2006
11. Jacobsson C, Granstrom G: Clinical appearance of spontaneous and induced first and second branchial arch syndromes. Scand J Plast Reconstr Surg Hand Surg 1997;31:125-136.
12. Jiang X, Iseki S, Maxson RE, et al: Tissue origins and interactions in the mammalian skull vault. Dev Biol 241: 106, 2002
13. Kreiborg S, Aduss H: Pre- and postsurgical facial growth in patients with Crouzon's and Apert's syndrome. Cleft Palate J 23(suppl 1): 78, 1986
14. Lo LJ, Marsh JL, Kane AA, Vannier MW: Orbital dysmorphology in unicoronal synostosis. Cleft Palate Craniofac J 1996;33:190-197.
15. Marsh JL, Gurley JM, Kane AA: Nonsyndromic craniosynostosis, In: Mathes SJ (ed): Plastic Surgery. ed 2, Vol 4, Philadelphia, Saunders Elsiver Inc, p 135, 2006
16. Marsh JL, Jenny A, Galic M, Picker S, Vanniere MW: Surgical management of sagittal synostosis: a quantitative evaluation of two techniques. Neurosurg Clin North Am 1991; 2:629.
17. McCarthy JG, Cutting CB: The timing of surgical intervention in craniofacial anomalies. Clin Plast Surg 17: 161, 1990
18. McCarthy JG, Hollier LH: Reconstruction: Craniosynostosis, In: Mathes SJ (ed): Plastic Surgery. ed 2, Vol 4, Philadelphia, Saunders Elsiver Inc, p 465, 2006
19. Persing JA, Babler W, Persson M, Rodeheaver G, Winn HR, Jane JA: Timing of surgery in experimental craniosynostosis. Child's Brain 1981; 8:70-71.
20. Persing JA, Nichter LS, Jane JA, Edgerton MT: External cranial vault molding after craniofacial surgery. Ann Plast Surg 1986; 17(4):274-283.
21. Pertschuk MJ, Whitaker LA: Psychosocial considerations in craniofacial deformity. Clin Plast Surg 14: 163, 1987
22. Posnick JC: Craniofacial syndromes and anomalies. In Posnick JC, ed: Craniofacial and maxillofacial surgery in children and young adults, vol 1. Philadelphia, WB Saunders, p391, 2000
23. Posnick JC, Lin KY, Chen P, Armstrong D: Sagittal synostosis: quantitative assessment of presenting deformity and surgical results based on CT scans. Plast Reconstr Surg 1993; 92:1015.
24. Roth D, Longaker M, McCarthy J, et al: Studies in cranial suture biology. Part I. Increased immunoreactivity for TGF-beta isoforms(beta1, beta2, and beta3) during rat cranial suture fusion. J Bone Miner Res 1997;12:311-321.

25. Salyer KE, Hubli EH: Orbital hypertelorism. In: Achauer BM, Eriksson E, Guyuron B, et al (eds): Plastic Surgery: indications, Operations, and Outcomes. St. Louis, Mosby, 2000
26. Siebert JW, Soltanian H, Hazen A: Hemifacial atrophy, In: Mathes SJ (ed): Plastic Surgery. ed 2, Vol 4, Philadelphia, Saunders Elsiver Inc, p 555, 556, 2006
27. Vander Kolk CA, Menezes J: Craniofacial syndrome, In: Mathes SJ (ed): Plastic Surgery. ed 2, Vol 4, Philadelphia, Saunders Elsiver Inc, p 92, 2006
28. Wilkie AO: Molecular genetics of craniosynostosis. In Lin KY, Ogle RC, Jane JA, eds: Craniofacial surgery: Science and Surgical Technique. Philadelphia, WB Saunders, 2001:41-54.
29. 표준성형과학 2판 9장 (p164-196)

집필에 도움을 주신 분 정재훈 서울대학교 분당병원 임상부교수

13 악안면골 성형술
Maxillofacial Bone Surgery

유대현 연세의대

악안면골 성형술은 안면 성형술 중에서 골격의 형태 자체를 변화시키므로 극적이고 커다란 변화를 야기할 수 있는 특화 되어 있는 성형수술의 한 분야이다. 악안면골 성형술은 크게 치아를 포함하고 있는 치조골과 상 하악골을 같이 움직이는 악골 성형술(소위 양악 수술)과 교합과 연관이 없는 안면골의 일부 즉 관골, 관골궁, 하악각, 턱끝뼈등을 제거하거나 그 위치를 변경함으로 얼굴의 형태를 바꾸는 안면 윤곽 성형술로 나뉠 수 있다

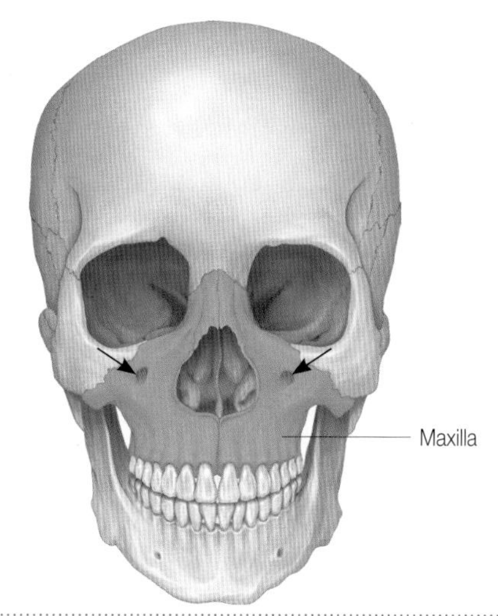

▷그림 2-13-1. 안면골에서 상악골이 이루고 있는 위치, 화살표의 위치에서 Inferior Orbital nerve가 나와 안면부분의 감각을 담당하게 된다.

1. 상악 및 하악의 안면윤곽성형술

1) 상악골의 해부학적 구조 및 특징

상악의 안면골은 상악골 및 치조골과 양측 관골 및 관골궁 그리고 안와골 및 비골로 구성되어 있다. 상악골은 두 개의 좌우 뼈 구조가 만나 위턱을 구성하는 뼈로서 상악골은 하악을 제외한 얼굴의 대부분의 뼈와 연결된 구조를 이루고 있으므로 얼굴뼈를 재구성할 때 가장 중요한 기준점이다. 상악은 다른 뼈들과 함께 안와의 바닥 및 비강의 측면과 아래쪽 벽, 경구개를 형성하는 요소가 된다. 상악의 안면윤곽성형술에서는 주로 관골 및 관골궁 그리고 치조골을 다루게 된다.

2) 상악골의 안면 윤곽술

(1) 관골 축소술(Reduction malarplasty)

관골(광대뼈)축소술은 동양인에게서 주로 시행되는 안면윤곽수술로 동양인의 관골은 앞쪽

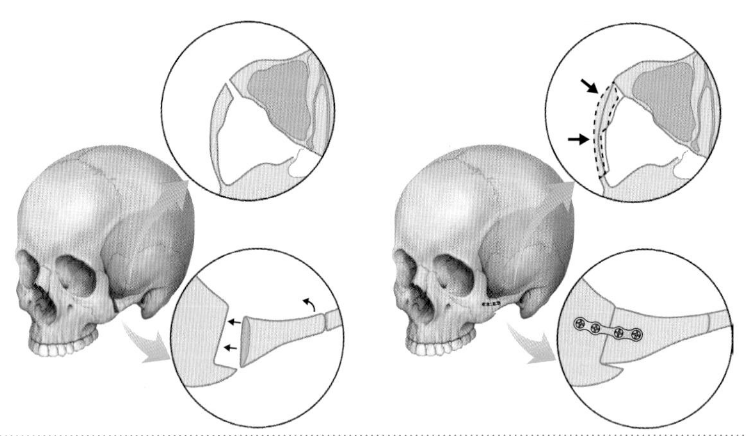

▷그림 2-13-2. Open approach Reduction malarplasty. L자의 형태로 광대뼈에 절골술을 시행하고 광대활의 끝부분에 절골술을 시행하여 전반적인 광대활을 안쪽으로 집어넣어 고정할 수 있도록 한다.

과 바깥쪽으로 돌출되어 있는 경향이 있어 얼굴이 크고 사각형으로 보이므로 보다 갸름하고 부드러운 얼굴의 형태를 원하는 경우 시행하게 된다. 다양한 방법의 수술법이 이용되고 있으나 크게 구강 내 접근법과 두피절개 접근법으로 나누어 볼 수 있다. 구강 내 접근법은 구강의 upper buccal sulcus 절개를 통해 상악골과 관골을 박리하여 노출시킨 후 관골 전반부에 L자형 절골과 후반부 관골궁을 절골하여 관골을 원하는 위치로 이동시켜 윤곽을 교정하게 된다. 불유합이나 뺨의 처짐 등의 수술 후 부작용이 있을 수 있으나 관골을 금속판을 이용하여 강하게 고정하고 박리를 최소화하는 방법 등으로 안정성을 확보하고 합병증을 최대한 예방할 수 있다.

두피 절개법은 양측 두피절개를 통하여 두피 및 전두피판을 박리하여 관골을 노출시킨 후 관골 절제 및 이동을 시행하는 방법으로 수술 시간과 출혈문제로 선호되지는 않고 있다.

이외에도 폐쇄형 광대축소술이 이용되기도 하는데 이는 피부의 얇은 구멍을 통해 부분적 절골을 시행 뒤, 불완전골절(greenstick fracture)을 발생시켜 관골궁(zygomatic arch)을 안쪽으로 밀어 넣는 방법이다. Rigid fixation이 불가능한 방법으로 수술법이 간단하고 빠른 시간 내에 수술을 시행할 수 있으나, 수술 후 안정성에 대한 우려가 있어 최근에는 선호되지는 않는 방법이다.

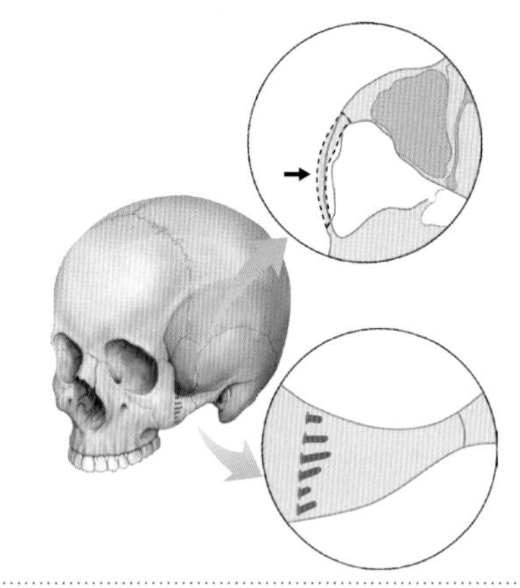

▷그림 2-13-3. Closed approach reduction malarplasty. Slit osteotomy를 광대 앞면에 시행 후, 절골된 광대활의 뒷면과 함께 안쪽으로 밀어 넣어 Greenstick fracture를 만들게 된다.

(2) 관골 증대술(Zygoma augmentation)

관골부위가 편편한 서양인에게 주로 시행 되는 수술로 사고 등으로 일측성 관골이 함몰된 경우에도 자주 사용된다. 주로 안검하 절개 (subciliary incision)나 구강 내 절개를 통하여 관골 및 상악골의 일부를 노출시킨 후 보형물을 관골 부위에 onlay로 삽입하여 관골의 돌출을 유도하게 된다. 주로 실리콘으로 만들어진 보형물이나 medpor 혹은 goretex 등 조직 친화적인 생체 적합 보형물을 사용하게 되며 다양한 크기와 형태의 보형물이 상용화 되어 있다. 박리범위를 최소화한 후 보형물을 단순 삽입할 수도 있으나 보형물의 위치 전이나 노출들이 발생할 수 있으므로 금속핀 등으로 보형물을 고정 하여 주는 것이 안정적이다.

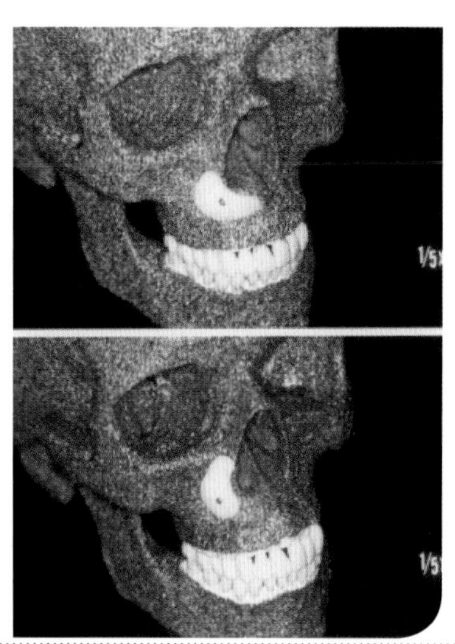

▷그림 2-13-4. 실리콘 임플란트를 이용한 paranasal augmentation의 방법

(3) 비익기저부 증대술(Paranasal augmentation)

중안면부 코 양 옆의 함몰은 중안면부가 편편한 아시아인에게 자주 나타난다. 중안면부가 볼록할 경우 젊고 매력적인 인상을 주는 반면 오목한 형태는 팔자주름을 더 뚜렷하게 만들고 외관상 나이든 모습을 표출한다. 미용 술기의 발전과 미용적 욕구가 차츰 커지고 세분화됨에 따라 중안면부의 오목면을 개선시키기 위한 여러 방법들이 개발되었다.

중안면부가 심하게 함몰된 경우 Le Fort 절골술과 함께 Two jaw surgery를 통해 상악골을 전진시키거나 시계방향 회전시킴으로써 (clockwise rotation) 교정이 가능하지만, 함몰이 심하지 않거나 환자가 큰 수술을 원치 않을 경우 보형물을 이용하여 비익거저부를 증대 시킴으로 교정할 수 있다. 또한 이차성 구순구개열 변형과 같이 한쪽 비익저가 함몰되어 있는 경우에도 사용할 수 있으나 이 경우 누공을 동반하는 경우가 많으므로 골막 박리 시 박리된 공간이 누공을 통하여 구강이나 비강으로 통하지 않도록 세심한 주의를 기울여야 한다. 이 방법은 상악골절을 이용한 수술에 비하여 수술 시간이 매우 짧고 간단하며 국소 마취하에서 진행될 수 있다는 장점이 있으나 염증에 취약하다는 단점이 있다. 수술은 구강 점막 절개를 통하여 보형물 삽입부위를 박리하여 공간을 확보한 후 보형물을 삽입하며 특별한 고정이 필요치 않을 수도 있으나 보형물을 self-tapping 나사로 고정해 주는 것이 보형물의 구강 내 전이를 방지, 보형물의 돌출을 방지할 수 있다. 주로 실리콘이나 Medpor 등이 사용되며 수술을 원치 않을 경우 다양한 형태의 필러나 지방이식사용할 수도 있으나 이 경우 흡수율이 높다는 단점이 있다.

3) 하악골의 해부학적 구조 및 특징

하악은 안면부에서 가장 크고 단단한 골조직으로 아래 턱뼈의 치아를 지지하는 역할을 하며 안면골 중에서 유일하게 움직이는 부분을 구성하여 교합과 저작에 관여한다. 하악골은 세부적으로 관절돌기(condyle), 하악지(raums), 근육돌

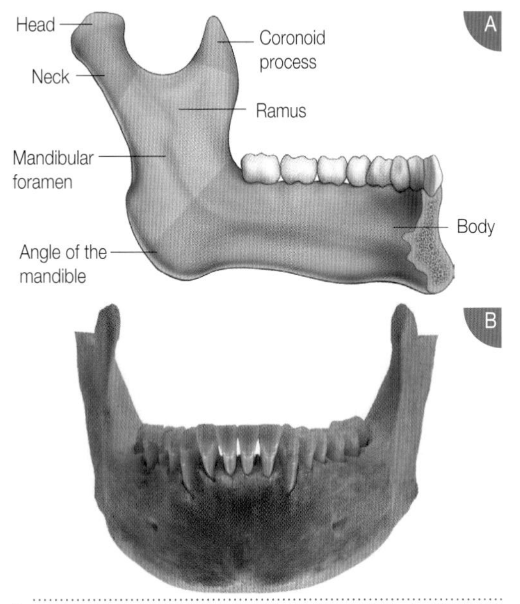

▷그림 2-13-5. **하악골의 구조 및 해부학적 명칭.** A. 하악골의 내측 모습 및 명칭. B. 정면모습

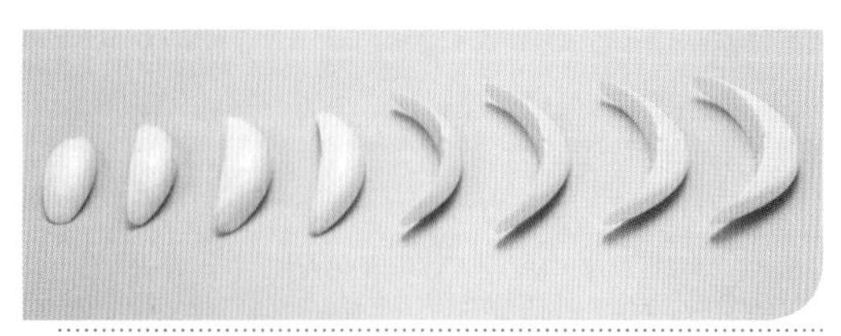

▷그림 2-13-6. **다양한 턱 보형물의 종류.**

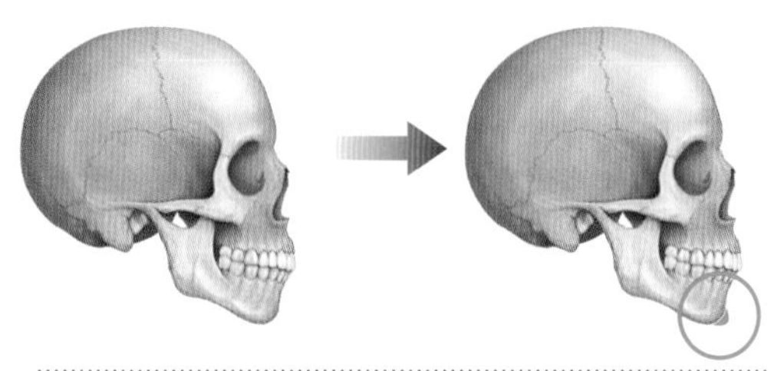

▷그림 2-13-7. **턱끝 증대술을 위한 보형물 삽입의 위치 및 방법**

기(coronoid process), 하악각, 하악 몸통(body), 결합곁부(parasymphysis) 및 접합부(symphysis) 치조돌기(alveolar process)로 이루어져 있다. 양쪽 하악지 안쪽으로 신경이 들어가는 하악공(mandibular foramen)이 위치해 있으며, 앞쪽으로 턱끝융기(mental protuberance) 양쪽에 신경이 나오는 턱끝구멍(mental foramen)이 위치해 있다. 다섯 번째 뇌신경인 삼차신경의 아랫쪽 가지인 하치조신경(inferior alveolar nerve)이 하악관 속에서 주행하면서 치아 부위의 감각을 전달한다. 이 신경은 이공을 통해 나와 incisive nerve와 mental nerve로 갈라진다. 각각의 신경은 앞니와 아랫입술의 감각을 담당한다. 하악 윤곽 수술 시 이와 같은 신경의 주행을 잘 고려하여 손상을 피하도록 하여야 한다.

4) 하악골의 윤곽성형술 (Mandible contouring surgery)

(1) 턱끝 증대술(Chin augmentation)

턱의 돌출이 부족한 경우 전체적인 얼굴의 균형이 맞지 않으며 상대적으로 입이 튀어나온 듯한 인상을 주거나 윗입술이 뾰족한 소위 새의 부리와 같은 모습을 나타내게 된다. 이와 같이 턱끝이 뒤쪽으로 들어가 있거나 돌출 정도가 부족한 경우(소위 무턱), 생체적합성 합성 재료를 통해 턱 끝의 길이를 증가시켜 줄 수 있다. 턱 끝의 길이를 연장시키는 방법으로는 보형물 삽입, 턱끝전진술, 자가지방이식술 등이 있으며, 실리콘을 이용한 보형물 삽입술의 경우 수술 방법이 간단하고 회복이 빠르며, 수술 후 부작용이 생길 경우 실리콘을 제거하는 방법으로 해결할 수 있어 많이 시행되고 있다. 사용되는 보형물은 실리콘이나 medpor가 가장 보편적이나 장기간 위치할 경우 아래 입술 근육들의 장력에 의한 압력으로 보형물이 골조직의 일부를 지속적으로 압박하여 피질골의 일부가 흡수되는 단점이 있다.

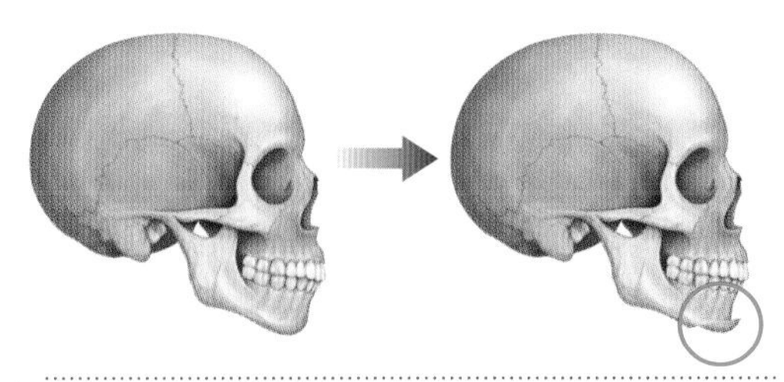

▷그림 2-13-8. 턱끝 전진술

(2) 턱끝 전진술(Aadvanced genioplasty)

턱 끝 연장술의 한 방법으로써, 보형물을 이용하지 않고 자신의 뼈를 절골하여 전후방 혹은 아래로 전진시키는 방식으로 턱 끝을 연장시키는 방법이다. 뼈를 절골하는 각도에 따라 턱 끝 길이의 조절이 가능하며, 앞으로 전진시킨 후 티타늄 판과 나사 등으로 고정하게 된다(턱끝 전진술, advancement genioplasty). 수술 방법은 구강 내 절개에 의하여 턱끝과 하악체 일부를 박리하여 수술할 부위를 노출시킨다. 이때 제1 소구치 밑부분에서 나오는 턱끝 신경이 손상 받지 않도록 유의하여야 한다. 절골 시에도 항상 턱끝 신경의 주행에 신경써서 손상 받지 않도록 한다. 수술 전 반드시 panoramic view를 통하여 신경의 주행을 확인하여야 한다. 박리 후 턱끝은 횡절골술이나 T 절골술등으로 하악골에서분리 한 후 전후 이동시키거나 폭을 줄이도록 한다. 전진양이 많이 필요할 경우에는 횡절골을 2군데 가하여 단계적으로 전진시킬 수도 있다. 또한 턱끝이 너무 긴 경우 가운데 골편을 제거함으로써 길이를 줄일 수도 있다(턱끝 축소술, reduction genioplasty).

(3) 하악각 성형술(Mandibular angle ostectomy)

사각턱을 교정하는 보편적인 방법으로 하악각의 뼈의 일부를 절제하는 수술이다.

절제 범위에 따라 하악각 만을 단순 절제하는 simple ostectomy부터 턱 끝의 앞부분까지 연장하여 하악몸통의 일부를 절제하는 long curved osteotomy 등 환자 상태에 따라 다양한 절골술이 사용된다. 아래턱이 넓게 보이며 턱이 평균보다 길거나 좌우비대칭인 경우, 옆모습 턱이 각져 보이는 경우 수술을 고려해 볼 수 있다. 하악각 절제 시에는 그림 2-13-9에서 보이는 것처럼 뼈 안쪽을 주행하는 신경손상에 주의하면서 수술을 진행해야 한다. 하악의 신경은 mandibular nerve가 주행하면서 lingual nerve와 inferior alveolar nerve로 나눠지며, 이 inferior alveolar nerve가 condyle과 epicondyle 사이 내측에 위치한 mandibular foramen으로 들어가면서 하악

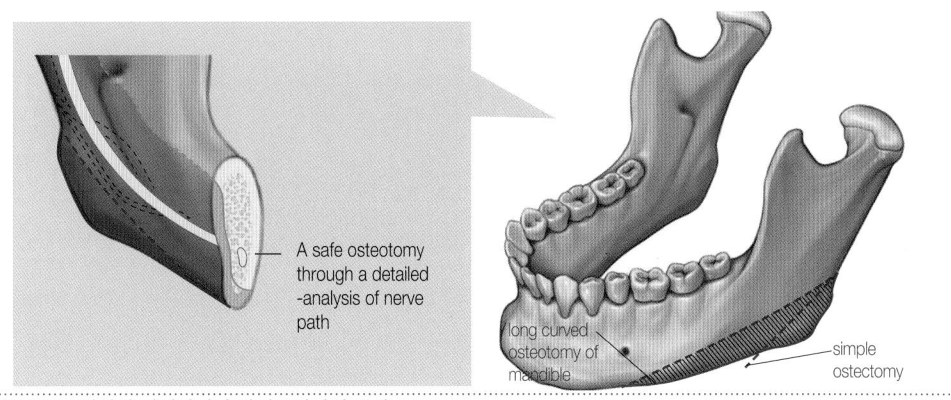

▷그림 2-13-9. 하악각 절제방법과 하치조신경의 주행

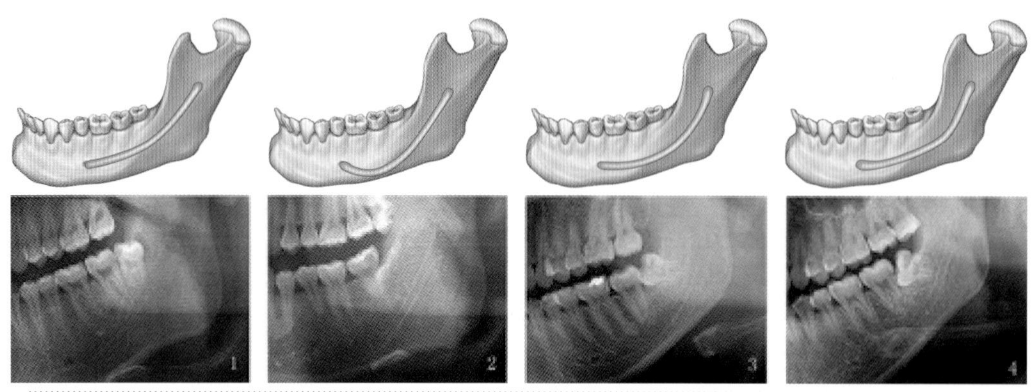

▷그림 2-13-10. 하치조신경의 다양한 주행

내부에서 전하방으로 주행하다 mental foramen 으로 나오게 된다. 이 부위를 mental nerve라 하며 이는 입술 하방 및 앞쪽 치아 등의 감각을 담당하게 된다.

Tie Liu 등의 연구에 따르면 그림 2-13-10과 같이 4가지로 inferior alveolar nerve의 진행을 분류할 수 있었다. 수술 전 정확한 신경의 주행을 확인하여 합병증 발생에 주의하여야 한다.

(4) 하악골 신연골형성술(Distraction osteogenesis of mandible ramus)

신연골형성법은 하악골의 비대칭을 해결하는 방법으로 자주 쓰인다. 러시아의 일리자로프가 고안한 신장기는 정형외과 분야에서 사지연장술의 방법으로 사용되며 같은 원리로 피질골을 절골한 후 하루에 0.5~1.5 mm씩 늘이는 방법으로 가골을 신장시킨 후 골화를 유도하여 새로운 길이의 골 조직을 만들어 내는 방법이다. 골신장기는 외부로 장치가 돌출되는 외부 신장기와 골막하에 위치하는 내부 신장기가 개발되어 사용되고 있다.

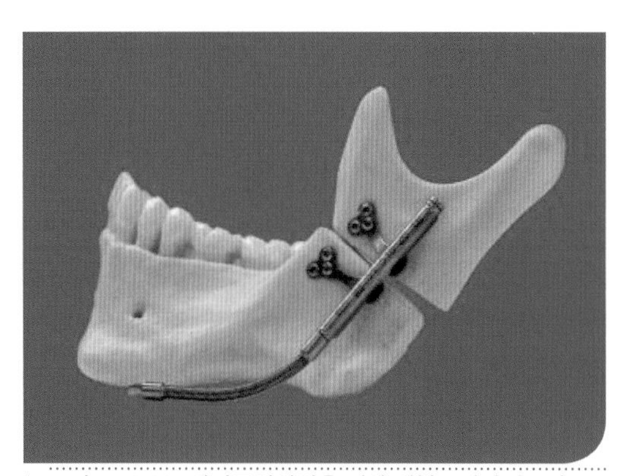

▷그림 2-13-11. 신연골형성법을 위한 내부고정기의 모습

5) 안면 윤곽 성형술의 합병증 (Complication)

출혈 부종 감염등의 일반적인 부작용과 더불어 과교정으로 인한 안면 비대칭, 악관절 강직으로 인한 개구장애, 감각 신경 손상으로 인한 입술부위 감각마비 혹은 비특성 이상 감각이나 통증이 동반 될 수도 있다

2. 악골 성형술(양악 수술, Two Jaw Surgery)

양악수술은 말 그대로 치아를 지지하고 있는 상악(위턱 뼈, maxilla)과 하악(아래턱뼈, mandible)를 동시에 수술하는 것을 의미한다. 상악

과 하악은 얼굴 뼈의 기본골격으로 얼굴에 대한 비중이나 위치상 이 두 뼈의 형태 변형은 얼굴 모양에 큰 영향을 미치게 되므로 양악수술의 결과는 얼굴의 모양을 근본적으로 변화시키게 된다. 이와 같이 위턱과 아래턱 모두를 동시에 이동시킬 경우 교합 및 전체적으로 조화롭지 못한 얼굴을 이상적인 모양과 위치로 바꾸어 극적인 외모의 변화를 일으킬 수 있다. 이와 같은 수술기법은 과거 하악이 튀어 나온 주걱턱이나 상.하악 교합의 기능적 문제로 음식을 씹거나 물거나 삼키는 데 어려움이 있는 경우, 만성적인 턱관절의 부정교합으로 인한 턱관절의 통증 등 관절의 문제가 있는 경우에 주로 시행되었으나 최근 들어서는 조화롭지 못한 얼굴 형태의 교정을 위한 미용목적으로도 시행되고 있다. 또한 과거 단순히 상하악골을 전, 후방으로 이차원적으로 이동시켜 주걱턱 등을 교정하던 것을 벗어나 오늘날은 골절된 골편을 좌, 우 이동 혹은 회전 등 삼차원적으로 안면골을 이동시킴으로써 얼굴의 비대칭교정이나 얼굴의 형태 변화, 크기 축소, 입체감의 증대를 유도 좀 더 세밀한 미적 변화까지를 추구하고 있다. 그러나 극적인 결과만큼이나 수술 기법 및 과정 또한 복잡하고 전문적인 기술을 요한다. 양악수술은 수술 시 교합뿐만 아니라 여러 가지 신경과 기도 등 복잡한 기능적 기관들을 모두 건드리게 되므로 고도의 해부학적인 지식과 수술적 기술이 필요하며 더불어 심미적인 목적을 위하여서는 골격 및 연부조직에 대한 정확한 분석과 예측, 그리고 이로 인하여 얻을 수 있는 효과에 대한 정확한 판단이 필요하다. 또한 수술 전후의 충분한 교정 치료가 필요하며 잘 훈련된 수술자와 양악에 대한 전문적인 교정의와의 긴밀한 협조 및 호흡이 필요하다. 수술과정 또한 쉽지 않고 자칫 잘못하면 기도 폐쇄와 같은 매우 심각한 문제를 야기할 수 있으므로 타 수술과 같이 간단히 생각해서는 안되고 충분한 경험과 관리 능력이 있는 술자를 선택하여 수술을 시행 받아야 한다.

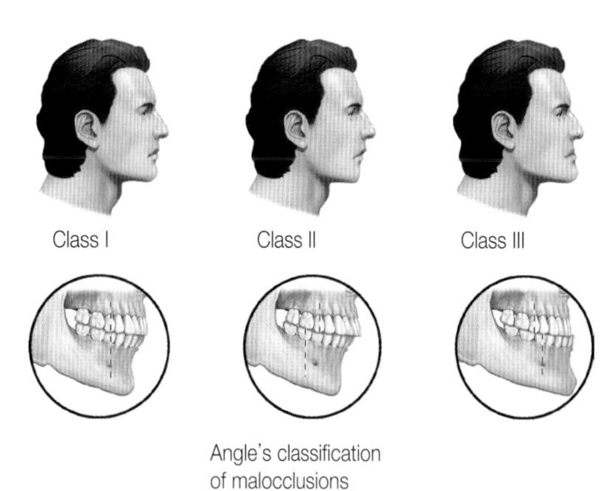

▷그림 2-13-12. **대구치의 위치 관계에 따른 부정교합의 분류**

1) 치아의 위치에 따른 교합 분류

치아의 위치나 교합에 따라 안면골을 분류하는 방법으로 Angle 분류법이 쓰인다. 대구치의 위치에 따라 3가지의 분류 나뉘게 된다. Class I malocclusion은 위와 아래의 대구치의 위치는 정상적이나 치아의 배열이 비정상적인 경우로 분류되며, Class II malocclusion는 위쪽 대구치가 아랫쪽 대구치에 비해 앞쪽으로 위치한 경우이며 하악이 상악에 비해 후퇴되어 보이는 증상이 나타난다. Class III malocclusion는 위쪽 대구치가 아랫쪽 대구치보다 뒤쪽으로 위치하게 되며, 하악이 전진되어 보이는 증상을 주로 나타낸다.

제 3급 부정교합의 경우 하악 후퇴술을 제 1급 부정교합의 경우 하악 전진술이 시행되게 된다.

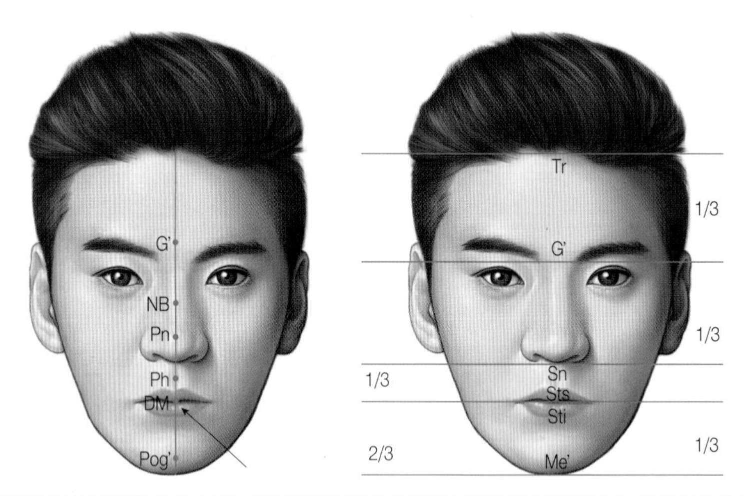

▷ 그림 2-13-13. 이상적인 얼굴의 비율과 얼굴 대칭 평가를 위한 정중선 구조물, 수평선에 따른 얼굴의 수직적인 관계 계측점과 비율

2) 수술 전 진단 및 계측

수술 전 계획 및 평가는 실물사진 및 방사선 사진의 계측 평가 등을 참고하여 진행한다. 두부 방사선 사진을 이용한 분석은 수술 전 계획뿐만 아니라 술 후의 결과를 정량화할 수 있으나 실제로 환자가 느끼는 변화는 골격의 변화가 아니라 골격의 이동이 유도한 연부 조직의 변화 즉 거울로 보이는 자신의 겉모습의 변화와 교합의 변화이므로 연부조직 및 교합의 변화에 대한 예측이 동반되어야 한다. 또한 충분한 환자와의 면담을 통하여 환자가 원하는 것과 가능한 부분에 대하여 향후 변화에 대하여 논의하여야 한다. 얼굴의 대칭성과 조화를 평가하기 위해 정면 사진 및 측면사진에서 중요한 포인트를 정하고 이를 연결한 선들이 이루는 각을 측정하여 평가한다. 중요 포인트로 미간점(G), Nasal brige (NB), nasal tip (Pn), Filtrum (F), Dental midline (DM), pogonion (Pog) 등이 있다.

수직적인 위치평가는 그림 2-13-13처럼 4부분으로 나뉘어 진다. Trichion (Tr), Glabella (G), Subnasale (Sn)과 menton (Me)로 나뉘게 되면 각각 상부 1/3, 중앙 1/3, 하방 1/3의 비율이 이상적으로 평가된다. 하방 1/3은 다시 입술윗 상부 1/3과 입술아랫 하루 2/3이 이상적인 비율로 나누어지게 된다.

골격 분석을 위하여서도 두부 방사선 촬영후 이를 토대로 중요 포인트를 정하고 이를한 계측 이용 각 선들을 연결한 선과 각의 관계에 따라 안면부를 계측할 수 있다. 그림 2-13-14는 안면골 계측 시 사용되는 주요 계측점이다. Glabella (G)는 frontal bone의 최전방점을 의미하며, Nasion (N)은 시상면에서 frontal nasal suture의 최하방점을 나타낸다. Orbitale (Or)은 안와하연의 최하방점이며 Sella (S)는 두부계측 방사선 사진상에서 Sella tunica의 가운데점을 의미한다. 그 이외에 중요 부위로 anterior nasal spine의 하전방점과 상악전치를 싸고 있는 치조골이 만나는 선에서 가장 오목한 부분의 최후방 중간점이 A-point 혹은 subspinale이 있고, 하악 전치를 포함하는 치조골과 pogonion 사이에서 하악의 오목한 부위의 최후방 중간점이 B-point 혹은 supramentale가 있다.

그림 2-13-15는 각각의 계측점이 이루는 선과

No.	Anatomical Landmarks
1	sella turcica
2	nasion
3	orbitale
4	porion
5	subspinale
6	supramentale
7	Pogonion
8	menton
9	gnathion
10	gonion
a	anterior nasal spine
b	posterior nasal spine
AR	articulate

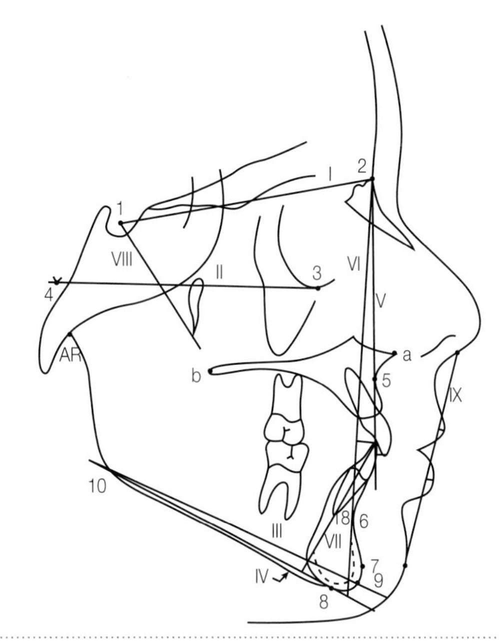

▷그림 2-13-14. 수술 전후의 계획을 위한 Cephalometric point

이들 선이 나타내는 각도를 나타내고 있다. 이와 같은 위치 계측 및 선들도 인해 골격의 전후방적 관계를 판단할 수 있는 수치적 접근이 가능하다. Mandibular plane angle은 mandibular plane과 anterior cranial base에 의해서 형성되며 평균수치는 32도이다. 이 각은 전방과 후방의 얼굴 길이 사이의 차이를 표현할 수 있다. Mandibular plane angle이 높은 사람은 Class II 부정교합과 상악의 수직적 과도성장, 전방부 개방교합을 가지는 경향이 있다. Angle 수치가 작은 사람은 수직적 성장결핍과 deep bite를 가지는 경향이 있다. 대표적으로 사용되는 계측치는 SNA angle, SNB angle, ANB angle 등이 있다.

SNA angle은 S-N plane의 N과 A-point를 연결한 선으로 이루어진다. 평균적으로 82도 정도이다. SNA angle은 상악의 전후방적인 위치의 적응증에 대해 분석할 수 있도록 한다. 82도보다 작은 각은 상악의 전후방적인 성장결핍을 보여주며, 큰 각은 상악의 돌출을 보여준다.

SNB angle은 S-N plane의 B과 B-point를 연결한 선으로 평균적으로 79도 정도이다. 이 각은 전방 두개저에 대해 하악의 전후방적인 위치의 적응증을 제공한다. 하악이 전후방적으로 과다

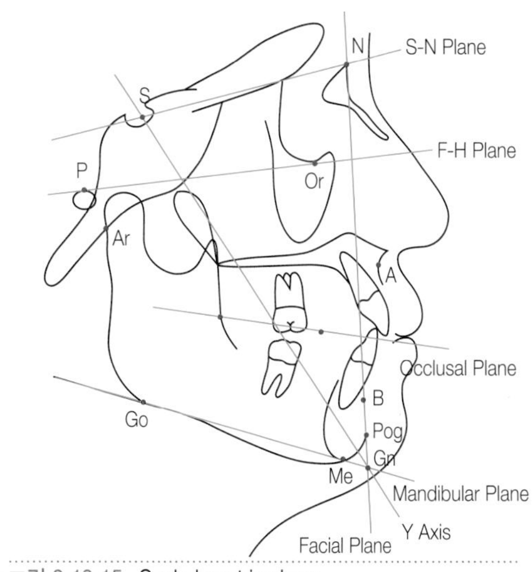

▷그림 2-13-15. Cephalometric plane

성장한 환자는 79도보다 큰 각을 가지며 반면에 하악성장이 결핍된 경우에는 감소된 크기를 가진다.

ANB angle은 A-N과 N-B 사이에서 형성되며, 평균적으로 3도 정도이다. 이 각은 상악과 하악 사이에서 전후방적인 위치관계를 나타낸다. Class III 경우에는 이 각은 3도보다 작거나 음각일 수 있고, Class II의 경우에는 각의 크기가 증가한다.

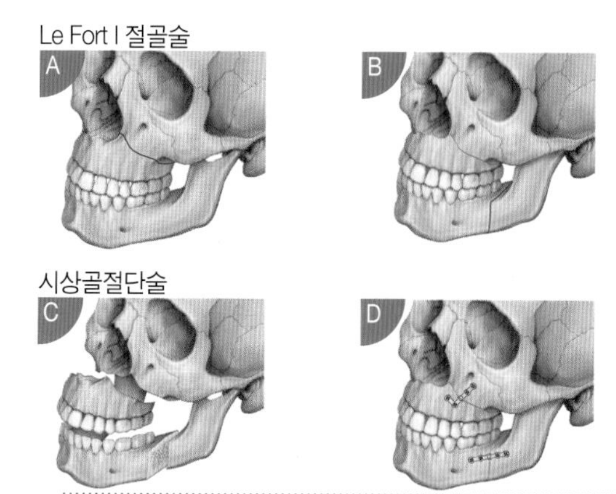

▷그림 2-13-16. A. Lefort I 절골술 선 B. 시상골 절단선 C. Le fort I 절골술을 이용 상악, 하악을 분리 시킨 모식도 D. 금속핀을 이용 이동된 골편을 고정한 모식도

3) 수술 계획의 수립

수술 전에 실물사진, 두부 계측, 삼차원 컴퓨터 단층 촬영 등을 통하여 골격과 연부조직 얼굴의 대칭성 등을 파악하고 석고 모델 및 3D 프린터를 이용한 두개골 모형 등을 제작하여 수술에 필요한 자료를 만든다. 이를 참고하여 성형외과 의사와 교정과 의사가 상의하여 이상적인 얼굴의 측정기준치를 참고로 어떠한 방향으로 어떻게 골격을 이동시키게 될지 구체적인 수술계획을 정하고 모의 수술(mock surgery)을 시행한다.

4) 수술 전 치아교정

술 전 치열 교정은 필수적이다. 안면골이 틀어져 있는 경우 이를 상쇄하기 위하여 치아도 올바르지 않은 방향으로 전이되게 된다. 이를 교정을 통하여 바로 잡음으로써 수술 후 올바른 교합을 유도하고 재발을 방지 하게 된다. 과거 수술 전 약 1년 정도의 교정기간을 두었으나 오늘날 이 기간을 줄이는 방향으로 치료가 진행되고 있으며 일부 경우 교정 없이 선수술을 시행하고 추후에 교정을 시행하기도 한다. 그러나 이러한 선수술 방법은 반드시 교정과 전문의의 검증을 거쳐 선수술 후교정으로도 재발이나 치아의 교정에 문제가 없는 제한적인 케이스에만 시행되어야 한다.

5) 수술 방법

대부분의 양악수술은 상악의 중간부위를 가로로 일자로 자르는 Le Fort I 골절단술과 하악의 양측을 시상으로 자르는 시상골절단술(sagittal split osteotomy of ramus)을 기본으로 하고 있다. 코를 통한 전신 마취 후 구강 내 절개를 통하여 윗턱 및 아래턱의 골격을 연부조직으로부터 벗겨내고 시야에 노출시킨 후 전기톱 등을 이용하여 원하는 부위를 원하는 크기로 자른다. 이와 같이 상악골을 자유로이 움직이는 상태로 만든 후 이를 상하회전(rolling), 시상면좌우측회전(pitch), 평면좌우측회전(yawing) 등 입체적인 방향으로 움직임으로써 입체적 보정과 기울기(tilting)를 바꿔주게 된다(그림 2-13-16). 이동의 방향 및 양은 웨이퍼(수술 중 교합을 맞추기 위한 이틀)를 사용하여 수술 전 계획했던 최종 위치에 위치시키게 되며 이후 수술용 금속판과 스

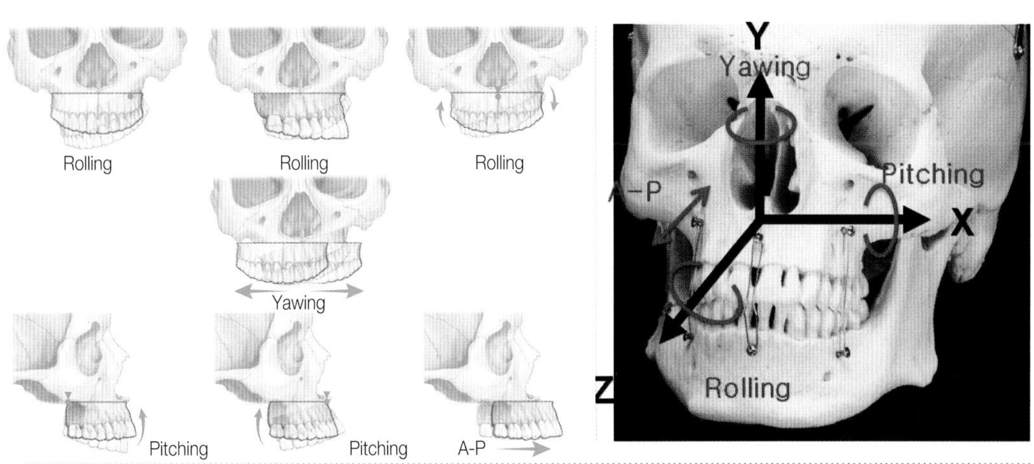

▷그림 2-13-17. **골절된 상악골의 이동 및 회전 방향.** 단순 전후방의 이동뿐만 아니라 좌우회전(rolling), 시상면좌우회전(pitch), 평면좌우회전(yawing)등 3차원적으로 상악골을 움직임으로써 다양한 형태의 얼굴 변화를 유도 할 수 있다.

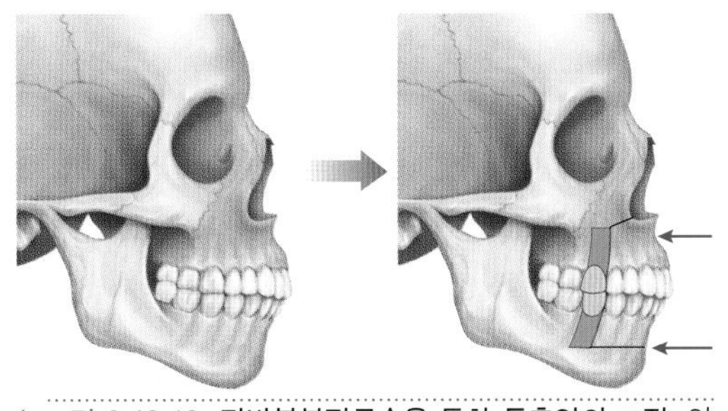

▷그림 2-13-18. **전방부분절골술을 통한 돌출입의 교정.** 양악 수술에 비해 위험도가 낮으나 치아의 발치 및 부분의 이동으로 인해 수술 후의 장기간 교정치료가 동반되는 경우가 많다.

크류 등을 사용하여 이동된 뼈를 고정한다. 이때 뼈 사이 간격이 넓은 경우 자가뼈이식술을 시행하기도 한다. 고정이 끝나면 배액관을 넣고 출혈이 없음을 확인한 후 절개 부위를 봉합한다

돌출입이 동반된 경우나 상악 혹은 하악의 이동량을 줄이기 위하여 전방 분절 골절술을 이용기도 한다. 전방부분절골술은 주로 돌출입의 형태의 환자에게 유용하며 상, 하악을 동시에 시행하는 경우도 많이 있다. 턱관절 위치가 수술 전후로 변화하지 않기 때문에 르포트씨 1 절골술이나 하악 시상 절골술에비해서 상대적 위험도가 낮은 편이나, 양측의 소구치를 발치해야 하는 관계로 수술 전후의 교합 및 치아교정 치료가 중요하다 이와 같은 상하악골 절단술 후 모양에 따라 턱끝교정술(genioplasty)이나 광대뼈 성형술 혹은 사각턱 교정술을 추가로 시행하기도 한다.

6) 수술 후 관리

수술 후 붓기가 심하지 않으면 마취를 위해 시행한 기도삽관을 제거하고 일반 병실로 나오게 되나 붓기가 심한 경우 호흡에 지장을 초래할 수 있으므로 이러한 경우 기도삽관을 유지한 채로 중환자실로 나가게 되며 하루 정도 경과를 봐가면서 천천히 기도 삽관을 제거하게 된다. 얼굴의 붓기는 수술의 시간과 직접적으로 관련되어 있으므로 가급적 단시간 내에 수술을 끝내고 수술 시 지나친 견인을 하지 않음으로써 부종을 줄일 수 있다. 일반적으로 수술시간은 수술 범위 및 자르는 부위 그리고 조각에 따라 다르다. 숙련된 성형외과 의사의 경우 단순 양악 수술의 경우 약 3~4시간 정도이면 충분하나 9조각이나 11조각으로 분리하거나 뼈 이식을 하는 경우 또 다른 술기를 동반하여 시행하는 경우, 6시간에서 8시간까지 소요되기도 한다. 마취에서 완전

히 깨기 전에는 오심이나 구토의 우려가 있으므로 상하악의 치아를 고정하는 악간 고정술은 시행하지 않는다. 하루 정도의 시간을 가지고 환자가 완전히 마취에서 깬 이후 고무줄이나 강선을 이용한 악간 고정을 약 5~7일 동안 유지한다. 그러나 수술 방법에 따라 악간 고정의 기간을 줄일 수도 혹은 한 달간 유지하기도 한다. 부종은 술 후 다음날부터 서서히 증가하여 3일 정도에 최대가 되며 이후 서서히 가라 앉아 일주일 정도가 지나면 붓기의 70~80% 정도가 사라져 일상생활이 가능해진다. 대개 입원은 부종과 먹는 문제 그리고 출혈이나 감염예방 목적으로 5일에서 7일 정도 유지한다. 술 후 다음 날부터 물 및 유동식이 가능하나 악간 고정을 시행하게 되면 연식의 섭취는 불가능해진다. 악간 고정이 끝난 일주일부터 연식의 섭취가 가능해진다. 수술 후 약 한 달간은 흡연이나 음주, 과도한 운동은 피하는 것이 바람직하다. 양악수술의 장기적 결과가 나오기까지는 1년 정도의 시간이 필요하며 이후 나타나는 변형의 재발(relapse)을 방지하기 위해 꾸준한 외래 방문과 교정치료가 필요하다. 최근 들어 양악수술이 매우 쉽고 편한 수술로 인식되고는 있으며 술기 또한 많은 발전이 있는 것도 사실이다. 그러나 여전히 여러 가지 위험성이 내재되어 있는 수술이며 무분별하게 시행되는 수술의 합병증으로 고통받는 환자 역시 증가하는 상황이다. 따라서 보다 전문적이고 팀워크가 갖추어져 있는 치료진과 사전에 충분한 상담을 통하여 얻고자 하는 효과와 기대치를 정확히 인식하고 수술을 시행 받는 것이 바람직하다.

7) 수술 시 합병증 및 대처방법

수술에 있어 부작용은 어느 정도 존재하나, 양악 수술에 있어 부작용은 때로는 매우 심각한 결과를 초래할 수 있다. 특히 airway 부분의 부종이 생길 가능성이 높은 수술이므로 술 후 관리에 있어 더욱더 면밀히 살펴야 한다. 수술 부위에 혈종이 고이는 경우가 흔하며 이를 예방하기 위해 술 후 몇 일간은 배액관을 위치시키기도 한다. 연부조직의 변화를 충분히 고려하지 못하고 수술을 진행하였을 경우 코가 양 옆으로 퍼지는 코퍼짐 현상이 나타날 수 있다. 턱이 짧아지면서 턱선이 사라져 오히려 더 나이가 들어보이는 형태가 나타날 수 있다. 인중이 얼굴의 맨 앞으로 튀어나오거나 길어 보일 수 있다. 호흡을 하는 통로가 좁아져 코골이가 생길 수 있다. 흔하지 않은 부작용으로는 수술 후 신생 혈관 등이 생길 수 있으며, 절골을 시행하는 과정에서 epicondyle 및 condyle이 부러지는 경우도 생길 수 있다.

(1) 장기간 마취로 인한 문제점

양악수술은 다른 성형수술에 비해 오래 걸릴 수 있어 장시간 수술로 인한 마취 후 폐렴, 무기폐, 쇽, 사망 등 마취에 의한 일반적인 부작용이 발생할 수 있다. 술 후 적극적인 기침의 격려가 필요하다

(2) 수술 중 출혈로 인한 Shock

양악수술 도중 다량의 출혈로 인한 쇽의 가능성이 있으며, 이로 인해 수술 중 수혈이 필요할 수 있다. Le Fort I 절골술 선을 낮게 하고 시상절골술 중 주의를 요하여 어느 정도의 예방이 가능하며 이외에도 저혈압마취(hypotensive anesthesia), 혈관 수축제의 이용 그리고 주변 조직을 가급적 건드리지 않는 정확한 수술술기와 무혈술기를 시행함으로써 출혈을 극소화할 수 있

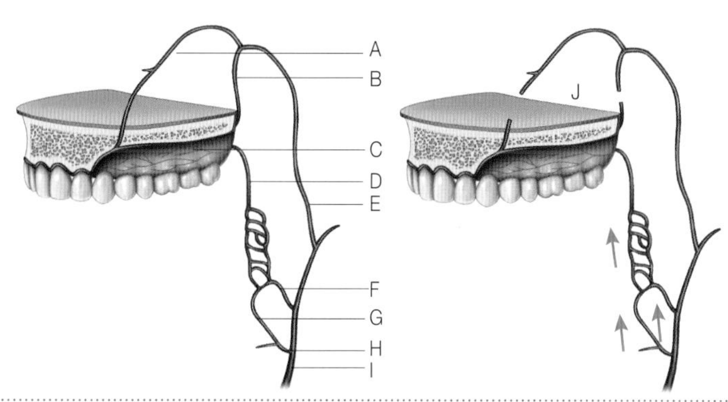

▷그림 2-13-19. **상악골의 혈관 공급.** A. Nasopalatine artery, B. Descending palatine artery, C. Greater palatine artery, D. Lesser palatine artery, E. Maxillary artery, F. Ascending pharyngeal artery, G. Ascending palatine artery, H. Facial artery, I. External carotid artery, J. Le Fort I downfracture

다. 최근양악 수술 시 수혈하는 경우는 거의 없으나 만일의 상태에 대비 항상 수혈은 준비된 상태로 수술에 임하여야 한다.

(3) 세균 감염

감염예방을 위해 술 전후 항생제투여를 하고 수술 시간 단축, 최소한의 수술범위 박리 등의 노력이 필요하며 감염은 크게 문제 되지 않으나 과거 축농증이 있던 환자에서는 내부 염증이 파급되어 문제를 야기하기도 하므로 술 전 반드시 이를 체크, 미리 치료 후 수술에 임하여야 한다.

(4) 치아 관련 합병증

약 2~3%에서 발생하고 잇몸뼈에 붙어있는 치주 연조직손상에 이어 치조부위의 합병증 발생 혹은 치아 뿌리의 손상 등이 가끔 발생할 수 있다.

(5) 신경 손상

신경의 압박 및 손상으로 술 후에 입 주위 감각이 떨어질 수 있으나, 대부분의 경우에서는 가역적이므로 추후에 감각이 다시 돌아오게 된다(약 10~20%에서 발생). 그러나 수술적 어려움으로 인해 신경이 절단될 경우 신경 복원술을 시행하게 되고 다시 감각이 돌아오기까지 오랜 시간이 걸리게 된다.

(6) 무혈성 괴사(Avascular necrosis)

여러 개의 조각으로 양악을 절단하거나 양악에 혈액을 공급하는 혈관을 손상 시켰을 경우 골편의 분절성 무혈성 괴사가 발생할 수도 있으나 일반적으로 상악은 하행 구개혈관이 손상 받더라도 상행 혈관에서 이중으로 공급받으므로 매우 드물게 일어난다

즉, 상악의 혈관 공급은 그림 2-13-19와 같이 두 군데에서 이루어지므로 르포트 I 절골술 시 J와 같이 입천장혈관이 손상당하더라도 아래쪽에서 올라오는 혈관에 의하여 혈행이 유지될 수 있다.

3. 골신연술을 이용한 상악성형술

상악골의 발육부전을 야기하는 이차성 구순비변형이나 상악골과 안와골의 발육부전을 야기하는 크루즌 증후군 혹은 에이펏 증후군의 경

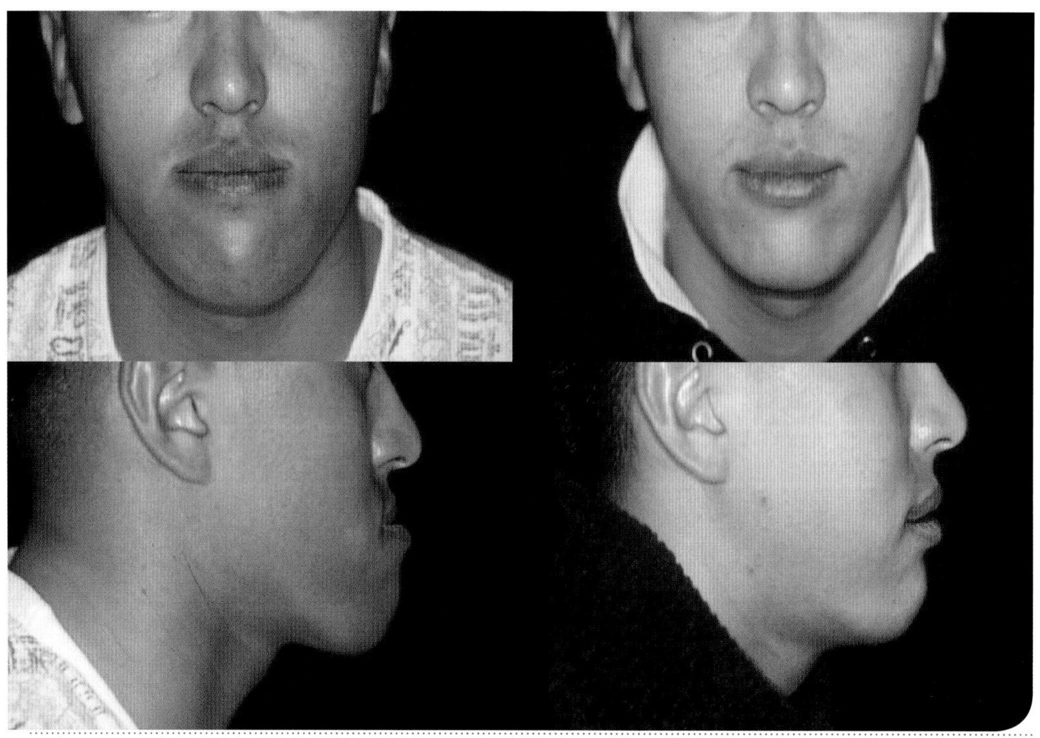

▷그림 2-13-20. **상악 전진과 하악 후퇴술을 이용한 주걱턱 교정술 전후의 모습**

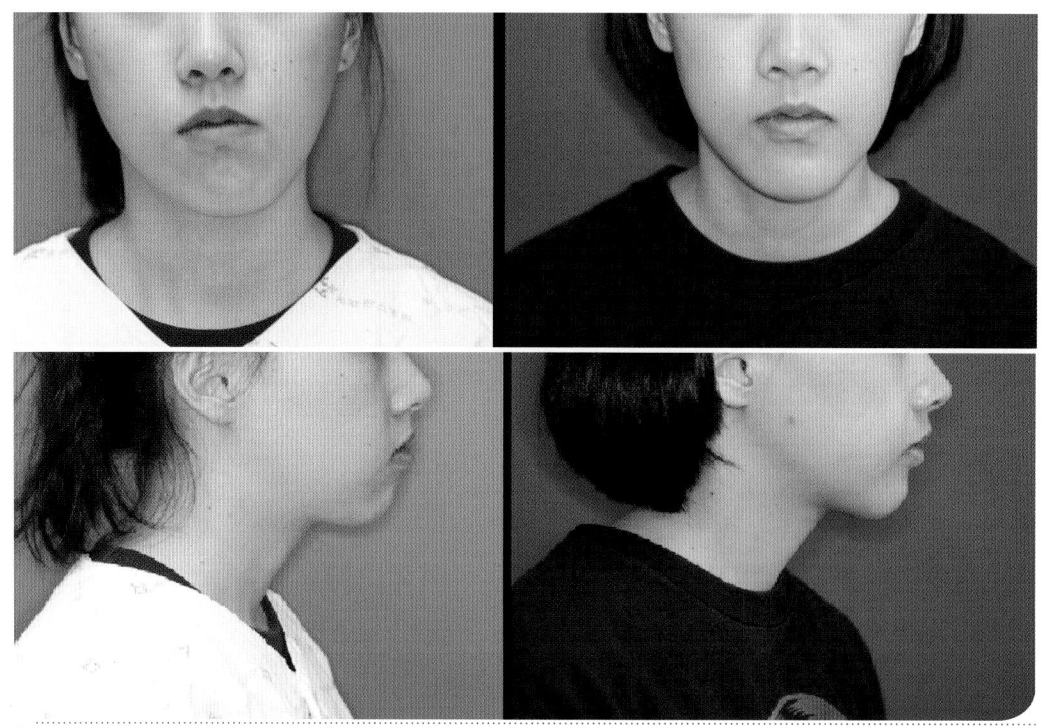

▷그림 2-13-21. **상악 및 하악의 회전을 통한 비대칭적인 안면부 교정술 시행 전후의 모습.** 상악골의 회전 이동과 더불어 턱끝 성형술을 시행, 전진시킴으로써 무턱 교정도 동시에 시행한 모습

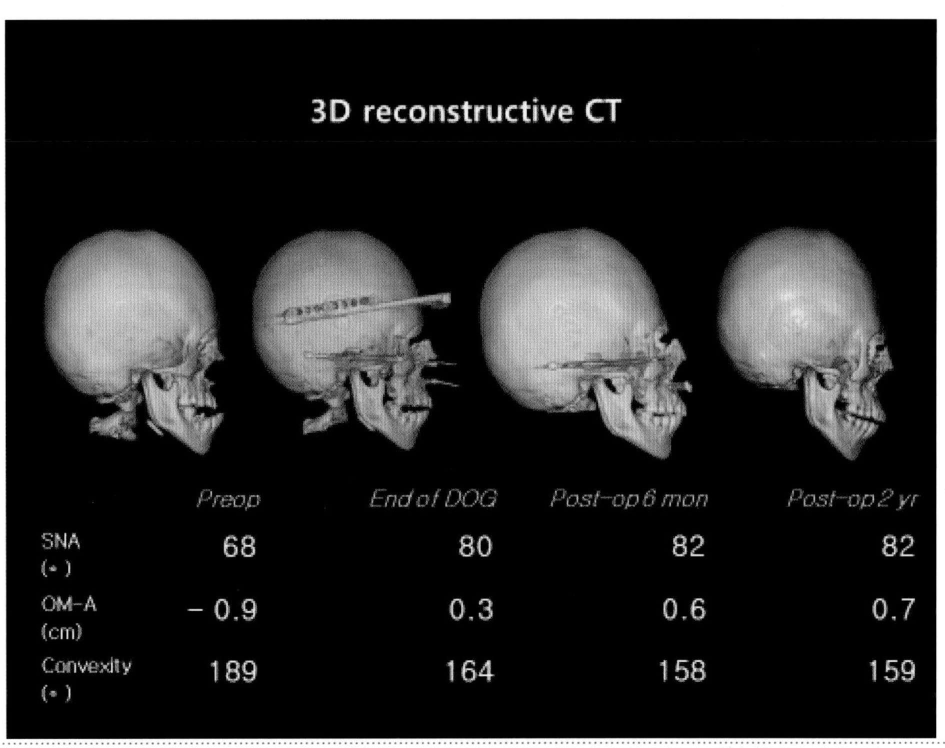

▷그림 2-13-22. 크루존 환자에서 Le Fort III 절골술 후 외부 골신장기를 이용하여 신연하는 3차원 컴퓨터 영상 모습

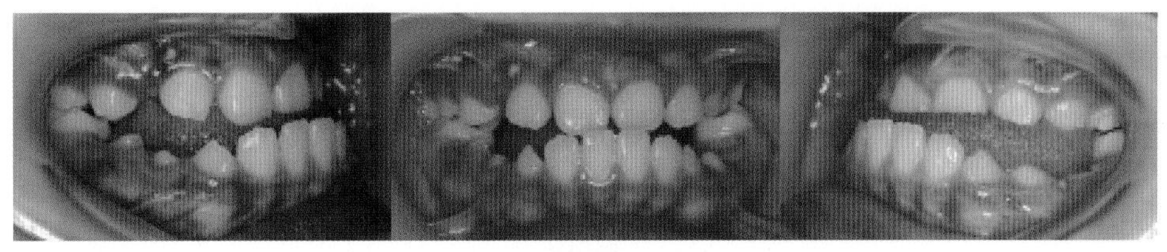

수술전

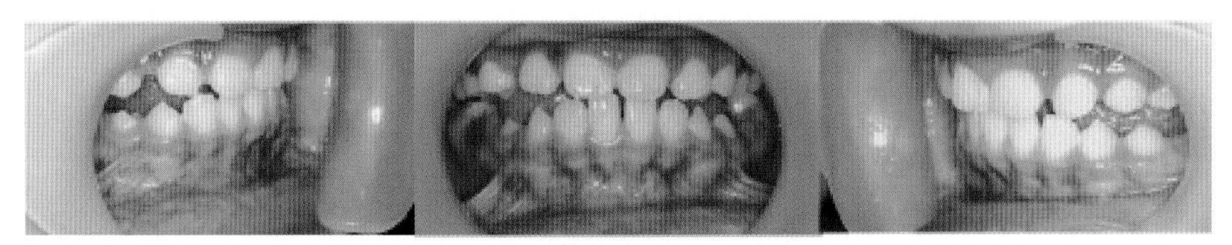

신장 직후

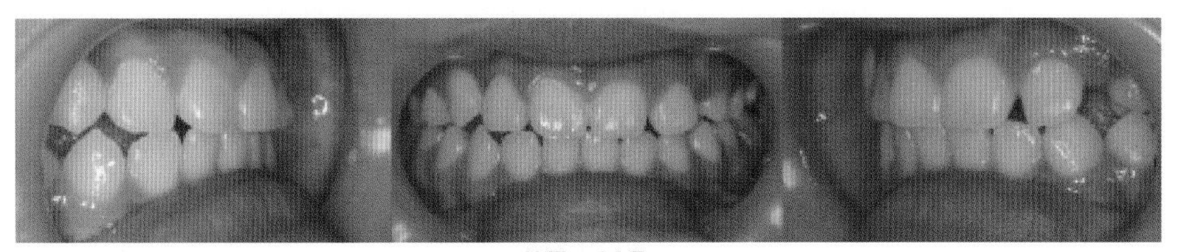

신장 2년후

▷그림 2-13-23. 골신연술을 이용하여 교합을 맞춰가는 과정

우 골격의 발육 상황에 따라 Le fort I, 혹은 II, III 절골술 후 골 신연기를 이용하여 점진적으로 상악골을 신연시킴으로써 상악골의 발육부전을 교정하고 교합과 외관상 좋은 결과를 유도할 수 있다. 신연골형성술에 의한 상악골 견인은 수술 후 재발이 적고 유지가 잘 되어 일반적인 상악 전진술 및 골이식 수술 요법을 대치하여 시행되고 있으며 최근 들어서는 번거롭고 복잡한 외부 신장기보다는 내부 신장기가 더 선호되고 있으나 내부 신장기는 신장량이 한정되어 있고 신장방향을 조절하기 어렵다는 단점이 있다.

References

1. 대한성형외과학회. 표준 성형외과학 4판. 군자출판사.
2. Neligan, Peter C., and Richard J. Warren. Plastic Surgery-Aesthetic. Vol. 3. Elsevier Health Sciences, 2012.
3. Siebert JW, Angrigiani C, McCarthy JG, Longaker MT. Bloodsupply of the Le Fort I maxillary segment: an anatomicstudy. Plast Reconstr Surg 1997;100:843–51.
4. Ho MW, Boyle MA, Cooper JC, Dodd MD, Richardson D.Surgical complications of segmental Le Fort I osteotomy. Br JOral Maxillofac Surg 2011;49:562–6
5. Lanigan D, Hey JH, West RA. Aseptic necrosis following max-illary osteotomies. J Oral Maxillofac Surg 1990;48:142–56.
6. Cunningham, S.J.; Hunt, N.P.; Feinmann, C. Psychological aspects of orthognathic surgery: A review of the literature. Int. J. Adult Orthodon. Orthognath. Surg. 1995, 10, 159–172.
7. Steinhauser, E.W. Historical development of orthognathic surgery. J. Craniomaxillofac. Surg. 1996, 24, 195–204.
8. Kretschmer, W.B.; Zoder, W.; Baciut, G.; Bacuit, M.; Wangerin, K. Accuracy of maxillary positioning in bimaxillary surgery. Br. J. Oral Maxillofac. Surg. 2009, 47, 446–449.
9. Annino DJ, Goguen LA, Karmody CS. Distraction osteogenesis for reconstruction of mandibular symphyseal defect. Arch Otolaryngol Head Neck Surg 1994;120:911-6.
10. Baek, W., Woo, T., Kim, Y. S., Yun, I. S., Kim, J., Choi, S. W., ... & Lew, D. H. (2016). Reduction malarplasty by bidirectional wedge ostectomy or two percutaneous osteotomies according to zygoma protrusion type. Journal of Cranio-Maxillofacial Surgery, 44(10), 1662-1669.

14 두경부 종양 및 재건
Reconstruction of Head and Neck Tumor

이원재 연세의대

1. 두경부 종양

두경부 종양 중 양성종양은 대부분 피부종양에 속하고, 두경부 악성종양은 일반적으로 신경외과계(뇌 및 뇌막)와 내분비계를 제외한 안면, 경부와 상부호흡 소화계에 일어나는 암을 말한다.

두경부는 호흡, 섭취 및 오관의 기능이 밀집된 복잡한 해부학적 구조와 다양한 기능이 복합된 곳으로 여기에 암은 진단으로부터 치료, 예후 및 사회적응에 이르기까지 고도의 지식과 기술이 요하며 아울러 여러 분야(성형외과, 일반외과, 이비인후과, 안과, 신경외과, 방사선과, 치과, 종양학과, 재활의학과 등)가 다학제 협진체제를 이루어 공동 연구하는 학문으로 두경부 외과라고도 한다. 최근 악성종양의 정복은 물론 수술 후 생활의 질적 향상 및 기능과 외모에 대한 재건이 중요하기 때문에 성형외과의 역할이 크다고 할 수 있다.

1) 발생빈도(Epidermiology)

두경부 전체에 발생하는 암은 신체 전체 암의 15%에 해당하며 안면피부와 두피의 표재성 암 10%를 제외한 5%는 점막표피에 발생한다. 좁은 의미로 점막표피에 발생하는 암을 두경부 암으로 정의했을 때, 전 세계적으로 두경부 암은 550,000건 이상 발생하여, 매년 380,000명이 사망한다. 두경부 암은 조직형태에 따라 여러 가지 종류가 있으며 편평상피세포암(squamous cell carcinoma)이 86% 이상을 차지한다. 두경부 암의 55%는 구강(oral cavity) 및 구인두(oropharynx), 25%는 후두(larynx) 및 하인두(hypopharynx), 비인두(nasopharyx), 30%는 주요 타액선(major salivary gland), 그리고 기타 부위에 13%가 발생한다. 남성이 여성에 비해 2배에서 4배까지 높은 발생빈도를 보인다. 두경부 암은 연령증가에 따라 호발하며 보통 60~70대에 진단되고 예후는 각 호발부위마다 크게 다르며 후두암의 경우 5년 생존율이 61%, 하인두 암의 경우 33%, 비인두의 경우 60%, 구강 및 구인두암은 65%의 5년 생존율을 각각 나타낸다.

대부분의 두경부암은 진단 당시 전이를 동반하는 경우가 많아, 림프절 전이를 포함한 국소전이가 43%, 전신적 전이도 10% 정도에서 발견된다. 또한 이차적 원발성 암이 호발하기도 한다(3~7%). 그러므로 조기 발견이 우선적으로 중요하며 수술적 광범위한 제거 및 술 후 방사선 치료가 원칙적인 치료 방침이 된다.

2) 위험인자(Risk factors)

(1) 흡연(Tobacco)

구강, 인두, 후두 및 비강에 발생하는 편평상피세포암의 주요한 위험인자로 흡연기간과 양에 따라 다르지만 비흡연자에 비하여 5배에서 25배의 높은 발생빈도로 나타난다.

(2) 음주(Alcohol)

상부호흡소화관 암은 음주를 많이 하는 사람이 하지 않는 사람에 비하여 5~6배의 높은 빈도로 나타나고 흡연과 같이 과음할 경우 각각의 빈도를 곱한 것과 같은 빈도를 보이게 된다.

(3) 기타(Others)

구강의 비위생상태, 치아나 의치(denture)에 의한 기계적 자극, 기타 매독이나 바이러스 감염(Epstein-Barr virus, human papillomavirus, herpes simplex I)이 있으며 직업환경에 따른 유독성 가스나 증기 흡입에 의한 것과 자외선 노출 등이 있다

3) 진단(Diagnosis)

구강, 혀 및 성문(glottis)에 발생하는 암은 초기에 증상이 나타나고 쉽게 관찰되어 조기에 발견된다. 잘 치유되지 않는 백색반(whitish plaque)이나 궤양(ulceration) 또는 출혈을 동반하는 종괴 증상이 흔하며 통증이 동반되기도 한다. 비인두(nasopharynx), 두개기저부(skull base), 하인두(hypopharynx)나 경부식도의 암은 증상이 늦게 나타나고 흔히 체중감소나 국소 및 원격전이(regional and distant metastasis)에 따른 증상이 나타난다.

(1) 병역(History)

자세한 병역과 아울러 직업, 습관, 흡연, 음주, 기호식품에 대한 것과 과거력을 상세히 파악하여야 한다.

(2) 임상증상(Clinical evaluation)

구강과 구인두 내에 발생하는 암의 가장 흔한 증상은 무통의 궤양으로 불편정도의 막연한 증상으로 오랜 기간(2~3주 이상) 치료에 효과 없는 경우가 많다. 구강 깊숙이 혀의 기저부나 편도선 부위에 있을 경우 처음에는 증상이 없지만 국소적으로 깊이 침범되어 설인신경(glossopharyngeal nerve)이나 미주신경(vagus nerve)자극으로 귀에 연관통(referred pain)이 나타날 수 있고, 구인두의 혀 기저부의 암은 음식을 삼킬 때 불편하거나 통증을 나타낸다(odynophagia). 쉰 목소리(hoarseness)는 성대(vocal cord)암에 가장 흔한 증상으로 조기에 간접후두경(indirect laryngoscopy)을 시행하여 원인을 규명하여야 한다. 그리고 성문상부 후두와 하인두(supra-glottic larynx and hypopharynx)에 암은 오랫동안 증상이 없거나 연하곤란이나 쉰 목소리가 나타나기도 하며 암 병소가 클 경우에는 객혈이나 호흡곤란 증세가 나타나기도 한다. 경우에 따라서는 별 자각증세 없이 경부에 종괴를 주소로 내원하는 경우는 비인두, 혀기저부, 성문상부, 하인두의 암이 전이되어 나타나는 경우가 많다. 비강이나 부비동의 암은 비폐색, 비출혈, 뺨에 부종과 동통이 발생하며 안와에 침범할 경우는 복시나 안구운동에 지장을 초래한다. 또한 상악동의 암이 치조나 치아를 침범하면 치과문제가 발

생한다. 비인두에 암이 이관(Eustachian cannal)을 폐쇄하여 중이에 점액이 축적되어 귓밥이 막힌 증상도 일어난다. 상악동의 암은 어느 정도 자라 주위조직에 침범되지 않았을 경우는 증상이 나타나지 않으므로 조기에 진단하기 힘들다.

(3) 이하학적 소견(Physical examination)

구강이나 인두의 병소는 직접 시진과 촉진에 의하여 대부분 진찰할 수 있고 인후두 부위는 혀를 잡아당겨 반사경으로 관찰할 수 있으며 성대는 환자에게 소리를 내게 하므로 그 움직임을 알아내고 따라서 반사경 검사로 혀기저(tongue base), 계곡(vallecula), 후두개(epiglottis), 피열후두개 주름(aryepiglottic fold)과 성대를 관찰할 수 있다.

내비강은 비경을 이용하여 점막에 혈관수축제를 도포하여 위축시켜 관찰할 수 있고 비인두강은 연성 비인두경(flexible nasopharyngoscope)과 홉킨스 내시경(Hopkins endoscope)으로도 관찰할 수 있으며, 후인두와 경부식도는 국소나 전신마취하에 내시경으로 직접 관찰할 수 있다. 이러한 방법으로 직접 병소를 관찰하고 생검하여 병소의 침투범위나 심한 정도를 측정할 수 있다. 경부는 영역 임파절전위를 알기 위하여 기관전역(pretracheal region)뿐만 아니라 전경부삼각부위와 후경부삼각부위(anterior and posterior cervical triangle)를 시진과 촉지에 의하여 진찰하며 턱밑과 악 하부를 양손을 이용하여(bimanual palpation) 한 손은 입속에 넣고 다른 손은 턱밑과 목에 대고 진찰한다. 보통 임파절이 직경 1~2m 이하 것과 흉쇄유돌근(sternocleidomastoid) 밑에 있는 것은 촉지하기 힘들다.

(4) 조직채취(Tissue sampling)

모든 병소는 위치와 크기를 정확히 기록 혹은 도시하고 구인두(oropharyngeal)부위의 암은 작은 경우는 절제하여 생검하고, 깊거나 넓은 부위는 절개 생검을 한다. 하인두, 이상동과 상악동의 암은 방사선 검사 전에는 생검하지 않는다. 생검으로 악성 정도와 크기가 방사선 검사에 나타나는 것이 변하게 되어 암의 임상적 병기(clinical stage)를 알기 힘들다.

(5) 경부임프절 생검(Neck lymph node biopsy)

의심되는 경부임파절의 개방생검(open biopsy)은 모든 진단적 처치할 때까지는 금기이다. 만약 원발병소불명 림프절(unknown primary lymphnode mass)은 세침흡입생검(fine needle aspiration, FNA)으로 세포학적 슬라이드(cytologic slide)와 세포차단(cell block)을 시행하여 암을 주위에 전파시키지 않게 하는 병리 조직검사에 의하여 90% 정확도의 진단을 얻을 수 있다

(6) 방사선 검사(Radiological examination)

편평상피세포암은 표피에서 기인하므로 방사선 검사에 의한 검출은 한정되며 점막표면에 조형물질을 첨가시켜야 한다. 종양이 점차 진전되어 골을 침투하거나 골변형이 있을 때 단순 X-선 검사(conventional radiography), 건조 X-선 조형술(xero radiogram)이나 전산화단층촬영(computer tomographic, CT Scanning)에 의하여 검출될 수 있다. 단순 X-선 검사는 주로 Water's view, Caldwell view, lateral 혹은 submentovertex view에 의하여 안면골의 구조를 나타낸다. Water's view는 상악동을 가장 잘 나타내고 Caldwell view는 사골 및 전두동이 잘 나타난다. CT Scan은 종양의 크기나 국소적 침범

범위를 파악하는 데 필수적이다. 비인두 종양은 plain lateral skull film에서 연부조직농도로 나타날 수 있으나 CT로 더욱 분명하게 나타나며 골침습(bony invasion)을 알 수 있다. 구강이나 구인두는 직접관찰로 알 수 있지만 깊이 침습되거나 하악에 파급되었을 경우는 파노라마 방사선 촬영술(panoramic radiography)로 하악 파괴 정도를 알 수 있다. 후두와 하인두는 직접 혹은 간접관찰에서 비교적 잘 검출될 수 있지만 방사선 검사에 의한 바리움연하검사(barium swallow)를 이용한 방사선 영화촬영술(cineradiography)로 잘 나타낸다. 또한 원격전이된 암은 흉부 단층촬영(chest tomography)이나 간, 골 혹은 뇌에 동위원소 스캔(isotope scanning)을 시행한다.

(7) 병기(Staging)

암이 생검이나 검사에 의하여 확진된 후에는 임상적으로 암의 진전 정도 즉 병의 경중에 대한 단계를 병기(stage)로 분류한다. 병기는 치료하기 전에 결정하므로 최상의 치료를 선택하고 예후를 측정할 수 있다. 이는 1988년 American Joint Committee on Cancer (AIC)에 의한 TNM 분류법에 의하여 T는 종양의 크기와 범위, N은 임상적으로 영역 림프절의 침범 상태, M은 원격전이의 유무를 나타낸다.

이전의 단순한 TNM 분류법에서 발전하여 두경부 암의 병기 결정 시스템의 정확성을 향상시키기 위해 많은 연구가 진행되었다. 다만 TNM 분류법의 해부학적 병기는 두경부 종양은 복잡한 해부학적 구조로 인해 두경부 검사가 어려우며 특히 비만 환자의 경우 종양의 크기와 림프절이 존재여부가 과소평가되어서 정확하지 않을 수 있다. 또한, TNM 분류법은 종양 생물학 및 조직학의 다양성을 다루지는 않는다. 현재의 연구는 다른 모든 암과 마찬가지로 두경부암이 독립적인 성장 기전을 보이고 정상적인 장기 범위를 벗어나는 클론 개체군을 유발하는 유전적 변이의 축적 결과라는 개념에 근거한다. 이러한 이론은 EGFR, Cyclin D1, HPV DNA, p53 유전자 등의 비정상적인 발현과 같은 악성 종양 분자 표지자 검사가 TNM과 결합하여 종양의 행동과 예후를 더 잘 예측하고 표적 치료법을 선택할 수 있음을 시사한다.

현재의 TNM 분류법은 the American Joint Committee on Cancer (AJCC)와 the Union for International Cancer Control (UICC)에 의한 방법을 사용하고 있으며, 각 부위에 따른 원발암 (oral cavity, nasopharynx, oropharynx, larynx, nasal cavity and paranasal sinuses, salivary glands)에 따라 TNM staging 기준을 다양하게 적용하고 있다. 그 중 Lip and oral cavity의 2017년 기준 TNM staging은 표 2-14-1과 같다.

4) 두경부의 각 부위에 따른 원발암

(1) 구강

구강 내 암은 대부분이 편평상피세포암으로 부위에 따라 구순 30%, 혀 25%, 구강기저부 20%, 하악치은부(mandibular gingiva) 16%, 협부점막(buccal mucosa) 10%, 경구개와 상악치은부(hard palate and maxillary gingiva)에 3%이며 전반적 5년 생존율은 65%이다.

① 구순암(Lip cancer)

대부분이 편평상피세포암으로 남자에 절대적으로 많고 주로 50~60대 후반에 발생한다. 전체 구강암의 30%를 차지하며 이중 90%이상이 하구순에 발생한다. 상구순의

▷표 2-14-1. Oral cavity cancer의 TNM staging, the AJCC Cancer Staging Manual, Eighth Edition (2017) published by Springer International publishing

Primary tumor (T)	
T category	T criteria
TX	Primary tumor cannot be assessed
Tis	Carcinoma in situ
T1	Tumor ≤2 cm , ≤5 mm depth of invasion (DOI). DOI is depth of invasion and not tumor thickness.
T2	Tumor ≤2 cm , DOI 〉5 mm and ≤10 mm; or Tumor 〉2 cm but ≤4 cm, and ≤10 mm DOI
T3	Tumor 〉4 cm; or Any tumor 〉10 mm DOI
T4	Moderately advanced or very advanced local disease
T4a	Moderately advanced local disease. LIP: Tumor invades through cortical one or involves the inferior alveolar nerve, floor of mouth, or skin of face (ie, chin or nose) ORAL CAVITY: Tumor invades adjacent structures only (eg, through cortical bone of the mandible or maxilla, or involves the maxillary sinus or skin of the face) NOTE: Superficial erosion of bone/tooth socket (alone) by a gingival primary is not suffcient to classify a tumor as T4."
T4b	Very advanced local disease. Tumor invades masticator space, pterygoid plates, or skull base and/or encases the internal carotid artery.
Regional lymph nodes (N)	
Clinical N (cN)	
N category	N criteria
NX	Regional lymph nodes cannot be assessed
N0	No regional lymph node metastasis
N1	Metastasis in a single ipsilateral lymph node, 3 cm or smaller in greatest dimension and ENE(-)
N2	Metastasis in a single ipsilateral node larger than 3 cm but not larger than 6 cm in greatest dimension and ENE(-); or Metastases in multiple ipsilateral lymph nodes, none larger than 6 cm in greatest dimension and ENE(-); or In bilateral or contralateral lymph nodes, none larger than 6 cm in greatest dimension, and ENE(-)
N2a	Metastasis in a single ipsilateral node larger than 3 cm but not larger than 6 cm in greatest dimension and ENE(-); or
N2b	Metastasis in multiple ipsilateral nodes, none larger than 6 cm in greatestdimension, and ENE(-)
N2c	Metastasis in bilateral or contralateral lymph nodes, none larger than 6 cm in greatest dimension, and ENE(-)
N3	Metastasis in a lymph node larger than 6 cm in greatest dimension and ENE(-); or Metastasis in any node(s) and clinically overt ENE(+)
N3a	Metastasis in a lymph node larger than 6 cm in greatest dimension and ENE(-)
N3b	Metastasis in any node(s) and clinically overt ENE(-)
NOTE: A designation of "U" or "L" may be used for any N category to indicate metastasis above the lower border of the cricoid (U) or below the lower border of the cricoid (L). Similarly, clinical and pathological ENE should be recorded as ENE(-) or ENE(+).	
Pathological N (pN)	
N category	N criteria
NX	Regional lymph nodes cannot be assessed
N0	No regional lymph node metastasis
N1	Metastasis in a single ipsilateral lymph node, 3 cm or smaller in greatest dimension and ENE(-)

〈계속〉

▷표 2-14-1. Oral cavity cancer의 TNM staging, the AJCC Cancer Staging Manual, Eighth Edition (2017) published by Springer International publishing (계속)

N2	Metastasis in a single ipsilateral lymph node, 3 cm or smaller in greatest dimension and ENE(-); or Larger than 3 cm but not larger than 6 cm in greatest dimension and ENE(-); or Metastases in multiple ipsilateral lymph nodes, none larger than 6 cm in greatest dimension and ENE(-); or In bilateral or contralateral lymph node(s), none larger than 6 cm in greatest dimension, ENE(-)
N2a	Metastasis in a single ipsilateral lymph node, 3 cm or smaller in greatest dimension and ENE(+); or A single ipsilateral node larger than 3 cm but not larger than 6 cm in greatest dimension and ENE(-)
N2b	Metastasis in multiple ipsilateral nodes, none larger than 6 cm in greatestdimension and ENE(-)
N2c	Metastasis in bilateral or contralateral lymph nodes, none larger than 6 cm in greatest dimension and ENE(-)
N3	Metastasis in a lymph node larger than 6 cm in greatest dimension and ENE(-); or In a single ipsilateral node larger than 3 cm in greatest dimension and ENE(+); or Multiple ipsilateral, conctralateral, or bilateral nodes any with ENE(+); or A single contralateral node 3 cm or smaller and ENE(+)
N3a	Matastasis in a lymph node larger than 6 cm in greatest dimension and ENE(-)
N3b	Metastasis in a single ipsilateral node larger than 3 cm in greatest dimension and ENE(+); or Multiple ipsilateral, contralateral, or bilateral nodes any with ENE(+); or A single contralateral node 3 cm or smaller and ENE(+)

NOTE: A designation of "U" or "L" may be used for any N category to indicate metastasis above the lower border of the cricoid (U) or below the lower border of the cricoid (L).
Similarly, clinical and pathological ENE should be recorded as ENE(-) OR ENE(+).

Distant metastasis (M)

M Category	M criteria
M0	No distant metastasis
M1	Distant metastaiss

Prognostic stage groups

When T is …	And N is…	And M is…	Then the stage group is…
Tis	N0	M0	0
T1	N0	M0	I
T2	N0	M0	II
T3	N0	M0	III
T1, T2, T3	N1	M0	III
T4a	N0, N1	M0	IVA
T1, T2, T3, T4a	N2	M0	IVA
Any T	N3	M0	IVB
T4b	Any N	M0	IVB
Any T	Any N	M1	IVC

TNM: tumor, node, metastasis; AJCC: American Joint Committee on Cnacer; UICC: Union for International Cancer Control; ENE; extranodal extension

Used with permission of the American College of Surgeons, Chicago, Illinois. The original source for this information is the AJCC Canger Staging Manual, Eighth Edition (2017) published by Springer International Publishing

암은 대부분이 기저세포암(basal cell carcinoma)으로 점막보다는 피부에 생기며 하구순에는 세포암이 대부분으로 홍순에 호발한다. 그 외에 소타액선에 생기는 선암(adenocarcinoma), 악성흑색종(malignant melanoma), 섬유육종(fibrosarcoma)이 드물게 나타난다. 이전의 기준은 크기에 따라 전이 가능성을 평가하였으나, 현재는 병변의 깊이에 따라 전이 가능성이 높아지는 것으로 보고되었다. 깊이가 5.6mm 이상인 경우 경부림프절 전이 가능성이 높아진다는 보고가 있으며 미분화 암세포일수록 전이율이 높다. 하구순의 림프는 턱밑 림프절, 악하림프절로 유입되고 정중선에 있을 경우는 양측으로 유입되어 전이될 수 있으며 이들은 이복근하림프절을 거쳐 내경정맥 림프절의 중부와 하부로 전이된다(그림 2-14-1). 상구순암은 일측성으로 이개전 림프절(preauricular lymph node)이나 악하림프절 및 턱밑 림프절로 전이한다. 치료는 원발암의 직경이 2cm 이하 일 때는 절제나 W절제를 시행하며 경부림프절 전이가 의심될 경우는 경부곽청술을 시행하고 암이 중앙부에 치우쳐져 대측으로 전이 위험성이 있을 경우는 대측에 견갑선골근 상부 경부곽청술을 동시에 시행한다. 전이가 없을 경우는 방사선 치료만으로도 절제와 같은 효과를 얻을 수 있다고도 한다. 상구순에 기저세포암은 국소침투성은 강하지만 전이율은 낮아 국소적으로 완전 절제하면 치유율이 높다. 예후는 전이가 없는 경우는 치료 후 5년 생존율이 92%로 높지만 병소가 크고 전이가 있는 경우는 35% 이하이며 전체적으로 70~80%에 달한다.

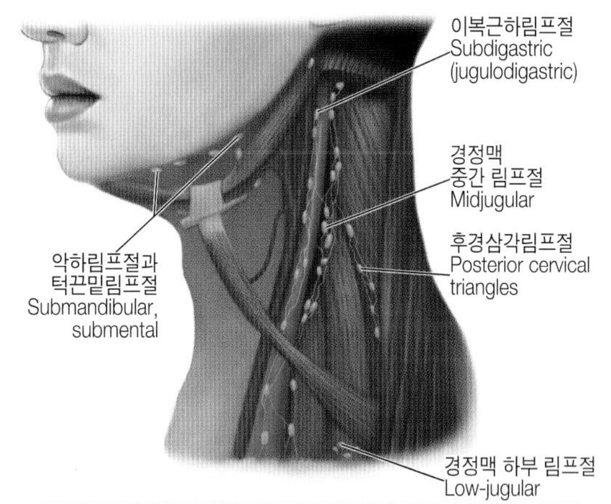

▷그림 2-14-1. **경부림프절(Cervical lymph nodes)**

② **설암(Tongue cancer)**

담배가 주요원인으로 남자에 호발 하지만 최근 여성 흡연률의 증가로 인해 여자에서 증가 추세를 보이고 있다. 설암은 구강암 의 36%이상을 차지하며 95%이상이 편평상피세포 암으로 호발 부위는 혀의 중간 ⅓부 측연에 가장 많고 후⅓, 전⅓ 및 혀끝하부의 순서로 호발한다.

림프전이는 동측에 턱밑 림프절, 악하림프절, 경정맥림프절로 전이되고 중앙부에 있거나 중앙부까지 침습하였을 경우는 양편으로 전이할 수 있다. 이전의 TNM 기준은 병변의 크기에만 따라 분류하였으나, 2017년에 개정된 병기 결정에는 최대 침습 깊이를 통합하여 분류하게 되었다. T1은 15%, 침윤 깊이가 5mm 이상은 T2의 최소 결정단계를 가지고 30%의 전이 가능성을 가진다. 침윤 깊이가 10mm 이상은 T3의 최소 결정단계를 가지며 50%, T4는 75%의 전이 가능성을 가진다. 일단 혀에 동통성 궤양이나 출혈 및 경결이 만져져 2주 이상 별 호전이 없으면 생검하여야 한다. 일반적으로 표면에 생기는 것은 편평상피세포암이 많고 심부에서 발생하여 나중에 표면에 궤양이 생기면 선암일 가능성이 많다.

설암의 치료는 발생부위에 따라 다르며 대부분은 외과적 절제술로 치료하고 방사선요법에 효과 있는 것은 드물다. 혀 전방 ⅔에 생긴 암은 발견과 진단이 용이하여 조기에 절제함으로 예후가 좋아 5년 생존율이 50% 정도 되며 중⅓에 생긴 것은 외과적 절제 나 방사선요법으로 비슷한 생존율을 보이지만 후 ⅓의 설암은 T3나 T4 말기에 진단되고 ⅔ 정도에서 경부에 림프절이 촉지되어 대부분 외과적 절제술, 방사선요법 및 화학요법등의 복합 치료가 요하며 이 경우 5년 생존율은 21%에 불과하다

수술은 작은 경우에는 절제술로 연하작용이나 언어기능에 장애를 가져오지 않지만 절제를 많이 할 경우는 여러 가지 피판술이 요하게 된다. 절제 범위는 보통 암 경계로부터 2cm 정도 정상조직을 포함시킨다. 설암이 구강 기저부까지 침범되었을 경우는 pull-through 수술법으로 하악내면의 골막도 제거하며 경부곽청소술을 시행하고 하치조까지 침범되었을 경우는 병소절제와 더불어 반설절제술(hemiglossectomy), 반하악절제술(hemimandibulectomy) 및 동측에 경부곽청소술을 시행하는 "Commando 수술"을 시행한다.

초기 병기에서는 수술적 절제술과 방사선요법 둘 다 적용할 수 있으나, 수술적 절제술이 전반적으로 선호되고 있다. 두 군에 있어서 치료율의 비교는 randomized trial로 비교된 결과는 아직 없다.

③ **구강기저암(Cancer of mouth floor)**

남성에서 4배 이상 높고 노인에 호발하며 술, 담배, 구강감염, 기계적 자극등에 의한 백반(leukoplakia)으로부터 발생한다. 주로 하협치은구(lower buccogingval sulcus)에 호발하며 대부분 편평상피세포암이며 그 외 선양낭성암, 점액성 상피세포암, 흑생종도 발생한다.

④ **협부점막암(Buccal mucosa cancer)**

주로 편평상피세포암이며, 담배 및 과다한 음주와 연관되어 있다. 성장이 느리고 후기에 전이되지만 수술로 제거해도 재발이 많은 것이 특징이다. 전이가 없는 경우는 70% 정도 생존을 갖고 그렇지 않은 경우는 40%이다.

⑤ **구개암(Palatal cancer)**

암이 2cm 이하일 경우는 국소절제술로 충분하지만 클 경우는 Weber-Ferguson-Longmire 절개를 통해 적출한다. 5년 생존율은 20~55%이다.

⑥ **치조암(Alveolar cancer)**

남성에서 3배 높고 50~80대에 많이 발생하며 다발성으로 하치조와 소구치후부에 호발한다. 병기 1, 2인 경우에도 골에 인접해 있기 때문에 하악골 일부를 제거해야 한다. 병기 3과 4인 경우는 경부곽청소술을 시행한다.

(2) 하악골 악성종양(Carcinoma of mandible)

① **치성 악성종양(Odontogenic carcinoma)**

매우 드물고 5년 생존율은 30~40%이다.

i) 악성 에나멜모세포종(Malignant ameloblastoma): 골내 에나멜모세포종(intraosseous ameloblastoma)이 악성화한 것으로 조직학적으로는 양성 양상을 갖고 있으나 혈액 및 림프 전이를 잘한다.
ii) 에나멜 모세포암(Ameloblastoma carcinoma)
iii) 에나멜모세포성 섬유육종 (Ameloblastic fibrosarcoma)

② **원발성 악성종양(Primay malignant tumors)**
주로 육종과 림프종(Sarcoma and lymphoma)이다.

i) 골육종(Osteosarcoma)
전체 악성골종양의 20%를 차지하고 악골에서는 6%를 차지한다. 30~40대 남자에 호발하며 급속성장하고 치료는 수술 후 방사선치료를 시행하며 5년 생존률은 저조하다.
ii) 연골육종(Chondrosarcoma)
두경부 골육종의 50% 정도 차지하며 비중격에 호발한다. 양성 연골종과 구별하기 힘들며 연골종에서 유래한다고도 한다. 치료는 절제와 더불어 방사선 치료를 한다.
iii) 섬유육종(Fibrosarcoma)
악골이외 얼굴, 목, 부비동, 비인두에 호발한다.
iv) Ewing 육종(Ewing's sarcoma)
골과 골인접 연조직에 발생하며 10~20대에 호발하고 혈행성 전이로 폐와 골에 전이를 잘 일으킨다. 방사선치료로 가장 잘 치료되며 화학요법을 보조적으로 사용한다, 5년 생존률은 50%이다.
v) 악성 섬유성조직구종(Malignant fibrous histiocytoma)
vi) 비호즈킨림프종(Non-Hodgkin's lymphoma of bone)
vii) 맥관육종(Angiosarcoma)

(3) 악성 상악골 종양(Malignant tumor of maxilla)

비강과 부비동에 발생하는 암의 60%가 상악골에 발생하며 60~70대 남성에 호발한다.

상악동 및 상악골의 악성종양은 상악동 표면의 가중층원주상패(pseudostratified columnar epithelium)에서 생기는 편평상피세포암이 80% 이상이고 선암(adenocarcinoma)이 10%이며 기타 육종 및 치성 종양이 있다. 조기에 주위 조직으로 전이되지만 원격 및 경부 림프절 전이는 흔하지 않고 인후두림프절이나 심경부림프절로 전이된 경우는 발견되기가 힘들다.

증상이 초기에는 염증성, 알레르기성 질환과 비슷하여 어느 정도 진행된 뒤에 발견되므로 예후가 좋지 않다. 증상으로는 통증, 뺨의 종창, 비폐쇄 및 비출혈 등으로 나타난다. 수술은 상악전절제술(total maxillectomy)이나 상악아전 절제술(subtotal maxillectomy)을 시행하며 안와절제술(orbital resection)을 같이 하기도 한다.

(4) 연부조직의 육종(Soft tissue sarcoma)

두경부의 육종은 신체 다른 부위에서의 발생빈도보다 낮고 광범위 외과적 절제와 더불어 방사선 요법과 화학요법을 시행한다. 수술 전 두개골 및 안면골 단순 X-선 검사, CT스캔, MRI 검사를 시행하여 병소의 범위를 측정하여 치료방침을 설정한다.

(5) 두개저 종양(Tumors of skull base)

두개 안, 밖에서 발생하여 두개저 연조직에 침범한 종양으로 CT scan, MRI, 경동맥 조형술로 진단하며 경우에 따라서는 수술전 경동맥 조형술(carotid angiography)을 통하여 색전술을 시행하여 크기와 혈류 양을 감소시킨다.

최근 두경부 외과에 새로운 분야로 신경외과, 성형외과, 종양학 둥이 팀워크를 이루어 근치수술로 부터 고식적 수술(palliative operation)까지 재건수술과 함께 시술하여 암을 치료하거나 생명단축은 못하지만 통증, 외적결함, 후유증 등을 해결하여 환자의 정서와 호흡 및 음식 섭취 등의 사회생활을 보조하여 생의 질을 높여주는데 의의가 있다.

(6) 원발병소가 불명한 경부암(Unknown primary origin tumor of the neck)

경부에 암이 전이된 림프절이 있지만 흉부X-선 과 구강, 인두, 비강 내시경 등의 모든 일반검사와 CT scan, MRI나 혈관조형술까지 동원하여도 원발 병소를 찾아내지 못한 경우를 말한다.

경부 림프절 전이암의 11.6%가 원발병소불명암이며 전체 두경부 암의 2~5%를 차지한다. 이들의 병리학적 소견으로는 표피양암이 67.7%, 선암이 29%이며 미분화세포암이 3.2%로 나타난다. 어린이와 청소년기에 지속적으로 경부림프절이 촉지되는 것은 양성질환에 의한 2차로 생기는 림프절증(lymphadenopathy)이 85%이며 나머지 15%가 림프계통에서 유래된 악성종양이나 횡문근육종(rhabdomyosarcoma)이며 성인에서는 80% 이상, 50세 이후에는 90% 이상이 악성으로 원발병소가능성은 구인두 40%, 후두인두 40%, 갑상선 10% 그리고 기타부위 10%에서 기인한다. 일반적으로 경부중상부에 있으면 상부 호흡소화관이나 갑상선으로부터 전이된 것이고 하부에 쇄골 상부에 생긴 것은 유방, 폐, 위장관에서 전이된 것이다. 자세한 임상검사에서도 원발암이 증명되지 않았을 때는 세침흡입생검을 시행하여 암이라고 진단되면 흔히 편도선, 혀기저부, 후인두에서 조기에 전이 되었다고 생각하여 Waldeyer's ring 과 비인두에 맹목적 생검(blind biopsy)을 실시한다.

전이 암의 직경이 2cm 이하에서는 방사선요법으로 80~85%가 치료되며, 3cm 이상일 경우는 경부곽청소술과 방사선요법을 병용하고 6cm 이상이면 화학요법까지도 시행한다. 5년 생존율은 25~50%이다. 일반적으로 두경부의 원발암의 크기에 따른 5년 생존율에서 경부림프절에 전이가 있을 경우는 그 생존율의 50%가 더욱 감소한다.

(7) 타액선악성종양(Salivary malignant gland tumors)

타액선에서 발생하는 종양은 대부분이 상피에서 유래되는 양성종양으로 타액선종양 전체의 80~85%가 이하선에서 발생하고 다음이 악하선, 소타액선, 설하선의 순서로 발생하며 이중 악성종양의 비율은 이하선에서는 25%, 악하선 40~45%, 소타액선 50~75%, 설하선은 70~90%가 악성이다. 타액선악 성종양의 예후는 구개에서 제일 좋고 이하선은 중간 정도이며 악하선과 설하선은 좋지 않다.

타액선 양성종양은 80%가 이하선에서 발생하며 모든 이하선 종양의 80%는 다형성 선종(pleomorphic adenoma), 양성 혼합종(benign mixed tumor)이며, 80%는 천엽(superficial lobe)에 발생한다. 다음 왈틴스종양(Warthin's tu-

▷표 2-14-2 이하선 종양의 임상적 감별

특징	양성	악성
병력	느리다	빠르다
동통	-, +	+
신경마비	-	+(20~30%)
압통	드물다	흔하다
경도	고무같다	견고하다
임파절	정상	커짐
유착	유동	고정

(출처: *대한성형외과학회. 표준 성형외과학 4판. 군자출판사. p.295 표 13-1*)

mor), 림프성유두상낭선종(papillary cystadenoma lymphomatosum), Mikulicz disease, 양성 림프상피성종양(benign lymphepithelial tumor), 낭(cyst)의 순으로 많으며 그 외에 혈관종, 림프관종, 지방종 등이 드물게 나타나고 어린이에게는 혈관종이 가장 많다.

이하선 종양의 악성과 양성의 임상적 감별은 표 2-14-2과 같다.

① **점액표피양암(Mucoepidermoid carcinoma)**

모든 타액선 종양에 6%를 차지하고 악성 종양의 18%이며, 이하선암의 21%로 이하선암 중에 가장 흔한 형이다. 점액표피양암의 65%는 이하선에 발생한다. 조직학적으로 점액세포와 상피양세포의 2가지로 주구성분을 이룬다. 암의 현미경 양상에 따라 저도(low grade), 중도(intermediate grade), 고도(high grade)로 구분하며 저도는 점액세포와 낭이 주를 이루며 고도는 점액세포와 낭은 적고 편평상피세포가 많고 중도는 점액 세포와 편평상피 세포가 혼합되어 있다.

저도가 악성은 약하지만 공격적일 수 있고 고도에서도 가끔 성장이 느릴 수 있다. 저도암은 딱딱하고 회백색이나 회적색을 띠고 주위와의 경계가 어느 정도 만져질 수 있으나 고도화 될수록 악성화되어 주위의 경계가 불명확해진다. 저도의 악성종양은 성장 속도가 느리고 증상이 별로 없으며 8%에서 안면신경마비가 오며 1%이하에서 영역 림프절 전이가 일어난다. 치료는 절제 경계 부위에 암이 존재치 않고 국소임파절 전이가 없으며 안면신경을 보존하면서 이하선천엽절제술(superficial lobe parotidectomy)을 시행하고 동측경부에 방사선치료를 시행한다. 그러나 절제면에 암이 나타날 때는 이하선전절제술(total parotidectomy)을 하여야 한다.

② **선양낭성암(Adenoid cystic carcinoma)**

원주종(cylindroma)이라고도 하며 이하선의 모든 종양의 4~5%, 모든 소타액선 악성 종양의 35%, 그리고 설하선의 모든 종양의 50~60%를 차지하고 악하선 악성종양 중에서는 가장 흔하다. 비교적 증상이 없으며 25~30%에서 안면신경의 마비나 감각이상이 비교적 조기에 나타난다. 림프절 전이율(15%)이 비교적 낮은 반면 원격전이(42%)가 높다. 또한 신경 주위를 침범하므로 적당한 절제 경계를 못 찾아 재발율(60%)이 높다. 대부분 성장은 느리지만 예측할 수 없이 빠르게 진행되어 치명적이기도 하며 어떤 경우에는 폐에 심하게 전이되어 있어도 20년 이상 견디는 수도 있다.

Ⅱ. 두경부

③ **악성다형성선종(Malignant pleomorphic adenoma, malignant mixed tumor)**

이는 양성 다형성선종(benign pleomorphic adenoma)이 악성화한 것으로 3~5%에서 악성화한다. 대부분 이하선에 발생하지만 악하선에도 발생하며 그 외 구개, 구순, 부비동, 비인두, 편도선에도 나타난다. 타액선의 보통 암보다 악성이며 국소 재발율이 30%이며 원격전이는 45%이다.

④ **선방상세포암(Acinic cell carcinoma)**

30~60대 여성에 호발하고 타액선종양에 2~5%를 차지하며 3%에서 양측에 나타난다. 동통 없이 서서히 자라며 견고하거나 낭성이다. 혈행성으로 폐와 골(특히 척추)에 전이하며 경부림프절 전이는 10%이다. 이하선에 생긴 암은 이하선전절제술과 신경이 침범되었을 경우는 신경을 제거하고 즉시 신경이식수술을 시행하며 경부림프절이 만져질 때는 경부곽청소술을 시행한다.

⑤ **편평상피세포암(Squamous cell carcinoma)**

이 경우는 드물지만 발생하면 고도의 점액표피양 암에서 유래되었는지 다른 곳에 원발암을 가진 편평 세포암의 전이된 것인지를 구별하여야 한다. ⅓에서 안면신경 마비나 감각이상을 초래하고 60세 이상 남자에 호발한다. 이하선전절제술과 같이 안면신경을 절제하며 수술후 방사선요법이 효과가 있다.

⑥ **선암(Adenocarcinoma)**

모든 이하선 종양에 2.8%로 유두형(papillary), 점액분비형(mucous secreting)과 관형(ductal)으로 구분되며 견고한 종괴로 성장이 느리다. 30~60세 남자에 호발하고 22%에서 안면신경부전이 오고 25%에서 영역림프절 전이가 생기고 20%에서 원격 전이가 폐나 골격에 온다. 치료는 광범위 절제와 같이 경부곽청소술을 시행하며 안면신경이 침범되었을 때는 절제하고 신경이식술을 시행한다. 그리고 수술 후 방사선요법을 시행하면 재발을 줄일 수 있다. 5년 생존율이 50~75%이다.

⑦ **미분화암(Undifferentiated carcinoma)**

70~80세 남자에 호발하며 ⅓이 다형성 선종으로 부터 발생하며 소원형(small round) 혹은 방추상세포(spindle cell) 즉 "귀리 세포"(oat cell)로 구성되며 악성도가 높다. 33%에서 안면신경의 부분 혹은 전체 마비가 오며 영역 림프절 전이는 13%이다. 치료는 이하선 전체와 함께 광범위절제술, 경부곽청소술 그리고 수술후 방사선요법을 시행한다. 5년 생존율은 25~30% 정도다.

2. 두경부 재건

1) 총론

두경부암의 치료는 기본적으로 해부학적 위치와 암의 침투범위 및 병리 조직 상태, 병기에 따라 복잡 다양하게 되며, 치료방법의 선택은 연령, 직업, 전신상태, 병의 진전상태, 치료의사의 경험, 경과 관찰에 대한 환자의 적응과 치료에 의한 병발 등을 고려하여야 한다. 두경부암의 치료목적은 생명유지에 필요한 구조를 가능한 보존하면서 암을 철저히 제거하고 나아가 후유증을 최소로 하여 기능적, 미용적 효과를 최대한 보장하여 생의 질을 높이는 데 있다.

기본적 치료형태는 수술, 방사선 치료, 화학요법 및 면역요법들이 있으며 최근에는 이들을 복합적으로 치료하는 경향이다(multimodality therapy).

두경부암은 일반적으로 병기가 제1, 2기에서는 발생 부위에 구별 없이 수술과 방사선 치료가 비슷한 효과를 가져오지만 제3, 4기에는 수술과 방사선 요법을 복합적으로 시행하며 경우에 따라 화학요법도 함께 실시한다. 방사선 요법이나 화학요법은 수술 전에 시행하여 수술을 용이하게 유도할 수도 있다.

다음 단계로 기능과 외관 호전을 위한 재건수술이 필연적으로 수반되어야 하므로 암 제거술 전에 충분한 재건 방법을 계획하여야 한다.

(1) 국소적 치료

원발암의 광범위 절제는 원발암의 종류에 따른 병리조직학적 특징에 따라 암조직과 함께 주위의 정상조직을 충분히 절제하므로 재발을 방지하여야 하며 수술조작에 의한 암전이를 막기 위하여 최대한으로 "en block technique"을 해야 한다.

(2) 경부치료

경부암에 대한 수술목적은 암세포가 포함되는 모든 조직을 제거하고 만져지는 영역 림프절들을 암과 함께 제거하는 것이 원칙이다. 경부림프절을 예방 목적으로 치료하기 위하여 외과적 절제나 방사선 요법 중에 어느 것이나 좋지만 전이가 의심되는 림프절이 촉지되면 수술로 제거하는 것이 원칙이다.

수술은 전형적(표준) 경부곽청소술(classical radical neck dissection)과 기능적 경부곽청소술(functional radical neck dissection)이 있으며 전통적 경부곽청소술은 암의 범위가 심하거나 암이 피막을 뚫고 나가 주위조직까지 침범되었을 때 시행하고 기능적 경부곽청소술은 대부분 예방 목적으로 시행한다.

① **전통적 경부곽청소술(Classical radical neck dissection, RND)**

전통적 경부곽청소술의 수술범위는

- 상부는 하악골 하면(mandible lower border)
- 전방은 경부정중선(midline of neck) 혹은 흉골 설골근(sternohyoid muscle)
- 하부는 쇄골(clavicle)
- 후방은 승모근 전연(anterior border of trapezius muscle)

을 경계로 이루어지는 4각형 내의 구조물을 완전히 절제하는 것으로 여기에는 흉쇄유돌근(sternocleidomastoid muscle), 견갑선골근(omohyoid muscle), 내경정맥(internal jugular vein), 악하선(submaxillary gland), 이하선의 일부(tail of parotid gland), 목신경얼기기(cervical plexus)의 피부분지와 더불어 모든 림프절들(이하림프절(submental lymph nodes), 악하림프절(submandibular lymph nodes), 내경정맥림프절(intemal jugular chain), 척수부신경 림프절(spinal accessory chain), 횡경림프절(transverse cervical chain) 등)이 제거된다. 그러나 경동맥(carotid artery), 미주신경(vagus nerve), 횡격신경(phrenic nerve), 상완신경총(brachial plexus), 설신경(lingual nerve), 설하신경(hypoglossal nerve), 안면 신경의

하악분지(marginal branch of facial nerve)는 보존하고 척수부신경(spinal accessory nerve)은 제거할 수도 있다. 수술 시 피부 절개는 Y형 혹은 "2중(double)Y형" 절개나 하키스틱(hockey-stick) 절개를 택하며 피판은 넓은목근(platysma) 하부와 경부근막(cervical fascia) 상부 사이를 따라 거상한다.

② **견갑설골근 상부 경부곽청술(Supraomohyoid neck dissection)**

견갑선골근 상부의 삼각형 모양의 경부에 경부곽청술을 시행하는 것으로 환측에 림프절이 침범되어 전형적 경부곽청소술을 시행하고 대측에 의심이 될 때 이 수술을 시행하거나 종양이 중심부에 가까이 존재하는 치조궁, 하구순이나 구강저 앞부분에 병기가 심하지 않은 종양일 때 양측에 이 수술을 시행한다.

③ **기능적 경부곽청술(Functional radical neck dissection)**

내경정맥, 척수부신경과 흉쇄유돌근을 보존하며 흉쇄유돌근을 밑에서 절단하여 위로 제치고 림프조직들을 제거하는 곽청술을 시행한 후 다시 복원시키는 수술로 어깨의 운동제한이나 경부의 변형과 부종을 방지할 수 있다. 또한 환측은 전형적 경부곽청술을 시행하고 반대측의 전이를 의심하여 예방목적으로 시행할 때 적용한다. 또한 경부에 방사선치료를 받은 경우 경동맥 보호를 위해 흉쇄유돌근을 보존하는 데 의의가 있다.

(3) 방사선 치료(Radiotherapy)

최근치료경향으로 수술은 절제할 부분에 국한시키고 방사선 요법을 병행하는 경우가 많고 추가하여 화학요법이나 면역요법도 시행하므로 및 외양적 결함을 적게 하는 방향으로 방사선 치료를 택하고 있다.

초기의 암은 수술제거와 방사선 치료의 결과는 별 차이 없는 것으로 나타나지만 전문 분야에 따라 각각을 주장하거나 예방 목적으로 병합치료를 권하기도 한다. 그러나 진행된 암으로 국소 침범이나 림프 및 원격 전이가 되었을 때는 수술과 방사선 치료를 병합하는 것을 권하고 있다. 이런 경우는 수술전 방사선 치료로 암의 크기와 침습 정도를 감소시켜 수술로 제거한 후 방사선 치료를 시행하는 경향이 많다. 그리고 경부에 대하여는 경부 수술 후 전이가 없어도 예방 목적으로 방사선 요법을 시행하고 현미경적 전이, 육안적 전이 정도에 따라 방사선 조사량이나 회수를 심도있게 조절한다.

(4) 화학요법(Chemotherapy)

수술 후 보조 요법으로 주로 사용하였으나 최근에는 수술 전 치료로 병소를 줄이거나 약화시켜 수술하는 경향이 있으며 말기 경우에 보조요법으로 사용하고 있다. 주로 cisplatin과 함께 bleomycin, methotrexate, 5 Flurouracil 등이 사용된다. 국소 진행 암에 cisplatin과 5-Fu를 사용했을 때 전체 반응율은 80~90%이다

(5) 면역요법(Immunotherapy)

면역요법은 암 항원에 대한 항체를 주입하여 암 세포를 파괴하는 목적으로 최신에 많은 연구가 진행되고 있으며 임상에서는 비특이성으로 일반적인 면역항진효과를 갖는 T세포 성장인자

나 Interleukin-2(IL-2)로 암세포를 파괴시키는 방법을 이용하며 유전자 재조합으로 IL-2를 대량 얻을 수 있다.

(6) 전반적 예후(General prognosis)

5년 생존율은 대략 55%이며 병기 1의 경우는 75%, 병기 2는 50~75%, 병기 3은 20~50%, 병기 4는 25% 이하이다.

(7) 피판재건술(Flap reconstruction)

병소가 작은 경우에는 국소절제 및 직접 봉합, V 절제술, 인접피판전이술 등으로 병소절제에 의한 결손을 재건한다. 임상에서 이용되는 피판재건은 전두피판(forehead flap), 설피판(tongue flap), 비순 피판(nasolabial flap), 흉쇄유돌피판(sternocleidomastoid flap), 대흉근 근피판(pectoralis major myocutaneous flap), 승모근 근피판(trapezius myocutaneous flap), 광배근 근피전(latissimus dorsi myocutaneous flap) 등이 이용되며 하악과 같은 골 결손은 비혈관성 혹은 혈관성 골이식(nonvascularized or vascularized bone graft)을 실시하며 또한 미세혈관 수술에 의한 유리피판(free flap)으로 호흡소화계통(aerodigestive system)에는 요측전완부피판(radial forearm flap)과 유리공장피판(jejunal free flap) 등이 흔히 사용되고 있다.

2) 중안면부 재건

(1) 중안면부 재건의 기본 원칙

중안면부 재건은 복잡한 상악골(maxilla)의 명확한 삼차원적 이해를 통해 접근해야 한다. 가장 기본적인 용어들로, 상악골는 6개의 벽으로 이루어진 상자로 생각할 수 있는데 orbital floor로 이루어진 천장, anterior hard palate의 반과 alveolar ridge로 이루어진 바닥, nasal passage의 측벽으로 이루어진 내벽이 있는 상자로 생각하면 된다(그림 2-14-2). 상악동(maxillary antrum)은 상악골의 중앙 부분에 포함되어 있다. 두개골 기저부는 상악골의 posterior pterygoid 부위에 위치한다. 2개의 수평, 3개의 수직 지지대는 얼굴 폭, 길이, 투영을 만든다. 얼굴 표정근과 교근을 포함하고 있는 연조직들은 상악골에 삽입되며 얼굴 모양과 기능을 담당한다.

재건의 목표는 기능적이고 미적이어야 한다. 대부분의 광범위한 중안면부 결손은 재건을 위해 유리 피판을 필요로 하며 피판 선택은 절제 된 피부, 연조직 그리고 뼈의 양에 좌우된다. 작은 결손은 요측전완근막피판(radial forearm fasciocutaneous) 혹은 요측 전완뼈 피부피판(radial forearm osseocutaneous flap)으로 재

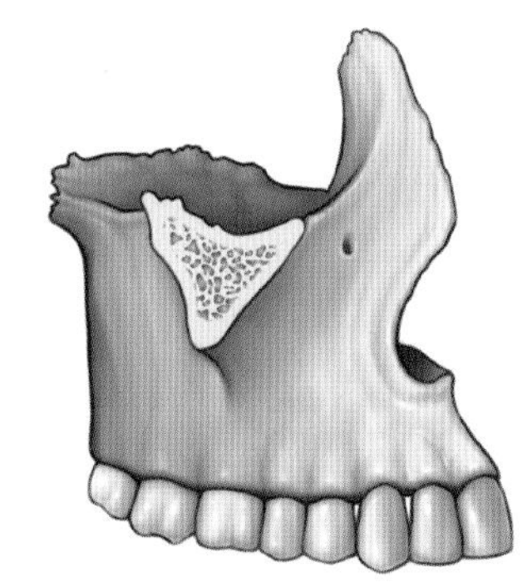

▷그림 2-14-2. 상악골(maxilla)의 삼차원적 구성

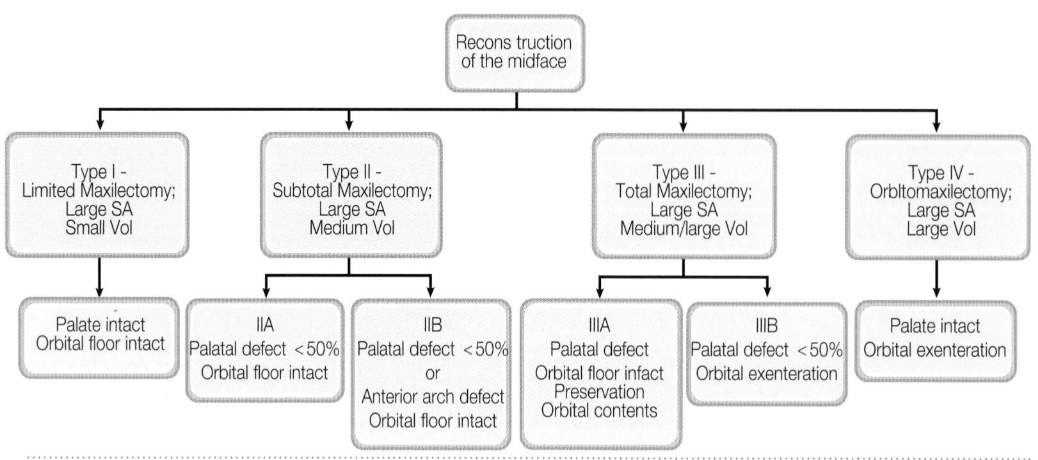

▷그림 2-14-3. **중안면부 재건 알고리즘**

건할 수 있다. 큰 결손은 복직근피부피판(rectus abdominis myocutaneous flap)으로 재건할 수 있다. 입술, 눈꺼풀 그리고 코와 같은 복잡한 구조들은 각각 재건되어야 하고 local flap으로 이루어진다. 다음과 같은 알고리즘은 중안면부 결손들의 명확한 분류 체계를 기반으로 하고 있고 이 알고리즘을 따르면 매우 크고 복잡한 결손들이 있는 환자라도 양호한 기능으로 복원될 수 있다(그림 2-14-3).

중안면부 재건의 목표는 반드시 절제된 상악골의 모든 벽을 재건하는 것은 아니다. 성공적인 중안면부 재건은 다음과 같은 과정을 이루어야 한다.

① 상처 부위를 봉합한다.
② 상악골 절제술에 의한 결손을 없애다.
③ 안구가 보존되어 있으면 지지하거나 안구가 보존되어 있지 않으면 안와 공간을 채운다.
④ 비동(nasal sinus)들과 전두개와(anterior cranial fossa) 사이의 벽을 보존한다.
⑤ 얼굴 모양을 회복시킨다.
⑥ 구개(palate)를 재건한다.

종양 수술과 관련된 중안면부 재건은 구강 내 또는 편도 점막의 편평 상피 세포 암을 제거 후 가장 필요로 한다. 작은 침샘 종양(minor salivary tumor)과 샘암종(adenocarcinoma)의 제거는 코눈확위턱뼈(orbitomaxillary) 재건을 필요한다. 중안면부 재건은 또한 high-energy 외상 후에도 필요로 하며 머리얼굴(craniofacial) 손상의 재건 시에 함께 필요로 하기도 한다.

(2) 유형별 수술 방법

복잡한 중안면부 결손들을 재건하기 위해 사용하는 알고리즘은 상악골 절제된 정도에 따라 달라진다. 뼈의 결손이 평가되면 피부, 근육 구개 및 뺨의 점막을 포함한 연조직의 결함을 본다. 마지막으로 입천장, 구강 이음새, 비강 기도 그리고 눈꺼풀과 같은 중요한 구조는 기능을 복원하기 위해 처리된다.

① Type I: 제한된 상악골 절제술 후 결손 (Limited maxillectomy defects)

Type I 또는 부분적인 상악골 절제술 결손들은 상악골의 하나 또는 두 개의 벽들을 포함하고 있을 때인데 주로 앞벽이나 내벽

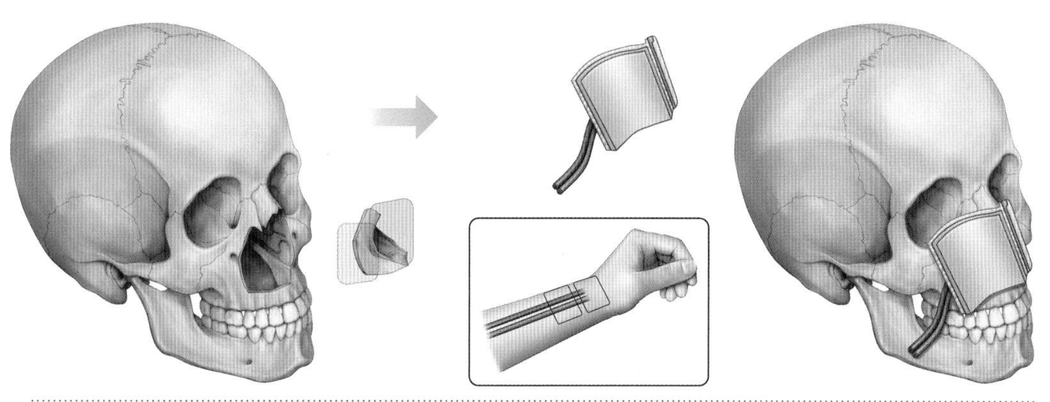

▷그림 2-14-4. 요측전완 유리피판을 이용한 비강안 결손부위 재건

이 해당된다. 구개와 안와 바닥 두 부위의 손상은 없다. 절제술에는 종종 연조직과 뺨의 피부, 입술, 코, 눈꺼풀까지 포함된다. 때로는 안와 테두리가 절제되고 재건에 혈관이 없는 뼈 이식체가 필요할 수 있다. Type I 결손들은 한두 개의 피부 도서형피판을 필요로 하는 표면적이 큰 부위의 작은 결손들이다. 피판은 외부 피부의 좋은 커버리지를 제공하면서 두껍지 않고 또한 다양한 도서형 피부 피판으로 탈상피화하여 뼈이식부위를 감싸거나 비강안 부위를 채울 수 있는 요측전완 유리피판(radial forearm free flap)을 선택한다(그림 2-14-4).

② Type II: 상악골 아전절제술 후 결손 (Subtotal maxillectomy defects)

Type II 또는 아전절제술은 입천장을 포함하여 상악골의 아래쪽 다섯 개 벽의 절제를 포함하지만 안와 바닥은 그대로 유지하는 것이다. 이 결손들은 IIA와 IIB로 다시 나눠진다. IIA 결손은 구개 횡단면의 50% 미만일 때이고 IIB 결손은 구개의 횡단면 혹은 상악골의 전방 아치의 50% 초과했을 때이다. Type IIA와 IIB 상악골 절제술 후

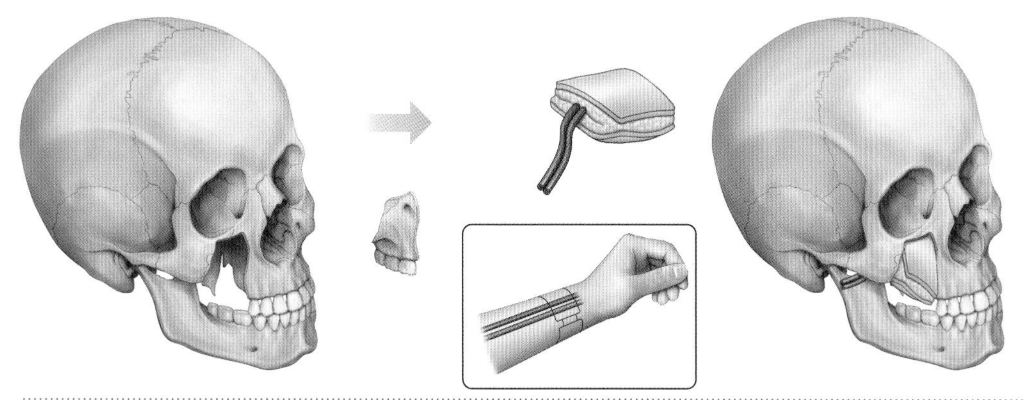

▷그림 2-14-5. 요측전완근막유리피판을 이용한 구개 횡단면의 50% 미만을 포함하는 type IIA 결손부위 재건

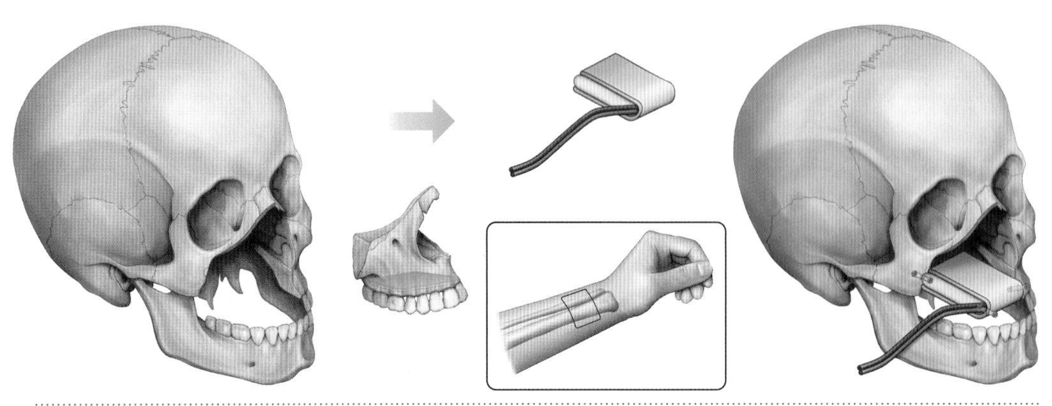

▷그림 2-14-6. radial forearm osteocutaneous "sandwich" flap을 이용한 구개 횡단면 혹은 상악골 전방 아치 중요 부분의 50% 초과하는 type IIB 결손부위 재건

손상들은 보통 하나의 피부 도서형 피판을 필요로 하는 표면적이 큰 부위의 중등도 결손들이다. 구개 횡단면의 50% 미만을 포함하는 type IIA 결손의 경우 환자 및 수술자의 선호도에 따라 유리 피판술 혹은 피부 이식술로 재건이 진행될 수 있다. 구개 보조기구의 유지와 불편함을 피하기 위해 유리 피판술은 요측전완근막유리피판(radial forearm fasciocutaneous free flap)을 선택한다(그림 2-14-5). Soft palate를 팽팽하게 유지하기 위해 피부 paddle은 결손 부위보다 같거나 작아야 하며 buccal sulcus를 만들어야 한다. 팽팽한 삽입물 없이는 피부 paddle은 구강으로 탈출될 수 있다. 적절한 치아 또는 뼈가 남아 있다면, 의치 또는 골융합 된 치과용 임플란트를 사용할 수 있다.

구개 횡단면 혹은 상악골 전방 아치 중요 부분의 50% 초과하는 type IIB 결손들은 뼈피부유리피판(osteocutaneous free flap)이 필요하다. 이러한 결함은 neopalate 및 비강 바닥의 피부 안감뿐만 아니라 구조적 지지를 위해 뼈가 필요하다. 보철은 부적절하다. 왜냐하면 윗입술을 지지하기 위해 뼈가 필요하기 때문이다. 피판은 radial forearm osteocutaneous “sandwich” flap을 선택한다(그림 2-14-6). 뼈 부분은 상악골 치조궁(maxillary alveolar arch)을 재현하고 윗입술을 지지하기 위해 성형될 수 있으며 얇고 유연한 피부는 입천장과 코의 안감을 대체하기 위해 샌드위치처럼 뼈에 감쌀 수 있다. 적절한 뼈가 얻어지면 골융합된 치과용 임플란트 또는 의치로서 치아를 재현하는 데에 사용할 수 있다.

③ Type III: 상악골 전절제술 후 결손 (Total maxillectomy defects)

Type III 결손들은 상악골의 모든 여섯 개의 벽을 절제하는 상악골 전절제술이다. Type III 결손은 안와 부분 포함 여부에 따라 안와 부분 절제가 필요 없는 Type IIIA와 절제가 필요한 Type IIIB로 나눌 수 있다. Type IIIA와 Type IIIB는 적어도 한 개의 도서형 피부 피판이 필요한 표면적이 큰 부위의 큰 결손들이다.

Type IIIA 결손들은 maxilla의 벽 6개를 모

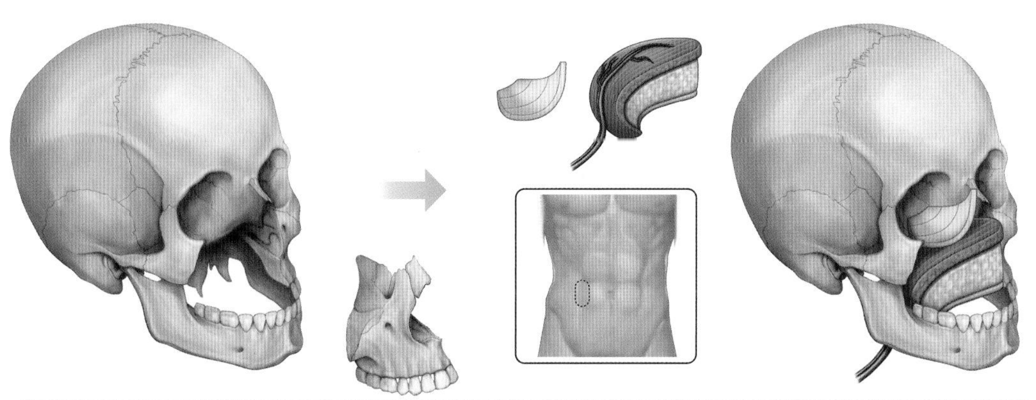

▷그림 2-14-7. 복직근 피판을 이용한 Type IIIA 결손부위 재건

두 포함하고 있으며 구개와 안와 바닥을 포함하고 있지만 안와 부분들은 유지되고 있다. 뼈 이식편이 안와 바닥 재건을 위해 필요하고 한 개 이상의 피부 paddle이 있는 유리 피판은 구개, 코 안감, 뺨 재건을 위해 필요하다. 뼈를 지지하기 위해 분할 두개골, 장골 능선(split calvarium, iliac crest)을 사용하고 드물게 분할늑골이식(split rib)을 사용한다. 점막과 피부 안감의 경우 피판은 복직근피판(rectus abdominis myocutaneous flap)을 사용한다(그림 2-14-7). 복직근으로 상악동의 빈 공간을 채우고 이를 사용하여 구개를 봉합할 수 있다. 그외 측두 피판을 사용하여 안와 바닥 뼈 이식편을 덮고 중안면부 결손을 채울 수 있다.

Type IIIB 결손은 상악골 전체와 안와 부분을 포함한다. 이러한 광범위하고 큰 결손 재구성 목표는 구개를 닫고 비강 안감을 복원하고 필요에 따라 눈꺼풀, 뺨 및 입술을 재건하는 것이다. 피판은 구개를 재건하고 외측 코벽을 재건하기 위해 한 개 이상의 도서형 피부 피판을 제공 할수 있는 복직근유리피판(rectus abdominis myocutaneous free flap)을 선택한다(그림 2-14-8).

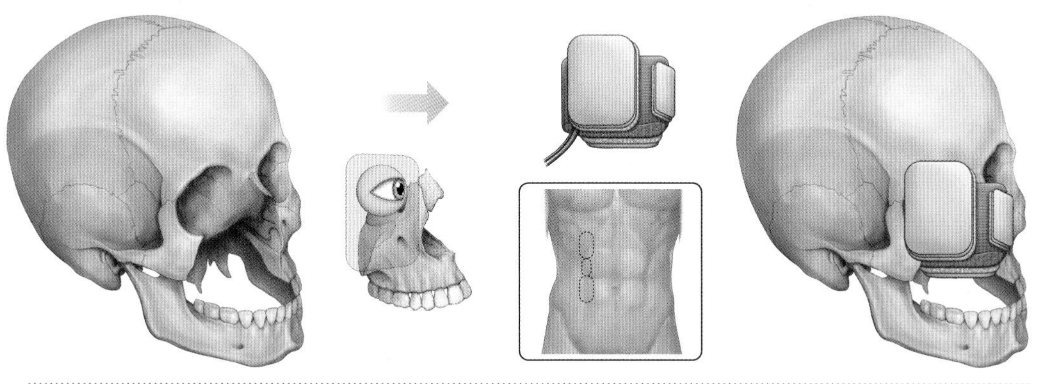

▷그림 2-14-8. 복직근 유리피판을 이용한 Type IIIB 결손부위 재건

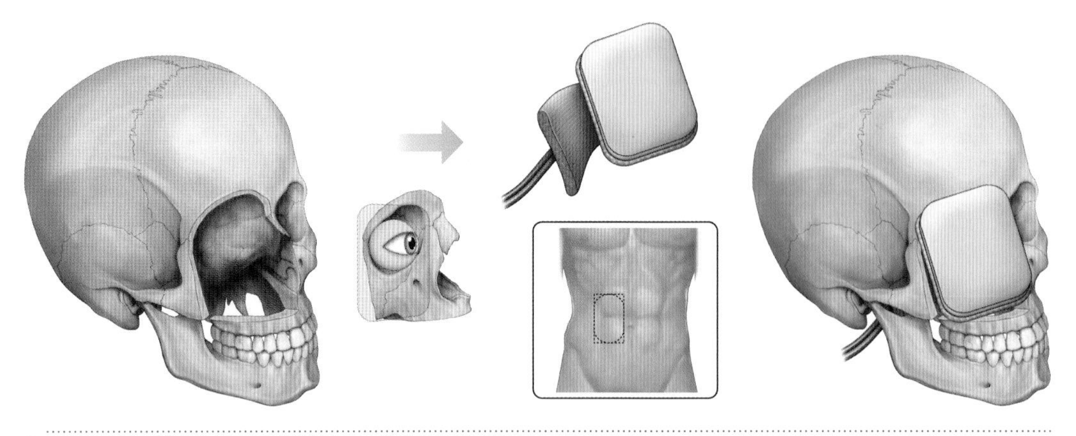

▷그림 2-14-9. 복직근 피판을 이용한 Type Ⅳ 결손부위 재건

④ **Type IV: 안와상악골 절제술 후 결손 (Orbitomaxillectomy defects)**

Type IV 결손은 상악골의 상부 5개의 벽 절제를 포함하고 보통 경막과 뇌가 노출 된 채로 안와 부분의 절제를 포함한다. 보통 구개는 보전되어 있다. 피판은 복직근피판을 선택한다(그림 2-14-9).

(3) 기능적, 미용적 예후

① **발성**

구개 제거술을 시행한 44명의 환자 중 발음이 정상인 환자는 22명(50%), 거의 정상은 15명(34.1%), 6명의 환자는 알아들을 수 있을 정도였고 1명의 환자는 알아들을 수 없었다.

② **식이**

구개 제거와 중안면부 재건 후, 26명의 환자(52%)는 정상적인 식이가 가능했고 21명 환자(42%)는 유동식을 먹고 3명 환자(6%)는 액체류만 먹을 수 있었고 1명 환자(2%)는 튜브식이만 가능했다.

③ **안구위치와 기능**

안와 부분들을 보존하면서 안와 바닥을 제거한 42명의 환자들 중 21명이 평가되었다. 모든 환자들의 시력은 유지되었다. 이소증은 한 명의 환자(4.8%)에서 나타났으나 치료는 필요 없었다. 복시는 4명의 환자(19%)에서 나타났으나 기능적 문제는 없었다. 10명의 환자(47.6%)에서 안검외반이 나타났다.

④ **미용적 결과**

미용적 결과의 평가가 진행된 70명의 환자들 중, 41명(58.6%)이 훌륭한 결과를 보였고 25명(35.7%)이 좋음으로 나왔고 4명(5.7%)이 보통으로 평가됐다. 비록 어떤 환자도 나쁜 결과를 보여주지 않았지만 피부, 눈꺼풀 또는 입술이 제거된 환자들에게서 긍정적인 결과를 얻는 것은 어려웠다.

3) 협부 및 구순 부위 연조직 재건

(1) 구순 재건의 해부학적 고려사항

구순을 이루는 홍순(vermilion border), 구순 교차부위(labial commissures), Cupid's bow 등은 특징적인 형태를 보이고 있어 외관상의 미세한 변화가 쉽게 눈에 띈다. 구순은 언어를 발음하는 데 매우 중요한 역할을 하며 구강의 기능을 유지하는 데 필수적이다. 구순암의 외과적 절제로 인한 구순부위 결손은 정상적인 입술의 형태와 기능의 변화를 유발하며, 이는 환자의 외모와 삶의 질에 중대한 영향을 미칠 수 있다.

구순은 층별로 점막, 근육 및 피부의 세 층으로 구성된다. 구순의 피부는 점막을 둘러싸며 전환된다. 이 두 영역 사이의 전환 부위는 점막-피부 융기(vermilion border)의 형태로 나타난다. 상구순의 정중선에는 V자 형태를 보이는 Cupid's bow가 있으며 이 위로 인중(philtrum)이 오목하게 패인 형태의 홈으로 존재한다. 인중의 양측에는 인중 융기(philtral ridge)가 솟아 있다. Vermilion은 구순의 주요 미적 특징을 이루며 타액선이 존재하지 않는 변형된 형태의 점막으로 구성되어 얇은 상피 조직의 밑에 있는 풍부한 혈액공급에 의해 특징적인 색채를 띤다(그림 2-14-10).

구순의 두께는 입둘레근에 의해 주로 결정되는데, 이 근육은 기능적으로 괄약근 고리를 형성하고 바깥쪽으로는 피부, 안쪽으로는 점막으로 둘러싸여 있다. 얕은 부위의 근섬유는 구순을 멀리 튀어나오게 하는 반면, 깊은층 및 비스듬한 방향의 근섬유는 구순을 치조궁 방향으로 당긴다. 입술을 들어올리는 역할을 하는 주요 근육은 대관골근(zygomaticus major)과 입꼬리올림근(levator anguli oris)이며, 소관골근(zygomaticus minor)과 윗입술 올림근(levator labii superioris)도 함께 관여한다. 내리는 근육으로는 입꼬리 내림근(depressor anguli oris), 넓은목근(platysma)이 있으며, 아랫입술 내림근(depressor labii inferioris)도 기여한다.

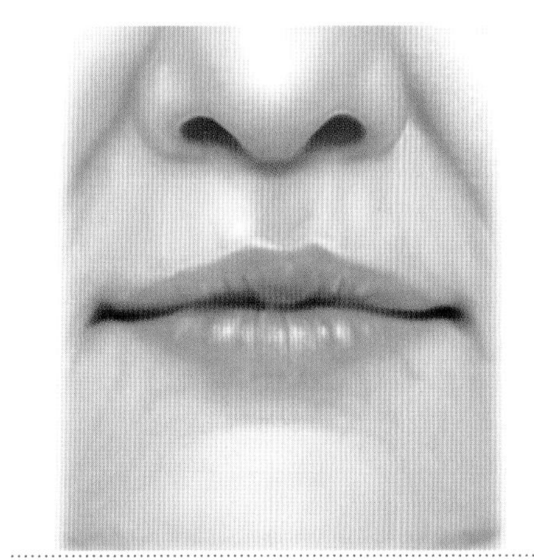

▷그림 2-14-10. 구순의 외관

볼굴대(modiolus) 올림근과 내림근이 교차하는 부위로 약 1 cm의 두께를 가진 섬유-혈관조직으로 이루어져 있다. 입꼬리의 약 1.5 cm 측면에 존재하며 진피층에 단단히 부착되어 있으며 이 볼굴대의 움직임이 입꼬리의 움직임에 큰 영향을 준다. 이 부위에 부착되어 있는 근육의 손상은 근수축의 불균형에 따라 입꼬리의 외형을 바꿀 수 있다.

(2) 구순 재건의 목표

구순 재건의 가장 중요한 목표는 기능의 회복이다. 구순 전정(labial vestibule)이 해부학적으로 구강의 위생을 유지하고 음식물 섭취 기능 유지에 중요하며 이를 보존하고 재건하는 것이 중요하다. 입둘레근의 손상 시에는 가능하면 근육의 연속성을 복원하는 것이 중요하며 이것이 불가능한 경우 정적인 형태의 재건이 필요할 수 있다.

구순 재건 시 소구증의 위험성이 있으며 이를 피하는 것이 중요하다. 경도의 소구증은 기능에 큰 영향을 미치지 않을 수 있지만 구강 위생에도 악영향을 주므로 되도록 피하는 것이 바람직하다. 또한 의치 삽입 및 제거가 어려워질 수 있음을 수술 전에 설명하여야 한다.

상순의 해부학적 특성으로 인하여 하순과는 달리 미적인 고려를 충분히 하여야 한다. 인중 융기와 cupid's bow의 결손은 미적으로 심대한 손상을 일으키며 재건의 난이도가 높다. 측면에서 상순이 하순보다 앞으로 돌출되어야 하므로, 이러한 관계를 유지할 수 있도록 상순이 당겨지지 않도록 재건 시 고려해야 한다. 반면에 하순은 조직 결손이 있더라도 측면 외관상 심각한 변화를 초래하지 않으며 1/3이 손실되더라도 당김이나 비대칭이 눈에 띄지 않는다.

(3) 구순 재건의 수술 방법

수술 또는 외상 후 결손의 크기 및 위치에 따라 일차봉합, 주변의 구순 조직을 이용하는 방법, 유리피판술 등을 사용할 수 있다(그림 2-14-11).

① 결손 부위가 작은 경우

상순의 25% 또는 하순의 30%까지의 결손은 일차봉합이 가능하다. V 또는 W 형태의 디자인을 이용할 수 있다(그림 2-14-12). V 형태로 절제하고 봉합하는 경우 상순에서 미적 결과가 좋지 못할 수 있으며 이 문제를 최소화하기 위해 T 절제술을 사용할 수 있다. Webster 테크닉은 측부 근육의 손

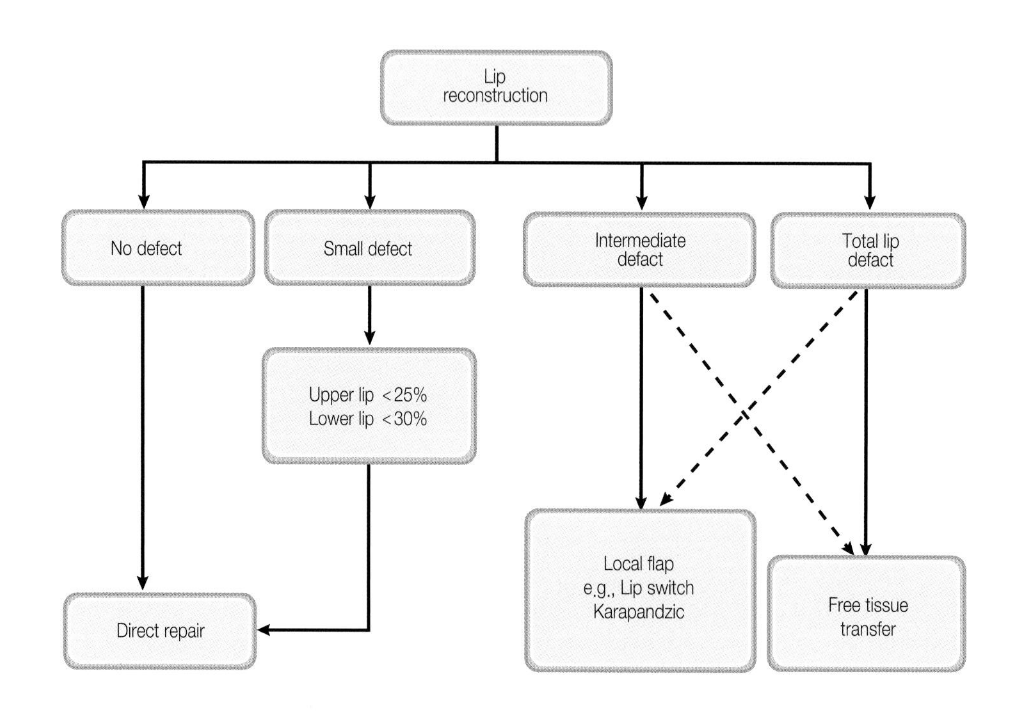

▷그림 2-14-11. 결손 부위의 크기에 따른 구순 재건 방법의 선택관

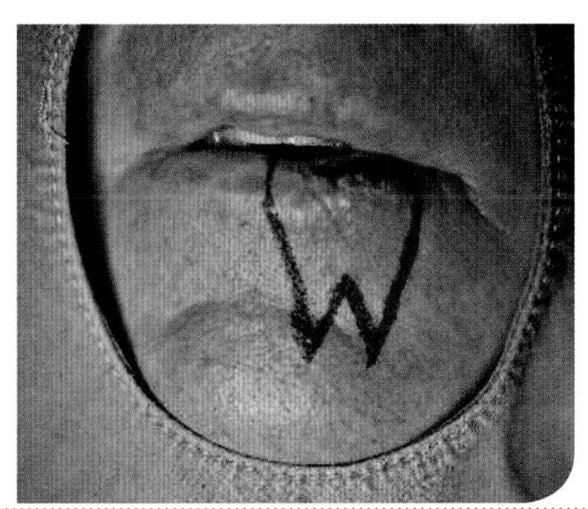

▷그림 2-14-12. **W형태의 쐐기 절제술.** W형태의 디자인을 이용하여 반흔을 턱끝 주름보다 위쪽에 위치하도록 할 수 있다.

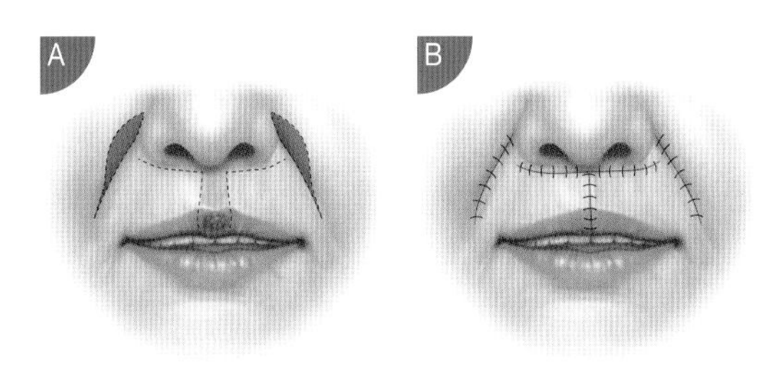

▷그림 2-14-13. **상순의 중앙 부위의 절제.** Webster 초승달 모양 절제와 T 절제술 후 양측 구순을 전진시켜 봉합한다.

상을 줄이면서 상순의 운동을 증가시키는 T 절제술의 확장이다(그림 2-14-13). 결손이 인중 융기의 옆에 형성되면 일차봉합은 바람직하지 않은 선택이며 이러한 경우 결손이 작더라도 구순교차피판(lip-switch flap)을 이용하는 것이 나은 결과를 가져올 수 있다.

② 결손 부위가 중간 정도의 크기인 경우

2/3 이상의 결손을 재건하기 위해서는 주변 조직을 이용하여 국소피판으로 재건한다. 그 중 구순교차피판은 입술동맥을 이용한 축피판이다. 대표적으로 Abbe flap이 있으며 혈관경을 결손부위의 중앙에 위치시키고 높이는 같게, 폭은 결손 폭의 1/2 정도로

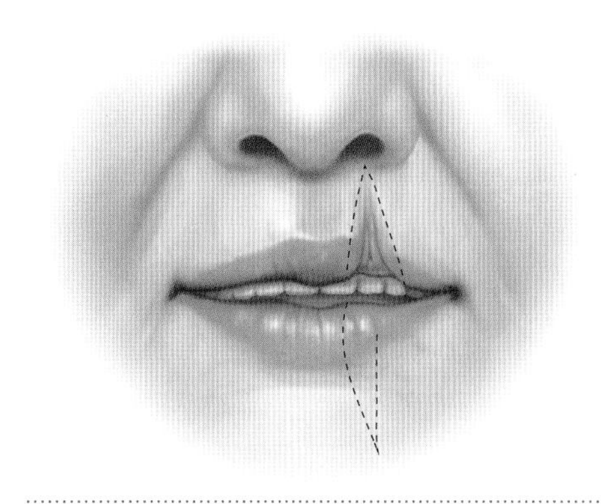

▷그림 2-14-14. Abbe flap. 하순으로부터 상순을 재건하기 위한 디자인. 결손 부위와 비교하여 피판의 높이는 같고 폭은 절반, 혈관경은 중간에 놓이도록 한다.

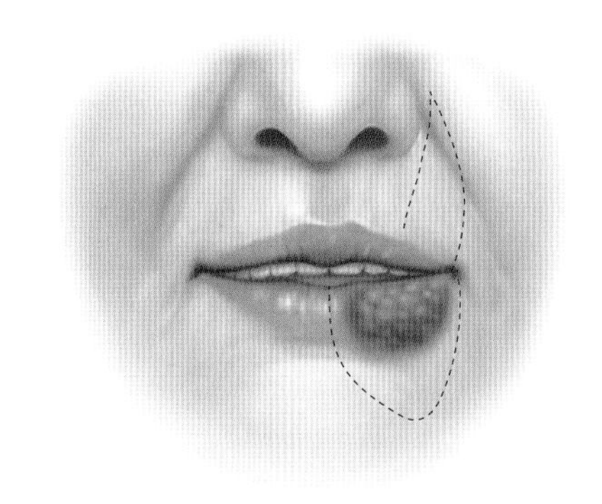

▷그림 2-14-15. Estlander flap. 하순을 재건하기 위한 디자인. 재건 후 혈관경을 포함한 부위가 입꼬리가 되므로 추후 분리가 필요 없다.

비교적 적게 디자인 하여 재건할 수 있다(그림 2-14-14). 결손이 입꼬리 부위에 있는 경우 혈관경을 포함한 조직이 입꼬리 부위가 되어 추후 분리가 불필요한 형태로 디자인할 수 있다(estlander flap)(그림 2-14-15).

③ 결손 부위가 큰 경우

80% 이상의 결손에 대해서는 국소피판으로서 Gillie's fan flap 또는 Karapandzic flap으로 재건할 수 있다. 이 경우 구강 기능의 저하가 불가피 하며 신경손상으로 인해 운동이 불가능하다(그림 2-14-16, 17).

요측전완부유리피판(radial forearm free flap)이 구순 결손 재건에 가장 흔히 사용되는 유리피판이다. 이 재건 시 장수장근건(palmaris longus tendon)을 이용하여 피판이 이 힘줄의 앞뒤로 구강 내외를 덮도록 할 수 있다. 감각을 재건하기 위해 가쪽아래팔피부신경(lateral antebrachial cutaneous nerve)과 턱끝신경(mental nerve) 문합을 시도해볼 수 있다(그림 2-14-18).

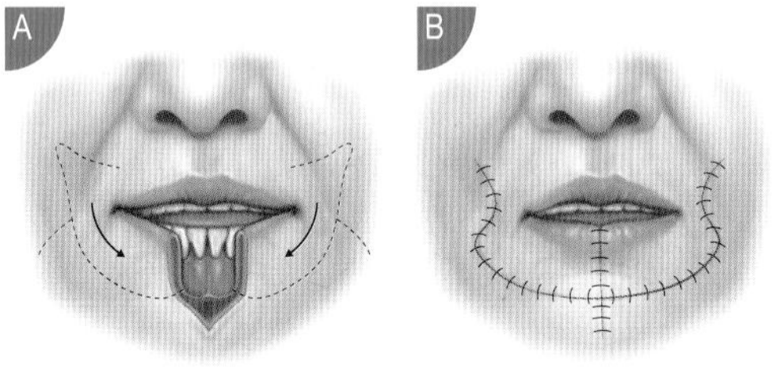

▷그림 2-14-16. Gillie's fan flap
(출처: *Plastic surgery 3rd ed. Vol 3. Ch 10. fig 10.10*)

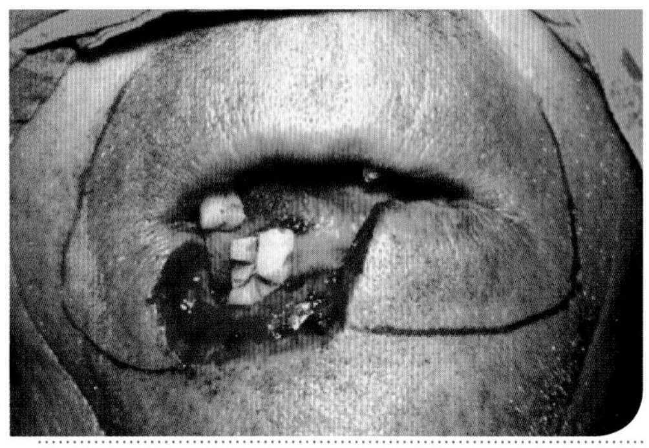

▷그림 2-4-17. Karapandzic flap
(출처: *Plastic surgery 3rd ed. Vol 3. Ch 10. fig 10.11*)

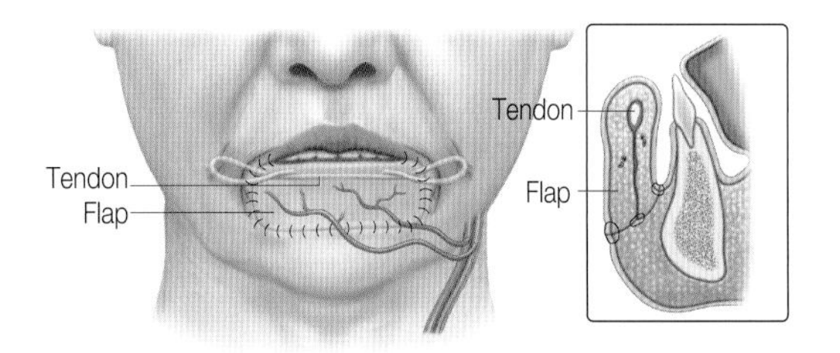

▷그림 2-14-18. **요측전완부유리피판.** 장수장근 힘줄을 중심으로 피판이 앞뒤로 결손부를 재건한다.
(출처: *Plastic surgery 3rd ed. Vol 3. Ch 10. fig 10.14*)

(4) 구순 재건 수술의 합병증

일반적인 수술의 합병증과 함께 소구증, 신경손상, 비대칭이 흔히 발생하고 피해야 할 합병증이다. 구순교차피판, 특히 Abbe flap의 경우 혈관경이 당겨져 끊어지는 경우가 있을 수 있으며 이를 예방하기 위해 수술 후 관리로서 빨대를 이용하여 유동식을 복용하고 구강 위생을 청결히 해야 한다. 칫솔질은 수술 초기에는 피해야한다.

(5) 협부 재건의 일반원칙

협부 재건에 있어서도 대칭의 유지가 중요하나 구순의 재건에 비하여 비교적 큰 재량범위를 허용한다. 양측 협부는 정면에서 모두 동시에 관찰될 수 없으며 이에 따라 코입술주름이 대칭적으로 유지된다면 적정 수준으로만 반대쪽과 비슷한 수준으로 재건하면 만족스러운 결과를 얻을 수 있다.

피부색 및 질감이 매우 중요한 재건 상의 고려사항이며 국소 조직을 이용한 재건이 우선적으로 고려된다. 조직의 유연성이 더 뛰어난 노인에서 재건이 더 수월하며 반대로 젊은 환자에서는 재건이 더 복잡해질 수 있다. 노인환자에서는 또한 피부 이완선을 육안으로 쉽게 확인할 수 있어 절개 흉터를 이와 평행하게 유지하기가 용이하다. 국소피판술을 이용한 재건 시 주변 조직을 당길 수 있으며 특히 하안검 외반이 발생하지 않도록 유의하여야 한다.

조직이 충분하지 못한 경우 조직확장기가 대안으로 이용될 수 있다. 조직확장으로도 부족한 정도의 결손의 경우에만 다른 부위에서의 유리피판을 고려한다.

(6) 협부 재건의 수술 방법

① **전진피판술(Advancement flap)**

전진피판술은 상내측의 결손 수복에 유용하게 사용될 수 있으며 특히 피부 긴장도가 낮아 잘 늘어나는 노인층에서 적용하기 쉽다. 병변은 사각형으로 절제되는 것이 'trap-door scarring'을 피하기 위해 이상적이다. 전진피판은 피하층에서 거상되는 무작위 패턴 피판이며 피판 말단의 괴사를 피하기 위해 적절한 폭을 가져야 한다. 내측 협부 또는 콧망울 부위의 경우 일차봉합을 시행하는 경우 각각 하안검 외반, 코기저부의 편위를 일으킬 수 있으므로 이러한 부위에 발생한 결손에 특히 유용하게 사용될 수 있다. 내측 협부에서는 사각형, 콧망울 부위에서는 초승달 모양의 병변절제를 시행한다(그림 2-14-19).

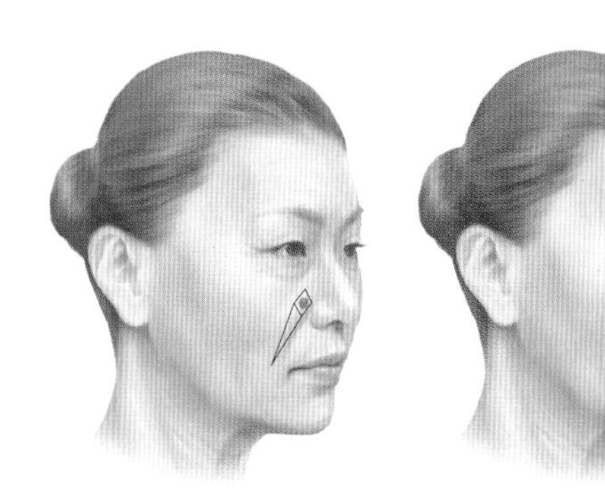

▷그림 2-14-19. V-Y 전진피판술. 병변을 사각형으로 절제하고 코입술주름피판을 V-Y로 디자인하여 전진하였다.

② **회전-전진피판술 (Rotation-advancement flap)**

내측 또는 외측을 축으로 하여 피판을 회전시킬 수 있도록 디자인한다. Back-cut을 디자인하여 이동 범위를 향상시킬 수 있다. 안검외반이 잘 발생하며 이를 예방하기 위해 골막이나 뼈에 피판을 고정할 수 있다(그림 2-14-20).

깊은층 안면부-경부 '끌어올림' 피판(deep-plane cervicofacial 'hike' flap)이 Zide 등

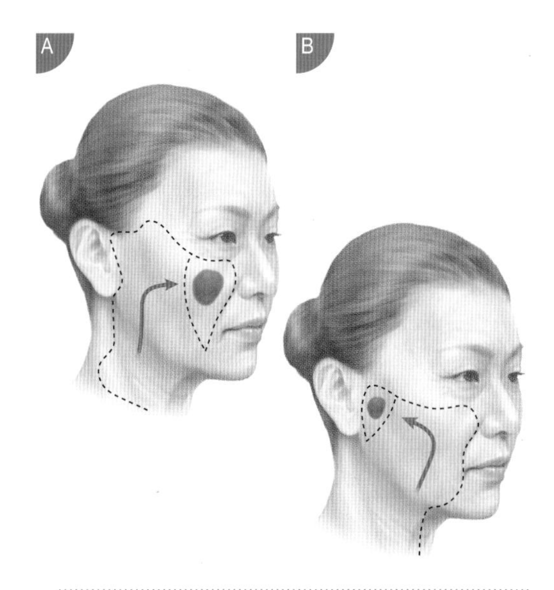

▷그림 2-14-20. 회전-전진피판술. A. 내측기저의 피판 디자인. B. 외측기저의 피판 디자인

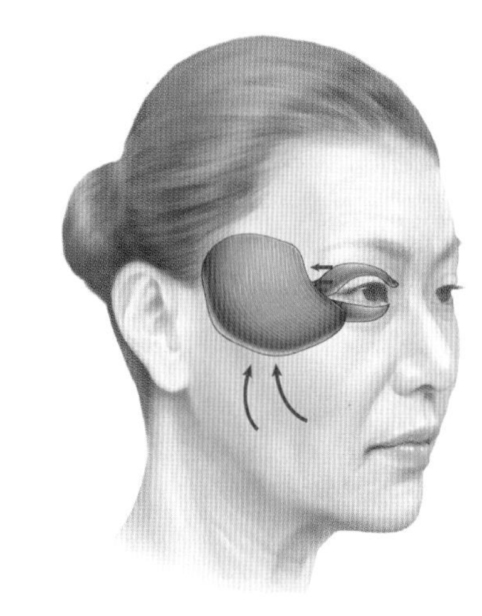

▷그림 2-14-21. 개귀변형의 안검성형술식 절제를 동반한 깊은층 안면부-경부 '끌어올림' 피판(deep-plane cervicofacial 'hike' flap with dog-ear blepharoplasty)

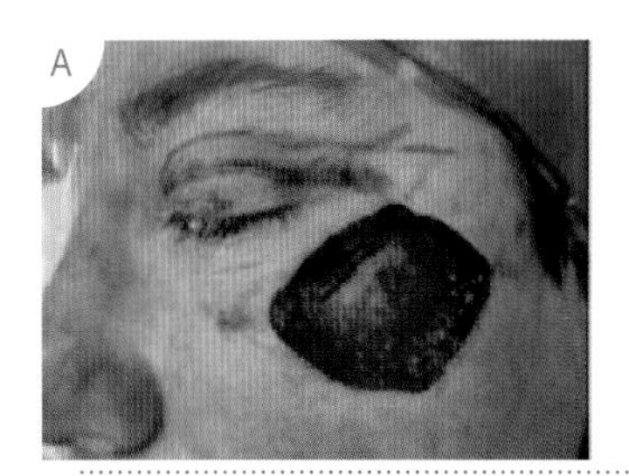

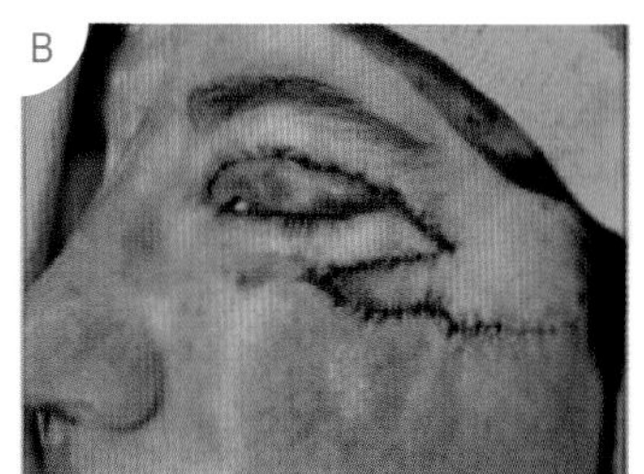

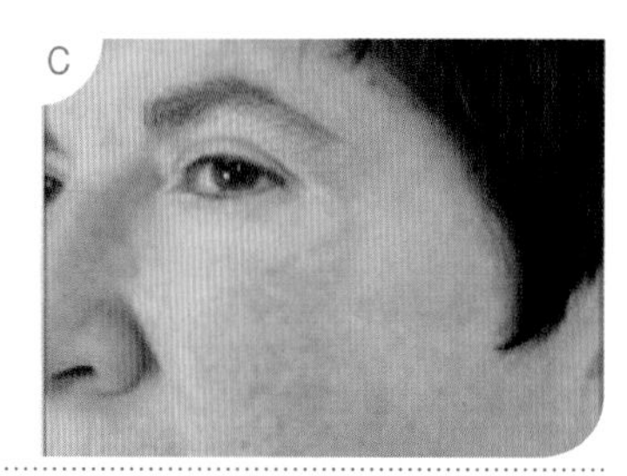

▷그림 2-14-22. 'Hike' flap의 변형으로서 상안검의 남는 피부조직이 절제되어 버려지지 않고 하안검의 결손 일부를 재건하는 데 사용되었다.

에 의해 기술되었다. 관자놀이 부위의 결손을 앞서 언급한 회전-전진피판술로 피복하는 경우 수직으로 개귀변형이 발생하게 되며 피하층에서 피판을 거상하는 경우 혈류가 불안정하므로 수직 방향의 흉터를 남기며 피판 원위부가 괴사될 수 있다. 이를 극복하기 위해 SMAS층을 포함하여 깊은층에서 피판을 거상함과 동시에 개귀변형이 수평이 되도록 피판을 디자인하여 개귀변형 절제 시에 안검성형술 절제를 시행함으로써 미용적으로 개선된 결과를 얻을 수 있다. 관자놀이 부위를 피복하기 위해 안면부 및 경부에서 거상된 피판은 추후 중력 방향으로 끌어당겨져 내려가 변형을 일으키는 것을 방지하기 위해 과교정되도록 '끌어올려져(hike)' 골막에 고정되어 안검외반을 피할 수 있다. 골막에 고정할 때에는 안면신경의 측두가지(temporal branch) 주행 부위를 손상시킬 수 있으므로 주의해야 한다(그림 2-14-21). 또 다른 방법으로 상안검의 남는 피부조직을 이용하여 하안검 부위 결손을 피복하고 나머지는 전진피판을 이용할 수도 있다(그림 2-14-22).

③ **전위피판(Transposition flap)**

깃발피판(banner flap), 이소엽피판(bilobed flap), 마름모피판(rhomboid flap)(각각 그림 2-14-23, 24, 25)과 같은 전위피판은 대부분의 중간-큰 결손의 피복에 유용하다. 잘 늘어나는 피부를 결손으로 옮기고, 공여부

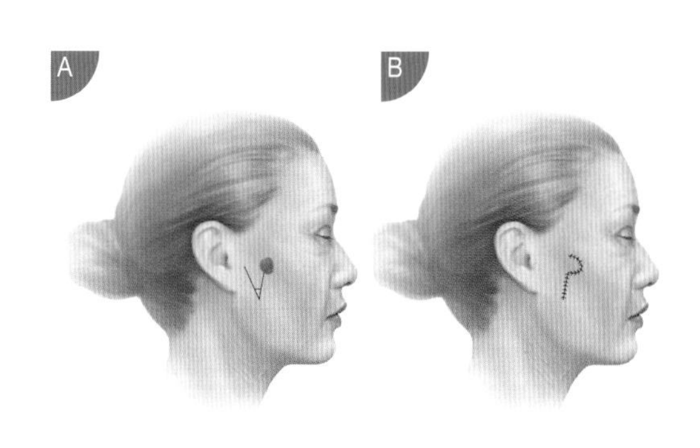

▷그림 2-14-23. 깃발피판.

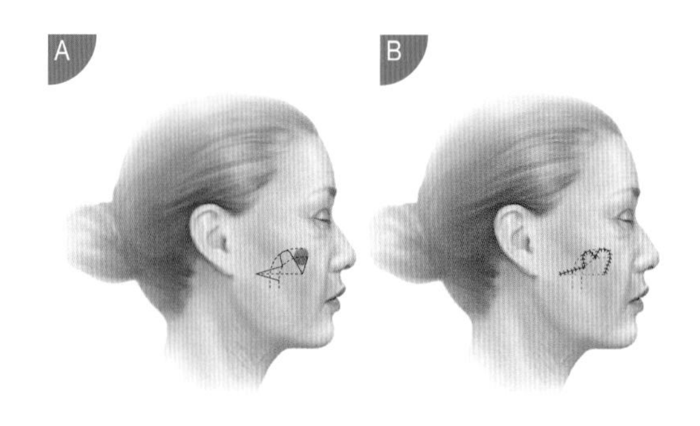

▷그림 2-14-24. 이소엽피판

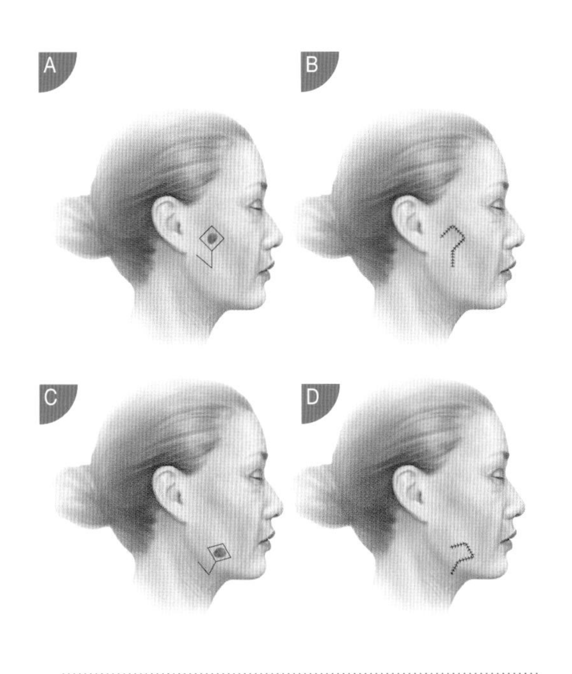

▷그림 2-14-25. **마름모피판**

는 일차봉합을 통해 닫히는 형태이며, 복잡한 형태의 반흔, 반점과 같은 형태의 반흔, 모발 패턴의 변형 등과 같은 잠재적 단점이 있으나 환자를 적절히 선택하여 신중하게 디자인하면 좋은 결과를 얻을 수 있다. 공여부가 최대한 잘 늘어나는 부위 또는 이미 존재하는 주름에 포함되도록 디자인 하는 것이 좋다. 개귀변형의 절제 시에는 피판 시작부위가 좁아지지 않는 선에서 시행해야 한다.

깃발피판은 전위 피판의 가장 간단한 형태로 결손 부위 근처의 피부를 이용한다. 'Trap-door scar'가 발생할 수 있으며 발생 시 해결하기 어렵다. 윤곽과 색상의 측면에서 좋은 결과를 보이나 반흔이 안면의 움직임 시 눈에 띈다는 단점이 있다.

이소엽피판은 깃발피판과 유사하나 첫 번째 피판으로 인해 발생하는 공여부 결손을 덮기 위해 두 번째 피판이 디자인된다는 차이가 있다. 협부의 피부가 코에서 보다 덜 늘어나므로 코에서만큼 흔하게 사용되지는 않는다.

④ **턱끝밑 동맥 피판(Submental artery flap)**

유사한 질감과 색상의 조직을 제공한다는 장점이 있으며 흉터가 턱 아래에 가려지기

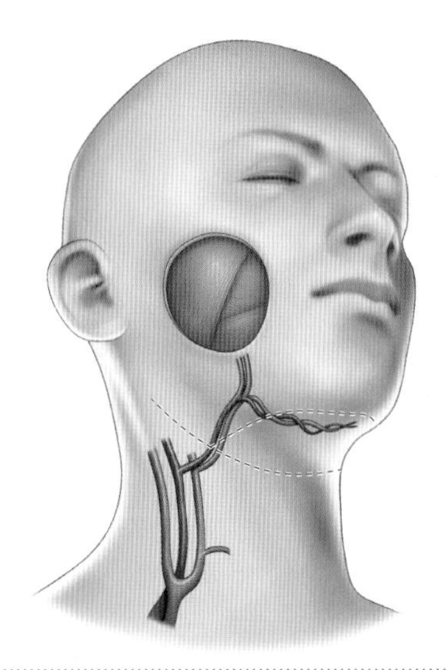

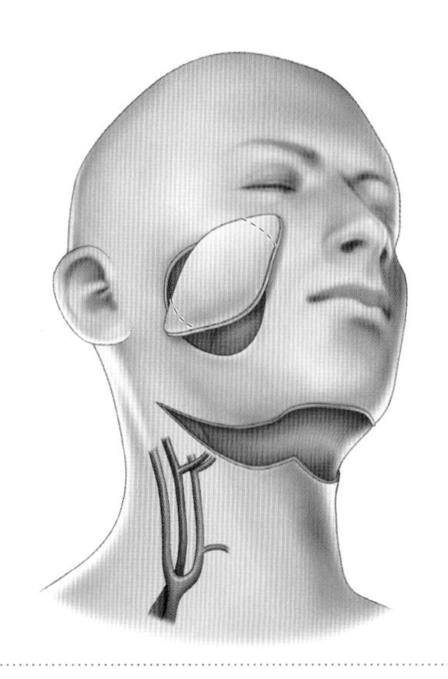

▷그림 2-14-26. **이하동맥피판**

때문에 환자들이 선호한다. 작거나 중간크기의 결손 재건 시 좋은 선택이 될 수 있다. 안면동맥(facial artery)의 분지인 턱끝밑 동맥(submental artery)을 이용하며 피부에 터널링을 함으로써 협부로 피판을 올릴 수 있다(그림 2-14-26).

⑤ **유리피판(Free flap)**

i) 어깨피판 또는 어깨곁피판(Scapular or parascapular flap)

협부를 모두 덮을 수 있을 만큼 넓으며 피부층부터 점막층까지 모든 층이 결손된 관통 손상에서는 피판 자체를 접어 내외측을 동시에 덮을 수 있으며, 대안으로는 어깨피판과 어깨곁피판을 각각 사용할 수도 있다. 또한 견갑골을 일부 함께 채취함으로써 협부의 골결손이 있을시 이를 메워줄 수 있다. 이 피판의 가장 큰 단점은 종양의 제거와 피판의 거상을 동시에 시행할 수 없다는 점이다.

ii) 전외측대퇴유리피판(Anterolateral thigh flap)

어깨피판/어깨곁피판의 대안이 될 수 있다. 피판거상을 종양제거와 동시에 할 수 있는 장점이 있다. 근막위로 피판을 거상하면 더 얇은 피판을 얻을 수 있으며 이 편이 협부 연조직 결손의 재건에는 더 적합하다. 여성의 경우 지방조직이 풍부하여 이를 제거해야 적절한 두께의 피판을 얻을 수 있다.

References

1. 대한성형외과학회. 표준 성형외과학 4판. 군자출판사. p.283-297
2. McCarthy CM, Cordeiro PG. Microvascular reconstruction of oncologic defects of the midface. Plast Reconstr Surg. 2010;126(6):1947–1959.
3. Konno A, Togawa K, Iizuka K. Primary reconstruction after total or extended total maxillectomy for maxillary cancer. Plast Reconstr Surg. 1981;67(4):440–448.
4. Wells MD, Luce EA. Reconstruction of midfacial defects after surgical resection of malignancies. Clin Plast Surg. 1995;22(1):79–89.
5. Foster RD, Anthony JP, Singer MI, et al. Reconstruction of complex midfacial defects. Plast Reconstr Surg. 1997;99(6):1555–1565.
6. Andrades P, Rosenthal EL, Carroll WR, et al. Zygomatic-maxillary buttress reconstruction of midface defects with the osteocutaneous radial forearm free flap. Head Neck. 2008;30(10):1295–1302.
7. Cordeiro PG, Bacilious N, Schantz S, et al. The radial forearm osteocutaneous "sandwich" free flap for reconstruction of the bilateral subtotal maxillectomy defect. Ann Plast Surg. 1998;40(4):397–402.
8. Cordeiro PG, Santamaria E. The extended, pedicled rectus abdominis free tissue transfer for head and neck reconstruction. Ann Plast Surg. 1997;39(1):53–59.
9. Cordeiro PG, Santamaria E. A classification system and algorithm for reconstruction of maxillectomy and midfacial defects. Plast Reconstr Surg. 2000 Jun;105(7):2331-46; discussion 2347-8.
10. Longaker MT, Glat PM, Zide BM. Deep-plane cervicofacial "hike": anatomic basis with dog-ear blepharoplasty. Plast Reconstr Surg. 1997 Jan;99(1):16-21.
11. Jackson I: Cheek reconstruction. In (eds): Local flaps for head and neck reconstruction. St. Louis, MO: Quality Medical Publishing, 2002.
12. Kroll S, Reece G, Robb G, and Black J: Deep-plane cervicofacial rotation-advancement flap for reconstruction of large cheek defects. Plast Reconstr Surg 1994; 94: pp. 88-93

13. Guzzo M, Locati LD, Prott FJ, Gatta G, McGurk M, Licitra L: Major and minor salivary gland tumors.: Crit Rev Oncol Hematol. 2010;74(2):134.
14. the AJCC Cancer Staging Manual, Eighth Edition (2017) published by Springer International publishing

찾아보기

국문

찾아보기

찾아보기

영문

A

B

C

D

찾아보기

T

V

W

Z